WORKBOOK PRESS LLC
187 E Warm Springs Rd,
Suite B285, Las Vegas, NV 89119, USA

Website:	https://workbookpress.com/
Hotline:	1-888-818-4856
Email:	admin@workbookpress.com

Ordering Information:
Quantity sales. Special discounts are available on quantity purchases by corporations, associations, and others.
For details, contact the publisher at the address above.

ISBN-13:	978-1-953839-06-0 (Paperback Version)
	978-1-953839-05-3 (Digital Version)

REV. DATE: 06/15/2023

THE
DEV SHASTRA

(The teachings of Devatma in Hindi)

S. N. Agnihotri

Dedication

This book is dedicated to the spiritual master Devatma and all lovers of the embodiment of 'Truth, Goodness and Sublime Beauty' who devoted everything to the service of the human, animal, plant, and earthly kingdom and for the love of truth, sacrificing everything to improve this platform and build higher levels of harmony, peace, and justice in the evolutionary process.

Forward

Universal Darshan (Dev Dharma): A Synthesis of Truth, Goodness and Sublime Beauty, written not before Devatma (1850–1929), is presented here. The work illuminates an excellent and unique contribution to the world Philosophy and Religion while simultaneously alluding to the challenges confronting it.

Shri S.N. Agnihotri, who gave himself the spiritual name of Devatma, is the lone spiritual genius credited for evolving Dev Dharma consciousness, which embraces science, secularism, and humanism. Dev stands for love for values of truth, goodness, and beauty, whereas Devatma signifies the soul who completely loves truth, goodness and beauty.

This book presents his naturalistic evolutionary Darshan (especially ontology, epistemology, ethics & Dev Dharma) from myriad perspectives. The differentia of Dev-Dharma consciousness is to seek interpretation of life and the Universe, which imbues individuals with feelings of gratitude, reverence, awe, worship as well as moksha and vikas. Against this backdrop, the endeavour is to find ways of reconciling these invaluable feelings and aspirations with the scientific, secular, and humanistic context of modern thought and to decipher how Dev Dharma accommodates moral and spiritual values in its unique naturalistic worldview.

The book offers diverse perspectives on how Dev-Dharma inspires a life of the highest spiritual values. It gives a more complete picture of the evolutionary naturalism of Dev Dharma, which is extensive and enriching in equal measure. At the same time, it plays an equally important role in filling the blanks on the map in Julian Huxley's evolutionary naturalism. It assures a life espousing the highest spiritual values of moksha and vikas in conjunction with the ecstatic feelings of wonder and worship in the naturalistic context of the space-time world of daily life.

Dev Dharma, the highest philosophy (summum bonum) of life, answers the questions with distinction. What is the best form of life or the ultimate good of life? Why do we consider it as ultimate good of life? How is it rationally justified as the best form of life? What is the real nature of the human soul? What is the relation of the human soul to its body? What changes does the human soul undergo according to the law of change? How are changes produced in the human soul? What are the consequences of continuous higher changes which gradually occur in the human soul? What are the consequences of continuous lower changes which slowly happen in the human soul? What is religion, after all, where different theologies give different and sometimes mutually self-contradictory teachings? How is man related to true Dharma? Does true Dharma connote a specific state of soul-life? If so, what is this particular soul life and by what criterion do we know? How can this specific soul life be cultivated? What is worship? Do we need this spiritual exercise for higher or altruistic life?

Also, Dev Dharma has done the most incredible service in cultivating the feelings of appreciation, gratitude, faith, love, and worship to the highest level— Devatma. Some of these salient truths about soul life and the values of Dev Dharma differentiate Devatma from the contemporary world religions and philosophies. Given that these truths are premised on scientific verification, there is a moral obligation to accept several truths, as explicated in the following summary of the primary tenets of the school.

Human personality is essentially rooted in its relationship with the physical and social environment or institutions. In the absence of a favourable physical and social environment, it is impossible for an individual to survive. For example, I exist because others (the material, plant, animal, and human kingdoms) exist. I have no choice but to respond to my environment of events and agents.

Suppose I react by taking a tangible step towards improving persons and things. In that case, it can be surmised that my reaction is a virtue. By contrast, if my response entails harming, distorting, and deforming their lives, it is a brusque manifestation of evil.

All things are good, which makes the soul better. Put succinctly; the ultimate good belongs to the soul-life. It is said that if the goodness of the soul is lost, we gain nothing even after amassing material things. After all, it is the soul that can be good and enjoys everything that is good.

Therefore, the essence, health, and strength of the soul are its supreme goodness. All those feelings and conduct that contribute to the health and strength of the individual's soul are good. So moral values or altruistic feelings contribute to the health and strength of the soul. Feelings and conduct that harm the life and qualities of others harm the health and strength of the soul. They are moral evils or vices.

The nature of the soul is interpreted by Dev Dharma as the life-principle, in a manner equivalent to Aristotle's view. This approach defines the life-principle or soul by its functions. It is the function of the human soul or life-principle to construct, sustain, maintain and reproduce its own kind of body. It has the mental functions of perception, recognition, re-call, space consciousness, imagination and reason. It has emotions and desires for food, sex, intoxicants, physical comfort, progeny, money, aggressiveness and ego-consciousnesses, etc. The soul is biological, cognitive, emotive and conative in its functions.

Unlike most supernatural religions, Dev Dharma does not hold that soul is a metaphysical entity, and immaterial, immortal being, somehow lodged in a transitory body. It does not hold that it is causally and logically independent of its body. It does not hold that it can exist without a body or have mental experiences independent of or apart from its body. It is not true to state that man has a soul and a body. What is true is that man is a soul-body unit. Both soul and body are products of the process of evolution. Soul has evolved out of inanimate energy, as body has evolved out of inanimate matter. Soul and body are inseparable aspects of the same personality. Dev Dharma holds to the Aristotelian view of soul or psyche, insofar as Aristotle does not deviate into a transcendental view of it under the influence of his teacher Plato. Aristotle himself holds psyche or soul to be life-principle. In De Anima Aristotle states: "What has psyche (soul) in it differs from what has not, in that the former displays life. Thus, not only man but plants and animals too, have soul in them. The psyche (soul) of an organism is evinced in its organization and functions." A plant's soul or psyche or life-principle draws its nutrition from its environment (the soil, sunlight, etc.) and reproduces its kind in the form of seeds or saplings. A plant has a nutritive psyche. An animal soul or psyche has both these functions, to procure nutrition and reproduce its kind, but it has additional functions of mobility and perception. An animal has a 'sensitive psyche'. In the case of man, his soul or psyche or life-principle has, in addition to the functions of nutrition, reproduction, mobility and sense perception, the capacity for rational life. A man has a rational psyche. Reason has two functions, theoretical and practical. Theoretical reason is, for example, exercised in mathematics and logic. Practical reason reflects on what is right or wrong in conduct.

The human life-principle or soul, differs from animal soul or plant soul in its additional function of rationality. However, Devatma limits the uses of the word 'soul' for the human life-principle only. One reason for this may be that he wanted to avoid his view being mixed up with the theory of transmigration, which he vehemently rejected.

Aristotle did not consider God to be the creator of the Universe; rather, he believed the Universe to be eternal. Further, Aristotle did not believe that the human soul is a creation of God, in distinction from body, despite the widely held beliefs among practitioners of present-day theistic religions. While the present-day Catholic Church holds that evolution is a true natural process, but human soul is God's creation. Aristotle holds that soul is the form of the body. The body it builds is in alignment with its characteristic life-principle. The human soul or human life principle can only build a human body; it cannot build the body of a horse or a dog. A soul is only a human soul if it builds a human body.

According to Devatma, the human soul is an organised, living force. An evolved form of organised life force, it is an organism of several forces. Every human being is a union of both an organised life-force and an organised living body. It is the organised life-force which is the primary or essential entity in it. But its organism is not fully complete, like a human body. Hence, we can define the soul as, "The organised life force, comprising different powers, inhabiting the living human body is called the human soul."

In terms of modern scientific terminology of psychology man is psycho—physical organism. A soul has no life without a living body as a living body has no life without a soul. There is complete inter-dependence of the two on each other. Man is a soul-body unit; therefore, both soul and body are the product of the evolution. Both are subject to the law of change. The life/soul primarily appeared in unicellular bodies, then in multi-cellular bodies in plants and animals. The human soul is a much more evolved form of life.

Devatma rejects the metaphysical interpretation of the soul, and holds that the human soul originated in the same natural conditions as its body. It has evolved from non-living energy as the body has evolved from inanimate matter. It contains both the date of birth and date of death. In short, the human soul is a product of natural conditions. It is an organism of functions—biological, psychological, and social.

We humans have sensual desires for food, sex, intoxicants, and physical comfort. We also have a social desire for children, money, social status, etc. When any of our desires are satisfied, it is accompanied by pleasure. Any sensuous or egoistic desire becomes monotonous-love when the pleasure of desire becomes the exclusive determinant of its action. The principle of pleasure is not the principle of good. It leads us to indulge in falsehoods and evil. So, pleasure-oriented sensual and egoistic desires are low love and low hatred, or vices.

Obsessive low-loves and low-hatred cause the following damages to the human soul: They make it averse to the knowledge where the welfare of his soul lies; they pervert his vision of good and evil; they cause avoidable suffering to it; and the continuation of such feelings cause the ultimate death of the soul.

Dev Dharma helps its disciples to cultivate core altruistic values in connection with all relations. Altruism is the pattern of life for both the primary disciple and the missionary. There is no stage of higher or spiritual life in Dev Dharma in which the devotee takes to detachment from his family and altruistic conduct to every existence of nature.

The altruistic feelings or moral virtues that should be nurtured are cleanliness, orderliness, appreciation, gratitude, affection, respect, reverence, justice, duty, selfless service, harmony, faithfulness, honesty, and integrity. These altruistic feelings must be in action in inter-personal or intra-personal relationships. They are virtues or moral values as they reduce sufferings and shortcomings and improve the life and happiness of others. Thus, feelings of lust, ego-love, violence and vindictiveness etc., that create greed, cruelty, injustice and exploitation, are moral evils or vices because they cause pain, and degrade the life and quality of life of others.

This constructive power of evolution is inherited from the process of the evolution as it is the process of bringing into being ever- evolving species, culminating in humankind. The emergence of man through the evolutionary process reveals its true character. Human beings have the capacity to discover some truths, to actualise some elements of justice and compassion in its social life, and to appreciate and create beauty.

Devatma holds that truth and goodness are the conditions for the preservation and strengthening of the constitution of the soul. Suppose the human soul indulges in falsehoods and evil conduct. In that case, he harms the constructive power of his soul, which sustains his being and if he persists in falsehoods and evil behaviour, the constructive power of his soul is completely lost, and since there is no power of the soul left to sustain the body, both the soul and the body become extinct.

Moral and spiritual values are related to the life of the soul. Moral values arise under the conditions of feeling and conduct between humans, as well as between man and the natural world of animals, plants, and inanimate objects. Spiritual values arise in conditions of feeling and conduct in relation to the superman, with the highest being of spiritual values, one in a category by himself in his soul-life standing in isolated grandeur. Those values are moral and spiritual, which contribute to the better life of the soul. Feelings and conduct that harm or degrade the life of the soul are moral vices and spiritually impure.

Bewitchment by pleasure is the psychology of man, no matter how good a man is. Man's noble moral qualities or even altruistic feelings compassion, justice, selfless service etc., do not escape the influence of pleasure principle. Therefore, men of altruistic love suffer from the following biases: they are biased towards the section of the society whom they serve; they inflate the value of their altruistic feeling; they are pre-disposed to exceed the limits of true functioning of their altruistic feelings; and they are limited in the cognition of the intimacy of values. They suffer from the following shortcomings: they lack purity, width, spread, gradation, the proportionate sensitivity and true ordering of altruistic feelings, the beauty of the whole organism of altruistic feelings or virtues and the knowledge of their relation to the soul.

Because of the prejudices and shortcomings of moral values, virtues or altruistic feelings, they need grafting for spiritual values, which can not only reduce their prejudices and shortcomings but also give them new destiny.

A genius Devatma has appeared in the evolutionary process who is the embodiment of the four-fold highest spiritual values of absolute love of truth, absolute hatred of untruths, absolute love of good and absolute hatred of evil concerning soul-life. The love of truth and hatred of untruth has eight constituents each. The love of goodness has a full harvest of altruistic feelings and complete hatred for all evils pertaining to the soul. A being who acquires all these constituents of love of truth and hatred for untruth and who lacks no altruistic feelings and hates all and sundry evils which harm the soul is the highest being and is entitled to be a worshipful being — Devatma.

Scientific method — Dev Dharma holds that the scientific method is the only method for human knowledge in all fields, including religion. Religion deals with man's origin, redemption from a sinful life and his destiny of moksha and 'altruistic' life. According to Dev Dharma, all these problems can be solved using the scientific method. Understandably, there is no conflict between Dev Dharma and Science on the methodology for knowledge, for it does not ask for the privileged status for a soul capable of supernatural communication. There is no 'beyond' for the soul which transcends its study by the scientific method used by biological and social sciences. Dev Dharma holds that body is not an outer covering of the soul, which the soul can dispense with like an old coat and take to a different new coat. There is an inseparable relation between body and soul. Just as a living body cannot exist without a soul, a soul cannot exist without its own living body. Both body and soul have an inseparable relation here and hereafter. There is no world of disembodied souls. This intimate and intrinsic relation of soul and body helps to explain how our behaviour is a product of the joint participation of body and soul. Both body and soul play their part in our thinking and doing. Physiology and psychology, for example, tell us how the secretions of glands influence our thinking and behaviour. Body and soul are both responsible for good and evil thoughts and good and evil actions. When I think anti-social sex thoughts or do an anti-social sex act, it is not only my mind which is to be blamed for it; my body is co-responsible for its excessive secretion of the sex gland. In my spiritual exercises to control the sex urge towards anti-social behaviour, science can greatly help. There are experiments to show how the anti-social behaviour of persons under detention in jail improves with a change of diet. Dev Dharma is in complete harmony with the spirit of science and is anxious to develop the relation of mutual service. Devatma's love of truth helped him to give up all traditional methods like revelation, mystic experience, and intuition but to stay committed to the scientific method in the unique evolutionary naturalism of Dev Dharma. He writes, "The scientific methods of investigation which were imperative for the research into 'the truth about the Universe' and 'the truth about man' gradually acquired sovereign sway over my heart. The love of experimental interrogation had completely possessed me and become such an integral part of my mind that no unverified belief could stay there." No other religious leader has given this exclusive importance to the scientific method as the only true method of discovering truth in the field of religion. This opus magnum, 'Dev Shastras', is a spiritual scripture of its own kind. Its conclusions are not revealed or mystic intuitions. They are arrived at through the scientific method. They are not infallible. In his scripture Dev Shastra, he said, "If any of the teachings of Devatma fails to prove true on being tested by any one of four criteria, it too does not deserve to be accepted as true" (logical consistency and verification are two of them). There is not only permission in Dev Dharma to reject any belief that is not verified, but there is also strength in Dev Dharma to refute it. For Devatma has in him complete hatred for untruth. His total personality repels untruth. Therefore, he has unbounded strength to throw out any belief found unverified by scientific tests. Devatma had developed in his life the love to seek truth unconditionally. Dev Dharma would go to science not so much for support for its beliefs but for getting them checked or re-checked to discover any element of untruth in them. His life characteristic was the ruthless submission of all beliefs to the scrutiny of logic and the scientific method. He writes in his autobiography, The Evolution of Divine Life in Me, "I became anxious that I should examine and criticise whatever beliefs I had acquired from others or assimilated from tradition and whatever was true in that I should know and accept it, and whatever was false, I should know it and never accept nor teach it to others as true. In pursuance of this anxiety, I used to pray in all sincerity that whatever is true, I should have the capacity to know it as such, and whatever is false, I should have the capacity to know it and reject it. Let all my beliefs be true. Let none of my beliefs be false." This was not only his 'prayer'. It was the motivating force of his super-life.

After years of devotion to God's worship and service to God, Devatma, although the founder of a theistic society, abandoned his faith in God to apply the scientific method. He lost a few disciples and became a victim of hostility from entire theistic religious communities. Again, he had to throw his entire writings of several years and re-start new research on the soul life. He first published the Dev Shastra (Teachings of Dev Dharma) in 1910. But he continued to re-examine it and published the second draft in 1915. His last research on the darshan of Dev Dharma took shape in 1928, a few months before his death. A Spiritual leader who holds his conclusions to be fallible and repeatedly and continuously reviews them will be anxious to get them checked and re-checked for all times. He would not like untruths to be part of his life. Besides his love of truth and hatred of untruth, which made him use the scientific method in the field of Dharma, his love of goodness and hatred for evil helped him see good and evil as conditions of the soul, as health and illness are conditions of the body. Good and evil in the soul have as much natural origin as health and disease have in the body. His love of goodness made him see good in all its attractiveness and develop it, and his hatred of evil made him see evil in all its horrid ugliness and shun it. So, Dev Dharma has in it the light to show the scientist that his deviation from the path of discovering the truth is ugly and can give him the strength to shun it. It has in it the light to show the scientist the ugliness of anti-social behaviour and to give him freedom from it. It can show him the social virtues in all their beauty and help him to adorn his life with them.

After being the real Siddharth between the years 1895 and 1898, Devatma continued to develop the system of the highest philosophy of life in detail until his death in 1929. The basic principle for the best form of life is that one must start with acceptance of these truths: Nature alone is real, and besides and apart from it, nothing is real. Nature is law-bound, and there is no place for miracles violating the laws of nature. Nature has never been, nor can it be an illusion. There is the process of evolution to which we owe the rise of the plant world, the animal world and the human world and the emergence of men of genius in the human world who further the evolution of all the kingdoms. There is the process of devolution which explains the degeneration that takes place in the four orders of existence. Since the human species has evolved in the natural world, man is rooted in the natural world. His origin is in the natural world. His future is in the natural world. Therefore, man cannot fly out of the natural world. His supreme philosophy of life is in the knowledge of his natural origin and natural destiny. Devatma makes explicit man's relation to the natural world in his scripture, The Dev Shastra, I.

Devatma sings:

We all are part of Nature, which is the only real Nature;

most spacious is this Nature, wondrous and boundless is this Nature.

Ever changing is this Nature, yet indestructible is this Nature;

everlasting and endless is this Nature, self-existent & eternal is this Nature.

Always changes this Nature, by its own laws this Nature,

which always prove true in Nature; trustworthy is always Nature.

Every existent appears in Nature, it has its being in Nature;

It grows better or worse in Nature, it evolves or devolves in Nature.

Since the natural world alone is real and its knowledge is possible through the scientific method, Devatma calls upon man to develop a scientific temper as part of the best form of life.

The knowledge of the physical forms and qualities of living and non-living forces and the processes of change, constitute the objects of human knowledge. There is natural cognitive equipment in man, which makes it possible to acquire knowledge of the things in nature.

Devatma details in his epistemology such eight-fold powers, namely:

(i). several elementary consciousnesses related to sense organs;

(ii). Intellectual powers of retention, memory, imagination, concentration, and reasoning; etc.

(iii). Several consciousnesses connected with the apprehension of ego consciousness;

(iv). Sensuous feelings like parental love, sex love or love for money;

(v). Several aesthetic sensibilities like the sense of beauty, linguistic sense, sense of music, sense of order, sense of cleanliness, etc.

(vi) Several higher feelings based on justice and various other senses like the sense of duty or sense of discipline etc.;

(vii) Several higher feelings based on altruism like reverence and selfless service of others; and

(viii). Several kinds of love of truth and goodness (sublime forces) to understand the laws of life and death of the biologically originated soul.

Moreover, Devatma calls upon humanity not to accept any belief unless it satisfies four criteria of truth, viz., it is not supernatural; it is not against the eight-fold direct consciousnesses; it is not self-contradictory, and it is verifiable. In other words, Devatma devotes to the scientific methodology of truth acceptance and discovery. The facts and laws of nature are proved by the scientific method because they alone are the ground for truth. Therefore, no knowledge about any objective existence can be called true, unless it is verified by scientific methods, (i) accurate observation. (ii). accurate reasoning. (iii). accurate experiment or test, where possible. (iv). accurate reconciliation with other known facts and laws of Nature.

Within this rational framework, Devatma stipulates that scientific knowledge is four-fold love: (i). The scientific investigator must love or completely commit himself to his research field. Whereas knowledge can be acquired through education, discovering new truths is possible for a bright investigator in love with the area of his study. (ii). He must commit himself to the scientific method, without which no conclusion can be scientific. (iii). He must love or commit himself to applying the laws of valid thinking. There are principles of logic that the investigator must critically apply to all his steps in his reasoning to a conclusion. (iv). He must develop light concerning the subject matter of his study. The development of intellect, sensibilities, aesthetics or altruism, generates light which helps to understand and discover truth, appreciate and create beauty, find a moral value, or arrive at a solution to a moral problem.

Therefore, we have to be free not only from bondage to scriptural authority but also from partiality to our beliefs by seeking and finding impartial verification of our beliefs through the scientific method. This is one of man's tools for the best form of life.

Four Noble Truths -The scientific knowledge, the scientific method, the theory of evolution and his peculiar genius life of truth and goodness equipped Devatma to discover the supreme philosophy of life. Whereas science studied the factual aspect of the events in Nature, Devatma studied their valuational aspect between 1895-98 and found the Four Noble Truths. These are the Principle of Change, the Principle of Soul Organism, the Principle of Relationship and the Principle of the True Goal. Devatma says, "I cannot describe the feeling of thankfulness I experienced on being Siddharth, i.e., on having realised my fulfilment in the discovery of these truths." (Evolution of Divine Life in Me – I).

The Principle of Change — The first truth stated by Devatma is as: being subject to the great law of change, the human personality, like millions of other beings, changes both its body and soul; through higher changes, a human soul becomes nobler and more beautiful than before; through evil changes, a soul deteriorates, is ruined, and falls prey to extinction; the higher change in a human soul is called Vikas (evolution), and the lower change is called Vinash (destruction). The first truth Devatma propounded was that change is real and universal. Modern science started with the study of motion and progressed to the study of the evolution of species. Evolution is an affirmation of the truth of change. Darwin interpreted evolution in non-valuational terms. The evolution of species was due to chance variation and natural selection. Devatma interprets evolution and devolution in value terms. Every change has a value aspect. A change is a change for better or worse in value from the earlier state. Since change is real and universal, Devatma rejects the view that the soul is unchanging, eternal, and unborn. He is the first spiritual genius to speak of the extinction of the soul. He rejects both transmigration and re-birth. The soul has no privileged status in matters of life and death. According to Devatma, the soul loses its vitality to maintain and construct the body through evil life. By the persistence of evil life, it becomes extinct both in body and soul. Dev Dharma agrees with Buddhism that there are universal laws of causation, dependent origination and change. There are no eternal entities of either God or the immortal soul. Like the human body, the soul is continuously changing and becoming. The law of change is universal and inevitable. There are no such things as fortuitous occurrences. All is law-bound under the process of change. Dev Dharma goes deep into the process of change. It discovers in it a new dimension. Change has a value dimension. A change is for the better or the worse. An entity changes for the better if it works to improve the quality and character of its own and others' beings. An entity tends to change for the worse if it spoils its qualities and character and the qualities of others. A healthy functioning of a body is an example of change for the better. A diseased functioning of a body is an example of change for the worse. By altruistic functioning, a soul strengthens itself; by selfish functioning, a soul degrades or ruins itself. The change for the better is called evolutionary change. A change for the worse is called devolutionary change. According to Devatma, Universe is characterised by the titanic struggle between the processes of evolution and the processes of devolution. It is the unique contribution of Dev Dharma to see and understand man and his problem of moksha in the light of evolution and devolution on the Principle of Change.

The Principle of Soul Organism — Devatma states the truth: All the organised existence of the plant, animal, and human worlds consists of two parts, the life force and the body. The life force (Jiwani-shakti) in man is called the soul. When judged from the standpoint of higher and lower development, the life force of all organised existences differs significantly from one another in kind and quality. The life forces in the plant, animal and human worlds build their own peculiar bodies. They alone keep them alive through the assimilation of food. They alone procreate other living forms of the same type. If the life force of an organism in the plant, animal and human worlds does not have the capacity to construct a body, the organism gets extinct. So, through evil life, men who gradually waste their souls' constructive power one day become extinct as individual entities. Devatma removes the false supernatural plumes stuck to the soul and places it in a naturalistic evolutionary context.

What is called the soul is the life force or life principle or "Jiwani-shakti". It differs from species to species and individual to individual in terms of its evolutionary characteristics. Plant life force is nutritive and reproductive in its functions. Plants have a nutritive psyche or soul. The animal life force has sensory and mobility functions besides its nutritive and reproductive functions. Animals have a sensory psyche or soul. In the case of man, besides having nutritive, reproductive, sensory, and mobile functions, his life force has a rational function. So, man's life force or soul differs from animals and plants. Even within the plant world, one species' life force differs from another. The life force of an apple tree differs from the life force of a mango tree. Further, within the same species, the life force of each varies from one another. We have varieties of apples which differ in quality and taste characteristics. In the same way, the life force of a genius is different from that of an idiot. Devatma rejects the view that life forces or souls of all men are equal in their capacities of moksha and vikas. The life force of millions of persons is so low in moral capacities that no moksha is possible for them. Their life force is so degraded in conduct that extinction is inevitable. Devatma asserts and emphasises individual differences in souls and their future. These individual differences make worship or rapport with the highest soul excellences or life force inevitable for lesser human souls to check their evil thoughts and conduct, evolve altruistic life, and attain moksha and vikas.

The Principle of Relationship — Devatma states the truth: The plant, animal and human worlds have evolved from the inanimate world. All these worlds are related like organs of the human body in the vast body of the Universe, and they are closely related to each other. Without the full development of an all-around sublime life, no human soul can establish a perfectly harmonious relationship with all the kingdoms of nature. Therefore, it is inevitable that it gradually deteriorates and, as an organised individual entity, one day becomes completely extinct. No human soul can develop a higher level of altruistic life through taking refuge in or offering prayers or devotion to one imaginary God or several gods and goddesses, or a Rishi, Muni, Paramhansa, Sadhu, Mahatma, Guru, Saint, Pir, Prophet etc. who are devoid of sublime life or by cutting off all cosmic relations or through practising yoga or samadhi. It is only by knowing the sublime excellence of the sublime soul (Devatma) and establishing a relationship of pure worship with him that a qualified ('deserving') soul can get that sublime light which reveals the path of higher life and can get a unique power that can generate higher noble feelings. On getting these, man is gradually enabled to see evil activities in his soul relative to the different kingdoms of nature and gets anxious and able to gain freedom from them. And secondly, he is able to develop higher feelings and thus establishes evolutionary harmony or unity with them. Devatma gives evolutionary and valuational interpretations to the principle of dependent origination or causal dependence. There is complete dependence of the living worlds on the physical world. As there is evolutionary causal dependence of the three living worlds on the physical world, there is valuational dependent origination too. Devatma holds that all our conduct relates to all four orders of existence. This rootedness is indispensable for moral and spiritual life. Apart from this rootedness and relationship, there is no right and wrong in our conduct. Our conduct in all relationships can be one of benevolence or malevolence. It is benevolent thought and conduct which can make one's soul noble and beautiful. It is malevolent thought and conduct that degrades and makes it ugly and destroys it. This is valuational dependence. According to Devatma, the human soul or life force cannot by itself live a life of entirely benevolent thought and conduct. It is inherently limited in its psychology. Its urges and desires fall victim to the pleasure of certain satisfactions, which deviate them into untruthful and evil thought and conduct in relation to the four orders of existence. A man's biological urge for sex may get dominated by the pleasure ensuing from its satisfaction, and he indulges in sex in excess, becomes cruel to his partner in life or may seduce some innocent woman sexually and ruin her life and the life of her home. Our consumerism has denuded our forests, destroyed harmless animal species, inflicted utmost cruelty on some animals for cosmetics, and created an unjust gap between the rich and the poor. Our social urge for recognition and status may compel us to assume dictatorship in politics, even in a democratic polity. At all levels of thought and behaviour, our psychology is found to betray us sometimes into untruth and evil thought and conduct in relation to all the four orders of existence. Thus, man needs help to make his soul-life noble and beautiful. He needs light to show him the ugliness of the excessive dominance of the pleasure principle in his thoughts and conduct in a particular situation. Man needs strength to deliver himself from the repulsive aspect of thought and conduct of untruth and evil. He needs a worshipful being who can give him light and strength for his soul to discharge his duties and offer meritorious services to all the four orders of existence.

The Principle of True Goal — Devatma states the truth: It is true 'moksha' for man to attain freedom from destructive lower activities in relation to the human, animal, plant and physical kingdoms of the universe and to develop higher feelings, thus gradually attaining evolutionary harmony or unity with all the kingdoms constitute the highest ideal of life.

Secondly, it is not the chief ideal of man to seek the pleasure of an imaginary heaven or enjoy the pleasure of wealth, name and fame and sensory stimulation in the next birth through transmigration, or acquire bliss by practising 'yoga' or samadhi, or secure some other true or illusory pleasure.

Thirdly, it is only proper and desirable for man to attain that happiness which upholds the supreme ideal, for example, freedom from soul-destroying forces and the achievements of higher noble life.

Fourth, when a man makes the acquisition of pleasure his foremost aim or ideal, he develops evil dispositions and thus, he not only harms and destroys his soul, but also harms his body in various ways and destroys his health. This truth relates to the goal of life, i.e., ultimate good of life. It is to attain liberation or moksha from those distortions of urges which lead to untruth and evil and to evolve altruistic virtues which produce a surplus of good over evil, truth over falsehood.

The exclusive pursuit of pleasure cannot be the goal of life, supreme philosophy of life, or the ultimate end of life, for it leads to untruth and evil, which if persisted in, leads to the extinction of soul life. Man can have a constructive relationship with living and non-living beings if he walks on the path of truth and goodness through communion with Devatma. Devatma also rejects all forms of Hedonism as ideals of man's life, either of heaven or of metaphysical bliss. Therefore, an ideal life for man is moksha from evil and untruthful elements in his thought and conduct and the development of the noble and beautiful, altruistic feelings of appreciation, gratitude, compassion, justice and disinterested service for all. An ideal life is ideal as long as it is based on truth, goodness and sublime beauty. Pleasure has a place in the human ideal within the limits of truth and goodness. There is no place for asceticism in the philosophy of life in Dev Dharma. The pleasures should neither be condemned nor patronised but given their rightful place in the total valuational context.

All our morality, good and evil, arises in relationships. If our relationship in contact with others is beneficial to them, it is an evolutionary relationship, and if it improves the quality of our life, it makes it noble and beautiful. If our relationship with those who come into contact with us is destructive, it is devolutionary relation and degrades and destroys our life to the point of extinction. Devatma takes pains to lay down the altruistic feelings and conduct incumbent for the best life open to man. Devatma devotes the fourth volume (applied ethics) of his Dev Shastra, to this principle of the philosophy of life for man. The sadhana or spiritual exercises throughout the year revolve around reforming, refining, and upgrading relationship to the four orders of nature. Man exists with other things and persons and acts in relation to them. He either acts in a way to improve or better them, or he acts in a way to degrade them. We all know how men have exploited women through the ages for their satisfaction. We seek social recognition. We come to indulge in self-praise and are hostile to those who do not praise us or point out our weaknesses. We seek power over men and land and indulge in mutual destruction at social, communal, national and international levels through selfishness and ego assertions. Each of our biological urges and social desires is prone to feelings and conduct which harm others. This happens because the pleasure of the satisfaction of some biological urge or social desire bewitches us and this pleasure comes to guide the urge or desire. Therefore, some of our urges or desires grown under pleasure reach a state of intoxication, so there is misbehaviour. Devatma enlightens humanity to be vigilant of the role of pleasure in their decisions and warns them that they must not allow pleasure to be the exclusive determinant of their decisions. When pleasure is the sole determinant of one's decisions, it breeds untruth and evil in whatever relationships we stand. Such determination of decisions turns our desires into "vile-loves" and "vile-hatreds" which violate the evolutionary law of relations.

Devatma devotes Part III of Dev Shastra to X-ray man's obsessive low-love and low-hatred and thus gives a red signal to the risk he invites to his destruction of soul and body. Therefore, Devatma holds that the best philosophy of life is to get the sublime light of Devatma that Nature alone is real. The only method to test one's beliefs is the scientific method: to know and perform duties in interpersonal relations, to get freedom from obsessive vile-loves and vile-hates, and to cultivate virtues or higher-loves and higher-hatreds. One cannot attain these excellences of the best form of life without rapport with a genius (Devatma) who develops a life of complete love of truth and goodness and complete hatred for untruth and evil. His life emits light that shows the ugliness of untruthful and evil thought or conduct and the beauty of altruistic thought and behaviour in different relations. Besides emitting light, Devatma emits power, which gives the recipient the strength to give up myths about reality, methodology of knowledge, to receive deliverance from obsessive vile-loves and vile-hates, to discharge duties in interpersonal relationships, and to cultivates altruistic feelings.

Dev Dharma classifies vile-loves or vices into the following groups: One may develop low-love for the urges for food, drink, sex and comfort. One may develop low-love for ego satisfactions, in the form of seeking praise, name and fame, superiority and selfishness. One may develop low-love for children. One may develop low-love for money and property. One may develop low-love for traditional social connections and various habits. One may develop low-love for aggressive urges. One may develop low-love to accept as true what is false, and as good what is evil, if they are conducive to one's vile-loves.

Devatma considers jealousy, vindictiveness, violence and vanity as the greatest evil or vices, defining them as feelings which destroy the soul. Jealousy and vanity are due to the low-love of ego. As such, the three most soul-destroying evils or vices are ego love, violence and vindictiveness. Devatma defines vile-hate thus: "When we harbour such a feeling of hatred for some man, animal or any other existent as drives us to entertain evil thoughts or to actually commit evil, injustice or wrong towards that existent and feel some pleasure or gratification in all such evil thoughts and acts, it is a case of vile-hate." Vile-hates are still greater diseases of the soul, for they are purely destructive of others in their thought and conduct.

Vile-loves and vile-hates cause four kinds of degradation of the soul in man: A man of low-loves and low-hates develops a kind of cataract concerning the truth health of his soul. His cataract degenerates into blindness if he fails to attend to his cataract. He will fail to see that his personality (soul and body) is going down the drain because of his low-loves, and if he continues to follow his low-loves and low-hates, his personality, both soul and body, will be extinct.

Secondly, a man in the grip of low-love for money or power becomes perverted. He regards those who help him in his low desire for money or power, as his friends; and those who warn him against his dubious ways and ruin, as his enemies. He takes good for evil and bad for good.

Thirdly, a man of low-loves and low-hates invites avoidable suffering onto himself. We know how intemperance in food or sex leads to avoidable suffering; and how jealousy, greed, and over-attachments lead to avoidable misery.

Fourth, a man of unabated vile-loves and vile-hates loses his personality completely. When a man persists in his vile-loves and vile-hatreds, he vitiates his soul, and if he continues with that, his soul loses its capacity to stay alive. It gets extinct.

Therefore, one of the tasks of the true Dharma is to give moksha or freedom from vile-loves and vile-hates as they breed evils and untruth which eats into the vitality of body and soul, leading to the total extinction of the soul and body of the agent.

Devatma gives a valuational naturalistic interpretation of moksha. He rejects the metaphysical interpretation of moksha as disembodied existence. Moksha is a disease-free state of the soul, when the soul is no longer under the exclusive dominance of the pleasure of desires which harms the agent's own personality and of others through untruthful and evil conduct.

Moksha and Vikas

Moksha means freedom. It is a state of freedom from motivation and conduct that leads a man to indulge in evil and untruth and thus endanger the health and strength of his soul. Man attains moksha from the obsessive vile-loves if: (i) he is able to see how his vile-love, say of greed, leads him into evil and untruthful conduct and endangers his very existence; (ii) he must be able to see the repulsive character of his vile-love; (iii) he must develop moral power to give up the vile-love; and (iv) he must be able to remove the old dispositions of the vile-love deposited in his soul. An individual needs help in satisfying the above four conditions for moksha from the diseased condition of his soul. However, it is not enough for a soul to be free from diseases. It must acquire energy at every moment of its being. A soul can acquire strength if it develops certain altruistic or noble feelings and conduct in multiple human relationships and the natural world.

Fortunately, Devatma provides a perfect guide for increasing the strength of the soul through the development of altruistic feelings in multiple relations. He prescribes moral principles whose observance in various relations contributes to the strength of the soul. These moral laws of conduct for the health of the soul are as much applicable in our relations with the animal, the plant and the inanimate world as in our human relations. These ethical principles of conduct in a broader framework are principles of consciousness, covering the intimacy of relationship, affection, gratitude, respect, reverence, compassion, repentance, well-wishes, harmony and service. Devatma explains in detail the duties and prohibitions that man must observe in these cosmic relationships to activate the health and strength of his soul. Apart from these feelings, one must develop a higher love of selfless service and a higher hatred for cruelty, exploitation, injustice and falsehood. When a man who desires to remove ill health or ignorance or evil habits in others or to develop altruistic feelings of respect, gratitude, compassion, repentance towards others or dedicates his energies to service and finds pleasure in this selfless service, he possesses higher love.

Again, a human soul gains health and strength when he develops higher-hatred for cruelty, exploitation and injustice in certain aspects of life and devotes his energies and wealth to remove these evils. The ideal of man is not only moksha from obsessive vile-loves and vile-hates, but also the evolution of the whole gamut of duties in various relations and altruistic feelings of higher-loves and higher-hates. Moksha and Vikas of the human soul are not only conducive to the health and strength of the individual soul; they also contribute to the unity and harmony between the human, animal, plant and inanimate worlds. When a soul is free from the feeling of jealousy, he is at peace with others. If his soul is afflicted by jealousy, he seeks the bad in others, speaks ill of them, develops conflicts with them and his allies, and is bound to exploit others. The feeling of cruelty finds pleasure in tormenting others, fellow men, animals and plants, and mutilating or disfiguring inanimate objects. This creates a state of reaction, disharmony and animosity. In contrast, the feeling of compassion reduces the pain and suffering of others (human beings, animals and plants) and thus brings about harmony. The feeling of selfishness brings bitterness in relations, whereas the feeling of selflessness joins individuals in sweetness and mutual service. All the obsessive vile-loves and vile-hates spell disharmony all around. All higher-loves and higher-hates contribute to harmony between the four orders of existence. Devatma calls these teachings about the origin, health and disease of the soul, its moksha and vikas, as Dev Dharma. The task for Dev Dharma is to provide an environment for the moksha and vikas of human beings, and work for the oneness and harmony of all the four orders of existence.

Devatma holds with Huxley that the evolutionary process is no longer biological but socio-cultural. Before the evolution of man, new qualities appeared through new species. But after the emergence of man, evolution has taken the form of a change in the mind of man. The human mind and society are transformed through the contribution of knowledge by men of genius in physics, chemistry, biology, sociology, psychology and economics etc. There is a progressive direction to restructure the state and society on the ideal of liberty, fraternity, equality and justice by men of social vision. There is thus a world of difference between the democratic cultures of humanity in contrast to the tribal culture of the bygone ages.

Just as there was revolutionary change in our understanding of the Universe through men of scientific attitude and social and political changes through men of social vision, there was a need for a new genius who could deliver man from obsessive vile-loves and vile-hates, evolve higher-loves and higher-hates, and thus usher in spiritual culture. The human soul is pre-disposed to untruth and evil, which devitalise and disease it. Even its disposition for altruistic conduct, i.e., higher-loves and higher-hates, needs to be protected from deviation into untruth and evil. An altruistic or higher feeling or virtue has the tendency to make us partial to it. A man of compassion comes to believe that no other virtue is more valuable than compassion and that there is no good higher than reducing the suffering of fellow human beings. He is liable for this untruth. Further, a man of compassion may take to reduce suffering, which is unjust and untruthful. A man of reverence comes to exaggerate the qualities of the object of his admiration and even justify the weaknesses of his character. A man of faith can be both blind to the truth and indulge in the most obnoxious conduct for his faith. A man of gratitude may be partial to his benefactor and defend even his undesirable action. It is the task of religion to deliver man from pre-disposition to untruth and evil, even with his altruistic or higher feelings or virtues. Devatma holds that a genius in the field of Dharma was needed to engage himself with this task. The new genius in Dharma must be in love with the scientific method for investigating the truths of the good of the human soul. Further, he can study the good of the soul by the scientific method if he is in love with this field of study. He must love to discover truths about the good of the soul, but even this is not enough. He must love the good of the soul as the highest value in the universe. He can have complete love of the good of the soul as the highest value if he is gifted with the love of truth. He must get conditions to mature these loves to a state of bloom. In the maturity of the love of truth and goodness, he will be illuminated by the light of truth, which will help him study the good of the soul through the scientific method.

Devatma claims that the evolutionary process has shown such a genius in him. He had in him an inherited love for the highest spiritual values and certain favourable conditions had matured them. The scientific method and the theory of evolution of the universe preceded him so that he could investigate the human soul in its value aspect in the context of scientific knowledge, in that the universe is underived in existence and self-explanatory in character and it is in a ceaseless process of evolution and devolution. Devatma claims that the maturity of the highest spiritual values has given him the capacity to discover nature and the laws of life and death of the soul. Devatma also claims that the maturity of the highest values has generated in him the unique light and power to give light and strength to human souls to see and to give up one or another of the low-loves. His peculiar light and power make him a true teacher and deliverer for humankind. Devatma finds that some souls who developed a rapport with him gave up all supernatural superstitious beliefs about the soul as being unborn, eternal, unchanging and disembodied and saw the truth of how the human soul is as much a product of natural conditions as his body. These souls have come to see the ugliness of some of their low-loves and low-hates and derived power from him to liberate themselves from them to the limit of their capacity. Further, some souls have come to see in his light the beauty of altruistic feelings and derived power from him to cultivate them. Devatma claims that he is the true object of reverential communication or worship or love for a human being, for he can give the light of truth to him, see the origin and nature of his soul and the repulsive character of his vile-loves and vile-hates and the beautiful character of higher-loves and higher-hates. He can bestow power which can enable him to give up one or another of his vile-loves or vile-hates and cultivate some higher-loves and higher-hatreds and thus work for his moksha and vikas. Man's aspiration for the highest love, worship, adoration and communication finds its supreme object in the sublime soul of Devatma, for there cannot be a higher object in the field of Dharma. Thus, the highest values and scientific method in its application in the field of Dharma write its latest chapter in the teachings of Dev Dharma and the life of Devatma.

Dev Prabhav (sublime influences)

The maturity of the psychology of love of truth and goodness and hatred of untruth and evil concerning soul-life developed in Devatma, the full 'love and potential' to discover the science of the soul, i.e., pathology and hygiene of life force. His soul emits light which shows untruth and evil in all their repulsive character and truth and goodness in all their beauty. His soul-power helps the recipient give up falsehood and evil and develop an attraction for the soul's good to the limit of his capacity. Devatma's light is called Dev Jyoti, and his power is called Dev Tej, and the two together are called Dev Prabhav.

The reception of Dev Prabhav helps a Devoted soul to turn his obsessive vile-loves into healthy (altruistic) loves, to remedy the lack of his altruistic feelings in purity, number, spread, gradation, sensitivity, and order and thus raise the value of his altruistic equipment. Also, to reduce prejudices of his altruistic feelings through awakening repulsion for elements of untruth and evil in them and gain strength to checkmate their operation. And then to know the nature of the soul, its laws of life and death, the method of cultivating moral virtues or altruistic feelings and getting deliverance from vices or low-loves and low-hatreds. It leads to the development of soul consciousness. Soul consciousness is like health consciousness in its care and concern for the soul's welfare under the illumination of the science of the soul. Soul consciousness helps an individual believe that untruth and evil cannot benefit his soul life, even in his most altruistic conduct.

The reception of Dev Prabhav opens out new values for the recipient. He sees that the highest spiritual values are not moral values, as moral values also suffer from biases of untruth, evil, and shortcomings. The object of devotion and love for a human soul is not fellow human beings with their defective psychology but a being who has matured his love of truth and goodness and hatred for untruth and evil, a being who has no disposition towards untruth and evil. Dev Prabhavas reveal to the recipient the glory and grandeur of making Dev Jiwan and Devatma the objects of his contemplation and ecstasy. He realises that his altruistic feelings of appreciation, gratitude, and faith are upgraded to a new level.

The recipient of Dev Prabhav is beholden to the truth that the highest altruistic service is to enlighten fellow humans with truths about soul-life and deliverance from what is untruthful and evil in their low-loves, no less in their altruistic loves.

The recipient of Dev Prabhav is beholden to the truth that his altruistic feelings of appreciation, gratitude, faith, and love can never develop blind spots when directed to the highest spiritual values of Devatma.

In Dev Dharma, spiritual values of the soul are indispensable for removing shortcomings and biases of moral values and raising them to a higher destiny. However, moral values related to the service of fellow human beings and the natural world never fall off as dry leaves when one realises spiritual values. The business of spiritual values is to reform, refine and sublimate moral values by removing their elements of untruth and evil and imbuing them with elements of truth and goodness under the enlightenment of Dev Prabhav.

Ultimate faith

Being born as a human being is the greatest privilege. Human personality is of the highest value on earth. The evolutionary process of nature, its immutable laws, and the highest values and Dev-Prabhav are humanity's ultimate faith.

The emergence of the Devatma is to free humankind from false and harmful teachings about the soul, propagated in the name of religion and based on the idea of pleasure and pain. Devatma, like the sun, provides the light and power to purify the individual of what is gross in him and to give beauty and grace to his altruistic life. It provides a stable foundation for hope and faith in the perfectibility of all the four kingdoms of the earth. The faith in the perfectibility of man and the natural world is the faith in scientific knowledge to open up the processes to develop perfectibility in us and nature. Belief in man's altruistic dispositions has led the welfare state to grow into diverse excellence. It is faith in Devatma to relieve man of his evil passions and give sublimity to his altruistic feelings. It is faith in the evolutionary process which has kept faith with man from the date of the birth of this planet.

Dev Samaj

The Multiversity of Dev Dharma (Dev Samaj) is anxious in its sermons and practical exercises to create in its congregations the four steps of ascent. That is, to create hatred for the evils of smoking, drinking, eating meat, adultery, gambling, suppression of deposits, bribe taking, theft and killing. It creates the consciousness that development of altruistic attitude and discharge of duties in various relations and disinterested service of society are laws of the health of the soul. It has fixed days to celebrate the last day of the spiritual exercises in each relationship. Further, sermons awaken consciousness and concern for soul welfare which helps to check the operation of vile-loves and vile-hates and strengthen higher-loves and higher-hatreds. Finally, the sermons and teachings highlight the sublime character (Devrupa) of Devatma whose light and power best help understanding, and will identify what evil is and how to reject it, to know what is good and true and to accept and assimilate it. To repeat, there is no place for supernaturalist in all these spiritual exercises. Dev Dharma holds that the supreme ideal of life for man consists in establishing higher harmonious relations with the cosmos by means of forces of higher life. By focusing on our own internal evolution (soul-knowledge and soul-consciousness), we essentially make this world a better place for others. Nature's direction is wonderful, kind and wants to evolve man to his highest level which makes individuals sweet, true, reliable and worthy in various relations so that their mutual dealings produce good in all aspects of their lives.

Devotion & intrinsic Beauty

Devatma is the supreme object of worship. As a sociologist with strong religious feelings, Comte proclaimed "mankind as the highest being" worthy of appreciation, gratitude, faith, love, and worship. He declared "Religion of Humanity" in place of "Religion of God. He called on each man and woman to realise his patent dependence on his society. It is through the worship of humanity, says Comte, that we can feel the inward reality about humanity as an object of worship as theists assert about God. We are made whole through the service of society with love. Who can deny the truth of Comte's vision of unbounded love and worship of humankind? However, our feeling of appreciation, gratitude, faith, love and worship still claim a higher object for our peak satisfaction. If there are altruistic aspects of society, there are devilish aspects too. If there are heights of goodness, there are depths of evil too. Augustine best states our psychology when he says, "For the good that I would, I do not; but the evil I would not, I do." Humankind is of mixed character in goodness and evil. Man's liability is led by the pleasure principle, which accounts for our failure to do good and avoid evil. Mankind therefore does not experience the satisfaction of altruistic feelings of appreciation, gratitude, love and worship. Again, the feelings of love and worship demand a concrete object, an entity to focus on for adoration.

Given the evolutionary naturalistic scientific view of the world, the worshipful being represents in his life the highest spiritual values that evolution is bringing about in the world, namely truth, goodness, and beauty. Devatma is the embodiment of the complete love of truth, goodness, and beauty. The feeling of faith, reverence, love, and gratitude for him is the apex of altruistic feelings. They are the highest reach for human destiny. They are called in the language of Dev Dharma the sarvoch-sattvic bhavas (i.e., apex altruistic feelings). To have faith in Devatma is to have faith in the reality of the spatio-temporal world of nature, its process of evolution and devolution, in the triumph of the evolutionary process. To have reverence and love for Dev Prabhavas of Devatma is to feel attraction towards truthfulness and goodness in life. When we come to experience pleasure in the conduct of developing faith, reverence, gratitude and love for Devatma, the pleasure is a supreme blessing, for it intensifies, deepens, extends and establishes these apex altruistic feelings and makes us more and more capable of communication with Devatma to get his truth revealing sublime light and strength-giving sublime power, dubbed Dev Prabhavas. Yet the beliefs about the deity of Dev Dharma, and his teachings about Dev Dharma and morality are as much subject to revision and rejection by scientific tests of reason and experience as beliefs in any other scientific field, since Dev Dharma is a naturalistic reconstruction of religion. For Dev Dharma, to be spiritual is to actively and morally encounter the social and natural world, to build up a harmonious life in human society, and to establish the reign of truth, goodness and beauty on earth. The trinity of ultimate values which man has discovered like a precious diamond mine and which he will continue to drill ceaselessly by the method of trial-and-error until he and his planet survive, is truth, goodness and beauty. Therefore, the sublime values of Devatma have an ultimate and absolute claim on the moral consciousness of the highest level of humanity. A moth would like to burn itself to exist in the light for a moment rather than live in darkness for ages. In the same way, men of great moral consciousness would unconditionally surrender their life and happiness to stay with the truth, even for a moment. As an uncompromising atheist spiritual genius, Devatma voices the highest reach of moral consciousness when he says, "Even if the sun ceases to give light and the earth gives way, and my existence in body and soul is threatened with complete extinction, I will stay loyal to the truth.

The Devrupa of Devatma is experienced by his worshipper as the most awe-inspiring. He is felt to be too majestic, too overpowering, and too overwhelming. Despite the overwhelming character of the Devrupa of Devatma, he is still an object of irresistible fascination. This experience is one of the wonders of evolution, that such manifestation could evolve and exist to satisfy the highest reach of man's love, and dedication and worship. There is no tinge of supernaturalism in such spiritual experiences. His sublime beauty (Devrupa) offers to man the highest object of love for his delight and devotion. Even in the future, when man is delivered of his myths and low-passions and cultivates scientific temperament and an altruistic life, Devatma will still have a role for his sublime beauty offers the most beloved object relevant for the best form of life. Its beauty surpasses the best dream of love as an object of contemplation and companionship. The human soul touches the zenith of the best form of life in rapport with or bhakti of the sublime beauty of Devatma.

Thanks to the evolutionary process for the emergence of Devatma, where mankind leaps forward in evolution and acquires the knowledge of the origin of the soul, its diseases and their cure, its health through the growth of altruistic feelings under the light and power — the embodiment of truth, goodness and beauty.

I sincerely thank from the bottom of my heart to those who directly and indirectly helped me in publishing and preserving the unique scriptures of Master Devatma. Nay, those who helped me more profoundly deserve more than a simple thank you. Hats off with great respect and appreciation for the kindness, support, inspiration and all these favours. All in all, I conclude this introduction with the most pleasant task, offering appreciation and reverence to the Spiritual sun, Devatma, who opened this new world of thought to humanity with the sublime consciousness, the highest values and innovations in science, secularism, humanism and evolutionary naturalism, all with a spiritual excellence of the highest degree.

If the preamble has convinced its readers that the highest values have been evolved in Devatma, then it has accomplished its task.

(Author – The Highest Meaning of Life)

Website: https://devatma.org/

Hotline: +44-7465000000

Email: thehighestmeaningoflife@gmail.com

The voice of the philosophers

Only Devatma's philosophy of comprehensive and humanistic naturalism can pull India out to the dead weight spurious transcendentalism and enable it to enter the 21st century with hope courage and self-confidence.

Dr. D.C. Mathur, Prof of Philosophy, New York State University, USA

Devatma's concept of soul is unique. None before him had developed this concept on the lines he has developed. The soul is normally considered to be an unborn, unchanging, immortal, disembodied spirit, pure consciousness and so on. But Devatma does not accept the existence of anything supernatural transcending the empirical experience. According to him, scientific outlook should be our base what cannot be empirically verified should not be deemed to be existing. Consequently, all the transcendental type of entities like the soul, God etc. get banished out of the field of the meaningful discourse. Therefore, the souls are also born, they are also the products of nature as other living things are, they are active, they form bodies and when disembodied, they also die.

Dr. D.D. Bandiste,

Head, Department of Philosohy, Indore (M.P.)

It is unfortunate that a thinker like Devatma who propounded a new view of man and life did not receive recognition he deserved.

Prof. R.C. Pandeya, Delhi.

The philosophy of Devatma is extraordinary, simple and grand and at same time it is naturalistic, dialectical, scientific, evolutionary, developmental, optimistic, responsible and altruistic.

Prof. Dale Reipe, Buffalo, USA.

Devatma has broken new ground in the development of Indian philosophic thought.

Prof. D.D. Vadekar, Puna.

The philosophy of Devatma serves notice that competent survey of types of Indian philosophy must include naturalism.

Prof. Archie J. Bahm, New Mexico, USA.

I feel very much at home in the philosophy of Devatma and regret that I have neglected to express my feelings before. The opportunity for recognising my sympathies and for showing how his ideas continue to be expressed in my own writings. I claim that the needed world philosophy should be humanistic and scientific. Both of the ideas are already firmly embedded in Dev-Darshana.

Prof. of Philosophy, University of Mexico, USA.

As a figure on the stage of the Indian renaissance, Devatma is original, creative and radical innovator. While challenging the whole metaphysical tradition of India, he still remains the best of its ego-denouncing ethics giving it, however in new turn by focusing it on altruism.

-The Boletin de A.E.O. (Spanish association of Orientalists) Madrid, Spain.

The model of Devatma's philosophical writings in the Dev Shastras is strikingly that of Spinoza's Ethics where reflections of nature of reality lead to the conception of human bondage and freedom…

-The Indian Philosophical Quarterly, Poona.

Devatma brought a naturalistic, scientific, rational and evolutionary point of view to bear upon all problems concerning the nature of the universe, theory of knowledge, nature of human personality, and the nature of human bondage and freedom.

Philosophy & Phenomenological research, Buffalo, USA.

Like Hartmann, Devatma believes in plurality of senses of values and moral senses…

-The Indian and Foreign Review, Delhi.

The philosophy of Devatma is positive in its outlook: it is non-speculative, and so does not concern itself with futile thinking regarding what exists beyond the clouds.

Professor and Head, Dept. of Philosophy, Gorakhpur University.

The powerful writings of a daring Indian thinker -Devatma (1850-1929)- during the latter part of the nineteenth century when, as we all know the overwhelming generality of Indian thinkers were wedded exclusively to their age-old method of an idealistic intuitionism, ending up, more often than not, in espousing the concept of static, timeless and all-absorbing absolute as the ultimately real. It is really quite hard, therefore, for one to believe that a philosopher of this very soil could assert which such confident firmness, that what is Real, in the ultimate analysis, is the cosmic universe. And this Universe, for him, is nothing but Nature conceived as 'one unlimited' un-created, self-existent whole of embodied existences in ceaseless change.

Prof. S.C. Biswas, Head, Dept of Philosophy, Allahabad University.

In the very remarkable sense Devatma quiet contrary to the different effervescent religious movements of the late nineteenth century or even early twentieth century, has distinctively taken its starting point from the secular knowledge of Nature (man and his social institutions). I recommend its consideration for the proper evaluation of its implications for contemporary theory of human conduct.

Dr. Dharmendra Goel, Head, Dept of Philosophy, Punjab University.

Devatma: The founder of Dev Samaj was an outstanding personality of the nineteenth century, India comparable in talent and in the range of his intellectual interests to Raja Ram Mohan Roy, the father of India renaissance, Devatma was astonishingly scientific and modern in his outlook. This explains why he failed to make an impact on the society of his time which was steeped in superstitious medievalism.

Prof. N.K. Devaraja, Varanasi.

I propose to say something about Devatma, who belongs to the company of the nineteenth and twentieth century thinkers like Gandhi Ji, Tagore, Swami Vivekanand, Dr. Mohammad Iqbal, Sri Manabendra Nath Roy, Sri Aurobindo and Dr. Radhakrishnan. But unfortunately, he has been completely kept out of this company in the matter of appreciative exposition of his philosophy.

Descartes, Spinoza, Leibnitz, Kant, Hegel and other in the West, and

Indian above Indian thinkers were all out to save supernaturalism. But Devatma did not allow any scriptural authority to decide his thinking. He put himself to the study of Science and Scientific method and he fell in love with the principals of scientific investigations.

Dr. Sanjib Ghosh, Calcutta University.

In Devatma's philosophy one finds a philosophical response to the scientific climate. He fearlessly goes against the dominant and conservative elements in Indian thought, which perpetuate the tradition of other-worldly outlook towards life. In Devatma one finds a frank admission, that the philosophical reflections based on the bedrock of scientific discoveries and on the critical on Nature, man and society.

Dr. J.V. Joshi, Poona University.

It is a pleasant surprise to come across Devatma's philosophy of naturalism in the framework of Indian Philosophy, where Devatma's love of truth which led him to reject theology. Devatma's century also belonged to Mars, Darwin, Wundt, Comte, Fechner and William James. Devatma shared the commitment to science inspired by Ram Mohan Roy (1772-1833), Debendranath Tagore (1817-1905) and Keshab Chandra Sen (1838-1884).

Dr. Madhusudna Baxi. Head, Dept. of Psychology, Ahmedabad.

I feel very much at home in the philosophy of Devatma and regret that I have neglected to express my feelings before. The opportunity for recognising my sympathies and for showing how his ideas continue to be expressed in my own writings. I claim that the needed world philosophy should be humanistic and scientific. Both of the ideas are already firmly embedded in Dev-Darshana.

Prof. of Philosophy, University of Mexico, USA.

Devatma's Philosophy is a significant contribution to this naturalistic tradition in Indian Philosophy and is unique attempt made in India to place religion on the foundations of an empirical-naturalistic philosophy which refuses to foster the hopes of transcending natural laws.

Sri G.M. Kewal ramani, Punjab University.

Author biography

Devatma (1850–1929) was a unique character in human history – a pioneering social reformer, unparalleled spiritual leader, a morally evolutionary naturalist, and an indescribably sublime soul with an absolute love for truth and goodness, in thought and deed, who knows no fixation in his destiny to evolve the highest spiritual values. His influences can help us to reduce the influences of fixation and the pleasure principle and remove the hurdles to human destiny.

He lived an ideal life as the most honourable, the founder of Dev Samaj and the discoverer and teacher of one, true science based, universal Dev-dharma (system of soul culture for all mankind). As a religious reformer, he has written more than 300 books and pamphlets. In addition to thousands of life-changing articles, he edited, 'Biradar-i-Hind' for about 8 or 9 years; Dharma Jiwan, 11 years; Jiwan Path 8 years.

This ideal life, possessed of the highest sense of obsessive love for truth and goodness, and complete repulsion for untruth and evil was unique in personal life and conduct, in his aim of life, in his teachings and in his life mission and work. His ideal life, as Herbert Spencer had predicted is incomprehensible to millions of men even now. The life of highest psychic senses and the ideal standard of conduct, with the evolution of his love for truth and goodness, he developed a unique psychic light and power and became a future luminary of the soul world.

For complete peace or unity, Devatma can build the highest level of harmonious environment—the true paradise on this earth, since he has both internal and external conditions.

देव शास्त्र

तीसरा खण्ड

मनुष्य तत्व

आत्म-बोध और आत्म-ज्ञान के विषय में देवात्मा की देववाणी

1. मनुष्य होकर जो जन अपने ही अस्तित्व के विषय में सत्य ज्ञान लाभ करने की कोई आकांक्षा नहीं रखता, उससे बढ़कर और कृपापात्र कौन हो सकता है?

2. मनुष्य होकर किसी जन के लिए अपने अस्तित्व- विशेषकर अपने आत्मा- के विषय में सत्य बोध और सत्य ज्ञान लाभ करने का आकांक्षी होने से बढ़कर कोई और बड़ा अधिकार नहीं; क्योंकि उससे नीचे पशु जगत् के किसी जीव को भी अपने अस्तित्व के विषय में इस प्रकार के ज्ञान लाभ करने का कोई अधिकार प्राप्त नहीं।

3. मनुष्य होकर किसी जन के लिए अपने आत्मा के सम्बन्ध में सत्य ज्ञान लाभ करने की आकांक्षा रखकर भी, परन्तु अपनी अयोग्यता के कारण उसके विषय में किसी सत्य के दर्शन वा उपलब्ध करने के योग्य न होना, अथवा ऐसी आकांक्षा से ही विहीन होकर अपने आत्मा के विषय में पूर्ण अन्धकार और अज्ञान की दशा में रहना, उसकी अत्यन्त कृपापात्र दशा है।

4. मनुष्य होकर किसी जन के लिए अपने आत्मा के सम्बन्ध में सत्य बोध और सत्य ज्ञान लाभ करने के योग्य होना और उसकी प्राप्ति का शुभ अवसर पाना उसका महा श्रेष्ठ अधिकार है।

मनुष्य जगत् के सम्बन्ध में देवात्मा की देवानुराग-मूलक शुभ कामनाएं

****

आत्म प्रकाशक देव ज्योति मम्,

आत्म तिमिर हर देव ज्योति मम्

चारों दिग वह परकीरन हो;

तिमिर से निकलें जन अधिकारी,

आत्म रूप देखें अधिकारी,

आत्म ज्ञान उनमें उत्पन्न हो।

सत्य धर्म का ज्ञान उत्पन्न हो।

उच्च घृणाप्रद देव तेज मम्

उच्च दुःखप्रद देव तेज मम्

चारों दिग वह परकीरन हो;

उच्च घृणा पावें अधिकारी,

उच्च दुःख पावें अधिकारी,

नीच राग त्यागें अधिकारी,

नीच घृणा त्यागें अधिकारी,

आत्मरोग से निस्तारन हो।

आत्मपात से निस्तारन हो।

नीच गति से निस्तारन हो।

आत्मनाश से निस्तारन हो।

उच्च भावप्रद देवतेज मम्,

उच्च रागप्रद देवतेज मम्,

उच्च अंगप्रद देवतेज मम्,

उच्च गतिप्रद देवतेज मम्,

चारों दिग वह परकीरन हो;

उच्च भाव पावें अधिकारी,

उच्च राग पावें अधिकारी,

उच्च अंग पावें अधिकारी,

उच्च गति पावें अधिकारी,

उच्च रूप उनमें उत्पन्न हो।

श्रेष्ट रूप उनमें उत्पन्न हो।

आत्म बल उनमें उत्पन्न हो।

जीवन बल उनमें उत्पन्न हो।

देव शास्त्र के तीसरे खंड का
सूची पत्र

मनुष्य तत्व

देव शास्त्र

तीसरा खंड

मनुष्य तत्व

पहला अध्याय

मनुष्य में अपने अस्तित्व के सम्बन्ध में महा शोचनीय अबोधता

यद्यपि यह सच है, कि नेचर के विकास क्रम में मनुष्य के आत्मा में जिन कई प्रकार की विशेष शक्तियों का प्रकाश हुआ है, वह पशु जगत् के जीवों में पाई नहीं जातीं; और इसीलिए मनुष्य इन विशेष शक्तियों और हज़ारों वर्षों तक उन्हें धीरे-धीरे उन्नत करने के विविध अवसरों को पाकर नेचर के नाना विषयों के सम्बन्ध में **जिस-जिस प्रकार के सत्यों के देखने और ज्ञान लाभ करने के योग्य हुआ है; वह नाना प्रकार के सत्य पशु जगत् के जीव नहीं देख सके, और इसीलिए उनके विषय में वह कोई बोध वा ज्ञान भी लाभ नहीं कर सके;** तथापि इसके साथ ही यह भी सच है, कि लाखों मनुष्यों में अभी तक उन विविध प्रकार के अति आवश्यक सत्यों के देखने और जानने की कोई आकांक्षा तक जाग्रत नहीं हुई, कि **जिनका उनके अपने अस्तित्व से सम्बन्ध है।** और वह **अपने अस्तित्व से बाहर के** और अस्तित्वों के सम्बन्ध में ज्ञान लाभ करने के जितने आकांक्षी हैं, उतने अपने अस्तित्व के सम्बन्ध में आकांक्षी पाए नहीं जाते।

मनुष्य के लिए और सब प्रकार के ज्ञान वा सब प्रकार की विद्याओं की तुलना

[1]

में जिस विषय में सबसे बढ़कर सत्य ज्ञान लाभ करने की आवश्यकता है, वह उसका अपना अस्तित्व है। क्योंकि अपने अस्तित्व विषयक सत्य ज्ञान से बढ़कर उसके लिए और कोई मूल्यवान ज्ञान नहीं, और नहीं हो सकता।

अपने अस्तित्व के सम्बन्ध में भी मनुष्य के लिए अपने बाहरी शरीर की अपेक्षा अपने भीतर की मूल वस्तु अर्थात् **अपने आत्मा के विषय में विविध प्रकार के बोधों के लाभ करने की और भी बहुत बढ़ चढ़कर आवश्यकता है।** परन्तु शोक और महा शोक! कि अभी तक मनुष्य जगत् के लाखों लोग जिस महा निम्न और घटिया दशा में हैं, उसमें आत्मा तो कहीं, उनमें अपने शरीर की गठन, उसके रोगों के साधारण कारणों, उन रोगों से उसकी हानि, और उस हानि से उसकी रक्षा और उसके सुडौल, सुन्दर और बलिष्ठ बनने आदि विषयों के सम्बन्ध में भी **नेचर सम्मत विविध प्रकार के आवश्यक सत्यों के देखने और जानने के लिए किसी आकांक्षा की जाग्रति नहीं हुई।** इसके विरुद्ध वह **अपने अपने शरीर के सम्बन्ध में भी इतने अबोधी और एक वा दूसरे प्रकार के सुखों के इतने अनुरागी और दास बने हुए हैं,** कि वह अपने से नीचे के, अर्थात् पशु जगत् के नाना प्रकार के जीवों की अपेक्षा भी उसकी सुडौलता और उसकी आरोग्यता वा स्वास्थ्य आदि के विचार से बहुत **गिरी हुई वा पतित दशा में हैं।** अर्थात् पशु जगत् के कौवे, कबूतर, तोते, मैना आदि नाना स्वाधीन पक्षी; और बन्दर, हिरण, बारहसिंगे, नीलगाय, ख़रगोश आदि दूध पिलाने वाले स्वाधीन जीव अपने शरीर के विचार से जैसे सुडौल और सुन्दर हैं, और वह जैसी अच्छी स्वास्थ्य रखने वाले और विविध प्रकार के रोगों से रहित पाए जाते हैं; वैसे लाखों और करोड़ों मनुष्य अपने अपने शरीर के विचार से न तो सुडौल वा सुन्दर देखे जाते हैं, और न उन विविध रोगों से रहित और सेहत की ही हालत में पाए जाते हैं। ऐसा क्यों है? इसलिए कि **मनुष्य नेचर के शुभ नियमों के विरुद्ध विविध प्रकार के ऐसे सुखों का अनुरागी वा दास बन गया है, कि जिनके पशु जगत् के ऐसे सब जीव अनुरागी वा दास नहीं बने।**

इसके भिन्न मनुष्य जगत् के करोड़ों जन कई प्रकार के शारीरिक और अहं आदि विषयक **नाना अन्य सुखों के अनुरागी बनकर उन्हीं की प्राप्ति और तृप्ति विषयक उपायों में इतने रत** और उनके विषय में अपनी आन्तरिक चिन्ताओं और बाह्यक क्रियाओं में **इतने लीन** रहते हैं, कि फिर उनका अपनी **इस महा शोचनीय बेसुधि की दशा में** अपने आन्तरिक मूल अस्तित्व अर्थात् आत्मा के विषय में (जिसको लेकर ही **उनके जीवन की सारी लीला है**) **कोई ध्यान तक नहीं जाता;** और वह उसके सम्बन्ध में **पूर्णतः बेसुध, अबोधी और अज्ञानी रहते हैं।**

फिर जो लोग मज़हब वा धर्म के नाम से **आत्मा के विषय में एक वा दूसरे प्रकार की बातों पर एक वा दूसरे प्रकार के विश्वास भी रखते हैं**, और अपने इन विश्वासों के अनुसार वह उनका उपदेश और प्रचार वा साधन आदि भी करते हैं, **उनके यह सब मूल विश्वास नेचर के सत्य नियमों और उसकी सत्य घटनाओं के पूर्णतः विरुद्ध होने के कारण उन्हें आत्मा और उसके जीवन के सम्बन्ध में सत्य ज्ञान से पूर्णतः अन्धा और अज्ञानी रखते हैं।** इसलिए **इस पृथ्वी के सारे देशों के मनुष्यों में अपने अपने आत्माओं के सम्बन्ध में महा घोर अबोधता, अन्धता, मूर्खता और अज्ञानता पाई जाती है।**

मनुष्यों की यह आत्मिक अबोधता क्या है? एक ओर उनमें अपने आत्मा के सम्बन्ध में **सत्य ज्ञान** के लाभ करने के निमित्त **कुछ भी आकांक्षा नहीं**; और दूसरी ओर उनके आत्माओं में उनके अपने ही विविध प्रकार के **सुख अनुरागों के कारण** जिस घोर आत्मिक अन्धकार की उत्पत्ति होती है और उनके आत्मा इस घोर अन्धकार से ग्रस्त होने के कारण अपने शक्तिमय और गठन-प्राप्त अस्तित्व और उसके जीवन के रोगों, पतन, विनाश और विकास विषयक नितान्त आवश्यक सत्यों के देखने के अयोग्य हैं, इस **अयोग्यता** के विषय में भी वह आप कोई बोध नहीं रखते, अर्थात् वह इस प्रकार के सब बोधों से पूर्णतः शून्य वा रहित हैं। इन्हीं सब बोधों से शून्य वा रहित होने का नाम मनुष्य की **आत्मिक अबोधता है।**

दूसरा अध्याय

मनुष्य में उसका सुख अनुराग ही उसके आत्मा की महा शोचनीय अबोधता का मूल कारण है

मनुष्य जगत् के लोगों में अपने अपने आत्माओं के सम्बन्ध में जो **घोर अन्धता पाई जाती है, उसका मूल कारण उनमें विविध प्रकार के सुखों का बोध और उन सुखों के प्रति आकर्षण वा अनुराग है।** मनुष्य में यह सुख अनुराग उसके लिए **महा हानिकारक है।** सुख अनुरागी मनुष्य के लिए नाना अवसरों में शुभ का साथ न देना, किन्तु उसका विद्रोही वा बैरी बनना और बैरी बनकर उसका गला घोंटना और अशुभ का साथी वा अशुभपरायण बनना **अनिवार्य है।** सुख अनुरागी बनकर प्रत्येक मनुष्य के लिए न केवल **अपने आत्मा,** किन्तु **अपने शरीर की गठन के सम्बन्ध में भी हानिकारक बनना लाज़मी है।** इसीलिए मनुष्य स्वाद सुख, काम सुख, नशा सुख, आलस्य सुख आदि का अनुरागी वा लालसी बनकर अपने शरीर की गठन के सम्बन्ध में जिस जिस प्रकार के **दुराचार वा अमिताचार** (बदपरहेज़ियां) करता है, उस प्रकार के दुराचार वा अमिताचार पशु जगत् के जीवों में पाए नहीं जाते। इसीलिए मनुष्य अपने इन दुराचारों के द्वारा अपने शरीर की गठन में जिस जिस प्रकार के रोगों और इन रोगों के द्वारा अपने लिए जिस जिस प्रकार के अनुचित दुखों और निर्बलताओं की उत्पत्ति करता है, उस प्रकार के रोगों और उन रोगों से उन दुखों और उन निर्बलताओं की पशु जगत् के जीवों में उत्पत्ति नहीं होती। और उन्हें उन विविध प्रकार के व्यवसायी चिकित्सकों और विविध प्रकार की कहलाने वाली औषधियों की आवश्यकता भी नहीं होती, कि जिनकी मनुष्य के लिए आवश्यकता समझी गई है।

अब यद्यपि जीवन को पाकर **सुख अनुरागी प्रत्येक मनुष्य भी जीने की प्रबल इच्छा वा लालसा और मृत्यु के लिए प्रबल अनिच्छा रखता है,** और इसीलिए वह अपनी इस जीने की लालसा से परिचालित होकर स्वभावत: अधिक से अधिक काल तक जीवित रहना चाहता है, और मरना नहीं चाहता; तथापि वह ऐसी लालसा रखकर भी अपने अस्तित्व के **जीवन और मरण विषयक अति आवश्यक तत्वों से अज्ञानी वा अबोधी रहने में कोई कष्ट अनुभव नहीं करता।** ऐसी दशा में वह न केवल अपने आत्मा और आत्मिक जीवन और मरण

विषयक सत्य ज्ञान की ओर से **उदासीन और अन्धा देखा** जाता है, किन्तु वह अपनी शारीरिक गठन के बनने और बिगड़ने के सम्बन्ध में भी उदासीन पाया जाता है– यहां तक कि जब एक एक मनुष्य को अपने किसी **सुख अनुराग** की तृप्ति करते करते यह भी मालूम हो जाता है, कि उससे उसके शरीर की **हानि** हो रही है, उसका स्वास्थ्य बिगड़ रहा है, उसका बल घट रहा है, उसमें इस वा उस रोग की उत्पत्ति हो रही है, तब भी नाना दशाओं में वह अपने उस **सुख अनुराग के अधीन वा उसका दास हो जाने के कारण** उसकी **हानि** करने और अपने अस्तित्व का आप **शत्रु** बन जाने और बने रहने के लिए अपने आपको **मजबूर** पाता है। ओह! पशु जगत् के जीवों की तुलना में मनुष्य की यह कैसी महा शोचनीय और पतित दशा!!

———

तीसरा अध्याय

मनुष्य जगत् में से अधिकारी जनों की नाना प्रकार की महा हानिकारक आत्मिक अबोधता के दूर करने और उनमें उच्च परिवर्तन लाने के लिए नेचर के नियमानुसार देव सूर्य देवात्मा का आविर्भाव

सुख अनुराग – चाहे वह किसी प्रकार का भी हो – जब किसी मनुष्य को अपना **दास** बना लेता है, वा यह कहो, कि जब कोई मनुष्य **उसका दास** बन जाता है, तब **उसके लिए विविध प्रकार की मिथ्याओं और विविध प्रकार के अहितों वा दुराचारों के पथ पर चलना और विविध प्रकार की मिथ्याओं और विविध प्रकार के अहितों को प्यार करना आवश्यक हो जाता है** – आवश्यक हो जाता है, इसीलिए मनुष्य जगत् में जितनी और जिस जिस प्रकार की **मिथ्याओं** और जितने और जिस जिस प्रकार के **अहितों वा दुराचारों** की भरमार है, उतनी और उस उस प्रकार की मिथ्या कहीं भी पशु जगत् में देखी नहीं जाती, और उतने और उस उस प्रकार के दुराचार भी पशु जगत् में कहीं पाए नहीं जाते।

मिथ्या और अहित का प्रेमी बनकर और उनकी ओर **गति** करके प्रत्येक मनुष्य नेचर के पतन विषयक अटल नियमानुसार **अपने अपने आत्मा की गठन की उसी प्रकार हानि करता है, जिस प्रकार वह अमिताचारी बनकर अपनी शारीरिक गठन की हानि करता है।** आत्मिक गठन की हानि को ही **आत्मिक पतन** कहते हैं।

आत्मिक पतन कई प्रकार का है, जिनमें से एक का नाम **उलटी दृष्टि** है। इस उलटी दृष्टि के पैदा हो जाने से प्रत्येक मनुष्य जो कुछ उसे **सुखकर** बोध हो – चाहे वह उसके और औरों के लिए कैसा ही **अशुभकर** हो – उसका पक्षपाती बनकर उसे **अच्छे, सुन्दर और लाभदायक रूप में देखता है**, और जो कुछ उसे सुखकर बोध न हो, अथवा **दुखकर** बोध हो – चाहे वह उसके और औरों के लिए कैसा ही **शुभकर वा हितकर हो** – उसे बुरे और हानिकारक रूप में देखता है। ऐसी दशा में केवल यही नहीं कि वह अपने किसी सुख अनुराग के विरुद्ध किसी **शुभ वा**

सत्य को ग्रहण करना नहीं चाहता, किन्तु उलटा उसे घृणा करता है; और इस घृणा भाव की प्रेरणा के अनुसार उससे परे परे वा दूर रहना चाहता है। मनुष्य की यह कैसी भयानक दशा!!

लाखों वर्षों से मनुष्य जगत् में यही महा शोचनीय दशा जारी थी। इस महा पतनकारी वा महा हानिकारक दशा के घटाने वा दूर करने के लिए यह आवश्यक था, कि उसमें से **पूर्णतः नई शक्तियों से विशिष्ट किसी ऐसे आत्मा का आविर्भाव हो, कि जिसमें सुख के स्थान में शुभ का पूर्ण अनुराग, और सुख अनुराग से जिस जिस प्रकार की मिथ्याओं और अहितों की उत्पत्ति होती है, उन सबके प्रति पूर्ण घृणा, और नेचर के सम्बन्ध में सब प्रकार के सत्यों के लिए पूर्ण अनुराग विकसित हो।** और नेचर के आत्मिक जगत् के अटल नियमानुसार इन **शुभ और सत्य विषयक अनुरागों** के क्रम विकास से जिस जिस प्रकार की **चिन्ताओं** और जिस जिस प्रकार के **विश्वासों,** कथनों, वचनों वा वाणी, उपदेशों, लेखों, समर्पणों और त्यागों आदि की उत्पत्ति होती है, उन सबकी उसमें उत्पत्ति हो। और इन शुभ और सत्य विषयक अनुरागों के विकास से **आत्मरूप-प्रदर्शक जिस देव ज्योति और नेचर के विविध सम्बन्धों में अहित नाशक और हित उत्पादक जिस देव तेज की उत्पत्ति होती है, उनका उसमें विकास हो,** और वह अपने आत्मा में इन शुभ और सत्य विषयक पूर्ण अनुरागों को प्राप्त होकर मनुष्य जगत् के उलटा दृष्टा और अन्धकारग्रस्त, अबोधी और पतित, परन्तु किसी न किसी अंश में **अधिकारी आत्माओं के लिए देव सूर्य होकर उनकी अपनी अपनी योग्यता के अनुसार उन्हें अपनी यह अद्वितीय देव ज्योति और अपना यह अद्वितीय देव तेज दान करे; और उनका सत्य उपास्य, सत्य मोक्षदाता, सत्य धर्म शिक्षक वा गुरु और सत्य और पूर्णांग कल्याणकर्ता हो।** क्योंकि ऐसे अद्वितीय देव सूर्य के बिना मनुष्य जगत् के आत्माओं में इस प्रकार का परम वांछनीय उच्च परिवर्तन आ नहीं सकता था। नेचर के मनुष्य जगत् में उसी की अपनी विकास विषयक विधि के अनुसार इन सब प्रकार की अद्वितीय शक्तियों से विशिष्ट जिस आत्मा का आविर्भाव हुआ है, उसी का नाम **देवात्मा** है।

यही **देवात्मा** अपनी अद्वितीय **देव ज्योति** और अपने अद्वितीय **देव तेज** से विशिष्ट होने के कारण मनुष्य जगत् के लिए उसी प्रकार का सच्चा परन्तु पूर्ण रूप से कल्याणकर्ता **देव सूर्य है,** जिस प्रकार यहां के मनुष्य जगत् और उससे नीचे के अन्य जीवित जगतों के विविध प्रकार के शारीरिक कल्याण के लिए **भौतिक सूर्य** है।

इसी देव सूर्य अर्थात् देवात्मा ने अपनी देव ज्योति में

(1) मनुष्य के आत्मा के अस्तित्व,

(2) उसके आत्मा का उसके शरीर के साथ सम्बन्ध,

(3) उसके आत्मा की विविध प्रकार की शक्तियों से संयुक्त गठन,

(4) उसकी इस गठन में विविध प्रकार के सुख विषयक अनुराग,

(5) उसमें इन सुख अनुरागों से उत्पन्न विविध प्रकार की घृणाओं, मिथ्याओं, और विविध प्रकार के दुराचारों की उत्पत्ति,

(6) इन सब से उसका महा शोचनीय पतन,

(7) ऐसे पतन से उसकी मोक्ष, और

(8) उसमें जीवन वर्द्धक विविध प्रकार की उच्च शक्तियों के विकास की आवश्यकता और विधि आदि नाना विषयों के सम्बन्ध में जिस प्रकार के अति गूढ़, अति आवश्यक, अति विचित्र और अति मूल्यवान सत्य देखे हैं, उनका देव शास्त्र के इस खंड में आगे चलकर विस्तारपूर्वक उल्लेख होगा।

———————

चौथा अध्याय

मनुष्य, उसका आत्मा और उसका शरीर*

प्र.। मनुष्य किसे कहते हैं?

उ.। आत्मा और शरीर नामक **दो विशेष प्रकार के गठन-प्राप्त जीवित अस्तित्वों से संयुक्त व्यक्ति को मनुष्य कहते हैं।**

प्र.। इस पृथ्वी में मनुष्य की उत्पत्ति क्योंकर हुई?

उ.। इस पृथ्वी में **पशु जगत् के विकास के अनन्तर उसमें से दूध पिलाने वाले पशुओं की एक शाखा से जिन कई प्रकार की और प्रशाखाओं की उत्पत्ति हुई, उनमें से एक प्रशाखा के उच्च परिवर्तन के क्रम में मनुष्य के आकार का प्रकाश हुआ है।**

फिर यद्यपि यह मनुष्य नामक जीव पशु जगत् से ही उत्पन्न हुआ है, तथापि **उसके अस्तित्व में कई प्रकार की ऐसी विशेष शक्तियों का विकास हुआ है, कि जिनके कारण वह पशु जगत् के अन्य सब प्रकार के जीवों से अपनी विशेषता रखता है; और उसकी यह विशेष शक्तियां पशु जगत् के किसी और जीव में पाई नहीं जातीं, और न वह उनमें से किसी में कभी उत्पन्न ही हो सकती हैं।**

प्र.। मनुष्य का आत्मा क्या है?

उ.। कई प्रकार की शक्तियों से विशिष्ट जो **शक्तिमय जीवित अस्तित्व** मनुष्य के शरीर में वास करता है, उसे मनुष्य का **आत्मा** कहते हैं।

प्र.। मनुष्य में उसके आत्मा की उत्पत्ति कैसे होती है?

उ.। नेचर के **अटल नियमानुसार** जब मनुष्य **नर** और **नारी** के **विशेष सम्बन्ध** से दोनों के दो प्रकार के विशेष **जीवित "सैल" परस्पर के आकर्षण** से आपस में मिलकर **एक जीवित सैल बन जाते हैं**, और उन दोनों "सैलों" की दोनों

---

*शरीर के विषय में इस अध्याय में दिया गया विवरण सन् 1928 ई० में उपलब्ध ज्ञान के अनुसार है। इस शास्त्र के रचयिता के लिखित आदेश के अनुसार पाठक इसमें आधुनिकतम उपलब्ध वैज्ञानिक जानकारी के अनुसार परिवर्तन कर लें।

जीवनी शक्तियों के आपस में मिल जाने से **एक जीवनी शक्ति** बन जाती है, तब उनके सम्मिलन से जो यह **एक नई जीवनी शक्ति उत्पन्न होती है, और जो इस प्रकार के मेल से ही अपने भीतर गठन-प्राप्त जीवित शरीर निर्माण करने की शक्ति लाभ करती है, यही शरीर निर्माणकारी जीवनी शक्ति पहले पहल उस नारी के गर्भ में एक पूर्णतः नए और नन्हे आत्मा के रूप में प्रगट होती है, और तब नेचर की ही इस विधि से एक पूर्णतः नए और नन्हे आत्मा का जन्म होता है, कि जो आत्मा पहले न था।**

यही **नया और नन्हा आत्मा** फिर उस नारी की गर्भस्थली में **अपने लिए मनुष्य शरीर के अनुरूप धीरे धीरे एक गठन-प्राप्त जीवित शरीर निर्माण करता है।**

प्र.। मनुष्यात्मा अपने लिए एक गठन-प्राप्त जीवित शरीर क्योंकर निर्माण करता है?

उ.। इस विषय में शरीर विषयक तत्वों के नाना सुयोग्य अनुसन्धान कर्ताओं ने जो कुछ जाना है, उसका मोटा मोटा और संक्षिप्त वृतान्त यह है:-

जब नर नारी के इस एक सम्मिलित **सैल** में एक **नए आत्मा** का जन्म हो जाता है, तब पहले पहल उस सैल में उसके शरीर निर्माण के लिए जो **सामग्री** वर्तमान होती है, उसी सामग्री से वह तीन तहों का एक **कीड़े** की न्याईं अत्यन्त छोटा सा **भ्रूण** बनाता है। फिर यह भ्रूण जब स्त्री की बच्चेदानी की झिल्ली पर किसी जगह चिपक कर स्थापित हो जाता है, तब वहां पर वह उस झिल्ली में से अपने साथ जुड़ी हुई एक नरम और स्पंज जैसी वस्तु तैयार करता है, कि जिसे **आंवल वा फूल** कहते हैं, और जिसके भीतर से रुधिर की तीन नालियां निकल कर और एक दूसरे के साथ रस्सी की न्याईं लिपट कर एक ओर इस भ्रूण के साथ और दूसरी ओर गर्भवती स्त्री की रुधिर की नालियों से जुड़ जाती हैं। इसी आपस में लिपटी हुई रस्सी जैसी वस्तु को **नाल** कहते हैं। इस नाल की एक नाली के द्वारा गर्भवती स्त्री का **साफ रुधिर** भ्रूण तक पहुंचता है, और आत्मा उस रुधिर को अपने इस नए भ्रूण की रचना के लिए काम में लाता है। फिर उसमें से जो **मैला खून** शेष रह जाता है, वह दूसरी दो नालियों के द्वारा निकल कर उस स्त्री की मैला रुधिर वाहक नालियों में जाकर मिल जाता है और फिर वह उनके द्वारा उसके हृदय पिंड और फेफड़ों में पहुंच कर **साफ** होता है।

स्त्री की बच्चेदानी में यह भ्रूण पहले पहल एक **"पिन"** की सी शकल का होता है, अर्थात् उसके ऊपर एक सिर का सा बहुत छोटा सा निशान होता है, और वह नीचे की ओर पतले से पतला होता जाता है, और पतला होते होते एक **पूंछ** की

सी शकल का बन जाता है। इस पूंछ की तरफ से वह नाल के द्वारा आंवल के साथ जुड़ा हुआ होता है। इस भ्रूण की रक्षा और उन्नति के लिए आत्मा उस पर एक **झिल्ली** का खोल चढ़ा देता है, कि जिसमें पानी की न्याईं एक तरल पदार्थ भरा हुआ होता है, और वह भ्रूण उस थैली में बन्द रहकर उस में तैरता रहता है।

स्त्री की बच्चेदानी में इस भ्रूण का भार **एक महीने में केवल सवा वा डेढ़ माशे** के लगभग होता है। फिर डेढ़ महीने में उसमें आंख, नाक, कान और मुंह के नन्हे नन्हे छेद प्रगट होते हैं, और सिर और धड़ अलग अलग दिखाई देते हैं। इस समय उसका वजन प्राय: **पौने दो माशों** के लगभग होता है। दो महीने में यह भ्रूण प्राय: एक इंच लम्बा और वज़न में प्राय: **चार माशे** हो जाता है, और सिर और हृदय पिंड आदि अंग बन जाते हैं, और हाथ पांव बनने आरम्भ होते हैं। तीन महीने के अनन्तर इस भ्रूण की लम्बाई प्राय: साढ़े तीन इंच और उसका भार प्राय: **ढाई तोले** हो जाता है। इस समय उसमें हाथ पांव की उंगलियां प्रगट होनी और हड्डियां बननी आरम्भ हो जाती हैं और आंवल पूरी बन जाती है। चार महीने के अनन्तर यह भ्रूण प्राय: पांच इंच लम्बा और उसका वज़न **दो छटांक** के लगभग हो जाता है। इस समय उसमें मुंह और मलद्वार के छेद खुल जाते हैं, और लड़का लड़की की पहचान के अंग भी प्रगट हो जाते है। पांच महीने में उसकी लम्बाई प्राय: **सात वा आठ इंच** हो जाती है, और उसका वज़न **प्राय: सवा पाव** हो जाता है। इस समय उसमें बाल बनने आरम्भ हो जाते है। छ: महीने के बाद उसकी लम्बाई **प्राय: बारह इंच** तक पहुंच जाती है, और उसका वज़न **प्राय: बारह छटांक** हो जाता है। इस समय उसकी आंखों की पलकें बन जाती हैं, परन्तु आंखें बन्द होती हैं। सात महीने के व्यतीत होने पर उसकी लम्बाई **प्राय: पन्द्रह इंच** हो जाती है, और उसका वज़न **सवा सेर** के लगभग पहुंच जाता है। आठ महीने के अनन्तर उस की लम्बाई **प्राय: सोलह इंच** हो जाती है, और उसका भार प्राय: **ढाई सेर** तक पहुंच जाता है। नौ महीने के बाद उसकी लम्बाई **अठारह** से **बीस इंच तक और वज़न प्राय: तीन साढ़े तीन सेर तक हो जाता है**। फिर प्राय: चालीस सप्ताह में यह **भ्रूण पूरा बच्चा** बन जाने पर अनुकूल दशा में नेचर के नियमानुसार गर्भवती स्त्री की गर्भस्थली से बाहर निकल आता है, और बाहर आ जाने पर नेचर की ही एक और विधि से उसके आत्मा और शरीर दोनों की पालना का काम आरम्भ होता है।

प्र.। बच्चे के बन जाने और गर्भस्थली से बाहर आ जाने पर उसके शरीर के प्रतिपालन और उसकी उन्नति का काम नेचर की किस विधि से होता है?

उ.। माता की गर्भस्थली में **सब आवश्यक अंगों के साथ शरीर के निर्माण**

हो चुकने और फिर उससे ठीक प्रकार और जीवित दशा में बाहर आ जाने और वायु के द्वारा श्वास क्रिया के आरम्भ हो जाने पर, बच्चे की शारीरिक रक्षा और उन्नति के लिए उसकी स्नायु प्रणाली के द्वारा **उसमें जिन जिन बोध शक्तियों का प्रकाश होता है**, वह यह हैं:-

(1) क्षुधा बोध अर्थात् भूख का बोध।

(2) प्यास बोध।

(3) मल त्याग बोध।

(4) मूत्र त्याग बोध।

(5) निद्रा बोध।

(6) श्रान्ति बोध।

(7) कष्ट वा पीड़ा बोध।

(8) सुख वा आराम बोध।

इन बोधों के उत्पन्न हो जाने पर उसके शरीर की पालना और उन्नति का कार्य नेचर की जिस विधि से होता है, वह यह है:-

शरीर की पालना के लिए उसमें रुधिर के निर्माण का काम। मनुष्य के शरीर में उसके मुंह से लेकर पेट तक और पेट से लेकर छोटी और बड़ी अन्तड़ियों को मिला कर **एक बहुत लम्बी नाली होती** है, कि जिसमें क्या उसके मुंह और क्या उसके पेट और क्या उसके आगे और स्थानों में ऐसी बहुत सी छोटी छोटी और कई बड़ी बड़ी **गिलटियां** लगी हुई होती हैं, कि **जो कई प्रकार का रस बनाती और निकालती हैं**; और **भूख** के लगने पर जब बच्चा दूध पीता वा कुछ काल के अनन्तर कोई और आहार खाता है, तब उसे **जीर्ण करने और उसमें रासायनिक परिवर्तन लाने के लिए** वह गिलटियां उसमें अपना अपना भिन्न भिन्न प्रकार **का रस मिलाती हैं**, और फिर इस **रासायनिक विधि से परिवर्तित** होकर जब वह आहार छोटी अन्तड़ियों में प्रवेश करता है, तब उसमें से उसका जितना भाग रुधिर बनाने में काम आ सकता है, उसे वह चूस लेती हैं, और शेष पदार्थ **मल** रूप में उसकी बड़ी अन्तड़ी में उतर जाता है।

शरीर में रुधिर संचालन का काम। छोटी अन्तड़ियां जो **आहारीय रस चूस** लेती हैं, वह वहां से रुधिर वाहक नालियों के द्वारा ऊपर की ओर बहकर **हृदय पिंड अर्थात् दिल नामक एक बड़े अंग** में पहुंच जाता है, और यह अंग उसे अपने रुधिर की नालियों के द्वारा **फेफड़ों** में भेजता है। फिर यह **फेफड़े** वायु मंडल से सारे दिन और सारी रात जो **वायु** श्वास के द्वारा अपने भीतर खैंचते रहते हैं, उसमें से **ऑक्सीजन**

नामक वायु उसके नीले रंग के रुधिर को साफ़ करके **लाल रंग** का बना देती है। और यह **लाल रुधिर** दूसरी नालियों से फिर हृदय पिंड में वापिस जाता है, और फिर इस **लाल रुधिर को हृदय पिंड अपनी लाल रुधिर ले जाने वाली नालियों के द्वारा शरीर के सारे अंगों की ओर रवाना करता है, और यह रुधिर बहता हुआ जिस जिस अंग के पास पहुंचता है, वह वह अंग अपनी पालना के निमित्त आवश्यक भाग ग्रहण** कर लेता है; और फिर उसमें से **नीले रंग** का जो खराब वा मैला रुधिर शेष रह जाता है, **वह नीले रंग के खून की बहाने वाली नालियों** के द्वारा इसी प्रकार के और रुधिर से मिलकर उसके साथ फिर **हृदय पिंड में** वापिस आता है, और हृदय पिंड उसे फिर **फेफड़ों** की ओर रवाना करता है, और यह फेफड़े उसे फिर पहले की न्याईं साफ करके **लाल रंग** का बना देते हैं, और उसे फिर **हृदय पिंड** की ओर भेज देते हैं, और हृदय पिंड फिर इस रुधिर को शरीर के नाना अंगों की पालना के लिए आगे रवाना करता है। **इस विधि से शरीर के भीतर रुधिर के लगातार बहते रहने का क्रम रात दिन जारी रहता है**, और इस **हृदय पिंड** के बड़े अंग के द्वारा सारे शरीर में ही रुधिर **संचालन** का काम होता है।

फिर सारे शरीर में रुधिर पहुंचाने के लिए हृदय पिंड से जितनी रुधिर की नालियां निकलती हैं, उनके साथ शरीर के कई स्थानों में कई प्रकार की और छोटी छोटी गिल्टियां भी **संलग्न** होती हैं, और वह भी अपना अपना विविध प्रकार का रस रुधिर की नालियों में डालती रहती हैं। इस प्रकार की गिल्टियों में से एक गिल्टी गले में वायु की नाली के दोनों ओर होती है, और दो और छोटी गिल्टियां इसी गिल्टी के नीचे की ओर होती हैं। एक और गिल्टी खोपरी के पिछले भाग में रीढ़ की हड्डी के एक छोटे से छेद में होती है। दो गिल्टियां दोनों गुर्दों में से प्रत्येक के ऊपर उभरी हुई होती हैं, और कुछ गिल्टियां पैनक्रियास में होती हैं, जो नाभि से तीन चार इंच ऊपर पाकस्थली के पीछे होता है।

अब तक यह समझा गया है, कि यह गिल्टियां क्या शरीर के बढ़ने, क्या उसके नाना अंगों के विकास और क्या उसकी स्वास्थ्य की रक्षा में बहुत बड़ा भाग लेती हैं; और यदि इनमें से किसी के कार्य में किसी कारण से कोई विघ्न उत्पन्न हो जाय, तो शरीर बहुत निर्बल, उत्साह हीन और कई प्रकार के रोगों में ग्रस्त हो जाता है।

शरीर के रुधिर में से विविध प्रकार के विषाक्त और हानिकारक पदार्थों के निकालने का काम। आहार में से जो भाग रुधिर नहीं बन सकता, वह छोटी अन्तड़ियों में से निकल कर बड़ी अन्तड़ी में चला जाता है। इसी को मल कहते हैं। यह मल उस बड़ी अन्तड़ी के द्वारा बाहर निकलता है, कि जो मल के द्वार तक

पहुंचती है। इसके भिन्न आहार से सम्बन्ध रखने वाले जो छोटे छोटे कई प्रकार के और **अनावश्यक** और कई दशाओं में **विषाक्त पदार्थ रुधिर में मिल जाते हैं**, वह यदि शरीर की किसी और मांस पेशी में एकत्र होने का अवसर न पावें, तो वह रुधिर की नालियों में से बहते बहते जब **गुरदों** के पास से गुज़रते हैं, तब वह गुरदे उस रुधिर के गन्दे पानी के साथ साथ उन्हें भी अपनी ओर खैंच लेते हैं, और अपनी अपनी नालियों के द्वारा इस गन्दे पानी को एक छोटे से **कुन्ड** में (जिसे मूत्र कुंड वा मसाना कहते हैं) भेज देते हैं, और इस कुंड में यह गन्दा पानी एकत्र होता रहता है। इसी गन्दे पानी को **मूत्र वा पेशाब** कहते हैं। मूत्र कुन्ड से मूत्र एक और नाली के द्वारा बहकर उस द्वार से बाहर निकल जाता है, जो गुप्त अंग के सिरे पर खुलता है।

फिर जब रुधिर बहता हुआ सारे शरीर में चक्कर लगाता है, तब उसमें से कितना ही **मैला और विषाक्त भाग** शरीर की **त्वचा अर्थात् खाल के उन लाखों छोटे छोटे छेदों के द्वारा** जो उसमें होते हैं, बाहर निकलता रहता है। यही वह **विषाक्त और गन्दा** पदार्थ है, जिसे साधारण बोल चाल में पसीना कहते हैं।

इसी प्रकार फेफड़े जब वायु मंडल में से साधारण वायु को खैंच कर उसमें से **ऑक्सीजन** वायु के द्वारा रुधिर के लाल बनाने का काम करते हैं, तब रुधिर के कणों में जो **अंगार वा कोयला** मिला हुआ होता है, उसके साथ इस ऑक्सीजन के मिल जाने से एक प्रकार की **विषाक्त वायु** उत्पन्न होती है, जिसे अंग्रेज़ी भाषा में 'कार्बोनिक ऐसिड गैस' कहते हैं। इस अंगार और ऑक्सीजन के मेल से ही सारे शरीर में वह उचित **ताप** उत्पन्न होता है, कि जिससे शरीर **गरम** और **जीवित** रहता है। फिर इस **कार्बोनिक ऐसिड नामक विषाक्त गैस को भी** यही **फेफड़े** बाहर निकालते रहते हैं। इस विधि से **इन चारों प्रकार के अंगों** अर्थात् **अन्तड़ियों, गुरदों, त्वचा के छिद्रों और फेफड़ों के द्वारा शरीर की गठन से मल आदि विषयक नाना हानिकारक पदार्थों के बाहर निकालने का काम होता रहता है।**

शरीर में नाना अंगों के परिचालन और कई प्रकार के बोधों की प्राप्ति का काम। मनुष्य के सर्वोच्च अंग अर्थात् **सिर** से निकल कर और उसकी **पीठ की हड्डी** में से गुज़रकर उसके सारे शरीर के विविध अंगों और प्रत्यंगों तक उसके शरीर की रक्षा और पालना के लिए एक बहुत बड़ा और **अत्यन्त मूल्यवान् जाल फैला हुआ है**। इस जाल को **स्नायु जाल** कहते हैं। इसमें **लाखों जीवित सूत्र** एक दूसरे से मिले हुए होते हैं। **इसी स्नायु जाल के द्वारा ही मनुष्यात्मा अपने शरीर के किसी अंग को हिलाता जुलाता है**। इसी स्नायु जाल के द्वारा वह अपने शरीर के **किसी अंग के कष्ट वा उसकी किसी पीड़ा वा उसके किसी सुख वा आराम**

वा सर्दी वा गर्मी वा किसी बोझे वा भार आदि का बोध लाभ करता है। इसी स्नायु प्रणाली के द्वारा उसके विविध अंगों के संचालन से खाद्य पदार्थ **एक वा दूसरे रूप मे परिणत होते हैं, और उसके एक वा दूसरे अंग तक पहुंचते हैं**; इसी के द्वारा **फेफड़े** वायु खैंचने आदि का काम करते हैं, **हृदय पिंड** लगातार चलता रहता है, और नाना प्रकार के विषाक्त पदार्थ शरीर में से निकलते रहते हैं। इसी **स्नायु जाल** के द्वारा हाथ, पांव, सिर, गर्दन, जिह्वा आदि अन्य सब अंग हिलते हैं, और इसी के द्वारा शरीर के सारे अंगों के **परिचालन** और कई प्रकार के **बोधों की प्राप्ति** का काम होता है।

यह सब अंग मनुष्य के जिस शारीरिक ढांचे में जुड़े वा लगे हुए होते हैं, वह इस प्रकार का होता है:-

यह ढांचा मनुष्य के सिर से लेकर उसके दोनों पावों तक **हड्डियों** का बना हुआ है। इन हड्डियों में से कोई हड्डी लम्बी, कोई गोल, कोई चपटी और कोई किसी और आकार की होती है। मनुष्य के सारे शरीर में **प्रायः ढाई सौ हड्डियां** होती हैं। नाखूनों और दान्तों के निकले हुए भागों के भिन्न मनुष्य के शरीर का यह सब ढांचा पट्ठों से मढ़ा हुआ होता है और यह पट्ठे ही साधारण बोल चाल में **मांस** कहलाते हैं। यह पट्ठे मांस के धागेदार लच्छों से जुड़कर बनते हैं, और उनमें भी कोई लम्बे, कोई चपटे और कोई किसी और आकार के होते हैं। मनुष्य के सारे शरीर में इस प्रकार के प्रायः **पांच सौ पट्ठे** होते हैं। इनमें बहुत लचक होती है, इसलिए हिलने वा हिलाए जाने पर वह कुछ बड़े वा छोटे भी हो जाते हैं। इन पट्ठों में से कितने ही पट्ठे ऐसे होते हैं, कि जो मनुष्य की अपनी **भाव शक्ति के द्वारा** परिचालित होते हैं, और कुछ ऐसे होते हैं कि जो उसकी किसी इच्छा के बिना अपने आप ही हिलते रहते हैं।

इन पट्ठों की रक्षा आदि के लिए उनके ऊपर एक **मेद** (चर्बी) का परत होता है, और फिर उसके ऊपर **खाल** होती है। इस खाल के दो भाग होते हैं; जिनमें से एक नीचे की खाल, और दूसरी ऊपर की खाल कहलाती है। शरीर के ऊपर जब कोई छाला पड़ जाता है, तब हम उस छाले की झिल्ली में ऊपर की खाल को पृथक देख सकते हैं। यह ऊपर की खाल बहुत पतली होती है; परन्तु नीचे की खाल ऊपर की खाल की अपेक्षा बहुत मोटी होती है। ऊपर की खाल के नीचे श्वेत, काला, पीला और लाल रंग रखने वाली लाखों छोटी छोटी थैलियां होती हैं, कि जिनके कारण कोई मनुष्य **गोरे**, कोई **काले**, कोई **पीले** और कोई **लाल** दिखाई देते हैं। ऊपर की खाल में से जो बाल निकले हुए होते हैं, उनकी जड़ें नीचे की खाल में होती हैं। यह बाल

भी **कई रंग** के होते हैं, अर्थात् सुनहरी, रुपहरी, काले, भूसले आदि। नीचे की खाल में सैंकड़ों छोटी छोटी गिलटियां होती हैं, कि जिनमें एक प्रकार का **तेल** तैयार होता है, और यह तेल बालों की रक्षा के काम आता है। इनके भिन्न इस खाल में और सैकड़ों गिलटियां होती हैं, कि जिनमें शरीर का **मैल** एकत्र होता है और वह अत्यन्त पतली पतली लाखों नालियों के द्वारा जो ऊपर की खाल में खुलती हैं, **पसीने** के रूप में बाहर निकलता रहता है।

मनुष्य के स्थूल शरीर का यह ढांचा एक घड़ी की डिबिया की न्याईं होता है। और जैसे घड़ी के भीतर बहुत **अंग प्रत्यंग** होते हैं, वैसे ही मनुष्य के शरीर के ढांचे के भीतर मस्तिष्क, हृदय पिंड, फेफड़े, पाकस्थली, यकृत, अंतड़ियां और वृक अर्थात् गुरदे आदि नामक ऐसे बहुत से यंत्र होते हैं, कि जिनके द्वारा उसके **पालन** आदि का काम होता है।

मनुष्य के शरीर में जो **स्नायु जाल** होता है, उसकी जड़ें उसके सिर में होती हैं। मनुष्य का यह सिर वा **मस्तिष्क** उसके शरीर का सब से **बढ़िया अंग** है। यह **मस्तिष्क** खोपड़ी के भीतर कई ढक्कनों से सुरक्षित रहता है; और वह एक भूसले और श्वेत रंग का सा पदार्थ होता है। शरीर की सारी स्नायु इसी पदार्थ की बनी हुई होती हैं; और वह सूतदार नलियों की न्याईं एक प्रकार के खोल से आवृत होकर और मस्तिष्क से निकलकर सारे शरीर में फैलती हैं।

मनुष्य के शरीर के अग्र भाग में उसकी आंखें, उसके कान, उसकी नाक, उसका मुख आदि अंग होते हैं। मनुष्य के स्नायु जाल में से एक भाग उन **स्नायुओं** का होता है, कि जिनके द्वारा मनुष्य अपने शरीर के विविध पट्ठों को अपने भाव के अनुसार **परिचालित** कर सकता है, और एक भाग उनका है जिनके द्वारा वह नाना प्रकार के **बोधों** वा सनसनियों के लाभ करने की योग्यता रखता है। **यह दोनों ही भाग उस के कल्याण के लिए अति आवश्यक हैं।** पहले भाग की जो जो शाखें जिस जिस पट्ठे तक पहुंचती हैं, वह यदि काट दी जावें, तो वह पट्ठे हिल नहीं सकते; अर्थात् यदि इस भाग की वह **स्नायु**, जो उसकी आंखों तक पहुंचती है, काट दी जावे, तो फिर मनुष्य अपनी इच्छा के द्वारा अपनी आंखों को बन्द नहीं कर सकेगा।, और ऐसी अवस्था में उसकी आंखें बराबर खुली रहेंगी। इसी प्रकार जो **बोधदायक** स्नायु भाग आंखों तक पहुंचता है, उसे यदि काट दिया जाए, तो आंखों के रहने पर भी मनुष्य उनके द्वारा कोई रूप न देख सकेगा। यही नियम और नाना अंगों के साथ भी है।

प्र.। मनुष्य की शारीरिक उन्नति से क्या अभिप्राय है?

उ.। मनुष्य के शरीर में पहले पहल जो विविध प्रकार के अंग बनकर तैयार होते हैं, वह उसके **पालना** विषयक कार्य के द्वारा **धीरे धीरे** बढ़ते हैं; और इसलिए उसका **छोटे डील डौल का शरीर बढ़कर बड़े डील डौल का बन जाता है।** उसके **शरीर का भार बढ़ता है**, और उसमें अधिक से अधिक **बल** उत्पन्न होता है। पहले उसके जो **पाचनकारी अंग** किसी पतले और बहुत हलके खाद्य के भिन्न जो किसी **ठोस वस्तु** के खाने और उसे **जीर्ण** करने के योग्य नहीं होते, वह धीरे धीरे **बलवान** होकर ठोस वस्तुओं के खाने और जीर्ण करने के योग्य बन जाते हैं। पहले वह अपने पट्ठों की निर्बलता के कारण **अपने आप बैठ नहीं सकता;** परन्तु धीरे धीरे उसके पट्ठे इतने **बलिष्ट** हो जाते हैं, कि वह अपने आप बैठने के योग्य हो जाता है। फिर बैठने के योग्य हो जाने पर भी वह इतना बली नहीं होता कि आप **खड़ा** हो, और अपने पांवों से आप कुछ चल सके, परन्तु कुछ काल में पट्ठों के **अधिक बलवान** हो जाने पर वह **खड़े** होने और धीरे धीरे **चलने** और फिर क्रम क्रम से **भागकर** चलने के भी योग्य बन जाता है। पहले वह अपने हाथों से कोई वस्तु नहीं उठा सकता; फिर धीरे धीरे हाथों के बलिष्ट होने पर पहले हलकी हलकी और फिर अपेक्षाकृत **भारी चीज़ों** के उठाने की **क्षमता** वा शक्ति लाभ करता है। इस प्रकार के सब शुभ परिवर्तन को **शारीरिक उन्नति** कहते हैं।

प्र.। मनुष्य के शरीर की यह गठन क्योंकर निरोग और स्वास्थ्य की दशा में रह सकती है?

उ.। मनुष्य की इस शारीरिक गठन के निरोग और स्वास्थ्य की दशा और उससे भी बढ़कर जीवित रहने के लिए यह आवश्यक है, कि

(1) उसमें जिन जिन पाचनकारी अंगों के द्वारा आहार में से रुधिर बनाने का काम होता है, वह सब अंग एक ओर अपनी अपनी बनावट में ठीक हों, और दूसरी ओर वह सब अपना अपना काम भलीभान्त पूरा करते हों;

(2) उसमें जिन जिन अंगों के द्वारा रुधिर के परिष्कार और संचालन करने का काम होता है, वह सब अंग भी एक ओर अपनी अपनी बनावट में ठीक हों, और दूसरी ओर वह सब अपना अपना काम भी भलीभान्त पूरा करते हों;

(3) उसमें इन उपरोक्त अंगों के कार्य से उन अंगों और उनके भिन्न उसकी सब प्रकार की हड्डियों और उसके सब प्रकार के पट्ठों तक रुधिर की जो धार बहकर पहुंचती हो, उसमें से वह सभी अपनी अपनी आवश्यकता के अनुसार अपने लिए जीवनप्रद सामग्री के ग्रहण करने वा चूस लेने की

भलीभान्त शक्तियां रखते हों;

(4) उसमें उसके सारे अंग अपने जीने के लिए रुधिर में से आवश्यक सामग्री ग्रहण कर लेने के अनन्तर अन्य सब प्रकार के अनावश्यक, हानिकारक और विषाक्त पदार्थों को पूर्णत: त्याग करने की शक्तियां रखते हों।

फिर शरीर की गठन के भीतर से अनावश्यक और हानिकारक पदार्थों के बाहर निकाल देने के लिए उसमें जो चार प्रकार के अंग विकसित हुए हैं, वह चारों अंग भी अर्थात्

(1) अन्तड़ियां (2) गुरदे (3) फेफड़े (4) त्वचा विषयक लाखों छिद्र

अपना अपना काम भलीभान्त पूरा करने की सामर्थ्य रखते हों, और उसे भलीभान्त पूरा करते हों।

अब यदि शारीरिक गठन के इन सब प्रकार के अंगों में से किसी अंग की बनावट वा उसके कार्य विषयक बल की हीनता वा निर्बलता के कारण ठीक काम न हो, अथवा शरीर को **अपने जीवित रहने के लिए अपने से बाहर** जिस जिस प्रकार के उचित आहारीय पदार्थों और जल, वायु, ज्योति और ताप आदि अन्य वस्तुओं की आवश्यकता है, वह उसे उचित दशा और ठीक मात्रा में न मिलें, तो शरीर की गठन ठीक दशा में न रहेगी। अर्थात् उसमें एक वा दूसरे प्रकार के **रोग वा रोगों और उन रोगों से जो जो कष्ट उत्पन्न होते हैं, उन कष्टों और निर्बलता आदि की उत्पत्ति हो जाएगी, और उसका स्वास्थ्य बिगड़ जाएगा।** और यदि उसका यह स्वास्थ्य बराबर बिगड़ता चला जाए, तो अन्त में वह शरीर जीवित भी न रह सकेगा, और **उसकी पूर्ण मृत्यु हो जाएगी।** और इस प्रकार से नेचर ने प्रत्येक जीवित गठन के लिए उसके जीने, बिगड़ने वा रोगी होने और मरने वा नष्ट हो जाने के सम्बन्ध में जो जो अटल नियम रखे हैं, वह अवश्य पूर्ण होंगे।

मनुष्य की **आत्मिक गठन भी नेचर के इसी प्रकार के अटल नियमों के अधीन है।**

प्र.। मनुष्य की इस शरीर विषयक गठन की उचित पालना और रक्षा के नियम क्या हैं?

उ.। नेचर की ओर से ही मनुष्य को **विविध प्रकार के अंगों से संगठित जीवित शरीर मिला है**, और नेचर की ओर से ही उसकी पालना और रक्षा के सम्बन्ध में शुभ नियम भी रखे गए हैं, इसलिए नेचर के इन नियमों का जानना और उन्हें जानकर उनका साथ देने के योग्य बनना मनुष्य के लिए नितान्त आवश्यक है।

परन्तु शोक! कि मनुष्य अपने शरीर के सम्बन्ध में भूख, प्यास, स्वाद, काम,

आलस्य आदि कई प्रकार के भावों से परिचालित होकर और उनकी तृप्ति के द्वारा **केवल सुख लाभ करने का अभ्यासी** बनकर उन नियमों से विमुख हो गया है। वह **सुख** का अनुरागी बनकर **दुख** को अवश्य नहीं चाहता, और इसीलिए जिन जिन शारीरिक रोगों से उसे किसी प्रकार का **दुख वा कष्ट** मिलता हो, **उन रोगों को भी वह नहीं चाहता।** परन्तु इसके साथ ही लाखों मनुष्य इतना भी नहीं जानते और न जानना चाहते हैं, कि उनकी शारीरिक गठन क्या है; उस गठन के वह अंग - विशेष कर वह बड़े बड़े अंग कि जिनके द्वारा उसके जीवन का कार्य होता है – क्या हैं; और न वह यही अनुभव करते हैं कि उन्हें अपनी शारीरिक गठन को **ठीक वा स्वास्थ्य की दशा** में रखने के निमित्त नेचर की उन सब वस्तुओं के विषय में भी **सत्य ज्ञान लाभ करने की आवश्यकता है**, कि जो नेचर ने उनके लिए सहायक रखी हैं। साधारणतः सब प्रकार के मनुष्य अपने कई प्रकार के उन भावों की तृप्ति करके **सुख लाभ करना चाहते हैं**, कि जो उनमें पैदा हो गए हैं और बस। इसलिए वह हज़ारों वर्षों से अपने इन शरीर सम्बन्धी **विविध प्रकार के सुखों के अनुरागी और अभ्यासी बनते बनते इस पतित दशा में पहुंच गए हैं**, कि वह जिन नाना प्रकार के **रोगों** से रोगी होते हैं, वह पशु जगत् के जीवों के शरीरों में नहीं होते, और वह उन रोगों से अपने शरीर की गठन की जितने प्रकार से **हानि** करते हैं, उतने प्रकार से पशु जगत् के जीव **नहीं** करते, क्योंकि वह **मनुष्य के से नाना शारीरिक सुखों के अनुरागी नहीं बने।** वह अपने स्वभावजात भावों के अनुसार चलकर अपने अपने शरीर के सम्बन्ध में नेचर के हितकर नियमों की **जितनी पैरवी** करते हैं, उतनी पैरवी मनुष्य **नहीं** करता। इसलिए वह अपने अपने शरीर के विचार से जितनी स्वास्थ्य की दशा में रहते हैं, उतनी स्वास्थ्य की दशा में मनुष्य नहीं रहता।

प्र.। मनुष्य अपने सुख विषयक अनुरागों के वशीभूत होकर नेचर के किन किन हितकर नियमों को भंग करता है?

उ.। वह कई और शुभ नियमों के भिन्न नेचर के जिन बड़े बड़े विशेष शुभ नियमों को बहुत बुरी तरह से भंग करता है, वह यह हैं:-

(1) खान पान के सम्बन्ध में।

(2) शुद्ध वायु के सेवन के सम्बन्ध में।

(3) सूर्य से आवश्यक मात्रा में ज्योति और ताप के ग्रहण करने के सम्बन्ध में।

(4) शरीर के विविध अंगों को उचित और यथेष्ट रूप से परिचालन करने के सम्बन्ध में।

1- खान पान विषयक सुखों का अनुरागी और अभ्यासी बनकर मनुष्य ऐसी

बहुत सी वस्तुएं खाता और पीता है, कि जो नेचर ने उसकी जीवन्त गठन के लिए **हितकर नहीं बनाईं**, किन्तु जो उसके लिए अत्यन्त हानिकारक हैं।

स्वाद के वशीभूत होकर वह आवश्यकता से बहुत अधिक और **उचित समय** के विरुद्ध नाना वस्तुएं खाता है, कि जिससे उसके शारीरिक स्वास्थ्य की और भी अधिक हानि होती है।

2- जंगल के हिरन, बारहसिंगे, नीलगाय और नाना प्रकार के पक्षी आदि जिस प्रकार की **खुली और शुद्ध वायु** में रहकर और श्वास लेकर और आवश्यक मात्रा में ऑक्सीजन गैस को लाभ करके अपने खून को भली दशा में रखते हैं, उस प्रकार से लाखों मनुष्य खुली और शुद्ध वायु का सेवन नहीं करते, और न ऐसे घर ही बनाते और उनमें रहते हैं, कि जिनमें खुली और काफी हवा भलीभान्त प्रवेश करती रहे।

3- सूर्य की ज्योति को भी लाखों मनुष्य उचित रूप से सेवन नहीं करते – खासकर जो जन सुसभ्य कहलाते हैं, वह हर मौसम और हर समय में ही अपने शरीर को कपड़ों से बहुत अधिक ढका रखते हैं, और इसीलिए उनकी जिस हज़ारों छिद्रों से भरपूर खाल पर सूर्य की ज्योति की जितनी मात्रा में किरणों के पड़ने और उस पर उचित रूप से ठंडी हवा के स्पर्श करने से उसकी पुष्टि होती है, और उसे अपने नियत कार्य को उत्तम रूप से पूरा करने के लिए बल मिलता है, वह बल नहीं मिलता; और वह शरीर के भीतर के जिस जिस प्रकार के मैले वा विषाक्त पदार्थों के निकालने का काम करती है, उसके उस काम में विघ्न उत्पन्न हो जाता है; और उससे भी उनके शारीरिक स्वास्थ्य को बहुत हानि पहुंचती है।

4- फिर शरीर सम्बन्धी स्वास्थ्य की रक्षा के निमित्त उसके विविध अंगों को कई प्रकार की उचित विधि से व्यायाम वा वरज़िश के द्वारा प्रतिदिन कम से कम जितने अंश परिचालन करने की आवश्यकता है, कि जिससे उसके पट्ठों की लचक ठीक रह सकती है, और उनके भीतर खून का भलीभान्त चक्कर जारी रह सकता है, उसे भी लाखों मनुष्य जानना नहीं चाहते, और न उसका अभ्यास वा व्यवहार ही करना पसन्द करते हैं।

इसीलिए पशु जगत् के लाखों जीव अपनी अपनी विविध स्वभाव-जात आवश्यकताओं से परिचालित होकर जितना और जिस जिस प्रकार का परिश्रम करते हैं, और उससे अपने शरीर की गठन में गति उत्पन्न करते हैं, वह लाखों मनुष्य नहीं करते, और ऐसी दशा में रहकर वह इतने ढीले और इतने आलसी बन जाते हैं, कि फिर वह आवश्यक मात्रा में **कोई व्यायाम सम्बन्धी परिश्रम** भी करना नहीं चाहते, और नहीं करते।

इसलिए **सुख परायण बनकर** और इन सब विषयों में **नेचर के शुभ नियमों को तोड़कर मनुष्य जिस जिस प्रकार के रोगों और कई बार असाध्य वा सांघातिक रोगों में ग्रस्त होते हैं**, और उनके द्वारा नाना प्रकार के **दारुण दुख वा कष्ट** सहते हैं, और कभी कभी किसी ऐसे कष्ट के सहने की शक्ति न रखने पर अपने ही हाथ से अपने शरीर की आप हत्या तक कर लेते हैं; वह सब रोग, वह सब महा दुख, वह सब दारुण कष्ट पशु जगत् में पाए नहीं जाते; और न उनमें वह आत्मघात की घटनाएं होती हैं कि जो मनुष्य जगत् में पाई जाती हैं।

प्र.। तब नेचर ने मनुष्य के शरीर की उचित रूप से पालना और उसकी स्वास्थ्य की रक्षा के निमित्त किस किस प्रकार की चीज़ों के खाने पीने की विधि की है?

उ.। नेचर के नियमानुसार पशु जगत् में से उचित रूप से प्राप्त दूध और दूध से निकली हुई वस्तुएं यथा मक्खन, घी, दही, छाछ आदि खाने की वस्तुएं हैं, और उनके भिन्न पशु जगत् की कोई और चीज़ नहीं। इसके भिन्न उद्भिद जगत् में से ऐसे सब प्रकार के सूखे मेवे और ताज़े फल और ऐसे सब प्रकार के पौदों के हरे पत्ते, उनकी जड़ें, उनके फूल और दाने, कि जो जहां तक किसी जन को **अपनी निज की परीक्षा** के द्वारा हितकर प्रतीत होते हों, उनका खाना उचित और आवश्यक है। फिर उद्भिद जगत् की वस्तुओं में से गेहूं के दानों के ऊपर जो छिलके होते हैं, उन्हें त्याग न करना चाहिए, किन्तु उनके साबित दानों को पीस कर और उस आटे को बिना छानने के सारे का सारा आटा खाना चाहिए; क्योंकि गेहूं के छिलकों में शरीर के पट्ठों के निर्माण की जो वस्तु वर्तमान होती है, उसके निकाल देने से शरीर को ठीक खुराक नहीं मिलती। इसी प्रकार विविध भाजियों में नेचर ने मनुष्य के शरीर की पालना और रक्षा के लिए जितने प्रकार के आवश्यक खार आदि पदार्थ रखे हैं, उन्हें जहां तक सम्भव हो, पकाकर न खाया जाय, किन्तु खूब साफ़ करके कच्चा खाया जाय, और जहां उनमें से किसी को पका कर ही खाना आवश्यक हो, वहां उनको भाप आदि के द्वारा इस तरह से पकाया जाए, कि उनके भीतर के वह खार आदि अति आवश्यक पदार्थ जहां तक सम्भव हो, उनमें से निकल न जायें। फलतः नेचर के नियमानुसार मनुष्य की शारीरिक गठन की पालना और उसके स्वास्थ्य की रक्षा के लिए दूध और दूध से बनी हुई वस्तुएं, और उद्भिद जगत् प्रसूत विविध प्रकार के सूखे और ताज़े फल, और भाजियां, और दाने ही उचित खुराक हैं; और उनके भिन्न और कुछ नहीं। और उनके उचित और नियमित रूप से पीने और खाने से मनुष्य का शरीर जितनी अच्छी और स्वास्थ्य की दशा में रह सकता है, उतना और किसी प्रकार से नहीं।

प्र.। निर्माण कार्य के भिन्न मनुष्य के इस गठन-प्राप्त शरीर के साथ उसके आत्मा का और क्या सम्बन्ध है?

उ.। मनुष्य का आत्मा केवल यही नहीं कि नेचर के नियमानुसार अपने लिए एक गठन-प्राप्त जीवित शरीर निर्माण करता है, किन्तु वह उसमें वास करता है। वह उसकी पालना और रक्षा करता है, और **उसे** अपने एक वा दूसरे अभीष्ट की सिद्धि के लिए **कई प्रकार से काम में लाने की क्षमता रखता है**। और वह उसे नेचर के नियमानुसार **जीवित** रखने की **सामर्थ्य** रखता है, और वह **उसके साथ संयुक्त होकर आप भी जीवित रहता है।**

पांचवा अध्याय

इस बात का क्या प्रमाण है कि प्रत्येक मनुष्य के शरीर को उसका आत्मा ही बनाता है, और जिसका नाम आत्मा रखा गया है, वह आप मनुष्य के शरीर का प्रकाश नहीं है?

प्र.। यह क्योंकर मालूम हो, कि प्रत्येक मनुष्य के शरीर को उसका आत्मा ही बनाता है?

उ.। न केवल मनुष्य जगत् के प्रत्येक मनुष्य के शरीर को किन्तु उससे नीचे के जीवित जगतों अर्थात् पशु जगत् के प्रत्येक छोटे और बड़े जीव के शरीर और उद्भिद् जगत् के प्रत्येक छोटे और बड़े पौदे के आकार को भी **उसके भीतर की गठन-प्राप्त निर्माणकारी जीवनी शक्ति ही बनाती है। मनुष्य की इसी निर्माणकारी जीवनी शक्ति का नाम आत्मा है। सच्ची परीक्षा के द्वारा इस बात का सच्चा और अकाट्य प्रमाण मिल सकता है।**

प्र.। वह सच्ची परीक्षा क्या है?

उ.। यदि किसी चार वा पांच मास की गर्भवती स्त्री का **भ्रूण पात** हो गया हो, तो उसकी गर्भस्थली में उस भ्रूण वा बच्चे के शरीर को उसकी जो **जीवनी शक्ति** उस स्त्री के रुधिर से आवश्यक सामग्री लेकर **निर्माण** कर रही थी, उसका वह **निर्माण कार्य पूर्णतः बन्द हो जाएगा;** और फिर **वह भ्रूण कभी और किसी प्रकार से अपनी पूर्ण गठन को प्राप्त न हो सकेगा;** अर्थात् वह फिर कभी **पूरा बच्चा** न बन सकेगा। और कोई कहलाने वाला ईश्वर वा अन्य देवता भी उसके उस अधूरे शरीर को **पूरे शरीर के रूप में विकसित न कर सकेगा।**

प्र.। क्या किसी और विधि से भी इस सत्य की परीक्षा हो सकती है?

उ.। जी हां। यदि तुम गेहूं के कुछ जीवित दानों को खौलते हुए पानी में डाल दो, तो ऐसा करने से कुछ देर में उस पानी की **ताप शक्ति से उन दानों की जीवनी शक्तियां नष्ट हो जाएंगी, अर्थात् वह मर जाएंगी।** फिर उन दानों को तुम ठीक मौसम में और किसी खेत की अच्छी नरम और नमदार मिट्टी में बो दो। परन्तु तुम देखोगे, कि दिन पर दिन व्यतीत होते जा रहे हैं, परन्तु वह दाने फूटने में नहीं आते,

और उनमें से किसी से भी गेहूं का पौदा नहीं बनता। क्यों? इसलिए कि उनके भीतर जो **शरीर निर्माणकारी जीवनी शक्तियां वर्तमान थीं, उनके नष्ट हो जाने से उस निर्माण कार्य का करने वाला कोई और न रहा। इसीलिए उन पौदों के बनाने का काम सदा के लिए बन्द हो गया।** यद्यपि ईश्वर वादियों के विश्वास के अनुसार उनके सत्य और जीवन्त ईश्वर क्या उन दानों में (कि जिनकी शरीर निर्माणकारी शक्तियां ताप से नष्ट हो गई हैं) और क्या उस मिट्टी में कि जिसमें वह दाने बोए गए हैं, **सर्वज्ञ और सर्व शक्तिमान् और सृष्टा वा रचनाकर्ता रूप में वर्तमान है; तथापि वह अपनी किसी भी शक्ति से उन अजीवित वा मुर्दा दानों में से कोई जीवित पौदा उत्पन्न नहीं कर सकते।**

फिर यद्यपि यह सच है, कि ऐसे किसी ईश्वर का अस्तित्व ही **मिथ्या** है, और इसलिए वह मुर्दा दानों से कोई ज़िन्दा पौदा उत्पन्न ही नहीं कर सकता, तथापि यदि कोई **सचमुच का जीवित मनुष्य भी** (कि जिसका अस्तित्व मिथ्या नहीं) उन मुर्दा दानों में से कोई पौदा उत्पन्न करना चाहे, तो वह भी उन में से कोई पौदा उत्पन्न नहीं कर सकेगा, **क्योंकि नेचर के अटल नियमानुसार ऐसा होना असम्भव है,** और जो कुछ नेचर ने **सम्भव नहीं रखा,** उसे उसका कोई सत्य अस्तित्व भी **सम्भव नहीं कर सकता।**

फिर यदि तुम **पशु जगत् में इसी तत्व की परीक्षा करना चाहो,** तो जो लोग मुर्गियों के अंडों को गरम पानी में डालकर और उन्हें पकाकर खाते हैं, उनमें से किसी से एक ऐसा पका हुआ अंडा कि **जिसकी जीवनी शक्ति नष्ट हो चुकी हो,** ले आओ। अब इस अंडे को तुम चाहे किसी मुर्गी के नीचे रखो, और चाहे उसे किसी और विधि से सेने की कोशिश करो, परन्तु उसमें से **कभी कोई बच्चा पैदा न होगा,** क्योंकि उस अंडे के भीतर जो **शरीर निर्माणकारी जीवनी शक्ति** अनुकूल दशा में उसकी सामग्री से एक जीवित बच्चा बना सकती थी, **वह निर्माणकारी जीवनी शक्ति ही जब मर गई, तब उसके भिन्न कोई और उसकी सामग्री से कोई जीवित बच्चा नहीं बना सकता। हां, ईश्वरवादियों के ईश्वर भी उसमें से फिर कोई जीवित बच्चा नहीं बना सकते, और नहीं उत्पन्न कर सकते।** सच्ची नेचर के सच्चे और अटल नियम के अनुसार बिना **शरीर निर्माणकारी जीवनी शक्ति के कि जो उस अंडे में पहले वर्तमान थी, और जो ताप शक्ति के द्वारा नष्ट हो गई, और कोई "देवता" वा मनुष्य वा कोई और अस्तित्व उस अंडे में से कोई जीवित शरीर निर्माण नहीं कर सकता।**

प्र.। जड़वादी जन यह कहते हैं, कि मनुष्य के **आत्मा का अपना मूल और**

पृथक अस्तित्व कुछ भी नहीं, किन्तु वह उसके जीवित जड़ शरीर के ही अंगों का प्रकाश है; और उस शरीर की मृत्यु के साथ ही आप भी नष्ट हो जाता है। उनका यह कथन कैसा है?

उ.। उनका यह कथन पूर्णतः मिथ्या है, क्योंकि जिस दशा में मनुष्य का आत्मा ही उसके जीवित जड़ शरीर का निर्माणक और प्रकाशक है, तब वह आप उसका प्रकाश कैसे हो सकता है? मनुष्य का आत्मा ही तो उसके शरीर के पिंजर, मांस, रुधिर की नालियों और स्नायु जाल को बना कर उसे प्रगट करता है। मनुष्य का आत्मा ही तो उसके शरीर के मस्तिष्क, आंखों, कानों, नाक, मुंह, फेफड़ों, हृदय पिंड, पाकस्थली, यकृत, अन्तड़ियों, जननेन्द्रिय और हाथों, पांवों आदि सब अंगों की रचना करता है। मनुष्य का आत्मा ही तो अपने इस निर्मित किए हुए शरीर को जीवित रखता है। यदि यह आत्मा न हो, तो इस पृथ्वी में कहीं भी और किसी भी मनुष्य का कोई शरीर न हो। इसलिए केवल यही नहीं, कि मनुष्य का आत्मा अपने जीवित शरीर का आप प्रकाश नहीं है, और नहीं हो सकता; किन्तु इसके विपरीत वही अपने जीवित शरीर का निर्माता और प्रकाशक है। इसलिए जड़वादियों का यह कहना वा विश्वास करना कि आत्मा आप अपना कोई अलग अस्तित्व नहीं रखता, किन्तु वह शरीर का ही एक प्रकार का प्रकाश वा जौहर है, नेचर के अटल नियम और सत्य के पूर्णतः विरुद्ध है, और वह केवल उनकी अपनी मिथ्या कल्पना है।

वास्तव में मनुष्य के अस्तित्व में उसका आत्मा ही तो मूल और मुख्य पदार्थ है। इसलिए उसके विषय में मूढ़ वा अज्ञानी वा अबोधी रहना मनुष्य की बहुत बड़ी अन्धता है, और उसके अस्तित्व और जीवन के विषय में बोध लाभ करने के योग्य होना ही उसका बहुत बड़ा अधिकार है।

प्र.। क्या नेचर में कुछ ऐसी जीवनी शक्तियां भी हैं, कि जो जीवन तो रखती हैं, परन्तु अपने लिए किसी जीवित शरीर के निर्माण करने की कोई सामर्थ्य नहीं रखतीं?

उ.। जी हां। प्रत्येक जीवित मनुष्य, पशु और पौदे के शरीर के नाना भागों की ''जीवित सैलों'' में ऐसी जीवनी शक्तियां होती हैं, कि जो किसी जीवित शरीर के निर्माण करने की कुछ भी योग्यता वा सामर्थ्य नहीं रखतीं। दृष्टान्त स्थल में:-

जिन पौदों की कलमें काटकर और उन्हें अनुकूल ऋतु और भूमि में लगाकर और उनकी विधिपूर्वक पालना करके नए पौदे वा वृक्ष उत्पन्न किए जाते हैं, उन पौदों में कितनी ही शाखाएं ऐसी होती हैं, कि जिनकी जीवित ''सैलों'' में यद्यपि

जीवनी शक्तियां तो होती हैं, तथापि उनमें पौदों वा वृक्षों के आकार बनाने की कोई निर्माणकारी शक्ति नहीं होती। यदि उनकी कलमें काट कर किसी अनुकूल ऋतु में और अनुकूल भूमि में भी लगाई जावें, और विधि पूर्वक उनकी पालना भी की जाय, **तो भी उनमें से किसी कलम में से कोई पौदा वा वृक्ष उत्पन्न नहीं हो सकता**।

इसके भिन्न कई प्रकार की **धातुओं** में जो जीवनी शक्तियां पाई जाती हैं, वह भी जीवित शरीर निर्माण करने की कोई योग्यता नहीं रखतीं।

प्र.। क्या कुछ धातुओं में भी जीवनी शक्तियां पाई जाती हैं?

उ.। जी हां। और वह अपने **जीवन विषयक विशेष लक्षणों** की वर्तमानता से पहचानी जाती हैं।

प्र.। वह लक्षण क्या हैं?

उ.। जिस किसी धातु में जीवनी शक्ति वर्तमान हो, उस पर यदि बिजली के एक विशेष यंत्र का प्रयोग करके उस पर कुछ चोट लगाई जावे, तो वह शक्ति उससे **उत्तेजित** होकर एक काग़ज़ पर जो उस यंत्र के साथ लगा हुआ होता है, कुछ **ख़ास किस्म की लकीरें खैंचती है**। यदि उस पर किसी विष का प्रयोग किया जाय, तो उससे भी **उत्तेजित** होकर वह उसी प्रकार की **क्रिया** करती है। यदि इस क्रम को जारी रखा जाय, तो वह धीरे धीरे अपने **जीवन बल को खोना आरम्भ करती है, और कुछ काल के बाद अपने जीवन बल को पूर्णत: खोकर मर जाती है**। और जब वह पूर्णत: मर जाती है, तब फिर **उस धातु पर चोट लगाने वा उस पर किसी विष के प्रयोग करने से वह पहले की तरह कोई लकीरें नहीं निकालती**, और वह पहले प्रकार के कोई लक्षण प्रकाशित नहीं करती।

प्र.। क्या छोटे वा बड़े पौदों, पशुओं और मनुष्यों के जीवित शरीरों में जो **जीवनी शक्तियां** होती हैं, वह सब एक ही प्रकार की होती हैं?

उ.। नहीं, वह सब की सब **अपने अपने अस्तित्व के बल** और **अपने कई और गुणों वा लक्षणों** के विचार से एक दूसरे से **भिन्न भिन्न रूप** रखती हैं। वृक्षों में जो गठन-प्राप्त जीवनी शक्तियां होती हैं, वह साधारणत: अपने लिए जीवित शरीरों के निर्माण के लिए **जीवन रहित** मिट्टी, पानी, वायु और सूर्य की ज्योति और ताप शक्ति से सामग्री लेकर उसमें से **जीवित सैल** निर्माण करने की **सामर्थ्य** रखती हैं। **परन्तु पशु वा मनुष्य की जीवनी शक्तियों में ऐसी कोई सामर्थ्य नहीं होती,** अर्थात् वह केवल **अजीवित जगत् की सामग्री से अपने लिए कोई जीवित शरीर निर्माण नहीं कर सकतीं**। फिर पशु और मनुष्य की जीवनी शक्तियां **साधारणत:**

अपने अपने शरीरों को **एक स्थान से दूसरे स्थान** में ले जाने की जो **सामर्थ्य** रखती हैं, वह सामर्थ्य भी **साधारणतः** पौदों की जीवनी शक्तियां नहीं रखतीं। इसी प्रकार मनुष्य की जीवनी शक्तियां **साधारणतः** जिस प्रकार की उन्नतशील मानसिक शक्तियां रखती हैं, वह पशु जगत् की जीवनी शक्तियों में पाई नहीं जातीं। परन्तु वह सब आपस में इस प्रकार की **विभिन्नता** रखकर भी अपने **मूल लक्षणों के विचार से एक ही प्रकार की हैं।**

प्र.। उन सब के वह मूल लक्षण क्या हैं?

उ.। उनमें से प्रत्येक ही अपने अपने लिए अनुकूल दशा में

(1) एक वा दूसरे प्रकार के **जीवित शरीर के निर्माण करने,**

(2) उसके **प्रतिपालन करने,**

(3) उसे एक वा दूसरे समय तक **जीवित रखने,** और

(4) अनुकूल दशा में एक वा दूसरी विधि से **एक से अधिक हो जाने**, की सामर्थ्य रखती है।

यह **मूल लक्षण** क्या उद्भिद्, क्या पशु और क्या मनुष्य **सभी जगतों की** जीवनी शक्तियों में पाए जाते हैं।

———————————

छठा अध्याय

आत्मा के सम्बन्ध में नाना प्रकार की मिथ्याओं का प्रचार

प्र.। जो लोग यह विश्वास करते हैं, कि मनुष्य का आत्मा अजन्मा वा स्वयंभू है, उनका यह विश्वास कैसा है?

उ.। उनका यह विश्वास **पूर्णत: मिथ्या** है। पहले अध्याय में यह बताया जा चुका है, कि नेचर के नियमानुसार मनुष्य के आत्मा की उत्पत्ति कब और किस विधि से होती है। उस वर्णन में इस बात का प्रमाण दिया जा चुका है, कि मनुष्य का आत्मा अजन्मा वा स्वयंभू नहीं; किन्तु उसका एक वा दूसरे समय में जन्म होता है, और वह पहले पहल किसी मनुष्य स्त्री और पुरुष के विशेष सम्बन्ध से ही उत्पन्न होता है। और वह बिना किसी ऐसे सम्बन्ध के उत्पन्न नहीं हो सकता। इसलिए **समय वा काल के विचार से उसका आदि है**, और वह **अनादि वा नित्य नहीं है।**

प्र.। क्या मनुष्य का आत्मा निर्लेप वा निर्विकार है; अर्थात् उस पर उसकी अपनी किसी प्रकार की बुरी चिन्ताओं वा किसी प्रकार के बुरे वा पाप कर्मों का कुछ असर नहीं होता, और वह ऐसी सब प्रकार की चिन्ताएं और ऐसे सब प्रकार के कर्म करके ज्यों का त्यों वा जैसे का तैसा विकारहीन वा निर्विकार रहता है?

उ.। कदापि नहीं। आत्मा शक्तिमय है, और वह अपनी गठन की जिस जिस भाव विषयक शक्ति से परिचालित होकर जो जो कुछ बुरी वा भली चिन्ताएं अथवा बुरे वा भले कर्म करता है, वह अपनी **उस उस भाव शक्ति की गति से ही करता है, और नेचर के अटल नियमानुसार अपनी ऐसी प्रत्येक गति के द्वारा अपनी गठन में परिवर्तन उत्पन्न करता है**, और इस परिवर्तन के द्वारा **आप भी परिवर्तित होता है।** अर्थात् यदि उसकी आन्तरिक चिन्ताएं और बाह्यक क्रियाएं **नीचगति-मूलक वा पतनकारी हों**, तो वह उनके द्वारा अवश्य **पतित** होता है। और यदि उसकी ऐसी चिन्ताएं और क्रियाएं **श्रेष्ठ वा उच्चगति-मूलक हों**, तो वह उनके द्वारा अपनी गठन में श्रेष्ठ वा उच्च **परिवर्तन लाभ करके अवश्य श्रेष्ठ वा उच्च बनता है।** इसलिए जो लोग यह विश्वास करते हैं, कि मनुष्य का आत्मा निर्लेप वा निर्विकार है, उनका यह विश्वास **पूर्णत: मिथ्या** है।

प्र.। जो लोग यह विश्वास करते हैं, कि मनुष्य का आत्मा कभी नहीं मरता और वह मृत्युविहीन वा अमर है, उनका यह विश्वास कैसा है?

उ.। **पूर्णतः मिथ्या है**। न केवल मनुष्य के शरीर में किन्तु किसी भी पशु वा पौदे के जीवित आकार में **कोई जीवनी शक्ति ऐसी नहीं, जो कभी और किसी दशा में विनष्ट न हो सकती हो**। नेचर के प्रगट वा उत्पन्नकारी नियम से जैसे उसमें से किसी शरीरधारी मनुष्य वा पशु वा पौदे की जीवनी शक्ति **प्रगट वा उत्पन्न** होती है, वैसे ही नेचर के किसी ध्वंस वा विनाशकारी नियम के अनुसार, वह **ध्वंस वा विनष्ट** भी हो जाती वा हो सकती है। मनुष्य का आत्मा जैसे नेचर के पतनकारी नियम के अनुसार पतित वा बुरा बनता है, और पतित बनने पर और हानियों के भिन्न **अपनी निर्माणकारी शक्ति के बल को भी खोता है, और इसीलिए जब वह अपने इस सारे बल को खो देता है, तब वह किसी और जीवित शरीर के बनाने के योग्य न रहकर और किसी जीवित शरीर से सम्बन्धित न होकर आप भी मर जाता है**। इसी प्रकार यदि वह नेचर के विकासकारी नियम का **बोधी** बन सके और वह उसी के नियमानुसार अपनी गठन में किसी प्रकार के विकासकारी उच्च भाव वा उच्च अनुराग लाभ कर सके, तो उनके द्वारा परिचालित होकर वह अपने **जीवन बल को धीरे धीरे दिनों दिन बढ़ा भी सकता है**। और उसे बढ़ा कर न केवल आप उच्च श्रेणी का बन सकता है, किन्तु **अपने जीवन की आयु को भी दिनों दिन उन्नत कर सकता है**।

प्र.। क्या जैसे किसी किसी मनुष्य के शरीर की किसी दुर्घटना से **अकाल मृत्यु** हो जाती है, वैसे ही किसी मनुष्य के आत्मा की भी **अकाल मृत्यु** हो सकती है?

उ.। बेशक। जिस प्रकार ताप शक्ति से उद्‌भिद् जगत् के गेहूं आदि विविध प्रकार के दानों की जीवनी शक्तियां मर जाती हैं, और नाना प्रकार के अंडे देने वाले जीवों के अंडों की जीवनी शक्तियां भी मर जाती हैं, और गर्भपात होने से मनुष्य के बच्चों की जीवनी शक्तियां भी मर जाती हैं, वैसे ही नाना प्रकार की **दुर्घटनाओं** से बड़ी उमर के मनुष्यों की भी जीवनी शक्तियां नष्ट हो जाती हैं। इसलिए जो लोग यह विश्वास करते हैं, कि किसी **मनुष्य का आत्मा कभी नहीं मरता**, और वह सदा से है, और सदा रहता है; अथवा वह एक दिन पैदा तो होता है, परन्तु मरता कभी नहीं, उनका यह विश्वास **पूर्णतः मिथ्या** है।

प्र.। जो लोग यह विश्वास करते हैं, कि मनुष्यों के शरीर में जो आत्मा हैं, वह **सब एक दूसरे से अलग अलग नहीं हैं**, किन्तु वह सब एक ऐसे बड़े आत्मा वा 'ब्रह्म' के अंश हैं, कि जो क्या उनमें और क्या उनके भिन्न और सब अस्तित्वों में भरा हुआ

है, अथवा जो **आप ही सब कुछ है**, और उसके भिन्न और सब कुछ मिथ्या है; क्या उनका यह विश्वास सत्य है?

उ.। नहीं; उनका भी यह विश्वास वा मत **पूर्णत: मिथ्या है।** जैसे प्रत्येक मनुष्य का शरीर अपने चेहरे में किसी अन्य मनुष्य के शरीर के चेहरे से कई ऐसी विशेष विभिन्नताएं रखता है, कि जिन के द्वारा वह **उन सबसे अलग पहचाना जाता है**, वैसे ही प्रत्येक मनुष्य का **आत्मा** किसी अन्य मनुष्य के आत्मा से अपनी प्रकृति विषयक गुणों के विचार से ऐसी **विभिन्नताएं** रखता है, कि जिन से वह **उससे अलग पहचाना जा सकता है**, और इन **विभिन्नताओं** के विचार से वह **अपना पूर्णत: पृथक अस्तित्व रखता** है। इसके भिन्न वह 'अहं' वा 'मैं' विषयक व्यक्तित्व के **बोध** के उत्पन्न हो जाने पर आप भी यह अनुभव करता है, कि वह औरों से **अपना पूर्णत: अलग अस्तित्व रखता है। इस अहं वा व्यक्तिपन के बोध को प्राप्त होकर वह साफ़ जानता है**, कि जब कोई और मनुष्य अपने शरीर के सम्बन्ध में यह कहता है, कि मुझे क्षयी रोग हो गया है, मेरे फेफड़ों में क्षयी रोग के कीड़े पैदा हो गए हैं, और वह उन्हें खा रहे हैं, और वह उनमें जो ज़हर पैदा करते हैं, उसके कारण मुझे प्रतिदिन बुख़ार भी हो जाता है, और मुझे कुछ कुछ खांसी भी होती है; तब वह उसी समय यह बोध करता है, कि **मेरे** शरीर में तो इस प्रकार का **कोई रोग नहीं है।** और जब किसी स्कूल का शिक्षक किसी लड़के को कोई पुस्तक पढ़ाता है, तब वह साफ़ जानता है, कि उस लड़के का आत्मा जो उससे वह पुस्तक पढ़ रहा है वा उससे कोई बात पूछ वा सीख रहा है, उसके अपने आत्मा से पूर्णत: **एक अलग अस्तित्व है।** इसी प्रकार जब कोई दुकानदार किसी और मनुष्य को कोई चीज़ बेचता है, तब वह साफ़ बोध करता है, **कि मैं और यह ग्राहक एक अस्तित्व नहीं।** इसी तरह जब कोई जन किसी और जन के सम्बन्ध में यह **अभियोग** लगाता है, कि उसने मुझे मारा है, वा मेरे धन की चोरी की है, वा मेरे बच्चे का खून किया है, वा मेरी स्त्री को भगा ले गया है, तब वह साफ़ बोध करता है, कि **जिस जन पर** वह किसी ऐसे अपराध का अभियोग लगाता है, **वह जन वह आप नहीं है, किन्तु वह कोई और जन वा व्यक्ति है।** फलत: मनुष्य जगत् के सब आत्मा अपने अपने भावों और अपनी अपनी चिन्ताओं, अपने अपने विश्वासों और अपने अपने कर्मों में जिस जिस प्रकार की **विभिन्नताएं** रखते हैं, उन **विभिन्नताओं** के विचार से वह जैसे कभी भी एक व्यक्ति नहीं और नहीं हो सकते, वैसे ही वह किसी एक व्यक्ति वा कहलाने वाले किसी 'ब्रह्म' नामक एक चेतन पुरुष के अंश भी नहीं, और नहीं हो सकते।

यह अद्वैतवाद वा वेदान्त विषयक विश्वास केवल यही नहीं, कि **पूर्णत: मिथ्या है**, किन्तु मनुष्य जगत् के लिए **महा हानिकारक भी है।** क्योंकि यदि किसी मनुष्य में यह मिथ्या विश्वास उत्पन्न हो जाय, कि एक 'ब्रह्म' नामक सत् चित् आनन्द पुरुष के भिन्न **कोई और अस्तित्व सत्य नहीं**; और नाना प्रकार के जीवों और जड़ पदार्थों आदि से भरपूर जो जगत् दिखाई देता है, वह जगत् सत्य नहीं, किन्तु पूर्णत: मिथ्या है; और वह उसे भ्रम वा अविद्या वा माया के कारण सत्य प्रतीत होता है, और उसके इस कहलाने वाले चेतन 'ब्रह्म' के भिन्न **कहीं और कोई और अस्तित्व है ही नहीं**; तब ऐसी दशा में वह युक्तिसंगत यह मिथ्या विश्वास भी कर सकता है, कि वह **किसी और के सम्बन्ध में तो कोई अन्याय वा पाप-मूलक कर्म** कर ही नहीं सकता, क्योंकि 'ब्रह्म' के सिवाय और कोई अस्तित्व वर्तमान नहीं और इसीलिए वह **किसी के सम्बन्ध में अपराधी भी नहीं बन सकता।** इसके साथ ही जब वह यह भी विश्वास करता हो, कि वह अपने किसी बुरे वा पाप कर्म से मलिन वा पतित भी नहीं हो सकता, क्योंकि वह निर्लेप है; तब ऐसी दशा में यदि वह **अपने किसी नीच भाव की प्रबल प्रेरणा से अपने किसी सुख भाव की तृप्ति के लिए** किसी अपराध वा पाप के करने के लिए तैयार हो जाय, और कोई ऐसा अपराध वा पाप करे, तो उसमें कोई आश्चर्य की बात नहीं हो सकती। इसीलिए इस मिथ्या विश्वास के कारण भी मनुष्य जगत् में कई प्रकार के **दुराचार** फैले हैं।

फिर जो लोग जड़वादी कहलाते हैं, वह भी अपने इस विश्वास के अनुसार कि आत्मा का अलग कोई अस्तित्व नहीं है, और किसी मिथ्या वा दुराचार वा अत्याचार वा पापाचार से न तो उसकी कोई **हानि** हो सकती है, और न किसी परोपकार वा पुण्य कर्म से उसे कोई **लाभ** पहुंच सकता है, अपने वा अपने किसी पारिवारिक वा अन्य जन के लिए किसी ऐसी मिथ्या वा किसी ऐसे पाप वा दुराचार आदि से **मोक्ष की कोई आवश्यकता बोध नहीं कर सकते, कि जिससे उन्हें कोई दुख न होता हो**, और न अपने वा अपने किसी पारिवारिक वा अन्य जन में किसी उच्च वा शुभ उत्पादक किसी ऐसे भाव की उत्पत्ति वा उन्नति की ही कोई **आवश्यकता अनुभव कर सकते हैं**, कि जिससे उन्हें कभी कोई कष्ट न मिलता हो।

फलत: जैसे वेदान्ती वा अद्वैतवादी नेचर के **जड़ पदार्थों के अस्तित्वों से अन्धे बनकर** सारी नेचर को 'ब्रह्म' नामक एक **चेतन वस्तु** बना देते हैं, वैसे ही जड़वादी क्या नेचर की अजीवित शक्तियों और क्या नेचर के जीवित जगतों की सब प्रकार की जीवनी शक्तियों और उनके शरीर निर्माण विषयक कार्य से **पूर्णत: अन्धे होकर** और उन्हें केवल शरीर का ही प्रकाश मानकर **सारी नेचर को जड़ रूप में**

बदल देते हैं। जबकि सत्य यह है कि **नेचर में जड़ और शक्ति दोनों वस्तुएं वर्तमान हैं**, और **दोनों** को ही लेकर नेचर का अपना अस्तित्व **सत्य और पूर्ण** अस्तित्व है।

प्र.। जो लोग यह विश्वास करते हैं, कि मनुष्य का आत्मा किसी कहलाने वाले योगाभ्यास के द्वारा अपने भौतिक शरीर को किसी स्थान में छोड़कर केवल अपने निराकार रूप के साथ किसी और स्थान में जा सकता है, वा पक्षियों की न्याईं उड़कर किसी इस वा उस आकाश की सैर कर सकता है, और फिर सैर करने के बाद अपने उसी पहले शरीर में चला आता है, उनका यह विश्वास कैसा है?

उ.। पूर्णतः मिथ्या है। इस विषय में **दो प्रकार के सत्यों के जानने की आवश्यकता है।** पहला सत्य यह है, कि यदि मनुष्य के शरीर से उसका आत्मा **पूर्णतः** निकल जाये, तो नेचर के नियमानुसार उसका वह शरीर फिर जीवित नहीं रह सकता, और **उसी समय मर जाता है**, और **उसके अनन्तर फिर वह कभी और किसी उपाय से जीवित नहीं हो सकता, अर्थात् वह सदा के लिए मर जाता है।** दूसरा सत्य यह है कि मनुष्य का आत्मा बिना किसी स्थूल वा सूक्ष्म जीवित भौतिक शरीर से संयुक्त होने के न कुछ देख सकता है, न कुछ सुन सकता है, न कुछ बोल सकता है, न कुछ समझ वा जान सकता है, न कोई चिन्ता कर सकता है, न कुछ सुख वा दुख बोध कर सकता है, न किसी भाव का प्रकाश कर सकता है, न कहीं जा सकता है, न कहीं से वापिस आ सकता है, और न किसी प्रकार की कोई भी और क्रिया कर सकता है। इसलिए निराकार रूप में जैसे उसका एक स्थान से दूसरे स्थान में जाना वा किसी आकाश में उड़ना और वहां की सैर करना नेचर के अटल नियमानुसार **असम्भव** है, वैसे ही एक बार अपने शरीर से पूर्णतः अलग हो जाने पर उसके लिए फिर उसी शरीर में घुसना वा प्रवेश करना भी **असम्भव** है।

अब यदि यह कहा जाय कि वह अपने भौतिक स्थूल शरीर को छोड़ने के अनन्तर एक और भौतिक सूक्ष्म शरीर की रचना करके और उससे सम्बंधित होकर वहां से किसी और स्थान वा किसी आकाश में जाने के योग्य हो जाता है, तो यहां तक यह बात नेचर के नियमानुसार होने के कारण अवश्य सत्य मानी जा सकती है; परन्तु इस प्रकार के सूक्ष्म शरीर से संयुक्त होकर वह किसी भी कहलाने वाले अपने योगाभ्यास वा किसी भी उपाय के द्वारा **अपने पहले मरे हुए स्थूल शरीर में फिर कभी भी प्रवेश नहीं कर सकता, और न उसे जीवित करके उसके द्वारा कोई क्रिया कर सकता वा कोई क्रिया करके दिखा सकता है।** इसलिए इस प्रकार का विश्वास भी **पूर्णतः मिथ्या** है।

प्र.। जो लोग यह विश्वास करते हैं, कि मनुष्य अपने इस वा उस प्रकार के योगाभ्यास वा किसी से कोई 'वर' लाभ करके वा किसी मंत्र वा जादू आदि के द्वारा अपनी इच्छा के अनुसार अपने शरीर को किसी बकरे, भेड़, गाय, बैल, घोड़े, ऊंट, हाथी, रीछ, भेड़िए, शेर, कुत्ते, कौवे, कबूतर वा किसी सांप, बिच्छू, मच्छर और पिस्सू आदि के रूप में बदल सकता है, और जब जी चाहे इस प्रकार के किसी शरीर को फिर अपने पहले जैसे मनुष्य शरीर में परिवर्तित कर सकता है, उनका यह विश्वास कैसा है?

उ.। पूर्णतः मिथ्या है। इस प्रकार का परिवर्तन नेचर के अटल नियमों के अनुसार **पूर्णतः असम्भव** है, और इसीलिए न केवल यह विश्वास **पूर्णतः मिथ्या** है, किन्तु लोगों में इस प्रकार के मिथ्या विश्वासों के फैलाने के निमित्त जिन जिन के सम्बन्ध में जितनी और जिस जिस प्रकार की कहानियां घड़ी और प्रचलित की गई हैं, वह भी सबकी सब **पूर्णतः मिथ्या हैं**।

प्र.। क्या जो लोग यह विश्वास करते हैं, कि उनके किसी देवते वा उस देवते के किसी अवतार वा उसके किसी विशेष सम्बन्धी वा उसके भक्त वा उसके किसी संदेशदाता वा किसी अन्य प्रकार के सिद्ध पुरुष में यह शक्ति थी, कि वह जब किसी से **कुपित** होने पर उसे **शाप** देते, अर्थात् उसे यह कहते, कि हे जीवित और हरे वृक्ष, तू अभी सूख जा, तब वह उनके कहने से उसी समय सूख जाता; और जब वह यह कहते कि वह दर्जनों भेड़ें वा बकरियां जो उस घास के मैदान में चर रही हैं, अभी मर जाएं, तब वह उसी समय मर जातीं; और जब वह यह कहते कि अमुक पुरुष इसी समय मर जाय, तो वह उसी समय मर जाता; और जब वह यह कहते, कि अमुक मरे हुए वृक्ष और अमुक मरी हुई भेड़ वा बकरी वा अमुक मरे हुए मनुष्य का शरीर अभी जीवित हो जाय, तो वह उसी समय जीवित हो जाता था; और जब वह किसी जवान पुरुष को यह कहते, कि तू अभी नन्हा सा बच्चा बन जा, तो वह उसी समय छोटा सा बच्चा बन जाता; और जब वह एक दिन के मनुष्य के बच्चे को यह कहते, कि तू मेरे साथ अमुक भाषा में बातचीत कर, तो वह उसी समय उसी भाषा में बोलने लगता, और यदि वह किसी वृक्ष को कहते, कि तू मेरे अमुक प्रश्न का उत्तर दे, तो वह उनकी भाषा में ही उनके प्रश्न का उत्तर देता था। क्या इन विविध प्रकार के जीवित शरीरों के सम्बन्ध में उनके ऐसे विश्वास सत्य हैं?

उ.। नहीं; कदापि नहीं। उनके यह विश्वास भी नेचर के नियमों के विरुद्ध होने के कारण **पूर्णतः मिथ्या** हैं, और जिस जिस देश में इस इस प्रकार की जितनी कहानियां फैलाई गई हैं, **वह सब की सब झूठी हैं**।

प्र.। क्या कोई सर्व शक्तिमान् ईश्वर, परमेश्वर, परमात्मा, अल्ला, खुदा, वाहगुरु आदि कहलाने वाला देवता भी किसी मनुष्य आदि के मुर्दा शरीर को फिर ज़िन्दा नहीं कर सकता? और क्या वह भी किसी मनुष्य के शरीर के मर जाने पर उसके आत्मा को किसी और मनुष्य वा पशु वा पौदे के शरीर में नहीं डाल सकता?

उ.। कदापि नहीं। प्रथम तो इस प्रकार का कहलाने वाला देवता कहीं है नहीं, जो सर्व शक्तिमान् हो। दूसरे यदि युक्ति के लिए उसका अस्तित्व मान भी लिया जाय, तो भी जो कुछ नेचर के नियमों के विरुद्ध है, उसे कोई भी सच्ची परीक्षा के द्वारा कभी भी प्रमाण करके दिखा नहीं सकता।

पूर्णत: मरे हुए किसी मनुष्य वा पशु वा पौदे के शरीर को जैसे कोई कहलाने वाला देवता वा कोई और जीवित नहीं कर सकता, वैसे ही मनुष्य शरीर को त्याग चुकने के अनन्तर कोई कहलाने वाला देवता उसके आत्मा को किसी और मानव स्त्री वा पशु नारी आदि के गर्भ में डालकर उसे फिर कभी पैदा भी नहीं कर सकता। इसीलिए नेचर के अटल नियमों के विरुद्ध इस प्रकार के भी जितने विश्वास मनुष्य जगत् में फैलाए गए हैं, वह भी सबके सब **पूर्णत: मिथ्या हैं।**

———

सातवां अध्याय

मनुष्य के आत्मा की गठन

जैसे मनुष्य का शरीर विविध प्रकार के अंगों को प्राप्त होकर एक **गठन-प्राप्त** (Organised) **शरीर** बन गया है, वैसे ही उसका आत्मा भी विविध प्रकार की शक्तियों को प्राप्त होकर एक विशेष सीमा तक **गठन-प्राप्त** (Organised) **अस्तित्व** बन गया है।

मनुष्य के **शरीर की पूर्ण गठन में जिन जिन और जिस जिस प्रकार के विविध अंगों का विकास हुआ है**, वह सब अंग उसे नेचर के विकास विषयक नियम के अनुसार पशु जगत् में से धीरे धीरे विकसित होते होते लाखों वर्षों के अनन्तर प्राप्त हुए हैं। फिर उसकी मानसिक और हार्दिक शक्तियों की उन्नति के साथ साथ उसमें कई प्रकार की और भी उन्नति हुई है।

अब यद्यपि मनुष्य के **शरीर की गठन** तो अपने नाना प्रकार के **आवश्यक** अंगों की संख्या के विचार से **पूर्णता** को पहुंच गई है, तथापि उसका **आत्मा** अपनी गठन के नाना आवश्यक अंगों के विचार से **बहुत अपूर्ण वा अधूरी दशा में है।**

प्र.। मनुष्यात्मा की अपूर्ण गठन से क्या अभिप्राय है?

उ.। प्रत्येक मनुष्यात्मा अपने विविध प्रकार के **सुख अनुरागों** का दास होकर उनकी तृप्ति के लिए जिस जिस प्रकार की आन्तरिक चिन्ताएं और बाह्यक क्रियाएं करता है, उनके द्वारा वह क्या अपने आत्मा और क्या अपने शरीर दोनों की ही गठन की विविध प्रकार से **महा हानियां करता है।** इन हानियों से बचाने के लिए उसे नेचर के नियमानुसार उनमें से प्रत्येक के सम्बन्ध में **प्रत्येक हानि** को **उसके प्रकृत रूप में देखने के लिए जिस ज्योति** और **उसे दूर करने और उससे मोक्ष पाने के निमित्त उसे जिस उच्च घृणा और दुख उत्पादक भावों की नितान्त आवश्यकता है**, उनकी अवर्तमानता।

इसी प्रकार मनुष्य के आत्मा में उसके जीवन की वृद्धि के लिए नेचर के नियमानुसार उसकी गठन में **जिन जिन विविध प्रकार के हित उत्पादक श्रेष्ठ भावों के विकास की आवश्यकता है,** उनका वर्तमान न होना।

फिर लाखों मनुष्यों के आत्मा अपनी अपनी इस अपूर्ण गठन में भी अपने

विविध प्रकार के सुख अनुरागों के कारण पतित होते होते उस पतन की जिस दशा में पहुंच गए हैं, उनमें अब किसी प्रकार के मोक्ष दायक भावों और **श्रेष्ठ अंगों की उत्पत्ति की संभावना भी नहीं रही।** अर्थात् अब उनकी आत्मिक गठन में किसी प्रकार की कोई और **श्रेष्ठता** आ नहीं सकती। परन्तु फिर भी मनुष्य जगत् में ऐसे योग्य वा अधिकारी जनों की एक संख्या अवश्य वर्तमान है, कि जिनमें **एक वा दूसरी सीमा तक** कई प्रकार के मोक्ष दायक और जीवन वर्द्धक श्रेष्ठ भावों की उत्पत्ति और उन्नति हो सकती है। और इसीलिए उस सीमा तक उनके आत्मिक विकास का क्रम आगे भी चल सकता है।

प्र.। इस पृथ्वी में साधारण मनुष्यों के आत्माओं की जैसी कुछ **अपूर्ण** वा अधूरी गठन है, उसमें अब तक किस किस प्रकार की शक्तियों की उत्पत्ति हुई है, अर्थात् उनकी यह अधूरी गठन किन किन शक्तियों से संगठित है?

उ.। ऐसे मनुष्यों के आत्माओं की अधूरी वा अपूर्ण गठन में जिस जिस प्रकार की शक्तियों की उत्पत्ति हुई है, वह यह हैं:-

1— शरीर निर्माण, पालन और उस पर शासन करने और उसे जीवित रखने वाली चार प्रकार की शक्तियां।

2— ज्ञान-उत्पादक नाना प्रकार की मानसिक शक्तियां।

3— सुख दुख उत्पादक नाना प्रकार की भाव शक्तियां।

4— सुख के प्रति आकर्षण वा अनुराग और दुख के प्रति विकर्षण वा घृणा विषयक नाना प्रकार की भाव शक्तियां।

इनमें से मनुष्य के आत्मा में उसके शरीर के निर्माण आदि के सम्बन्ध में जिन जिन शक्तियों का विकास हुआ है, उनका वर्णन इससे पहले हो चुका है। अब शेष तीनों प्रकार की शक्तियों का वर्णन इससे आगे होगा।

———

आठवां अध्याय

मनुष्यात्मा में ज्ञान उत्पादक नाना प्रकार की मानसिक शक्तियां*

प्र.। ज्ञान किसे कहते हैं?

उ.। मनुष्य को नेचर के किसी अस्तित्व के रूप वा उसके किसी गुण वा नेचर की किसी घटना वा उसके कारण वा उसके किसी नियम के सम्बन्ध में जिस जिस **वास्तविक सत्य की साक्षात् उपलब्धि होती है**, उस वास्तविक और साक्षात् सत्य की उपलब्धि को ज्ञान कहते हैं।

प्र.। मानसिक शक्तियां किन्हें कहते हैं?

उ.। मनुष्यात्मा की जो जो शक्तियां उसमें किसी प्रकार का कोई ज्ञान उत्पन्न करती हैं, वह उसकी मानसिक शक्तियां कहलाती हैं।

प्र.। यह मानसिक शक्तियां कितने प्रकार की हैं?

उ.। नाना प्रकार की हैं; और वह मोटी विधि से जिन चार प्रकार की श्रेणियों में विभक्त हो सकती हैं, वह यह हैं:–

पहली श्रेणी की मानसिक शक्तियां

इस श्रेणी की मानसिक शक्तियां यह हैं:–

(1) आकार बोधक दर्शन शक्ति

(2) शब्द बोधक श्रवण शक्ति।

(3) स्वाद वा रस बोधक रसना शक्ति।

(4) गन्ध बोधक घ्राण शक्ति।

(5) शीत और ताप बोधक स्पर्श शक्ति।

---

*मानसिक शक्तियों के विषय में इस अध्याय में दिया गया विवरण सन् 1928 ई० में उपलब्ध ज्ञान के अनुसार है। इस शास्त्र के रचयिता के लिखित आदेश के अनुसार पाठक इसमें आधुनिकतम उपलब्ध वैज्ञानिक जानकारी के अनुसार परिवर्तन कर लें।

(6) जड़ पदार्थ सम्बन्धी भार बोधक स्पर्श शक्ति।

(7) जड़ पदार्थ सम्बन्धी कठिन वा कोमल बोधक स्पर्श शक्ति।

(8) जड़ पदार्थ सम्बन्धी खुरदरा वा चिकनापन बोधक स्पर्श शक्ति।

इन शक्तियों की संक्षिप्त व्याख्या देवशास्त्र के दूसरे खंड के संस्करण 2020 के पृष्ठ पांच से लेकर पृष्ठ आठ तक दी जा चुकी है, इसलिए उस व्याख्या के यहां दोहराने की आवश्यकता नहीं। फिर इसी अध्याय में आगे चलकर तीसरी श्रेणी की मानसिक शक्तियों में से धारणा शक्ति के सम्बन्ध में जो व्याख्या की गई है, उसमें भी इन शक्तियों का कुछ वर्णन किया गया है, और बताया गया है कि इनके द्वारा मनुष्यात्मा को जिस जिस प्रकार का ज्ञान प्राप्त होता है; वह उसकी धारणा शक्ति में भी अंकित होता है।

दूसरी श्रेणी की मानसिक शक्तियां

इस श्रेणी की मानसिक शक्तियां यह हैं:-

(1) अहं वा 'मैं' विषयक बोध शक्ति।

(2) 'मेरी' और 'मुझे' विषयक बोध शक्ति।

(3) 'पर' विषयक बोध शक्ति।

(4) 'पर' के सम्बन्ध में 'उसका' और 'उसकी' विषयक बोध शक्ति।

संक्षिप्त व्याख्या

जब किसी स्त्री की गर्भस्थली में मनुष्य का कोई बच्चा **पूर्ण आकार** में बनकर उससे बाहर आता है, और फिर अपनी माता आदि के द्वारा प्रतिपालित होना आरम्भ करता है, **तब एक विशेष काल** तक उसका नन्हा आत्मा 'अहं' वा 'मैं' वा अपने **व्यक्तिपन** का कोई ज्ञान नहीं रखता, इसीलिए यद्यपि उसके शरीर के द्वारा खाने, पीने, सोने, जागने, मल मूत्र त्याग करने, आराम वा कष्ट अनुभव करने, कुछ देखने वा सुनने, रोने चिल्लाने आदि की विविध क्रियाएं होती रहती हैं; तथापि उनमें से किसी के सम्बन्ध में उसके आत्मा में **यह बोध वर्तमान नहीं होता,** कि यह सब क्रियाएं **'मैं'** करता हूं, अथवा यह क्रियाएं **मेरे** शरीर के द्वारा होती हैं। वह हाथ रखता है, परन्तु यह नहीं जानता, कि यह हाथ **मेरा** है; अथवा यह पांव **मेरे** हैं; अथवा यह शरीर **मेरा** है; यह खिलौना **मेरा** है; यह स्त्री **मेरी** मां है। इस प्रकार के कोई बोध वह अपने भीतर नहीं रखता। फिर कुछ काल के अनन्तर उसकी शारीरिक और

आत्मिक उन्नति में एक ऐसा समय आता है, कि जब उसमें इस ''मैं'', ''मेरी'' और ''मुझे'' विषयक **बोधों** की उत्पत्ति हो जाती है; और वह इस दशा में पहुंच कर यह **जानता वा बोध करता है**; कि यह स्त्री **मेरी** मां है, यह खिलौना **मेरा** है, **मैंने** वहां पेशाब किया है; यह मिठाई **मेरी** है; **मुझे** भूख नहीं है; **मुझे** प्यास लग रही है। **मुझे** नींद आ रही है; इत्यादि।

इन ''मैं'', ''मेरी'', ''मुझे'' आदि के **बोधों** के उत्पन्न हो जाने पर यद्यपि मनुष्य का एक वा दूसरा बच्चा अपनी एक वा दूसरी क्रिया आदि को **अपने साथ** सम्बन्धित करता है; तथापि इस बोध के जाग आने पर भी वह एक काल तक यह नहीं जानता, कि यदि मेरे अमुक अमुक कर्म को कोई और जन अपने वा किसी अन्य अस्तित्व के लिए **हानिकारक** बताता है, तो मैं उसके लिए **दायी वा ज़िम्मेवार** हूं, अर्थात् ''मैं'' उसके लिए **अपराधी** हूं, वा अपराधी समझा जा सकता हूं; और उसके लिए **मैं दंड पाने का** भी भागी बन सकता हूं। इसीलिए बच्चे अपनी वयस के एक विशेष काल तक किसी सुसभ्य गवर्नमेंट के निकट अपने किसी अपराध के लिए दंड पाने के योग्य नहीं समझे जाते।

अहं वा मैं विषयक बोधों की जाग्रति के साथ ''पर'' का बोध **स्वत:** उत्पन्न हो जाता है। और ''पर'' के बोध के साथ **उसे, उसका** और **उसकी** के बोधों की भी जाग्रति हो जाती है।

तीसरी श्रेणी की मानसिक शक्तियां

प्र.। तीसरी श्रेणी की मानसिक शक्तियां कितने प्रकार की हैं?

उ.। यह मानसिक बोध शक्तियां नाना प्रकार की हैं और उनमें से जो जो बोध शक्तियां प्राय: सब मनुष्यों में अल्प वा अधिक बलवती पाई जाती हैं, उनके नाम यह हैं:-

(1) धारणा शक्ति।
(2) स्मरण शक्ति।
(3) अनुकरण शक्ति।
(4) कल्पना शक्ति।
(5) जिज्ञासा शक्ति।
(6) विचार वा विवेचना शक्ति।
(7) युक्ति वा तर्क शक्ति।
(8) ध्यान शक्ति।

संक्षिप्त व्याख्या

1- धारणा शक्ति

प्र.। धारणा शक्ति क्या होती है?

उ.। किसी स्त्री की गर्भस्थली में सब प्रकार के आवश्यक अंगों के ठीक ठीक बन जाने पर और फिर ठीक दशा में उससे बाहर आने पर जब मनुष्य का बच्चा पहले पहल अपनी शारीरिक आंखों के खुलने पर सूर्य वा लैम्प वा दीपक आदि की ज्योति में अपने चारों ओर की जड़ वस्तुओं के विविध आकारों की ओर देखता है, और इस ज्योति के द्वारा उन ज्योतिर्मान आकारों से ज्योति की किरणें उसकी आंखों तक पहुंचती हैं, और उनके प्रतिबिम्बों को उसकी एक विशेष स्नायु के द्वारा उसके मस्तिष्क में पहुंचाती हैं, और उसमें एक प्रकार की सनसनी उत्पन्न करती हैं, तब वह उनके उन आकारों को देखता है। इसी प्रकार जब कोई **शब्द** हवा के द्वारा उसके **कानों** के भीतर पहुंच कर और उनके परदों से टकरा कर और उन कानों की एक विशेष स्नायु की राह से उसके मस्तिष्क तक पहुंच कर उसमें कोई **सनसनी** पैदा करता है, तब उसे उस शब्द का बोध होता है। फिर जब वह दूध पीता है, और यह दूध उसकी स्वाद बोध दायिनी मुंह की गिलटियों को स्पर्श करता है, और उसकी सनसनी उसके मस्तिष्क तक पहुंचती है, तब उसका आत्मा उसके **स्वाद रस को** अनुभव करता है। इसी प्रकार एक वा दूसरे समय में किसी गंधमय वस्तु के जब छोटे छोटे कण उसकी नाक की घ्राण बोधदायिनी स्नायु से टकरा कर उसके मस्तिष्क में एक वा दूसरे प्रकार की **सनसनी** उत्पन्न करते हैं, तब वह उसकी गंध का बोध लाभ करता है। त्वचा पर फैले हुए स्नायु जाल के द्वारा किसी एक वा दूसरी वस्तु के स्पर्श से उसकी सनसनी जब उसके मस्तिष्क तक पहुंचती है, तब वह **शीत वा ताप वा कष्ट वा आराम** बोध करता है। फिर जब उसके पट्ठों पर किसी भारवान जड़ वस्तु के रखे जाने पर उसकी सनसनी उसके मस्तिष्क तक पहुंचती है, तब वह उसके भार को अनुभव करता है। इसी प्रकार उसके आन्तरिक अंगों में जो स्नायु जाल फैला हुआ होता है, उनमें से उसके **मूत्र कुंड** के भर जाने पर उसकी स्नायु पर जब **मूत्र** का दबाव पड़ता है, तब उसकी सनसनी उसके मस्तिष्क तक पहुंचने पर उसे **मूत्र** त्याग की, और जब उसकी सबसे बड़ी अन्तड़ी पर मल का दबाव पड़ता है, तब उसकी सनसनी के उसके मस्तिष्क तक पहुंचने पर उसे **मल त्याग** की और इसी विधि से उसे अपने किसी अंग की **पीड़ा वा कष्ट** की अनुभूति होती है, और किसी ऐसी पीड़ा के चले जाने पर **आराम बोध** होता है। उसकी ऐसी **नाना प्रकार की सनसनियों** को उसके मस्तिष्क में वर्तमान उसकी जो शक्ति ग्रहण करती रहती है, और जिस पर धीरे धीरे उन सनसनियों के एक प्रकार के असर वा निशान पड़ते

रहते हैं, उसे **धारणा शक्ति** कहते हैं।

इस धारणा शक्ति के द्वारा मनुष्यात्मा अपने चारों ओर की वस्तुओं के आकार आदि के भिन्न विविध प्रकार की और बातों के प्रभावों को भी ग्रहण करता है, इसीलिए वह बचपन से क्या अपने प्रतिपालकों और क्या अन्य जनों की बातों को - चाहे वह **सच** हों वा **झूठ** - उनकी बोली के सीखने के साथ साथ **सत्य मानकर ग्रहण करता है**। मनुष्यों की इसी प्रकार की **धारणा-मूलक बातों को संस्कार-प्राप्त विश्वास वा अवगति कहते हैं**।

2- स्मरण शक्ति

प्र.। स्मरण शक्ति किसे कहते हैं?

उ.। मनुष्य बचपन से ही अपनी शारीरिक इन्द्रियों और अपने प्रतिपालकों आदि की शिक्षा से जिस जिस प्रकार के प्रभाव लाभ करता है, वह उसकी **धारणा शक्ति** की प्लेट पर मानों ग्रामोफोन की प्लेट की न्याईं अंकित होते रहते हैं। फिर उसकी यह अंकित अवगति एक वा दूसरे अवसर पर **उसकी जिस और शक्ति से परिचालित होकर उसके सम्मुख प्रगट होती है, उस शक्ति को स्मरण शक्ति कहते हैं**। यदि मनुष्य में यह **धारणा** और **स्मरण** नामक दोनों मानसिक शक्तियां न होतीं, तो वह बचपन से ही कोई भी बात न जान सकता, और कोई बात भी न सीख सकता, और न अपने आपको विविध प्रकार के ज्ञान का भंडार बना सकता।

3- अनुकरण शक्ति

प्र.। अनुकरण शक्ति किसे कहते हैं?

उ.। अनुकरण शब्द का अर्थ नक़ल है। मनुष्य अपनी छोटी वयस में पहले पहल इसी शक्ति के द्वारा अपने प्रतिपालकों की भाषा के नाना शब्द सुनकर और उनके **उच्चारण की नक़ल करके उन शब्दों को बोलता और उनकी भाषा सीखता है**। फिर किसी भाषा के शब्दों को **संकेत** के द्वारा प्रगट करने के निमित्त **अक्षर** आदि विविध प्रकार की जो जो विधियां निकाली गई हैं, उनको नक़ल करके उन **संकेतों** को सीखता है। इसी प्रकार इसी शक्ति के द्वारा मनुष्य नाना प्रकार के चित्र खैंचने, नक्शे वा मैप बनाने, कपड़ों पर बेल बूटों और फूलों आदि के काढ़ने, और नाना प्रकार की अन्य कारीगरी के काम भी सीखता है। इसी शक्ति के द्वारा मनुष्य किसी और मनुष्य की पोशाक की नक़ल करके आप भी वैसी पोशाक पहनता है। इसी शक्ति के द्वारा वह किसी की विशेष बोली और किसी की किसी शारीरिक विशेष क्रिया और

किसी की और बातों की नक़ल करके एक वा दूसरे प्रकार के ड्रामे वा तमाशे वा खेल दिखाता है। परन्तु कोई मनुष्य अपनी इस शक्ति के द्वारा सिवाय बाहर की नक़ल के **किसी के किसी असल उच्च गुण वा गुणों वा खूबियों की नक़ल करके उन्हें अपने जीवन के द्वारा असल रूप में प्रगट नहीं कर सकता**, क्योंकि नेचर में जिस मनुष्य को जिस किसी अच्छे भाव वा गुण का बीज नहीं मिला, अथवा यदि उसे मिला था, और वह किसी कारण से उसे प्रस्फुटित और उन्नत वा विकसित नहीं कर सका, तो वह उस भाव के प्रकाशक **सच्चे लक्षणों** का अपने जीवन से कभी प्रकाश नहीं कर सकता।

कौवा मोर के परों को अपने परों पर लगाकर और बाहर से कुछ उसके रूप की नक़ल करके भी अपने आपको मोर नहीं बना सकता। इसीलिए नेचर के इस अटल नियम के अनुसार कोई जन नक़ल के आधार पर किसी सच्चे गुण के सूचक किसी शब्द वा शब्दों को अपने वा किसी और के साथ लगाकर अपने आपको वा उसे वह विशेष पुरुष नहीं बना सकता, और उसके जीवन के उन सच्चे लक्षणों को अपने वा उस जन के भीतर से प्रगट नहीं कर सकता, और ऐसी नक़ल करके वह अपने आपको एक **भांड** वा **पाखंडी** ही प्रमाणित कर सकता है।

4- कल्पना शक्ति

प्र.। कल्पना शक्ति किसे कहते हैं?

उ.। मनुष्य की **कल्पना शक्ति** वह **मानसिक शक्ति** है, कि जो किसी एक वा दूसरे प्रकार के **मानसिक चित्र** खैंचकर उसके सम्मुख प्रगट करती है, अथवा यदि कोई और जन किसी बात के सम्बन्ध में कोई मानसिक चित्र खैंचकर उसका उसके सम्मुख वर्णन करे, तो योग्यता रखने पर वह उसके द्वारा उस मानसिक चित्र को देख वा उपलब्ध कर सकता है। यह बहुत **अद्‌भुत शक्ति** है। यदि यह शक्ति मनुष्यों में वर्तमान न होती, तो **कोई भी मनुष्य किसी मानसिक दृश्य के देखने के योग्य न होता**। मनुष्य की यह मानसिक शक्ति जिस जिस प्रकार के मानसिक चित्र खैंचती है, **वह सब सत्य नहीं होते,** किन्तु उनमें से कितने ही **मिथ्या** होते हैं। इन चित्रों में से कितने ही चित्र **चाहे वह पूर्णतः मिथ्या भी हों** - जहां एक वा दूसरे जन को **सत्य** और **सुखदायक** प्रतीत होते हैं; वहां कितने ही चित्र - **चाहे वह पूर्णतः सत्य भी हों** - एक वा दूसरे जन को **मिथ्या** और **कष्टदायक** बोध होते हैं।

शरीर की जाग्रत दशा के भिन्न यह शक्ति मनुष्य की **सोई हुई दशा** में भी जब इसी प्रकार के चित्र बनाने का काम करती है, तब उसके यह चित्र **स्वप्न** कहलाते

हैं। स्वप्न के सब चित्र **प्राय: मिथ्या** होते हैं। जिन मनुष्यों में एक ओर **विचार** और **तर्क** विषयक मानसिक शक्तियां **जितनी कम उन्नत दशा** में होती हैं, और दूसरी ओर उनमें नेचर के सम्बन्ध में किसी **सत्य वा असत्य घटना वा सम्भव और असम्भव का ज्ञान बिलकुल नहीं होता,** वा **अत्यन्त थोड़ा होता** है, उन पर उनकी जाग्रत दशा में भी उनकी **कल्पना शक्ति** का उतना ही **अधिक अधिकार** होता है, और उतने ही अंश वह ऐसे मनुष्यों की अपेक्षा **मिथ्या विश्वासों वा मतों को बहुत अधिक मानने के लिए तैयार रहते और उनमें बहुत अधिक लिप्त होते हैं, कि जो जन विद्या की प्राप्ति के द्वारा अपनी विचार और तर्क शक्ति को उनसे अधिक उन्नत करने के योग्य बन जाते हैं**, और सत्य नेचर के सम्बन्ध में अपेक्षाकृत अधिक सत्य ज्ञान लाभ करते हैं।

5- जिज्ञासा शक्ति

प्र.। जिज्ञासा शक्ति क्या होती है?

उ.। जिज्ञासा शब्द का अर्थ पूछना है। मनुष्य को जब कोई बात मालूम न हो, और उसे उसके विषय में **जानने** वा अवगति लाभ करने की **आवश्यकता बोध** होती हो, तब वह ऐसी दशा में उस अवगति की प्राप्ति के निमित्त अपनी जिस शक्ति के द्वारा काम लेता है, उसे **जिज्ञासा शक्ति** कहते हैं। जिस देश के मनुष्यों में **नेचर** के सम्बन्ध में **जिज्ञासा करने** का भाव जितना थोड़ा होता है, और उसके नाना विभागों के नाना अस्तित्वों के रूप वा गुण वा स्वभाव वा कार्य और उसकी विविध घटनाओं और उसके विविध नियमों के सम्बन्ध में **अनुसंधान वा अध्ययन करने का भाव जितना कम होता है, उस देश के रहने वालों में नेचर विषयक ज्ञान भी उतना ही कम होता है।** और जिस देश के रहने वालों में नेचर के विषय में उनकी जिज्ञासा वा अनुसंधान शक्ति जितना अधिक काम करती है, और वह नेचर के सम्बध में जितना अधिक **वास्तविक वा सत्य ज्ञान** (कल्पित नहीं) लाभ करते हैं, और उसकी शक्तियों के विषय में वह ज्ञानी बनकर उन्हें अपने विविध **अभीष्टों की सिद्धि के लिए अधिक काम में लाने के योग्य बन जाते हैं;** वह किसी ऐसे देश के रहने वालों की अपेक्षा जिनमें नेचर के सम्बन्ध में उनकी जिज्ञासा वा अनुसन्धान शक्ति बहुत कम काम करती है, **अधिक ज्ञानवान और शक्तिमान् होते हैं** और जिस देश के रहने वाले नेचर विषयक सत्य ज्ञान और उसकी विविध शक्तियों को काम में लाने की योग्यता के विचार से जितने अंश किसी और देशवासियों की अपेक्षा हीन होते हैं, उतने ही अंश वह उनकी अपेक्षा **घटिया और कम शक्तिमान वा निर्बल होते हैं।**

6- विचार वा विवेचना शक्ति

प्र.। विचार वा विवेचना शक्ति किसे कहते हैं?

उ.। जब कोई मनुष्य अपनी वा किसी और की किसी आवश्यकता को अनुभव करके उसके **निवारण करने** वा अपने किसी कार्य में **सफलता लाभ करने** वा नेचर की किसी घटना के **कारण के जानने** वा नेचर के किसी विभाग के सम्बन्ध में किसी एक वा दूसरे प्रकार के **ज्ञान** के प्राप्त करने का **आकांक्षी** बन कर और किसी ऐसी आकांक्षा से परिचालित होकर **उनमें से किसी विषय में किसी प्रकार के सोच विचार की क्रिया में प्रवृत होता है**, तब उसमें ऐसी क्रिया **जिस मानसिक शक्ति** के द्वारा उत्पन्न होती है, उसे **विचार वा विवेचना शक्ति कहते हैं।**

कुछ थोड़ी सीमा तक यह शक्ति पशु जगत् के जीवों में भी पाई जाती है, परन्तु मनुष्य में साधारणत: यह विवेचना शक्ति **उन्नतशील** दशा में विकसित हुई है।

विद्या की अधिक से अधिक प्राप्ति, ज्ञानवर्द्धक पुस्तकों का अधिक से अधिक अध्ययन, नेचर विषयक विविध तत्वों के अनुसन्धान और नाना हितकर विषयों के सम्बन्ध में परस्पर मिलकर आलोचना आदि करने से यह शक्ति **अधिक से अधिक उन्नत होती है।**

जिन देशों में विविध प्रकार की विद्यादायिनी संस्थाएं अर्थात् स्कूल और कालेज अधिक संख्या में होते हैं, और ज्ञानदायिनी विविध प्रकार की पुस्तकों और समाचार पत्रों का अधिक प्रकाशन होता है, पब्लिक पुस्तकालय अधिक होते हैं, और नेचर के विविध विभागों के विविध तत्वों के अनुसन्धान करने के निमित्त अधिक **अनुरागी जन** होते हैं, वह देश उन देशों की अपेक्षा जिनमें अपेक्षाकृत उनका **अभाव** पाया जाता है, ज्ञान और धन आदि के विचार से अधिक उन्नत दशा में होते हैं।

7- तर्क शक्ति

प्र.। तर्क शक्ति किसे कहते हैं?

उ.। मनुष्य के

(1) अपने बचपन से **संस्कार-प्राप्त** नाना प्रकार के विश्वासों वा मतों,

(2) बचपन के अनन्तर औरों के कथनों को सत्य मान लेने पर उन विश्वासों,

(3) अपने नीच अनुरागों की प्रेरणाओं से अपने नाना प्रकार के विचारों वा सिद्धान्तों,

(4) अपनी नीच घृणाओं की प्रेरणाओं से अपने नाना प्रकार के विचारों वा सिद्धान्तों,

में विविध प्रकार की जो जो **मिथ्या की मिलावट होती** है, और वह उनमें अपनी अज्ञानता के कारण **लिप्त होता** है, उनमें से जिन जिन को वह अपनी जिस मानसिक शक्ति की उन्नति से **मिथ्या रूप** में देखने के योग्य बन सकता है, और अपने एक वा दूसरे प्रकार के विश्वास वा मत वा विचार वा सिद्धान्त की **भ्रान्ति** को देख सकता है, उसे **तर्क शक्ति** कहते हैं।

यह शक्ति किसी मनुष्य में मिथ्या वा सत्य के निर्णय करने में वहीं तक सहायता कर सकती है, जहां तक वह मनुष्य **उसे स्वतंत्र रूप से काम में लाने की योग्यता रखता हो।** परन्तु जब वह अपने किसी नीच अनुराग वा नीच घृणा के **वशीभूत** होकर उसे **स्वतंत्र रूप** से काम में लाने की योग्यता को खो बैठा हो, तब वह **उसके द्वारा सत्य और असत्य के विषय में न कोई ठीक निर्णय ही करना चाहता है, और न वह ऐसा कर ही सकता है।** इसी शक्ति को अंग्रेज़ी में लॉजिक और अरबी में मंतिक़ कहते हैं।

मनुष्य के नाना प्रकार के विचारों में से **भ्रान्ति** के दूर करने और उसमें नाना प्रकार के **ठीक विचारों** के द्वारा **ठीक सिद्धान्त** निकालने की योग्यता के पैदा करने में उसकी **तर्क विषयक मानसिक शक्ति उसकी बहुत बड़ी सहायता करती है।**

8- ध्यान शक्ति

प्र.। ध्यान शक्ति किसे कहते हैं?

उ.। किसी विषय में किसी आवश्यक काल तक अपनी चिन्ता अर्थात् सोच विचार की गति को **उसी विषय के साथ लगातार जोड़े रखने की शक्ति को ध्यान शक्ति कहते हैं।** ध्यान की इसी दशा को चित्त की एकाग्रता और अंग्रेज़ी में 'कन्सन्ट्रेशन आफ माइंड' और फ़ारसी में मराक़बा कहते हैं।

इसी शक्ति को उन्नत करके ही **कोई मनुष्य अपनी चिन्ता वा विचार शक्ति पर प्रभुत्व वा अधिकार लाभ करके** उसे किसी एक ही विषय के साथ आवश्यक काल तक जोड़े रखने और उसी के सम्बन्ध में विचार करने की दशा में रह सकता है; नहीं तो **उसके एक वा दूसरे प्रकार के आकर्षण वा विकर्षण विषयक भाव** उसकी इस चिन्ता वा विचार शक्ति को अपनी अपनी ओर **घसीटते रहते हैं,** और उसके विचार को किसी एक विषय के सम्बन्ध में **टिककर** काम में लगने नहीं देते। इस ध्यान शक्ति का मनुष्य के प्रत्येक काम के साथ सम्बन्ध है, और उसके बिना उसका कोई भी काम पूर्णतः ठीक वा अच्छा नहीं हो सकता। परन्तु जब तक किसी मनुष्य में **किसी विषय के सम्बन्ध में आकर्षण वा अनुराग न हो, तब तक वह**

स्वभावतः उस विषय के सम्बन्ध में कुछ चिन्ता करना वा ध्यान देना भी नहीं चाहता; और इसीलिए वह उसके सम्बन्ध में कोई विचार वा पाठ वा अध्ययन भी नहीं कर सकता, और न उसके सम्बन्ध में **किसी सत्य को देख वा उपलब्ध कर सकता है।** इसीलिए लाखों और करोड़ों मनुष्य जिनमें एक ओर धन सम्पत्ति, सन्तान वा अपने वा किसी अन्य सम्बन्धी वा मित्र वा सखा, वा सखी वा सहेली वा किसी इस वा उस शारीरिक सुख आदि का **नीच अनुराग अपना बहुत अधिकार रखता है**, और दूसरी ओर उनके हृदय में अपने अस्तित्व की मूल वस्तु अर्थात् **आत्मा के प्रकृत रूप और उसके रोगों वा पतन और उनके महा भयानक फलों और उनसे उसकी मोक्ष वा उसमें उच्च जीवन के विकास की आवश्यकता आदि नाना विषयों के सम्बन्ध में सत्य ज्ञान लाभ करने के लिए कोई आकर्षण नहीं होता; वह इन विषयों के सम्बन्ध में नियमित पाठ, विचार, अध्ययन वा सत्संग आदि नहीं कर सकते, और नहीं करना चाहते।** और यदि इन विषयों के सम्बन्ध में उन्हें कोई **सच्चा आत्म-तत्व-दर्शी गुरु वा नेता भी प्राप्त हो,** वा प्राप्त हो सकता हो, तो भी वह उसके चरणों में बैठकर एक **श्रद्धावान् जिज्ञासु** की न्याईं इन विषयों के सम्बन्ध में **उससे कुछ पूछना वा जिज्ञासा करना वा उससे कोई उपदेश लेना और ग्रहण करना नहीं चाहते; और इन पूर्णतः मुख्य और नितान्त आवश्यक विषयों के सम्बन्ध में आप पूर्ण अन्धकार में रहना और अपनेपारिवारिक और अन्य सम्बन्धियों को भी उसी अन्धकार वा अज्ञान की दशा में रखना पसंद करते हैं;** और इसी **महा शोचनीय और पतित दशा में** आप पड़े रहने और अपने सम्बन्धियों और मित्रों और औरों के पड़ा रहने में बहुत तृप्ति लाभ करते हैं।

फिर जिन अपेक्षाकृत थोड़े से सौभाग्यवान जनों में धर्म के नाम से श्रद्धा-मूलक जिज्ञासा का भाव वर्तमान भी होता है, वह एक ओर सच्चे **आत्म ज्ञान की प्रदर्शक देव ज्योति से विहीन और दूसरी ओर उसके संबंध में नाना प्रकार के महा हानिकारक विश्वासों में लिप्त ऐसे जनों के पास पहुंचते हैं, कि जिनके उपदेशों को सुनकर और ग्रहण करके वह गुमरही और हानि के भिन्न अपना कोई सच्चा आत्मिक हित लाभ नहीं कर सकते** और वह इस **अन्धकार** की दशा में रहकर किसी कहलाने वाली धर्म पुस्तक का पाठ वा उसकी शिक्षा पर विचार करके भी कोई **आत्मिक सत्य ज्ञान नहीं पा सकते; और अन्धकार में ही ठोकरें खा खा कर अपने अमूल्य आत्मिक जीवन को नष्ट करते रहते हैं।**

प्र.। क्या यह आठों प्रकार की मानसिक शक्तियां पशु जगत् के जीवधारियों में विकसित नहीं हुईं?

उ.। सब नहीं; परन्तु इनमें से कुछ अर्थात् समझने, पहचानने, विचारने, स्मरण, अनुकरण और कल्पना करने की शक्तियां उनमें एक वा दूसरे अंश तक अवश्य पाई जाती हैं, और वह कितनों में **एक विशेष सीमा तक उन्नत भी होती वा हो सकती हैं**, परन्तु उनकी यह शक्तियां **मनुष्य की न्याईं उन्नतशील नहीं हैं**।

प्र.। क्या मनुष्य अपनी इन्हीं **उन्नतशील मानसिक शक्तियों** के कारण पशु जगत् के जीवों पर धीरे धीरे **अधिकार वा प्रभुत्व** लाभ करने के योग्य हुआ है?

उ.। जी हां। मनुष्य अपनी इन शक्तियों में से कुछ शक्तियों और कुछ अपनी शारीरिक गठन की विशेषता के कारण पशु जगत् के नाना प्रकार के जीवों पर **प्रभुत्व** लाभ करने के योग्य हुआ है। मनुष्य डंडे की न्याईं केवल अपने दोनों पांवों से सीधा खड़ा होकर जिस प्रकार चल और भाग सकता है, उस प्रकार पशु जगत् का कोई जीव नहीं कर सकता। मनुष्य अपनी हथेली और अपनी उंगलियों की विशेष बनावट से उन्हें जिस जिस प्रकार से इधर उधर से मोड़कर उनके द्वारा विविध प्रकार के काम कर सकता है, वह सब काम पशु जगत् का कोई जीव नहीं कर सकता।

मनुष्य अपनी अनुकरण आदि शक्तियों के द्वारा **जिस जिस प्रकार की भाषा के विकसित करने के योग्य हुआ है**, वैसी और उतनी भाषा केवल यही नहीं कि पशु जगत् का कोई जीव विकसित नहीं कर सका, किन्तु वह कभी भी विकसित नहीं कर सकता - यहां तक कि वह उसे किसी मनुष्य से भी पूरी पूरी सीख नहीं सकता। मनुष्य नेचर की जिन नाना शक्तियों के विषय में ज्ञान लाभ करके उनके द्वारा अपनी अपेक्षा अधिक शारीरिक बल रखने वाले नाना पशुओं को क़ाबू करने के योग्य हुआ है, उनके विषय में पशु जगत् के जीव न कोई ज्ञान ही लाभ कर सकते हैं, और न उन शक्तियों के द्वारा वह किसी मनुष्य को काबू कर सकते हैं।

इन्हीं उन्नतशील मानसिक शक्तियों और शारीरिक गठन विषयक विशेषताओं को प्राप्त होकर मनुष्य ने पशु जगत् के जीवों की अपेक्षा कई प्रकार की **श्रेष्ठता लाभ** की है। और उसने अपनी इन मानसिक शक्तियों को उन्नत और नेचर के और जगतों के सम्बन्ध में नाना प्रकार का ज्ञान उपार्जन करके उन पर कई प्रकार का **प्रभुत्व** भी लाभ किया है। इसके भिन्न उनके द्वारा उसने नेचर के सम्बन्ध में अपने ज्ञान को उन्नत करके अपनी **सभ्यता** को भी बहुत कुछ विकसित किया है।

चौथी श्रेणी की मानसिक शक्तियां

मनुष्य के आत्मा में जिन चौथी श्रेणी की मानसिक शक्तियों की उत्पत्ति और उन्नति हुई है, वह यह हैं:-

1- आकारों के सम्बन्ध में:-

    (1) किसी रेखा वा लकीर वा किसी किनारे वा सिरे वा लम्बाई वा ऊंचाई आदि के सीधे वा टेढ़े पन का बोध।

    (2) छोटे बड़े वा सम का बोध।

    (3) गुलाई का बोध।

    (4) दो रेखाओं से बने हुए समकोण का बोध।

    (5) कई रेखाओं से घिरे हुए त्रिभुज, चतुर्भुज, पंच भुज, षष्टभुज, अष्टभुज आदि विविध प्रकार के रूपों का बोध।

    (6) समानान्तर का बोध।

    (7) समतल का बोध।

    (8) विविध प्रकार के महराबदार आकारों का बोध।

2- आकारों के सम्बन्ध में अन्य बोध:-

    (1) किसी आकार वा रूप के **सौन्दर्य** और **कुत्सितपन** का साधारण बोध।

    (2) किसी आकार वा रूप के विविध अंशों वा अंगों में **सामंजस्य वा असामंजस्य** अर्थात् **मेल** वा **अन्मेल, परिपाटी** वा **अपरिपाटी** का बोध।

    (3) किसी आकार वा रूप के **परिष्कृत वा मलिन** होने का बोध।

    (4) किसी आकार के चमकदार होने न होने का बोध।

3- शब्दों की थरथराहट वा लहरों में मेल अर्थात् **स्वर** का बोध।

4- गणना, विस्तृति, आदि, अनादि, ससीम, असीम और समय आदि का बोध।

5- जड़ पदार्थों की व्योमिक, वायुवीय, तरल, और स्थूल दशा का बोध।

6- जड़ पदार्थों की परस्पर विभिन्नता का बोध।

7- अजीवित शक्तियों के सम्बन्ध में उनकी गति और उनके बल के विषय में बोध। उनके एक रूप से दूसरे रूप में बदल जाने का बोध। उनके द्वारा जड़ पदार्थों में विविध प्रकार के परिवर्तन का बोध। शक्ति और जड़ के परिवर्तन में नेचर के अटल नियमों का बोध।

8- जीवित शक्तियों की परस्पर विभिन्नता का बोध। गठन-प्राप्त जीवित आकारों वा जीवित शरीरों की गठन का बोध। गठन-प्राप्त जीवित शरीरों वा आकारों के स्वास्थ्य

वा रोग वा उनकी मृत्यु का बोध। गठन-प्राप्त जीवित शरीरों वा आकारों की स्वास्थ्य विषयक उन्नति और अवनति का बोध। इत्यादि।

संक्षिप्त व्याख्या

विविध प्रकार के आकारों वा रूपों के सौन्दर्य विषयक बोधों की जाग्रति से मनुष्य जगत् में धीरे धीरे विविध प्रकार के कारु और शिल्प कार्य की उत्पत्ति और उन्नति हुई है। जड़ पदार्थों और उनके सम्बन्ध में **ताप शक्ति** के कार्य को जानकर मनुष्य ने विविध प्रकार की धातुओं के पिघलाने वा गलाने की क्षमता लाभ की है। और उसने उन्हें अलग अलग रखकर वा परस्पर मिला कर उनके द्वारा भान्त भान्त की हितकर चीज़ें बनाई हैं। इसी प्रकार लकड़ी और चमड़े और हड्डियों आदि से उसने भान्त भान्त की सुन्दर और हितकर वस्तुओं के बनाने की योग्यता लाभ की है। रूई, ऊन और रेशम आदि के प्रयोगों को जानकर उसने नाना प्रकार के कपड़ों, दरियों, क़ालीनों, जाजमों, कम्बलों, फ़लालैनों, चादरों और विविध प्रकार की सुन्दर सुन्दर पोशाकों आदि की उत्पत्ति की है। लोहे से उसने नाना प्रकार की चीज़ों यथा सूइयों, कीलों, पेचों, रेलों, एंजिनों, साइकिलों, मोटरसाइकिलों, मोटरकारों आदि की रचना की है। कंकर, पत्थर, चूने, मिट्टी, रेत आदि से उसने विविध प्रकार के बड़े बड़े मकान और महल और पुल आदि बनाए हैं। और ऐसे ही कई और बोधों को प्राप्त होकर वह सड़कों और नहरों आदि के निकालने और बनाने के योग्य हुआ है। शब्द विषयक स्वरों के बोधों को प्राप्त होकर मनुष्य ने पद्य वा काव्य की रचना की है, और उसके ऐसे बोधों से ही विविध प्रकार के गीतों, ग़ज़लों, बाजों और नृत्य विद्या की उत्पत्ति और उन्नति हुई है। इत्यादि इत्यादि।

इसलिए जिस देश के लोगों में एक ओर इस प्रकार के मानसिक बोधों की किसी और देश के लोगों की अपेक्षा जहां तक अधिक **उत्पत्ति और उन्नति** हुई है, और दूसरी ओर उनमें से जिन जिन के प्रति उनमें **हितकर आकर्षण** की उत्पत्ति और उन्नति भी हुई है, उस देश के लोग किसी ऐसे देश के लोगों की अपेक्षा जिन में इस प्रकार के बोधों की **कम उत्पत्ति** और उनके सम्बन्ध में **कम आकर्षण** की जाग्रति हुई है, बहुत **श्रेष्ठ दशा** में पहुंच गए हैं। और वह उनकी अपेक्षा अधिक **सुसभ्य,** अधिक **तन्दुरुस्त,** अधिक **साहसी** और अधिक **बलवान** भी बन गए हैं।

प्र.। क्या इस प्रकार के सारे बोधों की उत्पत्ति पशु जगत् के जीवों में नहीं हुई?

उ.। नहीं। पशु जगत् के किसी किसी प्रकार के जीवों में पत्तों, तीलियों और लकड़ी के टुकड़ों आदि से अपने निवास के लिए घोंसलों; कई पौदों के रसदार कणों

को निकाल कर उनसे एक एक प्रकार के छोटे छोटे घरों से विशिष्ट छत्तों; और मिट्टी आदि से एक वा दूसरे प्रकार के अन्य घरों के बनाने के कुछ कुछ सीमा तक अवश्य बोध पाए जाते हैं, और कोई कोई पक्षी किसी किसी स्वर में कुछ बोलते वा गाते भी हैं, और कोई कोई जीव अपने अपने शरीरों को परिष्कार भी करते हैं, परन्तु इससे अधिक उनमें मनुष्य की न्याईं नाना प्रकार के और बोध उत्पन्न नहीं हुए, और नहीं हो सकते।

फिर उनमें से जिन जिन में उपरोक्त कई एक बोध उत्पन्न भी हुए हैं, वह भी **उन्नतशील** नहीं।

इसीलिए मनुष्य ने उपरोक्त बोधों को प्राप्त हो कर उनके द्वारा अपने लिए जिस जिस प्रकार के सुख वा आराम दायक विविध सामान पैदा किए हैं, वह सामान पशु जगत् के कोई जीव पैदा नहीं कर सके, और नहीं कर सकते।

नवां अध्याय

मनुष्य में नाना प्रकार के सुख और दुख विषयक बोध और उसमें नाना प्रकार के सुखों के लिए आकर्षण वा अनुराग, और दुखों के लिए घृणा भाव; और इन्हीं दोनों प्रकार के भावों के द्वारा उसकी सब प्रकार की आत्मिक चिन्ताएं और बाह्यक क्रियाएं

पशु जगत् से ही मनुष्य जगत् की उत्पत्ति हुई है, इसलिए पशु जगत् के ही जीवों से उसे कई प्रकार के **सुख और दुख विषयक बोध** भी मिले हैं। उसके अनन्तर यह बोध उसमें **धीरे धीरे अधिक संख्या में बढ़े हैं**, अर्थात् मनुष्य जगत् के नाना लोगों में धीरे धीरे जितने और जिस जिस प्रकार के **पूर्णतः नए सुख और दुख विषयक बोध उत्पन्न हुए हैं**, वह नाना बोध पशु जगत् के जीवों में उत्पन्न नहीं हुए, और उनमें उत्पन्न हो भी नहीं सकते थे।

दृष्टान्त:-

मनुष्य जगत् के विकास क्रम में कितने ही जनों में (सब में नहीं) नेचर के विविध पदार्थों के सम्बन्ध में उनके आकार विषयक कई प्रकार के बोधों के भिन्न **परिष्कारता और अपरिष्कारता, सौन्दर्य और असौन्दर्य, परिपाटी और अपरिपाटी सम्बन्धी जिन विविध प्रकार के और बोधों की जितनी उत्पत्ति हुई है**; और इन बोधों को प्राप्त होकर वह अपने शरीर, अपने वस्त्र, अपने घर, अपनी दुकान, अपने कारखाने, अपने उद्यान आदि को जिस जिस विधि से जितना **परिष्कार, सुसज्जित** और अपनी नाना प्रकार की वस्तुओं को **परिपाटी** की दशा में रखते हैं, और नाना प्रकार की सुन्दर आकार वाली वस्तुएं बनाते वा तैयार करते हैं, और ऐसी वस्तुओं के सौन्दर्य से **सुख** और विपरीत दशा में **दुख** अनुभव करते हैं, **वह सब बोध पशु जगत् के किसी जीव में पाए नहीं जाते।**

फिर नेचर के इसी विकास क्रम में कितने ही मनुष्यों के भीतर विविध प्रकार के शब्दों को सुनकर **उनकी लहरों में मेल वा अन्मेल) की उपलब्धि कराने वाले जो जो बोध** विकसित हुए हैं, और वह इन बोधों को प्राप्त होकर उन्हें जिन विविध

प्रकार के स्वर उत्पादक गीतों वा काव्यों की रचना और कई प्रकार के बाजों और विविध प्रकार के **नृत्य** के द्वारा प्रगट करने के योग्य हुए हैं, **वह सब बोध भी पशुओं में नहीं।** और मनुष्य उनके द्वारा जिस जिस प्रकार का **सुख** और विपरीत दशा में **कष्ट** अनुभव करते हैं, वह **सुख वा दुख विषयक बोध भी पशु जगत् के किसी जीव में नहीं।**

इसी क्रम में कितने ही लोगों में गद्य विषयक रचना के सम्बन्ध में शब्दों में **विन्यास** उत्पन्न करने वाले जो कई प्रकार के **बोध** प्रगट हुए हैं, और वह उनका क्या अपनी **बोली** और क्या अपने **लेखों** में आप प्रयोग करके अथवा किसी और जन की बोली वा उसके कथन वा उसके लेखों में उनका प्रयोग देखकर जिस प्रकार का **हर्ष वा सुख** लाभ करते हैं, और उसकी विपरीत दशा में **दुख** मालूम करते हैं, **उस प्रकार के सुख दुख बोध भी पशु जगत् के जीवों में नहीं।**

इसी प्रकार कितने ही मनुष्यों में (सब में नहीं) किसी ऐसे जन के सम्बन्ध में भी कि जिसके साथ उनका पारिवारिक आदि कोई निकट का सम्बन्ध न हो, उसके एक वा दूसरे प्रकार के **दुख की उपलब्धि कराने वाले जो जो बोध विकसित हुए हैं; और वह उसकी किसी रोगजात पीड़ा वा उसके किसी और शारीरिक कष्ट वा उसके किसी अभाव वा उसके किसी हार्दिक आघात विषयक दुख को अनुभव करने की जो जो योग्यता रखते हैं,** और उन्हें अनुभव करके वह अपनी अपनी इस अनुभूति की अल्पाधिक गहराई के अनुसार उसकी निवृत्ति में **सहायक वा सेवाकारी** बनते हैं, और अपनी ऐसी क्रिया से जिस प्रकार **सुख** लाभ करते हैं, वा किसी की किसी **निर्दयता-मूलक क्रिया** को देखकर **कष्ट** बोध करते हैं, **वह सब सुख दुख विषयक बोध भी पशु जगत् के जीवों में नहीं।**

इनके भिन्न सुख दुख विषयक और कितने ही प्रकार के बोध हैं, कि जो मनुष्य जगत् के कितने ही लोगों में विकसित हुए हैं, परन्तु वह पशु जगत् में विकसित नहीं हुए, और नहीं हो सकते थे।

इन नाना प्रकार के सुख दुख बोधों को पाकर और ऐसे विविध सुखों के लिए आकर्षण वा इससे भी बढ़कर उनमें से कितनों के प्रति अनुराग और उनके विपरीत नाना दुखों के लिए विकर्षण वा इससे भी बढ़कर विराग वा अति घृणा भावों के उत्पन्न हो जाने से यही सुख विषयक आकर्षण वा अनुराग और दुख विषयक विकर्षण वा विराग वा घृणा भाव मनुष्य के परिचालक बन गए; और इसीलिए प्रत्येक मनुष्य इन्हीं सुख विषयक अनुराग वा दुख विषयक घृणा भावों से परिचालित होकर अपनी सब प्रकार की

आन्तरिक चिन्ताएं और अन्य सब प्रकार की बाह्यक क्रियाएं करता है।

फलत: मनुष्य जगत् के लोगों में जितने प्रकार के बुरे वा भले कर्म होते हैं, एक दूसरे के सम्बन्ध में जान बूझ कर **जिस जिस प्रकार की मिथ्या** का व्यवहार होता है, मिथ्या विश्वासों की उत्पत्ति की जाती है; प्रवंचना, प्रताड़णा, विश्वासघातकता, चोरी, ठगी, रिश्वत, बटमारी, डाकामारी, धरोहर हरण, उत्पीड़न और हत्या आदि कहलाने वाले विविध प्रकार के **अन्याय वा अत्याचार मूलक कर्म होते हैं**; विविध प्रकार की स्वाददार और नशेदार चीज़े खाई वा पी जाती हैं; व्यभिचार, अति मैथुन, वा हस्त मैथुन आदि जारी हैं; मांसाहार, वाणिज्य, शिकार और बलि आदि के लिए पशु जगत् के **लाखों जीवों की हत्या की जाती है**; और नाना प्रकार की अन्य हानिकारक प्रथाएं और रस्में जारी हैं; **उन सब का मूल कारण मनुष्य के यही नाना प्रकार के सुख विषयक अनुराग और दुख विषयक घृणा भाव हैं।**

प्र.। तब क्या संसार में प्रत्येक मनुष्य जितनी और जिस जिस प्रकार की क्रियाएं करता है, वह सब अपने विविध **सुख दुख विषयक बोधों के द्वारा ही परिचालित होकर करता है?**

उ.। **निश्चय। मनुष्य होकर और मनुष्य रहकर** प्रत्येक मनुष्य ही अपनी सब प्रकार की क्रियाएं (जिनमें उसकी आन्तरिक चिन्ताएं भी संयुक्त है) **अपने विविध प्रकार के सुख विषयक अनुरागों और दुख विषयक घृणा भावों से परिचालित होकर ही करता है।** इसीलिए क्या उसे अपने और क्या किसी और के सम्बन्ध में जिस जिस क्रिया से **सुख मिलता हो**, और कोई दुख न बोध होता हो, उसे वह करना चाहता है, और करता है। और उसे अपनी जिस किसी क्रिया से कोई **सुख न मिलता हो** वा इससे भी बढ़कर **दुख मिलता हो**, वह चाहे उसके वा किसी और के लिए कैसी ही **हितकर वा शुभकर** भी हो, उसे वह **करना नहीं चाहता**, और इसीलिए **नहीं करता।**

इसी प्रकार उसे जिस **सत्य** के सम्बन्ध में **विचार करने**, जिस किसी **सत्य के बोलने**, जिस किसी **सत्य के ग्रहण करने**, जिस किसी **सत्य के प्रचार करने**, अथवा जिस किसी **सत्य-मूलक अन्य क्रिया के करने** से एक ओर कोई **सुख न मिलता हो**, वा उससे उलटा **दुख वा कष्ट प्राप्त होता हो**, उसे भी वह **करना नहीं चाहता**, और इसीलिए **नहीं करता।** उसे यदि **किसी शुभ के लिए** अपने किसी **सम्बन्धी** वा अपने **धन** वा अपनी **सम्पत्ति** वा अपनी किसी **शारीरिक वा मानसिक शक्ति के समर्पण वा त्याग करने से** कोई **सुख न मिलता हो**, वा उसके विपरीत **दुख मिलता हो**; तो उस क्रिया को भी वह कभी **नहीं करना चाहता**;

और इसीलिए नहीं करता। और वह नेचर के अटल नियमानुसार इस प्रकार की कोई क्रियाएं कर भी नहीं सकता। इसीलिए ऐसी दशा में वह अनजाने वा जानबूझ कर विविध प्रकार की मिथ्याओं का विश्वासी और अपने और नेचर के अन्य अस्तित्वों के सम्बन्ध में विविध प्रकार के मिथ्या और अशुभ-मूलक कर्मों का कर्ता और नाना प्रकार की मिथ्याओं और नाना प्रकार के अशुभों का अनुरागी बन जाता है।

प्र.। तब क्या मनुष्य अपने **सुख विषयक अनुरागों** और **दुख विषयक घृणा भावों** से परिचालित होकर अपने वा किसी और अस्तित्व के लिए कोई **शुभ उत्पादक क्रिया** नहीं कर सकता, वा नहीं करता?

उ.। **मनुष्य मुख्यत: अपने एक वा दूसरे सुख अनुराग वा दुख विषयक घृणा भाव से परिचालित होकर ही कोई क्रिया करता है।** यद्यपि यह सच है, कि उसकी कई क्रियाओं से एक वा दूसरे प्रकार के शुभ की उत्पत्ति भी हो जाती है, अर्थात् मनुष्य अपने विविध प्रकार के **सुख अनुरागों** और **दुख विषयक घृणा भावों** से परिचालित होकर जहां नाना प्रकार की मिथ्या, अमिताचार, अत्याचार आदि मूलक विविध प्रकार की **महा पतनकारी क्रियाएं करता है**, वहां वह नाना सम्बन्धों में कई प्रकार की ऐसी क्रियाएं भी करता है कि जो नेचर के विविध जीवित और अजीवित अस्तित्वों के लिए **हितकर** होती हैं। परन्तु वह इस प्रकार की विविध हितकर क्रियाओं को **मुख्यत: अपने किसी न किसी प्रकार के सुख अनुराग से परिचालित होकर ही करता है।**

प्र.। तब क्या जिन मनुष्यों के द्वारा नाना प्रकार की मिथ्याओं और नाना प्रकार के अमिताचारों और अत्याचारों और अन्य दुराचारों की उत्पत्ति होती है, उन्हीं में से **नाना जनों की एक वा दूसरी सुख लक्ष्य विषयक क्रिया से एक वा दूसरे प्रकार के शुभ की भी उत्पत्ति हो जाती है?**

उ.। जी हां। इसीलिए कितने ही मनुष्य शराब, तम्बाकू, भंग, चरस, चंडू आदि के पीने और अफ़ीम और कोकेन आदि नशेदार और ज़हरीली चीज़ों के खाने वाले, रिश्वत लेने वाले, व्यभिचारी वा मांसाहारी, झूठे, धोखेबाज, कपटी, विश्वासघाती आदि होकर भी अपने भीतर के किसी **दया वा मान बड़ाई विषयक भाव के सुख की प्राप्ति**, अथवा किसी **मिथ्या देवते के विश्वासी** होने पर उसे प्रसन्न करके उससे उसके बदले में किसी इस वा उस प्रकार के सुखों के मिलने के लालसी होकर, अथवा किसी के सम्बन्ध में किसी **नीच अनुराग** से बन्धे हुए होने के कारण अपने उस अनुराग विषयक **सुख** के लिए ऐसी कई प्रकार की क्रियाएं करते हैं, कि **जो**

औरों के लिए भी थोड़ी वा बहुत शुभदायक होती हैं।

प्र.। क्या मनुष्य अपने लिए किसी एक वा दूसरे प्रकार के **सुख की प्राप्ति के निमित्त** कभी कोई दुख भी ग्रहण करता है?

उ.। जी हां। वह एक वा दूसरे प्रकार के **सुख के लाभ करने के लिए नाना अवसरों में कई प्रकार के दुख भी ग्रहण करता है**, और कई दशाओं में वह बहुत बड़े बड़े और महाभयानक दुख ग्रहण करता है, और कई अवसरों में उसकी प्राप्ति के लिए अपनी जान तक दे देता है।

प्र.। यह क्यों?

उ.। इसलिए कि नेचर के अटल नियमानुसार उसकी जो **शक्ति** किसी और शक्ति की अपेक्षा अधिक **बलवती** होती है, वह उससे **टकराने** पर उस पर **विजयी** हो जाती है। इसी हेतु से जिस किसी मनुष्य में **जिस किसी सुख का अनुराग जितना अधिक बलवान होता है, उस अधिक बलवान सुख अनुराग** से परिचालित होकर उसकी प्राप्ति के निमित्त **वह जान बूझ कर भी, परन्तु विवश होकर ऐसी विविध क्रियाएं करता है, कि जो न केवल उसके आत्मा के लिए दुखदायक होती हैं, किन्तु कई दशाओं में उसके शरीर के लिए भी बहुत अहितकर, यहां तक कि प्राणनाशक तक प्रमाणित होती हैं**। फलतः मनुष्य **सुख अनुरागी** होकर जब नेचर के नियमानुसार उसका **दास** बन जाता है, तब वह इस महा पतनकारी दासत्व के कारण क्या अपने और क्या औरों के लिए **विविध प्रकार का शारीरिक और आत्मिक अशुभ उत्पन्न करता है।**

प्र.। क्या किसी परोपकार सम्बन्धी सुख की प्राप्ति के लिए भी कोई मनुष्य अपने जीवन वा अपने धन वा अपनी सम्पत्ति को समर्पण अथवा एक वा दूसरे प्रकार का दुख ग्रहण करते हैं?

उ.। जी हां। जिस प्रकार नशे और व्यभिचार आदि विषयक नाना सुखों के प्रबल अनुरागी कितने ही जन अपनी अपनी सारी सम्पत्ति उसकी प्राप्ति के निमित्त खर्च कर देते हैं, उसी प्रकार कोई कोई जन **दया** विषयक भाव के प्रबल सुख अनुराग से परिचालित होकर रोगियों की शुश्रूषा के लिए अपना जीवन समर्पण कर देते हैं, कितने ही जन अपना बहुत सा धन देकर बड़े बड़े चिकित्सालय स्थापन करते हैं। कितने ही जन किसी कहलाने वाले एक वा दूसरे धर्म मत के गाढ़ विश्वासी और अनुरागी होकर उसके प्रचार विषयक सुख की प्राप्ति के निमित्त अपना अपना जीवन वा अपनी अपनी सारी सम्पत्ति भेंट कर देते हैं। इसी प्रकार नाना जन एक वा दूसरे प्रकार की मानसिक शिक्षा के अनुरागी होकर उसके प्रचार के निमित्त एक वा दूसरी हितकर संस्था के लिए

धन की बड़ी बड़ी रकमें दान करते हैं। परन्तु जहां नाना जन इस प्रकार के कई सुख विषयक प्रबल अनुरागों से प्रेरित होकर परोपकार विषयक कई प्रकार की बहुत प्रशंसनीय क्रियाएं करते हैं, वहां वह अपने अन्य विविध प्रकार के प्रबल सुख अनुरागों से प्रेरित होकर **अपने और औरों के सम्बन्ध में नाना प्रकार की अशुभ उत्पादक क्रियाएं भी करते हैं।** अर्थात् वह अपने नाना सम्बन्धों में विविध प्रकार की **अन्याय वा पाप-मूलक क्रियाएं करते हैं।** अपने शरीर के सम्बन्ध में नाना प्रकार से **असंयमी** बनते हैं। कई प्रकार की सामाजिक **कुरीतियों** का साथ देते हैं। उनमें से कितने ही जन **मांस** खाते हैं, कितने ही एक वा दूसरे प्रकार के **नशों** के अभ्यासी होते हैं, कितने ही अपने कहलाने वाले धर्म मतों के प्रचार के लिए नाना प्रकार की **मिथ्याएं** घड़ते और फैलाते हैं। और ऐसे **सभी लोग** अपने अपने आत्मा के गठन-प्राप्त रूप, उसके पतन और उसके पतन विषयक महा भयानक फलों और उन फलों से सत्य मोक्ष की विधि, और आत्मिक जीवन के विकास आदि विषयक विविध प्रकार के **अति आवश्यक और अति मूल्यवान सत्यों के ज्ञान से पूर्णतः शून्य और अन्धकार की दशा में होते हैं।**

प्र.। क्या विविध सुखों के अनुरागी और विविध दुखों के घृणाकारी प्रत्येक मनुष्य के लिए यह **अनिवार्य है,** कि वह उनके कारण अपने और नेचर के अन्य नाना अजीवित और जीवित अस्तित्वों के सम्बन्ध में **जानबूझ कर भी** नाना प्रकार से **अशुभाचारी और मिथ्याचारी** बने?

उ.। जी हां। नेचर के अटल नियमानुसार ऐसे प्रत्येक मनुष्य के लिए ऐसा होना लाज़मी है। **सुख के प्रति अनुराग और दुख के प्रति घृणा भाव रखकर प्रत्येक मनुष्य के लिए अशुभ और असत्य-मूलक विविध प्रकार की आन्तरिक और बाह्यक चेष्टाएं वा गतियां करना अनिवार्य है।**

प्र.। तब यदि मनुष्य की इस महा शोचनीय दशा के अनुसार उसकी यह परिभाषा (डैफीनिशन वा तारीफ़) की जाये कि

''मनुष्य वह है कि **जो सुख का अनुरागी हो, और दुख को घृणा करता हो,** और जो अपने इन दोनों प्रकार के भावों के कारण अपने और अपने नेचर-मूलक विविध सम्बन्धों में नाना प्रकार के **अशुभों** और नाना प्रकार की **मिथ्याओं** का अनुरागी हो।''

तो क्या उसकी यह ठीक तारीफ़ न होगी?

उ.। पूर्णतः ठीक होगी, और इसीलिए यह पूर्णतः ठीक है।

प्र.। क्या मनुष्य इसीलिए **किसी मिथ्या वा किसी बुराई वा किसी पाप वा किसी अपराध के करने के लिए विवश तैयार हो जाता है,** कि एक ओर ऐसा

करने के लिए उसका एक वा दूसरा प्रबल सुख अनुराग उसके हृदय में प्रबल प्रेरणाएं उत्पन्न करता है, और दूसरी ओर ऐसी क्रिया करके उसे सुख ज़रूर अनुभव होता है, परन्तु कोई दुख अनुभव नहीं होता?

उ.। जी हां। इसीलिए इस पृथ्वी के सारे देशों के ही मनुष्यों में विविध प्रकार के मिथ्या, अमिताचार, और अन्याय वा अत्याचारमूलक सब प्रकार के कर्म होते हैं, और मनुष्यों की ऐसी दशा में उनका होते रहना **लाज़मी** है।

प्र.। क्या इसीलिए मनुष्य सत्य-मूलक किसी मत वा विश्वास, वा शुभ-मूलक किसी चिन्ता वा पाठ वा विचार वा साधन वा अभ्यास वा संग वा क्रिया को ग्रहण नहीं करता, कि उससे उसे कोई सुख नहीं मिलता?

उ.। जी हां।

प्र.। क्या इसीलिए कोई मनुष्य किसी हितकर क्रिया वा किसी हितकर साधन आदि को आरम्भ करके फिर उसे छोड़ देता है, कि पहले उसके करने में उसे जो **सुख** मिलता था, वह सुख उसे फिर मिलना बंद हो गया?

उ.। जी हां।

प्र.। क्या इसीलिए मनुष्य किसी और से अपना कोई सम्बन्ध काट लेता है, कि उसे पहले उससे जो **सुख** मिलता था, वह सुख उसे किसी कारण से फिर **नहीं** मिलता, वा उसे उस सुख की तुलना में **दुख अधिक** मिलता है।

उ.। जी हां। सत्य यह है कि मनुष्य जगत् की सब प्रकार की चिन्ताओं, उसके सब प्रकार के विचारों, उसकी सब प्रकार की क्रियाओं वा उसकी सब गतियों के परिचालक उसके यही **सुख विषयक बोध** और उसके यही **सुख विषयक अनुराग**, और उन से उत्पन्न **दुख विषयक घृणा भाव हैं**, और उनके भिन्न और कुछ नहीं।

———

दसवां अध्याय

सुख और दुख के ही आधार पर मनुष्य जगत् में धर्म के नाम से भी आत्मा के सम्बन्ध में वह सब पूर्णतः मिथ्या और महा हानिकारक नाना प्रकार की शिक्षाएं प्रचलित की गई थीं, कि जिन के दूर करने के निमित्त देवात्मा का आविर्भाव हुआ

प्र.। क्या इस पृथ्वी में धर्म के नाम से भी मनुष्य जगत् में जितनी और जिस जिस प्रकार की शिक्षा प्रचलित की गई है, वह भी केवल एक वा दूसरे प्रकार के सुखों की प्राप्ति और एक वा दूसरे प्रकार के दुखों से निवृत्ति पाने के आधार पर ही स्थापित है?

उ.। जी हां। इस पृथ्वी के प्रत्येक देश और प्रत्येक सम्प्रदाय में **धर्म वा मज़हब** के नाम से भी जितनी शिक्षाएं और क्रियाएं प्रचलित की गई हैं, उन सब का उद्देश्य भी एक वा दूसरे प्रकार के सुख की प्राप्ति और दुख से निवृत्ति वा मुक्ति ही बतलाया गया है, परन्तु यह सब शिक्षाएं और क्रियाएं नेचर के आत्मिक जगत् के शुभ और सत्य विषयक अटल नियमों के विरुद्ध होने के कारण जैसे पूर्णतः मिथ्या हैं, वैसे ही वह उनके विश्वासी प्रत्येक मनुष्य के लिए नाना प्रकार से महा हानिकारक वा पतनकारी भी हैं।

प्र.। तब क्या इस पृथ्वी में धर्म वा मज़हब के नाम से परन्तु नेचर के आत्मिक जगत् के शुभ और सत्य नियमों के पूर्णतः विरुद्ध जितने और जिस जिस प्रकार के विश्वास वा मत फैलाए गए वा फैलाए जाते हैं, और जितने और जिस जिस प्रकार के **देवी देवते** माने गए वा माने जाते हैं, और जिन जिन **कहलाने वाले देवतों वा देवियों** की जिस जिस प्रकार की **पूजाएं** होती हैं, और उनके सम्बन्ध में जितने और जिस जिस प्रकार के पाठ, भजन और जप, यज्ञ वा होम आदि कर्म होते हैं, वा उनमें से जिन जिन के निमित्त **बलि वा कुर्बानी** के नाम से विविध प्रकार के **पशुओं की हत्या** की जाती है, अथवा नाना सम्प्रदायों में जितने प्रकार के **त्याग** और **तप, व्रत, उपवास, दान और स्नान** आदि होते हैं,

नाना स्थानों को **तीर्थ** कहकर उनकी **यात्राएं** होती हैं, अथवा जिन जिन सम्प्रदायों में कई प्रकार के **शारीरिक वेष वा चिन्ह** आदि धारण किए जाते हैं, और कई प्रकार की और ऐसी ही बातें की जाती हैं, उन सबकी उत्पत्ति मनुष्यों के इसी **सुख अनुराग** से ही हुई है?

उ.। निश्चय। इस पृथ्वी में धर्म वा मज़हब के नाम से भी जितने और जिस जिस प्रकार के सम्प्रदाय वा फ़िरके जारी हुए हैं, उन सबकी तह वा जड़ में यही सुख विषयक अनुराग हैं, अर्थात् सुख की प्राप्ति और दुख से निवृत्ति; और इन दोनों के भिन्न और कुछ नहीं।

इसीलिए अधिकारी मनुष्यों को इस सुख दुख के आधार पर स्थापित सब प्रकार की मिथ्या शिक्षा और सब प्रकार के मिथ्या धर्म मतों, मिथ्या साधनों, मिथ्या-मूलक व्यवहारों और अनुष्ठानों और सब प्रकार की अशुभ चिन्ताओं और अशुभ कर्मों और उनके विकारों से मोक्ष देने और उन्हें नेचर के आत्मिक जगत् के अटल नियमों और उसकी अटल घटनाओं पर स्थापित सत्य धर्म विषयक मतों और विश्वासों का ज्ञान देने, उनमें आत्मिक जीवन उत्पादक और वर्द्धक नाना श्रेष्ठ और सात्विक भावों के उत्पन्न करने और इस प्रकार से मनुष्य जगत् का नेचर के ही नियमानुसार जहां तक सम्भव हो, सर्वांग कल्याण साधन करने के लिए उसके करोड़ों वर्षों के विकास क्रम में शुभ और सत्य के बोधी और शुभ और सत्य के पूर्ण अनुरागी सत्य देव देवात्मा का आविर्भाव हुआ है।

मनुष्यात्माओं और देवात्मा में मूल अन्तर

प्र.। देवात्मा ने इन **शुभ और सत्य विषयक बोधों और देव अनुरागों को प्राप्त होकर** मनुष्यात्माओं की अपेक्षा अपने आत्मा में क्या क्या विशेषताएं लाभ कीं?

उ.। उन्होंने इन **देव बोधों और देव अनुरागों** को प्राप्त होकर मनुष्य जगत् के **सब प्रकार के मनुष्यों की तुलना में** अपने आत्मा में जिस जिस प्रकार की **विशेषताएं** लाभ कीं, और जिन विशेषताओं के कारण ही उनका **सब मनुष्यात्माओं से सदा के लिए मूल अन्तर** उत्पन्न हो गया, वह यह हैं:-

1- देवात्मा अपने आत्मा में शुभ और सत्य विषयक अद्वितीय देव बोधों और उनके प्रति आकर्षण भावों को प्राप्त होकर उन्हें अपने विविध प्रकार के सब आवश्यक समर्पणों और त्यागों और नेचर की विकासकारी अन्य

शक्तियों से विविध प्रकार की सहायता पाकर उनके प्रति जिन देव अनुरागों को क्रम क्रम से विकसित करने और उनके विकास से जिस सत्य और अद्वितीय देव जीवन को लाभ करने के योग्य हुए, उन सच्चे देव अनुरागों और उनसे उत्पन्न सच्चे देव जीवन से सारा मनुष्य जगत् शून्य था; अर्थात् यह देव बोध और यह देव अनुराग मनुष्य जगत् के किसी मनुष्यात्मा वा मनुष्य जगत् के कहलाने वाले किसी भी धर्म सम्प्रदाय के किसी संस्थापक वा किसी शिक्षक में न थे।

2- देवात्मा अपने आत्मा में शुभ और सत्य विषयक देव अनुरागों के विकास के साथ साथ नेचर के आत्मिक जगत् के नियमानुसार जिस अद्वितीय और उन्नतशील देव ज्योति को क्रमशः विकसित करने के योग्य हुए, वह देव ज्योति भी मनुष्य जगत् के किसी मनुष्य वा उसमें प्रचलित किसी कहलाने वाले धर्म सम्प्रदाय के किसी संस्थापक वा उसके किसी शिक्षक में न थी।

इसीलिए इस देव ज्योति के द्वारा ही मनुष्य के आत्मा का जो वास्तविक और अति सूक्ष्म परन्तु गठन-प्राप्त रूप प्रकाशित होता है, और उसकी जिस गठन और उस गठन के रोगों, उसके पतन और उसके महा भयानक फलों, उनसे उसकी मोक्ष और उसके जीवन विषयक विकास के सम्बन्ध में जिन नेचर-मूलक नाना प्रकार के सत्यों का प्रकाश होता है, और जिन सत्यों के दर्शन और ज्ञान से ही सत्य धर्म का ज्ञान होता है, उस धर्म विषयक सत्य ज्ञान से भी मनुष्य जगत् के सब लोग और उनमें से कहलाने वाले धर्म सम्प्रदायों के सब संस्थापक और शिक्षक भी पूर्णतः रहित थे।

3- देवात्मा अपने आत्मा में शुभ और सत्य विषयक देव अनुरागों के विकास के साथ साथ नेचर के आत्मिक जगत् के नियमानुसार जिन सब प्रकार के सुख अनुरागों और उनसे उत्पन्न सब प्रकार की घृणाओं और सब प्रकार की मिथ्याओं और सब प्रकार के अशुभों के प्रति जिस उच्च घृणा और उच्च दुख उत्पादक अद्वितीय देवतेज के विकसित करने के योग्य हुए, वह देवतेज भी मनुष्य जगत् के किसी मनुष्य वा उसमें प्रचलित किसी कहलाने वाले धर्म सम्प्रदाय के किसी संस्थापक वा शिक्षक में न था; अर्थात् वह सब उस देवतेज से पूर्णतः रहित थे।

4- देवात्मा ने अपनी देव ज्योति के द्वारा आत्मा के सम्बन्ध में विविध प्रकार के सत्यों को देखकर और एक मात्र नेचर पर स्थापित धर्म विषयक जिस सत्य ज्ञान की मनुष्य जगत् को शिक्षा दी, उस धर्म विषयक सत्य ज्ञान की

शिक्षा मनुष्य जगत् के कहलाने वाले किसी धर्म सम्प्रदाय के किसी संस्थापक वा शिक्षक वा गुरु वा किसी कहलाने वाले देवते वा देवी के किसी भक्त वा अवतार वा नबी व पैग़म्बर वा किसी कहलाने वाले ऋषि वा मुनि वा योगी वा सन्त वा महन्त वा बुद्ध वा सिद्ध वा तीर्थंकर वा जिन आदि ने नहीं दी थी, **क्योंकि उस देव ज्योति से विहीन होने के कारण न तो उनमें से कोई धर्म विषयक सत्य ज्ञान लाभ कर सकता था, और न इसीलिए उसकी शिक्षा दे सकता था।**

5- देवात्मा ने **शुभ और सत्य विषयक देव अनुरागों** को प्राप्त होकर और उनके पूर्ण अधिकार में आकर और उन्हीं के द्वारा परिचालित होकर अपने आविर्भाव का जो **अद्वितीय परम लक्ष्य प्रगट किया**, वह **परम लक्ष्य** भी **इन देव अनुरागों से विहीन** मनुष्य जगत् के कहलाने वाले किसी अवतार वा नबी वा पैग़म्बर वा धर्म शिक्षक वा गुरु वा भक्त वा योगी वा सन्त वा महन्त वा ऋषि वा मुनि वा जिन वा सिद्ध वा बुद्ध वा तीर्थंकर आदि ने कभी प्रगट नहीं किया था; **क्योंकि उन देव अनुरागों से विहीन होने के कारण उनमें से किसी का ऐसा परम लक्ष्य हो नहीं सकता था।**

6- देवात्मा ने शुभ और सत्य विषयक **देव अनुरागों को प्राप्त होकर** और उन्हीं के द्वारा **परिचालित होकर** क्या मनुष्य जगत् के विविध प्रकार के सम्बन्धियों और क्या उससे नीचे के जगतों के अस्तित्वों के साथ **केवल शुभ और सत्य मूलक सम्बन्ध** रखने का जो अद्वितीय दृष्टान्त प्रदर्शन किया, और अपने इस दृष्टान्त से उन्होंने मनुष्य जगत् के लिए जिस **सर्वोच्च और परम कल्याणकारी आदर्श** को प्रगट किया; वह दृष्टान्त और वह आदर्श **देव अनुरागों से विहीन** मनुष्य जगत् के कहलाने वाले किसी अवतार वा नबी वा पैग़म्बर वा धर्म शिक्षक वा गुरु वा भक्त वा योगी वा संत वा महन्त वा ऋषि वा मुनि वा जिन वा सिद्ध वा बुद्ध वा तीर्थंकर आदि ने **कभी प्रगट नहीं किया था,** क्योंकि इन **देव अनुरागों से विहीन होने के कारण** उनके लिए ऐसा करना **असम्भव** था।

7- देवात्मा ने शुभ और सत्य विषयक **देव अनुरागों को प्राप्त होकर** और **उन पर स्थापित अपने परम लक्ष्य** की सिद्धि के निमित्त जिस जिस प्रकार के **सब आवश्यक पूर्ण समर्पण** और जिस जिस प्रकार के **सब आवश्यक पूर्ण त्याग** किए, उस उस प्रकार के **सब समर्पण और त्याग** इन **देव अनुरागों से विहीन** मनुष्य जगत् में से कहलाने वाले किसी अवतार वा नबी वा पैग़म्बर वा धर्म शिक्षक वा गुरु वा भक्त वा योगी वा संत वा महन्त वा ऋषि वा मुनि वा जिन वा सिद्ध वा बुद्ध वा तीर्थंकर आदि ने नहीं किए थे, क्योंकि इन **देव अनुरागों से विहीन होने के कारण**

जैसे उनका यह परम लक्ष्य नहीं था, और नहीं हो सकता था, वैसे ही उस परम लक्ष्य की सिद्धि के लिए जिस जिस प्रकार के समर्पणों और त्यागों की आवश्यकता थी, उन समर्पणों और त्यागों का करना भी उनके लिए **सम्भव न था।**

8- देवात्मा ने इस अद्वितीय देव ज्योति और इस अद्वितीय देवतेज को पाकर और इस पृथ्वी के अन्धकारग्रस्त आत्मिक जगत् में देव सूर्य की न्याईं प्रगट होकर उसमें जिस जिस प्रकार का उच्च परिवर्तन उत्पन्न किया, अर्थात् उनकी इस अद्वितीय देव ज्योति और उनके इस अद्वितीय देवतेज की किरणों को पाकर अधिकारी मनुष्यों में अपने अपने आत्मा के सम्बन्ध में धर्म के नाम से एक वा दूसरे सुखदायक परन्तु पूर्णतः मिथ्या विश्वासों वा मतों और नेचर के विविध अस्तित्वों के सम्बन्ध में अपने एक वा दूसरे प्रकार के सुखदायक परन्तु अशुभ वा अन्याय-मूलक कर्मों के प्रति जिस उच्च घृणा वा इससे भी बढ़कर उनमें से नाना जनों में जिस प्रकार के उच्च दुख की उत्पत्ति हुई, और होती है, और इस उच्च घृणा और इस उच्च दुख के उत्पन्न होने से उनमें जिस जिस प्रकार का उच्च परिवर्तन हुआ और होता है, उस प्रकार का आत्मिक उच्च परिवर्तन मनुष्य जगत् में उसके कहलाने वाले किसी धर्म सम्प्रदाय के किसी संस्थापक वा शिक्षक वा गुरु वा पैग़म्बर वा किसी कहलाने वाले ऋषि वा मुनि वा योगी वा संत वा महंत वा सिद्ध वा बुद्ध वा तीर्थंकर वा जिन आदि के द्वारा **नहीं हो सका था, नहीं हो सकता था, और नहीं हो सकता।**

9- देवात्मा कई प्रकार के सुख दुख विषयक बोध रखकर भी शुभ और सत्य विषयक **देव अनुरागों को प्राप्त होने** के कारण नेचर के अटल नियमानुसार किसी भी **सुख के अनुरागी नहीं हो सकते थे, और न वह सुख प्राप्ति** विषयक अपना कोई लक्ष्य रख सकते थे; इसीलिए वह मनुष्य जगत् के लोगों की न्याईं जैसे किसी भी सुख के अनुरागी नहीं बने, वैसे ही उनका सुख प्राप्ति विषयक कोई लक्ष्य भी नहीं हुआ।

10- देवात्मा शुभ और सत्य विषयक **देव अनुरागों को प्राप्त होकर,** मनुष्य जगत् के लोगों की न्याईं जैसे किसी मनुष्य, पशु, पौदे और जड़ पदार्थ के साथ किसी **सुख भाव से जुड़कर वा बन्धकर** उसके सम्बन्धी नहीं बन सकते थे, वैसे ही वह उनमें से किसी के साथ अपने किसी सुख भाव से जुड़कर सम्बन्धी नहीं बने।

11- देवात्मा शुभ और सत्य विषयक **देव अनुरागों को प्राप्त होकर** और नेचर के किसी जीवित वा अजीवित अस्तित्व के साथ **सुखमूलक सम्बन्ध न रखकर**

उनमें से किसी के पक्षपाती नहीं बन सकते थे; इसलिए **मनुष्य जगत् के लोगों की न्याईं वह उनमें से किसी के पक्षपाती नहीं बने।**

12- देवात्मा शुभ और सत्य विषयक **देव अनुरागों को पाकर** और किसी भी सुख के अनुरागी न होने के कारण मनुष्य जगत् के नर नारी जनों की न्याईं **किसी भी सुख के दास नहीं बन सकते थे, इसलिए वह किसी भी सुख के दास नहीं बने।**

फलत: नेचर के विकास क्रम में जैसे **अजीवित** जड़ पदार्थों की तुलना में **जीवित** जड़ पदार्थों की, और जीवित जड़ पदार्थों की तुलना में **संगठन-प्राप्त** जीवित पौदों और पशुओं की, और उन सब की तुलना में **मनुष्यों** की विशेषता है, **वैसे ही** मनुष्य जगत् के सब प्रकार के मनुष्यों की तुलना में देवात्मा की विशेषता है।

इसीलिए यह देवात्मा इन सच्ची और अद्वितीय देव शक्तियों को प्राप्त होकर जैसे इस पृथ्वी के मनुष्य जगत् के विकास में सर्वश्रेष्ठ और सर्वांग हितकर वा शिरोमणि आविर्भाव हैं, वैसे ही वह सच्ची और अद्वितीय देव शक्तियों और उनकी सब प्रकार की विशेषताओं को प्राप्त होकर मनुष्य जगत् के प्रत्येक मनुष्य से अपना उसी प्रकार मूलत: अन्तर वा प्रभेद रखते हैं, जिस प्रकार मनुष्य जगत् के लोग अपने अपने आत्मा में नेचर से कई प्रकार की विशेष शक्तियों को पाकर पशु जगत् के प्रत्येक जीव से अपना अपना मूलत: अन्तर वा प्रभेद रखते हैं।

इस पृथ्वी के कहलाने वाले सब प्रकार के देवतों और देवियों और उपास्यों के साथ देवात्मा का मूल अन्तर वा प्रभेद

प्र.। इस पृथ्वी के कहलाने वाले नाना धर्म सम्प्रदायों में जो जो देवते कहलाते हैं वा उपास्य माने जाते हैं, उनमें और देवात्मा में मूलत: क्या अन्तर है?

उ.। मनुष्य जगत् में कहलाने वाले जिन जिन देवतों वा कहलाने वाली जिन जिन देवियों वा कहलाने वाले जिन जिन उपास्यों का प्रचार हुआ है, वह चाहे मनुष्य जगत् के लोगों में से थे, चाहे पशु जगत् में से, चाहे उदभिद् वा भौतिक जगत् में से और चाहे पूर्णत: मन घड़त थे; **वह सभी उन सच्ची देव शक्तियों से विहीन वा शून्य थे, कि जिनका देवात्मा में प्रकाश और विकास हुआ है।**

अब यद्यपि **पूर्णतः मन घड़त** देवतों और देवियों का तो **सिरे से ही कभी कोई वास्तविक अस्तित्व न था**, परन्तु मनुष्य, पशु, उदभिद् और भौतिक जगत् के जिस किसी सचमुच के अस्तित्व को भी देवता वा देवी वा उपास्य कहकर वा मान कर वा बताकर प्रचार किया गया, **वह सचमुच का प्रत्येक अस्तित्व भी देवात्मा की सच्ची देव शक्तियों से विहीन था;** और फिर उनमें से मनुष्यों में से जो जो जन देवता कहलाए वा माने गए, वह सब के सब **अपने अपने आत्मा में मनुष्य प्रकृति रखने के कारण केवल सुख अनुरागी थे;** और वह उन सच्ची देव शक्तियों से **पूर्णतः विहीन थे,** कि जो नेचर के विकास क्रम में देवात्मा में प्रगट हुईं। इसीलिए उन सब के साथ देवात्मा का वही प्रभेद है, और समझना चाहिए जो सब प्रकार के और मनुष्य आत्माओं से है।

ग्यारहवां अध्याय

मनुष्य जगत् में भिन्न भिन्न प्रकार के सुख अनुराग

प्र.। मनुष्य जगत् में कितने प्रकार के सुख अनुरागों की उत्पत्ति हुई है?

उ.। मनुष्य जगत् के यह सुख अनुराग जिन **आठ** प्रकार की बड़ी बड़ी श्रेणियों में विभक्त हो सकते हैं, वह यह हैं:–

(1) शरीर सम्बन्धी कई सुख अनुराग।

(2) ''अहं'' सम्बन्धी कई सुख अनुराग।

(3) सन्तान सम्बन्धी सुख अनुराग।

(4) धन सम्पत्ति सम्बन्धी सुख अनुराग।

(5) संस्कार, संग वा अभ्यास सम्बन्धी सुख अनुराग।

(6) हिंसा सम्बन्धी सुख अनुराग।

(7) मिथ्या विश्वास सम्बन्धी कई सुख अनुराग।

(8) उच्च वा सात्विक भाव सम्बन्धी कई सुख अनुराग।

इन विविध प्रकार के सुख अनुरागों में से **प्रत्येक के विरुद्ध** किसी घटना के उपस्थित होने पर मनुष्य के आत्मा में जो **आघात** लगता है, उससे उसमें **दुख** की उत्पत्ति होती है; और ऐसे नाना **दुखों** की उत्पत्ति से उसमें नाना प्रकार की **घृणाओं** की उत्पत्ति होती है।

आगे चलकर इन विषयों के सम्बन्ध में विस्तारपूर्वक वर्णन होगा।

बारहवां अध्याय

मनुष्य के आत्मा की गठन में शरीर सम्बन्धी कई सुख अनुराग

मनुष्य में पहले पहल कई प्रकार के **शारीरिक सुखों और दुखों की अनुभूति उत्पन्न होती है**; फिर इन बोधों के प्रगट हो जाने पर उसमें **सुखों के लिए आकर्षण और दुखों के लिए विकर्षण विषयक दो अलग अलग भावों का प्रकाश होता है**। इसके अनन्तर उसमें **जिस जिस सुख** के लिए **आकर्षण बढ़ता जाता** है, उसका वह धीरे धीरे **अनुरागी** बन जाता है; और उसके उस **सुख** में जो जो जन वा कोई और **रोक विघ्नकारी बने**, वह उसके और उसके भिन्न अपने प्रत्येक सुख के विपरीत **प्रत्येक दुख** के लिए **घृणा भाव अनुभव करता है**।

प्र.। मनुष्य के आत्मा में **शारीरिक सुख विषयक अनुरागों** की उत्पत्ति से क्या अभिप्राय है?

उ.। मनुष्य को अपने शरीर की जिन जिन **इन्द्रियों के द्वारा जो जो सुख बोध होता** है, उनमें से जिन जिन की प्राप्ति के लिए उसमें **प्रबल लालसा वा वासना** उत्पन्न हो जाती है, उसकी उस **प्रबल लालसा वा उसके उस प्रबल आकर्षण को शरीर सम्बन्धी सुख अनुराग कहते हैं**।

प्रत्येक मनुष्य में अपने जन्म काल से ही अपनी **इन्द्रियों के द्वारा कई प्रकार के सुखों और दुखों की अनुभूति आरम्भ हो जाती है**। अर्थात् जब कुछ वस्तुएं उसके मुंह में डाली जाती हैं, तब उसे अपनी जीभ से संलग्न विविध प्रकार की **स्वाद बोधदायिनी गिलटियों** के द्वारा **उनका पृथक पृथक स्वाद बोध होता** है, जिनमें से उसे कोई वस्तु **सुखदायक वा आकर्षणीय और कोई कष्टदायक वा विकर्षणीय प्रतीत होती है**। ऐसी दशा में वह सुखदायक वस्तु को **ग्रहण** और कष्टदायक वस्तु को **त्याग** करना चाहता है। वह किसी विशेष दशा की गरम वा सर्द हवा में **कष्ट** और किसी अन्य विशेष दशा की हवा में **आराम वा सुख** बोध करता है, और इसीलिए पहली दशा की हवा को अपने लिए **कष्टकर** पाकर उसके प्रति विकर्षण वा **घृणा** और दूसरी प्रकार की हवा को अपने लिए **सुखकर** पाकर उसके लिए अपने भीतर **आकर्षण** बोध करता है। फिर धीरे धीरे उसमें और कई प्रकार के **स्नायु-मूलक**

बोधों की उत्पत्ति और उन्नति होती है।

अपने स्नायु-मूलक विविध **सुखों और दुखों** का **बोधी होकर** मनुष्य **बाल्य काल** से ही उनमें से एक वा दूसरे प्रकार के **शारीरिक सुखों का लालसी** और **शारीरिक दुखों के प्रति घृणाकारी** बन जाता है। वह **सुख को चाहता** है – चाहे वह अपने फल के विचार से उसके लिए **कैसा ही हानिकारक और अशुभ उत्पादक भी हो।** वह **दुख** को **नहीं चाहता** – चाहे वह अपने फल के विचार से उसके लिए **कैसा ही लाभदायक वा शुभ वा हित उत्पादक भी हो।**

फिर किसी **सुख का लालसी** बनते बनते जब मनुष्य उसका **अनुरागी** बन जाता है, तब वह स्वभावत: **अपनी स्वाधीनता को खोकर उसका दास भी बन जाता है।** और वह **जिस जिस सुख का अनुरागी** बनकर उसका **दास** बन जाता है, उसका **दास** बन जाने के कारण वह क्या अपने **शरीर** और क्या अपने आत्मा दोनों की गठन की विविध प्रकार से **हानि** करता है। इसीलिए **सुख का दास बनकर वह अपने अस्तित्व का आप ही शत्रु और हानिकर्ता बन जाता है।**

प्र.। मनुष्य अपने जिन जिन **शारीरिक सुखों** का **अनुरागी वा दास** बनकर अपने अस्तित्व का आप **शत्रु वा हानिकर्ता बन जाता** है, वह क्या क्या हैं?

उ.। वह सुख अनुराग कई प्रकार के हैं। यथा:-

(1) स्वाद सुख अनुराग।

(2) नशा सुख अनुराग।

(3) काम सुख अनुराग।

(4) आलस्य सुख अनुराग,

इत्यादि।

यह सब सुख अनुराग मनुष्य के शरीर की स्नायु प्रणाली से **साक्षात् सम्बन्ध** रखते हैं; इसलिए यह सब शारीरिक सुख अनुराग हैं।

(1) स्वाद सुख अनुराग

इस नीच अनुराग के **वशीभूत** होकर वा उसका **दास** बनकर मनुष्य

(1) कितनी ही ऐसी चीज़ें खाता और पीता है, कि जो उसे यद्यपि सुस्वादु बोध होने पर **सुखदायक** मालूम होती हैं, तथापि वह ऐसी चीज़ें होती हैं, कि जो उसके **शारीरिक स्वास्थ्य की नाशक** होती हैं, और जिन्हें **नेचर** ने किसी मनुष्य के **आहार वा पान के निमित्त हितकर नहीं बनाया, और जिनका खाना वा पीना उचित** नहीं रखा, और जिनका व्यवहार उसके शुभ नियम के सर्वथा विरुद्ध है।

(2)   जिस किसी वस्तु के खाने वा पीने से उसके शरीर में **किसी रोग की उत्पत्ति होती हो, उसे भी खाना चाहता है**; और उसके **लालच से** अपने आपको रोक नहीं सकता। और ऐसी दशा में विविध प्रकार से **अमिताचारी बनकर अपने शरीर के स्वास्थ्य और उसके बल और अपनी शारीरिक आयु को नष्ट करता है।**

(3)   न केवल अखाद्य किन्तु खाद्य वस्तुओं को भी **उचित वा परिमित मात्रा से अधिक खाने का अभ्यासी बन जाता है।** और जब वह इस प्रकार **उचित से अधिक मात्रा में** खाने पीने का अभ्यासी बन जाता है, तब उसके पाचनकारी विविध शारीरिक अंग अपने ऊपर अपनी योग्यता से बहुत अधिक बोझे के आ पड़ने से उन खाई वा पी हुई वस्तुओं को **भलीभांत जीर्ण वा हज़म नहीं कर सकते**; और उसके शरीर की पालना के लिए जितने **शुद्ध रुधिर** की आवश्यकता है, **वह नहीं बनता**; और उसके साथ ही उसके रुधिर में कई प्रकार के **विषाक्त और हानिकारक पदार्थ** मिल जाते हैं, कि जिनके कारण उसमें नाना प्रकार के **रोगों** की उत्पत्ति होती है।

(4)   मांसाहारी बनकर **मांस खाने के निमित्त** पशु जगत् के जीवों को **आप वध करके वा औरों से वध कराके अन्यायकारी बनता है**; अथवा औरों के इसी प्रकार के अन्याय वा अत्याचार मूलक कर्मों में सहायक बनता है। इसके भिन्न उनके मांस में **रोग-उत्पादक** जो कई प्रकार के पदार्थ वर्तमान होते हैं, उन्हें खाकर **एक वा दूसरे प्रकार के रोगों से भी रोगी बनता है।**

(5)   ऐसे नमक के खाने का अभ्यासी बनता है, कि जो ज़मीन की खानों वा खारी जल वा शोरा मिट्टी से निकाला जाता है, और **जिसे नेचर ने मनुष्य की खुराक नहीं बनाया**; क्योंकि खनिज पदार्थों को जीवित रूप में बदल देने की योग्यता नेचर की ओर से केवल उद्भिद् जगत् की ही जीवनी शक्तियों को प्राप्त हुई है; अर्थात् वही उन्हें अजीवित दशा से जीवित और संगठित दशा में परिवर्तित करके उन्हें अपने शरीर का अंश बना सकती हैं, और उनके भिन्न पशु वा मनुष्य जगत् का कोई जीव ऐसा नहीं कर सकता। इसलिए मनुष्य को अपने शरीर की रक्षा और पालना के लिए जिन नाना प्रकार के ''लवणों'' वा ''नमकों'' की आवश्यकता है, वह सब

उसके लिए **उद्भिद् जगत् के पौदों में ही बनते हैं**, और नेचर के हितकर नियमानुसार **उसे वह सब नमक उद्भिद् जगत् के ही खाद्य पदार्थों से प्राप्त करने चाहिएं**, और उसे **खनिज नमक** कभी न खाना चाहिए। स्वाद और अभ्यास और रिवाज के वशीभूत होकर ही लोग **खनिज नमक** खाते हैं। मनुष्य की जीवनी शक्ति खनिज नमक को **जीवित रुधिर में बदल नहीं सकती, और उसे अपने जीवित अंगों का अंश नहीं बना सकती;** इसलिए जो लोग **खनिज वा कानी नमक** खाते हैं, वह कुछ मात्रा में तो उनके मूत्र आदि के साथ उनके शरीर से बाहर निकल जाता है, और कुछ उनके शरीर के ही एक वा दूसरे प्रकार के पट्ठों के भीतर लिपटा रह जाता है, और वहां रहकर उनके शरीर में कई प्रकार के स्वास्थ्य नाशक रोगों की उत्पत्ति करता है।

(6) चाय और काफ़ी आदि कई प्रकार की अनावश्यक और अनुचित वस्तुओं के पीने का अभ्यासी बन जाता है। इन चीज़ों में जो **विषाक्त पदार्थ** मिले हुए होते हैं, उनके कारण वह चीज़ें मनुष्य के पीने के योग्य नहीं। क्योंकि **विषाक्त पदार्थ** उसके शरीर में एक वा दूसरे **रोग** की उत्पत्ति करते हैं।

(7) कई प्रकार के ऐसे **गरम मसालों के** खाने का अभ्यासी बन जाता है, कि जो मनुष्य की खुराक नहीं; इसीलिए उनके खाने का अभ्यासी बनकर वह अपने शारीरिक स्वास्थ्य की कई प्रकार से हानि करता है।

(8) विविध प्रकार के **अमिताचार** के द्वारा अपने शरीर में **विविध प्रकार के रोग** उत्पन्न करके और **रोगी** बन के नाना प्रकार के **कष्ट** – कई बार **अति दारुण और असह्य कष्ट** – भोगता है। और कई दशाओं में किसी कष्ट के अधिक सहने के अयोग्य हो जाने पर अपने ही हाथ से अपने शरीर की **हत्या** तक भी कर लेता है।

(2) नशा सुख अनुराग

प्र.। नशा सुख अनुराग किसे कहते हैं?

उ.। विषाक्त वा ज़हरीली चीज़ों के खाने वा पीने से मनुष्य के शरीर की स्नायु प्रणाली के अनुचित रूप से उत्तेजित हो जाने से उसे जो एक प्रकार का **सुख** अनुभव होता है, उसे **नशा** कहते हैं; और इस प्रकार के नशे विषयक सुख की **प्रबल वासना** वा नशे विषयक सुख के लिए प्रबल आकर्षण को **नशा सुख अनुराग** कहते हैं।

पशु जगत् के जीव भूखे होकर भी भंग वा पोस्त वा तम्बाकू आदि किसी

ज़हरीली पौदे को नहीं खाते; प्यासे होने पर भी शराब वा के मिले हुए पानी को नहीं पीते, और उनके द्वारा अपने शरीर की हानि नहीं करते। परन्तु मनुष्य **नशे के नीच सुखों का अनुरागी बनकर भंग** और पोस्त के भिन्न शराब, अफ़ीम, मारफ़िया, चरस, चंडु, कोकेन और तम्बाकू आदि ज़हरीली चीज़ों को खाता वा पीता है। नेचर ने **नशे के सुख के लिए** उपरोक्त वस्तुओं में से किसी भी वस्तु को **विधेय वा जायज़ नहीं किया**; क्योंकि उनके सेवन से **शारीरिक स्वास्थ्य को बहुत हानियां पहुंचती हैं**, और उसके शरीर के श्रेष्ठ अंग खराब हो जाते हैं, और उनके खराब हो जाने से उसमें **नाना रोगों की उत्पत्ति होती है**।

नशेदार चीज़ों के खाने वा पीने से मनुष्यों में जिस जिस प्रकार की बीमारियां पैदा हो जाती हैं, वह यह हैं:-

(1) **मस्तिष्क वा दिमाग़ की बीमारियां**। यथा:-
स्मरण शक्ति का क्षय अर्थात् निसयान, पागलपन, राशा वा अंग कम्पन, सकता, फालेज वा लक़्वा; आदि।

(2) **पाचनकारी अंगों की बीमारियां**। यथा:-
कब्ज़ (कोष्ठबद्धता), पेचिश वा मरोड़, यरक़ान (पीलिया), जलोदर, डायबीटीज़ (मधुमेह, पेशाब से चीनी का निकलना) आदि।

(3) **दिल की बीमारियां**। यथा:-
दिल की धड़कन, आदि।

(4) **गुर्दों की बीमारियां**। यथा:-
जोड़ों का दर्द और गठिया आदि।
इनके भिन्न आंखों और गले आदि की विविध बीमारियां भी पैदा हो जाती हैं।

(3) काम सुख अनुराग

प्र.। काम सुख अनुराग किसे कहते हैं?

उ.। किसी नर और नारी को अपनी जननेन्द्रिय के द्वारा जो एक प्रकार की **सुखदायक** सनसनी बोध होती है, उसे **काम भाव** कहते हैं; और इस **सुख** की प्रबल वासना वा उसके लिए प्रबल आकर्षण को **काम सुख अनुराग** कहते हैं। इस काम विषयक **सुख के अनुरागी वा दास** बनकर उसकी प्राप्ति के निमित्त बहुत से मनुष्य

(1) कितनी ही ऐसी क्रियाएं करते हैं, कि जो नेचर के शुभ नियम के विरुद्ध हैं। यथा:-

(अ) हस्त मैथुन,

(इ) किसी लड़के वा पुरुष वा स्त्री के साथ उसके मल द्वार के द्वारा मैथुन,

(उ) किसी पशु के साथ मैथुन,

(ए) अपनी ही पत्नी वा अपने ही पति के साथ अतिशय मैथुन,

(क) अपनी पत्नी के साथ उसकी रजस्वला की दशा में मैथुन,

(ख) अपनी पत्नी वा अपने पति के साथ अपनी वा उसकी किसी विशेष रोगी दशा में मैथुन,

(ग) व्यभिचार-मूलक मैथुन,

(घ) बलात् वा अत्याचार-मूलक मैथुन,

(च) अपनी पत्नी वा अपने पति के भिन्न किसी और स्त्री वा पुरुष की ओर काम भाव-मूलक दृष्टिपात,

(छ) अपनी पत्नी व अपने पति के सम्बन्ध में उचित अवसर के भिन्न काम भाव की तृप्ति के लिए किसी अन्य स्त्री वा पुरुष वा लड़के वा लड़की के किसी शारीरिक अंग का स्पर्श वा चुम्बन; आदि।

(2) काम भाव उत्तेजक चिन्ता, बातचीत, साहित्य पाठ, गीत गान वा श्रवण, नृत्य दर्शन वा नृत्य करण और हंसी मख़ौल आदि क्रियाओं के द्वारा अपनी कई प्रकार की हानि करते हैं।

(3) हस्त मैथुन और पुरुष होकर पुरुष के साथ मैथुन करते हैं और ऐसे अभ्यास के द्वारा अपने दिल के भिन्न अपने शारीरिक बड़े बड़े अंगों – विशेषकर अपने मस्तिष्क अर्थात् दिमाग़ – की बहुत बड़ी तबाही करते हैं; और ऐसी हानि करके अपने आपको अच्छे विद्वान और विचारशील बनने की योग्यता से वंचित रखते हैं; और ऐसी क्रियाओं से कई प्रकार के रोगों में ग्रस्त होकर **विविध प्रकार के कष्ट भोगते हैं**; और एक वा दूसरी दशा में किसी **अति निराशा** और अतिशय **दुख** के उत्पन्न हो जाने पर, और उसके सहने के लिए जिस बल की आवश्यकता है, उससे **रहित** होने पर, अपने हाथ से ही अपनी **हत्या** तक कर लेते हैं।

(4) **व्यभिचार विषयक पाप के द्वारा** अपने आत्मिक जीवन का **पतन** करने के भिन्न अनेक दशाओं में उन विशेष गंदे और अत्यन्त बुरे और ज़हरीले रोगों से रोगी बन जाते हैं, कि जिनके द्वारा वह केवल अपने ही शरीर में **उनके अति हानिकारक फल नहीं भोगते, किन्तु औरों तक** उन रोगों के बुरे असर पहुंचाकर **उनकी भी तबाही** करते हैं; और ऐसे किसी रोग के हो चुकने के बाद यदि वह कोई **सन्तान** उत्पन्न करने के

योग्य हों, तो कई दशाओं में **उनकी एक वा दूसरी सन्तान को भी उनके किसी ऐसे रोग का बहुत बुरा फल भोगना पड़ता है।**

(5) **विवाह करके भी** जब इस सुख की प्राप्ति के लिए **अतिशय मैथुन** करते हैं, तब वह अपने स्नायु बल को धीरे धीरे नष्ट करके अनेक दशाओं में इतने **निर्बल** हो जाते हैं, कि वह **क्षयी आदि कई प्रकार के सांघातिक रोगों के उत्पादक नाना प्रकार के सूक्ष्म कीटाणुओं के आक्रमण से अपने शरीर की रक्षा करने के अयोग्य हो जाते हैं**, और इसीलिए कितने ही जन युवा अवस्था में ही किसी ऐसे रोग से रोगी हो जाते हैं, और उसके द्वारा घुल घुल कर **अकाल मृत्यु** को प्राप्त हो जाते हैं।

(6) पुरुष होकर किसी की बेटी, किसी की पत्नी, किसी की बहिन, किसी की मां आदि को किसी विधि से **अपने प्रति आकृष्ट करके** वा उसे बहका फुसला के वा उसे कोई लालच देके और उसे उसके सम्बंधियों से **विश्वासघाती** बना के उसके घर से उसे निकाल वा भगा ले जाते हैं, और उसे **व्यभिचारिणी** बना कर अनेक बार उसे एक वा दूसरे कारण से **त्याग देते** हैं; और वह ऐसी दशा में अनेक बार अपने लिए कोई और आश्रय स्थान न देखकर **वेश्या** बन जाती है, और अपने सतीत्व को बेचकर और दिनों दिन नीच और पतित बन कर **इस व्यभिचार विषयक क्रिया को अपना व्यवसाय बना लेती है**, और अपने महा पतित स्वभाव के द्वारा और बहुत से नर नारियों को **अपनी न्याईं व्यभिचारी बनाती है।**

(7) पुरुष होकर धन रखने पर केवल यही नहीं, कि व्यभिचार विषयक व्यवसाय करने वाली **वेश्या वा कुलटा स्त्रियों के द्वारा अपनी काम वासना की तृप्ति करते हैं**, किन्तु उनमें से कितने ही जन गृहस्थी स्त्रियों के सतीत्व को नष्ट करके और उन्हें **व्यभिचारी** बनाकर उनके सम्बन्धियों के सम्बन्ध में उन्हें **विश्वासघाती** बनाते हैं।

(8) जो पुरुष होने पर **व्यभिचार के द्वारा** अपने काम सुख को लाभ करना नहीं चाहते, और **किसी उचित विधि से** अपना **विवाह** भी नहीं कर सकते, वह किसी लड़की के बाप वा भाई वा उसकी मां वा उसके किसी संरक्षक को बहुत सा रुपया देकर उस लड़की को उनसे **खरीद** लेते हैं, और उसे अपने पास रखकर अपने अभीष्ट को पूरा करते हैं। अथवा

जिन स्थानों में अविवाहित लड़कियों वा विवाहित स्त्रियों के **बेचने की प्रथा जारी हो** वहां से उन्हें खरीद कर इसी अभिप्राय के लिए अपने पास रखते हैं; और फिर जब उन्हें उनमें से किसी को अपने पास रखने की आवश्यकता मालूम न हो, तब उन्हें **अपनी बारी में इसी मतलब के लिए किसी और पुरुष के हाथ बेच देते हैं।** इत्यादि।

(4) आलस्य सुख अनुराग

प्र.। आलस्य सुख अनुराग किसे कहते हैं?

उ.। अपने वा किसी और के लिए कुछ काम न करने अथवा थोड़े से थोड़ा काम करने के भाव को **आलस्य भाव** कहते हैं; और इस भाव के **सुखार्थी** बनकर जो लोग क्या अपने वा क्या किसी और के लिए जहां तक सम्भव हो, अपनी ओर से कुछ काम करने के आकांक्षी नहीं रहते, वह **आलस्य सुख अनुरागी** कहलाते हैं; और उनके इसी नीच सुख को **आलस्य सुख अनुराग** कहते हैं।

प्र.। आलस्य सुख अनुरागी जन इस आलस्य सुख के **दास बनकर** अपने अस्तित्व के द्वारा किस किस प्रकार के लक्षण प्रकाश करते हैं?

उ.। आलस्य सुख अनुराग के **दास** बनकर कितने ही लोग

(1) औरों के सम्बन्ध में अपने विविध प्रकार के **कर्तव्य कर्मों** को पालन नहीं करते वा नहीं कर सकते;

(2) अपने पूर्वजों से धन सम्पत्ति के मिल जाने पर यदि वह उनके निर्वाह के लिए यथेष्ट हो, तो उसी पर गुज़ारा करते हैं, और आप अपने उद्योग वा परिश्रम से कुछ नहीं कमाते, और निकम्मे पड़े रहते हैं;

(3) जो अपने निर्वाह के लिए पूर्वजों से कोई धन सम्पत्ति नहीं पाते, और अपने पास भी कोई धन सम्पत्ति नहीं रखते, वह एक वा दूसरी विधि से औरों को **ठग कर वा औरों से उधार के नाम से धन लेकर** अपना गुज़ारा करते हैं;

(4) जब आप कमाने के लिए मजबूर होकर धन के बदले में किसी और का कोई काम करना भी स्वीकार करते हैं, तब वह जहां तक सम्भव हो, उसके लिए **थोड़े से थोड़ा** काम करने की चेष्टा करते हैं; और वह अपनी इस ठगी विषयक क्रिया के सम्बन्ध में अपना यह मूल मंत्र रखते हैं:-

"करूं बहुत थोड़ा सा काम,
मुझको मिले बहुत सा दाम";

(5) ''साधु'' वा ''फ़कीर'' बनकर और **भीख** मांग कर अपना गुज़ारा करते हैं, और लोगों पर अपने विविध प्रकार के खाने पीने आदि का **अत्यन्त अनुचित वा अधर्म-मूलक बोझा डालते हैं**, और उनमें से सैकड़ों जन नाना लोगों को ठग कर उनकी कमाई पर जीने की चेष्टा करते हैं;

(6) पहले कुछ काल तक काम करने और उसके द्वारा कुछ धन उपार्जन कर लेने के अनन्तर एक वा दूसरे कारण से निकम्मे बन जाते हैं और फिर अपने जीवन के शेष दिन वृथा नष्ट करते हैं;

(7) सुस्त पड़े रहकर काम भाव उत्तेजक हंसी मखौल करके वा **औरों की किसी हानि वा बुराई** के सम्बन्ध में आप कोई **निंदा** करके वा औरों से किसी ऐसी निंदा को सुनकर अपना समय वृथा नष्ट करते हैं, और ऐसा करके अपनी बहुत बड़ी आत्मिक हानि भी करते हैं;

(8) औरों की कोई सहाय वा सेवा तो कहीं रही, ''अपनी आप सहाय (self-help)'' के नियम के पालन करने के भी योग्य नहीं रहते। अर्थात् वह अपने शरीर, अपने घर और अपनी विविध वस्तुओं आदि की साधारण रक्षा का भी कोई काम नहीं कर सकते; वह प्यासे होकर भी जब तक सम्भव हो, आप पानी उठाकर वा कहीं से लाकर पीना नहीं चाहते; वह अपनी चारपाई वा अपना बिस्तरा आप बिछाना नहीं चाहते; वह अपने घर और अपनी वस्तुओं को मौसम के प्रतिकूल असरों से बचाने की कोई हिम्मत नहीं रखते, और उन्हें सम्हाल कर नहीं रखते; वह स्नान नहीं करते और अपने कपड़े नहीं धोते, और बहुत मैले कुचैले और फूहड़ रहते हैं।

इस प्रकार के लाखों लोग **आत्म-सम्मान के भाव से भी पूर्णतः रहित** होते हैं, और अपनी आत्मिक दशा के विचार से **बहुत पतित और घटिया दर्जे** के आदमी होते हैं।

———

तेरहवां अध्याय

मनुष्यात्मा की गठन में अहं सम्बन्धी
कई सुख अनुराग

प्र.। अहं सम्बन्धी सुख अनुराग क्या होते हैं?

उ.। मनुष्य में ''अहं'' अर्थात् ''मैं'' विषयक **बोध** के उत्पन्न हो जाने पर जब ''मेरा'' वा ''मेरी'' वा ''मुझे'', अथवा **अपना** और **अपनी** के भी **बोध** उत्पन्न हो जाते हैं, तब वह इस ''मेरा'' वा ''मेरी'' के भाव से क्या अपने और क्या नेचर के अन्य नाना जीवित और अजीवित अस्तित्वों के साथ अपना अहं-मूलक सम्बन्ध स्थापन करता है, और इस प्रकार के **अहं-मूलक सम्बन्ध से** उसे जिस **सुख** की अनुभूति होती है, उस **सुख** के प्रति उस की गाढ़ लालसा को **अहं सम्बन्धी सुख अनुराग** कहते हैं।

मनुष्य का कोई बच्चा जब तक यह नहीं जानता, कि यह **मेरा** सिर है, यह **मेरे** सिर के बाल हैं, यह **मेरा** मुंह है, यह **मेरी** आंखें हैं, यह **मेरी** नाक है, यह **मेरी** जीभ है, यह **मेरे** हाथ हैं, यह **मेरी** अंगुलियां हैं, यह **मेरी** छाती है, यह **मेरा** पेट है, यह **मेरे** पांव हैं, यह **मेरी** टोपी है, यह **मेरा** जूता है, यह **मेरा** खिलौना है, इत्यादि; तब तक वह **इन में से किसी का कभी अनुरागी नहीं होता।**

इसलिए यदि वह अपने सिर में कोई टोपी और पांव में जूते पहनता हो, किसी खिलौने से खेलता हो और उनमें से यदि कोई वस्तु भी खराब वा गुम हो जाय, वा चोरी चली जाय, तो ऐसा होने से उसे कोई **दुख** नहीं होता, और न इससे उसे **अपनी** कोई **हानि** अनुभव होती है। वह चीज़ें यद्यपि उसके काम आती हैं, और वह उसके लिए **हितकर** भी प्रमाणित होती हैं, तथापि उसमें जब तक उनके सम्बन्ध में ''मेरी'' वा ''मेरा'' ''अपनी'' वा ''अपना'' का **बोध** उत्पन्न नहीं होता, तब तक वह उनके साथ **अपना कुछ भी सम्बन्ध** अनुभव नहीं करता।

इसके भिन्न जब तक किसी मनुष्य के बच्चे में ''अहं'' बोध उत्पन्न न हुआ हो और वह अपने अस्तित्व वा अपने भिन्न किसी और अस्तित्व को अपना मानने वा जानने के योग्य न हुआ हो, तब तक यदि तुम उसकी किसी आंख वा उसकी नाक वा उसके किसी कान वा उसके चेहरे वा उसके किसी हाथ व पांव आदि की बनावट

को दूषित देखकर **दूषित** कहो, वा **दूषित** बताओ, तो तुम्हारी इस बात को सुनकर वह अपने हृदय में कोई **आघात वा कष्ट** अनुभव नहीं करेगा; परन्तु जब उसमें यह "अहं" विषयक बोध उत्पन्न हो जाएगा, और वह अपने शरीर के किसी भी अंग को "अपना" वा "मेरा" अंग वा किसी अन्य वस्तु को **अपनी** वा **मेरी** वस्तु मानने लगेगा, तब यदि उनमें से किसी को तुम **दूषित** वा **बुरा** बताओ, तो वह इससे **खुश नहीं होगा,** किन्तु **कष्ट वा दुख** अनुभव करेगा। और यदि तुम **उसके** शरीर सम्बन्धी किसी अंग वा उसकी किसी और वस्तु की जिसे वह **अपनी** जानता हो, **प्रशंसा** करो – यहां तक कि **झूठी प्रशंसा** करो – तो भी वह उससे **खुश** होगा, और ज़्यादा खुश होने पर मुस्कराने लगेगा, और अपनी इस खुशी के प्रकाश से वह तुम पर इस बात को प्रगट करेगा, कि वह जैसे **अपनी वा अपनी किसी वस्तु की अप्रशंसा से अप्रसन्न वा दुखी होता है, वैसे ही अपनी वा अपनी किसी वस्तु की प्रशंसा से सुख वा हर्ष लाभ करता है।**

मनुष्य में इस "अहं" बोध के अनन्तर उसी से सम्बन्धित न केवल प्रशंसा विषयक सुख अनुराग की उत्पत्ति हुई है, किन्तु कई और प्रकार के सुखों और सुख अनुरागों की उत्पत्ति भी हुई है।

प्र.। मनुष्य के इस प्रकार के सब सुख अनुराग क्या क्या हैं?

उ.। उसके इस प्रकार के सब सुख अनुराग यह हैं:-

(1) प्रशंसा सुख अनुराग।

(2) मान सुख अनुराग।

(3) बड़ाई सुख अनुराग।

(4) स्वार्थ सुख अनुराग।

(1) प्रशंसा सुख अनुराग

प्र.। प्रशंसा सुख अनुराग किसे कहते हैं?

उ.। प्रशंसा का अर्थ तारीफ़ वा वाह वाह है। किसी और के मुंह से अपनी तारीफ़ वा वाह वाह के सुनने वा किसी और के लेख में अपनी तारीफ़ के पढ़ने वा अपने मुंह वा लेख से भी **अपनी तारीफ़ के करने से जो सुख मिलता है, उस सुख की प्रबल लालसा को प्रशंसा सुख अनुराग कहते हैं।**

अहं बोध के जागने के अनन्तर यह भाव बाल्य काल से ही मनुष्यों में उत्पन्न हो जाता है।

मनुष्य जगत् में कोई जन ऐसा नहीं, कि जिसे किसी के मुंह से **अपनी प्रशंसा**

सुनकर वा किसी लेख में **अपनी प्रशंसा** पढ़कर वा जानकर **हर्ष वा सुख** बोध न होता हो। यही नहीं कि किसी और के ही मुंह वा लेख से अपनी **प्रशंसा** के सुनने वा जानने से मनुष्य को **सुख वा हर्ष** मिलता है, किन्तु एक वा दूसरे अवसर पर वह **अपने मुंह वा लेख** से भी अपनी **प्रशंसा** करके सुख लाभ करता है।

प्रशंसा सुखार्थी प्रत्येक मनुष्य को जैसे **अपनी प्रशंसा से सुख** मिलता है, वैसे ही वह जिस जिस जन वा पशु वा पौदे वा किसी वस्तु के लिए किसी प्रकार का **आकर्षण वा अनुराग** रखता हो, **उसकी** प्रशंसा के सुनने वा **उसकी** प्रशंसा के करने से भी उसे **सुख** मिलता है। और उसे जैसे अपनी किसी अप्रशंसा के सुनने से **दुख वा कष्ट** बोध होता है, वैसे ही वह जिस किसी मनुष्य वा पशु वा अन्य वस्तु के प्रति प्यार वा अनुराग का भाव रखता हो, उसकी **अप्रशंसा** से भी उसे **दुख वा कष्ट** बोध होता है – चाहे ऐसी अप्रशंसा **पूर्णत: सत्य** भी हो।

इसी सुख अनुराग के कारण नेचर के नियमानुसार प्रत्येक मनुष्य **किसी ऐसे मनुष्य के लिए भी** अपने हृदय में **आकर्षण** अनुभव करता है, कि जो **उसकी वा उसके** किसी प्यारे मनुष्य वा **प्यारे** पशु वा किसी **प्यारी** वस्तु की **प्रशंसा करता हो**, और अपने इस **आकर्षण** के कारण वह उसे **अपना मित्र** अनुभव करता है, और आप **उसका मित्र** बन जाता है।

लाखों लोग यह जानकर कि मनुष्य अपनी **प्रशंसा** को सुनकर **खुश** होता है, उसे अपनी ओर **आकृष्ट करने** और उससे अपना कोई काम निकालने की नियत से केवल यही नहीं, कि उसके सम्मुख उसकी कोई **सच्ची प्रशंसा** करते हैं, किन्तु नाना अवसरों में जान बूझकर उसकी **मिथ्या प्रशंसा** भी करते हैं, कि जिसे सुनकर भी वह हर्ष से फूल उठता है, और वह उनकी ओर **आकृष्ट** होकर उनका **पक्षपाती** बन जाता है, और इस दशा में पहुंच कर वह न केवल उनके किसी उचित **अभीष्ट** के पूरा करने के लिए, किन्तु उसके विपरीत उनके किसी **पूर्णत: अनुचित वा अन्याय-मूलक अभीष्ट के भी** पूरा करने वा उसमें **सहायक** बनने के लिए तैयार हो जाता है।

मनुष्य के इसी प्रशंसा सुख अनुराग को जान कर हज़ारों कामी पुरुष किसी जवान कुमारी लड़की वा किसी विवाहित स्त्री वा विधवा के रूप की **झूठी प्रशंसा** करके वा उसमें झूठमूठ किसी सद्गुण को बताकर उसे अपनी ओर **आकृष्ट** करते हैं, और अन्य उपायों के भिन्न इस उपाय से भी उसे अपना अनुरागी बनाकर **उसके सतीत्व को नष्ट करने** की चेष्टा करते हैं।

इसी प्रशंसा सुख के सैकड़ों अनुरागी जन औरों को धन आदि देकर **उनके द्वारा अपनी झूठी प्रशंसा कराते और उसे अन्य लोगों में फैलाते हैं।**

इसी प्रशंसा सुख अनुराग से परिचालित होकर नाना अधम जनों ने भी अपने मरने के अनन्तर **प्रेतात्मा** बन जाने पर लोगों से अपनी **झूठी स्तुति वा झूठी प्रशंसा** का **सुख** लाभ करने के निमित्त अपने आपको **झूठमूठ देवता** और **नेचर के नियमों के पूर्णतः विरुद्ध** अपने भीतर नाना प्रकार की **अद्भुत् शक्तियों** की वर्तमानता को बताकर उनमें **मिथ्या विश्वासों** की उत्पत्ति की है।

इसी प्रशंसा सुख अनुराग के भेद को जान कर हज़ारों लोग नितान्त आवश्यक और उचित होने पर भी अपने किसी मित्र वा निकट के सम्बन्धी के किसी अपराध वा उसकी किसी बुराई को उस पर इसलिए प्रगट करने का **साहस नहीं करते**, कि उसे सुनकर वह जन **दुखी** होगा, और वह इस दुख विषयक आघात को पाकर उनसे फटकर दूर हो जाएगा; और उससे उनका परस्पर का सम्बन्ध **कड़वा** हो जाएगा; और उससे उनकी कई प्रकार की **हानि** होगी। इसीलिए लाखों **मां बाप तक** अपनी किसी बड़ी उमर की ऐसी सन्तान पर भी कि जो **उनकी रक्षा में रहती हो**, और जिसकी किसी बुराई से रक्षा करने के लिए वह **ज़िम्मेवार** हों, **जान बूझकर भी** उसकी किसी शारीरिक वा आत्मिक बुराई को उस पर प्रगट नहीं करते; और उसे चुपचाप देखते रहते और होने देते हैं; और कई बार वह इसलिए भी उसकी किसी बुराई को जिसे **वह खुद भी** बुराई जानते हैं, **उस पर प्रगट करने का साहस नहीं करते**; कि ऐसा करने से वह **उनकी अप्रशंसा वा निंदा करेगा**, कि जिसे जानकर उन्हें **दुख** पहुंचेगा।

इसी प्रशंसा सुख अनुराग के **दास** नाना सम्प्रदायों के हज़ारों जन यद्यपि अपने सम्प्रदाय के किसी कहलाने वाले धर्म मत को **सत्य नहीं जानते** और नहीं मानते, फिर भी वह अपने सम्प्रदाय के लोगों से **अप्रशंसित होने के डर से** अपने आन्तरिक विश्वास के विरुद्ध अपने आपको उसी मत का विश्वासी बताते वा प्रगट करते हैं, और **कपटी** बनकर अपना **आत्मिक पतन** करते हैं।

इसी प्रशंसा सुख अनुराग के **दास** हज़ारों जन किसी प्रचलित **अनुष्ठान** वा किसी प्रचलित **प्रथा** को **मिथ्या वा बुरी जानकर भी** लोगों से **अप्रशंसित होने के डर से** अपने ज्ञान के विरुद्ध **कपटी** बनकर उसे पूरा करते हैं; और अपनी इस कपटता के द्वारा अपना **आत्मिक पतन** करते हैं।

इसी प्रशंसा सुख अनुराग के **दास** हज़ारों जन किसी इस वा उस सम्प्रदाय के **बाह्यक शारीरिक चिन्हों को अनावश्यक वा हानिकारक जानकर भी**, परन्तु कुछ लोगों से **अप्रशंसित होने के डर से**, उन्हें न केवल आप रखकर **कपटी** बनते और रहते हैं, किन्तु अपनी सन्तान को भी उन चिन्हों के धारण करने का उपदेश देकर

और उनके धारण करने का अभ्यासी बनाकर **मिथ्या** का साथ देते हैं, और अपने ऐसे कपटता-मूलक आचरण के द्वारा **अपने अपने आत्मा को पतित करते हैं**।

प्र.। क्या इस प्रशंसा सुख अनुराग से मनुष्य में किसी नीच **घृणा** की भी उत्पत्ति होती है?

उ.। जी हां। प्रत्येक सुख अनुराग के साथ नीच घृणा का सम्बन्ध है, अर्थात् जिस जन में जो जो सुख अनुराग वर्तमान होता है, उसके उस उस सुख अनुराग के विरुद्ध जब कोई घटना उत्पन्न होती है, तब उसमें नेचर के अटल नियमानुसार **घृणा** भी अवश्य उत्पन्न हो जाती है।

इसीलिए यदि तुम किसी प्रशंसा अनुरागी जन के सम्मुख कोई ऐसी **सत्य बात** भी कहो, कि जो उसकी प्रशंसा के **विरुद्ध** हो, तो वह उससे अपने हृदय में **कष्ट** लाभ करेगा, और इस कष्ट वा दुख के मिलने से उसके भीतर तुम्हारे प्रति **घृणा** भाव की उत्पत्ति हो जाएगी, और वह तुम से फटकर दूर हो जाएगा। और यदि तुम्हारे प्रति उसमें यह **घृणा भाव** बहुत प्रबल रूप से उत्पन्न हो गया हो, और उससे पहले यदि वह जन तुम्हारा **मित्र** होकर तुम्हारी कोई **सहाय** वा मदद करता था, तो उससे भी वह अपना हाथ हटा लेगा। और यदि यह **घृणा भाव** उसमें और भी **अधिक प्रबल रूप** में उत्पन्न हो गया हो, तो वह तुम्हें मित्र के स्थान में **शत्रु के रूप में देखेगा,** और तुम्हारा **द्वेषी** वा शत्रु बनकर और विविध प्रकार से तुम्हारा आप **अहित करके वा किसी और से कराके अपने इस नीच भाव की तृप्ति करेगा।**

फलतः प्रशंसा सुख अनुरागी प्रत्येक मनुष्य के लिए नेचर के आत्मिक जगत् के अटल नियमानुसार जैसे नाना अवसरों में **नाना प्रकार की मिथ्याओं की ओर गति करना अनिवार्य है; वैसे ही उसके लिए नाना अवसरों में एक वा दूसरे प्रकार की अन्य अशुभ-मूलक क्रियाएं करना भी अनिवार्य है।**

(2) मान सुख अनुराग

प्र.। मान सुख अनुराग किसे कहते हैं?

उ.। मान वा सम्मान का अर्थ इज़्ज़त है।

अपने लिए औरों से सम्मान वा इज़्ज़त पाने की प्रबल वासना को मान सुख अनुराग कहते हैं। इस मान सुख के **दास** होकर हज़ारों लोग

(1) इस वा उस प्रकार के **माननीय राज** वा **पॉलेटिकिल पद** के लाभ करने के लिए सैकड़ों और हज़ारों और कई दशाओं में लाखों रुपया खर्च करते हैं; और जिन जिन जनों को प्रसन्न करने से उन्हें किसी ऐसे **पद**

की प्राप्ति की आशा हो, उनकी **झूठी स्तुति** करके वा उनके लिए कोई **अनुचित वा बुरा कर्म करके** वा उनमें **अपनी झूठी महिमा** फैला के और उन्हें उसका **विश्वासी** बना के उस पद को लाभ करने की चेष्टा करते हैं।

(2) किसी गवर्नमेंट से इस वा उस **उपाधि वा खिताब** के लाभ करने के निमित्त **बहुत सा रुपया** खर्च करने के भिन्न, जिनके द्वारा उनकी यह मनोकामना पूर्ण हो सकती हो, उनकी **मिथ्या स्तुति** करते हैं; उन्हें विविध प्रकार की **भेंटें** देकर वा यथावश्यक उनके लिए कोई **अनुचित कार्य करके उन्हें प्रसन्न करते हैं**; और अपनी इस पूजा से उन्हें खुश करके उन के द्वारा अपने अभीष्ट को सिद्ध करने की चेष्टा करते हैं।

(3) किसी गवर्नमेंट के किसी पॉलिटिकल **दरबार में बैठने का मान** प्राप्त करने के लिए विविध प्रकार के ऐसे **उपाय** ग्रहण करते हैं, कि जो कई दशाओं में **अपराध वा पाप-मूलक** होते हैं।

(4) किसी सम्प्रदाय वा समाज वा सोसायटी वा बिरादरी में कोई **माननीय पद** वा उसके लोगों में **सम्मान वा इज्ज़त** लाभ करने के निमित्त यथावश्यक कई प्रकार के **अनुचित कर्म** करते हैं।

प्र.। क्या इस मान सुख के अनुरागी जन अपने इस प्रकार के किसी सुख में किसी जन से कोई आघात पाकर उसके लिए **घृणाकारी** और **हानिकारक** भी बन जाते हैं?

उ.। जी हां। यदि कोई जन **उनके इस नीच अनुराग के सम्बन्ध में उनके किसी अपराध वा पाप वा किसी अनुचित** वा **अशिष्ट कर्म के विषय में कोई सत्य बात भी प्रगट करे, तो वह उससे आघात और कष्ट पाकर उसके प्रति घृणा अनुभव करते हैं**; और इस घृणा भाव के उत्पन्न हो जाने पर उससे फट जाते हैं, और यदि वह पहले उसकी कोई सहायता करते थे, तो कई दशाओं में वह उसकी कोई सहायता करना नहीं चाहते और नहीं करते; और यदि यह **घृणा भाव** उनमें बहुत **प्रबल रूप** में उत्पन्न हो गया हो, तो वह उसके **द्वेषी** बनकर उसकी वा उसके साथ सम्बन्ध रखने वाले जनों की **विविध रूप से हानि करने के लिए भी विविध प्रकार के उपाय सोचते और अवलम्बन करते हैं, और आप उसकी हानि करके वा किसी और से कराके अपने इस महा नीच घृणा भाव की तृप्ति और उसका महा नीच सुख लाभ करते हैं।**

(3) बड़ाई सुख अनुराग

प्र.। बड़ाई सुख अनुराग किसे कहते हैं?

उ.। और मनुष्यों की तुलना में अपने आपको बढ़ चढ़कर बड़ा वा बढ़िया विश्वास करने वा बड़ा वा बढ़िया बताने वा बड़ा वा बढ़िया माने वा कहलाए जाने और बड़ा वा बढ़िया दिखाने से मनुष्य को जिस **सुख** की प्राप्ति होती है, उस **सुख** के प्रति उसमें जब प्रबल लालसा की उत्पत्ति हो जाती है, तब उसे **बड़ाई सुख अनुराग** कहते हैं।

इस सुख अनुराग के **वशीभूत होकर**

(1) लाखों लोग अपनी अपेक्षा किसी **वास्तविक** निपुण वा ज्ञानी वा श्रेष्ठ वा उच्च जन से भी **अपने आपको बढ़िया** विश्वास करते, **बढ़िया** समझते और **बढ़िया** बताते हैं, और **उस जन को अपनी अपेक्षा घटिया विश्वास करते, घटिया समझते और घटिया प्रगट करते हैं।**

(2) लाखों लोग **झूठ मूठ** भी अपने में किसी **गुण** की वर्तमानता की, अथवा जो गुण उनमें वर्तमान भी हो, उसे **झूठ मूठ बहुत अधिक वर्णन करके** उसकी **डींग** मारते हैं।

(3) सैकड़ों लोग औरों के (विशेषकर अपने जैसे लोगों के)सम्मुख एक वा दूसरे अवसर पर अपने किसी **अपगुण** वा अपनी **किसी बुरी क्रिया** को भी **अभिमान** (फख़्र) के साथ वर्णन करते हैं।

(4) सैकड़ों लोग अपने से बढ़िया जनों के साथ **अकारण वा अनुचित मुठभेड़ करके** अपनी नाना प्रकार की **हानियां** करते हैं।

(5) लाखों लोग अपने आपको औरों के सम्मुख बड़ा वा बढ़िया दिखाने के निमित्त अपना **बहुत सा धन वृथा नष्ट करते हैं।**

(6) हज़ारों लोग किसी विषय में आप **अनजान** होकर भी अपनी **हेठी** के डर से उसके सम्बन्ध में किसी और जानकार वा योग्य जन से कोई बात नहीं पूछते, और उससे कोई **परामर्श** नहीं लेते, और उस विषय में अपने आप ही अंधाधुन्ध कोई क्रिया करके अपनी वा दूसरों की बहुत हानि करते हैं।

(7) सैकड़ों लोग किसी विषय में आप **पूर्णत: अनजान वा बहुत थोड़ी योग्यता** रखने पर भी अपनी अपेक्षा किसी अधिक जानकार वा योग्य जन को **अपनी ओर से अकारण और पूर्णत: अपमानसूचक एक वा दूसरी बात बताने वा सिखाने की चेष्टा करते हैं**; और ऐसा

करके कई दशाओं में उससे खुद **झाड़** खाते और **लज्जित** और **अपमानित** होते हैं।

(8) हज़ारों लोग अपने से किसी बड़े **और माननीय जन** के सम्बन्ध में **कुछ भी अथवा जितना चाहिए उतना सम्मान प्रदर्शन करना नहीं चाहते, और नहीं प्रदर्शन करते।**

(9) लाखों लोग अपने पारिवारिक वा वंशीय बड़े वा किसी अन्य **माननीय** जन के सम्बन्ध में **कई प्रकार की अपमान सूचक क्रियाएं** करते हैं।

(10) लाखों लोग अपने किसी भी सच्चे **दोष वा अपराध वा पाप** वा अपनी किसी भी सच्ची **हीनता को स्वीकार नहीं** करते।

प्र.। क्या इस बड़ाई सुख के अनुराग से भी परिचालित होकर उसकी प्राप्ति के निमित्त नाना प्रेत आत्माओं ने अपने आपको **झूठ मूठ देवता** और अपने भीतर **झूठ मूठ कई प्रकार की शक्तियों** की वर्तमानता बताकर लोगों को अपने सम्बन्ध में विविध प्रकार से **मिथ्या विश्वासी** बनाया है, और क्या इस सुख अनुराग से परिचालित होकर उसकी प्राप्ति के निमित्त इस पृथ्वी के अन्य नाना स्थूल देहधारी मनुष्यों ने भी अपने सम्बन्ध में विविध प्रकार के **झूठ फैलाए** हैं?

उ.। जी हां:-

(1) इस पृथ्वी के मनुष्यों में से नाना **स्थूल देह त्यागी** परन्तु प्रेत रूपधारी जनों ने अपने आपको **झूठ मूठ** नेचर के नाना जगतों का **सृष्टा, शासनकर्ता** और विविध प्रकार की **अद्भुत घटनाओं** वा मोजज़ों का उत्पन्न कर्ता, किसी से **प्रसन्न** होने पर **वर** देकर उसकी और उसके परिवार और जत्थे के लोगों की नाना प्रकार की **मनोकामनाओं** का पूर्ण कर्ता, और **कुपित** होने पर उसे, उसके परिवार वा जत्थे को **शाप** देकर उसकी वा उनकी विविध प्रकार की हानियों का कर्ता और दुख दाता बता के, और अपने सम्बन्ध में उनके भीतर इस प्रकार के **मिथ्या विश्वास उत्पन्न करके** उन्हें अपना **अन्ध विश्वासी** बनाया है।

(2) इसी प्रकार इस पृथ्वी के **नाना स्थूल देहधारी** जनों ने भी **अपने आपको** नाना प्रकार की पूर्णतः झूठी ''**करामातों**'' वा नाना प्रकार के पूर्णतः झूठे ''**मोजज़ों**'' के दिखाने की शक्ति से सम्पन्न और लोगों की विविध प्रकार की मनोकामनाओं वा **मुरादों** का पूर्ण करने वाला प्रगट करके, और अज्ञानी लोगों में अपने सम्बन्ध में इस प्रकार के **मिथ्या विश्वास उत्पन्न करके उन्हें अपना अनुगत वा अनुयायी बनाया है।**

(3) इस पृथ्वी के **नाना स्थूल देहधारी** जनों ने अपने आपको किसी एक

वा दूसरे मिथ्या देवते का अवतार वा उसकी ओर से नियुक्त शिक्षक वा **शासनकर्ता आदि** बताकर और लाखों लोगों में अपने सम्बन्ध में इस प्रकार के मिथ्या विश्वास उत्पन्न करके उन्हें **अपना अन्ध विश्वासी और अनुयायी बनाया है।**

(4) इस पृथ्वी के नाना स्थूल देहधारी जनों ने अपने आपको **किसी इस या उस कहलाने वाले प्रसिद्ध देवता के साथ अपना कोई विशेष सम्बन्ध** बताकर और लोगों को उस देवता की इच्छा के विरुद्ध कर्म करने पर पूर्णत: कल्पित दुखों से भरपूर किसी **नरक** आदि में डाले जाने का **डरावा** देकर, और उनके एक वा दूसरे मत के मान लेने पर उन्हें उस देवता से उनके पापों के दंड से **क्षमा** दिला देने और इससे भी बढ़कर उन्हें किसी कहलाने वाले भोग विलास के सामानों से भरपूर **बैकुंठ वा स्वर्ग वा बहिश्त** आदि नामक स्थान में पहुंचा देने की अपने भीतर **शक्ति रखने वाला** प्रगट करके और **हज़ारों लोगों में** अपने विषय में इस प्रकार के पूर्णत: मिथ्या विश्वास उत्पन्न करके उन्हें अपना अन्ध विश्वासी वा अनुयायी बनाया है।

प्र.। क्या इसी बड़ाई सुख अनुराग से ही किसी मनुष्य में घमंड की उत्पत्ति होती है?

उ.। जी हां।

प्र.। वह किस प्रकार?

उ.। जब किसी मनुष्य में **अपने प्रति** इतना अनुराग वा प्रेम उत्पन्न हो जाता है, कि फिर इस अनुराग के कारण वह अपने शरीर, अपने शरीर के प्रत्येक अंग, अपने शरीर के बल, अपनी बुद्धि, अपनी समझ, अपनी बोली वा वाक्शक्ति, अपनी विद्या, अपने मत और अपने विश्वास आदि को न केवल **सुन्दर और निर्दोष रूप में,** किन्तु उन्हें किसी और की अपेक्षा झूठ मूठ भी **बढ़ चढ़कर** देखता वा विश्वास करता है, और किसी गुण के विचार से किसी और को अपनी अपेक्षा झूठ मूठ भी **घटिया** जानता वा विश्वास करता है, तब उसका **अपने सम्बन्ध में इस प्रकार का मिथ्या विश्वास घमंड भाव कहलाता है।**

घमंडी लोग केवल यहीं नहीं कि अपने ही विषय में किसी सत्य को मिथ्या और किसी मिथ्या को सत्य देखते हैं, किन्तु नेचर के विविध जगतों में **जिन नाना प्रकार के श्रेष्ठ वा उच्च गुणों का विकास हुआ है; उनके सच्चे सौन्दर्य** और उनकी सच्ची महिमा के देखने के भी वह योग्य नहीं रहते; अर्थात् वह अपने इस घमंड भाव के कारण इस प्रकार के सौन्दर्य के देखने की योग्यता को – यदि ऐसी कोई योग्यता उनमें पहले से वर्तमान हो – धीरे धीरे खोकर **अन्धे** बन जाते हैं। और वह अन्धे होकर केवल यही नहीं, कि नेचर में मनुष्य जगत् के विकास क्रम में जिन जिन

आत्माओं में **कई प्रकार के सुन्दर, सराहनीय, श्रेष्ठ वा उच्च गुणों का प्रकाश हुआ है**, उन्हें देखने के योग्य नहीं रहते, और इसीलिए उनकी सच्ची प्रशंसा वा स्तुति नहीं कर सकते, किन्तु उन उच्च गुणों के सौन्दर्य वा उनकी महिमा के देखने के योग्य बनने से किसी मनुष्य के आत्मा में जिस **सच्चे सात्विक श्रद्धा** भाव की जाग्रति होती है, उसे भी वह अपने आत्मा में विकसित नहीं कर सकते।

इसके भिन्न घमंडी जन नाना विषयों में **मिथ्या दृष्टा और मिथ्या विश्वासी होकर भी अपने आप को सदा ठीक ठाक विश्वास करते हैं**, और जो जन किसी विषय में भी उनका सा कोई मत वा उनका सा कोई विश्वास न रखता हो, वह उसी को सदा भ्रान्त वा भ्रष्ट वा विपथगामी (गुमराह) विश्वास करते वा समझते वा प्रगट करते हैं।

प्र.। क्या ऐसे घमंडी लोगों में से ही नाना बलशाली जनों ने किसी कहलाने वाले देवता वा उसके किसी मध्यवर्ती के सम्बन्ध में अपना जैसा विश्वास वा अपना जैसा मत न रखने पर और उनके प्रति अपने हृदय में **महा नीच और प्रबल घृणा भाव के उत्पन्न हो जाने पर** लाखों लोगों पर भान्त भान्त के महा भयानक अत्याचार किए हैं, और उन्हें नाना प्रकार से सताया और इससे भी बढ़कर उनकी हत्याएं की हैं?

उ.। जी हां, ऐसे ही लोगों ने धर्म वा मज़हब के नाम से मनुष्य की मत वा विचार विषयक **जन्मजात सच्ची स्वाधीनता को नष्ट किया है**, और लोगों को भान्त भान्त से उत्पीड़ित करने के भिन्न लाखों जनों की हत्या तक करने का महा घोर पाप और महा अधम कर्म किया है।

प्र.। क्या घमंडी लोग अपनी अपेक्षा किसी विषय में किसी और जन को **श्रेष्ठ वा बढ़िया** सुनकर **कष्ट** बोध करते हैं?

उ.। जी हां। वह जब किसी को किसी विषय में अपनी अपेक्षा बढ़िया **विश्वास नहीं करते**, तब उनके लिए किसी विषय में भी अपनी अपेक्षा किसी को **बढ़िया** सुनकर **कष्ट** बोध करना अनिवार्य है।

प्र.। परन्तु घमंडी लोग औरों की **झूठी अप्रशंसा करके** तो सुखी होते हैं?

उ.। जी हां, बहुत। इसीलिए इस पृथ्वी के करोड़ों लोग औरों के सम्बन्ध में **झूठी बकवास करके बहुत खुश होते हैं**, और इसीलिए इस प्रकार की झूठी बकवास वा निन्दा प्रत्येक देश के लोगों में बहुत फैली हुई है।

प्र.। क्या इस बड़ाई सुख के अनुरागियों वा घमंडी जनों में अपने इस सुख के विरुद्ध किसी से कोई **सत्य बात सुनकर** उसके प्रति **नीच घृणा** की भी उत्पत्ति होती है?

उ.। निस्संदेह। नेचर के आत्मिक जगत् के अटल नियमानुसार उनमें ऐसी **नीच घृणा का अल्पाधिक गहराई में उत्पन्न होना अनिवार्य है।** और इस **नीच घृणा** के उत्पन्न होने पर उनके हृदय का उससे **फट जाना वा दूर हो जाना** और उससे परे परे रहना, वा उसका मुंह न देखना, वा उससे कोई बातचीत न करना, वा उसके सम्बन्ध में दुश्चिन्ताएं करना वा कई प्रकार के मिथ्या कलंक लगाना और फैलाना, वा उसकी कोई उचित सहाय न करना – चाहे वह उनका कैसा ही उपकारी भी क्यों न हो – और कई दशाओं में इस घृणा भाव के बहुत बढ़ जाने पर उसकी कोई और **बड़ी हानि करना** वा किसी और से **कराना** भी अनिवार्य है।

ऐसे ही जनों के आत्माओं में जब अपने से बड़ों और सम्मान के योग्य सम्बंधियों वा अन्य माननीय जनों के सम्बन्ध में यह **घृणा भाव** भड़क उठता है, और उनके हृदय पर अधिकार लाभ करता है, तब उनके भीतर उनके सम्बन्ध में भी जिस जिस प्रकार के भाव और विचार उठते हैं, वह प्रायः इस प्रकार के होते वा हो सकते हैं:–

वह बड़े होंगे, तो अपने लिए बड़े होंगे, मैं उन्हें बड़ा नहीं मानता।

आप मुझे क्या सिखाते हैं, यह काम मैं आप से बहुत बेहतर कर सकता हूं।

एक बार मेरी मां ने मेरी एक **क्रिया को बुरा बताया**, मैंने झल्लाकर **उसके विरुद्ध** उसे कई ऐसी बातें कह सुनाई, कि जिससे वह आख़िरकार **हार कर** चुप हो गई।

मेरे पिता जब कभी **मेरे खिलाफ़** किसी विषय में मुझे कुछ कहते हैं, तब मैं भी **उनके खिलाफ़** दो चार बातें सुनाकर **उनका मुंह बंद कर देता हूं।**

मेरे बड़े भाई मुझ से **अपमानित होने के डर से** मेरे किसी मामले में मुझे कभी कुछ नहीं कहते।

एक बार मेरे पिता ने किसी और जन के सम्बन्ध में मेरे मत के विरुद्ध अपना मत प्रकाश किया; इससे मुझे बहुत **आघात** लगा, और मेरे भीतर उनके प्रति **इतनी घृणा** उत्पन्न हुई, कि मैंने उनसे बोलना और बातचीत करना छोड़ दिया। और अब तक मैं उनके साथ कोई बातचीत नहीं करता।

एक बार मेरी मां ने मेरी किसी कामना को पूरा नहीं किया, इससे मुझे बहुत **कष्ट** पहुंचा। इस पर मैंने खाना न खाया, और इस तौर से मैंने भी उसे बहुत कष्ट दिया।

मैं अपने ऐसे पिता का भी मुंह देखना नहीं चाहता, कि जो मेरी किसी क्रिया को बुरा कहते वा प्रगट करते हों।

मैं जब अपने **पिता** वा बड़े भाई के कुछ रुपए वा पैसे चुरा लेता हूं, तब उनके

बार बार पूछने पर भी मैं उनका लेना **स्वीकार नहीं करता** – यहां तक कि जब वह मुझे मारना पीटना भी आरम्भ करते हैं, तब मैं बड़ी बड़ी कष्टदायक चोटें खाकर भी अपनी इस **चोरी** को कबूल नहीं करता।

मैं जब किसी रास्ते पर से जाता हूं, तब चाहे कोई बूढ़ा, निर्बल, रोगी, स्त्री वा कोई सम्मान के योग्य जन भी मेरे सामने से आ रहा हो, फिर भी मैं उसके लिए अपनी ओर से रास्ता छोड़ना पसंद नहीं करता।

मैंने अमुक समाज से इसलिए अपना सम्बन्ध काट लिया, कि मैं जब उसकी कार्यवाहक और प्रतिनिधि सभा का मेम्बर था, तब उन्हीं दिनों उन दोनों के जो जो और जन मेम्बर थे, वह सब **मेरे मत** की पोषकता नहीं करते थे, किन्तु नाना अवसरों में **मेरे मत के विरुद्ध अपना मत प्रकाश करते थे।**

मुझे जब किसी रास्ते पर से जाते हुए अपना कोई **पुराना शिक्षक** वा उस्ताद वा कोई और परिचित परन्तु **सम्मान के योग्य जन भी** मिल जाता है, तब **मैं अपनी ओर से उसे प्रणाम वा सलाम नहीं करता, और उसे अपनी ओर से कोई सम्मान नहीं देता।**

मैं यद्यपि कई काम ऐसे कर बैठता हूं, कि जिन से **मैं बहुत हानियां भी उठाता हूं,** और यदि मैं **अपने से किसी निपुण जन** से उनके विषय में **परामर्श** ले लूं, तो ऐसी हानियां न उठाऊं, तथापि ऐसा करने में मैं अपनी **हेठी** समझ कर किसी ऐसे जन से **कोई परामर्श नहीं लेता।**

मैं **देवात्मा** को अपना उपास्य मानने में अपनी **हेठी** समझता हूं, इसलिए **मैं उन्हें देवात्मा ही स्वीकार नहीं करता।**

सत्य यह है, कि जिस देश के निवासियों में परस्पर के सम्बन्ध में **घमंड और घृणा भाव** की जितनी **अधिकता** होती है, वह एक दूसरे से उतना ही अधिक **अनमेल** और एक दूसरे से अधिक विरोध रखते हैं, और वह परस्पर के सम्बन्ध में नाना प्रकार के **पूर्णतः मिथ्या भेद उत्पन्न करके** एक दूसरे से फटते रहते हैं। इसीलिए ऐसी दशा रखकर वह कोई समृद्धिशाली **"नेशन"** नहीं बनते, और नहीं बन सकते; और न कोई **"नैशनल बल"** लाभ करते वा कर सकते हैं।

घमंड और **घृणा भाव** मनुष्य के **महा पतनकारी** और **महा नीच भाव हैं।**

(4) स्वार्थ सुख अनुराग

प्र.। स्वार्थ सुख अनुराग किसे कहते हैं?

उ.। स्वार्थ का अर्थ है, "अपने लिए" अर्थात् **जो मनुष्य केवल अपने**

किसी सुख को मुख्य रख कर अपनी कोई मानसिक चिन्ता वा शारीरिक क्रिया करता है, वा उसके निमित्त धनादि विषयक अपनी किसी अन्य शक्ति को काम में लाता है; उसे स्वार्थ सुख अनुरागी वा स्वार्थ परायण और उसके इस अनुराग को स्वार्थ सुख अनुराग कहते हैं।

प्र.। क्या जो जन विवाह करके अपनी पत्नी वा उसके भिन्न अपने बच्चों के सुख के लिए एक वा दूसरा काम करते हैं, और अपना धनादि खर्च करते हैं, वह भी स्वार्थ सुख अनुरागी होते हैं?

उ.। जी हां। यदि वे अपनी अपनी पत्नी से काम मूलक सुख लाभ करते हैं वा उसके भिन्न कई प्रकार के और **सुख** पाते हैं; यदि वह अपनी सन्तान के साथ वात्सल्य अनुराग से बन्धकार उसका **सुख** पाते हैं, यदि उनकी पत्नियां भी उनसे इसी प्रकार के कई सुख पाती हैं, और उनके बच्चे उन दोनों से कई प्रकार के **सुख** पाते हैं, और वह सब आपस में इसी **सुख सूत्र** से बन्धे हुए हैं, तो वह सभी **अपने अपने सुख के लिए** एक दूसरे से सम्बन्ध रखते और एक दूसरे के सम्बन्ध में विविध प्रकार के काम करते हैं।

परन्तु जहां किसी स्वार्थ सुख अनुरागी मनुष्य को किसी और मनुष्य वा पशु वा वृक्षादि की सेवा से **कोई सुख न मिलता हो**, वा उसे उनसे किसी प्रकार के सुख मिलने की कभी भी आशा न हो, तब वह किसी और के किसी सुख के लिए अपने आप कोई क्रिया करना नहीं चाहता और नहीं करता।

इसीलिए जिन लोगों को किसी और के भले के लिए किसी शारीरिक परिश्रम वा मानसिक विचार वा विद्या वा धनादि के दान से **कोई सुख बोध न होता हो**, वह उसके लिए इस प्रकार की कोई क्रिया नहीं कर सकते। और इसीलिए वह किसी **परोपकार** विषयक काम के लिए अपनी ओर से किसी प्रकार का कोई **समर्पण** वा **त्याग** भी नहीं कर सकते, और नहीं करना चाहते। ऐसे लोग पूर्ण स्वार्थ सुख अनुरागी होते हैं।

प्र.। पूर्ण स्वार्थ सुख अनुरागी मनुष्यों के साधारण लक्षण क्या हैं?

उ.। पूर्ण स्वार्थ सुख अनुरागी मनुष्य अपनी किसी शारीरिक वा मानसिक शक्ति वा अपनी विद्या वा अपने धन वा अपनी सम्पत्ति आदि को अपने कुछ ऐसे जनों आदि के भिन्न कि जिन से उन्हें **कोई न कोई सुख मिलता हो**, वा जिन से कभी किसी सुख के मिलने की आशा हो, नेचर के और अस्तित्वों के **भले के लिए** काम में नहीं ला सकते, और नहीं लाते। इसीलिए,

पूर्ण स्वार्थ सुख अनुरागी मनुष्य अपने धन वा अपनी सम्पत्ति को **परोपकार**

विषयक किसी काम के लिए **दान नहीं करते।**

वह अपनी किसी विद्या वा अपने किसी हुनर को **परोपकार** विषयक किसी काम के लिए अर्पण नहीं करते।

वह किसी और से एक वा दूसरे प्रकार का **शारीरिक उपकार** पाकर भी **उसके** लिए आप सेवाकारी बनना नहीं चाहते, और इसीलिए **उसकी** कोई सेवा नहीं करते।

वह किसी **सच्चे आत्मिक हितकर्ता** से अपने लिए कोई **आत्मिक हित** पाकर भी उसके लिए किसी प्रकार से **सेवाकारी** बनना नहीं चाहते, और इसीलिए नहीं बनते।

वह **पशु जगत्** के नाना जीवों से अपने शरीर के लिए विविध प्रकार के **उपकार** पाकर उस जगत् के भले के लिए **अपनी ओर से कुछ करना नहीं चाहते, और इसीलिए नहीं करते।**

वह **उद्भिद् जगत्** के नाना अस्तित्वों से अपने शरीर के लिए विविध प्रकार के **उपकार** पाकर **उसके लिए** किसी प्रकार से **सेवाकारी** बनना नहीं चाहते, और इसीलिए उस जगत् के सम्बन्ध में **सेवाकारी** नहीं बनते।

वह पृथ्वी, जल, वायु आदि **भौतिक जगत्** के नाना अस्तित्वों के द्वारा अपने लिए **रात दिन** विविध प्रकार के **उपकार** पाकर उस जगत् के किसी भले के लिए **आप सेवाकारी बनना नहीं चाहते और इसीलिए नहीं बनते।**

पूर्ण स्वार्थ सुख अनुरागी मनुष्य जिस प्रकार के मंत्र का जप और रात दिन साधन करते हैं, वह यह है:-

''मैं, जहां तक सम्भव हो, **अपने लिए** किसी **और से** कोई न कोई **सुख** प्राप्त कर लूं, परन्तु मैं किसी **और के सुख वा भले के लिए** कभी काम न आऊं – यहां तक कि मैं किसी से दाम लेकर भी उनके बदले में उसका पूरा पूरा वा ठीक ठीक काम न करूं''।

पूर्ण स्वार्थ सुख अनुरागी मनुष्य **नेचर के किसी विभाग के विकास कार्य का सहकारी वा सहचर बनना नहीं चाहता,** किन्तु इसके **विरुद्ध** वह अपने **स्वार्थ सुख अनुराग** से परिचालित हो कर यथावश्यक **नेचर के प्रत्येक विभाग के विविध अस्तित्वों की नाना प्रकार से हानि करने के लिए सदा तैयार रहता है,** और अवसर होने पर उनकी विविध प्रकार से **हानि** वा उनका **विविध प्रकार से अहित वा बुरा करके सुखी होता है।**

स्वार्थ सुख अनुरागी प्रत्येक मनुष्य की यह **स्वार्थपरता** विषयक प्रकृति अधम वा **राक्षसी प्रकृति** होती है।

जिस देश के लोगों में यह **स्वार्थ-सुख-मूलक अधम वा राक्षसी प्रकृति** जितनी अधिक होती है, वह देश उतनी ही अधिक **पतित दशा** में होता है।

प्र.। क्या स्वार्थ सुख अनुराग से स्वेच्छाचार की भी उत्पत्ति होती है?

उ.। जी हां। **अपनी ही** किसी सुखदायक वासना वा कामना की तृप्ति चाहना, और अपने सम्बन्ध में किसी और की किसी **उचित और शुभ इच्छा** को भी अपने **किसी सुख के विरुद्ध पाकर** उसे पूरा करना न चाहना और उससे पीछा छुड़ाने का यत्न करना **स्वेच्छाचारिता** कहलाती है।

स्वेच्छाचारी मनुष्य एक ऐसे घोड़े की न्याईं होता है, कि जो अपने सेवाकारी मालिक को भी अपनी पीठ पर चढ़ाना वा उसके लिए किसी गाड़ी में जुतना न चाहता हो, और यदि वह उसकी पीठ पर चढ़ने वा उसे किसी गाड़ी में जोतने की कोशिश करे, तो वह इससे **कुपित** होकर उसे अपने मुंह से काटने वा लात मारने वा किसी और विधि से हानि पहुंचाने के लिए तैयार हो जाता हो।

यह महा नीच अनुराग लाखों मनुष्यों में पाया जाता है। इस भाव से परिपूर्ण मनुष्य का **एक एक छोटा बच्चा तक** उसके लक्षण प्रकाश करता है। वह अपनी माता वा अपने पिता की किसी उचित और **ऐसी भली बात** के मानने वा उसके अनुसार चलने से भी घबराता और कष्ट मालूम करता है, कि जो उसके **अपने किसी सुख अनुराग के विरुद्ध हो**, और यदि उनमें से किसी के लिए उसके भीतर इतना अधिक **भय** न हो, कि जिससे उसे अपनी इच्छा के अनुसार चलने में जो सुख मिलता है, उस सुख की तुलना में उनसे किसी बड़े कष्ट पाने की संभावना दिखाई देती हो, और जिसके ग्रहण करने के लिए उसका दिल तैयार न हो, तो वह उनके किसी ऐसे आदेश को नहीं मानता। और यदि उसकी इस गति में उसके माता पिता कोई रोक उत्पन्न करने के लिए अपने भीतर कोई बल वा साहस न रखते हों, तो वह अपनी ऐसी गति के द्वारा दिनों दिन **स्वेच्छाचारी** बनता चला जाता है। और फिर वह अपने परिवार वा अपनी सोसाइटी के किसी ऐसे आवश्यक और हितकर नियम वा अपने किसी विहित शासनकर्ता की किसी ऐसी उचित आज्ञा के पालन करने के योग्य नहीं रहता, कि जो उसके किसी सुखदायक भाव के विरुद्ध हो।

प्र.। क्या स्वेच्छाचारी लोग अपने किसी ऐसे उचित लाभ के निमित्त भी कि जिसे वह सभी उचित और आवश्यक मानते हों, आपस में मिल कर कोई **बड़ा जत्था** नहीं बना सकते?

उ.। नहीं। कोई संगठन-प्राप्त जत्था न तो बाध्यता के नियम को छोड़कर बन सकता है, और न उसके बिना उसका कोई लक्ष्य ही भलीभांत पूरा हो सकता है; और

न किसी संगठित जत्थे के बिना कोई **सम्मिलित शक्ति** उत्पन्न हो सकती है। इसीलिए जिस देश के रहने वाले परस्पर के प्रति नीच घृणा भाव के कारण अपने किसी साधारण भले के लिए भी आपस में जुड़ नहीं सकते, वह **कोई बड़ा जत्था वा दल नहीं बन सकते**, और उनकी अपेक्षा **बहुत निर्बल दशा** में होते हैं, कि जो परस्पर के प्रति **इतनी घृणा नहीं रखते**; और किसी सम्मिलित लाभ की प्राप्ति के लिए आपस में मिलकर जिस **बाध्यता** के नियमानुसार चलने की आवश्यकता है, उस नियम के पालन करने की योग्यता रखते हैं, और इसीलिए इस योग्यता के कारण **बड़े बड़े जत्थे वा दल संगठित कर सकते हैं।**

प्र.। क्या स्वेच्छाचार के साथ दुराग्रह का भी सम्बन्ध है?

उ.। जी हां। जब कोई मनुष्य **अपने किसी सुख का इतना अधिक दास** बन जाता है कि उसे वह **किसी तरह छोड़ना नहीं चाहता**, और जिस किसी जन से उसकी प्राप्ति होती वा हो सकती हो, **उससे उसकी प्राप्ति के लिए अनुचित रूप से आग्रह वा हठ वा ज़िद करता है**, तब उसकी ऐसी क्रिया **दुराग्रह** कहलाती है।

मनुष्य जगत् के लाखों बच्चे बाल्य काल से ही जैसे **स्वेच्छाचारी** बनते हैं, वैसे ही जब वह अपनी किसी सुखप्रद कामना वा इच्छा को अपने माता पिता आदि से पूर्ण कराने के निमित्त अड़ बैठते हैं, अर्थात् उसके लिए हठ वा ज़िद करते हैं, तब उनकी ऐसी प्रत्येक क्रिया दुराग्रह कहलाती है।

प्र.। क्या कोई जवान और बूढ़े मनुष्य भी दुराग्रह करते हैं?

उ.। जी हां। ऐसे लोग भी जब अपने किसी सम्बन्धी वा अन्य जनों के सम्बन्ध में अपनी किसी **अनुचित इच्छा वा कामना** की पूर्ति के लिए **आग्रह** करते हैं, तब वह भी दुराग्रही बन जाते हैं।

प्र.। क्या दुराग्रह के विपरीत कोई सदाग्रह भी होता है।

उ.। जी हां। जब कोई मनुष्य अपने आत्मा और आत्मिक जीवन के सम्बन्ध में किसी मिथ्या विश्वास वा मत वा किसी पतनकारी वा हानिकारक क्रिया का **सच्चा बोधी हो जाने पर** फिर किसी के दबाव वा डर से कभी भी उस विश्वास वा मत को मानना वा उस क्रिया को करना नहीं चाहता; और अपने आत्मिक जीवन के सम्बन्ध में किसी भली वा हितकर क्रिया का **सच्चा बोधी हो जाने पर** उसे अवश्य पूरा करना चाहता है, और ऐसा करने में उसके विरुद्ध अपने माता पिता, भाई बहिन, चाचा ताया, नाना नानी, मामा मामी, बुआ आदि किसी सम्बन्धी वा अपने किसी मित्र वा किसी अन्य जन वा किसी जन समूह की कोई बात सुनना वा मानना नहीं चाहता, और उनकी ओर से **किसी लालच वा भय की कुछ परवाह नहीं करता**, और

अपने इस **सच्चे बोध** पर आरूढ़ रहता है, और उस पर आरूढ़ रहने के लिए **आग्रह** करता है, तब उस का यह कार्य **सदाग्रह** कहलाता है।

जिस देश में दुराग्रही जनों की जितनी कमी हो, और सदाग्रही जनों की जितनी वृद्धि हो, वह देश ऐसे देशों की अपेक्षा, जिनमें इसके विपरीत दशा पाई जाती हो, अधिक श्रेष्ठ होता है।

प्र.। क्या जो लोग किसी के द्वारा अपनी किसी आकांक्षा वा कामना के पूरा न होने पर, जब अपने हृदय में आघात वा कष्ट पाकर, उसके प्रति **घृणा भाव** धारण करते हैं, और अपने इस **घृणा भाव** के कारण उसे **कोई उचित सम्मान तक भी देना नहीं चाहते वा नहीं देते**; और अपनी इस क्रिया को यह कहकर कि ऐसा करना उनके ''**आत्म सम्मान**'' के विरुद्ध है, उचित और आवश्यक समझते वा बताते हैं, तब उनका ऐसा समझना वा बताना ठीक हो सकता है?

उ.। कदापि नहीं। किसी ऐसी **नीच घृणा** के साथ सच्चे आत्म-सम्मान (self-respect) का कोई सम्बन्ध नहीं।

अपने परिवार, अपनी समाज, अपने सम्प्रदाय, और अपने देश के राज्य शासन आदि के सम्बन्ध में जिस किसी मनुष्य का जो कोई पद वा स्थान हो, उस पद की सच्ची मर्यादा (dignity) के विरुद्ध किसी प्रकार की **अनुचित क्रिया** का करना तो अवश्य **आत्म-सम्मान** के विरुद्ध होता है; परन्तु जो जन किसी कारण से तुम्हारे किसी मत को नहीं मानता, वा तुम जिस विषय में अपने ख्याल में अपने आपको योग्य समझते हो, उस विषय में वह तुम्हें योग्य नहीं समझता, उसके ऐसे मत को अपने मत के अनुकूल न पाने पर, उसके प्रति उसकी मर्यादा के अनुसार सम्मान न देने और इससे भी बढ़कर **अपमान** करने की ठान लेने का नाम **कभी भी आत्म-सम्मान नहीं हो सकता।** किसी को **अपने मत के अनुकूल न पाकर उसके प्रति जो जन घृणा अनुभव वा धारण करते हैं**, और इस घृणा भाव से भरकर उसे **उचित सम्मान न देने** वा इससे भी बढ़कर उसका **अपमान करने के लिए** किसी एक वा दूसरी विधि को अवलम्बन करते हैं, उनके ऐसे कर्म का केवल यही नहीं कि सच्चे आत्म-सम्मान से कोई सम्बन्ध नहीं, और उनका ऐसा कर्म किसी भी सच्चे आत्म-सम्मान का सूचक नहीं, किन्तु उनका ऐसा कर्म **सुनीति और न्याय के विरुद्ध अर्थात् पूर्णतः अन्याय-मूलक होता है।** और इसीलिए वह कभी भी ठीक नहीं।

प्र.। क्या स्वेच्छाचारी जन भी स्वेच्छाचार विषयक सुख के विपरीत किसी की ओर से कोई **बाधा वा रोक पाने पर** उसके प्रति अपने हृदय में **घृणा** अनुभव करते हैं?

उ.। जी हां। वह अपने इस सुख में किसी से **उचित वा विधेय रोक टोक**

के मिलने पर भी उसके प्रति **घृणा भाव** से भर जाते हैं; और उसके सम्बन्ध में **उलटा दृष्टा** होकर उसे उलटे रूप में देखते और प्रगट करते हैं। और यदि उनमें यह **घृणा भाव** बहुत प्रबल रूप में उत्पन्न हो गया हो, तो वह इससे भी बढ़कर आप उसकी कोई और **हानि** करने वा किसी और से कराने के लिए भी तैयार हो जाते हैं।

चौदहवां अध्याय

मनुष्यात्मा की गठन में सन्तान सम्बन्धी
सुख अनुराग

पशु जगत् के दूध पिलाने वाले जीवों के विकास के क्रम में मनुष्य की उत्पत्ति हुई है, इसीलिए उसी जगत् के जीवों से उसमें **सन्तान विषयक अनुराग भाव भी आया है।** परन्तु पशु जगत् के लाखों जीवों में जो सन्तान अनुराग पाया जाता है, उसमें वह नीचताएं नहीं, कि जो मनुष्यात्माओं के भीतर अपनी सन्तान के सम्बन्ध में इस सुख अनुराग के कारण धीरे धीरे पैदा हो गई हैं; और जो उनके और उनकी सन्तान के आत्मिक जीवन के लिए विशेष रूप से हानिकारक हैं।

लाखों मनुष्य अपने इस सन्तान सुख अनुराग के कारण उसे **प्रसन्न** करने और उससे आप भी **प्रसन्न** होने के निमित्त उसे उसके **चाहने वा दुराग्रह करने पर** खाने पीने की ऐसी नाना वस्तुएं देते हैं, कि जो **उसकी शारीरिक स्वास्थ्य के लिए हानिकारक होती हैं।** और केवल खाने पीने की ही अनुचित वस्तुएं नहीं, किन्तु उसकी और नाना प्रकार की **ऐसी रुचियों वा कामनाओं** को भी पूरा करते हैं, कि जो दोनों के लिए हानिकारक होती हैं; और जिस प्रकार की हानियां पशु जगत् के जीव अपने बच्चों की पालना में नहीं करते।

प्र.। क्या मनुष्य जगत् के लाखों बच्चे अपने अनुरागी माता पिता से ही कई प्रकार के **पूर्णतः मिथ्या और महा हानिकारक संस्कार वा विश्वास** और कई प्रकार के **महा हानिकारक अभ्यास** भी लाभ करते हैं?

उ.। जी हां। पशु जगत् की सन्तान इस प्रकार की हानियों से पूर्णतः सुरक्षित होती है।

प्र.। क्या लाखों सन्तान अनुरागी मनुष्य अपनी अपनी सन्तान में कई प्रकार के **महा हानिकारक सुख अनुरागों और घृणा भावों की उत्पत्ति और वृद्धि में** भी सहायक बनते हैं?

उ.। जी हां। ऐसे ही लाखों लोग अपनी सन्तान में कई प्रकार के नशों – यथा, तम्बाकू, भंग, शराब, अफ़ीम आदि – के सेवन, मांस और अंडों आदि के भक्षण और चाय और काफ़ी आदि के पान के प्रति महा हानिकारक **सुख अनुराग** उत्पन्न कर

देते हैं; और किसी इस वा उस सम्प्रदाय वा मत वा जाति वा श्रेणी वा वर्ण वा रंग वा इस वा उस प्रकार के व्यवसायी जनों को **अपनी अपेक्षा झूठ मूठ हीन वा घटिया** बताकर उनमें उनके प्रति विविध **मिथ्या विश्वासों** और **नीच घृणा भावों** की उत्पत्ति वा वृद्धि करते हैं, और अपने ऐसे कर्मों से उनकी और अपनी कई प्रकार से बहुत बड़ी हानि करते हैं।

प्र.। क्या लाखों सन्तान अनुरागी जन अपनी सन्तान को धीरे धीरे अपनी शिक्षा और अपने दृष्टान्तों के द्वारा कपटी, ठग वा प्रवंचक आदि नीच कर्मी भी नहीं बना देते?

उ.। जी हां, निश्चय बना देते हैं।

प्र.। क्या लाखों जन अपने इसी सन्तान सुख अनुराग के कारण उसके **पक्षपाती** बनकर **उसके किसी अपराध वा अवगुण के छिपाने के निमित्त** जान बूझकर भी नाना अवसरों में **मिथ्या** नहीं बोलते?

उ.। जी हां; अवश्य बोलते हैं; क्योंकि इस अनुराग के कारण उनके लिए इस प्रकार से **मिथ्या का साथ देना अनिवार्य** है।

प्र.। क्या लाखों जन अपने इसी सन्तान अनुराग के कारण अपनी सन्तान के **पक्षपाती** बन जाने पर जब किसी और के सम्बन्ध में उसकी (अपनी सन्तान की) किसी बुरी वा अनुचित वा अपराध-मूलक क्रिया के विषय में कोई **शिकायत** सुनते हैं, तब जहां तक सम्भव हो, **झूठ** आदि के द्वारा उस पर पर्दा डालने और उसे निर्दोष प्रमाणित करने की चेष्टा करते हैं?

उ.। जी हां; अवश्य ऐसा करते हैं। और इसके भिन्न शिकायत करने वाले के प्रति उलटा अपने हृदय में **घृणा** भी अनुभव करते हैं, और अपनी इस **नीच घृणा** के कारण उससे फट जाते और उसके सम्बन्ध में असद्भाव पोषण करते हैं।

प्र.। क्या लाखों जन इस सन्तान सुख अनुराग जनित **पक्षपात** और अपनी सन्तान में से किसी के सम्बन्ध में अपेक्षाकृत **कम** और किसी के प्रति **अधिक** अनुराग के कारण उनके परस्पर के किसी झगड़े के अवसर पर अपनी अधिक प्यारी सन्तान का अधिक साथ देकर दूसरी कम प्यारी सन्तान पर **अन्याय वा अत्याचार** नहीं करते?

उ.। निश्चय करते हैं। इस नीच अनुराग को रखकर उनके लिए इस प्रकार का **पाप** करना अनिवार्य है।

फिर इस प्रकार की भयानक बुराइयों के भिन्न **सन्तान अनुरागी लोग** यह जानकर और अपनी आंखों से देखकर भी, कि उनका एक वा दूसरा बेटा **युवा** होकर अपने शरीर की आप पालना करने के योग्य बन चुका है और विवाह करने वा

विवाहित होने की दशा में अपने भिन्न अपनी पत्नी वा अपनी सन्तान की भी **आप पालना करने के योग्य है,** और अब वह बाल्य काल की **असहाय** अवस्था से निकल कर अपना **स्वतंत्र जीवन** व्यतीत कर सकता है, फिर भी वह अपने उस सारे धन वा अपनी उस सारी सम्पत्ति को जिसे वह अपने और देश के अन्य जनों के एक वा दूसरे प्रकार के शुभ वा भले के लिए **दान** करके उनका और अपने अपने आत्माओं का भला कर सकते हैं, उसे किसी **परोपकारकारी संस्था** वा किसी **परोपकार विषयक उद्देश्य** के निमित्त दान नहीं करते, और अपने इस महा नीच अनुराग के कारण नेचर के **विकास** विषयक शुभ नियम को **भंग** करके और उससे **विमुख** बनके उसे अपनी उसी सन्तान के चरणों में **अर्पण** करके अपने इस **नीच सुख** की तृप्ति चाहते हैं, और इस प्रकार से **असत्य और अशुभ के साथी बनकर क्या अपना और क्या अपनी सन्तान का आत्मिक अहित करते हैं, और उनकी यह आत्म-सम्मान से रहित और पूर्ण स्वार्थ परायण कुपात्र सन्तान भी अपने लिए उसके ग्रहण करने में कोई संकोच अनुभव नहीं करती; वह धन सम्पत्ति की लालसी होकर अपने पिता माता की ऐसी सब सम्पत्ति को भी आप ले लेना चाहती है, कि जिसको उसके माता पिता दान करके अपना और जन समाज का भला कर सकते थे।**

फिर कितने ही सन्तान अनुरागी जन इस अनुराग के कारण अपनी अपनी सन्तान के सम्बन्ध में यहां तक **अन्धे** हो जाते हैं, कि जब उनकी कोई सन्तान उनकी आंखों के सामने उनकी सम्पत्ति को अपने नाना प्रकार के बुरे कर्मों के द्वारा बर्बाद करती है, और ऐसे पाप कर्मों के द्वारा उनकी सम्पत्ति के भिन्न अपनी और औरों की विविध प्रकार से हानि करती है, तब भी उन्हें अपने धन वा अपनी सम्पत्ति को किसी ऐसी बुराई में खर्च होते देखकर और यह जानकर कि उनके मरने के बाद उनकी यह सम्पत्ति उनकी उस सन्तान को दिनोंदिन और भी अधिक बुरा वा नीच बनाने और पाप कर्मों के फैलाने में सहायक बनेगी, और वह भी अपने धन वा अपनी उस सम्पत्ति को उसे देकर उन पाप कर्मों और उनके महा भयानक फलों के उत्पन्न करने में सहायक वा भाग लेने वाले बनेंगे, तो भी वह अपने सन्तान प्रेम की अन्धता के कारण अपना सब धन और अपनी सब सम्पत्ति अपनी उसी सन्तान को दे जाना चाहते हैं; और क्या अपने जीते जी और क्या अपनी किसी वसीयत के द्वारा अपने मर जाने पर उसे किसी परोपकार विषयक कार्य के लिए दान करना, और दान करके उसके द्वारा अपना आत्मिक हित करना और अपनी किसी हितकर समाज वा अपने स्वदेशी वा विदेशी जनों के लिए सेवाकारी बनना नहीं चाहते; किन्तु उसे अपनी उसी पापी और दुराचारी

सन्तान के ही चरणों में अर्पण करना चाहते हैं। ओह! ऐसे लाखों सन्तान अनुरागी जनों की यह कैसी महा शोचनीय दशा!!

फिर सन्तान अनुरागी जन यह सत्य देखकर भी कि जिस **धन वा सम्पत्ति** को उन्होंने **अपने परिश्रम से** उपार्जन किया है, उसे यदि वह अपनी किसी सन्तान को अर्पण करें, कि जो उस धन वा उस सम्पत्ति को किसी भी **परोपकार के काम के लिए** कदापि अर्पण वा दान न करेगी, और किसी ऐसे दान से नेचर के जिस जिस जगत् के जिन जिन अस्तित्वों का जो जो कुछ भला हो सकता है, वह भला भी कदापि न होगा, तो भी वह अपने सन्तान सम्बन्धी नीच अनुराग के दास होने के कारण ऐसे भले वा पुण्य कार्य के साथी बनना नहीं चाहते, किन्तु उलटा उससे विमुख बनते हैं। और किसी ऐसे वेश्या अनुरागी जन की तरह कि जो न केवल अपना धन, किन्तु कई दशाओं में अपनी पत्नी का भी धन वा ज़ेवर छीनकर अपनी उस वेश्या के चरणों में भेंट रख देना चाहता है, और उसे किसी **सच्चे परोपकार विषयक कार्य के लिए** दान देना और किसी का हित साधन करना नहीं चाहता, और अपने ऐसे आचरण से मानो औरों के हित को ही घृणा करता है; सन्तान अनुरागी जन भी अपने और औरों के सच्चे हित और नेचर के विकास विषयक शुभ नियम से विमुख होकर अपने धन वा अपनी अन्य सम्पत्ति को अपनी सन्तान के चरणों में भेंट रखकर ही तृप्ति पाते हैं। ओह! मनुष्यात्माओं की यह कैसी महा शोचनीय और पतनकारी दशा!!

इसके भिन्न सन्तान अनुरागी जन अपने इस नीच अनुराग के **दास** होने के कारण अपनी सन्तान की ऐसी कई बातों को **उसके आग्रह करने पर मान लेने के लिए तैयार हो जाते हैं**, कि जिनको वह आप भी **बुरी वा पाप-मूलक जानते** हैं, और उसकी एक वा दूसरे प्रकार की **किसी बुरी वा पाप क्रिया** के सम्बन्ध में इस डर से कोई रोक टोक नहीं करते, कि वह कहीं उनसे **अपना सम्बन्ध न काट ले**; और इस प्रकार से वह **क्या उसका और क्या अपना कई प्रकार का अशुभ करते हैं**।

फिर कितने ही ऐसे जन यह जानकर भी कि वह अपनी जिस सन्तान के अनुरक्त हैं, वह सन्तान उनके प्रति कोई अनुराग वा उनके प्रति कोई कृतज्ञ भाव नहीं रखती, और अन्य समयों को छोड़कर वह उनकी किसी विशेष बीमारी वा विशेष विपद् आदि के समय में भी उनकी कोई सेवा शुश्रूषा वा सहाय नहीं करती, और इससे भी बढ़कर उन्हें अपनी कई प्रकार की बुरी क्रियाओं से **सताती और आघात पहुंचाती रहती है**, और उनमें से कोई कोई **उनकी धन सम्पत्ति पर शीघ्र अधिकार पाने के**

निमित्त उनके शीघ्र मर जाने तक की भी आकांक्षाएं करती है, अथवा उनकी **शत्रु** बनकर उनके प्रति कई प्रकार से अपनी **शत्रुता** का आचरण प्रदर्शन करती है, फिर भी अपने **सन्तान विषयक नीच अनुराग के कारण** केवल यही नहीं, कि वह **यह सब कुछ अशुभ होने देते हैं**, किन्तु उससे अपना इस प्रकार का **यह अहित उत्पादक और दोनों के लिए महा हानिकारक सम्बन्ध काट तक नहीं सकते।**

और इससे भी बढ़कर उनकी सन्तान अपने **जिन जिन बुरे कर्मों के द्वारा** अपना एक वा दूसरा नीच सुख ढूंढती है, उसकी उन्हीं बुरे कर्मों की तृप्ति में **सहायक** बनने के लिए, अपने धन और अपनी सम्पत्ति को उसी को दे देना चाहते हैं, और इस प्रकार से **वह अधर्म के साथी और सहायक बनते हैं।**

पंद्रहवां अध्याय

मनुष्यात्मा की गठन में धन सम्पत्ति
सुख अनुराग

प्र.। आत्मा में धन सम्पत्ति सुख अनुराग से क्या अभिप्राय है?

उ.। जब किसी मनुष्य में धन वा किसी भी पदार्थ के प्रति अनुराग की उत्पत्ति हो जाती है, तब उसके इस अनुराग को धन सम्पत्ति सुख अनुराग कहते हैं।

छोटी उमर से ही जब मनुष्य के किसी बच्चे को यह ज्ञान हो जाता है, कि वह जिस जिस **स्वाददार** वस्तु के खाने का अनुराग रखता है, वह वस्तु **पैसों** के द्वारा मोल ली जा सकती है, तब वह ऐसी दशा में पहुंचकर अपनी छोटी वयस से ही **धन की आवश्यकता और उसके प्रति लालसा वा लालच का भाव अनुभव करने लगता है**। और तब से ही साधारणत: उसकी यह **धन लालसा** बढ़नी आरम्भ हो जाती है, और फिर धीरे धीरे वह उसका अनुरागी बन जाता है। फिर वयस के बढ़ने के साथ साथ उसे अपने नाना और सुखों की प्राप्ति के निमित्त भी उसकी और अधिक **आवश्यकता बोध होती है**, और धन के भिन्न विविध प्रकार की अन्य सम्पत्ति के लाभ करने के लिए भी उसकी लालसा बढ़ जाती है; और **वह अपनी इस लालसा की उन्नति के साथ साथ धन और विविध प्रकार की अन्य सम्पत्ति का अनुरागी बन जाता है।**

प्र.। इस धन सम्पत्ति विषयक नीच अनुराग से क्या क्या **बुराइयां** पैदा होती हैं?

उ.। धन सम्पत्ति विषयक नीच अनुराग के पैदा हो जाने से जो बहुत **बड़ी बुराई उत्पन्न होती** है, वह यह कि धन और सम्पत्ति का उपार्जन करना लाखों जनों का **परम लक्ष्य** बन जाता है; और वह **सारी उमर** उन्हीं के उपार्जन करने में लगे रहते हैं, और जब तक उनका शरीर मर न जाए, वा वह किसी ऐसे रोग में ग्रस्त न हो जाए, कि जिसके कारण उनके लिए उसका कमाना **असम्भव** हो जाए, तब तक वह इस नीच अनुराग के दास होकर उन्हीं की प्राप्ति के लिए **अपनी मानसिक और शारीरिक शक्तियां खर्च करते रहते** हैं। फिर धीरे धीरे इस महा नीच अनुराग के **दास** बनकर लाखों जन अपने आत्मा को इतना कठोर बना लेते हैं कि वह इस दशा में इस सत्य के देखने वा उपलब्ध करने के भी योग्य नहीं रहते, कि धन सम्पत्ति मनुष्य की एक वा दूसरी शारीरिक वा आत्मिक आवश्यकता के पूर्ण करने का केवल **उपाय**

वा ज़रिया है, न कि वह उसके जीवन का **लक्ष्य** है। इसीलिए वह अपने इस **आत्मिक अंधकार** में **किसी लक्ष्य और लक्ष्य की सिद्धि** के निमित्त किसी उपाय में जो **मूलतः बहुत बड़ा अन्तर है,** उस अन्तर विषयक **सत्य के देखने** के ही **पूर्णतः अयोग्य हो जाते** हैं। और केवल यही नहीं, किन्तु इसके विपरीत वह **मिथ्या दृष्टा** भी बन जाते हैं। अर्थात् वह **लक्ष्य को उपाय के रूप में** और **उपाय को लक्ष्य के रूप में देखते** हैं, और इस प्रकार से **मिथ्या दृष्टा** बनकर **मिथ्या के साथी और सहायक बन जाते** हैं।

प्र.। इस नीच अनुराग से और क्या क्या बुराई उत्पन्न होती है?

उ.। इस नीच अनुराग से **नाना प्रकार के अपहरण वा पाप कर्मों** की उत्पत्ति होती है। अर्थात् इस नीच अनुराग के **दास** होकर,

(1) लाखों पुरुष और स्त्री दूसरों के धन, ज़ेवरों, कपड़ों, बरतनों, पशुओं, फलों और अन्य नाना पदार्थों की **चोरी** करते हैं।

(2) सैकड़ों लोग एक वा दूसरे प्रकार के **जाली कागज़** और नाना दस्तावेज़ और कितने ही लोग एक वा दूसरे प्रकार के जाली सिक्के वा नोट बनाते हैं।

(3) कितने ही चिकित्सा व्यवसायी और अन्य स्त्री पुरुष स्त्रियों का गर्भपात कराते हैं।

(4) हज़ारों लोग रुपए पैसे आदि की बाज़ी लगाकर कई प्रकार का जुआ खेलते हैं।

(5) हज़ारों लोग नशेदार चीज़ों की दुकानें खोलते हैं।

(6) हज़ारों लोग पशु जगत् के नाना प्रकार के जीवों की आप हत्या करके वा औरों से कराके वा औरों के द्वारा वध किए हुए जीवों की लाशों को मोल लेकर उनके अंगों को वा ऐसे जीवित जीवों को मांसाहार के लिए औरों को बेचते हैं।

(7) कितने ही लोग किसी से रुपया वा कोई और वस्तु **उधार** लेकर फिर उसे दबा लेते हैं, अथवा उसके न देने के निमित्त नाना प्रकार के बुरे वा पाप–मूलक उपाय करते हैं।

(8) हज़ारों जन अपनी विविध प्रकार की वस्तुओं की बिक्री के लिए तरह तरह के **झूठे इश्तहार** देते हैं, और ग्राहकों को अपनी वस्तुओं के सम्बन्ध में आकृष्ट करने के लिए जान बूझकर अपने मुंह से भी उन वस्तुओं की **झूठी प्रशंसा** करते और अन्य नाना प्रकार की झूठी बातें बोलते हैं।

(9) हज़ारों लोग किसी से **रिश्वत** लेकर उसका कोई काम – यहां तक कि **पूर्णतः अन्याय मूलक काम भी**– पूरा कर देते हैं।

(10) कितने ही लोग बटमारी वा रहज़नी करते हैं, अर्थात् रास्ते पर से गुज़रते हुए किसी जन की कोई वस्तु छीन लेते हैं।

(11) हज़ारों लोग विविध प्रकार के मुकदमों में झूठी गवाहियां देते हैं।

(12) कितने ही लोग डकैती करते हैं, अर्थात् किसी के घर वा कारखाने वा उसकी दुकान पर धावा करके **बलपूर्वक** उसका धन वा उसका अन्य माल लूट लेते हैं।

(13) कितने ही लोग किसी से उजरत ले कर किसी मनुष्य का खून कर देते हैं।

(14) कितने ही लोग अपने आपको झूठ मूठ भविष्य ज्ञाता वा वक्ता बताकर अपने विश्वासियों का धन झाड़ लेते हैं।

(15) कितने ही लोग अपनी बेटियों से व्यभिचार विषयक बुरा कर्म कराके वा इसी अभिप्राय के लिए उन्हें किसी के पास बेच कर धन लाभ करते हैं।

(16) सैंकड़ों लोग अपनी बेटियों वा अपने बेटों का मूल्य लेकर उनका किसी के साथ विवाह करते हैं।

(17) कितने ही लोग अपनी विवाहित पत्नियों से भी **व्यभिचार** कराते हैं, अथवा इसी अभिप्राय के निमित्त यदि वह पहले से व्यभिचार करती हों, और वह धन उनके पास आता हो, वा उनके किसी के साथ व्यभिचारी बनने से यदि किसी सम्पत्ति के मिल जाने की आशा हो, तो भी वह उन्हें व्यभिचारी बनने देते हैं।

(18) कितने ही लोग किसी से धन लेकर अपनी पत्नियों को भी बेच देते हैं।

(19) लाखों स्त्रियां खुल्लमखुल्ला बाज़ार में बैठकर वा अपने अपने घरों में रहकर परन्तु छिप कर **व्यभिचार** का व्यवसाय करती हैं।

(20) कितने ही लोग अपने आपको **देश भक्त** प्रसिद्ध करके किसी भले काम के नाम से लोगों से चन्दा इकट्ठा करके खुद खा जाते हैं अथवा अपनी ओर से वा अपने जैसे दो चार जनों की कमेटी बनाकर किसी महामारी विषयक रोग वा दुर्भिक्ष आदि के समय पीड़ित जनों की सहायता करने के नाम से अपील करके रुपया इकट्ठा करते हैं; और उसमें से कुछ रुपया उस अभिप्राय के लिए ख़र्च करके शेष रुपए को अपनी सोसायटी के एक वा दूसरे काम के लिए रख लेते हैं।

(21) हज़ारों लोग अपने अपने विविध प्रकार के व्यवसाय के सम्बन्ध में विविध प्रकार की ठगी के द्वारा विश्वासघाती बनकर औरों का धन अपहरण करते हैं।

(22) हज़ारों लोग किसी के धन वा ज़ेवर वा किसी भी अन्य वस्तु को जो उसने उनके पास धरोहर वा अमानत में रखी हो, दबा लेते हैं।

(23) कितने ही लोग जुए वा सट्टे आदि का अनुचित व्यवसाय ग्रहण करते हैं।

(24) सैकड़ों लोग औरों से रुपया उधार लेकर बड़े बड़े व्यापार विषयक काम जारी करते हैं, कि जिसे वह अपने किसी ऐसे व्यापार में घाटा पड़ जाने वा उसमें सफलता न होने पर अदा नहीं कर सकते।

(25) सैकड़ों लोग कुछ वा बहु-संख्यक सांझियों के साथ कोई कारख़ाना जारी करके और आप उसके प्रबन्धकर्ता वा परिचालक बनके अपनी बेईमानी के द्वारा उसमें इतना घाटा डाल देते हैं, कि जिससे फिर उनके और सांझी उसे जारी रखना नहीं चाहते, और वह उनसे थोड़े दामों में ख़रीद कर उसे फिर अपने नाम से चलाते हैं।

(26) कितने ही लोग किसी के निज के नौकर होकर वा किसी कारख़ाने वा बैंक वा दुकान आदि में किसी पद के मिल जाने पर **विश्वासघाती** बनकर एक वा दूसरी तरकीब से सैकड़ों वा हज़ारों वा लाखों रुपया उड़ा लेते हैं।

(27) कितने ही लोग किसी गवर्नमेंट वा राज्य में नौकर होने पर उस राज्य का अथवा किसी हितकर संस्था में कोई अधिकार पाने पर उस संस्था का एक वा दूसरे असद् उपाय से धन अपहरण करते हैं।

(28) कितने ही लोग औरों के घर वा उनकी ज़मीन को **बलात् छीन कर** आप उसके मालिक बन जाते हैं।

(29) कितने ही लोग छोटे छोटे बच्चों को उनकी इच्छा के विरुद्ध बलात् उठा ले जाते हैं, और उन्हें किसी और के पास बेच देते हैं।

(30) कितने ही लोग एक वा दूसरे उपाय से किसी राज्य को अपने अधिकार में लाने की चेष्टा करते हैं, और किसी प्रदेश वा देश वा देश के किसी टुकड़े को किसी और के अधिकार से छीन कर आप उसके प्रभु वा राजा वा राणा वा नवाब वा बादशाह वा शासनकर्ता बन जाते हैं।

(31) कितने ही लोग अपने आपको रासायनिक वा कीमियागर बताकर और किसी घटिया धातु को चांदी वा सोने की शकल में बदल देने की शक्ति रखने की झूठी गप फैला कर अपने नाना मिथ्या विश्वासियों को धोखा देकर लूटते हैं।

(32) सैंकड़ों लोग किसी मंत्र वा यंत्र वा जप वा पाठ वा प्रार्थना वा दुआ के द्वारा किसी की किसी कामना को पूरा करने का झूठा जाल फैलाकर अथवा अपने आपको कोई करामाती साधु वा सन्यासी वा वैरागी वा फ़कीर वा साईं आदि बताकर वा झूठमूठ किसी एक वा दूसरे प्रकार के सरकारी नौकर का स्वांग भरकर औरों का धन अपहरण करते हैं।

(33) हज़ारों लोग अपने किसी भाई वा अपनी किसी बहिन वा अपने किसी अन्य सम्बन्धी की सम्पत्ति को मार लेने के निमित्त उसके सम्बन्ध में विविध प्रकार के अन्याय-मूलक कर्म अर्थात् अत्याचार करते हैं।

(34) हज़ारों लोग अपने सेवाकारी एक वा दूसरे प्रकार के पशुओं को मांसाहारियों के मांस खाने के निमित्त कसाइयों और अन्य जनों को बेच देते हैं; कितने ही लोग रेशम के कीड़ों से बेकटा रेशमी सूत प्राप्त करने के लिए लाखों रेशमी कीड़ों की हत्या करते हैं, और कितने ही लोग नाना सुन्दर रूपधारी जीवों की सुन्दर खालों वा उनके सुन्दर परों व उनके तेल आदि की बिक्री करके धन कमाने के निमित्त ऐसे हज़ारों निर्दोष और निरपराधी पशुओं को निहत करते हैं।

(35) हज़ारों लोग कई प्रकार के सेवाकारी पशुओं के सम्बन्ध में अन्यायी बनकर उनकी योग्यता से बहुत अधिक काम लेते हैं।

(36) हज़ारों लोग नशेदार चीज़ों – यथा भंग, तम्बाकू, गांजा, अफ़ीम और शराब आदि – की दुकानें खोलकर वा किसी जगह छिप छिपाकर नशई लोगों में उनकी बिक्री करते हैं।

(37) कितने ही लोग जवान और सुन्दर लड़कियों को मोल लेकर वा उन्हें धोखा देकर अपने साथ भगा ले जाकर चकले की **दुकानें** खोलते हैं, अथवा उन्हें किसी और के पास बेचकर रुपया कमाते हैं। और कितने ही स्त्री पुरुष आपस में मिलकर और अपनी किसी प्रवंचना के द्वारा किसी जन को फंसाकर और फिर उस पर कोई चट्टी लगाकर धन लाभ करते हैं।

(38) कितने ही लोग छोटे छोटे बच्चों की आंखें फोड़कर और उन्हें अंधा बनाकर वा उनकी टांगे तोड़कर उन्हें लंगड़ा वा उनके हाथ तोड़कर उन्हें लुंजा बनाकर उन्हें बड़े बड़े रास्तों पर भीख मांगने के लिए बिठा देते हैं, और वह भीख के द्वारा जितने पैसे लाते हैं, उनमें से कुछ पैसे उनके खाने पीने में खर्च करके शेष को अपने काम में लाते हैं।

(39) कितने ही लोग शराब की दुकान खोलकर उसके एक वा दूसरे ग्राहक को अपनी दुकान में बिठाकर और उसे बहुत सी शराब पिलाकर बेहोश कर देते हैं, और उसके पास जो कुछ रुपया आदि हो, वह लेकर उसे दुकान से बाहर निकाल देते हैं।

(40) कितने ही लोग अपने भीतर घटिया दाम के नोटों को बढ़िया दाम के नोटों और थोड़े दामों के ज़ेवरों को बढ़िया दामों के ज़ेवरों में बदल देने की शक्ति रखने का किसी जन में झूठा विश्वास उत्पन्न करके उसे ठग लेते हैं। इत्यादि इत्यादि।

प्र.। क्या इन नाना प्रकार की महा बुराइयों के भिन्न इस नीच अनुराग से कोई और **बुराई** भी उत्पन्न होती है?

उ.। जी हां। इस नीच अनुराग के दासत्व से कृपणता की भी उत्पत्ति होती है, अर्थात् धन सम्पत्ति के लाखों अनुरागी जन केवल यही नहीं कि विविध प्रकार से औरों के धन और उनकी सम्पत्ति को **अपहरण** करते हैं, किन्तु हज़ारों जन कृपण बनकर क्या अपने अपने **आश्रित जनों और क्या अपने शरीर आदि की भी विविध प्रकार से हानि करते हैं**।

प्र.। वह किस प्रकार?

उ.। धन के **दास वा गुलाम बनकर** और **कृपण** होकर वह, जहां तक सम्भव हो, उसे क्या अपनी और क्या अपने आश्रित जनों की सच्ची आवश्यकताओं को पूरा करने के लिए भी खर्च करना नहीं चाहते; और अपनी और उनकी शारीरिक स्वास्थ्य की रक्षा वा उन्नति वा अपनी वा उनकी किसी रोग से निवृति, और अपनी वा उनकी किसी मानसिक उन्नति के लिए भी धन के खर्च करने में अपने हृदय में **बहुत कष्ट और संकोच** अनुभव करते हैं; और इसीलिए उसे खर्च नहीं करते। और इस प्रकार से क्या अपने और क्या अपने आश्रित जनों के लिए कई प्रकार से अपहरणकारी वा हानिकारक बनते हैं।

फिर जब ऐसे जन जो **कृपण** बनकर अपनी और अपने आश्रित जनों और अपने **आश्रित पशुओं** आदि की साधारण आवश्यकताओं को निवारण करने के निमित्त अपने पास यथेष्ट धन रखने पर भी उसे उचित और यथेष्ट रूप से खर्च करने की सामर्थ्य खो बैठते हैं, तब वह किसी साधारण **परोपकार** विषयक काम के लिए धन दान करने के कहां इच्छुक रह सकते हैं? नहीं इच्छुक रहते; इसीलिए किसी परोपकार विषयक काम के लिए उसे दान नहीं कर सकते। और यदि उनमें से कोई जन किसी समय किसी मान वा यश वा कीर्ति विषयक भाव की प्रेरणा से अपने धन वा अपनी सम्पत्ति में से कुछ दान करने का संकल्प भी कर बैठते हैं, तो वह कई दशाओं में ऐसा कर चुकने पर **पीछे से बहुत पछताते हैं**, क्योंकि उनका प्यारा धन जब उनके हृदय में इस प्रकार की अपील करता है, कि तुमने मेरे अनुरागी वा आशिक होकर, परन्तु अमुक दान का संकल्प करके मुझे अपने पास से क्यों जुदा करना चाहा है? तब वह उसके सम्मुख अपनी इस क्रिया के लिए लज्जा और कष्ट अनुभव करते हैं, और इसीलिए उसके प्रति अपने प्रेम में सच्चा रहने के लिए उस दान के सम्बन्ध में एक वा दूसरा **झूठा बहाना** बनाकर उसके देने से इनकारी बन जाते हैं। अथवा यदि दान के नाम से वह अपना कुछ धन पहले से दे चुके हों, तो वह उस दान किए हुए सारे धन को वा उसमें से जितना

वह अपनी किसी बेईमानी वा पाप-मूलक क्रिया से फिर वापिस ले सकते हों, उसके वापिस ले लेने का भी यत्न करते हैं।

प्र.। यदि कोई मनुष्य झूठ, ठगी, घूस, विश्वासघातकता आदि पाप कर्मों से रहित होकर धन सम्पत्ति उपार्जन करता हो, तो क्या उससे भी कोई बुराई पैदा होती है?

उ.। जी हां। यदि कोई जन इस प्रकार के **पापों** से रहित होकर भी धन सम्पत्ति उपार्जन करता हो, तो जहां तक केवल इस प्रकार के पाप कर्मों से किसी का **आत्मिक पतन** होता है, वहां तक उस पतन से तो उसकी अवश्य रक्षा हो सकती है, कि जो प्रशंसनीय है, परन्तु उसमें अपने स्वार्थ भाव की जो बुराई मौजूद रहती है, उसके बुरे फलों से वह नहीं बच सकता। वह जब तक धन सम्पत्ति का अनुरागी रहता है, और उसकी प्राप्ति को अपने जीवन का **लक्ष्य समझता और रखता है**, और अपने **आत्मा के हित और अहित के विषय में अबोधी रहकर** उसे और लोगों के शारीरिक और आत्मिक अथवा अन्य अस्तित्वों के किसी हित के लिए काम में नहीं लाता, और इस प्रकार से **नेचर के विकास विषयक परम शुभकर नियम से विमुख और उसका विरोधी रहता है**, तब तक वह कई प्रकार के पापों के द्वारा धन सम्पत्ति उपार्जन न करके भी अपने आत्मा का **पतन** करता रहता है।

यदि किसी देश के मनुष्य अपने धन वा अपनी सम्पत्ति को अपने देश वा किसी और देश के लोगों की किसी बुराई वा उनके किसी अभाव के दूर करने, अथवा उनमें किसी प्रकार की श्रेष्ठता के लाने के निमित्त जहां तक न्याय-पूर्वक अर्पण वा दान करने की योग्यता रखते हों; वहां तक वह उन्हें अर्पण वा दान नहीं करते; तो वह अपने इस नीच अनुराग-मूलक आचरण के द्वारा यह प्रमाणित करते हैं, कि वह अपने उपार्जित धन वा अपनी उपार्जित सम्पत्ति के द्वारा अपने वा किसी अन्य देश के लोगों की किसी बुराई वा उनके किसी अभाव के दूर करने, वा उनमें किसी भलाई को उत्पन्न करके उन्हें पहले की अपेक्षा श्रेष्ठ बनाने में मददगार होना नहीं चाहते; अथवा दूसरे शब्दों में वह उनकी उन सब बुराइयों के प्रेमिक और उनकी सब प्रकार की भलाइयों के विरोधी ही रहना चाहते हैं। ओह! ऐसे लोगों की यह कैसी महा शोचनीय प्रकृति!! इसीलिए जिस देश के लोगों में यह धन सम्पत्ति विषयक महा नीच और महा पतनकारी अनुराग किसी अन्य देशवासियों की अपेक्षा **जितने अंश अधिक होता है**, उतने ही अंश उस देश के लोग उस देश की अपेक्षा अधिक बुरी, अधिक नीच, और अधिक निर्बल दशा में होते हैं, और अपनी ऐसी बुरी दशा के महा शोचनीय फलों को भोगते हैं।

सोलहवां अध्याय

मनुष्यात्मा की गठन में संस्कार, संग वा अभ्यास सम्बन्धी सुख अनुराग

प्र.। संस्कार, संग वा अभ्यास सम्बन्धी सुख अनुराग किसे कहते हैं?

उ.। प्रत्येक मनुष्य का बच्चा अपनी जिस माता वा अपने जिस पिता वा उन दोनों वा अन्य किसी जन के द्वारा पलता है, उनसे वह अपनी धारणा शक्ति में विविध प्रकार के **संस्कार** लाभ करता है। उसका पहले पहल उन्हीं के द्वारा नामकरण होता है, उन्हीं से वह पहले पहल कोई भाषा सीखता है, वही जन हिन्दु होने पर उसे यह शिक्षा देते हैं, कि यह तुम्हारी मां है, यह तुम्हारे पिता हैं। इसे मां, माता, अम्मा आदि, और उसे पिता, बापू, भाइया वा बाबा आदि कहकर बुलाया करो। उन्हीं की शिक्षा के अनुसार वह किसी जन को बहिन, किसी को भाई, किसी को ताया, किसी को चाचा, किसी को नाना, किसी को नानी, किसी को मामा, किसी को मामी, किसी को दादा, किसी को दादी, किसी को फूफा, किसी को बुआ आदि नामों से बुलाना सीखता है। उन्हीं से वह यह सीखता है, कि उसकी अमुक जाति वा अमुक ज़ात वा उसका अमुक वर्ण वा उसका अमुक प्रवर वा उसका अमुक गोत्र आदि है। उन्हीं से वह यह सीखता है, कि उसका अमुक धर्म वा अमुक मज़हब है। उन्हीं से वह किसी धर्म वा मज़हब के कुछ विश्वासों और उनसे सम्बन्धित किसी देवता वा गुरु वा शिक्षक वा किसी पुस्तक वा तीर्थ वा अनुष्ठान वा चिन्ह आदि को अपना मानकर विश्वास करना सीखता है; इत्यादि इत्यादि। इस प्रकार की जो जो शिक्षा उसे अपने माता पिता वा पारिवारिक वा वंशीय सम्बंधियों आदि से मिलती है, **उसे वह अपने बाल्य काल से ही ठीक मानकर ग्रहण करता है**, और उन्हीं की शिक्षा के अनुसार अपने खाने पीने, वस्त्र पहनने और परस्पर के सम्बन्ध में **अन्य विविध** प्रकार की क्रियाएं भी सीखता है। इस प्रकार के नाना विश्वासों के साथ चाहे वह कैसे ही मिथ्या भी क्यों न हों - और इस प्रकार की नाना क्रियाओं के साथ - चाहे वह कैसी ही मिथ्या वा अनुचित वा हानिकारक क्यों न हों - एक लम्बे काल तक जुड़े रहने से वह धीरे धीरे उनका **अभ्यासी** बन जाता है। इस प्रकार अपने जन्म काल से ही वह जिन जिन लोगों के

संग रहता है, उनके **संग** रहकर **उन्हें अपना समझने वा मानने वा विश्वास करने** लगता है; और जिन के संग नहीं रहता, उन्हें **अपना नहीं**, किन्तु **पर वा पराया** मानने का अभ्यासी हो जाता है। प्रत्येक देश के लोगों में यही नियम काम करता है। इस प्रकार **इन संस्कारों, संग और अभ्यास से उसके अपने आत्मा में धीरे धीरे उनके प्रति जो हार्दिक लगाव वा आकर्षण वा अनुराग उत्पन्न हो जाता है, उससे वह सुख अनुभव करता है, और धीरे धीरे इस प्रकार के सुखों के साथ बन्ध जाता है। यही सुख उसके संस्कार, संग वा अभ्यास सम्बन्धी सुख अनुराग कहलाते हैं**।

प्र.। क्या इस प्रकार के सुख अनुरागों से बन्ध जाने से किसी मनुष्य की कोई हानि होती है?

उ.। जी हां। ऐसे प्रत्येक जन की वहां तक अवश्य हानि होती है, जहां तक इन संस्कारों वा संगों वा अभ्यासों के उत्पन्न हो जाने से वह विविध प्रकार के **मिथ्या विश्वास** सीखता है, और उनका **पक्षपाती** बन जाता है; और इन मिथ्या विश्वासों के द्वारा उसकी अपनी शारीरिक स्वास्थ्य और अन्य मनुष्यों वा पशुओं आदि के सम्बन्ध में विविध प्रकार की हानियों की उत्पत्ति और वृद्धि होती है।

प्र.। वह किस प्रकार?

उ.। वह इस प्रकार। लाखों जन अपने पारिवारिक और अन्य सम्बंधियों आदि की शिक्षा वा उनकी क्रियाओं को देखकर तम्बाकू, भंग, शराब, अफ़ीम आदि **नशेदार चीज़ों** के पीने वा खाने के **अभ्यासी** बन जाते हैं, और इन **ज़हरीली चीज़ों** के सेवन के अभ्यासी बनकर अपनी शारीरिक स्वास्थ्य की महा हानि करते हैं।

इसी प्रकार लाखों जन अनियमितता के अभ्यासी बनकर **नियमित समय** में भोजन, शयन, मल त्याग आदि नहीं करते, और अपने ऐसे हानिकारक अभ्यास के कारण अपने शारीरिक स्वास्थ्य की हानि करते हैं।

इसी तरह से लाखों लोग **पशु जगत् के जीवों के मांस और उनके अंडों** के खाने के अभ्यासी बन जाते हैं, और उनके इस अभ्यास से पशु जगत् के नाना प्रकार के जीवों के सम्बन्ध में जिस जिस प्रकार का महा अत्याचार होता है, उस अत्याचार में साक्षात् वा असाक्षात् रूप से भाग लेकर अपने आत्मिक जीवन की बहुत बड़ी हानि करने के भिन्न इस प्रकार के **अनुचित आहार** के द्वारा अपनी शारीरिक स्वास्थ्य की भी कई प्रकार से हानि करते हैं।

इसी तरह से लाखों लोग अपने शरीर और वस्त्र, अपने घर और अपनी अन्य वस्तुओं को **मैला** रखने के अभ्यासी बन जाते हैं, और ऐसे अभ्यास से औरों के भिन्न

अपनी शारीरिक स्वास्थ्य के लिए भी **हानिकारक** बनते हैं।

इसी प्रकार लाखों जन औरों के सम्बन्ध में क्या अपनी बोली और क्या अपने विविध प्रकार के अन्य बर्तावों के द्वारा **अपमानकारी** बनकर **अशिष्टाचारी** बन जाते हैं।

इसी तरह से लाखों लोग चोरी, ठगी, कपटता, प्रवंचना आदि पापों वा दुराचारों के अभ्यासी बनकर औरों के सम्बन्ध में विविध प्रकार से **अपहरणकारी** और महा हानिकारक बन जाते हैं, और अपने अपने आत्मिक जीवन का पतन करते हैं।

इसी प्रकार लाखों लोग **ऐसे जनों को घृणा करने अथवा अपनी अपेक्षा झूठ मूठ हीन समझने के अभ्यासी बन जाते हैं**, कि जो उनका सा धर्म विश्वास वा धर्म मत और अपने अपने शरीर में उनके से साम्प्रदायिक चिन्ह न रखते हों, अथवा ऐसे व्यवसाय करते हों, कि जो वास्तव में उचित हों, परन्तु जिनके सम्बन्ध में उन्हें इसके विपरीत शिक्षा मिली हो, अथवा वह उनके वर्ण वा जाति के न हों; इत्यादि इत्यादि; और वह ऐसे जनों के सम्बन्ध में अपने कई प्रकार के घृणा सूचक और परस्पर के प्रति असद्भाव वा द्वेष उत्पादक बर्तावों के द्वारा अपने अपने आत्मिक जीवन का पतन करने के भिन्न जातीय वा मानुषी एकता वा मेल के सम्बन्ध में भी महा हानिकारक बनते हैं; इत्यादि।

प्र.। क्या इस प्रकार के सुख अनुराग से किसी मनुष्य की कोई और हानि भी होती है?

उ.। जी हां। हज़ारों लोग अपने किसी घर वा गांव वा नगर आदि में लम्बे काल तक रहते रहते अपने इस अभ्यास के कारण उसके साथ मोह के बन्धन से इतने बन्ध जाते हैं, कि फिर उनमें से सैकड़ों जन अपने किसी अति आवश्यक **भले के लिए** भी वहां से निकल कर किसी और दूर के स्थान में जाना नहीं चाहते - यहां तक कि ऐसे लोगों में से यदि कोई जन भूखों मरता हो, और उसे अपने स्थान में कोई रोज़गार न मिलता हो, किन्तु वहां से दूर किसी और स्थान में कोई रोज़गार मिल सकता हो, तो भी वह वहां जाना नहीं चाहता; और इसीलिए वहां नहीं जाता, और अपनी हानि होने देता है।

इसी प्रकार यदि कोई मनुष्य किसी ऐसे रोग से पीड़ित हो, कि जिससे वह किसी और स्थान में जाकर रहने से पूर्णत: वा बहुत कुछ आराम पा सकता हो, तो भी वह वहां जाने में **बहुत कष्ट** अनुभव करता है, और इसीलिए वहां नहीं जाता, और अपने रोग के दूर करने का कोई उचित उपाय ग्रहण नहीं करता, और अपनी शारीरिक हानि होने देता है।

सैंकड़ों जन धन और समय रखने पर भी अपने घर को छोड़कर नाना स्थानों की **हितकर यात्रा** करना पसंद नहीं करते।

इसी सुख अनुराग से बन्ध कर लाखों लोग अपने घर में ऐसी बहुत सी रद्दी चीज़ें रख छोड़ते हैं, कि जो उनके किसी काम में नहीं आतीं, और नहीं आ सकतीं; और जो कदापि रखने के योग्य नहीं।

इसी सुख अनुराग के **दास** हो जाने के कारण लाखों लोग अपने खाने, पीने, सोने, जागने, मुंह धोने, दांत साफ़ करने, नहाने आदि शरीर सम्बन्धी नाना कामों के विषयों में नाना प्रकार से अपनी अपनी **शारीरिक हानि** करते हैं, परन्तु ऐसी एक वा दूसरी हानि को **जानकर भी** उसे छोड़ नहीं सकते; और अपने आपको **विवश वा लाचार समझ कर उस हानि को जारी रखते हैं।**

इसी सुख अनुराग के **दास** होकर लाखों लोग अपने किसी हानिकारक सम्बन्धी से विविध प्रकार के बुरे वा हानिकारक और बड़े बड़े कष्टदायक सलूक पाकर भी उससे अपना सम्बन्ध नहीं काट सकते।

प्र.। क्या लाखों मनुष्यों में उनकी **सम प्रकृति के कारण भी** उनके परस्पर आकर्षण वा लगाव वा मित्रता की उत्पत्ति होती है?

उ.। अवश्य होती है। और वह इस **सम प्रकृति** के कारण भी एक दूसरे के प्रति स्वभावत: **आकृष्ट** हो जाते हैं; और एक दूसरे के मित्र वा सखा वा सखी वा सहेली बन जाते हैं, और एक दूसरे के **संग** मिलना जुलना और रहना पसन्द करते हैं।

दृष्टान्त:-

एक जन **शराब** के नशे के सुख के लिए **आकर्षण** रखता है; दो चार और जन भी उसी नशे के सुख के लिए अपने अपने भीतर आकर्षण रखते हैं; और वह एक दूसरे को जानते भी हैं, और उन के आपस के सम्बन्ध में पहले से कोई **घृणा भाव भी नहीं। ऐसी दशा में वह एक दूसरे के लिए अपनी इस सम प्रकृति के कारण आकर्षण मालूम करते हैं;** और इस आकर्षण भाव के कारण वह एक वा दूसरे के संग बैठकर शराब पीना चाहते हैं, क्योंकि इस प्रकार मिलकर पीने से उनका यह सुख और भी अधिक बढ़ जाता है। इसलिए वह अपने अपने तौर पर अलग अलग शराब पीने के स्थान में आपस में मिलकर उसके पीने के आकांक्षी बन जाते हैं, और उसके पीने के भिन्न उस नशे और उसके सुख की उत्पादक शराब की तारीफ़ में कुछ बोलना वा कहना और उससे भी हर्ष लाभ करना चाहते हैं। ऐसे जन ऐसे अवसर पर एक वा दूसरी चीज़ भी मिलकर खाना चाहते हैं। इसी प्रकार व्यभिचारी पुरुष और स्त्री, और जुआरी और एक एक प्रकार का पेशा करने वाले नाना जन भी और

एक एक प्रकार के खेल के सुखार्थी नाना जन भी परस्पर के लिए आकर्षण अनुभव करके आपस में मित्र बन जाते हैं। चोरी के द्वारा धन वा माल की प्राप्ति के सुख के अनुरागी कितने ही जन परस्पर के प्रति आकृष्ट होकर और फिर मिलकर चोरी करते हैं। इसी प्रकार डकैती के द्वारा धन माल की प्राप्ति के सुखार्थी नाना जन परस्पर मिलकर डाका मारते हैं। इसीलिए इस समप्रकृति-गत आकर्षण के सम्बन्ध में यह कहा गया है, कि

''प्रकृति मिले मन मिलत है, अनमिलते न मिलाय,
दूध दही से मिलत है, कांजी से फट जाय।''

अर्थात्

समप्रकृति वा **समस्वभाव** से नाना मनुष्यों के मन एक दूसरे के साथ उसी तरह से मिल जाते हैं जिस तरह से दूध दही के साथ मिल जाता है, और दही बन जाता है; परन्तु वही दूध कांजी के साथ प्रकृति-गत आकर्षण न रखने के कारण उसके मिलने से फट जाता है। अथवा

''कुनद हम जिन्स बा हम जिन्स परवाज़,
कबूतर बा कबूतर बाज़ बा बाज़।''

अर्थात्

पशु जगत् के एक एक प्रकार के पक्षी आपस में मिलकर उड़ते हैं। कबूतर कबूतरों के साथ और बाज़ बाज़ों के साथ।

अथवा

''बर्डस आफ़ दी सेम फ़ैदर फ़्लाई टुगेदर''

अर्थात्

एक ही प्रकार के पक्षी मिलकर उड़ते हैं।

तोतों के भीतर तोतों के प्रति आकर्षण होता है, परन्तु कौवों वा चीलों के प्रति नहीं। इसीलिए दर्जनों तोते आपस में मिलकर उड़ते हैं; परन्तु वह कौवों वा चीलों के साथ मिलकर नहीं रहते और नहीं उड़ते। इसी प्रकार बीसियों चीलें आपस के प्रकृति-गत आकर्षण से खिंचकर आकाश में जिस तरह से उड़ कर चक्कर लगाती हैं, और ऐसा करके खुश होती हैं, वह कौवों के साथ उस प्रकार का आकर्षण न रखने के कारण उनके साथ मिलकर नहीं उड़तीं।

इसी समप्रकृति-गत आकर्षण के कारण भेड़िए भेड़ियों के साथ और बकरियां बकरियों के साथ, और भेड़ें भेड़ों के साथ, और मक्खियां मक्खियों के साथ और चिउंटियां चिउंटियों के साथ रहती हैं।

प्र.। क्या जब समप्रकृति के द्वारा आकृष्ट होकर नाना जन मिलकर कोई बुरा वा पाप कर्म कर के सुखी होते हैं, तब उनका ऐसा बुरा संग वा मेल जोल **कुसंग** कहलाता है?

उ.। जी हां। समप्रकृति के कारण मनुष्य जगत् में इस प्रकार का **कुसंग** बहुत फैला हुआ है।

प्र.। क्या समप्रकृति के आधार पर किसी हितकर संग की भी उत्पत्ति होती वा हो सकती है?

उ.। जी हां। यदि कुछ लोगों में किसी प्रकार के ऐसे हित भाव उत्पन्न हुए हों, कि जिनसे परिचालित होकर वह उसकी सिद्धि के निमित्त एक दूसरे के संग के अभिलाषी बनकर कोई सभा वा सोसायटी वा क्लब आदि स्थापन करें, और उसके निमित्त आवश्यक त्याग भी करें, तो वह अपने ऐसे संग के द्वारा अपना अपना कुछ न कुछ अवश्य भला कर सकते हैं।

प्र.। क्या समप्रकृति रखने वाले जन **एक दूसरे के मित्र बन जाने पर** एक दूसरे के **पक्षपाती** नहीं बन जाते?

उ.। निश्चय बन जाते हैं। इसीलिए लाखों लोग आपस की इसी **मित्रता के कारण** नाना अवसरों पर एक दूसरे की ऐसी सहायता भी करते हैं, कि जो **पूर्णतः मिथ्या और अन्याय वा पाप-मूलक होती है।**

प्र.। क्या इसी संग अनुराग के कारण लाखों लोग अपने से **मिलने जुलने वाले नाना जनों** की किसी के सम्बन्ध में किसी झूठी सिफ़ारिश वा शिकायत पर **मिथ्या विश्वास** भी कर लेते हैं?

उ.। जी हां। क्योंकि जो जन उनसे मिलते जुलते रहते हैं, उनके संग उनके दिल का **लगाव** पैदा हो जाता है, और वह **इस लगाव के कारण** उनके साथ **बंध** जाते हैं; और इसीलिए जब उनकी ओर से उन तक किसी जन की **झूठी सिफ़ारिश वा शिकायत भी पहुंचती है, तब वह उनके दिल तक पहुंच जाती है**, और वह उस पर **विवश विश्वास** कर लेते हैं, और अपने इस **मिथ्या विश्वास के कारण** ऐसे नाना जनों के सम्बन्ध में जो उनसे मिलते जुलते न हों, अपनी ऐसी राय कायम कर लेते हैं, कि जो **सत्य नहीं होती**, वा वह उनके सम्बन्ध में अपना कोई ऐसा फ़ैसला वा कोई ऐसा मत प्रकाश करते हैं, कि जो पूर्णतः **अन्याय-मूलक** होता है।

फिर इस प्रकार के सुख के अनुरागी लाखों लोग उसके इतने **दास** बन जाते हैं, कि केवल यही नहीं, कि **वह अपने अपने ऐसे हानिकारक दासत्व को हानिकारक रूप में देखने की शक्ति ही खो बैठते हैं**, किन्तु यदि उनका कोई

हिताकांक्षी उन्हें उनके किसी ऐसे हानिकारक संस्कार वा संग वा अभ्यास से निकालने के लिए उन्हें कोई उपदेश देकर वा किसी और प्रकार से हितकर यत्न करे, तो वह उसके इस उपदेश वा यत्न को अपने इस सुख अनुराग के विरुद्ध पाकर उससे आघात और कष्ट और उस जन के प्रति अपने हृदय में घृणा अनुभव करते हैं, और उसे मित्र के स्थान में शत्रु के रूप में देखते हैं, और इसीलिए वह उससे फट कर दूर हो जाते हैं, और अपनी इस महा शोचनीय दशा के कारण उससे अपना कई प्रकार का और हित भी लाभ करने के योग्य नहीं रहते।

प्र.। क्या इस नीच अनुराग से कोई और बुराई भी उत्पन्न होती है?

उ.। जी हां। इस नीच अनुराग से **वियोग जात** विविध प्रकार के **हार्दिक आघातों** और कष्टों और विविध प्रकार के शारीरिक रोगों और दुखों की भी उत्पत्ति होती है।

प्र.। वह किस प्रकार?

उ.। प्रत्येक मनुष्य जब नेचर के किसी मनुष्य वा पशु वा किसी पदार्थ का अनुरागी बन जाता है, तब किसी प्रतिकूल घटना के उत्पन्न हो जाने पर जब उसका उससे **वियोग** हो जाता है, तब वह इस **वियोग** के पैदा होने से उसके साथ अपने **मोहबन्धन** की मात्रा के अनुसार **अल्पाधिक हार्दिक आघात और कष्ट लाभ करता है।** फिर इस प्रकार के किसी **बड़े आघात** के लगने से केवल यही नहीं, कि वह बहुत तड़पता है, और अपने किसी प्यारे जन वा पदार्थ के चले जाने से अत्यन्त दुखी और बेचैन होता है; किन्तु इस दुख के कारण उसके शरीर की **स्नायु प्रणाली** भी बिगड़ जाती है, और उसके बिगड़ जाने से उसके शरीर में एक वा दूसरे प्रकार के दुखदाई और हानिकारक रोग भी उत्पन्न हो जाते हैं। फिर वह अपने **हार्दिक कष्टों** के भिन्न अपने शरीर के एक वा दूसरे रोग से भी **बहुत कष्ट** पाता है। और यदि वह किसी ऐसे बड़े आघात से उत्पन्न किसी कष्ट वा दुख के सहने के लिए अपने भीतर यथेष्ट बल न रखता हो, तो वह किसी ऐसी शोचनीय दशा के उपस्थित होने पर अपने हाथ से ही अपने प्रिय शरीर की **हत्या** तक करके अपने उस असह्य दुख से निवृत्ति पाने की चेष्टा करता है; और ऐसा करके अकाल मृत्यु के भिन्न **अपमृत्यु** को भी प्राप्त होता है; अथवा कितने ही काल तक ऐसे दुख से घुल घुल कर समय से पहले ही मर जाता है। इस प्रकार के महा शोचनीय **मोह बन्धन से बन्धकर** लाखों मनुष्य क्या अपनी किसी पत्नी, क्या अपने किसी पति, क्या अपनी किसी सन्तान, क्या अपने किसी मित्र वा किसी अन्य प्रिय जन के मर जाने वा किसी और

प्रकार से उससे जुदा हो जाने से और क्या अपने धन वा अपनी सम्पत्ति, वा अपने मान, वा किसी पद आदि के चले जाने से जिस जिस प्रकार के महा भयानक दुख और कष्ट पाते हैं, उनका प्रत्येक देश और जाति के लाखों मनुष्यों के जीवनों से इसी दुनिया में साक्षात् प्रमाण मिलता है।

———

सत्रहवां अध्याय

मनुष्यात्मा की गठन में हिंसा विषयक सुख अनुराग

प्र.। हिंसा विषयक सुख अनुराग किसे कहते हैं?

उ.। **किसी और मनुष्य वा पशु को सता कर वा कष्ट देकर वा कष्ट देने की नियत से उसकी किसी प्रकार की हानि करके हर्ष वा सुख लाभ करने की प्रबल वासना को हिंसा विषयक सुख अनुराग** कहते हैं।

लाखों मनुष्यों को यह नीच अनुराग उनके उन आदिम पूर्वजों से मिला है, कि जो किसी काल में हिंसक पशुओं की न्याईं आखेट वा शिकार के द्वारा अपनी ख़ुराक ढूंढते और लाभ करते थे। उनके वह शिकारी पूर्वज पहले तो अपनी ख़ुराक के लिए ही पशु जगत् के नाना जीवों को वध करते थे; परन्तु फिर नसलों तक इस प्रकार के अभ्यासी हो जाने पर खाने के भिन्न वह यूं भी किसी जीव को मार कर हर्ष वा सुख पाने लगे। उसके अनन्तर वह धीरे धीरे आपस में भी एक वा दूसरे को दिक़ कर के, एक वा दूसरे को सता के, एक दूसरे को अपनी किसी छेड़छाड़ आदि के द्वारा **दुखी करके** हर्ष वा सुख ढूंढने और प्राप्त करने लगे। यही किसी जीव को **मारकर** वा उसे किसी विधि से **सताकर** वा **दुखी** करके वा उसे **कष्ट** पहुंचा के **खुश होने का भाव** लाखों लोगों में अब तक पाया जाता है।

ऐसे लोग अपनी एक वा दूसरी क्रिया से किसी **और मनुष्य वा पशु को दिक़ करके, किसी बच्चे वा लड़के वा लड़की को किसी ढंग से रुला के, किसी मनुष्य वा पशु को तड़पा के, किसी को छेड़ के, किसी की किसी चीज़ को तोड़कर वा खराब कर के अपने इस हर्ष वा सुख अनुराग की तृप्ति करते हैं**। इसी हिंसा भाव के अनुरागी जन **शिकारी** बन कर न केवल मांस खाने के लिए नाना प्रकार के जीवों की हत्या करते हैं, किन्तु वह ऐसे नाना जीवों की भी अकारण **हत्या** करते हैं, कि जिनका वह मांस नहीं खाते। इसी हिंसा विषयक नीच कर्म के अनुरागी लाखों जन एक दूसरे को हंसी मख़ौल के नाम से दिक़ वा दुखी करके अपना हर्ष वा सुख लाभ करते हैं।

फिर मनुष्यों के भिन्न यह महा नीच भाव कई प्रकार के कुत्तों और अन्य पशुओं

में भी पाया जाता है, कि जो किसी जीव को उसका मांस खाने के लिए नहीं, किन्तु यूं ही उसकी **हत्या** करके **सुख लाभ** करते हैं।

प्र.। क्या हिंसा सुख के अनुरागियों में से कुछ जन ऐसे भी होते हैं, कि जो किसी जन को अपनी ओर से कोई ऐसी **पूर्णत: मनघड़ंत और झूठी** खबर देकर, कि जो उसके लिए **कष्टदायक** हो, अपने इस नीच भाव का सुख लाभ करते हैं?

उ.। जी हां। ऐसे लोग किसी जन को उसके किसी प्रिय सम्बन्धी की बीमारी वा मृत्यु आदि की खबर देकर वा किसी और विषय के सम्बन्ध में उसमें कोई मिथ्या विश्वास उत्पन्न करके कि जिससे वह **शोकातुर वा दुखी हो**, अपने इस नीच सुख अनुराग की तृप्ति करते हैं।

––––––––––––

अट्ठारहवां अध्याय

मनुष्यात्माओं में मिथ्या विश्वास सम्बन्धी नाना सुख अनुराग

प्र.। मिथ्या विश्वास सम्बन्धी सुख अनुराग किसे कहते हैं?

उ.। मनुष्यात्माओं में अपने लिए जब **किसी भी सुख की प्राप्ति के लिए** गाढ़ लालसा उत्पन्न हो जाती है, तब वह ऐसी दशा में पहुंच जाते हैं, कि यदि उनकी उस **सुख लालसा** को जान कर कोई जन उन्हें उसकी प्राप्ति के निमित्त कोई **झूठा लालच भी दे**, तो भी वह नाना समयों में उसके **इस झूठ को सच मानने के लिए तैयार हो जाते हैं**, और उसे सत्य मान कर उस पर **विश्वास** कर लेते हैं। और वह ऐसे **मिथ्या विश्वास** के उत्पन्न हो जाने पर अपने अपने हृदय में **सुख** अनुभव करते हैं।

इसी प्रकार वह जिन जिन दुखों से **डरते** हों, उनके विषय में यदि कोई जन उन्हें पूर्णत: **झूठी डरावनी** बातें भी कहे, तो भी वह नाना समयों में उन पर भी विश्वास करके उनसे **भय** अनुभव करते हैं, और यदि कोई जन उनके इस **भय** के सम्बन्ध में उन्हें कोई **पूर्णत: मिथ्या बात** भी ऐसी बतावे, कि वह **उन दुखों से इस इस विधि से बच सकते हैं**, तो **वह उन बातों पर भी विश्वास करने के लिए तैयार हो जाते हैं**, और ऐसे **मिथ्या विश्वास** के द्वारा अपने भीतर एक प्रकार का **आराम वा सुख** अनुभव करते हैं।

इन्हीं दोनों प्रकार के सुखों की लालसा को **मिथ्या विश्वास सम्बन्धी सुख अनुराग कहते हैं**।

प्र.। क्या यह जान कर ही कि मनुष्य विविध प्रकार के सुखों का भूखा वा **लालची** है, और विविध प्रकार के दुखों से **डरता** और उनसे **बचना** चाहता है, **नाना मरे हुए परन्तु सूक्ष्म शरीर धारी प्रेत आत्माओं** और नाना स्थूल देहधारी मनुष्यात्माओं ने अपने अपने लिए एक वा दूसरे प्रकार की सुख की प्राप्ति के निमित्त लाखों लोगों में झूठे सुखों के लालच और झूठे दुखों के डरावे देकर उन नाना प्रकार के पूर्णत: मिथ्या विश्वासों की उत्पत्ति नहीं की, कि जो अब इस पृथ्वी के नाना देशों में धर्म वा मज़हब सम्बन्धी विश्वास कहलाते

हैं, और जिन मिथ्या विश्वासों के महा भयानक जाल में करोड़ों मनुष्य फंसे हुए हैं, और उनके द्वारा अपने और अन्य लाखों मनुष्यों के लिए **विविध प्रकार से महा हानिकारक बने हुए हैं**?

उ.। जी हां।

प्र.। मनुष्य जगत् में पहले पहल धर्म वा मज़हब के नाम से मिथ्या विश्वासों का प्रचार कैसे आरम्भ हुआ?

उ.। इतिहास से जहां तक पता लगता है, पहले पहल ऐसे मिथ्या विश्वासों का प्रचार **प्रेतात्माओं** के द्वारा आरम्भ हुआ। उनमें से जब कुछ जनों को यह मालूम हो गया, कि वह किसी इस वा उस स्थूल देहधारी जन को अपना **मध्यवर्ती** बनाकर उसके मुंह के द्वारा अन्य जनों पर **अपने विचार प्रगट कर सकते हैं,** तब उन्होंने अपने सम्बंधियों वा अन्य जनों से इस प्रकार की **मिथ्या बातें** कहनी आरम्भ कीं, कि यदि वह उनके लिए अमुक अमुक प्रकार की खाने, पीने, सूंघने, आदि की वस्तुएं **भेंट** धरें, तो वह उनकी नाना प्रकार की **मनोकामनाओं** को पूर्ण करके उन्हें **बहुत सुखी** कर सकते हैं; अर्थात् वह यदि सन्तान चाहते हों, तो वह उन्हें सन्तान दे सकते हैं, वह यदि अपनी वा अपने किसी पारिवारिक जन की बीमारी दूर करना चाहते हों, तो वह उनकी उस बीमारी को दूर कर सकते हैं; वह यदि अपने पशुओं की वृद्धि चाहते हों, तो वह उनकी वृद्धि कर सकते हैं; वह यदि अपने खेतों में अनाज की वृद्धि चाहते हों, तो वह उनके खेतों में उसकी वृद्धि कर सकते हैं; वह यदि किसी लड़ाई में जय चाहते हों, तो वह उन्हें जय दिला सकते हैं; वह यदि अपने किसी वैरी वा शत्रु के माल की हानि चाहते हों, तो वह आप **चोरी** करके वा किसी और से कराके वा किसी और प्रकार से उसकी हानि कर सकते हैं; वह यदि किसी जन की स्त्री का गर्भपात कराना चाहते हों, तो वह उसका गर्भपात कर सकते हैं; वह यदि अपने किसी विरोधी वा शत्रु के बीमार होने और उस बीमारी से उसके दुख पाने के इच्छुक हों, तो वह उसे बीमार करके उसे बहुत कष्ट दे सकते हैं; वह यदि अपने किसी शत्रु के किसी लड़के वा उसके किसी अन्य पारिवारिक जन की **मृत्यु** चाहते हों, तो वह उसकी मृत्यु कर सकते हैं; इत्यादि।

उनकी इन झूठी बातों के विश्वासी बनकर हज़ारों लोग इनमें से **अपनी एक वा दूसरी मनोकामना के पूर्ण होने के निमित्त** उन्हें कई प्रकार की **भेंटें देकर** उन्हें प्रसन्न करने लगे, और उनसे उनकी पूर्ति के लिए प्रार्थनाएं करने लगे, जैसा कि लाखों लोग अब तक भी किसी कहलाने वाले इस वा उस देवते, वा इस वा उस देवी, वा अपने किसी पूर्वज वा "वड वडेरे", वा किसी कहलाने वाले सेंट वा वली वा

फ़क़ीर वा पीर आदि से अपनी अपनी मुरादें मांगतें हैं; और जब नेचर की अपनी परिवर्तनकारी गतियों के क्रम में उनकी कोई मनोकामना पूरी हो जाती, तब उसकी सफलता को उनमें से **किसी की कृपा वा अनुग्रह वा दया जान कर उसके लिए अपने आपको उसका अनुग्रहीत वा कृतज्ञ अनुभव करने लगे**; और उसकी इस कृपा वा दया के गुण गाने लगे; और उसे अपने ऐसे सुखों का दाता जान कर उसकी कई प्रकार से **स्तुति वा प्रशंसा** करने लगे।

फिर जिस किसी जन से इन प्रेत आत्माओं को अपने वा अपने किसी मध्यवर्ती के लिए मुंह मांगी **भेंट** नहीं मिलती थी, उसे वह अपने सम्बन्ध में अपराधी वा पापी वा गुनहगार बताते थे; और उसे **डरा कर क़ाबू करने के लिए** वह यह कहते थे, कि वह उसकी इस इस प्रकार की **हानियां** करके **उसे बहुत दुख और कष्ट पहुंचाएंगे**, अर्थात् वह उसकी अकाल मृत्यु कर देंगे, उसके किसी प्रिय जन को मार देंगे, उसे बीमार करके उसे बहुत सा दुख देंगे, उसके पशुओं को बीमार वा विनष्ट कर देंगे, उसकी खेतियों को ओले बरसा कर वा अतिवृष्टि करके वा पानी न बरसा के वा टिड्डियों के द्वारा चराकर वा पानी का तूफान लाकर **उजाड़** देंगे, उसके घर को गिरा देंगे, उसके घर वालों को बीमार करके उन्हें बहुत सा कष्ट देंगे, उसके धन को हर के उसे कंगाल कर देंगे, इत्यादि, इत्यादि।

इन कामनाओं के पूर्ण करने का नाम धीरे धीरे **वर**, और उसके विरुद्ध दुख पहुंचाने की विविध क्रियाओं का नाम **शाप वा कर्स वा लानत आदि रखा गया।** इस प्रकार मनुष्य जगत् में **पहले पहल इन अधम प्रकृति रखने वाले झूठे देवतों वा देवियों की उत्पत्ति हुई।** और फिर इन्हीं झूठे देवतों को सर्वज्ञ, सर्वव्यापी, सर्वशक्तिमान् आदि बताकर उनकी झूठी महिमा को और भी बढ़ाया और फैलाया और लोगों को उनके इन गुणों के सम्बन्ध में **मिथ्या विश्वासी** बनाया गया।

परन्तु इस प्रथम काल में अभी **नरकों** और **स्वर्गों** की घड़ंत नहीं प्रचलित हुई थी। उनकी झूठी गप्पें बहुत पीछे से घड़ी और फैलाई गईं; अर्थात् जब उपरोक्त प्रकार की हानियों के डरावे से भी किसी से उनका काफ़ी मतलब न निकला, तब फिर यह कहा गया, कि जो लोग उनसे **विमुख होकर पापी वा अपराधी बन गए हैं**, उन्हें वह **उनके मरने के बाद** यहां की अपेक्षा भी **बहुत दुखदाई दंड देंगे**, और जो लोग उनके विश्वासी बनकर उन्हें मुंह मांगी अच्छी अच्छी भेटें देंगे, और उनकी स्तुति करके उनकी महिमा गाएंगे, और उनके सम्बन्ध में अपनी कृतज्ञता का प्रकाश करेंगे, उन्हें वह **उनके मरने के बाद यहां के सुखों से भी बढ़ चढ़कर सुख देंगे।** इन नई घड़ंतों के अनुसार पहले प्रकार के **दुखों की जगह** का नाम **नरक वा जहन्नुम**

वा दोज़ख वा हैल आदि और दूसरे प्रकार के **सुखों की जगह** का नाम **स्वर्ग वा बैकुंठ वा गोलोक वा बेहिश्त वा हैविन आदि** रखा गया। इस तौर से इन नाना प्रकार के पूर्णतः **झूठे नरकों और पूर्णतः झूठे स्वर्गों की उत्पत्ति की गई।** इस प्रकार के पूर्णतः मनघड़ंत स्वर्गों के सुखों के लालच और पूर्णतः मनघड़ंत नरकों के दुखों के भय वा डर का प्रचार अब तक भी जारी है।

प्र.। इन झूठे देवतों और देवियों के भिन्न और किस किस प्रकार के झूठे देवतों वा देवियों की पूजा जारी की गई?

उ.। इन झूठे देवतों के द्वारा जब हज़ारों पुरोहित जनों की अच्छी कमाई होने लगी, तब धीरे धीरे और भी बहुत से चालाक लोगों ने सच मुच के अस्तित्व रखने वाले प्रेतात्माओं के भिन्न नेचर के विविध अजीवित और जीवित अस्तित्वों को अपने पूर्णतः मनःकल्पित एक वा दूसरे देवता का निवास स्थान और उसमें भी प्रेतात्मा के से गुण बताकर उनकी भी पूजा जारी की; यथा सूर्य देवता, चन्द्र देवता, शनिश्चर देवता, गंगा देवी, यमुना देवी, बड़ देवता, पीपल देवता, तुलसी देवी, चेचक रोग उत्पादक सीतला देवी, मनसा पूर्ण करने वाली मनसा देवी, विद्यादायिनी सरस्वती देवी, धनदायिनी लक्ष्मी देवी, ज्वाला शिखा प्रदर्शक ज्वाला देवी, गौ देवता, सर्प देवता और इसी प्रकार के पूर्णतः कल्पित अन्य देवतों और देवियों की पूजा भी जारी की गई।

प्र.। इन सब के भिन्न धर्म वा मज़हब के नाम से और किन किन **मिथ्याओं** का प्रचार किया गया?

उ.। इन और इन के भिन्न और नाना प्रकार की जिन जिन **मिथ्या बातों** का प्रचार करके इस पृथ्वी में जिन करोड़ों मनुष्यों को **मिथ्या विश्वासी** बनाया गया, वह मोटी मोटी बातें यह हैं:-

(1) जैसा कि ऊपर बताया गया है, नेचर के सत्य और अटल निमयों के विरुद्ध और **पूर्णतः नए प्रकार के मनघड़ंत** और पूर्णतः झूठे गुणों से **संयुक्त** नाना प्रकार के **मिथ्या देवतों वा देवियों** का प्रचार किया गया।

(2) किसी एक वा दूसरे जन को इन मिथ्या देवतों में से किसी का **अवतार** वा उसका **भक्त** वा उसकी ओर से **नियुक्त** उपदेशक वा शिक्षक आदि बताकर उसके सम्बन्ध में भी इसी प्रकार के **मिथ्या विश्वास** फैलाए गए।

(3) ऐसे देवते वा देवियों के गुणों के सम्बन्ध में नाना प्रकार के झूठे स्तोत्रों, झूठे भजनों आदि के गान और झूठे वचनों के पाठ और झूठे मंत्रों आदि के जप का प्रचार किया गया।

(4) ऐसे नाना प्रकार के देवतों वा देवियों और अन्य जनों को **झूठ मूठ सर्वज्ञ**

बताकर और किसी इस वा उस पुस्तक को उनमें से किसी की ओर से दी वा रची हुई, और उसकी शिक्षा को पूर्णत: अभ्रान्त और पूर्ण विश्वास के योग्य कहकर लोगों में **मिथ्या विश्वासों** की उत्पत्ति की गई।

(5) ऐसे नाना प्रकार के कहलाने वाले **देवतों** वा उनमें से किसी के कहलाने वाले **भक्तों** वा उनमें से किसी के कहलाने वाले किसी **अवतार** वा **सम्बन्धी** वा उनमें से किसी **नियुक्त जन** की विविध प्रकार की **पाप वा दुराचार-मूलक शिक्षाओं** और **क्रियाओं** को उचित वा शुभ कर्म बताकर लोगों में उनके सम्बन्ध में **मिथ्या विश्वासों का** प्रचार किया गया।

(6) ऐसे नाना प्रकार के कहलाने वाले **देवतों** वा उनमें से किसी के कहलाने वाले **अवतार** वा उनमें से किसी के **भक्त** वा उनमें से किसी की ओर से कहलाने वाले किसी **नियुक्त जन** वा किसी अन्य कहलाने वाले सिद्ध, साधु, पीर, फ़कीर, वली, गुरु, शिक्षक, ऋषि, मुनि, सन्यासी और योगी आदि के सम्बन्ध में **नेचर के अटल नियमों के विरुद्ध नाना प्रकार की अद्‌भुत क्रियाओं वा चमत्कारों वा करामातों वा मोजज़ों के दिखाने की झूठी गप्पें घड़कर** उनके सम्बन्ध में लोगों में **मिथ्या विश्वासों** का प्रचार किया गया।

(7) किसी कहलाने वाले इस वा उस **देवते वा देवी** वा कहलाने वाले किसी इस वा उस देवते के **अवतार** वा **भक्त** वा उसकी ओर से कहलाने वाले किसी **नियुक्त जन** वा किसी कहलाने वाले शिक्षक वा गुरु वा वली वा पीर वा सेंट आदि के द्वारा **नेचर के सत्य और अटल नियमों के विरुद्ध** उसकी प्रसन्नता से **वर** लाभ करने पर नाना मनोकामनाओं के पूर्ण होने, और उसके कोप वा शाप वा उसकी किसी बददुआ आदि से विविध प्रकार के दुखों के मिलने के सम्बन्ध में **मिथ्या विश्वासों** का प्रचार किया गया।

(8) मनुष्यों के मर जाने पर **नेचर के सत्य और अटल नियमों के विरुद्ध** किसी इस वा उस कहलाने वाले देवते के द्वारा उनके नाना प्रकार के कर्मों के लिए एक वा दूसरे प्रकार के **पुरस्कार वा दंड पाने के सम्बन्ध में मिथ्या विश्वासों का प्रचार किया गया।**

(9) मनुष्यों के मर जाने पर एक वा दूसरे प्रकार के पापों का दंड भुगतने वा किसी इस वा उस प्रकार के कहलाने वाले पुण्य कर्मों का पुरस्कार पाने के लिए इस पृथ्वी में फिर किसी पशु वा मनुष्य आदि के शरीर में जन्म लेने के सम्बन्ध में **नेचर के सत्य और अटल नियम** के विरुद्ध **मिथ्या विश्वासों** का प्रचार

किया गया।

(10) इस पृथ्वी के नाना स्थानों के माहात्म्य के सम्बन्ध में नाना प्रकार की **मिथ्या गप्पें फैला कर** और ऐसी मिथ्याओं के द्वारा उन्हें **तीर्थ स्थान** बताकर उनके सम्बन्ध में नाना प्रकार के **मिथ्या विश्वासों** का प्रचार किया गया।

(11) मनुष्यात्माओं के कुछ सच्चे और कुछ पूर्णतः झूठे पाप कर्मों के दंड वा फल से **मोक्ष** पाने के सम्बन्ध में नाना प्रकार के **मिथ्या विश्वासों** का प्रचार किया गया।

(12) ''मोक्ष'' वा ''पुण्य'' प्राप्ति के नाम से परन्तु **नेचर के सत्य और अटल नियमों के विरुद्ध** नाना प्रकार की प्रार्थनाओं, नाना प्रकार के मंत्रों, नाना प्रकार के व्रतों, यज्ञों, उपवासों, पाठों, जपों, तपों और शरीर में विविध प्रकार के चिन्हों के धारण करने की आवश्यकता बताकर उनके विषय में लोगों में नाना प्रकार के **मिथ्या विश्वासों** का प्रचार किया गया। इत्यादि।

अब यदि मनुष्य इस प्रकार के मिथ्या विश्वास सम्बन्धी नाना सुखों का अनुरागी और उनके सम्बन्ध में पूर्णतः अज्ञानी न होता, तो इस पृथ्वी में इस प्रकार के महा हानिकारक मिथ्या मतों का कदापि प्रचार न होता, और करोड़ों मनुष्य इन मिथ्या विश्वासों के महा भयानक और महा हानिकारक जाल में न फंसते; और उनमें फंस कर **अपना अपना आत्मिक पतन और नाश करने के भिन्न** अपने अपने **धन** और अपनी अपनी **सम्पत्ति** की भी **इतनी** बड़ी हानि न करते, कि जिसका ठीक ठीक अनुमान तक करना भी सम्भव नहीं।

इन महा हानियों के भिन्न इन मिथ्या धर्म मतों के विश्वासियों की ओर से धर्म वा मज़हब के नाम से लाखों मनुष्यों, लाखों पशुओं और अपने से भिन्न धर्म मत रखने वाले अन्य लाखों जनों के सम्बन्ध में जिस जिस प्रकार के **घोर अत्याचारों** के करने की शिक्षा दी गई है, और उन पर **जितना और जैसा घोर अत्याचार** किया गया है, उतना और वैसा **घोर अत्याचार भी इस पृथ्वी में किसी और प्रकार से नहीं हुआ।**

फिर पिछले काल को छोड़ कर अब तक भी इन झूठे धर्म मतों के विश्वासों से इस पृथ्वी के करोड़ों जनों की विविध प्रकार से जितनी हानि हो रही है, वह भी **महा भयानक** है। इसी प्रकार के मिथ्या विश्वासों के कारण लाखों कहलाने वाले साधुओं, फ़कीरों, सन्तों, महन्तों, पंडों, पुजारियों, प्रीस्टों, गंगा पुत्रों, मुल्लाओं, फुंगियों और अन्य विविध प्रकार के कुपात्र लोगों को, जो करोड़ों रुपया धर्म वा पुण्य का काम समझ कर हर साल दान दिया जाता है, वह यदि ऐसे जनों को दान करने के स्थान में (कि

जिससे क्या दान कर्ताओं और क्या दान ग्रहीताओं में से किसी का कोई **आत्मिक हित** नहीं होता) किसी प्रकार के सच्चे शारीरिक वा मानसिक वा इन दोनों से भी श्रेष्ठ किसी **आत्मिक उच्च परिवर्तन विषयक हितकर कार्यों के लिए** दिया जाय, तो नेचर के नाना जगतों के सम्बन्ध में बहुत बड़ा कल्याण हो सकता है।

प्र.। क्या मनुष्यों की इसी महा शोचनीय दशा को जानकर जैसे पहले हज़ारों जनों ने इस पृथ्वी के नाना देशों के लोगों को **पूर्णत: मिथ्या सुखों का लालच** और **पूर्णत: मिथ्या दुखों का डरावा** देकर उनके धन और उनकी सम्पत्ति को प्राप्त करके **अपना सुख** लाभ किया था, वैसे ही अब भी लाखों जन लोगों के इसी प्रकार के मिथ्या विश्वासों का फ़ायदा उठाकर उनका धन और उनकी सम्पत्ति **अपहरण** करते हैं, और **उनकी कमाई पर जीते हैं**, और उनसे अन्य कई प्रकार की सेवाएं भी लेते हैं, और सैकड़ों जन सैकड़ों स्त्रियों के सतीत्व को नष्ट करके **अपना काममूलक सुख** और हज़ारों जन औरों के पैसों से अपने लिए नाना प्रकार के महा हानिकारक **नशों का सुख** भी लेते हैं?

उ.। जी हां।

प्र.। क्या इसी मिथ्या विश्वास के सुख के अनुरागी होकर इस पृथ्वी के लाखों मां बाप भी अपने अपने बच्चों के भीतर कई प्रकार के **मिथ्या विश्वास** उत्पन्न करते हैं?

उ.। जी हां। लाखों मां बाप यह जान कर भी कि ''जू जू'' वा ''हव्वा'' वा ''माऊं'' आदि कोई सचमुच का डरावना अस्तित्व नहीं है, अपने छोटे छोटे बच्चों के बहुत रोने पर – विशेषकर रात के समय जब उनके रोने से उनकी प्यारी नींद के सुख में विघ्न पड़ता हो – जब वह जल्दी चुप न होते हों, तब उन्हें चुप कराने के लिए झूठमूठ यह कहते हैं, कि रो मत, चुप हो जा, नहीं तो ''जू जू'' वा ''हव्वा'' वा ''माऊं'' आकर तुझे पकड़ ले जाएगा; और उनमें इस प्रकार के **मिथ्या विश्वासों** की उत्पत्ति करके अपना सुख लाभ करते हैं। इसी प्रकार हज़ारों मां बाप इसी अभिप्राय के लिए इस प्रकार के शब्द बोलते हैं:-

"Bogey man will get you."

अर्थात् अमुक डरावना आदमी तुझे पकड़ ले जाएगा।

इसके भिन्न लाखों लोग दुकानदार होकर जैसे अपने ग्राहकों को **ठगकर** धन ''कमाते'' हैं, और इस विधि से भी जितना अधिक धन मिले **उससे सुखी होते हैं**, वैसे ही वह अपनी दुकान में जब अपने बच्चों को बिठाते हैं, तब अपने इसी सुख भाव से प्रेरित होकर उन्हें भी **तरह तरह की ठगी के द्वारा** धन कमाने की शिक्षा देते हैं,

और उनमें इस प्रकार के **मिथ्या विश्वास** उत्पन्न करते हैं, कि झूठ वा ठगी के बिना कोई दुकान अच्छी नहीं चलती, अथवा और हज़ारों जन यह शिक्षा देकर कि झूठ के बिना इस वा उस मुकदमे में सफलता नहीं हो सकती, झूठ के बिना अमुक सोशियल वा पोलेटिकल अभीष्ट सिद्ध नहीं हो सकता **लोगों में अन्य नाना प्रकार के मिथ्या विश्वास उत्पन्न करते हैं**; और उन्हें नाना बातों के विचार से **कपटी** बनाते हैं।

प्र.। क्या माता पिता कहला कर भी ऐसे लोगों का अपनी ही जाई सन्तान में इस प्रकार के **मिथ्या विश्वास उत्पन्न करके अपना सुख ढूंढना और लेना महा अनर्थकारी काम नहीं**?

उ.। निस्संदेह है। परन्तु नीच सुखों के अनुरागी होकर जैसे धर्म वा मज़हब के नाम से और कहलाने वाले नाना झूठे देवतों वा देवियों और अन्य नामधारी सैकड़ों और हज़ारों जनों ने मनुष्य जगत् में नाना प्रकार के **मिथ्या विश्वास** फैलाकर उनके द्वारा **अपना एक वा दूसरा सुखदायी अभीष्ट पूरा किया है**, वैसे ही उसी सुख के अनुरागी बनकर लाखों मां बाप भी न केवल नाना प्रकार के **उन मिथ्या विश्वासों** का कि जो उन्हें औरों से **संस्कार** में मिलते हैं, और जिन्हें वह **ठीक** जानकर विश्वास करते हैं, अपनी सन्तान को विश्वासी बनाते हैं, किन्तु वह उनमें कई प्रकार के **ऐसे मिथ्या विश्वास** भी उत्पन्न कर देते हैं, कि जिन्हें वह **आप भी मिथ्या जानते हैं**।

सुख अनुरागों के कारण ही मनुष्य जगत् की यह भयानक दुर्दशा है।

प्र.। इन महा भयानक हानियों के भिन्न धर्म के नाम से इन मिथ्या विश्वासों के प्रचार से मनुष्य जगत् की और क्या क्या हानि हो रही है?

उ.। **करोड़ों लोग इन मिथ्या विश्वासों के अनुरागी और दास बन जाने के कारण अपने इन्हीं मिथ्या विश्वासों पर जमे रहते हैं**; और उन पर जमे रहकर **अपने मूल और मुख्य अस्तित्व अर्थात् आत्मा की विविध प्रकार से महा हानि करते हैं।**

ऐसे ही अन्ध विश्वासी लोगों में से लाखों मनुष्य इस प्रकार की **महा पतित दशा** में पहुंच जाते हैं, कि वह अपने किसी **मिथ्या धर्म मत वा विश्वास के विरुद्ध शान्ति पूर्वक किसी और से कोई बात सुनना वा जानना वा उस पर विचार करना वा उसके विषय में कोई पुस्तक वा कोई लेख पाठ करना तक नहीं चाहते; और अपने उन्हीं मिथ्या विश्वासों के अनुरागी रहकर सत्य ज्ञान से अंधे रहना पसंद करते हैं।**

फिर कितने ही लोग जो अपने मन मन में अपने इस वा उस धर्म मत को **मिथ्या** भी जान लेते हैं, वह भी किसी **पॉलिटिकल** पद वा **मान** वा **प्रशंसा** वा **धन** आदि

सुख के अनुरागी वा किसी साम्प्रदायिक सम्बन्ध आदि के **दास** हो जाने के कारण **कपटी** बन जाते हैं; और साधारण जनों के सम्मुख उसे **झूठमूठ** भी सत्य बताते हैं; और उसे सत्य ठहराने के लिए **झूठी दलीलें घड़ते और झूठी दलीलों से भरे हुए उपदेश देते और पुस्तकें वा अन्य लेख लिखते और छापते हैं**, और अपने से किसी **विरोधी जन** के किसी धर्म मत को अपने मन मन में **सत्य जान कर भी** पूर्णतः **कपटी** बनकर उसके खंडन के लिए **झूठी युक्तियां घड़ते और उन्हें मुंह से वर्णन करते वा लेख के द्वारा प्रगट करते हैं।**

फिर यदि इन मिथ्या विश्वासियों वा **कपटी** जनों पर कोई जन सद्भाव से भी उनके किसी **मिथ्या विश्वास** वा उनकी ऐसी **कपटता** को प्रकट करे, तो उसके प्रति वह **घृणा** अनुभव करते हैं, और जिन लोगों में यह **घृणा भाव** बहुत प्रबल होता है, वह उसे अपना और अपने सम्प्रदाय का शत्रु समझते हैं; और उसे तरह तरह से उत्पीड़ित करने, सताने, तड़पाने और उसे अन्य नाना प्रकार से हानि पहुंचाने के निमित्त **विविध प्रकार के बुरे और पाप-मूलक उपाय सोचते और अवलम्बन करते हैं**; और ऐसे महा नीच कर्म करके और उनके द्वारा **पतित** हो के अपने इस **महा नीच घृणा भाव की तृप्ति** और उसका **महा नीच सुख** लाभ करते हैं।

उन्नीसवां अध्याय

मनुष्य में उच्च वा सात्विक सुख अनुराग

प्र.। उच्च वा सात्विक सुख अनुराग क्या होते हैं?

उ.। मनुष्य जगत् में जहां लाखों और करोड़ों स्त्री पुरुष ऐसे हैं, कि वह अपने पारिवारिक आदि कुछ ऐसे जनों के **भिन्न** कि जिनके साथ वह **किसी सुख प्राप्ति के बन्धन से बंधे हुए होते हैं**, किसी और ऐसे जन के (कि जिसके साथ वह किसी **सुख प्राप्ति के बंधन से बंधे हुए न हों**) किसी दुख वा कष्ट वा अभाव आदि के **बोध करने** और उसे किसी उचित विधि के द्वारा दूर करने के लिए अपने हृदय में कोई **भाव** नहीं रखते; और इसीलिए वह **अपनी ओर से** किसी भी ऐसे जन के सम्बन्ध में कोई ऐसी क्रिया नहीं करते; वहां उसी मनुष्य जगत् में यदि कोई जन ऐसा हो, कि जिसके आत्मा में किसी ऐसे जन वा जनों के किसी शारीरिक दुख वा रोग वा किसी शारीरिक वा मानसिक अभाव वा मानसिक ज्ञान की उन्नति वा किसी प्रकार के वास्तविक मिथ्या विश्वासों वा किसी प्रकार की बुरी रीति वा प्रथा के दूर करने के लिए कोई **भाव वा बोध वर्तमान हो**, और **उसका वह भाव विशुद्ध भी हो**, अर्थात् वह उस भाव के अनुसार किसी का कोई भला करके क्या इस लोक में किसी से कोई **प्रशंसा** वा **पुरस्कार** वा **पद** वा **उपाधि** आदि के पाने और क्या परलोक में किसी कल्पित "**स्वर्ग**" आदि सम्बन्धी सुखों के पाने की लालसा न रखता हो, और वह अपने इस **शुद्ध भाव** के अनुसार उपरोक्त उद्देश्य के निमित्त अपना कुछ धन वा अपनी कुछ सम्पत्ति वा अपना कुछ शारीरिक बल वा अपनी कुछ विद्या वा अपने कुछ ज्ञान आदि को **अर्पण** करता हो, तो उसका इस प्रकार का अर्पण **विशुद्ध सात्विक भाव** होगा। और यदि किसी मनुष्य में इस प्रकार का विशुद्ध भाव इतना प्रबल हो, कि वह अपने सब प्रकार के अन्य सुख अनुरागों से ऊपर और अपने इस भाव से परिचालित होकर अपनी इस समर्पण विषयक क्रिया को **नियमित रूप से** अर्थात् **निष्ठापूर्वक** पूरा कर सके, और ऐसा करने से नेचर के नियम के अनुसार उस के हृदय में जिस **उच्च रस वा उच्च सुख की उत्पत्ति हो, उसी उच्च सुख को पाकर सन्तुष्ट हो सके**, तो उसका ऐसा सुख अनुराग **सात्विक सुख अनुराग** होगा।

परन्तु मनुष्य जगत् में **अभी तक** किसी ऐसे सच्चे **उच्च वा सात्विक भाव**

की जाग्रति भी अपेक्षाकृत बहुत थोड़े जनों में हुई है।

प्र.। किसी जन के किसी दुख वा अभाव आदि के दूर करने के सम्बन्ध में **शुद्ध सात्विक भाव** की वर्तमानता से क्या अभिप्राय हैं?

उ.। यदि कोई मनुष्य किसी जन की **किसी शारीरिक पीड़ा वा बेचैनी वा उसके कष्ट वा दुख को अपनी आंखों से आप देखकर** वा किसी और से **सुनकर वा जानकर उसके उस दुख से अपने हृदय में भी कुछ कष्ट वा दुख अनुभव करे,** और उसके हृदय में उसके **उस दुख के दूर करने के निमित्त अपनी ओर से** किसी प्रकार की **सहायता** करने के लिए **इतनी प्रेरणा उत्पन्न** हो, कि वह अपनी उस आन्तरिक प्रेरणा के अनुसार **अपनी ओर से** उसकी इस दशा के निवारण करने के निमित्त जहां तक सम्भव हो, कुछ न कुछ **सहायता** करने के लिए तैयार हो जाए, और **अपनी ओर से** कोई ऐसी **सहायता** कर दे, और ऐसा करने से उसे अपने हृदय में जो कुछ **उच्च सुख वा रस** अनुभव हो, उसके सिवाय **अपनी ओर से** क्या उससे वा किसी और से किसी **प्रशंसा** के पाने वा **उसके बदले** में उससे वा किसी और से अपने लिए कोई और कामना न रखता हो – यहां तक कि किसी ऐसे जन वा जनों से **कृतज्ञ भाव सूचक** कोई शब्द भी सुनने का लालसी न हो – और यदि कोई जन उसकी ऐसी परहित विषयक क्रिया के सम्बन्ध में प्रशंसा के स्थान में **उलटा उसकी अप्रशंसा करे**, वा उसकी इस भली क्रिया को **उलटे अर्थात् बुरे रूप में प्रगट करे**, तो उससे **कष्ट पाने पर भी अपने उस उच्च भाव में कोई कमी आती हुई अनुभव न करे, और उससे कुछ भी निरुत्साहित न हो**, और यह देख कर कि जब यह या वह लोग **मेरे इस भले कर्म का कुछ समादर नहीं करते**, और मेरी प्रशंसा करने के स्थान में उलटा मेरी **अप्रशंसा** करते और मुझे **बुरा** कहते हैं, तब मुझे क्या ग़र्ज़ है, कि मैं फिर कोई ऐसा भला काम करूं, **अपनी इस भली क्रिया के प्रति घृणाकारी न बन जाता हो**, किन्तु उलटा उसके प्रति अपने हृदय में कुछ और भी **अधिक आकर्षण बोध करता हो, तब और तब उसका यह भाव शुद्ध सात्विक भाव हो सकता है; अन्यथा नहीं**।

प्र.। आपके इस कथन का क्या यह अभिप्राय है, कि जब कोई किसी दुखिया वा पीड़ित वा दुर्बल जन की किसी प्रकार की कुछ **सहायता** करके अपनी **इस सहायता के बदले में** उससे वा किसी और से प्रशंसा आदि कोई बात भी न चाहता हो, तब उसकी यह क्रिया **शुद्ध सात्विक भाव–मूलक** होती है?

उ.। जी हां।

प्र.। क्या किसी और के सम्बन्ध में इस प्रकार की शारीरिक दुख अनुभूति को

ही **दया भाव** भी कहते हैं?

उ.। जी हां। इसी सच्चे भाव को दया भाव भी कहते हैं।

प्र.। यदि कोई जन मनुष्यों वा पशुओं के शारीरिक रोगों की निवृत्ति के लिए अपनी ओर से कोई **चिकित्सालय वा हस्पताल** बना दे, और उसके भलीभान्त जारी रहने के निमित्त कोई **आवश्यक फंड** स्थापन कर दे; किसी सांघातिक रोग वा महामारी के दूर करने के उपाय सोचने और अवलम्बन करने के लिए **कोई स्थाई फंड वा रुपया दे दे**; मुसाफिरों को आराम देने के लिए कोई **धर्मशाला वा सराय** आदि बनाकर उसके भलीभान्त जारी रहने के लिए आवश्यक धन आदि देकर उसका प्रबन्ध कर दे; किसी स्थान के मनुष्यों वा पशुओं के सम्बन्ध में उनके **जल विषयक अभाव** को जानकर कोई **तालाब वा कुआं वा बावली वा हौज़** आदि बनवा दे; किसी **ख़राब रास्ते के कारण** उस पर से आने जाने वाले मनुष्यों वा पशुओं को जो कष्ट मिलता हो, उसके दूर करने के निमित्त उस रास्ते को दुरुस्त कर दे वा करा दे; साधारण जनों के फिरने और फूलों के सुन्दर और निर्दोष दृश्यों के देखने के लिए कोई **बाग़** लगा दे; **असाध्य रोगियों** और अन्य विविध प्रकार के **निराश्रित और अनाथ स्त्री पुरुषों की पालना वा रक्षा के लिए** कोई आश्रम स्थापन कर दे; इत्यादि इत्यादि; और वह किसी ऐसे भले कर्म के करने में किसी से **कोई प्रशंसा** वा किसी से कोई **पद** वा मर्तबा वा किसी से किसी **उपाधि** वा ख़िताब आदि के पाने की कोई **आकांक्षा वा लालसा न रखता हो**, और न उसके बदले में इस लोक में किसी से कोई उपाधि वा ख़िताब आदि ग्रहण करता हो, और न अपने मरने के अनन्तर किसी इस वा उस कहलाने वाले देवते से **किसी इनाम वा पुरस्कार** के पाने की **कामना वा आशा** रखता हो, किन्तु कोई भी **ऐसा शुभ कर्म करके** उससे जो कुछ उसे **उच्च हार्दिक सुख** मिले, उसी को पाकर संतुष्ट रहता हो, तो क्या उसका यह काम **शुद्ध सात्विक भाव** समझा जाएगा?

उ.। अवश्य।

प्र.। क्या जिन थोड़े जनों के विषय में यह कहा जाता है, कि उन्होंने अमुक प्रकार के **भले वा परोपकार सम्बन्धी काम के लिए** अपना अपना जीवन भेंट किया था, और उनमें से अमुक अमुक जन सारी उमर तक उसी काम को करता रहा था, तो क्या उसका इस प्रकार से जीवन भेंट करना **विशुद्ध सात्विक भाव वा सात्विक अनुराग-मूलक** समझा जा सकता है?

उ.। यदि किसी जन के सम्बन्ध में यह पूर्णतः **सच्चा प्रमाण** मिले, कि वह अपनी उस **परोपकार विषयक सेवा के लिए** किसी सोसायटी से कोई **नियमित**

वृत्ति अर्थात् धन विषयक कोई नियमित सहाय **नहीं लेता था;** किसी से कोई **प्रशंसा** वा कोई माननीय **पद** वा कोई और **मान** वा **उपाधि** आदि नहीं चाहता था; और अपने मरने के अनन्तर भी अपनी इस सेवा के बदले में किसी इस वा उस देवते से **किसी सुख की प्राप्ति की कामना वा आशा नहीं रखता था;** तब बेशक उसकी ऐसी सेवा **विशुद्ध सात्विक भाव वा विशुद्ध अनुराग–मूलक** कही वा मानी जा सकती है, अन्यथा नहीं।

प्र.। जो लोग किसी जन वा किसी समाज वा सोसायटी से कोई मासिक निर्वाह वृत्ति लेकर किसी प्रकार की कोई भली सेवा करते हैं, उनकी यह सेवा किस प्रकार की होती है?

उ.। उनकी यह सेवा विशुद्ध सात्विक अनुराग–मूलक नहीं होती और नहीं हो सकती; क्योंकि विशुद्ध सात्विक अनुरागी जन अपने सात्विक अनुराग विषयक सुख के भिन्न उसके बदले में किसी से धन विषयक कोई नियमित सहाय वा वृत्ति लेना नहीं चाहता, और नहीं लेता।

इसके भिन्न जब कोई जन किसी **विशुद्ध सात्विक अनुराग** से परिचालित होकर **परोपकार विषयक कोई सेवा** करता है, तब वह एक ओर **कामचोर** नहीं होता, और दूसरी ओर वह जिस **सेवा** का अनुरागी होता है, उस सेवा के सम्बन्ध में उसका वह अनुराग प्रतिदिन के विशुद्ध साधन से **दिनों दिन उन्नत वा गहरा होता जाता है।** अब यदि **यह दोनों लक्षण** भी उसमें पाए न जाते हों, तब इन लक्षणों के विचार से भी उसकी वह सेवा विशुद्ध सात्विक अनुराग–मूलक सेवा नहीं हो सकती।

प्र.। तब फिर किसी की ऐसी कोई सेवा और किस प्रकार की समझी जा सकती है।

उ.। यदि कोई जन किसी ऐसी सेवा के काम को हाथ में लेकर उसके सम्बन्ध में कुछ भी **कामचोर** न हो, और उसके सम्बन्ध में जान बूझ कर किसी प्रकार से कुछ भी **हानिजनक** न होता हो, और उसके लिए उसे प्रतिदिन **जितने समय तक वा जितना काम करना आवश्यक हो, उतने समय तक** वा उतना काम वह भलीभांत दिल लगाकर कर सकता हो, और वह **उसके बदले में** किसी से किसी प्रकार की **प्रशंसा** वा माननीय **पद** वा **उपाधि** वा **मान** वा **समादर** आदि की प्राप्ति की कोई **लालसा वा आशा** भी न रखता हो, तो यद्यपि **निर्वाह वृत्ति लेने के कारण उसकी यह सेवा विशुद्ध सात्विक अनुराग–मूलक नहीं हो सकती,** तथापि वह **उसके आत्मा के लिए वहां तक हितकर वा पुण्यजनक अवश्य हो सकती है, जहां तक वह उसके निमित्त अपना कोई धन विषयक त्याग स्वीकार करता है।**

प्र.। क्या इन निर्वाह वृत्ति लेने वाले जनों में से जो जो जन ऐसे समयों में कि जो उनका निज का समय समझा गया हो, किसी और की किसी सच्ची भलाई वा सेवा का काम करते हों, उन्हें उनकी ऐसी सेवा का कुछ जुदा शुभ फल नहीं मिलता?

उ.। उसका फल भी उन्हें अवश्य मिलता है।

प्र.। क्या जो लोग औरों से **प्रशंसा वा यश वा मान वा कीर्ति पाने के निमित्त** कोई ऐसी हितकर क्रिया करते हैं; और किसी ऐसे काम के सम्बन्ध में अपनी ओर से अपनी प्रशंसा का सूचक कोई पत्थर वा टैबलेट आदि लगाते वा लगवाते हैं, वा उनके लगाए जाने की शर्त रखकर ही कोई ऐसा काम करते हैं, उनका यह काम उच्च वा सात्विक भाव-मूलक समझा जा सकता है?

उ.। कदापि नहीं, कदापि नहीं। उनका ऐसा काम **व्यापार- मूलक** होता है, इसलिए वह उच्च वा सात्विक भाव-मूलक नहीं, किन्तु वह एक प्रकार की केवल **दुकानदारी** है।

प्र.। यदि कोई जन इस लोक में किसी प्रशंसा वा यश वा कीर्ति वा नाम आदि की प्राप्ति को लक्ष्य रखकर कोई भला काम न करे, परन्तु वह केवल इस लालच से करे, कि ऐसा करने से उसे उसके मरने के बाद किसी इस वा उस कहलाने वाले देवता से अमुक अमुक प्रकार के शारीरिक वा अन्य सुख मिलेंगे, तो क्या उसका इस प्रकार का कोई भला काम शुद्ध सात्विक भाव-मूलक होगा?

उ.। नहीं; कदापि नहीं। जब तक किसी भले कार्य के करने में क्या इस लोक और क्या परलोक में **किसी और से** किसी प्रकार के **सुख पाने** वा **किसी और से** किसी प्रकार के दुख वा दुखों से बच जाने की आशा की **खोट** मिली हुई होती है, **तब तक किसी मनुष्य की वह क्रिया शुद्ध सात्विक भाव-मूलक नहीं होती, और नहीं हो सकती।**

प्र.। यदि कोई जन केवल **दया** के ही विशुद्ध भाव से परिचालित होकर किसी **वास्तविक असहाय जन की** कोई सहाय वा सेवा करे, तो क्या उसकी यह सेवा विशुद्ध सात्विक भाव-मूलक होगी?

उ.। अवश्य; यदि उसके बदले में वह उससे वा किसी और से कुछ न चाहता हो।

प्र.। क्या केवल **दया भाव** से परिचालित होकर कोई मनुष्य कोई **अन्याय-मूलक कर्म** भी कर सकता है।

उ.। जी हां।

प्र.। वह किस तरह?

उ.। एक एक मजिस्ट्रेट वा जज **किसी सच्चे अपराधी** को अपने सम्मुख **झूठमूठ** भी रोता हुआ देखकर और उसके रोने से अपने दयालु हृदय में कष्ट अनुभव करने पर जब उसका **पक्षपाती** बन जाता है; और उसे उसके उस सच्चे अपराध के लिए भी कोई दंड देना नहीं चाहता, और अपने हृदय की ऐसी दशा में पहुंच कर उसे छोड़ देता है; तब वह **अपने इस दया भाव के कारण** उसी प्रकार से **अन्याय** का साथ देता है, जिस प्रकार से एक एक रिश्वत लेने वाला मजिस्ट्रेट रिश्वत लेकर किसी सच्चे अपराधी को छोड़ देता है। इसी प्रकार और विविध अवसरों पर भी एक एक दयावान जन अपने इस दया भाव के द्वारा कई प्रकार की अन्याय-मूलक क्रियाएं कर बैठता है।

फलतः किसी मनुष्य में उसके **दया भाव के द्वारा जैसे उससे कुछ काम भले भी होते हैं, वैसे ही उसके कारण अनेक समयों में उससे अनेक काम बुरे भी हो जाते हैं**।

प्र.। क्या इस दया भाव के भिन्न और भी कोई उच्च भाव हैं, कि जो सात्विक भाव माने जा सकते हैं?

उ.। जी हां। और भी कई उच्च भाव हैं, कि जो सात्विक भाव कहे जा सकते हैं। यथा:-

अपने पारिवारिक जनों को छोड़कर कि जिन के साथ कोई मनुष्य अपने किसी प्रकार के **सुख-मूलक बन्धन से** बन्धा हुआ हो, यदि वह किसी अन्य मनुष्य वा जन समूह के किसी **मानसिक अभाव** के दूर करने वा उसकी वा उनकी मानसिक शक्तियों की **उन्नति** के सम्बन्ध में कोई **विशुद्ध भाव** रखता हो, तो उसका यह भाव भी **सात्विक भाव** कहा जा सकता है। इस भाव को **अभाव निवारण** सम्बन्धी सात्विक भाव कह सकते हैं?

प्र.। इस भाव से परिचालित होने पर कोई मनुष्य किस किस प्रकार की क्रियाएं करता है?

उ.। इस भाव के यथेष्ट मात्रा में वर्तमान होने पर कोई मनुष्य एक वा दूसरे प्रकार की कोई संस्था स्थापन कर सकता है:- यथा, किसी भाषा वा साहित्य वा गणित वा विज्ञान आदि विषयों वा किसी प्रकार की शिल्प वा दस्तकारी विषयक विद्या की शिक्षा देने के निमित्त कोई स्कूल वा कालेज आदि स्थापन करना; विविध प्रकार की पुस्तकों के विविध विषयों से लाभ उठाने के निमित्त साधारण जनों के लिए कोई पुस्तकालय स्थापन करना; किसी सामाजिक वा राजनैतिक सुधार वा किसी कहलाने वाले धर्म मत के प्रचार के लिए कोई सामयिक पत्र जारी करना वा प्रचारक वा

अध्यापक नियुक्त करना; इत्यादि इत्यादि। और ऐसा करके वह एक वा दूसरी सीमा तक जन समाज की कोई भलाई भी कर सकता है।

प्र.। परन्तु क्या किसी ऐसे स्कूल वा कालेज वा पुस्तकालय वा पत्र वा पाठागार के स्थापन वा किसी ऐसे अध्यापक वा प्रचारक के नियुक्त करने के निमित्त जो लोग अपने धन वा अपनी सम्पत्ति आदि को अर्पण करते हैं, उनसे जन समाज की भलाई के भिन्न किसी प्रकार की हानियां वा बुराइयां नहीं होतीं?

उ.। जी हां; अवश्य होती हैं।

प्र.। वह किस प्रकार?

उ.। जहां तक उनके द्वारा सत्य नेचर और उसके सत्य नियमों और उसकी सत्य घटनाओं के **विरूद्ध** नाना प्रकार की **मिथ्याओं** वा धर्म के नाम से नाना प्रकार के **मिथ्या मतों वा मिथ्या विश्वासों** का प्रचार होता है, अथवा शरीर के सम्बन्ध में किसी प्रकार के **स्वास्थ्य नाशक** वा किसी प्रकार के जीवित अस्तित्वों के सम्बन्ध में **अन्याय-मूलक कर्म वा कर्मों की शिक्षा दी जाती है**, वहां तक उनके द्वारा मनुष्य जगत् के भिन्न पशु जगत् की भी नाना प्रकार से महा हानि होती है।

प्र.। क्या इस पृथ्वी में ऐसे भी स्कूल, कालेज, पुस्तकालय, पाठागार, सामयिक पत्र और अध्यापक और प्रचारक वा उपदेशक आदि हैं, कि जिनके द्वारा ऐसे नाना प्रकार के **मिथ्या विश्वासों वा मिथ्या मतों और अन्य मिथ्या बातों** और उनके भिन्न कई प्रकार के **अन्याय-मूलक कर्मों** की शिक्षा दी जाती है?

उ.। जी हां; बहुत। और उनके द्वारा उपरोक्त प्रकार की शिक्षा के प्रचार से क्या मनुष्य और क्या पशु जगत् के जीवों की नाना प्रकार से महा हानि होती है।

प्र.। यदि नेचर के किसी विभाग के सम्बन्ध में विविध सत्यों के ढूंढने और उन्हें प्राप्त करने के निमित्त किसी जन में कोई प्रबल भाव जाग्रत और उन्नत हुआ हो, और वह उनकी खोज और प्राप्ति के निमित्त अपने तन और मन आदि को अर्पण करता हो, तो क्या उसका यह भाव भी सात्विक भाव हो सकता है?

उ.। जी हां; यदि उसके इस भाव में अपने लिए कुछ **धन कमाने** वा किसी से कोई **प्रशंसा वा पद** वा **उपाधि** आदि पाने की **लालसा वा आशा की खोट मिली हुई न हो**, तो उसका यह भाव भी **सात्विक भाव** हो सकता है।

प्र.। क्या नेचर के किसी इस वा उस विभाग के सत्यों के सम्बन्ध में खोज करने वाले और खोज करने पर किसी इस वा उस बात को सत्य बताने वाले जन ही वैज्ञानिक अर्थात् ''साइन्टिफ़िक मैन'' वा साइन्टिस्ट कहलाते हैं?

उ.। जी हां।

प्र.। क्या ऐसे लोग नेचर के विषय में जब और जो कुछ कहते वा बताते हैं **वह सब कुछ सदा सत्य होता है?**

उ.। जी नहीं। उनके ऐसा कहने वा बताने में **कई बार** उनकी खोज विषयक विधि में भूल वा भ्रान्ति होती है; **कई बार** कई प्रकार की सत्य घटनाओं से भी वह जो एक वा दूसरे प्रकार का सिद्धान्त (नतीजा) निकालते हैं, उसमें उनके विचार की प्रणाली में **तर्क विधि** विषयक कोई भूल हो जाती है; **कई बार** उनमें से कुछ जन अपनी बड़ाई वा अपने घमंड भाव के वशीभूत होकर अपनी किसी भूल को भूल नहीं मानते, और उस पर अड़ बैठते हैं, और उसे ठीक बताते हैं; और कई प्रकार की **मिथ्या** के द्वारा भी उसकी पोषकता करने की चेष्टा करते हैं; इत्यादि।

परन्तु जो वैज्ञानिक इस प्रकार की भूलों को दूर करने और विशुद्ध सत्यों के जानने और मानने और उनके प्रचार करने के आकांक्षी बनकर आपस में मिलकर कोई सभा वा सोसायटी स्थापन करते हैं; और ऐसी सभाओं में बैठकर और आपस की छानबीन से जो बात उनके निकट पूर्णत: सत्य प्रमाणित होती है, उसी को सत्य मानकर उसका प्रचार करते हैं, उनके द्वारा **सत्य का अवश्य अधिक प्रचार होता है।**

प्र.। क्या जो लोग वैज्ञानिक कहलाते हैं, वह सत्य के अनुरागी भी होते हैं?

उ.। ऐसे लोग यह जानकर कि नेचर के सम्बन्ध में मनुष्य को कोई सत्य ज्ञान नेचर की किसी **सत्य विधि** के अवलम्बन करने के बिना नहीं हो सकता, उसकी खोज करने के निमित्त नेचर की **सत्य विधि** को अवश्य अवलम्बन करते हैं, परन्तु वह इस सत्य विधि को उसी प्रकार मानते और अवलम्बन करते हैं, जिस प्रकार किसी स्कूल का लड़का अंकगणित के सीखने में यह जानकर कि बिना ठीक ठीक जोड़ वा ठीक ठीक अन्तर वा ठीक ठीक गणन वा ठीक ठीक भाग विषयक विधि के मानने और अवलम्बन करने के **गणित के किसी प्रश्न का कोई ठीक ठीक उत्तर नहीं निकल सकता वा नहीं मालूम हो सकता,** अंकगणित विषयक शिक्षा की ठीक **विधि** को मानता और अवलम्बन करता है। परन्तु जैसे वह लड़का गणित के सम्बन्ध में **ठीक विधि को** मान कर भी **अपने कई प्रकार के घटिया सुख अनुरागों और अपनी नीच घृणाओं से** परिचालित होकर नाना प्रकार की **मिथ्या और अन्याय-मूलक क्रियाएं करता है,** वैसे ही नाना वैज्ञानिक जन भी जैसे एक ओर आत्मा के सम्बन्ध में अन्धकार में ग्रस्त होने के कारण नाना प्रकार के **मिथ्या विश्वासों** में लिप्त होते हैं, वैसे ही वह अपने किसी इस वा उस सुख विषयक अनुराग वा किसी ऐसे अनुराग से उत्पन्न किसी नीच घृणा से परिचालित होने पर मनुष्य वा पशु आदि नेचर के किसी जगत् के सम्बन्ध में एक वा दूसरे प्रकार की **अनुचित क्रियाएं भी करते हैं;** और

इससे भी बढ़कर उनमें से कितने ही जन अपने शरीर के सम्बन्ध में भी कई प्रकार से **असंयमी** होने के कारण अपनी शारीरिक स्वास्थ्य के सम्बन्ध में भी **हानिकारक बनते** हैं।

प्र.। जो जन इस लोक में अपने लिए मान, यश, पद, उपाधि आदि की प्राप्ति के लिए कोई परोपकार विषयक कार्य करते हैं, उनके आत्माओं का क्या ऐसे किसी परोपकार विषयक कार्य से कुछ हित नहीं होता?

उ.। यदि ऐसे जनों का परोपकार विषयक कोई काम **वास्तविक** परोपकार विषयक काम हो, तो उनके उस कार्य से जहां तक मनुष्यों वा पशुओं आदि का कुछ भी **वास्तविक भला** होता हो, वहां तक उनके आत्माओं का भी अवश्य कल्याण होता है, और उससे उनके आत्मिक जीवन में अवश्य कुछ न कुछ वृद्धि वा उन्हें पुण्य की प्राप्ति होती है।

प्र.। विशुद्ध सात्विक भावों वा अनुरागों के द्वारा नेचर के अन्य जगतों को छोड़कर मनुष्य जगत् में जिस जिस प्रकार के हित की उत्पत्ति होती है, उन सब हितों में से **किस किस सात्विक अनुराग के द्वारा** मनुष्यात्मा का और हितों की अपेक्षा सबसे बढ़ कर हित होता है?

उ.। मनुष्य जगत् में एक ओर **आत्मा के अस्तित्व और उसके जीवन के सम्बन्ध में** जो **महा घोर अन्धकार** छाया हुआ है, और दूसरी ओर उसमें उसके घटिया सुख विषयक नाना प्रकार के **अनुरागों** और उनसे उत्पन्न नाना प्रकार की **घृणाओं** के कारण जो विविध प्रकार के **मिथ्या धर्म मतों और अन्य विविध मिथ्याओं और विविध प्रकार के अशुभ कर्मों** और विविध प्रकार की **अशुभ चिन्ताओं** की आत्मिक पतन और विनाशकारी गतियां जारी हैं, **उन नाना प्रकार के मिथ्या धर्म मतों और अशुभ कर्मों से उद्धार** और जिस **देवात्मा की देव शक्तियों के देव प्रभावों को पाकर** कोई मनुष्य इस प्रकार के **उद्धार वा सत्य मोक्ष** देने का काम कर सकता है, उस **देवात्मा** की शरण में इस प्रकार से कुछ भी उद्धारप्राप्त लोगों को लाने और उनके आत्मिक कल्याण के पथ को उनकी योग्यता के अनुसार खोलने का जो जो काम है, **उससे बढ़कर मनुष्य जगत् के लिए और कोई भी हितकर काम नहीं**। यही और केवल यही काम सब प्रकार के अन्य परोपकार विषयक कामों से बढ़कर – हां सैकड़ों गुणा बढ़कर श्रेष्ठ है, और किसी ऐसे कार्य से किसी भी विशुद्ध सात्विक सुख अनुरागी जन के आत्मा का जितना हित होता है, उतना और उस प्रकार का हित और किसी परोपकार विषयक कार्य के द्वारा नहीं होता, और नहीं हो सकता। इसलिए नेचर के इस सर्वश्रेष्ठ कार्य के निमित्त जहां

तक कोई जन अपने धन वा अपनी सम्पत्ति को **समर्पण** करे; जहां तक अपने शरीर के हाथ, पांव, आदि अंगों की शक्तियों को **अर्पण** करे; जहां तक अपनी सोच विचार अथवा किसी विद्या विषयक मानसिक शक्तियों को **अर्पण** करे; और जहां तक सच्ची आवश्यकता के अनुसार उसके निमित्त अपने मान, अपनी प्रशंसा, अपनी बड़ाई, अपने पद, अपने शारीरिक स्वास्थ्य और अपने अन्य शारीरिक सुखों आदि का *त्याग* करे; वहां तक वह अपने आत्मा का जितना सच्चा हित कर सकता है, उतना और किसी परोपकार विषयक कार्य के द्वारा नहीं कर सकता।

बीसवां अध्याय

मनुष्यात्मा की गठन में सुखजात कई प्रकार के नीच घृणा भाव

प्र.। मनुष्य के आत्मा में नीच सुखजात घृणा भाव क्या होते हैं?

उ.। किसी भी मनुष्य में उसके किसी **सुख अनुराग** पर किसी की ओर से किसी आघात के लगने से आघातकारी के प्रति जिस विकर्षण भाव की उत्पत्ति होती है, उस विकर्षण भाव को **नीच घृणा** भाव कहते हैं।

मनुष्य जिस किसी सुख का अनुरागी बन जाता है, उस **सुख** को वह लाभ करना चाहता है, और इसीलिए उसके उस **सुख** की प्राप्ति में जब कोई मनुष्य वा पशु वा कोई और अस्तित्व किसी प्रकार का विघ्न उत्पन्न करता है, तब उसमें उसके प्रति इस **नीच घृणा भाव** की उत्पत्ति होती है। और जब कोई मनुष्य इस भाव की उत्पत्ति से किसी अन्य मनुष्य वा अन्य जीवित और अजीवित अस्तित्व के प्रति उसकी किसी प्रकार की **हानि** देखने वा उसके सम्बन्ध में किसी प्रकार की हानि की बात के सुनने, वा अपनी ओर से उसकी किसी प्रकार की **हानि** करने की चिन्ता वा क्रिया करने वा किसी और से उसकी किसी प्रकार की **हानि कराने** का इच्छुक बन जाता है; और उसकी वा उसके किसी सम्बन्धी की **किसी हानि** को सुनकर वा जानकर वा आप उनमें से किसी की कोई हानि करके वा किसी और से हानि कराके **सुख** वा तृप्ति वा खुशी लाभ करता है, तब उसमें इस प्रकार के नाना लक्षण उसके जिस भाव के द्वारा उत्पन्न होते हैं, वह उसका यही **नीच घृणा** भाव होता है। यह नीच घृणा कई प्रकार की होती है।

प्र.। मनुष्य के आत्मा में किन किन कारणों से इन नीच घृणाओं की उत्पत्ति होती है?

उ.। चार प्रकार से। यथा:-

(1) किसी से अपने किसी वांछित सुख की तृप्ति के न पाने पर:-

जब कोई मनुष्य अपनी किसी सुखदायक कामना में (चाहे वह उसके वा किसी और के लिए कैसी ही **अनुचित** और **हानिकारक** भी हो) किसी और को **साथी**

बनाना चाहता है, और वह उसका साथी नहीं बनना चाहता, और उसमें उसका साथ नहीं देता; वा उसकी किसी उचित कामना को भी किसी कारण से पूरा नहीं कर सकता, वा नहीं करना चाहता; तब वह अपने उस **सुख विषयक अनुराग के नशे से पागल और अपने हित से अबोधी होने के कारण** उसके ऐसा करने से **अपने हृदय में जो आघात और दुख पाता है**, उससे वह अपने ऐसे **दुखदाता** के प्रति अपने भीतर **नीच घृणा** अनुभव करता है।

(2) अपने वा किसी अन्य जन वा जन समूह के साथ किसी नीच अनुराग के बंधन से बंधे होने पर:-

जब कोई मनुष्य अपने अस्तित्व वा अपने किसी पारिवारिक सम्बन्धी वा अपने सम्प्रदाय वा अपनी जाति वा अपने देशवासियों के साथ किसी **नीच अनुराग** के बंधन से बंध जाता है, तब वह स्वभावत: अपना और उनका **पक्षपाती** बन जाता है। ऐसी दशा में यदि कोई जन उसके वा उनमें से किसी के किसी सत्य दोष वा अपराध वा पाप वा किसी की नीचता वा हीनता को प्रगट करे, तो वह क्या अपने अहं अनुराग के कारण और क्या उनके साथ **नीच अनुराग** में बन्धे होने के कारण उसकी ऐसी क्रिया से अपने हृदय में **आघात और कष्ट लाभ करता है**, और उससे इस आघात और कष्ट को पाकर उसके प्रति अपने हृदय में **नीच घृणा अनुभव** करता है।

(3) अहं अनुराग के बहुत बढ़ जाने पर:-

जब कोई मनुष्य इस दशा में पहुंच जाता है, कि वह अपनी बड़ाई की तुलना में **किसी विषय में भी किसी और जन की बड़ाई को** (चाहे वह पूर्णत: सच्ची भी हो) सुनना वा देखना वा मानना पसंद नहीं करता, और उससे **दुखी** होता है; तब वह उसके प्रति स्वभावत: **नीच घृणा** अनुभव करता है।

(4) अपने एक वा दूसरे प्रकार के मिथ्या संस्कारों वा मिथ्या विश्वासों का अनुरागी बन जाने पर:-

जब कोई मनुष्य अपने मिथ्या संस्कारों वा मिथ्या विश्वासों का अनुरागी होकर उनका **पक्षपाती** बन जाता है, तब वह

1- किसी और मनुष्य वा मनुष्य समूह को अपने किसी **धर्म मत** वा धर्म विषयक **विश्वास** के अनुसार न पाकर उसे **घृणा** करता है।

2- किसी जन की किसी पोशाक वा चाल ढाल वा रहन सहन वा बोली आदि को अपनी जैसी न देखकर उसे **घृणा** करता है।

3- किसी जन को अपनी अपेक्षा किसी विषय में **हीन** देखकर **घृणा** करता है।

4– किसी जन को उसके किसी **व्यवसाय** वा **रंग** या **जाति भेद** आदि के कारण **घृणा** करता है।

प्र.। किसी मनुष्य में नीच घृणा भावों की वर्तमानता किन किन मोटे लक्षणों से पहचानी जा सकती है?

उ.। जब कोई मनुष्य यह चाहता है कि,

(1) मेरी हर एक कामना वा रुचि को – चाहे वह किसी और के सम्बन्ध में कैसी ही **बुरी** वा **अनुचित** भी हो – प्रत्येक जन अवश्य पूरी करे;

(2) मेरे किसी ''धर्म'' विषयक विश्वास के **विरुद्ध** – चाहे वह किसी और के विचार में **पूर्णतः मिथ्या** भी हो – और मेरे किसी भी **मत** के **विरुद्ध** – चाहे वह किसी और के विचार में **ठीक न हो** – कोई जन कोई विश्वास वा मत न रखे; और **मेरी रुचि वा पसंद के विरुद्ध** कोई जन अपनी किसी राय वा अपने किसी मत का कभी प्रकाश वा प्रचार न करे;

(3) मुझ से कोई जन भी श्रेष्ठ वा बढ़िया न समझा, न माना और न प्रगट किया जाय; और मुझ से **बढ़कर** किसी विषय में किसी और जन की प्रशंसा न हो; और उसे कोई सम्मान आदि न मिले;

(4) मैं किसी हीनता वा नीचता को रखकर भी किसी और के द्वारा **हीन वा नीच वा घटिया न समझा जाऊं, और न कहलाऊं, और न माना जाऊं और न विश्वास किया जाऊं**;

तब उसके ऐसे सब लक्षण उसके आत्मा में विविध प्रकार के **नीच घृणा भावों** की वर्तमानता का प्रमाण देते हैं।

इक्कीसवां अध्याय

मनुष्यात्मा का पतन

प्र.। आत्मिक पतन किसे कहते हैं?

उ.। पतन का अर्थ है, गिरना, नीचे की ओर गति करना, बिगड़ना, विकृत होना। नेचर में जब उसका कोई भी अस्तित्व किसी विषय में अपनी किसी **भली दशा** से गिरकर किसी **बुरी दशा** में पहुंच जाता है, तब इस प्रकार से उसका उस विषय में पहले की अपेक्षा **बुरा बन जाना वा बिगड़ जाना वा नीचे की दशा में पहुंच जाना वा विकृत हो जाना उसका पतन कहलाता है**। इसी प्रकार से आत्मा का पतन आत्मिक पतन कहलाता है। इस आत्मिक पतन के कुछ दृष्टान्त नीचे दिए जाते हैं:-

एक जन पहले भंग नहीं पीता था, परन्तु अब किसी की कुसंगत से वह भंग पीने लगा है, यह उसका इस विषय में पतन है।

एक जन पहले शराब नहीं पीता था, परन्तु अब पीता है; इस विषय में उसकी यह पतन की गति है।

एक जन पहले नशे के सुख के लिए अफ़ीम नहीं खाता था, परन्तु अब खाने लगा है, यह उसकी पतनकारी क्रिया है।

एक स्त्री पहले व्यभिचारिणी नहीं थी, अब बन गई है; इस विषय में उसकी यह पतन की दशा है।

एक जन अपने किसी हितकर्ता से अपने किसी **सच्चे** अपराध को सुनकर उसे पहले **स्वीकार कर लेता था, परन्तु अब नहीं करता**, और उससे अपने अहं अनुराग पर आघात पाकर उसके प्रति **घृणा भाव** से भर जाता है, और उसके प्रति अपने मन में एक वा दूसरे प्रकार की **दुश्चिन्ता** करनी आरम्भ करता है, और उसे हिताकांक्षी के स्थान में अपना **अहिताकांक्षी** अनुभव करता है; यह **सब गतियां** उसकी **पतनकारी** गतियां हैं।

एक दुकानदार पहले किसी वस्तु के तोलने में **ठगी** नहीं करता था, परन्तु अब करता है; यह उसका इस विषय में पहले की अपेक्षा पतित हो जाना है।

एक राज कर्मचारी पहले **रिश्वत** नहीं लेता था, अब लेता है यह उसकी इस

विषय में पतनकारी गति है।

एक लड़की पहले किसी की कोई वस्तु नहीं **चुराती** थी, अब अवसर पाकर **चुरा** लेती है; यह उसकी इस विषय में पतनकारी दशा है।

एक जन पहले **शिकारी न था**, अब शिकारी बनकर पशु जगत् के नाना निरपराधी जीवों की **हत्या** करता है; यह उसकी इस विषय में पतनकारी गति है।

एक जन पहले किसी **परोपकार** विषयक काम के लिए प्रतिदिन कुछ धन का दान किया करता था, परन्तु अब यद्यपि वह पहले की अपेक्षा भी अधिक धन कमाता है, फिर भी अब वह इस प्रकार का कोई दान नहीं करता; यह उसकी पतनकारी गति है।

एक जन पहले अपने आत्मा और अपने आत्मिक जीवन के विषय में कुछ **देव ज्योति** पाने और उसमें उन विषयों में किसी **सत्य** के देखने वा उपलब्ध करने के लिए **देवात्मा** की रची हुई किसी पुस्तक का कुछ पाठ और उस पर विचार का साधन किया करता था, परन्तु अब उसने यह साधन छोड़ दिया है; यह उसकी पतनकारी गति है।

एक जन पहले नाना लोगों के एक वा दूसरे प्रकार के **मिथ्या विश्वासों** वा उनके किसी **पाप कर्म** के दूर करने और उन्हें **सत्य धर्म** विषयक ज्ञान देने का प्रति दिन कुछ न कुछ काम करता था, परन्तु अब वह इस प्रकार के कामों में से कोई काम नहीं करता, वा ऐसे किसी काम के करने की योग्यता ही खो चुका है; यह उसकी पतनकारी दशा है।

एक जन पहले किसी **परोपकार** विषयक काम में **सहायक** होने के निमित्त एक वर्ष में बीस वा तीस वा चालीस वा इससे भी अधिक दिन काम किया करता था, परन्तु अब वह किसी ऐसे काम के लिए एक वा दो सप्ताह भी अपने शरीर को हिलाना नहीं चाहता और नहीं हिलाता; यह उसके आत्मिक पतन की दशा है।

एक जन पहले नाना **मिथ्या गुणों** वा लक्षणों से विशिष्ट किसी भी कहलाने वाले **देवता वा देवी** को सत्य जानकर विश्वास नहीं करता था; परन्तु अब करता है; यह उसके आत्मा के पतन की दशा है।

एक जन सच्ची **देव शक्तियों** से विहीन किसी भी कहलाने वाले **मिथ्या देव वा देवी** को अपना **उपास्य** नहीं मानता था; परन्तु अब वह उनमें से एक वा दूसरे को अपना उपास्य मानता है; यह उसका आत्मिक पतन है।

एक जन पहले सच्ची **देव शक्तियों** से विशिष्ट **सत्य देव** के भिन्न उन शक्तियों से विहीन किसी और कहलाने वाली **देवी वा देवते की पूजा** नहीं करता था, परन्तु अब करता है; यह उसकी पतनकारी गति है।

एक जन पहले मोक्ष विषयक किसी **मिथ्या शिक्षा** को सत्य मानकर विश्वास नहीं करता था, परन्तु अब करता है; यह उसका आत्मिक पतन है।

एक जन अपने आन्तरिक सत्य विश्वास के विरुद्ध **कपटी** बनकर किसी सम्प्रदाय का मत वा उसका मत सूचक एक वा दूसरा **चिन्ह** धारण करता है; यह उसके आत्मिक पतन का लक्षण है।

एक जन अपने आन्तरिक सत्य विश्वास के विरुद्ध **कपटी** बनकर अपना कोई एक वा दूसरा पारिवारिक **अनुष्ठान** सम्पन्न करता है; यह उसकी पतनकारी गति है।

इत्यादि इत्यादि।

नेचर के अटल नियमानुसार प्रत्येक मनुष्य के लिए नीच **सुखों का अनुरागी** होने और रहने पर और उनसे उत्पन्न **विविध घृणा भावों** के रखने पर अपने विविध सम्बन्धों में विविध प्रकार की **मिथ्याओं** और विविध प्रकार के **अहितों** की ओर गति करना, और अपनी ऐसी गतियों के द्वारा अपनी आत्मिक गठन को **विकृत वा पतित करना अनिवार्य है।**

प्र.। क्या मनुष्य जगत् में जितनी और जिस जिस प्रकार की मिथ्याएं पाई जाती हैं, और मनुष्यों के द्वारा मनुष्यों वा पशुओं आदि का जिस जिस प्रकार का **अहित** होता है, उन सब का कारण उनके **यही नीच सुख विषयक अनुराग** और उनसे उत्पन्न उनके यही **नीच घृणा भाव** हैं?

उ.। निश्चय। मनुष्य जगत् में जितनी और जिस जिस प्रकार की **मिथ्याएं** पाई जाती हैं, और उसके व उससे नीचे के जगतों के लाखों अस्तित्वों के सम्बन्ध में **मनुष्य के द्वारा** जितने **अन्याय वा अहित-मूलक कर्म** होते हैं, उन सब का मूल कारण उसके यही **नीच सुख अनुराग और नीच घृणा भाव** हैं।

———

बाईसवां अध्याय

मनुष्य जगत् में विविध प्रकार की मिथ्याएं और उन मिथ्याओं के द्वारा मनुष्यों का आत्मिक पतन

प्र.। मनुष्य जगत् में कितने प्रकार की मिथ्याएं पाई जाती हैं?

उ.। चार प्रकार की। यथा:-

(1) **विश्वास सम्बन्धी विविध प्रकार की मिथ्याएं;** अर्थात् किसी मनुष्य में नेचर की अटल सत्यता, नेचर के अटल नियमों, अपने आत्मा और नेचर के अन्य विविध अस्तित्वों के सम्बन्ध में विविध प्रकार की **मिथ्याओं** पर **विश्वास।**

(2) **चिन्ता सम्बन्धी विविध प्रकार की मिथ्याएं;** अर्थात् किसी मनुष्य का अपने किसी दोष वा अपराध वा पाप वा अपनी किसी हीनता के **छिपाने** वा अपने किसी विरोधी वा वैरी वा शत्रु आदि को **हानि पहुंचाने** वा किसी को **खुश** वा अपनी ओर **आकृष्ट** करने वा अपने किसी और **अभीष्ट के लिए** किसी को **धोखा** देने के निमित्त अपने मन में विविध प्रकार की **मिथ्याएं** सोचना और घड़ना।

(3) **वाक्य वा कथन सम्बन्धी विविध प्रकार की मिथ्याएं;** अर्थात् किसी मनुष्य ने अपने **किसी अभीष्ट की सिद्धि के निमित्त** अपने मन में जिस जिस प्रकार की मिथ्याएं घड़ी वा तैयार की हों, उनका अपने मुंह वा वाक्य वा शब्दों वा संकेतों के द्वारा प्रकाश करना।

(4) **अन्य विविध कर्म सम्बन्धी मिथ्याएं;** अर्थात् किसी मनुष्य का अपने **आन्तरिक विश्वास वा ज्ञान के विरुद्ध कोई** साम्प्रदायिक **चिन्ह** धारण करना, वा कोई **वेष** रखना, वा कोई पारिवारिक वा अन्य **अनुष्ठान** सम्पन्न करना, वा कोई **सम्प्रदाय वा जत्था** बनाना, वा किसी कहलाने वाले देवता वा देवी की पूजा करना, वा कोई अन्य क्रिया करना। इत्यादि इत्यादि।

प्र.। कोई मनुष्य अपने किसी **सुख विषयक नीच अनुराग** और उससे उत्पन्न किसी **नीच घृणा भाव** के कारण **मिथ्या परायण** क्यों बन जाता है?

उ.। जब कोई मनुष्य अपने किसी **नीच सुख अनुराग** अथवा उससे उत्पन्न अपने किसी **नीच घृणा भाव** की तृप्ति में एक ओर किसी प्रकार की **मिथ्या** को अपना **सहायक** देखता वा अनुभव करता है, और दूसरी ओर उस **मिथ्या** से उसके

आत्मा वा शरीर की जो जो **हानि** होती है, उसके विषय में **अपने हृदय में कोई घृणा वा दुख उत्पादक सच्चा बोध नहीं रखता**, तब वह स्वाभावतः एक वा दूसरे प्रकार की मिथ्या का साथी बनने और उसका व्यवहार करने के लिए तैयार हो जाता है; और जान बूझकर भी सत्य को छोड़कर मिथ्या का पथ ग्रहण करता है।

फिर जब वह **मिथ्या** के द्वारा अपने किसी अभिप्राय में **सफलता** लाभ करने पर **तुष्टि वा तृप्ति वा खुशी वा सुख पाता है**, तब वह कितनी ही दशाओं में **मिथ्या की सफलता** और उसके **व्यवहार की विधि** का अपने **पारिवारिक** और **अन्य जनों** को भी **उपदेश** देता है, और **मिथ्या की आवश्यकता और उसकी महिमा** का अपने प्रेम की गहराई के अनुसार उत्साह और अभिमान के साथ वर्णन करता है।

फलतः नेचर के नियमानुसार प्रत्येक **नीच सुख अनुरागी** और **नीच घृणाकारी** मनुष्यात्मा के लिए **मिथ्या परायण होना अनिवार्य है**। इसीलिए जैसे पहले काल में औरों के भिन्न इस पृथ्वी के कहलाने वाले नाना सम्प्रदायों के **संस्थापकों और उनके कहलाने वाले** नाना **उपास्य देवताओं** आदि ने भी अपने एक वा दूसरे अभिप्राय के लिए **मिथ्या को अपना सहायक बनाया था**, वैसे ही मनुष्य समाज के कितने ही **नेता** इस काल में भी एक वा दूसरे अभिप्राय के लिए यथावश्यक **मिथ्या** का **आश्रय** लेते और उसका **प्रचार** करते हैं।

प्र.। यह तो बड़ी भयानक दशा है!

उ.। बेशक। परन्तु **नीच सुख अनुरागी प्रत्येक व्यक्ति के लिए** – चाहे वह महात्मा, मुनि, ऋषि, महर्षि, गुरु, पैग़म्बर, नबी, नेता, बुद्ध, सिद्धार्थ, जिन, तीर्थंकर आदि कहलाता हो, अथवा वह कोई ईश्वर वा परमेश्वर वा परमात्मा आदि कहलाता हो – **मिथ्या परायण होना अवयम्भावी है।**

प्र.। तब क्या धर्म वा मज़हब के नाम से भी इस पृथ्वी के नाना देशों में **मिथ्या** का प्रचार किया गया है?

उ.। जी हां। सत्य नेचर और उसके आत्मिक और अन्य **सत्य नियमों** और उसके इन नियमों के अनुसार जितनी **सत्य घटनाएं** उत्पन्न होती वा हो सकती हैं, **उनके विरुद्ध** इस पृथ्वी में धर्म के नाम से जितने **मत** प्रचलित किए गए हैं, वह **सब के सब मूलतः मिथ्या हैं।**

प्र.। ऐसे सब मिथ्या धर्म मत क्योंकर जारी हुए?

उ.। नाना देशों के नाना भूत प्रेतों और चुड़ैलों ने अपने आपको ''देवता'' वा

''देवी'' कह कर और विविध नामधारी मनुष्यों ने उन्हें ''देवता'' वा ''देवी'' बताकर धर्म वा मज़हब के नाम से **जानबूझ कर**

(1) मिथ्या उपास्यों,

(2) मिथ्या उपास्यों के सम्बन्ध में मिथ्या स्तुतियों, मिथ्या स्तोत्रों, मिथ्या वन्दनाओं, मिथ्या आराधनाओं,

(3) विविध प्रकार के मिथ्या तपों,

(4) विविध प्रकार की मिथ्याओं से भरे हुए भजनों,

(5) विविध प्रकार की मिथ्या-मूलक प्रार्थनाओं,

(6) विविध प्रकार के मिथ्या तीर्थों,

(7) विविध प्रकार के मिथ्या व्रतों,

(8) विविध प्रकार के मिथ्या जपों,

(9) विविध प्रकार के मिथ्या पाठों और मिथ्या ध्यानों,

(10) विविध प्रकार के मोक्ष विषयक मिथ्या विश्वासों,

(11) विविध प्रकार की मिथ्याओं से भरी हुई कहलाने वाली धर्म पुस्तकों,

(12) विविध प्रकार के मिथ्या धर्म शिक्षकों,

(13) विविध प्रकार के मिथ्या-मूलक अनुष्ठानों,

(14) विविध प्रकार के मिथ्या स्वर्गों, वा बहिश्तों,

(15) विविध प्रकार के मिथ्या नरकों वा जहन्नुमों वा दोज़ख़ों,

(16) किसी मिथ्या उपास्य देवते वा देवी की **प्रसन्नता** से किसी कहलाने वाले स्वर्ग वा बैकुंठ वा बहिश्त के **सुखों** और उसके **कोप** से कहलाने वाले कई प्रकार के नरकों के दुखों वा अन्य हानियों की प्राप्ति, की शिक्षा दी है, और **इन सब प्रकार की मिथ्याओं** का प्रचार करके लाखों और करोड़ों लोगों को उनका **विश्वासी** बनाया है।

इस के भिन्न धर्म वा मज़हब के नाम से **नेचर के सत्य और अटल नियमों के विरुद्ध**

(1) किसी इस वा उस ''देवता'' वा ''देवी'' को नेचर का **सृष्टा वा रचनाकर्ता** बताकर मिथ्या का प्रचार किया गया है;

(2) किसी इस वा उस ''देवता'' वा ''देवी'' को **सर्वज्ञ, सर्वदर्शी, त्रिकालज्ञ, अन्तर्यामी** और **सर्वशक्तिमान** बताकर **मिथ्या** का प्रचार किया गया है;

(3) किसी इस वा उस ''देवता'' वा ''देवी'' को **निराकार** अर्थात् किसी गठनप्राप्त जीवित शरीर से **रहित** बताकर **मिथ्या** का प्रचार किया गया है;

(4) किसी इस वा उस जन वा पशु को किसी इस वा उस देवता का

"अवतार" बताकर **मिथ्या** का प्रचार किया गया है;

(5) अपने आप को वा किसी और को **अलौकिक क्रियाओं** वा करामातों वा मोजज़ों वा मिरेकलों का दिखाने वाला बताकर **मिथ्या** का प्रचार किया गया है;

(6) अपने आपको वा किसी और को मनुष्यों की जिन विविध प्रकार की **सांसारिक कामनाओं वा मुरादों** का पूरा करने वाला वा उनके विषय में **वर** देने वाला बताया गया है, उनके द्वारा **मिथ्या** का प्रचार किया गया है;

(7) भले और बुरे कर्मों का फल पाने के निमित्त मनुष्यात्मा का इस पृथ्वी में फिर किसी मनुष्य वा पशु वा पौदे आदि के रूप में **जन्म लेने** की गप्पें फैलाकर **मिथ्या** का प्रचार किया गया है;

(8) **पाप कर्मों** वा **"पुनर्जन्म"** से मोक्ष मिल जाने के नाम से **विविध प्रकार की गप्पें** फैलाकर उनके द्वारा भान्त भान्त की मिथ्या का प्रचार किया गया है; इत्यादि।

इसी प्रकार की भान्त भान्त की **मिथ्या गप्पों** को बाल्य काल से सुनकर और उन्हें सत्य मानकर करोड़ों लोग **मिथ्या विश्वासी** बन जाते हैं।

प्र.। करोड़ों मनुष्य बाल्य काल से ही नाना प्रकार की **मिथ्या बातों** के विश्वासी क्योंकर बन जाते हैं?

उ.। जब किसी मनुष्य का बच्चा पहले पहल इस पृथ्वी में जन्म लेता है, तब वह पूर्णतः मूर्ख और सत्य और मिथ्या के शब्दों और उनके अर्थों के ज्ञान के विचार से भी पूर्णतः **अज्ञानी** होता है। फिर जब वह कोई **भाषा** सीख जाने पर अपने आस पास के जनों की **कुछ बातचीत समझने लगता** है, तब वह उनकी **शिक्षा** से कई प्रकार की बातों पर - चाहे वह सत्य हों, और चाहे मिथ्या - **विश्वास** करना आरम्भ करता है। मनुष्य का इस प्रकार का कुल विश्वास **संस्कार-प्राप्त वा अन्ध विश्वास** कहलाता है।

ऐसी दशा में आत्मा तो कहीं रहा, जिसके सम्बन्ध में वह **पूर्णतः अन्धकार की दशा में होता** है, यदि उसके स्थूल शरीर वा नेचर की किसी साधारण घटना के सम्बन्ध में भी उसे केवल मिथ्या बातें बताई जावें, तो भी वह उन्हें **विवश सत्य समझकर विश्वास कर लेता** है।

प्र.। वह किस प्रकार?

उ.। वह इस प्रकारः-

यदि किसी बच्चे को बाल्यकाल से यह शिक्षा दी जाय, कि जिन लड़के लड़कियों वा अन्य जनों को **चेचक** की बीमारी होती है, वह अमुक **देवी** के **कोप**

से होती है, तो वह इस बात को **सत्य मानकर** उस पर **विश्वास** कर लेगा। यदि उसे कहा जाय, कि मनुष्यों के शरीर में जिस जिस प्रकार की और बीमारियां होती हैं, वह उसके मरे हुए पूर्वजों में से उसका एक वा दूसरा पूर्वज उत्पन्न कर देता है, तो वह इस बात पर भी **विश्वास** कर लेगा। यदि उसे बताया जाय, कि उसके मरे हुए पूर्वजों के भिन्न और भी मरे हुए स्त्री पुरुष इन बीमारियों को उत्पन्न कर देते हैं, तो वह इस बात को भी सच मानकर **विश्वास** कर लेगा। यदि उसे बताया जाय, कि आकाश के कई प्रकार के नक्षत्र वा तारे कुपित होकर मनुष्य के शरीर में कई प्रकार के रोग उत्पन्न कर देते हैं, तो वह किसी ऐसी बात पर भी **विश्वास** कर लेगा। यदि उसे यह शिक्षा दी जाय, कि अमुक नाम की जिस स्त्री की मूर्ति अमुक मढ़ी वा अमुक मंदिर में है, उसके खाने के लिए यदि उसके सम्मुख किसी सूअर वा मुर्गी के बच्चे की **बलि** वा उसे **अमुक अमुक मीठी चीज़** दी जाय, और उसके सूंघने के लिए कुछ सुगंधि दायक फूल अर्पण किए जाएं, वा सुगंधि उत्पादक **धूप** वा कोई और वस्तु आग में जलाई जाय, तो वह खुश होकर किसी बीमार की बीमारी को दूर कर देती है; वा जिस स्त्री के कोई पुत्र न होता हो, उसे वह पुत्र दे देती है; तो वह इन बातों को भी ठीक मानकर उन पर **विश्वास** कर लेगा। यदि उसे सिखाया जाय, कि अमुक देवी वा देवता की जो मूर्ति अमुक स्थान में है, उसे स्नान कराने, उस पर फूल चढ़ाने और उसे धूप आदि की सुगंधि देने और अमुक अमुक आहारीय वस्तु उसके आगे धरने से मनुष्य की **अमुक अमुक कामना** पूरी हो जाती है, तो वह उसे सत्य मानकर उस पर भी **विश्वास** कर लेगा। यदि उसे बताया जाय कि जिस जन को बुखार होता हो, उसके गले वा दाहने बाज़ू पर अमुक जन से एक **मंत्र** वा **नक्श** लिखवा कर बांधा जाय, तो उसका बुखार दूर हो जाता है, तो वह इस बात पर भी **विश्वास** कर लेगा। यदि उसे यह बताया जाय, कि किसी बीमार पर यदि अमुक जन कोई "मंत्र" पढ़कर फूंक मारे, तो उसके ऐसा करने से उसकी बीमारी चली जाती है, तो वह इस बात पर भी **विश्वास** कर लेगा। यदि उसे बताया जाए, कि जब किसी की कोई गौ वा भैंस दूध नहीं देती, तब उसका कारण उसके किसी मरे हुए **पूर्वज का कोप** होता है, और यदि उस जन को अमुक अमुक वस्तु दी जाय, तो वह खुश होकर उस गौ वा भैंस से अपना कोप हटा लेता है, और वह गौ वा भैंस फिर दूध देने लगती है, तो वह इस बात पर भी **विश्वास** कर लेगा।

यदि उसे यह बताया जाय, कि ईश्वर नामक एक देवता है, कि जो सब मनुष्यों और पशुओं और वृक्षों के आकारों को बनाता है, और उसी ने सूर्य और चन्द्र और पृथ्वी को बनाया है, और वही उन्हें चला रहा है, तो वह इन बातों को ठीक मानकर

उन पर भी **विश्वास** कर लेगा। यदि उसे यह बताया जाय, कि ईश्वर नामक एक देवता जब मनुष्यों से **नाराज़** हो जाता है, तब वह उन से अपना **बदला** लेने और उन्हें **डराने** के लिए प्लेग आदि की बीमारियां और दुर्भिक्ष आदि की विपत्तियां भेजकर **उन्हें विविध प्रकार से दुख और कष्ट पहुंचाता है**, तो वह इस बात पर भी **विश्वास** कर लेगा। यदि उसे बताया जाय कि ईश्वर नामक देवता अमुक अमुक समय में इस पृथ्वी में अमुक अमुक मनुष्य वा कछुवे वा सूअर आदि का **रूप धार कर** आया था, तो वह इस बात को भी **मान** लेगा। यदि उसे यह सिखाया जाय, कि ईश्वर नामक देवता कभी भी कोई मनुष्य वा सूअर आदि पशु नहीं बना और नहीं बन सकता, तो वह इस बात पर भी **विश्वास** कर लेगा। यदि उसे यह सिखाया जाय, कि ईश्वर नामक देवता ने अपने अमुक अमुक पैग़म्बर के द्वारा जो जो शिक्षा दी है, उसमें उसने मनुष्य के लिए नाना प्रकार के **पशुओं का वध करके उनका मांस खाना आवश्यक और उचित बताया है**, तो वह इस बात पर भी **विश्वास** कर लेगा। यदि उसे यह बताया जाय, कि ईश्वर नामक देवता ने मनुष्य को किसी भी पशु के मांस खाने की कभी आज्ञा नहीं दी, और उसने इस कर्म को **बुरा** बताया है, और वह किसी जन की ऐसी क्रिया से खुश नहीं, किन्तु नाराज़ होता है, तो वह इस बात पर भी **विश्वास** कर लेगा। यदि उसे यह बताया जाय, कि ईश्वर देवता ने पुरुष को अपनी एक पत्नी के जीते हुए दूसरी और दोनों के जीते हुए तीसरी और तीनों के वर्तमान होने पर चौथी स्त्री के साथ **विवाह** करने की आज्ञा दी है, परन्तु किसी स्त्री को उसके एक पति के जीते जी किसी दूसरे पुरुष से विवाह करने की अनुमति नहीं दी, तो वह इन बातों को ठीक मानकर उन पर भी **विश्वास** कर लेगा। यदि उसे यह बताया जाय, कि ईश्वर नामक देवता ने किसी पुरुष को अपनी एक पत्नी के जीते जी दूसरा विवाह करने की आज्ञा नहीं दी, और वह बहु-विवाह करने वालों को **बुरा** और **पापी** समझता है तो वह इन बातों को भी सच मानकर उन पर **विश्वास** कर लेगा। यदि उसे बताया जाय, कि अमुक नाम वा मंत्र का जप वा अमुक विधि से दिन में इतने बार ईश्वर नामक देवता की स्तुति करने से वह **बहुत प्रसन्न** होता है, और ऐसा करने वाले जन पर इस पृथ्वी में कई प्रकार की मेहरबानियां करने के भिन्न उसके मरने पर उसे किसी विशेष काल के अनन्तर एक खास जगह में जिसे ''बहिश्त'' वा ''स्वर्ग'' कहते हैं, प्रवेश करने वा रहने की आज्ञा देता है, जहां पर उसे कई प्रकार की **स्वाददार वस्तुएं खाने के लिए और नशेदार चीज़ें सरूर के लिए और बहुत सी सुन्दर सुन्दर स्त्रियां भोगने के लिए और सोने के चमकते हुए कंगन पहनने के लिए मिलते हैं**, तो वह इन बातों पर भी **निश्चय** कर लेगा। यदि उसे यह बताया जाय, कि ईश्वर

नामक देवता किसी को ''बहिश्त'' वा ''स्वर्ग'' में रखकर वहां उसे नशेदार चीज़ें और अन्य वस्तुएं और स्त्रियां आदि नहीं देता, किन्तु केवल अपना **दर्शन** देकर उसे **सुखी** करता है, तो वह इस बात पर भी **विश्वास** कर लेगा। यदि उसे बताया जाय, कि जो लोग ईश्वर नामक देवता वा उसकी अमुक किताब को उसकी रची वा उसकी ओर से भेजी वा दी हुई नहीं मानते, उन पर वह **बहुत नाराज़** होता है, और उनसे अपना **बदला** लेने के फ़िकर में रहता है, और जब वह मर जाते हैं, तब वह उन्हें एक ऐसे स्थान में रख देता है, कि जिसे **नरक** कहते हैं, जहां पर उसे सांप और बिच्छू हमेशा काटते रहते हैं, और उसे खाने के लिए पीप मिलती है, तो वह इस बात को भी सत्य समझ कर **विश्वास** कर लेगा। यदि उसे बताया जाय, कि ईश्वर नामक देवता जब किसी मनुष्य से नाराज़ वा गुस्से होता है, तो वह उसके मरने के अनन्तर किसी विशेष काल के बाद उसे एक ऐसे कुंड में डालता है, कि जिसमें सांप बिच्छू तो नहीं होते, किन्तु उसमें गंधक के द्वारा सदा **आग दहकती** रहती है, कि जिसमें पड़कर **उसका शरीर जलकर कभी राख नहीं हो जाता**, और न कभी मरता है, और वह देवता उसे **अनन्त काल तक** इसी प्रकार से कष्ट दे दे कर **अपना दिल ठंडा** करता है, तो वह इन बातों को भी सत्य मानकर उनका **विश्वासी** बन जाएगा। यदि उसे यह शिक्षा दी जाय, कि कोई मनुष्य ईश्वर नामक देवता की पसंद के विरुद्ध चाहे कितनी ही क्रियाएं करे, और वह उसकी इन क्रियाओं के कारण उससे कितना ही नाराज़ वा अप्रसन्न क्यों न हो, परन्तु यदि वह मनुष्य अपने मरने से पहले **अमुक स्थान की अमुक मूर्ति के दर्शन कर ले, वा अमुक नदी वा सरोवर वा बावली वा तालाब वा झील आदि में स्नान कर ले, वा अमुक नदी का थोड़ा सा जल ही पी ले**, वा अमुक जन को उसका **विशेष पुत्र** वा अमुक जन को उसका **विशेष पैग़म्बर** मान ले, तो उसका सारा गुस्सा दूर हो जाता है, और वह उलटा उससे बहुत प्रसन्न होकर उसे अपने **स्वर्ग वा बहिश्त वा बैकुंठ में रहने और तरह तरह का आनन्द भोगने के लिए जगह दे देता है**, तो वह इन बातों का भी **विश्वासी** बन जाएगा। इत्यादि इत्यादि।

ऐसी सैकड़ों प्रकार की पूर्णतः **मिथ्या** बातों की शिक्षा पाकर **करोड़ों लोग** बाल्य काल से ही धीरे धीरे उनके विश्वासी बन जाते हैं, और **लाखों मनुष्यों के हृदयों पर उनके इस प्रकार के मिथ्या विश्वासों का इतना गहरा अधिकार हो जाता है, कि फिर वह कभी भी उनके महा हानिकारक असरों से निकलने के योग्य नहीं रहते**। ऐसे मनुष्यों की यह दशा कितनी भयानक और कितनी कृपापात्र है!!

प्र.। मनुष्यात्माओं के द्वारा और किस किस प्रकार से **मिथ्या** की उत्पत्ति होती है?

उ.।:-

(1) जब कोई मनुष्यात्मा अपने अहं अनुराग से परिचालित होकर यह चाहता है, कि उसने किसी के सम्बन्ध में जो **अपराध** वा **पाप** किया है, उसके लिए उसे किसी प्रकार का **दंड** न मिले, वा उसके लिए उसे किसी के सम्मुख **घटिया** बनना वा लज्जित होना न पड़े, तब वह अपने इस प्रकार के बुरे बचाव के लिए अपनी विचार शक्ति को काम में लाकर जिस जिस प्रकार के **मिथ्या-मूलक** उपाय सोचता है, उनके द्वारा जैसे वह अपने विचार विषयक मानसिक अंग में मिथ्या का ज़हर भर कर उसे वा अपने आपको रोगी वा विकृत बनाता है, वैसे ही वह अपने भीतर से मिथ्या की उत्पत्ति भी करता है।

(2) जब कोई मनुष्य अपने **प्रतिशोध** विषयक **घृणा भाव** से परिचालित होकर उसकी तृप्ति के निमित्त किसी जन की कोई **हानि** करने के विषय में किसी प्रकार के मिथ्या कलंकों वा अपवादों के फैलाने वा अन्य मिथ्या **उपायों** के सोच विचार में प्रवृत्त होता है, तब वह अपने ऐसे विचार के द्वारा जहां नाना **मिथ्याओं** की उत्पत्ति करता है, वहां वह अपनी ऐसी क्रियाओं के द्वारा अपनी विचार शक्ति को **कलुषित** करके अपने आत्मा को भी **रोगी वा विकृत** बनाता है।

(3) जब कोई मनुष्य किसी जन के साथ किसी **नीच अनुराग से बन्ध जाने के कारण** उसका **पक्षपाती** बनकर उसके किसी सच्चे अपराध के छिपाने वा उसे किसी सच्चे अपराध के दंड से बचाने के निमित्त एक वा दूसरे प्रकार के **झूठे बहाने वा उपाय** सोचता है, तब वह जैसे अपने भीतर से **मिथ्या** की उत्पत्ति करता है, वैसे ही वह अपने इस मानसिक अंग में **मिथ्या का ज़हर** भरकर उसके द्वारा अपने आत्मा को **रोगी वा विकृत** बनाता है।

(4) जब कोई मनुष्य **धन सम्पत्ति के नीच अनुराग का दास होकर** किसी और को **धोखा** दे कर वा उसे **ठगकर** उसके धन वा उसकी किसी सम्पत्ति को ले लेना चाहता है, और इस प्रकार की **प्रवंचना** के लिए एक वा दूसरे प्रकार के **मिथ्या विषयक उपायों को सोचता वा उन्हें पोषण करता है,** तब वह अपनी ऐसी चिन्ता के द्वारा जहां नाना **मिथ्याओं** की उत्पत्ति करता है, वहां अपनी ऐसी क्रिया के द्वारा अपनी मानसिक शक्ति को **कलुषित** करके अपने आत्मा को भी **रोगी वा विकृत** बनाता है।

(5) जब कोई मनुष्य अपने **काम विषयक अनुराग भाव से** परिचालित

होकर **किसी स्त्री को वशीभूत करने के लिए** विविध प्रकार के **मिथ्यामूलक उपाय** सोचता है, तब वह अपने ऐसे सोच विचार से जहां नाना **मिथ्याओं** की उत्पत्ति करता है वहां अपने उस मानसिक अंग को **कलुषित** और अपने आत्मा को **रोगी वा विकृत** बनाता है।

(6) जब कोई मनुष्य एक ओर किसी जन की किसी **कामना** को पूरा करना नहीं चाहता, और दूसरी ओर किसी कारण से उसे **सत्य उत्तर** देकर **नाराज़** करना भी नहीं चाहता, तब ऐसी दशा में वह जिस जिस प्रकार का कोई **झूठा बहाना** तैयार करता है, उससे जहां वह **मिथ्या** की उत्पत्ति करता है, वहां वह अपनी विचार शक्ति को **कलुषित** और अपने आत्मा को **रोगी वा विकृत** बनाता है।

(7) जब कोई मनुष्य किसी जन से डरकर वा किसी और भय से उसकी किसी ऐसी अपराध-मूलक क्रिया के विषय में जिसका पब्लिक की भलाई के लिए सच सच प्रकाश कर देना नितान्त आवश्यक हो, सत्य के विरुद्ध प्रगट करने, अथवा किसी पब्लिक अदालत में सत्य के विरुद्ध किसी प्रकार की **साक्षी देने** की चिन्ता करता है, तब वह अपनी ऐसी चिन्ता से जहां **मिथ्या** की उत्पत्ति करता है, वहां ऐसा करके अपनी इस शक्ति को **कलुषित** और अपने आत्मा को **रोगी वा विकृत** बनाता है।

(8) जब कोई मनुष्य किसी विषय में अपने आपको झूठमूठ ज्ञानी प्रगट करने के लिए सत्य के विरुद्ध अपनी कोई प्रशंसा करता है, तब वह अपनी ऐसी गति से जहां **मिथ्या** की उत्पत्ति करता है, वहां अपनी ऐसी क्रिया से अपने विचार विषयक मानसिक अंग को **कलुषित** करके अपने आत्मा को **रोगी वा विकृत** बनाता है। इत्यादि इत्यादि।

प्र.। क्या ''करामातों'' वा ''मोजज़ों'' वा ''अलौकिक'' वा ''अद्‌भुत क्रियाओं'' के नाम से नाना प्रकार की जो जो कहानियां प्रचलित की गई हैं, वह भी सब मिथ्या हैं?

उ.। वह भी जहां तक नेचर की **सच्ची घटनाओं** और उसके **सच्चे और अटल नियमों के विरुद्ध** हैं, वहां तक अवश्य **पूर्णतः मिथ्या** हैं। यथाः-

ईश्वर नामक देवता के अमुक ''पैग़म्बर'' ने अपनी मुर्दा सोंटी को ज़िन्दा सांप बना दिया था। अमुक सम्प्रदाय के संस्थापक नेचर के नियमानुसार किसी स्त्री के गर्भ में नहीं आए थे, किन्तु वह स्वर्ग से उतर कर और एक सफेद हाथी का रूप धारण करके उसकी गर्भस्थली में घुस गए थे, और फिर वहां से मनुष्य के बच्चे का रूप धारण करके उत्पन्न हुए थे। अमुक सम्प्रदाय के संस्थापक एक ऐसी कुमारी कन्या से उत्पन्न हुए थे, कि जिसका किसी पुरुष के साथ कोई विशेष सम्बन्ध नहीं हुआ था।

अमुक जन ने पानी को शराब बना दिया था। अमुक जन ने कुछ रोटियों को जो दो जनों का भी पेट भरने के लिए काफ़ी न थीं, अपनी इच्छा से सैंकड़ों गुणा अधिक बढ़ाकर हज़ारों जनों को भोजन खिला दिया था। अमुक पुरुष ने किसी जन के एक पूर्णत: मरे हुए शरीर को फिर ज़िन्दा कर दिया था। अमुक नबी जब धूप में चलते थे, तब उनके शरीर की छाया ज़मीन पर नहीं पड़ती थी। जिस समय इस पृथ्वी पर कोई मनुष्य न था, तब ईश्वर नामक एक देवता ने अपनी इच्छा से हठात् कितने ही जवान जवान नर और नारी पैदा कर दिए थे, कि जो किसी स्त्री के गर्भ से और किसी बच्चे के रूप में उत्पन्न नहीं हुए थे; और यद्यपि वह कोई भाषा न जानते थे, क्योंकि उन्हें भाषा सिखाने के लिए उनके माता पिता आदि कोई जन पहले से वर्तमान न थे, तथापि उस देवता ने जब उनमें से कुछ जनों के हृदयों में एक खास भाषा के कुछ वचन रचकर प्रकाशित किए, अथवा उस भाषा में कुछ बातें उनके हृदयों में पहुंचाईं, तब वह उसी समय उन्हें समझने और उनकी व्याख्या करने के योग्य बन गये। किसी देवता ने एक रानी को एक ऐसी बटलोही दी थी, कि जिससे वह रानी जितने प्रकार के और जितनी मात्रा में भोजन की वस्तुएं चाहती थी, उतने प्रकार की और उतनी मात्रा में वह सब खाद्य वस्तुएं उस बटलोही से निकल आती थीं, और वह अकेली एक एक समय में उसके द्वारा हज़ारों मनुष्यों को तरह तरह के खाने खिला देती थी। किसी देवता के एक भक्त ने एक बार मनुष्य की एक मुर्दा लाश को हलवे की शकल में बदल दिया था। किसी ईश्वर नामक देवता के किसी भक्त के पास जब एक बार कई हज़ार आदमी संगत के लिए आए, और उनके भोजन का कोई और बन्दोबस्त न हो सका, तब उस भक्त ने अपने एक शिष्य को बुलाकर कहा, कि तुम अमुक वृक्ष पर चढ़कर उसे हिलाओ, और उससे तुम्हें संगत के भोजन के लिए सारी चीज़ें मिल जाएंगी, और जब उन्होंने उस पेड़ पर चढ़कर उसे हिलाना शुरू किया, तब उसमें से नाना प्रकार की इतनी मिठाइयां आदि वस्तुएं गिरीं, कि जिनसे हज़ारों जनों के पेट भर गए। इत्यादि इत्यादि। इस प्रकार की और सैकड़ों **मिथ्या बातें**, करामातों वा मोजज़ों वा अलौकिक क्रियाओं के नाम से प्रचलित की गई हैं।

प्र.। क्या अपने मन मन में भी किसी प्रकार की मिथ्या का साथ देने से किसी मनुष्य के आत्मा का पतन होता है?

उ.। निश्चय।

प्र.। वह किस प्रकार?

उ.। जब कोई मनुष्य किसी के सम्बन्ध में अपने **घमंड वा घृणा भाव** आदि के कारण **उलटा दृष्टा** बन जाने पर उसके सत्य रूप वा उसके किसी सत्य गुण को

सत्य के विरुद्ध देखता और विश्वास करता है, और ऐसी दशा में पहुंचकर उसके सम्बन्ध में **अपने मन में किसी प्रकार की मिथ्या चिन्ताएं** करता है;

जब कोई मनुष्य किसी दुख से बचने वा किसी सुख की प्राप्ति के लिए अपने वा किसी और के सम्बन्ध में अपनी किसी सद् प्रतिज्ञा के तोड़ने के निमित्त **अपने मन में** कोई मिथ्या चिन्ता करता है;

जब कोई मनुष्य अपने **किसी अपराध वा पाप के छिपाने के निमित्त** अपने मन में एक वा दूसरे प्रकार के **मिथ्या बहाने वा उपाय सोचता है;**

जब कोई मनुष्य अपने आपको किसी विषय में ऐसे जनों की अपेक्षा **बढ़िया** दिखाने के निमित्त कि जिनसे वह सचमुच उस विषय में बढ़िया न हो, अपने मन में कोई **मिथ्या-मूलक उपाय** सोचता है; इत्यादि;

तब चाहे वह अपनी किसी ऐसी **मिथ्या-मूलक चिन्ता के द्वारा** किसी और की कोई **हानि** न भी करे, वा न भी कर सके,

तो भी वह अपनी ऐसी **प्रत्येक मिथ्या-मूलक चिन्ता के द्वारा** अपने आत्मा को **पतित** करता है।

प्र.। यदि कोई मनुष्य ऐसी विविध प्रकार की **मिथ्याओं का व्यवहार** करता हो, जिनके लिए उसे किसी राज्य विधि से कोई दंड न मिल सकता हो, तो क्या उनके द्वारा भी उसके आत्मा का पतन होता है?

उ.। निस्सन्देह:-

यदि कोई मनुष्य **अपने किसी मिथ्या विश्वास** वा अपने **घृणा भाव के** कारण किसी के किसी सच्चे गुण को किसी के सम्मुख स्वीकार न करता हो, अर्थात् उसमें उस गुण की वर्तमानता को न मानता हो;

यदि कोई मनुष्य किसी के सम्बन्ध में अपने **घृणा भाव** के कारण उसकी किसी सचमुच की भली क्रिया को भली क्रिया स्वीकार न करता हो;

यदि कोई मनुष्य बाल्य काल से **धर्म विषयक मिथ्या मतों का विश्वासी** और उनका **अनुरागी** बन जाने के कारण उनमें से कुछ वा सबको किसी काल में **मिथ्या जानने पर भी उन्हें जानबूझ कर सत्य बताता हो;** अथवा इससे भी बढ़कर उनकी पोषकता में **झूठी युक्तियां** देता हो;

यदि कोई मनुष्य अपने पहले के जमे हुए किसी **मिथ्या विश्वास** के विरुद्ध नेचर के किसी सत्य नियम वा उसकी किसी सत्य घटना को सत्य जानने पर भी उसे सत्य न कहता और सत्य न मानता हो;

यदि कोई मनुष्य किसी सोशल वा पॉलिटिकल अभीष्ट के लिए धर्म वा किसी

और नाम से **जानबूझ कर** किसी प्रकार का कोई **असत्य-मूलक उपाय ग्रहण करता हो**, अर्थात् किसी **कपटता-मूलक** पॉलिसी वा बर्ताव का आश्रय लेता हो;

यदि कोई मनुष्य किसी पारिवारिक वा अन्य अनुष्ठान को **मिथ्या जानकर भी** उसे सम्पन्न करता हो, वा उसका **साथी** बनकर उसमें योग देता हो;

यदि कोई मनुष्य अपने शरीर में जानबूझ कर भी **धर्म-सूचक** एक वा दूसरे प्रकार का कोई **मिथ्या चिन्ह** रखता हो, और ऐसा करके **कपटी** बनता हो;

यदि कोई मनुष्य अपने किसी **मान बड़ाई विषयक सुख** की प्राप्ति के निमित्त अपने किसी पूर्वज वा अपने वंश वा अपनी वा अपने किसी पारिवारिक सम्बन्धी वा अपनी किसी वस्तु आदि की **झूठी प्रशंसा** करता हो; इत्यादि;

तो वह चाहे किसी राज्य शासन की किसी दंड विधि के द्वारा अपराधी न भी माना जाय, तो भी वह अपनी ऐसी प्रत्येक क्रिया वा गति के द्वारा **अपने आत्मा को पतित करता है।**

प्र.। भ्रान्त और मिथ्याचारी मनुष्य में क्या अन्तर है?

उ.। बहुत बड़ा अन्तर है। भ्रान्त मनुष्य किसी असत्य बात को सत्य विश्वास करके वा सत्य जानकर उसे **सरल भाव** से सत्य कहता वा प्रगट करता है, अथवा उसके सम्बन्ध में कोई और साधन वा क्रिया करता है। परन्तु मिथ्याचारी मनुष्य नाना बातों वा घटनाओं को **असत्य जानकर भी** उन्हें **कपटता** के द्वारा और जनों के सम्मुख **झूठमूठ सत्य बताता वा प्रगट करता है**, और उन्हें अपनी **कपटता** के द्वारा धोखे में डालने की चेष्टा करता है।

प्र.। यदि कोई जन बाल्य काल से किसी प्रकार के मिथ्या विश्वास को प्राप्त होकर **सरल भाव** से उसे किसी और के सम्मुख सत्य कहकर उसका प्रचार करता हो, तो क्या वह **मिथ्याचारी** नहीं?

उ.। नहीं। परन्तु यदि कोई जन अपने किसी मिथ्या विश्वास के कारण किसी मनुष्य वा पशु वा अन्य अस्तित्व के सम्बन्ध में **आप कोई अपहरण वा पाप-मूलक क्रिया करता हो**, अथवा किसी मनुष्य को किसी और के सम्बन्ध में किसी पाप-मूलक क्रिया के करने के लिए **प्रेरणा** करता हो, तो चाहे वह उस पाप का अपने **सरल भाव से ही** प्रचार करता हो, तथापि ऐसा करके वह अपने आत्मा को **पतित** करता है। यथा:-

यदि किसी जन के भीतर अपने माता पिता वा किसी और की शिक्षा से बाल्य काल से यह विश्वास उत्पन्न हो गया हो, कि मांसाहार करना, वा मांसाहार वा शिकार के लिए किसी जीव का वध करना, वा अपनी पत्नी वा अपने पति के इस दुनिया में

जीते हुए और विवाह करना, वा अपने धर्म के विरुद्ध किसी धर्म मत रखने वाले जन को **सताना** वा **निहत करना** ठीक है; और अपने इस प्रकार के विश्वास से परिचालित होकर वह **सरल भाव से भी** कोई ऐसी क्रिया करता हो, तो भी वह उसके द्वारा अवश्य **पापी** और **पतित** बनता है।

प्र.। यदि कोई जन सत्य के विरुद्ध कुछ ऐसे विश्वास रखता हो, कि जिन के द्वारा वह न तो आप किसी के सम्बन्ध में **कोई पाप वा अत्याचार करता हो**, और न वह किसी और को किसी **पाप वा अत्याचार करने के लिए प्रेरणा करता हो** – यथा यह पृथ्वी किसी शेष नाग के फन वा बैल के सींगों पर ठहरी हुई है, अथवा सूर्य इस पृथ्वी के चारों ओर फिर कर उसकी परिक्रमा करता है, अथवा गंगा नदी गो लोक से अवतीर्ण हुई है, अथवा पृथ्वी गोल नहीं, किन्तु चपटी वा सपाट है; और वह इन बातों को सत्य जानकर **सरल भाव से** उन्हें औरों के सम्मुख सत्य बताता हो, तो वह मिथ्याचारी है वा नहीं?

उ.। नहीं। परन्तु वह अपने इन मिथ्या विश्वासों के विचार से अज्ञान वा अन्धकार की अवस्था में ज़रूर है, कि जिससे अवसर पाने पर उसके लिए उद्धार पाना आवश्यक और उचित है।

प्र.। क्या किसी उपन्यास वा कहानी वा कथा वा किसी अन्य लेख की रचना में जो लोग एक वा दूसरे प्रकार की कल्पित बातों का वर्णन करते हैं, उससे वह मिथ्याचारी नहीं बनते?

उ.। जहां तक कोई जन अपनी कल्पना शक्ति के द्वारा **जान बूझकर** कोई ऐसी रचना नहीं करता, कि जिसे पढ़कर कोई जन नेचर के किसी अस्तित्व वा उसके किसी विषय में सम्बन्ध में **मिथ्या ज्ञान** लाभ करे; अथवा उसकी रचना को पढ़कर किसी जन के भीतर **किसी मनुष्य वा पशु आदि के सम्बन्ध में किसी अन्याय वा अत्याचार-मूलक क्रिया के करने के लिए कोई प्रेरणा उत्पन्न हो**, वहां तक वह अपनी किसी भी कल्पित रचना के द्वारा मिथ्याचारी नहीं बनता।

प्र.। क्या किसी तमाशे वा कौतूहल के द्वारा निर्दोष हर्ष लाभ करने के लिए कोई स्वांग भरना, अर्थात् किसी और के रूप वा शब्द वा उसकी किसी क्रिया की नक़ल करना, और उस नक़ल के अनुसार अपने आपको कुछ और बताना वा प्रगट करना मिथ्या नहीं?

उ.। नहीं; परन्तु यदि कोई जन ऐसी नक़ल करे, कि जो किसी और जन के सम्बन्ध में **वास्तविक अपमान-मूलक** वा किसी सम्प्रदाय के लोगों के लिए बिना उचित कारण के **कष्टदायक हो**, तो उसका करना ठीक नहीं हो सकता।

प्र.। यदि कोई मनुष्य किसी से ऐसा प्रश्न करे, कि जिसका उत्तर देने के लिए वह एक ओर धर्म विषयक किसी सत्य नियम के द्वारा **बाध्य** न हो, और दूसरी ओर उसका सत्य उत्तर देने से उसकी वा किसी और की हानि होती हो, वा किसी ऐसी हानि की आशंका हो, तब वह क्या करे?

उ.। तब वह ऐसे प्रत्येक प्रश्न का उत्तर देने से विनय पूर्वक इनकार कर दे, अर्थात् वह यह कह दे, कि आपके इस प्रश्न का मैं कोई उत्तर देना नहीं चाहता। ऐसा करने का उसे पूर्ण अधिकार है।

प्र.। सत्य के विरुद्ध जानबूझ कर कोई बात कहकर वा बताकर किसी चोर वा डाकू मनुष्य का पकड़ना मिथ्याचार है, वा नहीं?

उ.। अवश्य मिथ्याचार है। इस प्रकार की जानबूझ कर सब मिथ्याएं आत्मा के पतन का हेतु होती हैं, इसलिए इस प्रकार के सब प्रश्नों के सम्बन्ध में जिस **साधारण नैतिक नियम के जानने की ज़रूरत है, वह यह है:-**

जब तक कोई जन अपनी **कल्पना और अनुकरण** शक्तियों से प्रेरित होकर और **जानबूझकर अपनी ओर से** अपनी किसी बातचीत वा अपने किसी संकेत (इशारे) वा अपनी **किसी रचना** वा अपने **किसी लेख** वा **उपदेश** आदि के द्वारा किसी मनुष्य को किसी प्रकार के भ्रम वा **मिथ्या विश्वास में ग्रस्त करने वा उसे मिथ्याचारी बनाने**, अथवा नेचर के किसी जीवित वा अजीवित अस्तित्व के सम्बन्ध में अपनी ओर से किसी जन के हृदय में किसी **अन्याय-मूलक क्रिया अर्थात् पाप वा अत्याचार वा हानि करने के लिए कोई प्रेरणा नहीं करता**, तब तक वह उन्हें किसी भी **उचित वा हितकर अभिप्राय** के लिए जिस प्रकार से चाहे काम में ला सकता है, और जन समाज की विविध प्रकार की **उन्नति में सहायक** बन सकता है। परन्तु जैसा पहले बताया जा चुका है, वह अपनी ऐसी प्रत्येक क्रिया के सम्बन्ध में सत्य वा हित विषयक किसी भ्रान्ति के लिए अवश्य ज़िम्मेवार रहता है।

तेईसवां अध्याय

मनुष्य जगत् में अन्याय वा अपहरण-मूलक चिन्ताएं और क्रियाएं और उनके द्वारा मनुष्यों का आत्मिक पतन

प्र.। अन्याय वा अपहरण-मूलक-चिन्ताएं वा क्रियाएं क्या होती हैं?

उ.। किसी मनुष्य की केवल अपने किसी **सुख अनुराग** वा उससे उत्पन्न अपने किसी **घृणा** भाव के द्वारा परिचालित होकर नेचर-प्रदत्त अपने वा किसी और जीवित वा अजीवित अस्तित्व के किसी **उचित अधिकार को नष्ट करने वाली चिन्ताएं वा अन्य क्रियाएं अन्याय वा अपहरण-मूलक चिन्ताएं** और **क्रियाएं कहलाती हैं।**

प्र.। यह अन्याय वा अपहरण मूलक चिन्ताएं और क्रियाएं कितने प्रकार की हैं?

उ.। मुख्यत: चार प्रकार की। अर्थात्:-

(1) किसी मनुष्य का नेचर के अजीवित वा जीवित जगत् के किसी अस्तित्व के सम्बन्ध में कोई ऐसी चिन्ता करना, कि जो उसके किसी **उचित अधिकार की हानि** करने के सम्बन्ध में हो।

(2) किसी मनुष्य का किसी और मनुष्य, वा पशु जगत् के किसी जीव को कोई ऐसी शिक्षा देना कि जिससे किसी और के **उचित अधिकार की हानि** होती हो।

(3) किसी मनुष्य का अपने गठनप्राप्त शरीर के सम्बन्ध में बिना किसी उचित कर्तव्य पालन वा उचित हित साधन विषयक कारण के केवल अपने **सुख अनुरागों वा घृणा भावों** से परिचालित होकर ऐसी क्रियाएं करना जो **उसके स्वास्थ्य के लिए हानिकारक हों।**

(4) किसी मनुष्य की नेचर के किसी अजीवित वा जीवित जगत् के किसी भी अस्तित्व के सम्बन्ध में ऐसी सब क्रियाएं कि जिनसे उसके किसी **उचित अधिकार का नाश** होता हो।

परन्तु प्रत्येक मनुष्य के लिए अपने एक वा दूसरे प्रकार के **नीच अनुरागों** और अपनी एक वा दूसरे प्रकार की **नीच घृणाओं** के द्वारा परिचालित होने पर नेचर के जीवित और अजीवित अस्तित्वों के सम्बन्ध में किसी न किसी सीमा तक **अन्यायी वा अपहरणकारी होना अनिवार्य है;** इसीलिए उसका अपनी ऐसी विविध प्रकार की **अन्याय वा अपहरण** विषयक आन्तरिक चिन्ताओं और बाह्यक कर्मों के द्वारा **अपने**

आत्मा में विविध रोगों की उत्पत्ति करना और उसे रोगी वा विकृत वा पतित बनाना भी अनिवार्य है।

प्र.। मनुष्य अपने विविध प्रकार के अन्याय-मूलक कर्मों से नेचर के जीवित अस्तित्वों अर्थात् किसी मनुष्य, पशु, उद्भिद् और उसके किसी भी अजीवित पदार्थ के किसी भी **उचित अधिकार** का किस किस प्रकार से **अपहरण** वा नाश करता है?

उ.। वह उनके सम्बन्ध में जिस जिस प्रकार का **अपहरण** करता है, वह यह हैं :-

(1) किसी मनुष्य के **धन** का अपहरण।

(2) किसी मनुष्य की किसी अन्य **सम्पत्ति** वा वस्तु का अपहरण।

(3) किसी मनुष्य के **मान** का अपहरण।

(4) किसी मनुष्य के **यश** का अपहरण।

(5) अपने वा किसी अन्य मनुष्य वा पशु के **स्वास्थ्य** का अपहरण।

(6) अपने वा किसी अन्य मनुष्य वा पशु वा पौदे वा जड़ पदार्थों के **आकार** वा **रूप** का अपहरण।

(7) किसी मनुष्य वा पशु वा पौदे वा पदार्थ के किसी **सद्गुण** का अपहरण।

(8) किसी मनुष्य वा पशु के किसी **उचित सुख** का अपहरण।

(9) किसी मनुष्य वा पशु की किसी **उचित शान्ति** का अपहरण।

(10) किसी मनुष्य वा पशु के किसी **बल** का अपहरण।

(11) किसी मनुष्य वा पशु की नेचर-प्रदत्त **आयु** का अपहरण।

(12) किसी मनुष्य वा पशु आदि के **प्राण वा जीवन** का अपहरण।

(13) किसी मनुष्य के किसी **उचित पद** का अपहरण।

(14) किसी मनुष्य वा पशु के किसी **शारीरिक अंग** का अपहरण।

(15) किसी मनुष्य के किसी **सत्य विश्वास** का अपहरण।

प्र.। क्या इसी प्रकार के अपहरण-मूलक नाना प्रकार के कर्म साधारण बोल चाल में **पाप कर्म** भी कहे जा सकते हैं?

उ.। जी हां।

प्र.। क्या इस प्रकार के विविध पाप कर्म मनुष्य ही अपने अपने **सुख विषयक नीच अनुरागों** और अपनी अपनी **नीच घृणाओं** के द्वारा परिचालित हो कर करते हैं, वा उनके भिन्न कोई कहलाने वाले देवते अर्थात् ईश्वर, परमात्मा, लार्ड गाड, जहवा, अल्ला, खुदा, वाह गुरु आदि वा उनमें से किसी के कहलाने वाले अवतार वा अन्य उपास्य भी करते थे, वा करते हैं?

उ.। चाहे कोई साधारण मनुष्य हो, चाहे कोई जन महात्मा, महर्षि, ऋषि, सन्त, महन्त, बुद्ध, सिद्ध, तीर्थंकर, आचार्य, गुरु, नबी, पीर, वली आदि और चाहे कोई देवता वा देवी वा उनमें से किसी का विशेष सम्बन्धी वा भक्त वा मित्र वा अवतार आदि कहलाता हो – परन्तु यदि वह एक वा दूसरे प्रकार के **सुख विषयक नीच अनुराग** और उनसे उत्पन्न एक वा दूसरे प्रकार की नीच घृणा शक्तियां रखता हो – तो उसके लिए एक वा दूसरे प्रकार के **पाप कर्म करना और औरों को भी विविध प्रकार के पाप कर्मों की शिक्षा देना अनिवार्य है।**

प्र.। क्या **मिथ्या** बातों का प्रचार और मिथ्या-मूलक आचरण रखने के भिन्न, ऐसे नामधारी देवतों आदि ने **अपहरण** विषयक **नाना पाप कर्म** आप भी किए हैं, और औरों को भी उन्होंने नाना **पाप कर्मों** की शिक्षा दी है?

उ.। जी हां। नाना धर्म सम्प्रदायों के कहलाने वाले उपास्य देवतों और उनके संस्थापकों आदि ने **आप** भी विविध प्रकार के पाप कर्म किए हैं; और अपने भिन्न उन्होंने औरों को भी **नाना प्रकार के पाप कर्मों** के करने की **शिक्षा** दी है। यथा:-

(1) नाना कहलाने वाले देवतों का अपने लिए मनुष्यों से विविध प्रकार के पशुओं के भिन्न मनुष्यों की भी **बलि** चाहना, और उनसे उनकी **बलि** लेना, और उनकी **हत्या** कराके उनके रुधिर के सूक्ष्मांशों को खाना वा पीना।

(2) किसी मनुष्य से कुपित होने पर उससे **बदला** लेने के निमित्त, उसकी आप **चोरी** करना, वा उसकी किसी और से **चोरी** करा देना।

(3) किसी मनुष्य वा पशु से **कुपित** होने पर उस मनुष्य वा पशु की **हत्या** कर देना।

(4) किसी मनुष्य पर कुपित होकर उसे **अन्धा** कर देना, किसी पर कोप करने पर उसे **बीमार** कर देना, वा उसके लिए कोई और **विपद** उत्पन्न कर देना।

(5) किसी के साथ आप **व्यभिचार** करना।

(6) अपने विश्वासियों को **व्यभिचार** की शिक्षा देना।

(7) मांस खाने के लिए अपने विश्वासियों को पशुओं की **हत्या** करने की आज्ञा देना।

(8) छल कपट करना।

(9) अपने विश्वासियों को **सुरा वा मदिरा** और **भंग आदि** विषाक्त वस्तुओं के पीने की आज्ञा देना।

(10) अपने विश्वासी पुरुषों को एक पत्नी के जीते जी और कई कई स्त्रियों के साथ विवाह करने की आज्ञा देना; और किसी पतिहीना विधवा स्त्री को कभी और

किसी दशा में भी फिर विवाह करने की आज्ञा न देना।

(11) अपने विश्वासियों को अपने किसी कहलाने वाले प्रेरित वा प्यारे जन की गप्पों को ठीक न मानने वाले जनों की **हत्या** करने की आज्ञा देना।

(12) अपने विश्वासियों को अपने किसी कहलाने वाले प्रेरित वा प्यारे जन की गप्पों को ठीक न मानने वाले जनों का **माल लूट** लेने की आज्ञा देना।

(13) अपने विश्वासियों को अपने किसी कहलाने वाले प्रेरित वा प्यारे जन की गप्पों को ठीक न मानने वाले जनों को **बलात्** पकड़ कर **गुलाम** बनाने की आज्ञा देना। उनके देवतों के स्थानों वा उनके किसी संस्थापक वा गुरु आदि के स्मारक चिन्हों को **ढा देने** वा उनके घरों को **फूंक देने** आदि कर्मों के करने की शिक्षा देना।

(14) अपने विश्वासियों को किसी कहलाने वाले ऋषि आदि की गप्पों को ठीक न मानने वालों को **जाति पंक्ति** और **देश से निकाल देने** की आज्ञा देना।

(15) अपने विश्वासियों को अपने किसी कहलाने वाले प्रेरित वा प्यारे जन की गप्पों को ठीक न मानने वाले जनों की स्त्रियों को छीन कर **अपनी स्त्री बना लेने** की आज्ञा देना।

(16) अपने विश्वासियों को विवाहित पत्नियों के भिन्न किसी जन की गुलाम वा दास बनाई हुई स्त्री के साथ भी **व्यभिचार** करने की आज्ञा देना। आदि आदि।

प्र.। क्या इस प्रकार के कहलाने वाले परन्तु महा पापी और **अधम उपास्य देवतों** में से जिन जिन के विषय में यह कहा जाता है, कि वह साधारण मनुष्यों के मरने के अनन्तर तुरन्त ही वा किसी काल के विशेष दिन में उनके पाप कर्मों का हिसाब लेने और उन्हें उनके विषय में नरक वा पुनर्जन्म आदि विषयक दंड देने अथवा किसी की सिफ़ारिश वा उनके किसी विश्वास वा उनकी किसी क्रिया से **खुश होकर स्वर्ग** आदि के सुखों का इनाम देने के लिए मजिस्ट्रेट वा जज बनकर बैठेंगे; उनका ऐसा विश्वास **पूर्णतः मिथ्या** नहीं?

उ.। निश्चय पूर्णतः मिथ्या है; क्योंकि यदि ऐसे सैकड़ों जनों के लिए कि जो इन कहलाने वाले मजिस्ट्रेट देवतों की अपेक्षा **कम पापी** होते हैं, अपने पाप कर्मों के लिए किसी कहलाने वाली न्याय विधि के अनुसार **नरक** में पड़कर वा **पुनर्जन्म पाकर** विविध प्रकार के दुःख-जनक दंडों का भोगना **आवश्यक** हो,

तो उन कहलाने वाले देवता मजिस्ट्रेटों को जो उनकी अपेक्षा **अत्यन्त अधिक पापी हों**, उसी कहलाने वाली न्याय विधि के अनुसार उन नरकों से बढ़कर किसी **महाघोर नरकों में डाले जाने** वा **किसी** अगले जन्म में किसी **मोरी के कीड़े आदि बनने की क्यों आवश्यकता नहीं**? अवश्य है। परन्तु मिथ्या धर्म मतों के

विश्वासी किसी ऐसी सच्ची बात को ग्रहण करना नहीं चाहते और नहीं करते।

प्र.। यदि कोई मनुष्य ऐसे बुरे कर्म करता हो, कि जो किसी राज्य शासन की दंड विधि में अपराध न माने गए हों, तो क्या उनके द्वारा भी उसके आत्मा का पतन होता है?

उ.। जी हां, अवश्य होता है:-

यदि कोई मनुष्य किसी प्रकार के खेल तमाशे, व्यभिचार वा जुए आदि के सुख का अनुरागी बन कर अपने धन वा अपनी अन्य सम्पत्ति का **अपव्यवहार** वा नाश करता हो;

यदि कोई मनुष्य अपने घमंड भाव से परिचालित होकर अपने आपको औरों की अपेक्षा बढ़िया दिखाने और औरों के द्वारा प्रशंसित होने का सुख लाभ करने वा औरों के द्वारा अप्रशंसित होने के **डर** से अपने धन वा अपनी अन्य सम्पत्ति का **अपव्यवहार** वा नाश करता हो;

यदि कोई मनुष्य अपने धन वा अपनी अन्य सम्पत्ति की प्राप्ति के सुख का अनुरागी होकर बहुत शीघ्र धनी और सम्पत्तिवान बन जाने के निमित्त अपनी योग्यता से इतना अधिक कर्ज़ा लेकर कोई **व्यवसाय** करता हो, कि जिस कर्ज़े को वह अदा न कर सकता हो, वा कोई सट्टा करके वा बाज़ी लगा के किसी **जुए विषयक कुव्यसन के द्वारा** बहुत शीघ्र ऐसा बन जाने की चेष्टा करता हो;

यदि कोई मनुष्य हिंसा विषयक सुख का अनुरागी होने के कारण उस सुख की प्राप्ति के लिए किसी मनुष्य वा पशु को सताता वा छेड़ता वा किसी पशु की हत्या करता हो, वा **उनके किसी भी उचित अधिकार को अपहरण करता हो**;

यदि कोई मनुष्य अपने धन वा अपनी उस सम्पत्ति को जिस पर उसका पूर्ण अधिकार हो, उसका अनुरागी और दास बन जाने के **कारण** किसी **परोपकार** विषयक काम के लिए **दान** करना न चाहता हो, और दान न करता हो;

यदि कोई मनुष्य अपने धन वा अपनी किसी अन्य सम्पत्ति को जिस पर उसका पूर्ण अधिकार हो, किसी **परोपकार** विषयक काम के निमित्त दान कर के औरों का और अपना हित साधन करने के स्थान में अपने किसी मोह बंधन के कारण उसे **किसी अनधिकारी वा कुपात्र जन वा जनों को ही दे देना चाहता हो, और दे देता हो**;

यदि कोई मनुष्य धन का अनुरागी होने पर यह जानकर कि उसका अपनी लड़की की पालना और उसके विवाह आदि में जो रुपया खर्च होगा, उसके बदले में उसे उस लड़की से कुछ न मिलेगा, उसकी पालना और रक्षा के निमित्त **यथेष्ट ध्यान**

न देता हो, और **यथेष्ट यत्न** न करता हो, और उसकी ऐसी क्रिया से वह लड़की **अकाल मृत्यु** को प्राप्त हो जाती हो;

यदि कोई मनुष्य अपनी किसी विवाहित पत्नी के स्थूल देह के साथ जीते हुए किसी और स्त्री से विवाह करता हो, वा कोई स्त्री अपने इस प्रकार से जीते हुए विवाहित पति को त्याग कर किसी और पुरुष के पास जा रहती हो;

यदि कोई मनुष्य अपनी सन्तान का उसकी स्वाधीनता **विषयक उचित वयस से पहले** और **उसकी सम्मति के बिना** किसी के साथ **विवाह** कर देता हो;

यदि कोई मनुष्य नशे के सुख के लिए एक वा दूसरे प्रकार की कोई नशेदार अर्थात् विषाक्त वस्तु आप खाता वा पीता हो, वा इसी अभिप्राय के लिए उसे किसी और को देता हो, वा उसके ऐसे व्यवहार के लिए कोई **प्रेरणा** करता हो;

यदि कोई मनुष्य मांस खाता हो;

यदि कोई मनुष्य अपने धन, वा अपनी किसी और वस्तु वा अपने तन आदि विषयक किसी सुख का दास होने के कारण किसी जन को किसी धन वा किसी भी वस्तु के देने के निमित्त जो समय नियत कर चुका हो, और ऐसा करने के लिए जो सद् प्रतिज्ञा कर चुका हो; वा किसी से किसी नियत समय में मिलने के लिए कोई सद् प्रतिज्ञा कर चुका हो; वा किसी के साथ किसी नियत समय में किसी काम के पूरा कर देने की सद् प्रतिज्ञा कर चुका हो; परन्तु अपनी किसी ऐसी प्रतिज्ञा को बिना किसी सच्चे, उचित और यथेष्ट कारण के तोड़ता रहता हो; इत्यादि;

तो वह अपने ऐसे बुरे कर्मों के निमित्त चाहे किसी राज्य की **किसी दंड विधि से अपराधी** न भी समझा जाय, वा कोई दंड न भी पाय, तो भी वह उनके द्वारा अपने **आत्मा का अवश्य पतन करता है।**

चौबीसवां अध्याय

मनुष्यात्माओं के पतन के बड़े बड़े लक्षण

प्र.। मनुष्य आत्माओं के पतन के लक्षण क्या क्या हैं?

उ.। मनुष्य आत्माओं का पतन जिन चार प्रकार के बड़े बड़े लक्षणों से जाना जा सकता है, वह यह हैं:-

1- आत्मिक कठोरता और उसके द्वारा उनमें आत्मिक अंधकार और अंधता की उत्पत्ति

प्र.। आत्मा की कठोरता क्या होती है?

उ.। जो मनुष्य जिन जिन नीच **सुखों** का बोधी हो कर **उनका अनुरागी वा दास बन जाता है**, और उन्हीं **सुखों** की प्राप्ति को **अपना लक्ष्य समझता** है, और उन्हीं की प्राप्ति के संबध में **सोच विचार करता है**, और उन्हीं की प्राप्ति के लिए अपनी विविध **शक्तियां खर्च करता** है, वह अपनी विविध प्रकार की गतियों से जिन विविध प्रकार की मिथ्याओं और विविध प्रकार के अहितों की उत्पत्ति करता है, उनकी उत्पत्ति करके वह नेचर के उस विकास विषयक नियम को भंग करता रहता है, कि जो **सत्य** और **शुभ** का पथ ग्रहण करने से ही किसी आत्मा में पूरा होता है।

नेचर के इस महान नियम के भंग करने से मनुष्यात्मा की गठन में एक ऐसी बुरी दशा उत्पन्न होती है, कि जिससे वह धीरे धीरे अपने आत्मा और आत्मिक जीवन के सम्बन्ध में **सत्य के देखने की योग्यता को** - यदि कोई ऐसी योग्यता उसे अपने जन्म काल से मिली हो - खोता जाता है, और उसके पूर्णतः खो चुकने पर **पूरा अंधा** बन जाता है। मनुष्यात्मा की यही अन्धता की दशा उसकी **कठोरता** की दशा कहलाती है।

प्र.। किसी आत्मा में इस कठोरता के उत्पन्न होने और बढ़ने से उसकी किस प्रकार से हानि होती है?

उ.। ज्यों ज्यों किसी मनुष्य का आत्मा **कठोर** होता जाता है, त्यों त्यों उसके भीतर उस **सर्वोच्च ज्योति की किरणों के प्रवेश करने का मार्ग बंद होता जाता है**, कि जिसका नाम **देव ज्योति** है, और जिसके प्रवेश करने से ही उसे अपने आत्मा के अस्तित्व, उसके रोगों वा उसकी पतित दशा, उस पतित दशा से उसकी मोक्ष और उसमें बल उत्पादक उच्च शक्तियों के विकास की आवश्यकता और उनकी प्राप्ति की विधि आदि के विषय में **विविध प्रकार के सत्य दिखाई दे सकते हैं**, और उनके विषय में उसे वह **दुर्लभ ज्ञान** मिल सकता है, कि जिसे **सत्य धर्म का ज्ञान** कहते हैं।

जैसे स्वच्छ कांच के भीतर से निकल कर सूर्य की किरणें किसी बंद घर में **प्रवेश** करती हैं, परन्तु वह उस घर के किवाड़ों की लकड़ी वा उसकी दीवारों के भीतर से नहीं घुस सकतीं, वैसे ही यदि किसी मनुष्य का आत्मा इतना **कठोर** बन गया हो, कि उसमें से देव ज्योति की सर्वोच्च किरणें प्रवेश न कर सकें, तो उसके आत्मा में वह **उजाला** नहीं होता, और नहीं हो सकता कि जिसके होने से ही **उसकी आत्मिक दृष्टि के सम्मुख उसका अपना वास्तविक रूप प्रगट हो सकता है**; और वह अपने आत्मा के अस्तित्व और उसकी गठन और अपने किसी नीच अनुराग वा अपनी नीच घृणा-मूलक किसी **पतनकारी विश्वास वा अपनी किसी चिन्ता वा क्रिया को** अपनी **मानसिक दृष्टि** के द्वारा अपने लिए **हानिकारक रूप में देख वा उपलब्ध कर सकता है**, और अपने आत्मा और उसकी दशा आदि के विषय में कोई सत्य ज्ञान लाभ कर सकता है। इसलिए ऐसा आत्मा अपने अस्तित्व और उसके पतन वा रोगों और उनके फलों के विषय में पूर्णतः अज्ञानी वा अबोधी वा अन्धकार की दशा में रहता है।

प्र.। तब एक ओर जो लोग अपने **आत्मिक अन्धकार** के कारण अपने आत्मा के गठन-प्राप्त अस्तित्व और उसके रोगों और उसकी बुरी चिन्ताओं वा बुरे कर्मों आदि के विषय में विविध सत्यों के देखने के निमित्त जिस **देव ज्योति** की आवश्यकता है, उससे **शून्य** हों, और दूसरी ओर उनके आत्मा इतने **कठोर** बन गए हों, कि उनमें वह ज्योति प्रवेश भी न कर सकती हो, तो क्या यही वह लोग हैं कि जो अपने आत्मा और आत्मिक जीवन के सम्बन्ध में सत्य बोधों वा ज्ञान के विचार से **पूर्णतः अन्धे** होते हैं?

उ.। जी हां। ऐसे सब जन – चाहे वह किसी भी कहलाने वाले "धर्म सम्प्रदाय" से सम्बन्ध रखते हों, और चाहे वह कोई भी धर्म मत मानते हों, और चाहे वह कोई भी धर्म मत न मानते हों, और चाहे वह किसी भी देश के रहने वाले हों – **आत्मिक अन्धकार से ग्रस्त होते हैं।** और इस **घोर अन्धकार वा अज्ञान की दशा** में रहकर

अपने अस्तित्व की **मुख्य और सार वस्तु अर्थात् आत्मा की महा हानि** करते हैं।

प्र.। तब तो मनुष्य के लिए उसकी यह **आत्मिक अन्धकार की दशा वा उसकी आत्मिक अन्धता महा भयानक दशा है**!!

उ.। निश्चय। जैसे मोतियाबिन्द के उत्पन्न और पूर्ण रूप से बढ़ जाने पर मनुष्य अपनी शारीरिक आंखों के द्वारा सूर्य की रोशनी में भी कुछ नहीं देख सकता, क्योंकि सूर्य की किरणें उसके ठोस मोतियाबिंद के कारण उसके भीतर प्रवेश नहीं कर सकतीं, और उसके आस पास की किसी वस्तु के आकार की छवि को उसकी मानसिक दृष्टि के सम्मुख नहीं ला सकतीं, और इसीलिए वह मानसिक दृष्टि रखकर भी उन वस्तुओं के रूप को नहीं देख सकता, वैसे ही जिन जिन मनुष्यों का आत्मा अपने आत्मिक रोगों के कारण इतना **कठोर** हो जाता है, कि फिर किसी शुभ अवसर के मिलने पर भी उसके आत्मा को ज्योतिर्मान करने वाली **देव ज्योति** की कोई किरण उसके भीतर प्रवेश नहीं कर सकती; तब **उसका आत्मा पूर्ण अन्धकार की ही दशा में रहता है**, और उसके रूप अथवा उसके भीतर की किसी बुरी वा पतित दशा आदि की कोई छवि उसकी मानसिक दृष्टि के सम्मुख प्रगट नहीं होती, और इसीलिए वह **उन के सत्यों के विषय में पूर्णतः अन्धा वा अज्ञानी रहता है।**

अब यदि ऐसे पूर्णतः अन्धे आत्माओं को बिठा कर उन्हें आत्मा के अस्तित्व और उसके नीच रागों वा उसकी नीच घृणाओं वा उनसे उत्पन्न उसके विविध रोगों वा उनसे मोक्ष की आवश्यकता वा विधि वा उसमें बल उत्पादक उच्च भावों की आवश्यकता और उनकी प्राप्ति की विधि आदि के सम्बन्ध में किसी **सत्य** का वर्णन किया जाय, तो भी उनके महा कठोर और इसीलिए पूर्ण अन्धकार ग्रस्त आत्माओं के सम्मुख उन विषयों के सम्बन्ध में **कोई सत्य प्रकाशित नहीं होता**; अथवा धर्म के नाम से वह जिस जिस प्रकार के विविध **मिथ्या विश्वासों में लिप्त होते हैं**, उनके विषय में उन्हें कोई सत्य ज्ञानदायिनी पुस्तक पढ़ने के लिए दी जाय, और वह उसे पढ़ भी सकते हों, और वह उसे पढ़ भी लें, तो भी उन्हें अपने **उन मिथ्या विश्वासों में से** किसी विश्वास का **मिथ्या रूप** वा **मिथ्यापन** दिखाई नहीं देता, और वह उसे पाठ कर लेने के बाद भी पहले की न्याईं **अंधे के अंधे ही रहते हैं।**

प्र.। जैसे आंख बनाने वाले विशेष विशेष चतुर जन ऑपरेशन करके जब किसी मोतियाबिन्द के बीमार की आंख से उस मोतियाबिन्द को निकाल देते हैं, तब फिर सूर्य की किरणें उसकी आंख के भीतर से प्रवेश करके उसके आसपास की एक वा दूसरी वस्तु की छवि को उसकी मानसिक दृष्टि के सामने रख देती हैं, और वह उन्हें देखने के योग्य बन जाता है; वैसे ही आत्मा के रोगों के कारण उसमें जो **कठोरता** उत्पन्न

हो जाती है, क्या वह इसी प्रकार की किसी विधि से दूर नहीं हो सकती?

उ.। जी नहीं। मोतियाबिन्द का बीमार तो अपने मन में यह स्पष्ट जानता है, कि वह पहले बीमार न था, और अब बीमार हो गया है, और उस बीमारी के कारण कई प्रकार की हानियां और कई प्रकार का कष्ट भोग रहा है, और इसीलिए वह अपने उस रोग से अपनी मोक्ष भी चाह सकता है, और इसीलिए मोतियाबिन्द के सैकड़ों बीमार उस रोग से अपनी मोक्ष चाहते हैं; परन्तु करोड़ों आत्मा अपने **सुख विषयक नीच अनुरागों** और उनसे उत्पन्न अपनी **नीच घृणाओं के दास रहकर** अपने आपको उनके कारण बीमार वा रोगी नहीं जानते और केवल यही नहीं कि उन्हें अपनी किसी **सुखकर** परन्तु **पतनकारी** चिन्ता वा क्रिया वा उसके द्वारा किसी पतन से कोई कष्ट अनुभव नहीं होता, किन्तु इसके विपरीत उन्हें उलटा सुख मिलता है, और वह इस दशा में इतने अंधे हो जाते हैं, कि फिर वह अपने किसी कहलाने वाले परन्तु झूठे उपास्य देवते और अपने कहलाने वाले परन्तु झूठे धर्म शिक्षकों के भिन्न किसी सच्चे उपास्य देव वा सच्चे धर्म शिक्षक को उसके सच्चे उपास्य वा सच्चे धर्म शिक्षक आदि के रूप में देखने के ही योग्य नहीं रहते, और वह अपनी बढ़ती हुई उसी आत्मिक पतित और अपनी दिनों दिन बढ़ने वाली अन्धकार ग्रस्त दशा में रहकर पूर्णत: सन्तुष्ट और प्रसन्न रहते हैं।

प्र.। क्या अन्धकार ग्रस्त मनुष्यात्माओं में कुछ ऐसे भी होते हैं, कि जिनके आत्मा यदि **पूर्णत: कठोर न बन गए हों**, तो अवसर मिलने पर उनमें देव ज्योति दाता की देव ज्योति की कुछ किरणें प्रवेश कर सकती हैं, और वह उस देव ज्योति की उन किरणों को पाकर अपनी योग्यता के अनुसार अपने अपने अस्तित्व और उसके आत्मिक रोगों और उन रोगों के कारणों और फलों आदि के विषय में एक वा दूसरे **सत्य** को देख सकते हों?

उ.। जी हां। जो मनुष्य आत्मा पूर्ण रूप से कठोर न बन गए हों, उनमें अनुकूल अवसर के उत्पन्न होने पर आत्म-प्रदर्शक देव ज्योति की किरणें अवश्य प्रवेश कर सकती हैं, और वह उनके आत्माओं को एक वा दूसरी सीमा तक ज्योतिर्मान भी कर सकती हैं, और उनके किसी मिथ्या धर्म मत वा विश्वास वा उनकी किसी बुरी क्रिया आदि को मिथ्या और बुरे रूप में दिखा सकती हैं, परन्तु जिन मनुष्यों के आत्मा पूर्णत: कठोर हो जाते हैं, उनकी ऐसी अन्धता फिर कभी और कहीं दूर नहीं हो सकती; और उनके लिए जब तक वह जिएं, अन्धकार ग्रस्त और अन्धे रहना और इसी दशा में दिनों दिन **पतित** होते जाना **अनिवार्य** है।

2- उलटी दृष्टि

_____

प्र.। उलटी दृष्टि किसे कहते हैं?

उ.। किसी मनुष्यात्मा में ऐसी दृष्टि का उत्पन्न हो जाना कि जिससे वह नेचर की नाना बातों को **उलटे रूप में देखता हो;** अर्थात् नेचर की नाना बातों में जो बात सत्य हो उसे वह मिथ्या, और जो मिथ्या हो, उसे सत्य, और जो हितकर हो, उसे अहितकर, और जो अहितकर हो, उसे हितकर रूप में देखता और विश्वास करता हो।

प्र.। यह तो बड़ी भयानक दशा है!!

उ.। जी हां। परन्तु मनुष्य में उसके सुख विषयक नीच अनुरागों और उनसे उत्पन्न उसके घृणा भावों के कारण नेचर के अटल नियमानुसार उसकी नाना बातों के सम्बन्ध में ऐसी **उलटी दृष्टि** का उत्पन्न हो जाना **अनिवार्य** है।

प्र.। वह किस प्रकार?

उ.। जिस नेचर की ही **शक्ति** और उसके **जड़** पदार्थों से मनुष्य का अस्तित्व बना है, जिस नेचर ने ही उसके अस्तित्व को प्रगट किया है, जिस नेचर के ही विविध अन्य अस्तित्वों की सहायता से वह **जीता** वा जी सकता है, जिस नेचर के ही जीवनवर्द्धक अटल नियमों को भंग करने से उसके अस्तित्व का **पतन** और फिर इस पतन के जारी रहने से उसका **नाश** होता है, और जिस नेचर के सत्य और शुभ नियमों के ज्ञान और पालन से उसके अस्तित्व की **रक्षा** और उसका **शुभ** हो सकता है, उस नेचर के इस सत्य रूप को वह **उलटे रूप** से देखता है। अर्थात्:-

(1) ऐसे उलटा दृष्टा जनों में से कितने ही **उलटा दृष्टा** जन नेचर में जो कुछ है, उसे केवल एक **शक्ति** के ही रूप में देखते और विश्वास करते हैं, और उसी शक्ति को **सत्य** और **नित्य** मानते हैं; और उसमें जो कुछ जड़ है, उसकी **वास्तविक** और **नित्य** सत्ता को वास्तविक और नित्य नहीं देखते और नहीं मानते, किन्तु उसे स्वप्नवत् और अनित्य मानते हैं।

(2) ऐसे उलटा दृष्टा जनों में से कितने ही जन नेचर में जो कुछ है, उस सब को केवल **जड़ रूप** में ही देखते हैं, और जड़ को ही **सत्य** और **नित्य** मानते हैं, और उसमें जो जो शक्तियां हैं, उनका **जड़ से ही प्रकाश** मानते हैं, और उनकी किसी **वास्तविक** और **नित्य** सत्ता को नहीं देखते और नहीं मानते।

(3) ऐसे उलटा दृष्टा जनों में से करोड़ों जन अपने अस्तित्व और अपनी अधिकृत नाना वस्तुओं को **एक मात्र सत्य और पूर्ण नेचर** का **अंश** और इसीलिए उन्हें उसी

नेचर के विकास विषयक शुभ कार्य में सेवाकारी होने में उनकी सफलता के देखने के स्थान में उसके उलट उन्हें अपने विविध प्रकार के सुखों की प्राप्ति के लिए काम में लाने में ही उनकी सफलता देखते हैं।

(4) ऐसे उलटा दृष्टा जनों में से लाखों जन एक वा दूसरे प्रकार के काम करने के योग्य होकर भी आलस्य सुख के अनुरागी होने के कारण **निकम्मे** रहने में अपना **लाभ** और किसी आवश्यक परिश्रम के करने में अपनी **हानि** देखते हैं।

(5) ऐसे उलटा दृष्टा जनों में से लाखों जन धन वा अन्य सम्पत्ति के अनुरागी बनकर उसके लगातार बढ़ाने में ही अपने जीवन की सफलता देखते हैं, और यदि वह कृपण बन जाने पर उसे अपने वा अपने आश्रित जनों की सच्ची शारीरिक आवश्यकताओं के लिए भी यथेष्ट रूप से काम में न ला सकें और न लावें, तो उसमें अपनी कोई **हानि** नहीं किन्तु अपना लाभ देखते हैं।

(6) ऐसे उलटा दृष्टा जनों में से लाखों लोग अपने धन, अपनी सम्पत्ति, अपनी शारीरिक शक्ति, अपनी किसी सोच विचार विषयक मानसिक शक्ति वा अपनी किसी विद्या, वा अपने किसी हुनर को **सच्चे परोपकार** विषयक कामों के निमित्त पूर्णत: वा अधिकांश रूप में **दान** करने और उसके द्वारा अपना **आत्मिक हित** और औरों का **भला** करने की अपेक्षा, उन्हें इस प्रकार से दान न करने और उन्हें अपनी सन्तान वा अन्य सम्बन्धियों को दे देने में ही अधिक **लाभ** देखते हैं।

(7) ऐसे उलटा दृष्टा जनों में से करोड़ों जन अपने विविध प्रकार के सुखों की प्राप्ति के निमित्त विविध प्रकार की मिथ्या, कपटता, प्रवंचना, विश्वासघातकता और नाना प्रकार की अन्याय वा अत्याचार-मूलक क्रियाओं के करने में अपनी कोई आत्मिक हानि नहीं देखते, किन्तु ऐसा करने में अपनी बड़ी चतुराई और अपना बहुत बड़ा लाभ देखते हैं।

(8) ऐसे उलटा दृष्टा जनों में से लाखों जन अपने पिता माता आदि के मरने और उनके धन और उनकी सम्पत्ति पर अधिकार पाने और आप भलीभांत कमा कर अपनी और अपने आश्रित जनों की पालना करने की योग्यता रखने पर भी, उनके उस सारे धन वा उनकी उस सारी सम्पत्ति वा उसके किसी बड़े अंश को **उनके आत्मिक शुभ वा औरों के किसी शुभ के निमित्त दान** करने के स्थान में उसे **अपने वा अपनों के सुख के लिए ही** काम में लाने में **अधिक लाभ** देखते हैं।

(9) ऐसे उलटा दृष्टा करोड़ों जन नाना सुखों के बोधी और उनके अनुरागी होकर **शुभ** के विरुद्ध उन सुखों की प्राप्ति को ही अपना **सत्य लक्ष्य** देखते हैं, कि जो लक्ष्य **सत्य नहीं।**

(10) ऐसे उलटा दृष्टाओं में से लाखों जन अपने अपने आत्मा के गठनप्राप्त रूप और उसके पतन और उसके जीवन सम्बन्धी नाना सत्यों के विषयों में पूर्ण अबोधी और अज्ञानी होकर और इसीलिए धर्म विषयक कोई सत्य ज्ञान न रखकर भी, अपने कुसंस्कार-जात अभ्यास के कारण किसी ऐसे जन को पूर्णत: भ्रान्त और पथ भ्रष्ट देखते हैं, कि जो देवात्मा की आत्मप्रकाशक देव ज्योति के पाने का सुअवसर पाकर धर्म के विषय में नेचर सम्मत कुछ सत्य ज्ञान लाभ करने के योग्य हो चुका हो।

(11) ऐसे उलटा दृष्टा जनों में से लाखों जन औरों के भिन्न अपने किसी सच्चे उपकारी और हिताकांक्षी की ओर से भी अपनी किसी मिथ्या वा पाप-मूलक **परन्तु सुखदायक** क्रिया के विरुद्ध कोई उपदेश या कोई बात सुनकर जब अपने उस सुख अनुराग पर आघात पाकर उसके प्रति **घृणा भाव** से भर जाते हैं, तब अपने उस **घृणा भाव** के कारण उसे **मित्र** के स्थान में **शत्रु** के रूप में देखते हैं, और जिनके साथ वह अपने एक वा दूसरे प्रकार के नीच सुख अनुराग से जुड़े हुए होते हैं और जो उनके आत्मिक पतन का कारण होते हैं, उन्हें **शत्रु** के स्थान में **मित्र** के रूप में देखते हैं।

(12) ऐसे उलटा दृष्टा जनों में से लाखों लोग अपने अहं अनुराग-जात **घमंड भाव** के कारण उन नाना जनों को जो किसी विषय में अपने बोध वा ज्ञान के विचार से उनसे वास्तविक बढ़िया होते हैं, अपनी अपेक्षा **घटिया देखते हैं**; जबकि उस विषय में वह आप न कोई बोध रखते हैं, और न कोई सत्य ज्ञान रखते हैं। इत्यादि इत्यादि।

3- नाना अनावश्यक और आत्मा के लिए महा हानिकारक दुखों की उत्पत्ति

- - - - - - - - -

(1) शरीर के सम्बन्ध में विविध प्रकार के महा हानिकारक कष्ट और उसकी अकाल मृत्यु करने वाले दुख

- - - - - - - - -

करोड़ों मनुष्य **स्वाद सुख, नशे सुख, काम सुख** और **आलस्य सुख** के अनुरागी बनकर अपने शरीर के विविध पाचनकारी और अन्य अंगों पर इतना **अन्याय वा अत्याचार** करते हैं, कि जिससे उनके **वह अंग बिगड़ जाते हैं**, और वह अपना अपना काम **ठीक तरह से** नहीं कर सकते। इन अंगों के ठीक काम न करने से उनके

खून के **विषाक्त पदार्थ** उनके शरीरों से भलीभांत बाहर नहीं निकलते, और वह उनके शरीरों में पड़े रहकर उनमें नेचर के अटल नियमानुसार **नाना प्रकार के रोगों की उत्पत्ति करते** हैं, और इन रोगों के उत्पन्न हो जाने से उनकी स्वास्थ्य नष्ट हो जाती है, और उनमें कई प्रकार के **कष्टों वा दुखों** की उत्पत्ति हो जाती है, और हज़ारों जनों के यह **कष्ट** इतने भयानक हो जाते हैं, कि उनके कारण ऐसे रोगी मनुष्य बहुत बुरी तरह से तड़पते, रोते और चिल्लाते हैं; और उनमें से कितने ही जन उन कष्टों और दुखों के **सहने का बल न रखने पर** और उनसे अत्यन्त तंग आकर अपने हाथ से ही अपने उस शरीर की (कि जिसमें वह पहले अपने हाथ से एक कांटा वा सुई तक चुभोना पसंद नहीं करते थे) **हत्या** तक करने के लिए तैयार हो जाते हैं, और ऐसी दशा में सैकड़ों जन अपने अपने **शरीर की हत्या** कर लेते हैं।

फिर जो लोग एक एक समय में किसी प्रकार के ऐसे महा कष्टों और दुखों को पाकर अपने अपने शरीर की हत्या नहीं भी करते, वह भी अपने नाना प्रकार के **अमिताचार** (बद परहेज़ी) से उसमें जिन कई प्रकार के **असाध्य रोगों** की उत्पत्ति कर लेते हैं, उनके कारण वह **वर्षों** तक और कई दशाओं में अपने इन **अमिताचार वा असंयम** विषयक अत्याचारों के कारण **सारी उमर** तक उनके दुख भोगते हैं।

फिर ऐसे लोगों में से जिन जिन के मस्तिष्क बहुत खराब हो जाते हैं, वह **पागल** हो जाते हैं।

इसी प्रकार जिन के शरीरों में सांघातिक कीड़ों के उत्पन्न हो जाने से क्षयी (तपेदिक) आदि रोग पैदा हो जाते हैं – और ऐसे रोग अनेक बार जवानी से पहले वा जवानी की उमर में ही उत्पन्न हो जाते हैं – उनके शरीरों की **आयु** बहुत घट जाती है, और ऐसी दशा में लाखों जनों की **छोटी वा जवानी की उमर में ही मृत्यु हो जाती है।**

(2) मोह बंधनजात आत्मा के लिए विविध प्रकार के महा हानिकारक दुख

लाखों पुरुष अपनी पत्नियों, और लाखों स्त्रियां अपने पतियों और ऐसे सब जन अपने अपने पुत्रों, अपनी अपनी लड़कियों, अपने अपने पोतों, अपने अपने घरों, अपनी अपनी ज़मीनों, अपने अपने धन, अपने अपने ज़ेवरों, अपने एक वा दूसरे प्रकार के पशुओं और अन्य विविध प्रकार के पदार्थों के साथ अपने अपने नाना नीच अनुरागों के द्वारा इतने बंध जाते हैं, कि फिर एक वा दूसरे समय में जब उनमें से उनका कोई ऐसा बंधन टूटता है, और उसके टूटने से उसके साथ उनका **वियोग** होता है, अर्थात् जब उसके मर जाने, भाग जाने, विमुख हो जाने, वा नेचर की किसी और दुर्घटना के

कारण उनके उस बंधन के टूट जाने से उनका वह संबंध कट जाता है, तब उसके द्वारा उन्हें जिस जिस प्रकार का आघात लगता है, और उस आघात से उनके भीतर जिस जिस प्रकार का दुख उत्पन्न होता है, और उस दुख से वह जिस तरह से बेचैन होते, रोते चिल्लाते, और तड़पते हैं, उसका दृश्य इस पृथ्वी के प्रत्येक देश में देखा जा सकता है। ऐसे लोग यदि नेचर के किसी मनुष्य वा पशु वा किसी भी पदार्थ को **अपना** समझकर उसके साथ किसी एक वा दूसरे **सुखदायक अनुराग से बंधने के स्थान में** उसे **अपना** न समझते, और उसके साथ किसी नीच सुख के द्वारा बंधने के स्थान में किसी **उच्च भाव** के द्वारा सम्बन्ध उत्पन्न कर सकते, तो वह इन महा दुखों में कभी ग्रस्त न होते।

(3) विफल कामनाजात नाना प्रकार के महा हानिकारक दुख

लाखों जन विवाह के द्वारा अपने लिए किसी पत्नी वा पति के न मिलने पर, लाखों जन विवाहित होकर भी किसी सन्तान के न होने पर, लाखों जन सन्तान के होने पर परन्तु किसी पुत्र के न होने पर; लाखों जन जितने धनी बनने की लालसा रखते हैं, उतने धनी न बनने पर; सैकड़ों जन जिस जिस प्रकार के पॉलिटिकल वा सोशल पद और सम्मान पाने के लिए अपने भीतर प्रबल वासनाएं रखते हैं, उनके न मिलने पर; सैकड़ों जन जिस किसी मानसिक ज्ञान सम्बन्धी परीक्षा में उत्तीर्ण होना चाहते हैं, उसमें उत्तीर्ण न होने पर; सैकड़ों जन जिस किसी विशेष स्त्री वा विशेष पुरुष से विवाह करने की प्रबल इच्छा रखते हैं, उस विषय में अपनी कामना के पूर्ण न होने पर; हज़ारों जन जिन जनों से अपने लिए प्रशंसा की प्राप्ति वा उनसे अप्रशंसित न होने की प्रबल वासना रखते हैं, उनसे किसी कारण से उस प्रशंसा के न पाने वा उनके द्वारा अप्रशंसित होने पर; सैकड़ों जन किसी रोज़गार की लगातार तलाश के बाद भी उसके न मिलने पर; हज़ारों जन अपने जिस किसी रोग से निवृत्ति पाने के प्रबल आकांक्षी होते हैं, उससे निवृत्ति न पाने पर; लाखों जन अपने जिस पारिवारिक सम्बन्धी वा अन्य जन को अपने सम्बन्ध में सदा सच्चा वा वफ़ादार देखने की प्रबल इच्छा रखते हैं; उसके **विमुख वा विश्वासघाती** बन जाने पर; लाखों जन जिस जिस से एक वा दूसरे प्रकार के सुख पाने की आकांक्षा रखते हैं, उससे उस सुख के न पाने पर; सैकड़ों जन जिस स्त्री वा पुरुष वा लड़के के प्रति किसी प्रकार का प्रेम अनुभव करते हैं, और उसे अपना प्रेमी बनाना चाहते हैं, उसके प्रेमी न बनने पर; और

लाखों जन इसी प्रकार की अपनी किसी अन्य कामना के पूरा न होने और विफलता और निराशा के उत्पन्न होने पर; जिस जिस प्रकार के आत्मिक दुख और नाना दशाओं में **महा घोर और दारुण** दुख पाते हैं, और हज़ारों जन ऐसे दुखों में से किसी दुख के सहने के योग्य न होने पर अपने अपने शरीरों की **हत्याएं** तक कर लेते हैं, और अकाल मृत्यु को प्राप्त होते हैं, उनके दृश्य इस पृथ्वी के प्रत्येक देश में देखे जा सकते हैं।

(4) कुसंस्कारजात नाना प्रकार के हानिकारक दुख

लाखों मनुष्य बाल्य काल से धर्म के नाम से वा नेचर के अन्य विविध विषयों के सम्बन्ध में अपने माता पिता और अन्य जनों की **मिथ्या** शिक्षा पाकर अपने इन कुसंस्कारों के कारण जिन **मिथ्याओं** के **अन्ध विश्वासी** बन जाते हैं, उनके कारण भी वह विविध समयों में बड़े बड़े दुख पाते हैं।

इस प्रकार के महा हानिकारक **मिथ्या विश्वासों के जाल में फंसकर** हज़ारों स्त्रियां सन्तान की उत्पत्ति के लिए किसी और के बताने पर दवा के नाम से ऐसी चीज़ें खाती हैं, कि जिससे उनके सन्तान तो कोई नहीं होती, किन्तु उलटा उनके शरीर में किसी एक वा दूसरे रोग की उत्पत्ति हो जाती है, और वह उस रोग से कष्ट पाती रहती हैं।

हज़ारों लोग किसी के कहने से जादू वा टोने के नाम से कई प्रकार के कर्म करके अपने लिए कई कष्ट खड़े कर लेते हैं। कितने ही जन किसी ''कीमियागर'' के जाल में फंसकर और अपने धन वा पहली सम्पत्ति को भी खोकर उसके चले जाने से दुख पाते हैं। सैकड़ों जन किसी कल्पना मूलक स्वर्ग सुख की प्राप्ति के आकांक्षी बनकर नाना प्रकार के **तप** विषयक विविध साधन ग्रहण करते हैं, और उनके द्वारा कई प्रकार का **वृथा दुख** भोगते हैं। लाखों जन किसी कल्पित देवता की प्रसन्नता और उसके द्वारा किसी कल्पित स्वर्ग विषयक सुखों की प्राप्ति के लालची बनकर दूर दूर के कहलाने वाले तीर्थ स्थानों की यात्रा करते हैं, और ऐसी कई प्रकार की कठिन यात्राओं से कई प्रकार का वृथा कष्ट पाते हैं। कितने ही जन ''योग'' के द्वारा किसी सुख की प्राप्ति के प्रबल लालसी बनकर कई प्रकार की ऐसी शारीरिक क्रियाओं के अभ्यासी बनते हैं, कि जिनके करने से उनकी शारीरिक स्वास्थ्य सदा के लिए नष्ट हो जाती है, और वह एक वा दूसरे रोग से रोगी होकर उसके कष्ट भुगतते हैं। इत्यादि इत्यादि।

इस प्रकार के कष्टों के सच्चे दृष्टान्त भी इसी पृथ्वी में देखे जा सकते हैं।

(5) ईर्षाजात महा हानिकारक दुख

जिन मनुष्यों में ''अहं'' अनुराग इतना प्रबल होता है, कि वह ''अपनी'' सच्ची वा झूठी **प्रशंसा** के भिन्न किसी और के किसी सच्चे **सद्गुण** की प्रशंसा को आराम से नहीं सुन सकते, और उसके सुनने पर अपने हृदय में आघात लाभ करते और कष्ट अनुभव करते हैं; अथवा ''**अपनी**'' अपेक्षा किसी विषय में किसी को **बढ़िया वा अधिक सुखी** देखकर वा जान कर प्रसन्न होने के स्थान में दुखी होते हैं, ऐसे जनों के इस प्रकार के सब दुख ईर्षाजात दुख कहलाते हैं। इस पृथ्वी में हज़ारों स्त्री पुरुष इस प्रकार के ईर्षाजात दुखों से जलते और कुढ़ते रहते हैं। और जिन में इस महा नीच ईर्षा भाव के साथ प्रतिशोध भाव भी प्रबल रूप में वर्तमान हो, वह किसी ऐसे जन की जिससे वह ईर्षा रखते हों, एक वा दूसरी विधि से हानि करने के लिए भी यत्न करते हैं।

(6) द्वेषजात महा हानिकारक दुख

किसी जन से अपने किसी अभीष्ट वा मनोरथ के पूरा न होने पर उससे आघात और दुख पाकर जिन जनों में उसके वा उसके प्रिय जनों के सम्बन्ध में आप **हानि** करने वा औरों के द्वारा उसकी हानि कराके अपने उस दुख का बदला लेने का महा नीच भाव उत्पन्न हो जाता है, उस भाव को **द्वेष भाव** कहते हैं।

किसी के सम्बन्ध में यहां तक कि किसी हिताकांक्षी के सम्बन्ध में भी - इस महा नीच भाव के भड़क उठने पर लाखों जनों के हृदय उसके सम्बन्ध में जलते और दुखी रहते हैं, और जिन जनों में यह द्वेष भाव बहुत विकट रूप धारण करता है, वह उसकी प्रबल प्रेरणा से औरों के सम्मुख भी यह बात प्रगट करते रहते हैं, कि मैं जब तक उसकी अमुक अमुक प्रकार की **हानि** - और कई दशाओं में उसकी हत्या भी - न कर लूंगा, तब तक मेरा यह जलता हुआ दिल ठंडा और मेरा दुखी दिल शान्त न होगा।

(7) घमंडजात महा हानिकारक दुख

लाखों मनुष्य अपने अहं अनुरागजात घमंड भाव के कारण जहां अपने आपको औरों की अपेक्षा ऐसे विषयों में भी **झूठ मूठ बढ़िया** समझते वा विश्वास करते हैं,

कि जिनमें वह **वास्तविक** उनकी अपेक्षा **बहुत घटिया** होते हैं, वा जिन विषयों में वह कुछ भी सत्य ज्ञान नहीं रखते, वहां वह अपने इसी बुरे भाव के कारण अपने से बढ़िया जनों की अपेक्षा अपनी कीमत भी झूठमूठ बहुत लगा लेते हैं। ऐसे जन ऐसी दशा में किसी से भी – यहां तक कि अपने किसी हिताकांक्षी से भी – अपनी किसी **वास्तविक** बुरी गति वा क्रिया के सम्बन्ध में कोई शिकायत वा हितकर बात सुनकर अपने हृदय में बहुत आघात और कष्ट बोध करते हैं, और उससे कितने कितने काल तक दुखी रहते हैं। इसी बढ़े हुए घमंड की दशा के कारण वह कई ऐसे जनों के साथ भी उलझ पड़ते और लड़ाई झगड़ा आदि खड़ा कर लेते हैं, कि जिनसे भी वह कई प्रकार के वृथा कष्ट पाते हैं। कितने ही अपने शारीरिक बल के घमंड में अपने बढ़ियापन के दिखाने के निमित्त अपने चलने फिरने, दौड़ने भागने आदि में बेपरवाही करके वा किसी मनुष्य वा पशु आदि पर अकारण आक्रमण करके और अपने शरीर के किसी अंग को भंग करके वा उसकी कोई और हानि करके कई प्रकार का **दुख** भुगतते हैं।

(8) अपराधजात विविध प्रकार के हानिकारक दुख

लाखों मनुष्य धन सम्पत्ति आदि विविध सुखों के दास होकर जब उनकी प्राप्ति के लिए चोरी, ठगी, घूस (रिश्वत), बटमारी, डकैती, जालसाज़ी आदि और अन्य हज़ारों जन अन्य विषयों के सुखों के अनुरागी होकर विविध प्रकार के अन्य **अपराध -मूलक** कर्म ग्रहण करते हैं, और अपने उन कर्मों के कारण किसी देश की अपराध विषयक दंड विधि की झपेट में आ जाते हैं, तब वह उनके कारण दंड विषयक भय और अन्य कई कष्टों के भिन्न कारागार (जेल) आदि के दंड का भी दुख भोग करते हैं। इस प्रकार के कष्टों ओर दुखों के दृष्टान्त भी इसी पृथ्वी के विविध देशों में साक्षात् रूप में देखे जा सकते हैं।

4-आत्मा के बल का नाश और उसकी पूर्ण मृत्यु

जिस प्रकार मनुष्य के **गठनप्राप्त शरीर** में विविध **रोगों** के उत्पन्न हो जाने से, उसे कई प्रकार के **कष्टों वा दुखों** के मिलने के भिन्न, उसके शरीर के **बल** का भी नाश होता है, और एक एक रोग के लगातार जारी रहने पर उसका बल धीरे धीरे बराबर **घटता** चला जाता है, यहां तक कि उसका यह बल जब इतना नष्ट हो जाता

है, कि फिर उसके जीवित रखने वाले अंग अपना अपना काम करने के ही योग्य नहीं रहते, तब उसकी **पूर्ण मृत्यु** हो जाती है; उसी प्रकार मनुष्य के **गठनप्राप्त आत्मा** में जब उसके सुख विषयक विविध अनुरागों और उनके उलट उसके घृणा भावों के कारण विविध प्रकार के **आत्मिक रोग** उत्पन्न हो जाते हैं, और वह बढ़ते चले जाते हैं; और उनके द्वारा उसका पतन होता जाता है; तब जैसे एक ओर इस पतन से उसका **आत्मिक बल** घटता जाता है, वैसे ही दूसरी ओर जब उसका यह बल **पूर्णत: नष्ट हो जाता है, तब उसके आत्मा की भी पूर्ण मृत्यु हो जाती है।**

जैसे शरीर के सम्बन्ध में नेचर का यह **अटल नियम** है, कि चाहे वह रोगी न भी हो, तो भी उस के घटते हुए बल की पूर्णता के निमित्त उसे प्रतिदिन जितने **बल** की प्राप्ति के लिए जिस जिस प्रकार के आहार, जितने जितने अंश सूर्य की ज्योति और उसके ताप की प्राप्ति और शुद्ध वायु में श्वास लेने और रहने, और उचित रूप में उसके अंगों को व्यायाम वा परिश्रम के द्वारा हिलाने जुलाने और संयमी होने आदि की नितान्त **आवश्यकता** है, यदि उनमें से किसी की भी कमी की जाय, तो उससे एक ओर जहां उस में **उतना बल** उत्पन्न न होगा, वहां उसकी ऐसी कमी की मात्रा के अनुसार उसका पहला **संचित बल भी घटता जाएगा।** आहार के पूर्णत: छोड़ देने वा न मिलने और अतिशय परिश्रम करने से शरीर का **बल** जो घट जाता है, उसका प्रमाण जैसे इसी पृथ्वी में जगह जगह देखा जा सकता है; वैसे ही प्रत्येक मनुष्य के आत्मा को – चाहे युक्ति देने के लिए वह मिथ्या और अपहरण आदि रोगों से ग्रस्त न भी माना जाय – प्रतिदिन अपने **पहले आत्मिक बल** को नष्ट होने से **बचाने** और उसमें **नए बल** के उत्पन्न करने के निमित्त नेचर के अटल नियमानुसार उसके विविध जगतों के नाना अस्तित्वों के **शुभ वा भले के लिए** जितने अंश **विशुद्ध रूप से सेवाकारी बनने**, और किसी ऐसी सेवा के निमित्त उसे जिन जिन **सात्विक भावों** की प्राप्ति की आवश्यकता है, वह सात्विक भाव यदि उसमें वर्तमान न हों, तो उसमें अपने **शरीर के निर्माण करने की जो पहले से शक्ति वर्तमान थी**, वह **किसी निर्माणकारी चिन्ता वा क्रिया के न होने से** धीरे धीरे लगातार **घटती चली जाएगी**, और वह आत्मा दिनों दिन अधिक से अधिक **निर्बल** होता जाएगा। फिर यदि उसमें कोई भाव ऐसे वर्तमान हों, जिनके द्वारा वह परसेवा विषयक कुछ न कुछ क्रियाएं करके अपने आत्मा में **कुछ बल** उत्पन्न कर लेता हो, उनके काम में भी जब किसी कारण से कोई विघ्न उत्पन्न हो जाएगा वा कमी आ जाएगी वा उनका काम पूर्णत: बन्द हो जाएगा, तब उसका **बल** केवल यही नहीं कि बढ़ेगा नहीं, किन्तु **घटता** चला जाएगा। और उसके पूर्ण रूप से घट जाने पर उसकी एक दिन उसी प्रकार से मृत्यु हो जाएगी, जिस

प्रकार से उसके वा किसी और के जीवित शरीर के बल के पूर्ण रूप से चले जाने से उस शरीर की मृत्यु हो जाती है; अर्थात् वह फिर जीवित नहीं रहता और **पूर्णतः** मर जाता है।

प्र.। यह क्योंकर जाना जा सकता है, कि किसी मनुष्य के आत्मा का **अपना बल घट रहा** है, और वह दिनों दिन निर्बल होता जा रहा है?

उ.। आत्मिक बल का घटना जिन चार प्रकार के लक्षणों से जाना जा सकता है, वह यह हैं:-

(1) उच्च घृणा भाव विषयक बल का नाश

यदि किसी मनुष्य में अपने शरीर वा अपने आत्मा वा दोनों के सम्बन्ध में पहले किसी प्रकार की ऐसी **चिन्ता** वा **क्रिया** के लिए **उच्च घृणा** वर्तमान थी, कि जो उसके लिए **हानिकारक** थी, और जिस उच्च घृणा के **बल** से वह उस चिन्ता वा कर्म को **नहीं** करता था, और उसके **हानिकारक फलों से सुरक्षित रहता था;** परन्तु कुछ काल के अनन्तर वह इस दशा में पहुंच गया, कि वह उस हानिकारक चिन्ता वा क्रिया के सम्बन्ध में अपने उस **उच्च घृणा विषयक भाव से शून्य वा रहित हो गया**, अर्थात् उसका **यह भाव नष्ट हो गया**, और फिर उसके अनन्तर उसमें उस प्रकार की चिन्ता और उस प्रकार के कर्म के लिए केवल यही नहीं कि कोई घृणा नहीं रही, किन्तु उसके उलट उसके सुख के प्रति उसमें आकर्षण उत्पन्न हो गया, और वह इस सुख के आकर्षण से परिचालित होकर उसे ढूंढने और लाभ करने लगा; तो उसका यह **लक्षण** इस बात का प्रमाण है, कि उसमें पहले जो उच्च घृणा विषयक भाव का बल वर्तमान था, वह **बल** उसमें एक वा दूसरे कारण से नष्ट हो गया। इस सत्य का प्रमाण इसी पृथ्वी के नाना लोगों के जीवनों से मिल सकता है।

(2) उच्च दुख भाव विषयक बल का नाश

यदि पहले किसी जन के आत्मा में किसी ऐसी चिन्ता वा क्रिया के करने से किसी **दुख वा जलन** की उत्पत्ति होती थी, कि जो उसके लिए **हानिकारक** थी, और वह उस **दुख** के कारण अपने मन मन में उससे आगामी काल में बचने के लिए बार बार आकांक्षा करता था, वा कोई और उपाय ग्रहण करता था; परन्तु धीरे धीरे वह

इस दशा में पहुंच गया, कि उसे फिर उस प्रकार की किसी चिन्ता वा क्रिया के करने से **कुछ भी दुख बोध नहीं होता**, किन्तु **उलटा** सुख बोध होता है, और वह वैसी चिन्ता और क्रिया करके उससे सुख के पाने का यत्न भी करता है, तो उसका यह **लक्षण** इस बात का प्रमाण है, कि उसमें पहले **उच्च दुख उत्पादक जो भाव विषयक बल वर्तमान था**, वह चला गया।

इसी प्रकार यदि कोई जन पहले किसी के संबंध में कोई अनुचित वा अपराध वा अन्याय वा पाप-मूलक क्रिया करके उसका **बोध** होने वा उसका बोध कराए जाने पर केवल यही नहीं, कि वह अपने हृदय में दुख अनुभव करता था, किन्तु वह **इतना दुख** अनुभव करता था, कि उसका हानिप्राप्त जन के सम्मुख अपने मुख वा पत्र के द्वारा प्रकाश करने, उसके सम्बन्ध में **कोई दंड लेने** वा किसी विधि से उसकी उस हानि का **उचित परिशोध** करने के लिए तैयार हो जाता था, और अपने किसी ऐसे दुख का प्रकाश वा उसका परिशोध करके ही **अपने आत्मा में शान्ति वा आराम पाता था**; परन्तु फिर वह एक ऐसी दशा में पहुंच गया, कि जिसमें वह इस प्रकार की कोई क्रिया करके उससे **कुछ भी दुख बोध नहीं करता**, और अपने द्वारा किसी हानिप्राप्त जन के सम्मुख उसका कोई प्रकाश करना नहीं चाहता और नहीं करता, और न उसका कोई परिशोध करता वा करना चाहता है; तो उसका यह **लक्षण** इस सत्य का पूर्ण प्रमाण है, कि उसमें **उच्च दुख उत्पादक जो भाव पहले वर्तमान था**, और उसके बल से परिचालित होकर वह अपने आत्मा के लिए जिस जिस प्रकार की **मोक्ष उत्पादक क्रियाएं** करता था, उसका वह **उच्च भाव** वा उच्च बल नष्ट हो गया। यह सत्य लक्षण भी इसी पृथ्वी के नाना लोगों के जीवनों में देखा जा सकता है।

(3) उच्च आकर्षण वा उच्च सुख विषयक भाव बल का नाश

यदि पहले किसी जन में किसी और आत्मा के किसी **सच्चे सात्विक गुण**, अथवा इससे भी ऊपर **देवात्मा** की किसी देव शक्ति वा उसके कार्य के **सौन्दर्य** के देखने के लिए जिस **देव ज्योति** की आवश्यकता है, वह ज्योति उसे प्राप्त होती थी, और वह केवल यही नहीं कि उस **सौन्दर्य** के देखने के योग्य था, किन्तु उस सौन्दर्य के प्रति अपने हृदय में उच्च **आकर्षण** भी बोध करता था; और इससे भी बढ़कर वह इस आकर्षण की प्रबल प्रेरणा के अनुसार उस **सौन्दर्य की महिमा औरों के सम्मुख**

भी मुक्त कंठ से वर्णन करता था; और वह इस भाव से परिचालित होकर प्रतिदिन अपने **निज के साधन** के द्वारा उनकी महिमा को आप भी उपलब्ध करने और उसके द्वारा **अपनी नीचता** का बोध लाभ करने और उस बोध से अपने आत्मा की कठोरता को दूर करके उसे **नम्र वा कोमल** बनाने और इस सारी विधि से अपने भीतर **श्रद्धा के उच्च वा सात्विक भाव के जाग्रत वा उन्नत करने का साधन करता था;** और ऐसे साधन से वह एक प्रकार का **उच्च सुख वा उच्च रस** भी लाभ करता था; परन्तु फिर वह एक ऐसी दशा में पहुंच गया कि जिसमें उसके भीतर किसी ऐसी महिमा के देखने और उपलब्ध करने और उसके द्वारा अपने आत्मा में श्रद्धा भाव के जाग्रत वा उन्नत करने के लिए कोई उच्च आकर्षण नहीं रहा, और उसे किसी ऐसे साधन से कुछ **सुख** वा **रस** मिलना बंद हो गया, और उसका हृदय पहले की न्याई कठोर वा शुष्क हो गया; अथवा यदि वह पहले अपने सम्बन्ध में किसी **उपकारी के उपकारों की सुन्दर छवि** को सम्मुख लाकर उसके उस उपकारी रूप के प्रति अपने हृदय में कोई **कृतज्ञता** का भाव अनुभव करता था, और अपने इस कृतज्ञ भाव से परिचालित होकर उसकी कोई **विशुद्ध शुश्रूषा वा सेवा** करता था, उस सेवा के प्रति उसमें कोई आकर्षण नहीं रहा; अथवा यदि वह किसी **परोपकार विषयक** काम के प्रति पहले कोई **आकर्षण** बोध करता था, और उसमें किसी प्रकार की कोई **सहाय** करता था, परन्तु फिर उसमें उस परोपकार विषयक कार्य के लिए **कोई आकर्षण नहीं रहा**, और उसे किसी भी ऐसी हितकर क्रिया से **कुछ सुख वा रस नहीं मिलता**, तो उसके ऐसे सब लक्षण इस बात का पूर्ण प्रमाण हैं, कि उसके आत्मा में इन सब विषयों के सम्बन्ध में जो जो **उच्च आकर्षण** वर्तमान था, और इस उच्च आकर्षण के अनुसार उसे किसी हितकर क्रिया वा साधन के करने से जो उच्च सुख वा उच्च रस मिलता था, उसका **नाश** हो गया, और उसका वह उच्च आकर्षण विषयक **आत्मिक बल नष्ट हो गया।**

(4) निर्माणकारी शक्ति का नाश

नेचर के अटल नियमानुसार उद्‌भिद और पशु जगत् की लाखों गठनप्राप्त जीवनी शक्तियों की न्याईं मनुष्य का आत्मा भी जब तक अपने लिए कई प्रकार के आवश्यक अंगों से विशिष्ट किसी गठनप्राप्त जीवित शरीर के बनाने और उसे जीवित रखने के निमित्त अपने भीतर **निर्माणकारी शक्ति** रखता है, तभी तक वह उसके द्वारा कोई गठन-प्राप्त जीवित शरीर बनाकर जैसे एक ओर अपने आप को **प्रकाश** कर

सकता है, वैसे ही दूसरी ओर जहां तक सम्भव हो, आप भी जीवित रह सकता है।

फिर नेचर के ही अटल नियमानुसार उसे **अपनी इस निर्माणकारी शक्ति के बल** को जहां एक ओर अपनी और नेचर की अन्य कई प्रकार की **शक्तियों के पतन वा विनाशकारी प्रभावों से मोक्ष देने** और बचाने की आवश्यकता है, वहां दूसरी ओर उसकी उन्नति वा उसके **विकास** के निमित्त अपने अस्तित्व में विविध प्रकार के **उच्च भावों** के उत्पन्न और उन्नत करने की भी आवश्यकता है; और यदि वह किसी ऐसी **मोक्ष** और किसी ऐसे **विकास** के लाभ करने के योग्य न बने वा न बन सके, अथवा योग्य होने पर उनके लाभ करने का वह कोई अवसर ही न पा सके; तब उससे एक ओर जैसे उसकी इस **निर्माणकारी शक्ति का बल उसकी हानि की अपेक्षा अधिक न बढ़ेगा**, वैसे ही दूसरी ओर नेचर के विकासकारी नियम के **विरुद्ध** चलने से उसका अपना पहला बल भी धीरे धीरे घटता चला जाएगा। और जब उसकी इस **शरीर निर्माणकारी शक्ति** का यह बल घटते घटते पूर्णतः चला जाएगा, तब वह यहां वा कहीं और अपने निर्माण किए हुए किसी भी शरीर के छोड़ने वा छूटने पर **किसी अन्य शरीर के निर्माण करने के योग्य न रहेगा**; और ऐसी दशा में पहुंचकर उसके उस **शरीर के मरने के साथ ही उसकी अपनी मृत्यु का हो जाना** और अपने व्यक्तिगत अस्तित्व के विचार से पूर्णतः नष्ट हो जाना भी अनिवार्य है।

प्र.। यह तो बड़ी भयानक दशा है!! परन्तु क्या प्रत्येक जीवित शरीर निर्माणकारी जीवनी शक्ति की **मृत्यु** के सम्बन्ध में नेचर का **यही अटल नियम** है?

उ.। जी हां। पहले तुम उद्भिद् जगत् की जीवनी शक्तियों के विषय में इस सत्य को उपलब्ध करो। अब तुम यदि गेहूं वा छोले वा मूंग वा मटर के किसी ऐसे दाने को जिसमें **एक नए जीवित पौदे** के निर्माण करने वा बनाने की **शक्ति** वर्तमान हो, और जिसे तुम यदि अनुकूल ऋतु और अनुकूल भूमि में बो दो, और फिर जल आदि के द्वारा उसकी उस निर्माणकारी शक्ति के कार्य में सहायता करो, तो उससे गेहूं वा छोले वा मूंग वा मटर का एक जीवित पौदा बनकर तैयार हो सकता है; परन्तु यदि तुम उसे किसी विधि से किसी नए जीवित पौदे के **बनाने वा निर्माण करने का कोई अवसर न दो**, और उसे पूर्णतः **निकम्मा** पड़ा रहने दो, तो नेचर के अटल नियमानुसार उसका यह फल होगा, कि उसमें पहले किसी नए पौदे के बनाने और उसके सम्बन्ध में प्रतिदिन काम करके अपने भीतर के **निर्माणकारी बल के बढ़ाने वा उन्नत करने के लिए जो शक्ति वर्तमान थी**, वह **निकम्मी** पड़े रहने से दिनों दिन **अपने बल को खोती जाएगी**, और फिर किसी विशेष काल में उसकी वह **निर्माणकारी**

शक्ति पूर्णतः नष्ट हो जाएगी। और जब उसकी यह निर्माणकारी शक्ति पूर्णतः चली जाएगी, तब फिर यदि तुम उस दाने के द्वारा किसी पौदे के उत्पन्न करने के निमित्त उसे किसी अनुकूल भूमि में भी बोओ, और उसके उगने और बढ़ने के निमित्त सब अनुकूल बातों के द्वारा उसकी सहायता भी करो, **तो भी वह फिर कोई नया पौदा न बना सकेगा।** क्यों? इसलिए कि एक नए पौदे के बनाने के लिए उस दाने में पहले जो **निर्माणकारी शक्ति** वर्तमान थी, वह शक्ति ही उस दाने के निकम्मे पड़े रहने से काल के साथ साथ धीरे धीरे **नष्ट** हो गई।

यह वह अटल सत्य है, कि जिसका तुम इसी लोक में अपनी **ठीक परीक्षा** के द्वारा प्रमाण पा सकते हो।

प्र.। यह बात तो पूर्णतः सत्य है, परन्तु इसका क्या प्रमाण कि उस दाने में जो एक नए पौदे की बनाने वाली वा निर्माणकारी जीवनी शक्ति वर्तमान थी, उसने उस दाने से निकल कर अपने लिए किसी और स्थान में कोई नया पौदा नहीं बना लिया, और वह उस में रहकर जीवित नहीं?

उ.। नेचर के अटल नियमानुसार उसके लिए ऐसा करना **सम्भव नहीं।**

प्र.। क्योंकर?

उ.। मान लो, कि वह गेहूं के दाने की जीवनी शक्ति है, और उसमें इतनी बलिष्ठ निर्माणकारी शक्ति भी वर्तमान है, कि जो अनुकूल दशा के मिलने पर उस दाने से एक नया पौदा भी बना सकती है। परन्तु नेचर के अटल नियमानुसार जब तक उसे उत्तेजित करने के लिए उसे इस पृथ्वी की किसी अनुकूल भूमि और अनुकूल ऋतु में बोकर उसकी जल आदि से सहायता न की जाय, अथवा उसे किसी और स्थान में कोई अनुकूल दशा प्राप्त न हो, तब तक वह किसी नए पौदे के बनाने और उसके विकसित करने का कोई काम ही नहीं कर सकती। फिर यदि उसे इस प्रकार के कार्य के निमित्त कोई अनुकूल सामान भी मिल जाएं, तो भी उसे पहले पहल एक नए पौदे के बनाने के लिए **जिस अनुकूल सामग्री की आवश्यकता है,** उसे वह कुछ दिन तक नेचर के ही अटल नियमानुसार **अपने उस दाने के कलेवर से ही ले सकती है,** इसके बिना कदापि नहीं। फिर यदि वह दाना किसी भूमि से संलग्न हो और उसमें से जड़ बनकर भूमि तक पहुंच चुकी हो, तो इसके अनन्तर वह नेचर के ही अटल नियमानुसार अपनी उस जड़ वा उन जड़ों के द्वारा उस मिट्टी की नरम और गीली जगह से **वह सब पदार्थ खैंचने के योग्य हो सकती** है, कि जिस सामग्री से वह उस पौदे के जीवित आकार को और अधिक बड़ा बना सकती है। अब जब तक नेचर के इन सब नियमों के अनुसार सारी बातें पूरी न हों, तब तक वह कोई जीवित और

बड़ा पौदा नहीं बना सकती। अब तुम यदि उस गेहूं के दाने की जीवनी शक्ति के सम्बन्ध में नेचर के इन अटल नियमों को पूरा न होने दो, तो वह किसी प्रकार से और **किसी और विधि** से फिर कोई पौदा बना नहीं सकेगी।

इस के भिन्न यदि तुम उसे इस नए पौदे के बनाने के काम से रोक कर **पूर्णत: निकम्मा** पड़ा रहने दो, तो उसके इस प्रकार निकम्मा पड़ा रहने से नेचर की उन अन्य प्रतिकूल असर डालने वाली शक्तियों के कारण जिन से वह घिरी हुई होती है, **उसके लिए धीरे धीरे अपनी इस निर्माणकारी शक्ति के बल को खोना और मृत्यु की ओर गति करना और एक दिन पूर्णत: नष्ट हो जाना भी अनिवार्य है।**

फिर वह अपनी निर्माणकारी शक्ति के रहते रहते भी सिवाय **उस विशेष दाने की सामग्री के कि जिसमें उसका निवास है, पहले पहल कहीं और किसी और सामग्री के द्वारा** अपने इस पौदे के बनाने का कार्य नहीं कर सकती। इसीलिए या तो उसे एक नए पौदे के बनाने के निमित्त अपनी निर्माणकारी शक्ति में जितने बल की आवश्यकता है, उसके नष्ट हो जाने से पहले पहले ऐसी अनुकूल दशा मिले, कि जिससे उत्तेजित वा जाग्रत होकर वह अपने उस दाने से उस सामग्री को ले ले, और उससे एक नन्हा सा पौदा बना कर और फिर आगे चलकर उस भूमि से उसके बनाने की सामग्री लाभ करे, कि जिस के साथ वह अपने इस नन्हे पौदे की जड़ को संलग्न कर चुकी हो, या वह अपने चौतरफा प्रतिकूल असरों के द्वारा **अपने इस निर्माणकारी बल को धीरे धीरे पूर्णत: खोकर** एक दिन आप भी नष्ट हो जाए। नेचर के इस अटल नियम के पूरा होने के बिना वह किसी और जगह वा किसी और विधि से जीवित नहीं रह सकती, और उसकी **मृत्यु का हो जाना अनिवार्य** है।

फिर नेचर के इसी अटल नियम के अनुसार यदि किसी पशु वा मनुष्य का कोई ऐसा भ्रूण (अधूरी दशा का बना हुआ बच्चा) जो किसी दुर्घटना से गर्भपात के हो जाने के कारण **समय से बहुत पहले उत्पन्न हो गया हो,** उसकी जीवनी शक्ति भी **पहली अनुकूल दशा के चले जाने से** फिर उस भ्रूण में से किसी कीड़े वा पक्षी वा किसी बछड़े वा किसी मनुष्य आदि के जीवित आकार के बनाने का कोई काम न कर सकेगी; और उसके निर्माणकारी काम के बन्द हो जाने पर जैसे उस भ्रूण के भीतर की **जीवनी शक्ति** का धीरे धीरे नष्ट हो जाना अनिवार्य है, वैसे ही उस भ्रूण का मर जाना वा नष्ट हो जाना भी अनिवार्य है।

यह सब ऐसे सत्य हैं कि जिनका इसी पृथ्वी में **ठीक परीक्षा** के द्वारा **पूर्ण प्रमाण** मिल सकता है।

प्र.। तब क्या प्रत्येक मनुष्यात्मा के लिए अपनी **निर्माणकारी शक्ति** को अपनी

और नेचर की विविध प्रकार की अन्य शक्तियों के विनाशकारी प्रभावों से **बचाने** वा **मोक्ष पाने** और उसमें नेचर के नाना जगतों के सम्बन्ध में निर्माण कार्य करने वाली उच्च शक्तियों को उत्पन्न करके उनके द्वारा **उसे उन्नत** वा विकसित करने की आवश्यकता है?

उ.। जी हां।

प्र.। और यदि कोई स्त्री वा पुरुष ऐसा न करे, वा न कर सके, तो क्या उसके आत्मा का धीरे धीरे पतित होते जाना और अपनी निर्माणकारी शक्ति के बल को खोना और फिर किसी काल में उसके बल को पूर्णत: खो चुकने पर **अपने व्यक्तिगत अस्तित्व के विचार से पूर्णत: नष्ट हो जाना वा मृत्यु को प्राप्त हो जाना भी अनिवार्य है**?

उ.। जी हां। और प्रत्येक जन के लिए अपने विनष्ट होने से पहले अपने आत्मिक रोगों से उत्पन्न विविध प्रकार के अनावश्यक और अनुचित शारीरिक कष्टों और मोह आदि जात विविध प्रकार के अन्य आत्मिक दुखों को प्राप्त होना और भोगना भी अनिवार्य है।

इसलिए गठनप्राप्त जीवित आत्मा होकर और फिर अपनी निर्माणकारी शक्ति के द्वारा एक गठन–प्राप्त जीवित शरीर को बनाकर जो जन एक ओर अपनी उस आत्मिक गठन की **आत्मिक रोगों से रक्षा करने** और उसे अपने भीतर की जिन जिन पतनकारी शक्तियों के विनाशकारी प्रभावों से मोक्ष देने की आवश्यकता है, उनसे मोक्ष पाने के योग्य नहीं बनता, वा नहीं बन सकता वा नहीं बनना चाहता; और दूसरी ओर अपनी गठन में विविध प्रकार के उच्च भावों को उत्पन्न करके और नेचर के विविध विभागों के सम्बन्ध में उनके द्वारा सेवाकारी बनकर अपनी निर्माणकारी शक्ति को उन्नत वा उसका विकास करना नहीं चाहता, वा उसका विकास कर नहीं सकता; और वह नेचर के विकासकारी नियम को अपने अस्तित्व में पूरा नहीं करता, वा नहीं कर सकता; उसका **नेचर के इस अटल नियम के विरुद्ध गति करके** एक न एक दिन अपनी आत्मिक गठन को पूर्णत: नष्ट कर देना और अपने उस अस्तित्व के विचार से **पूर्णत: नष्ट हो जाना अनिवार्य है**। और जब तक उसके इस अस्तित्व का पूर्ण नाश न हो, और वह कुछ न कुछ जीवित रहे, तब तक अपने पतनजात **एक वा दूसरे प्रकार के शारीरिक कष्टों और कई प्रकार के आत्मिक दुखों को पाना और भोगना भी अनिवार्य है**।

प्र.। तब क्या मनुष्य के आत्मा में जिस निर्माणकारी शक्ति का प्रकाश हुआ है, उस **निर्माणकारी शक्ति** को घटाने वा नष्ट करने वाली उसकी जो जो नीच सुख

अनुराग विषयक आत्मिक शक्तियां हैं, उनके अधिकार से मोक्ष और रक्षा पाना, और **उसके बल** को बढ़ाने वा उसे विकसित करने वाले जो जो उच्च वा सात्विक भाव हैं, उनकी प्राप्ति ही मनुष्य का मूल लक्ष्य है?

 उ.। जी हां। जिस किसी अधिकारी मनुष्य के आत्मा में इस सत्य ज्ञान की जाग्रति वा उसका बोध हो जाय, वही इस एक मात्र मूल लक्ष्य को अपना मूल लक्ष्य देख वा जान सकता है, परन्तु जिसमें इस बोध की जाग्रति न हो, वा न हो सके; वह अपने आत्मा के इस मूल लक्ष्य को जान नहीं सकता। ऐसी दशा में उसके लिए इस मूल बात के सम्बन्ध में अन्धकारग्रस्त वा अज्ञानी रहना और **पतन** के मार्ग पर चलना और **पतित** होते होते और विविध प्रकार के दुख भोगते भोगते अपने सार अस्तित्व के विचार से नष्ट हो जाना **अनिवार्य है।**

पच्चीसवां अध्याय

अधिकारी मनुष्यों की जहां जहां तक आत्मिक पतन से मोक्ष हो सकती है, उसकी प्राप्ति की सत्य विधि

1- उच्च घृणा की उत्पत्ति के द्वारा किसी पतनकारी गति से मोक्ष

प्र.। कोई मनुष्य अपने किसी आत्मिक पतन से क्योंकर मोक्ष पा सकता है?

उ.। मनुष्य अपनी प्रकृति से ही विविध प्रकार के **नीच सुखों का लालसी** होता है, और फिर वह अपनी इस लालसा को बढ़ाते बढ़ाते उनका वा उनमें से बहुतों का **अनुरागी** बन जाता है। उसके यह विविध **नीच सुख अनुराग** और उनसे उत्पन्न विविध **नीच घृणा भाव ही उसके पतन का मूल कारण हैं**, क्योंकि उनके द्वारा परिचालित होने से **नेचर के अटल नियमानुसार** उसके लिए अपने और औरों के सम्बन्ध में विविध प्रकार की **मिथ्याओं** और **विविध प्रकार के अहितों** का उत्पन्न करना और उनका भी अनुरागी बनना और अपने इस अनुराग के कारण अपनी **निर्माणकारी शक्ति** के सम्बन्ध में नेचर के शुभकर नियम को भंग करना वा उसके विरुद्ध चलना वा गति करना और अपनी ऐसी सब गतियों से दिनों दिन पतित होना अनिवार्य हो जाता है।

अब जब तक किसी भी मनुष्य के आत्मा में **किसी प्रकार की भी मिथ्या वा किसी प्रकार की भी अहित-मूलक गति के प्रति आकर्षण वा अनुराग** वर्तमान रहे, और उसके उलट उसमें नेचर-सम्मत किसी विधि के अनुसार आवश्यक मात्रा में कोई **विकर्षण वा घृणा भाव उत्पन्न न हो**, तब तक वह अपनी उस **मिथ्या वा अहित-मूलक गति को त्याग नहीं कर सकता, और न उसे वह त्याग करना ही चाहता है**, इसीलिए उससे उसकी मुक्ति भी नहीं हो सकती; और उसके द्वारा उसका जो **पतन** होता है, उस पतन से उसकी **रक्षा** भी नहीं हो सकती। इस प्रकार के विकर्षण वा घृणा भाव को **उच्च विकर्षण वा उच्च घृणा भाव** कहते

हैं।

प्र.। किसी आत्मा में यह **उच्च विकर्षण वा उच्च घृणा भाव** क्योंकर उत्पन्न हो सकता है?

उ.। प्रथम यदि उसके आत्मा में कोई ऐसी **देव ज्योति** प्रवेश कर सके कि जो उसे उसकी किसी **मिथ्या वा अहित-मूलक पतनकारी गति** को जो उसे **सुख दायक** और इसीलिए **सुन्दर वा आकृष्टकारी** बोध होती हो, उसके असल रूप में अर्थात् **पतनकारी वा बुरे वा कुत्सित वा हानिकारक रूप में दिखा सके**; और

दूसरे यदि उसके भीतर कोई ऐसा **देव तेज** प्रवेश कर सके, कि जो उसमें उसकी इस पतन वा हानिकारक गति के प्रति इतनी **उच्च घृणा पैदा कर दे**, कि जिससे उसमें उसके प्रति पहले से जो **आकर्षण वा अनुराग भाव** वर्तमान हो, वह **नष्ट** हो जाय, और फिर उसका दिल उसकी ओर न जाय, और वह अपने भीतर **उसके प्रति विकर्षण अनुभव करे।**

प्र.। इस अद्भुत और निराली ज्योति और इस अद्भुत और निराले तेज की किसी जन को कहां से और क्योंकर प्राप्ति हो सकती है?

उ.। इन दोनों चीज़ों की किसी ऐसे आत्मा से ही प्राप्ति हो सकती है, कि जिसमें नेचर के ही विकास कार्य के द्वारा **उनका विकास हुआ हो।**

प्र.। वह आत्मा कौन हैं?

उ.। वह आत्मा वही **देवात्मा** हैं, कि जिनका इससे पहले वर्णन हो चुका है।

प्र.। क्या प्रत्येक मनुष्य में उनकी इस **देव ज्योति** और उनके इस **देव तेज** की किरणें प्रवेश कर सकती हैं?

उ.। जी नहीं। वह केवल किसी ऐसे आत्मा में ही प्रवेश कर सकती हैं, कि जो अपने किसी सुख अनुराग के द्वारा उस सुख के सम्बन्ध में **पूर्णतः कठोर न बन गया हो, और वह उस विषय में उनकी प्राप्ति के लिए अपने भीतर कुछ न कुछ योग्यता रखता हो।** ऐसे ही जन को **अधिकारी मनुष्य** कहते हैं।

प्र.। क्या इस प्रकार के **सब** अधिकारी मनुष्यों को उनकी इस अद्वितीय **देव ज्योति** और उनके इस अद्वितीय **देव तेज** की किरणें मिल सकती हैं?

उ.। नहीं। जिन्हें नेचर की परिवर्तनकारी गति में किसी अच्छी वा **शुभ घटना** के उत्पन्न होने से उनकी प्राप्ति का **शुभ अवसर** मिल सके, उन्हीं को उनकी **अपनी अपनी योग्यता के अनुसार उनकी प्राप्ति हो सकती है।** इन्हीं दोनों प्रकार की किरणों की प्राप्ति को **देव प्रभावों** की प्राप्ति भी कहते हैं।

ऐसे अधिकारी जनों के भिन्न इस पृथ्वी के और सब मनुष्यों के लिए – चाहे

वह किसी कहलाने वाले धर्म सम्प्रदाय से सम्बन्ध रखते हों, और चाहे वह कोई धर्म मत मानते हों, और चाहे वह कोई भी धर्म मत न मानते हों – **आत्मा और आत्मिक जीवन के सम्बन्ध में पूर्ण अन्धकार वा अज्ञान की दशा में रहना, और अपनी इस अन्धता के कारण एक वा दूसरे प्रकार के मिथ्या धर्म मतों के जाल में फंसे रहना, और इसीलिए उनसे मोक्ष न पाना, अनिवार्य है।** इस के भिन्न जो जो जन अपने जिस जिस आत्मिक रोग के कारण अपने वा औरों के सम्बन्ध में **जो जो अहित उत्पादक गतियां** करते हैं, उनकी उन पतनकारी गतियों के प्रति यदि उनमें देवात्मा की देव ज्योति और उनके देवतेज के पाने पर ही **यथेष्ट उच्च घृणा** उत्पन्न हो सकती हो, और उनकी प्राप्ति के बिना किसी और विधि से नहीं, तो उनके पाने के बिना भी **उनकी उनसे मोक्ष नहीं हो सकती।**

प्र.। परन्तु क्या धन, मान और अपने और अपने पारिवारिक जनों की शारीरिक स्वास्थ्य विषयक किसी सुख की किसी सच्ची हानि के विषय में किसी और सुयोग्य जन के उपदेश से कितने ही जनों से कई प्रकार की बुराइयां दूर नहीं हो सकतीं?

उ.। जिन जनों में अपने धन वा मान वा अपनी शारीरिक स्वास्थ्य की किसी **हानि का कुछ बोध** वर्तमान हो, उनके सामने यदि कोई मनुष्य जो उस हानि के लिए अपने भीतर यथेष्ट घृणा रखता हो, उसकी बुराई का वर्णन करे वा उसके विषय में उसे समझाने की चेष्टा करे, और उसकी हानि के विषय में उसमें जो बोध पहले से वर्तमान है, उसकी बार बार अपील करे, तो उनमें से कुछ अधिकारी जनों से ऐसी बुराइयां अवश्य दूर हो जाती हैं, परन्तु उसके साथ ही यह भी सच है कि और जिन नाना जनों में **पहले से कई प्रकार की बुराइयां मौजूद नहीं भी होतीं**, वह किसी इस वा उस जन के **उपदेश वा उसकी प्रेरणा वा संगत से उनमें उत्पन्न हो जाती हैं।**

परन्तु कोई भी अधिकारी जन जहां तक **देवात्मा की देव ज्योति** और उन्हीं के **देव तेज** को पाकर अपने **आत्मिक अन्धकार** और अपने विविध प्रकार के **मिथ्या विश्वासों** और अपनी विविध प्रकार की **अन्य मिथ्याओं** और अपने और औरों के सम्बन्ध में अपनी **अहित उत्पादक** विविध चिन्ताओं और क्रियाओं से **सच्ची मोक्ष पा सकता है**, वहां तक वह मोक्ष वह किसी और के द्वारा कभी नहीं पा सकता।

इसके भिन्न कोई अधिकारी जन देवात्मा के साथ सात्विक भावों के द्वारा अपने आत्मा का सम्बन्ध स्थापन करने के योग्य हो जाने पर, जहां तक वा जितना अपने आत्मा में उच्च शक्तियों और उच्च जीवन का विकास कर सकता है, वहां तक वा उतना विकास भी वह अपने आत्मा में **किसी और के**

द्वारा कभी नहीं कर सकता।

प्र.। देवात्मा के इन महा दुर्लभ **देवप्रभावों** की प्राप्ति किसी अधिकारी जन को **कब तक** हो सकती है?

उ.। जब तक एक ओर उनकी प्राप्ति के लिए उसके अपने आत्मा में **आकांक्षा** वर्तमान रहे, और वह अपनी इस आकांक्षा से परिचालित होकर अपने आप उनके साथ प्रतिदिन **आत्मिक योग** के द्वारा उनकी **सच्ची आत्मिक पूजा** करके उन्हें लाभ कर सके; अथवा आप ऐसे आत्मिक योग के करने के अयोग्य होने पर उनके किसी देव प्रभाव पहुंचाने वाले अनुगत जन की संगत और उसके उपदेश से उनके पाने का शुभ अवसर पा सके, **तभी तक उसे उनके इन देवप्रभावों की प्राप्ति हो सकती है; अन्यथा किसी और प्रकार से नहीं हो सकती।**

प्र.। यदि किसी जन को अपने निज के साधन के द्वारा वा देवात्मा के देव प्रभावों के पहुंचाने वाले किसी श्रेष्ठ जन के किसी उपदेश के द्वारा उनकी **देव ज्योति** की इतनी किरणें मिल सकें, कि जिनमें उसे अपने किसी **सुख अनुराग** वा उस सुख अनुराग से उत्पन्न अपने वा नेचर के किसी भी अस्तित्व के सम्बन्ध में **अपनी कोई पतनकारी चिन्ता वा क्रिया अपने आत्मा के लिए पतनकारी रूप में दिखाई दे,** परन्तु उसमें उसके प्रति **कुछ भी अथवा यथेष्ट रूप से उच्च घृणा उत्पन्न न हो,** तो क्या ऐसी दशा में उसकी अपनी उस पतनकारी गति से मोक्ष हो सकती है?

उ.। नहीं, कदापि नहीं। जब किसी मनुष्य का आत्मा इस दशा में पहुंच गया हो, कि वह अपनी किसी **पतनकारी गति को पतनकारी रूप में देखकर भी उसके लिए कुछ भी वा इतनी उच्च घृणा बोध न कर सके, कि जिसे पाकर ही वह उसे त्याग कर सकता हो,** तब समझना चाहिए, कि उसमें अपने उस पतन से मोक्ष पाने की कोई योग्यता नहीं रही, और इसीलिए उससे उसकी फिर कभी भी मोक्ष नहीं हो सकती।

फिर यदि किसी जन में अपने वा किसी और के सम्बन्ध में जिन जिन **पतनकारी विश्वासों वा चिन्ताओं वा अन्य क्रियाओं** की उत्पत्ति होती हो, उन्हें पतनकारी रूप में दिखाने के लिए देवात्मा की जितने अंश देवज्योति और उनसे उद्धार वा मोक्ष पाने के लिए उसे जितने अंश उच्च घृणा उत्पादक देवतेज की आवश्यकता है, उनकी प्राप्ति के लिए उसमें कुछ भी आकांक्षा वर्तमान न हो, अथवा उसे अपने निज के साधन के द्वारा भी उनकी सच्ची प्राप्ति न होती हो, तो भी उन पतनों से उसकी कभी और किसी और विधि से मोक्ष नहीं हो सकती।

प्र.। क्या किसी जन में अपनी किसी पतनकारी गति के प्रति **उच्च घृणा** की उत्पत्ति होने से उसे **सदा के लिए** उससे मोक्ष मिल जाती है?

उ.। किसी दशा में सदा के लिए भी और किसी दशा में सदा के लिए नहीं, किन्तु कुछ काल के लिए ही मोक्ष मिलती है। किसी पतनकारी गति से सदा के लिए मोक्ष पाने के निमित्त नेचर के नियमानुसार किसी जन को **जितनी मात्रा में उच्च घृणा पाने की आवश्यकता है, उतनी मात्रा** में यदि उसे उसकी प्राप्ति हो जाय, तो उसकी अपनी उस पतनकारी गति से **सदा के लिए मोक्ष हो जाती है**, परन्तु यदि उसमें **उतनी मात्रा में उच्च घृणा उत्पन्न न हो सके**, तो फिर वह उसकी मात्रा के अनुसार जितने काल तक के लिए उससे मोक्ष पा सकता हो, उतने काल तक ही वह उससे मुक्त रह सकता है, और उससे अधिक नहीं; उसके अनन्तर वह फिर अपनी **उसी पहली पतनकारी गति में पड़कर पतित हो सकता है।**

(2) उच्च दुख की उत्पत्ति के द्वारा किसी पतन विषयक विकार से मोक्ष

यद्यपि **उच्च घृणा** की उत्पत्ति से किसी अधिकारी जन को **कुछ काल वा सदा के लिए** अपनी एक वा दूसरे प्रकार की पतनकारी **गति** से **मोक्ष** मिल जाती है, तथापि उसने अपनी उस पतनकारी गति वा क्रिया से **अपनी वा किसी और की हानि करके** उसके द्वारा अपने भीतर जो पतन विषयक **आत्मिक विकार** उत्पन्न कर लिया होता है, **उस विकार से उसकी मोक्ष नहीं हो जाती।**

प्र.। यह पतन विषयक **आत्मिक विकार** क्या होता है?

उ.। नेचर के किसी अजीवित वा जीवित जगत् के किसी अस्तित्व के **किसी उचित अधिकार की हानि वा उसका अपहरण करने से**, अथवा जान बूझकर अपने शरीर वा अपने आत्मिक हित के विरुद्ध किसी चिन्ता वा अन्य क्रिया के करने से मनुष्य के आत्मा में कठोरता और अन्धता आदि की जो उत्पत्ति होती है, उसकी इस प्रकार से **बिगड़ी वा खराब दशा को आत्मिक विकार कहते हैं।**

प्र.। क्या आत्मा की ऐसी बिगड़ी हुई दशा किसी विधि से दूर भी हो सकती है?

उ.। जी हां; यदि उसमें अपने उस विकार के सम्बन्ध में नेचर के नियमानुसार किसी **सच्चे बोध की यथेष्ट मात्रा में जाग्रति हो सके**, तो वह पूर्णत: वा किसी अंश में दूर भी हो सकती है। अर्थात् उसमें यह **बोध** उत्पन्न हो, कि उसने अपने

अमुक नीच सुख अनुराग वा अपनी अमुक नीच घृणा के वशीभूत होकर अपने वा नेचर के जिस किसी जन वा पशु वा पौदे वा पदार्थ की हानि की है, उसे करके **उसने अपने आत्मा की हानि की है।**

प्र.। इस **आत्मिक हानि बोध** की जाग्रति से क्या होता है?

उ.। यदि किसी मनुष्य में इस प्रकार के बोध की **यथेष्ट मात्रा में जाग्रति हो** सके, तो उसमें **अपनी इस आत्मिक हानि के लिए दुख की उत्पत्ति होती है,** और वह इस **दुख भाव** से परिचालित होकर अपनी उस **हानिकारक क्रिया के सम्बन्ध में** जहां तक सम्भव हो, **परिशोध करना चाहता है।**

यह परिशोध दो प्रकार का होता है:-

(1) अपने द्वारा **किसी और की हानि** के सम्बन्ध में।

(2) अपने द्वारा **अपनी ही किसी हानि** के सम्बन्ध में।

इनमें से किसी और के सम्बन्ध में **अपनी किसी हानिकारक क्रिया के विषय में बोध के होने पर** जब कोई जन कोई ऐसी क्रिया वा क्रियाएं करता है, कि जिससे उसके द्वारा किसी और की जो कुछ हानि हुई हो, वा उसे जो कुछ **अनुचित कष्ट वा दुख** मिला हो, वह जहां तक सम्भव हो दूर हो; तब उसकी ऐसी कोई क्रिया वा उसकी ऐसी क्रियाएं **हानि परिशोध** की क्रिया वा क्रियाएं कहलाती हैं।

दृष्टान्त:-

एक जन औरों से घूस (रिश्वत) लेकर इस पाप वा अपराध के द्वारा धन कमाता था, और इस पाप के द्वारा उसे जब और जितना धन मिलता था, उसे पाकर वह **बहुत प्रसन्न** होता था। नेचर की किसी शुभ घटना से उसके आत्मा में **देवात्मा के देव प्रभावों** के प्रवेश करने का अवसर मिला। उनकी **देवज्योति** को पाकर उसे अपनी वह क्रिया **अपने प्रकृत अर्थात् पाप रूप में** दिखाई दी, और उनके **देवतेज** को पाकर उसमें उस पाप कर्म के प्रति इतनी **उच्च घृणा** उत्पन्न हुई, कि उसके अनन्तर उसने उस पाप कर्म को बिलकुल छोड़ दिया, और फिर उस पाप कर्म से उसकी मोक्ष हो गई। परन्तु उस पाप कर्म के छोड़ने तक उसने जितना धन **औरों का अपहरण किया था, वह धन उसी के पास रहा,** और उस धन को अपने पास रखने में उसे कोई कष्ट वा **दुख** बोध नहीं हुआ। फिर एक समय ऐसा आया, कि जिसमें उसे **देवात्मा के देवतेज** की और अधिक प्राप्ति हुई, और उसे उस रुपए के सम्बन्ध में इस **सत्य की उपलब्धि** से कि पाप कर्मों के द्वारा कमाया हुआ जो धन उसके पास है, **वह जबकि वास्तविक उसका नहीं है, किन्तु औरों का है,** तब

उसे उस धन को अपने पास रखने वा उसे दबा लेने का **कोई अधिकार (हक) नहीं**। इस सत्य के बार बार सम्मुख आने से उसके हृदय में जहां एक ओर **दुख वा जलन की उत्पत्ति वा अनुभूति आरम्भ हो गई**, वहां उसके भीतर बार बार यह **प्रेरणा** भी होने लगी, कि तुम्हें इस ज़हर को अपने भीतर से निकाल देना चाहिए, और अपने आत्मा को इस ज़हर और इस दुख से मुक्त करना चाहिए। तुम्हें **इस धन के लालच वा अनुराग में फंसकर अपने अमूल्य आत्मिक जीवन की हानि न करनी चाहिए**। इस दुख और उसकी इस प्रेरणा से परिचालित होकर वह एक ऐसी दशा में पहुंचता है, कि उस पाप कर्म से प्राप्त सब रुपए को उन लोगों को लौटा देना चाहता है, कि जिनसे उसे उसने अपने पाप कर्म के द्वारा लाभ किया था। वह रुपया वह उन लोगों वा उनके वारिसों को दुखी हृदय के साथ वापिस करता है – हां इससे भी बढ़कर वह उसे **ब्याज समेत** और **शोक** के साथ वापिस करता है – और इससे भी और अधिक बढ़कर ऐसे हानिप्राप्त जनों में से जिन जिन जनों का उसे कोई पता नहीं, उनका रुपया भी वह अपने पास रखना वा उसे अपने काम में लाना वा उसे अपनी सन्तान आदि को देना नहीं चाहता; किन्तु किसी शुभ कार्य में सहायक हो जाने के लिए दे देता है, और ऐसा करने से वह अपने हृदय के उस **विकार** से (कि जो उसने अपने उस **पाप कर्म के द्वारा उसमें उत्पन्न कर लिया था) मोक्ष पाकर सच्ची आत्मिक पवित्रता लाभ करता है**। अब यदि उसमें **देवात्मा के देव प्रभावों के द्वारा** अपने इस पाप कर्म के विकार से मोक्ष और सच्ची आत्मिक पवित्रता लाभ करने के लिए नेचर के सच्चे नियमानुसार इस **उच्च दुख की यथेष्ट मात्रा में उत्पत्ति न होती**, तो वह ईश्वर आदि किसी कहलाने वाले देवता वा किसी देवी पर विश्वास रखकर उस विश्वास वा किसी भी अन्य मिथ्या विश्वास से इस पाप के विकार से कदापि सच्ची आत्मिक मोक्ष लाभ न कर सकता। नेचर की इस सच्ची विधि के अनुसार किसी प्रकार के **आत्मिक विकार** से मोक्ष पाने के निमित्त इस प्रकार के **उच्च दुख** की प्राप्ति की प्रत्येक जन को आवश्यकता है।

प्र.। क्या जो लोग रिश्वत विषयक पाप के भिन्न ठगी, प्रवंचना, जालसाज़ी, चोरी, बटमारी, लूट, डकैती आदि अन्य पाप कर्मों के द्वारा **औरों का धन वा माल अपहरण करते हैं**, उन्हें भी अपने इस प्रकार के पाप कर्मों से मोक्ष लाभ करने के निमित्त **उच्च घृणा** और उनके विकारों से मोक्ष अथवा **सच्ची आत्मिक शुद्धि वा पवित्रता** के लाभ करने के निमित्त **उच्च दुख** की प्राप्ति की आवश्यकता है?

उ.। निस्संदेह। किसी पापी जन के सम्बन्ध में जब तक **नेचर का यह नियम पूरा न हो**, तब तक उसकी अपने पापों और ऐसे पापों से उत्पन्न **आत्मिक विकारों**

से कदापि मोक्ष नहीं हो सकती।

प्र.। यदि किसी ने किसी का धन वा माल नहीं, किन्तु **किसी की किसी उचित शान्ति वा उसके किसी उचित सुख का अपहरण किया हो**, तो क्या उसके विकार से भी **मोक्ष वा पवित्रता** लाभ करने के निमित्त उसे नेचर के नियमानुसार **उच्च दुख** की प्राप्ति की आवश्यकता है?

उ.। निश्चय। इससे भी ऊपर यदि किसी जन ने किसी मनुष्य की **कोई हानि भी न की हो**, परन्तु उसने अपने किसी **सुख विषयक अनुराग वा अपने किसी घृणा भाव के कारण** अपने मन मन में ही किसी के सम्बन्ध में **कोई अन्याय वा पाप-मूलक चिन्ता की हो**; और अपनी उस चिन्ता के अनुसार उसने उसके सम्बन्ध में **कोई अन्याय वा पाप-मूलक कर्म न भी किया हो, तो भी** उसकी ऐसी चिन्ता से उसमें आत्मिक विकार की उत्पत्ति होती है। और उसे भी अपनी इस पाप-मूलक चिन्ता की गति से **मोक्ष** पाने के लिए **उच्च घृणा** की और उसके **विकार से मोक्ष वा पवित्रता** पाने के निमित्त **उच्च दुख** की प्राप्ति की आवश्यकता है।

दृष्टान्त:- कोई पुरुष किसी के धन वा माल वा भूमि, अथवा किसी अन्य पुरुष की पत्नी वा बेटी वा बहिन आदि किसी स्त्री के सम्बन्ध में **अपने किसी नीच भाव से परिचालित होकर कोई अन्याय वा पाप-मूलक चिन्ता करता है**, अथवा कोई स्त्री किसी के धन वा माल वा किसी पुरुष के सम्बन्ध में इसी प्रकार की कोई **अन्याय वा पाप-मूलक चिन्ता करती है**; परन्तु इससे अधिक उनमें से कोई जन किसी की कुछ हानि नहीं करता, वा उसे किसी ऐसी हानि के करने का अवसर नहीं मिलता, तो भी इस **अन्याय वा पाप-मूलक चिन्ता की गति** से नेचर के आत्मिक जगत् के अटल नियमानुसार उसकी **आत्मिक हानि** अवश्य होती वा उसका **आत्मिक पतन** अवश्य होता है। और उसकी अपनी इस पतनकारी गति वा उसके विकार से नेचर के अटल नियमानुसार उस समय तक मुक्ति वा मोक्ष **असम्भव** है, जब तक उसमें अपनी उस गति के सम्बन्ध में **उच्च घृणा** और उसके **विकार** के सम्बन्ध में **उच्च दुख** की उत्पत्ति न हो।

प्र.। परन्तु जिन जनों को किसी और के सम्बन्ध में अपनी किसी अन्याय वा पाप-मूलक बाह्यक क्रिया वा अन्याय वा पाप-मूलक किसी आन्तरिक चिन्ता के करने से **केवल सुख ही सुख बोध होता हो, और ऐसा करके उन्हें अपनी उस क्रिया के प्रति कोई घृणा बोध न होती हो, और न उन्हें उसके लिए कोई दुख बोध होता हो**, जैसा कि इस पृथ्वी के कहलाने वाले नाना धर्म सम्प्रदायों से सम्बन्ध रखने वाले लाखों जनों का हाल है, उनकी अपने उन **पाप कर्मों** वा

अपने उस **आत्मिक विकार** से क्योंकर **मोक्ष** हो सकती है?

उ.। नेचर के अटल नियमानुसार उनकी उन दोनों से ही उस समय तक **मोक्ष** असम्भव है, जब तक किसी ऐसी **मोक्ष** के लाभ करने की **योग्यता** रखने पर उन्हें **किसी सच्चे मोक्षदाता के उच्च घृणा और उच्च दुख उत्पादक देव प्रभावों की यथेष्ट मात्रा में प्राप्ति न हो।**

प्र.। यदि कोई मनुष्य अपने ही शरीर की **स्वास्थ्य** के सम्बन्ध में अपनी किसी खान पान वा अन्य क्रिया को **हानिकारक** जानकर भी अपने किसी स्वाद सुख वा काम सुख वा आलस्य सुख आदि के वशीभूत वा उसका दास हो जाने के कारण उसे त्याग न करना चाहता हो, वा त्याग न कर सकता हो, तो क्या इससे उसकी शारीरिक स्वास्थ्य की हानि के भिन्न **कोई आत्मिक हानि भी होती है?**

उ.। अवश्य होती है। वह जब **जान बूझकर** अपने शरीर के सम्बन्ध में यह फैसला करता है, कि मैं उसके सम्बन्ध में अपनी अमुक अमुक **असंयम वा अमिताचार-मूलक क्रिया को इसीलिए छोड़ना नहीं चाहता वा छोड़ नहीं सकता,** कि उस के छोड़ने से मेरा **अमुक अमुक सुख** चला जाता है, और इससे यदि मेरे शरीर को कोई हानि पहुंचती है, अर्थात् उसमें किसी रोग वा कष्ट आदि की उत्पत्ति होती वा हो सकती है, तो मैं उसकी कुछ परवाह नहीं करता; **तब वह जानबूझ कर उस हानि वा बुराई का साथी और अनुरागी बनता है**, और इसीलिए अपने इस पतनकारी अनुराग से अपने शरीर के भिन्न अपने **आत्मा की भी अवश्य हानि करता है।**

प्र.। यदि किसी मनुष्य में अपनी किसी सुख दायक परन्तु पतनकारी आन्तरिक चिन्ता वा बाह्यक क्रिया के सम्बन्ध में **घृणा और दुख** की उत्पत्ति तो होती हो, परन्तु वह इतनी मात्रा में न उत्पन्न होती हो, कि जिससे उसकी उससे पूर्ण मोक्ष हो जाय, और ऐसी दशा में उसके भीतर यह कामना वर्तमान हो, कि मेरी उससे मोक्ष हो जाय, परन्तु बीच बीच में जब उसमें ऐसी **सुखदायक परन्तु पतनकारी** चिन्ता उत्पन्न हो जाती हो, अथवा उससे इस प्रकार का **सुखदायक परन्तु पतनकारी कर्म हो जाता हो**, और ऐसी चिन्ता वा ऐसा कर्म कर चुकने के अनन्तर उसके हृदय में **अपनी इस बुरी चिन्ता वा क्रिया के प्रति कुछ घृणा और कुछ दुख वा परिताप (जलन) की उत्पत्ति भी होती हो**, और वह अपने ऊपर अपनी उस क्रिया से दुखी होकर बार बार धिक्कार भी डालता हो, तो उसका इस दशा से किस उपाय से **उद्धार** हो सकता है?

उ.। इस शोचनीय दशा से **मोक्ष** पाने के निमित्त उसे अपने ऊपर कुछ ऐसे **दंडों**

के लेने की आवश्यकता है, कि जो उसमें उसकी उस घृणा और उसके उस दुख को जो वह अपनी किसी पतनकारी चिन्ता वा इससे भी आगे अपने किसी पतनकारी अन्य कर्म के सम्बन्ध में अनुभव करता है, बढ़ाने में सहायकारी हों। यथा:- यदि वह चारपाई पर सोता हो, तो वह दंड लेकर किसी आवश्यक समय तक ज़मीन पर सोवे; यदि वह रात दिन में तीन बार भोजन करता हो, तो दो बार करे; वह जिन जिन स्वादिष्ट वस्तुओं का अधिक पक्षपाती हो, उनमें से आवश्यक समय तक किसी एक वा दूसरी वस्तु को न खावे; धन का अनुराग रखने पर अपने ऊपर धन का आवश्यक मात्रा में जुर्माना करे, और उसे किसी उचित और शुभ काम की सहायता के निमित्त अर्पण वा दान करे; अपनी उस पतनकारी चिन्ता वा अपने उस पतनकारी कर्म की **हानियों पर विचार करने और ऐसा करके उनके सम्बन्ध में अपनी घृणा के बढ़ाने के लिए** उचित संख्या में पत्र वा लेख लिखने का साधन ग्रहण करे; जिस किसी जन के सम्बन्ध में उसने कोई ऐसी हानिकारक क्रिया की हो, उसके परिशोध के निमित्त उसकी स्वीकृति और उसके सम्बन्ध में अपने दुख के प्रकाश आदि के विषय में पत्र लिखकर वा अपने हृदय के सच्चे भाव से निकले हुए मुंह के सच्चे शब्दों के द्वारा उसके हृदय में कुछ आराम वा शान्ति के उत्पन्न करने की चेष्टा करे; और यदि किसी पशु के सम्बन्ध में उसने कोई हानि की हो, तो उसके वा उसकी नसल वा पशु जगत् के जीवों के सम्बन्ध में औरों के द्वारा भी उसी प्रकार की हानि के दूर करने के निमित्त उचित मात्रा में अपना धन देकर वा किसी और उचित विधि से उसका परिशोध करे; इत्यादि इत्यादि। **इस प्रकार के विविध दंड विषयक साधनों के ग्रहण करने और सरल भाव से उनके पूरा करने के योग्य बनने से भी ऐसी किसी पतनकारी चिन्ता वा ऐसे पतनकारी किसी अन्य कर्म से मोक्ष पाने में बहुत कुछ वा पूर्ण सहाय मिल सकती है।**

प्र.। यदि किसी जन में अपनी किसी पतनकारी चिन्ता वा अन्य पतनकारी क्रिया के लिए कुछ उच्च घृणा उत्पन्न हो गई हो, परन्तु वह इतनी गहरी वा यथेष्ट मात्रा में न हो, कि जिससे वह पूर्ण नष्ट हो गई हो, तो उसकी इस **उच्च घृणा के बढ़ाने के निमित्त** क्या क्या उपाय ठीक बैठ सकते हैं?

उ.। यदि वह योग्यता रखता हो, तो वह इसके लिए निम्नलिखित कई उपाय ग्रहण कर सकता है:-

(1) किसी ऐसे लेख वा पुस्तक का ध्यान और विचार पूर्वक पाठ करना कि जिसमें उस प्रकार की पतनकारी गति की हानियों का सच्चा वर्णन हो, और इस पाठ के द्वारा उन हानियों को सामने लाना, वा उपलब्ध करना; और इस साधन को जहां

तक सम्भव हो, प्रतिदिन वा दिन में कई बार भी करना;

(2) किसी ऐसे संगीत का ध्यान और विचार के द्वारा गान करना, कि जिसमें उस पतनकारी गति की हानियों का सच्चा वर्णन हो, और उसके द्वारा उस हानि वा उन हानियों को उपलब्ध करना;

(3) थोड़े से शब्दों के किसी ऐसे वचन का यथा ''मेरी अमुक गति बहुत बुरी है, वा बहुत हानिकारक है'', ध्यानपूर्वक बार बार जप करना;

(4) किसी ऐसे जन के पास रहना जो उस पतनकारी गति से आप मोक्ष पा चुका हो, और उसके भीतर उस गति के प्रति बहुत गहरी **उच्च घृणा** वर्तमान हो। इस विषय में यदि वह कोई उपदेश देता वा कोई कथन करता हो, तो उसे ध्यान पूर्वक सुनना, और उसकी सत्यता पर बार बार विचार करना, और उसे बार बार उपलब्ध करने की चेष्टा करना;

परन्तु यदि वह इन में से किसी उपाय वा साधन को ग्रहण न कर सकता हो, और इस विषय में उसे किसी और **सुयोग्य जन से** भी कोई सहाय न मिल सकती हो, तब फिर उसकी उच्च घृणा के बढ़ाने में केवल यही नहीं कि कोई और बात सहायक नहीं हो सकती, किन्तु यदि उसकी उस पतनकारी गति में किसी और तरफ से कोई रोक न हो, तो उसकी **उस पहली उच्च घृणा का धीरे धीरे घटते जाना और अन्त में पूर्ण नष्ट हो जाना भी अनिवार्य है।**

प्र.। क्या सत्य मोक्ष के सम्बन्ध में नेचर के सत्य नियमों के विरुद्ध इस पृथ्वी के जिन जिन कहलाने वाले धर्म सम्प्रदायों के संस्थापकों वा उनके अनुयाई जनों ने शिक्षा दी है, वा उन सम्प्रदायों के उपदेशक ऐसी शिक्षा देते हैं, वह सब मिथ्या नहीं?

उ.। **वह सबकी सब पूर्णतः मिथ्या है।**

―――――――

छब्बीसवां अध्याय

मनुष्य के आत्मा में उच्च जीवन के विकास की सत्य विधि

मनुष्यात्मा में जिन **दो प्रकार की** उच्च वा सात्विक शक्तियों की जाग्रति और उन्नति से **उच्च जीवन** का विकास होता वा हो सकता है, उनकी जब तक किसी मनुष्य के आत्मा में जाग्रति न हो, तब तक उसमें उच्च जीवन का आरम्भ भी नहीं होता, और नहीं हो सकता।

प्र.। वह उच्च शक्तियां क्या हैं?

उ.। उन उच्च शक्तियों में से **परोपकार** विषयक उच्च वा सात्विक शक्तियों का वर्णन इसी पुस्तक के उन्नीसवें अध्याय में किया जा चुका है।

प्र.। किसी मनुष्य के आत्मा में कोई परोपकार विषयक उच्च वा सात्विक शक्ति कब और कैसे जाग्रत होती है?

उ.। यदि,

(1) किसी जन के आत्मा में उसके पूर्वजों के क्रम में कोई ऐसा उच्च भाव **बीज** रूप में आया हो;

(2) उसकी जाग्रति वा उन्नति के लिए जहां तक और जिस जिस प्रकार की नेचर विषयक **अनुकूल दशा** की आवश्यकता है, वह **अनुकूल दशा** उसे प्राप्त हो; और यदि इन दोनों बातों में से कोई बात भी न हो, तो फिर उसके आत्मा में से उस भाव विषयक उच्च शक्ति की कुछ भी जाग्रति वा उत्पत्ति नहीं होती, और कभी भी और किसी प्रकार से भी नहीं हो सकती।

प्र.। यदि किसी जन के आत्मा में उसके पूर्वजों के द्वारा कोई परोपकार विषयक उच्च भाव बीज रूप में आया हो, तो क्या उसमें भी उसकी जाग्रति वा उत्पत्ति अवश्य हो जाती है?

उ.। प्रत्येक जन के आत्मा में नहीं; किन्तु किसी ऐसे जन के आत्मा में अवश्य होती वा हो सकती है; कि जिसे अपने **उस उच्च भाव के बीज के पूर्णतः मर जाने से पहले पहले** उसकी जाग्रति वा उन्नति के लिए **कुछ न कुछ अनुकूल दशा** मिली हो, और उस बीज की नष्ट कर देने वाली **विरोधी शक्तियों** से उसकी रक्षा

हो सकी हो; अन्यथा नहीं।

प्र.। जिस मनुष्य के आत्मा में उसके पूर्वजों के क्रम में कोई उच्च भाव का बीज आया हो, वह क्या कभी मर भी जाता है?

उ.। जी हां; यदि उसके फूटने वा जाग्रत होने के निमित्त उसे कुछ भी अनुकूल दशा न मिले, तो वह एक विशेष काल के अनन्तर धीरे धीरे मर जाता है, और **जब वह पूर्णतः मर जाता है**, तब फिर उस आत्मा में उस उच्च भाव की कभी और किसी विधि से **उत्पत्ति** नहीं होती।

दृष्टान्त:- यदि गेहूं वा जव वा छोले वा मकई आदि के किसी भी ऐसे दाने को कि जिसमें उस दाने से गेहूं वा जव वा छोले वा मकई आदि के पौदे के आकार की बनाने वाली जीवित शक्ति वर्तमान हो, कई वर्ष तक किसी ऐसे पौदे के बनाने का कोई अवसर न मिले, वा उसे कोई ऐसा अवसर न दिया जाय, **तो उसकी वह जीवित शक्ति धीरे धीरे अपना बल खोती जाएगी, और एक विशेष काल में उसकी पूर्णतः मृत्यु हो जाएगी**; और फिर उसके पूर्णतः मर जाने पर जैसे उस दाने में फिर उसी प्रकार की कोई जीवित शक्ति कभी उत्पन्न न होगी, वैसे ही उस दाने को अच्छी से अच्छी भूमि में बोने और उस भूमि में पानी देने आदि किसी क्रिया के द्वारा भी कोई पौदा उत्पन्न न होगा, और कभी भी और किसी विधि से भी उत्पन्न न होगा।

इसी प्रकार यदि किसी मनुष्य के आत्मा में **किसी परोपकार विषयक उच्च भाव का बीज** आया भी हो, परन्तु उसकी **पूर्णतः मृत्यु** से पहले पहले उसकी जाग्रति के लिए उसे कोई अनुकूल दशा न मिले, तो वह भाव भी **सदा के लिए** मर जाता है।

प्र.। क्या ऐसा भी होता है कि किसी आत्मा के भीतर किसी परोपकार विषयक उच्च भाव की उत्पत्ति हो, और वह भाव कुछ काल तक स्थिति भी करे, परन्तु फिर धीरे धीरे मर जाए?

उ.। जी हां; ऐसा भी होता है, कि किसी किसी जन में किसी **परोपकार विषयक उच्च भाव** की उत्पत्ति हो जाती है, परन्तु फिर कई प्रकार की शक्तियों के प्रतिकूल प्रभावों से कुछ काल के अनन्तर उस भाव की **पूर्णतः मृत्यु** हो जाती है।

प्र.। अनुकूल और प्रतिकूल दशा क्या होती है?

उ.। किसी मनुष्य वा पशु वा पौदे के जीवित शरीर वा उसके जीवित आकार के बनाने और फिर उसके द्वारा अपने भीतर की कई प्रकार की अन्य छिपी हुई शक्तियों के धीरे धीरे प्रगट वा प्रकाश करने के निमित्त उसकी जीवनी शक्ति को **अपने से बाहर नेचर की जिन जिन और शक्तियों की सहायता पाने की आवश्यकता**

है, उनकी प्राप्ति का अवसर पाने को अनुकूल दशा वा अनुकूल सामानों की प्राप्ति, और उसके विरुद्ध दशा की प्राप्ति को प्रतिकूल दशा की प्राप्ति कहते हैं।

प्र.। क्या कोई सहायकारी वा अनुकूल दशा प्रत्येक मनुष्य वा पशु वा पौदे की जीवनी शक्ति को प्राप्त नहीं होती?

उ.। नहीं; लाखों और करोड़ों को प्राप्त नहीं होती।

प्र.। तब उनका परिणाम क्या होता है?

उ.। उन्हें अपने अपने लिए किसी गठन प्राप्त जीवित शरीर वा गठन प्राप्त जीवित आकार के बनाने के निमित्त नेचर से जिस जिस प्रकार के **अनुकूल सामानों** की प्राप्ति की आवश्यकता है, वह सामान यदि उन्हें न मिलें, तो फिर इस दशा में वह सब ही धीरे धीरे नष्ट हो जाती हैं। और यदि उनमें से किसी किसी को **केवल कुछ कुछ काल के लिए** ऐसी अनुकूल दशा मिले और फिर न मिले, तो उस उस का उतने उतने काल तक तो इस प्रकार के कार्य का क्रम चलेगा, परन्तु उसके अनन्तर **बन्द** हो जाएगा।

प्र.। क्या कभी ऐसा भी होता है, कि किसी मनुष्य के आत्मा को उसके पूर्वजों से जिस किसी परोपकार विषयक सात्विक भाव का बीज मिला हो, वह उसके जन्म काल से **प्रतिकूल** प्रभावों में पलने और वास करने के कारण केवल यही नहीं कि अपने फूटने का कोई अवसर नहीं पाता, किन्तु वह धीरे धीरे भीतर ही भीतर पूर्णत: नष्ट हो जाता है?

उ.। जी हां; किसी ऐसी प्रतिकूल दशा में किसी ऐसे उच्च भाव का बीज भी अवश्य पूर्णत: नष्ट हो जाता है।

इसलिए किसी ऐसे बच्चे का कि जिसमें इस प्रकार का कोई उच्च भाव विषयक बीज आया हो, किसी ऐसे मां बाप वा परिवार में जन्म लेना, और उसका उनके और अन्य जनों के ऐसे प्रभावों में वास करना जो उसके लिए **प्रतिकूल** वा विनाशकारी हों, अत्यन्त शोचनीय है!!

प्र.। तब क्या किसी मनुष्य के आत्मा में उच्च जीवन की उत्पत्ति के लिए जैसे

(1) किसी परोपकार विषयक भाव का बीज रूप में वर्तमान होना आवश्यक है, वैसे ही

(2) उस बीज के प्रस्फुटित और उन्नत होने के लिए नेचर के अटल नियमानुसार जिस जिस प्रकार के अनुकूल प्रभावों का मिलना आवश्यक है, उनकी भी पूर्ण आवश्यकता है?

उ.। निश्चय। इन दोनों ही बातों का होना आवश्यक है।

प्र.। यदि किसी मनुष्य के आत्मा में परोपकार विषयक किसी उच्च वा सात्विक

शक्ति का बीज आया हो, और उसके प्रस्फुटित और उन्नत होने के लिए उसे अनुकूल प्रभाव प्राप्त हों, तो क्या ऐसी दशा में उसके उस उच्च भाव की सदा उन्नति हो सकती है?

उ.। यदि

(1) उसका वह भाव उन्नतशील हो, और

(2) उसे उस भाव की उन्नति के निमित्त जिन उन्नति उत्पादक शक्तियों के साथ अपने जिन जिन स्थाई सम्बन्ध सूत्रों के द्वारा जुड़ने और जुड़े रहने की आवश्यकता है, वह सम्बन्ध सूत्र उसमें वर्तमान हों, और उसके उन सम्बन्ध सूत्रों को कोई और विरोधी शक्ति शिथिल वा नष्ट न कर सकती हो।

दृष्टान्त:-

किसी प्याज़ की जीवित गुट्ठी किसी भूमि में बोने के बिना भी जिस वायु से वह घिरी हुई होती है, उसके एक विशेष अंश के **ताप** और उसके एक विशेष अंश के गीलेपन के **प्रभावों** को प्राप्त होकर फूट आती है, और इतनी अनुकूल दशा के मिलने पर भी उसके भीतर की जीवनी शक्ति उस गुट्ठी की सामग्री में से एक ओर जैसे एक अंकुर बना लेती है, वैसे ही दूसरी ओर छोटी छोटी कुछ जड़ें भी बना लेती है, परन्तु उसकी गुट्ठी में इस प्रकार की जितनी सामग्री होती है, वह उतनी नहीं होती कि जितनी उसे **अपने पूर्ण आकार के पौदे के बनाने के लिए आवश्यक है;** इसलिए कुछ काल के अनन्तर जब उस गुट्ठी के भीतर की सारी सामग्री खर्च हो जाती है, तब उसके उस पौदे के बनने का काम भी बन्द हो जाता है, और उस गुट्ठी की जीवनी शक्ति किसी अनुकूल भूमि के साथ अपनी जड़ों को संलग्न करके अर्थात् उस भूमि के साथ जुड़कर और सम्बन्धित होकर **अपने पौदे के पूर्ण आकार के बनाने के लिए जो सामग्री पा सकती थी, उसके न मिलने से अपनी निर्माणकारी शक्ति** के कार्य को और आगे नहीं बढ़ा सकती, और इसीलिए अपनी उस शक्ति को भी और आगे उन्नत नहीं कर सकती। फिर वह अपने चारों ओर जिस जिस प्रकार की शक्तियों से घिरी हुई होती है, उनके **प्रतिकूल प्रभावों** से धीरे धीरे अपनी उस **निर्माणकारी शक्ति के बल को खोना आरम्भ करती है**, और उसके पूर्णत: खोने वा नष्ट हो जाने पर वह आप भी **मर जाती है, और सदा के लिए मर जाती है**।

इसी प्रकार किसी किसी मनुष्य का **परोपकार** विषयक कोई कोई ऐसा भाव जो उसे अपने पूर्वजों से अपने आत्मा में बीज रूप में मिला हो, किसी अनुकूल दशा के मिलने पर प्रस्फुटित हो जाता है; परन्तु जब तक किसी ऐसे आत्मा के साथ उसका कोई स्थाई सम्बन्ध स्थापन न हो कि जिसमें

(1) उसके उस उच्च भाव को उसकी योग्यता के अनुसार जहां तक सम्भव

है, विकसित करने के लिए,

(2) उसके उस उच्च भाव के भिन्न उसमें जिस जिस किसी और उच्च भाव का बीज आया हो, और उसके प्रस्फुटित और उन्नत होने के लिए उसे कोई अनुकूल प्रभाव न मिले हों; और न मिल सकते हों, उसके प्रस्फुटित और उन्नत करने के लिए,

(3) उसमें उसकी योग्यता के अनुसार आत्मप्रकाशक ज्योति को पहुंचाकर उसके आत्मिक अन्धकार को दूर करने और उसके जिन जिन नीच अनुरागों और उसकी जिन जिन नीच घृणाओं के प्रभावों से उसमें इस आत्मिक अन्धकार की उत्पत्ति होती हो, उनके प्रति **उच्च घृणा** के उत्पन्न करने और इस विधि से उनसे उसे सत्य मोक्ष देने के लिए,

(4) उसे अपने आत्मा के **गठनप्राप्त रूप** और उसके जीवन के **पतन** के विषय में जिन जिन सत्यों के उपलब्ध करने वा देखने की आवश्यकता है, उनके उपलब्ध कराने और इस प्रकार से उसमें धर्म विषयक सत्य ज्ञान के उत्पन्न करने, और उनमें से जिन जिन आत्मिक हित सम्बन्धी सत्यों का साथ देने से उसके आत्मा की **निर्माणकारी शक्ति का बल बढ़ सकता है;** उनके प्रति **आकर्षण** उत्पन्न करने के लिए जिन **सच्ची देव शक्तियों** की आवश्यकता है, वह पूर्ण रूप से वर्तमान हों;

तब तक किसी भी अधिकारी मनुष्य के आत्मा में उसकी अपनी योग्यता के अनुसार जहां जहां तक और जिस जिस प्रकार के **उच्च जीवन** का विकास हो सकता है, वह नेचर के अटल नियमानुसार कभी भी और किसी और विधि से नहीं हो सकता।

प्र.। ऐसी देव शक्तियों से विशिष्ट आत्मा कौन हैं, कि जिन के साथ आत्मिक सम्बन्ध स्थापन होने से किसी भी अधिकारी आत्मा का, जहां तक उसकी योग्यता के अनुसार सम्भव हो, इस प्रकार का सर्वांग आत्मिक कल्याण वा विकास हो सकता है? और उसके साथ नेचर की किस विधि के द्वारा इस प्रकार का आत्मिक सम्बन्ध स्थापन हो सकता है?

उ.। ऐसे आत्मा एक मात्र वह **देवात्मा** हैं कि जिनमें नेचर के ही करोड़ों वर्षों की विकासकारी गति से उन **सच्ची देव शक्तियों** का विकास हुआ है, कि जिनके **देव प्रभावों** के द्वारा नेचर के नियमानुसार **अधिकारी आत्माओं** में उनकी योग्यता के अनुसार इस प्रकार का **उच्च परिर्वतन** होता है।

और उनके साथ किसी अधिकारी आत्मा का **जिन दूसरी प्रकार के उच्च वा सात्विक भावों के द्वारा आत्मिक सम्बन्ध स्थापन होता है**, उनका वर्णन इससे अगले अध्याय में मिलेगा।

सत्ताईसवां अध्याय

देवात्मा के साथ आत्मिक सम्बन्ध स्थापन करने की सत्य विधि

मनुष्य जगत् का कोई अधिकारी जन अपने आत्मा में **जिन जिन उच्च वा सात्विक भावों** को विकसित कर सकने पर उनके द्वारा देवात्मा के साथ **आत्मिक सम्बन्ध** स्थापन कर सकता है, उनमें से चार सात्विक भाव यह हैं:-

(1) उनके सत्य देव रूप के सम्बन्ध में सत्य और अटल **विश्वास भाव।**

(2) उनके सत्य देवरूप के सम्बन्ध में सत्य और अटल **श्रद्धा भाव।**

(3) उनके सत्य देव रूप से अति दुर्लभ आत्मिक कल्याण पाकर उनके प्रति अटल **कृतज्ञ भाव।**

(4) उनके देव प्रभावों के लिए **आकर्षण भाव।**

यह चारों उच्च सात्विक भाव जब तक किसी अधिकारी आत्मा में **कुछ भी वर्तमान न हों, तब तक उसका उनके देव रूप के साथ कुछ भी आत्मिक सम्बन्ध स्थापन नहीं होता, और नहीं हो सकता।**

इन चारों सात्विक भावों में से प्रत्येक सात्विक भाव का आगे चलकर अलग अलग अध्याय में वर्णन मिलेगा।

अट्ठाईसवां अध्याय

देवात्मा के देवरूप के सम्बन्ध में सत्य और अटल विश्वास भाव

प्र.। देवात्मा के देव रूप के सम्बन्ध में **सत्य और अटल विश्वास भाव** से क्या अभिप्राय है?

उ.। किसी अधिकारी मनुष्य के आत्मा में **देवात्मा की देव ज्योति के पहुंचने पर** जब उसे अपनी किसी भी **मिथ्या** वा अपनी किसी भी **अहित-मूलक गति के** विषय में इस सत्य की उपलब्धि हो, कि उस **मिथ्या वा अहित-मूलक** चिन्ता वा अन्य क्रिया का प्रेमी वा साथी बनने से उसका आत्मिक पतन होता है, और उसके आत्मा की निर्माणकारी शक्ति का बल घटता है, और किसी सत्य और शुभ-मूलक चिन्ता वा क्रिया का साथ देने से उसके आत्मा की निर्माणकारी शक्ति का बल बढ़ता है, और उसके बढ़ने से ही उसके आत्मा का जीवन उन्नत वा उसका कल्याण होता है, इसलिए देवात्मा में हित और सत्य विषयक जिन अनुराग शक्तियों का सर्वांग विकास हुआ है, और उन्हें पाकर उन्हें जो **सच्चा देव जीवन वा देवरूप** प्राप्त हुआ है, वह देवरूप **सत्य** है, और उसमें किसी प्रकार का **कोई संदेह नहीं है**, और न उसमें कभी भी कोई संदेह हो सकता है; तब उसके हृदय में उनके प्रति इस प्रकार की **सत्य साक्षी देने वाले** जिस उच्च वा सात्विक भाव की उत्पत्ति होती है, उसे उनके सम्बन्ध में **सत्य विश्वास भाव** कहते हैं।

प्र.। क्या देवात्मा के प्रति इस प्रकार के सत्य विश्वास की उत्पत्ति से पहले किसी अधिकारी आत्मा में किसी और के सम्बन्ध में भी **सत्य विश्वास** का उत्पन्न होना आवश्यक है?

उ.। जी हां:-

(1) जिस **सत्य नेचर** के विकासकारी कार्य से **देवात्मा** का आविर्भाव हुआ है, जिस **सत्य नेचर** की शक्तियों और उसके पदार्थों के द्वारा ही **प्रत्येक सत्य अस्तित्व** प्रगट होता और स्थिति करता है, जिस **सत्य नेचर** की ही शक्तियों के **प्रतिकूल प्रभावों** के ग्रहण करने से कोई अस्तित्व **बिगड़ता** और अपने व्यक्तिपन के

विचार से **पूर्णत: नष्ट** होता है, और जिस **सत्य नेचर** की ही शक्तियों के **अनुकूल प्रभावों** को ग्रहण करने के योग्य होने पर उसका कोई अस्तित्व **श्रेष्ठ बनता वा विकसित होता है**, उस **सत्य नेचर** के इस रूप को देवात्मा की देवज्योति के द्वारा उपलब्ध करने और उसके सम्बन्ध में इन सब सत्यों की सत्यता के प्रति **विश्वास** करने की भी नितान्त **आवश्यकता है।**

(2) सत्य नेचर के विकासकारी कार्य में उसका जो जो अजीवित और जीवित अस्तित्व **जहां तक सहायक** बनता है, वहां तक वह **पहले की अपेक्षा श्रेष्ठ**, और जहां तक **विरोधी वा विघ्नकारी वा बाधा जनक** बनता है, वहां तक वह पहले की अपेक्षा **अश्रेष्ठ वा पतित** बनता है। इस सत्य को देवात्मा की देव ज्योति में उपलब्ध करने और उसकी सत्यता पर भी विश्वास करने की आवश्यकता है।

(3) सत्य नेचर में सत्य अनुराग और मिथ्या अनुराग **दो परस्पर विरोधी अनुराग हैं**; इसलिए उसके अटल नियमानुसार इन दोनों के अनुरागियों में जहां एक ओर **युद्ध का होना अनिवार्य है**, वहां दूसरी ओर इस प्रकार के युद्ध वा संग्राम के उत्पन्न होने पर उसके **विकास** विषयक अटल नियम के अनुसार **सत्य के अनुरागी वा सत्य के पक्षपाती की अन्तिम जय का होना भी अनिवार्य है।** इस सत्य को भी देवात्मा की देवज्योति में उपलब्ध और उसकी सत्यता पर विश्वास करने की आवश्यकता है।

(4) सत्य नेचर में शुभ अनुराग और अशुभ अनुराग **दो परस्पर विरोधी अनुराग हैं।** इसलिए इन दोनों के अनुरागियों में उसके अटल नियमानुसार जहां एक ओर **युद्ध वा संग्राम का होना अनिवार्य है**, वहां दूसरी ओर इस युद्ध वा संग्राम के उत्पन्न होने पर उसके **विकास** विषयक अटल नियम के अनुसार किसी भी **शुभ के अनुरागी वा शुभ के पक्षपाती की अन्तिम जय का होना भी अनिवार्य है।** इस सत्य को भी देवात्मा की देवज्योति में उपलब्ध और उसकी सत्यता पर विश्वास करने की आवश्यकता है।

अब यदि इन सत्यों के उपलब्ध करने और उनकी सत्यता पर विश्वास करने के लिए देवात्मा की जिस **देवज्योति** की आवश्यकता है, उसकी प्राप्ति के लिए किसी जन में कोई योग्यता न हो, तो फिर उसमें देवात्मा के सम्बन्ध में जिस **सत्य विश्वास भाव** की उत्पत्ति की आवश्यकता है, वह विश्वास भाव कभी उत्पन्न नहीं हो सकता।

उनतीसवां अध्याय

देवात्मा के देव रूप के सम्बन्ध में सत्य और अटल श्रद्धा भाव

प्र.। देवात्मा के देवरूप के सम्बन्ध में **श्रद्धा** विषयक अटल सात्विक भाव क्या होता है?

उ.। देवात्मा की **देवज्योति** को पाकर जब किसी अधिकारी जन को उनके **सत्य देवरूप और उस रूप की विकासक उनकी देवशक्तियों की** कुछ **उपलब्धि हो**, और वह उन्हीं की **देवज्योति** में एक ओर **अपने आप को उनसे विहीन** और नाना प्रकार के **नीच सुखों का अनुरागी** और अपने इन नीच अनुरागों के कारण **नाना प्रकार की नीच घृणाओं से भरपूर** और इसीलिए आत्मिक रोगों में ग्रस्त देखता हो, और दूसरी ओर अपने आत्मिक रोगों से **मोक्ष** और अपने आत्मिक विकास के निमित्त **उन्हीं के इस सत्य देवरूप में समस्त सामग्री उपलब्ध करता हो**, तब **इन सत्यों की उपलब्धि से** जैसे एक ओर वह उनके इस **देवरूप** की सत्य महिमा और **अपनी तुच्छता** को किसी सीमा तक उपलब्ध करता है, और अपने आपको उनका **आश्रित** और उन्हें अपना **पूर्ण आश्रय** बोध करता है, वहां दूसरी ओर उनके इस **देवरूप की सराहना वा स्तुति** करने वा उसकी महिमा गाने वा किसी और के द्वारा उनकी स्तुति सुनने का आकांक्षी वा अभिलाषी भी बन जाता है। और इस आकांक्षा वा अभिलाषा के जाग्रत हो जाने पर उनके इस **सच्चे देव रूप की** आप स्तुति वा आराधना करके वा किसी और के द्वारा सुनकर अपने आत्मा में **उच्च रस वा सात्विक सुख लाभ करता है।** उसकी इसी उपलब्धि को **सात्विक श्रद्धा भाव** कहते हैं।

इस सात्विक श्रद्धा भाव के उत्पन्न होने से ही देवात्मा के सम्बन्ध में उसमें **सच्ची दीनता** का भाव उत्पन्न होता वा हो सकता है। और इस सात्विक श्रद्धा के उत्पन्न होने से ही उसमें उनके प्रति **सच्चे सम्मान भाव** की उत्पत्ति और उसके **प्रदर्शन** करने की **वास्तविक आकांक्षा** जाग सकती है; और वह उसे वास्तविक रूप से प्रदर्शन कर सकता है। इस सात्विक श्रद्धा के भलीभांत उत्पन्न होने से ही वह उनके

देवरूप की महिमा को अपनी आन्तरिक दृष्टि से दर्शन करके उसका निडर होकर और अपने हृदय के उच्छवास के साथ औरों के सम्मुख वर्णन और प्रचार कर सकता है।

तीसवां अध्याय

देवात्मा के देवरूप के सम्बन्ध में सत्य और अटल कृतज्ञ भाव

प्र.। देवात्मा के सम्बन्ध में कृतज्ञता विषयक उच्च वा सात्विक भाव की उत्पत्ति से क्या अभिप्राय है?

उ.। देवात्मा के देव प्रभावों को पाकर किसी अधिकारी मनुष्य के अपने आत्मा I sl a&/ r **जो जो मिथ्या विश्वास दूर हुए हों**, और उसे अपने **आत्मा वा सत्य धर्म** के विषय में जो कुछ **सत्य ज्ञान** मिला हो, जिस जिस मिथ्या और हानिकारक अनुष्ठान वा प्रथा से **विरत** होने का भाव जागा हो, और जहां तक उसके अपने शरीर वा उसके अपने किसी पारिवारिक सम्बन्धी आदि का कोई **हित** हुआ हो, ऐसे **सब प्रकार के हितों** को पाकर यदि उसे वह सब प्रकार के हित अपने ऊपर **ऋण** की न्याईं बोध हों, और वह यदि **इस हित वा ऋण के परिशोध करने के निमित्त** अपने आत्मा में उनकी किसी प्रकार की **सेवा** करने का **सच्चा और विशुद्ध भाव** उठता हुआ अनुभव करे, और वह अपने इस सच्चे और विशुद्ध भाव से प्रेरित होकर उनके स्थूल शरीर वा उनके किसी आश्रित मनुष्य वा पशु वा उद्यान वा पौदे वा वृक्ष वा घर वा अन्य सम्पत्ति के सम्बन्ध में **उनकी शुभ इच्छा** के जानने और उसे जानकर उसके अनुसार उनकी रक्षा वा सेवा करने के लिए तैयार हो, और **उनके स्थूल शरीर के त्याग के अनन्तर भी इन विषयों में उनके लिए सेवाकारी बनने और रहने का यथेष्ट भाव बोध करता हो;** और ऐसी सेवा के लिए जहां तक उसे अपने मानसिक और शारीरिक बल और धन आदि को **अर्पण** करने की आवश्यकता हो, वहां तक वह उन्हें **अर्पण** करने की अपने भीतर **पूर्ण आकांक्षा** रखता हो, तब उसके इस उच्च भाव को उनके सम्बन्ध में सात्विक **कृतज्ञ भाव** कहते हैं।

इकतीसवां अध्याय

देवात्मा के देव प्रभावों के लिए आकर्षण भाव

प्र.। देवात्मा के देव प्रभावों के लिए आकर्षण भाव क्या होता है?

उ.। देवात्मा की **देवज्योति** के द्वारा जब किसी अधिकारी आत्मा पर यह सत्य प्रगट हो जाय, कि वह अपने जिन नाना प्रकार के नीच सुखों के अनुरागों के कारण विविध प्रकार के आत्मिक रोगों से रोगी है, और उन रोगों के कारण उसके आत्मा का जो पतन हो रहा है, और उसकी निर्माणकारी शक्ति का बल घट रहा है, और वह विनाश की ओर जा रहा है, उस पतन और विनाश से जहां तक सम्भव हो, वह देवात्मा के ही **देवप्रभावों** को पाकर **सत्य मोक्ष लाभ** कर सकता है, और उसको देवात्मा के साथ आत्मिक सम्बन्ध स्थापन करने वाले जिन **सात्विक भावों** की आवश्यकता है, उनकी यदि किसी अंश में उसमें उत्पत्ति हुई है, तो वह उन्हीं के देव प्रभावों को पाकर हुई है; और वह सब भाव उसमें उन्हीं के **देव प्रभावों** के द्वारा **स्थिति और उन्नति कर सकते हैं**, और उनके भिन्न उसमें जिन जिन अन्य उच्च भावों की जाग्रति और उन्नति सम्भव हो, उनकी जाग्रति और उन्नति भी उन्हीं के देव प्रभावों को पाकर हो सकती है; तब इन सत्यों के उपलब्ध करने पर यदि उसके भीतर देवात्मा के **देव प्रभावों की** प्राप्ति के लिए किसी सच्ची आकांक्षा वा कामना का भाव उत्पन्न हो, तो उसका वह भाव देवात्मा के **देव प्रभावों के प्रति आकर्षण भाव** कहलाता है।

अब यदि देवात्मा के **देव प्रभावों के प्रति यह आकर्षण भाव** किसी मनुष्य में जाग्रत न हुआ हो, तो वह **अपनी ओर से** उनकी प्राप्ति के लिए कभी कोई साधन न करेगा; और इसीलिए उन्हें अपने साधन के द्वारा कभी लाभ भी न कर सकेगा; और ऐसी दशा में **देवात्मा के देवरूप के साथ उसका कोई आत्मिक सम्बन्ध उत्पन्न न होगा**; और वह **अपने आप** उनकी कोई सच्ची **आत्मिक पूजा** न कर सकेगा।

प्र.। क्या यह भी सम्भव है, कि किसी मनुष्य में देवात्मा के देवरूप के सम्बन्ध में कुछ **सत्य विश्वास** की जाग्रति हुई हो, और उनके प्रति कुछ **सच्ची श्रद्धा** और **कृतज्ञता** का भाव भी जागा हो; परन्तु उसमें उनके **देव प्रभावों** के लिए आकर्षण भाव की इतनी उत्पत्ति न हुई हो, कि जिससे वह उनकी प्राप्ति के लिए आप कोई

नियमित साधन कर सके, और अपने ऐसे साधन के द्वारा उन्हें लाभ कर सके?

उ.। जी हां। इस दशा में वह देवात्मा के देवरूप की कोई सच्ची आत्मिक पूजा भी नहीं कर सकता, कि जो उसकी सच्ची आत्मिक मोक्ष और उस में उच्च भावों की जाग्रति और उनकी रक्षा और उन्नति के लिए नितान्त आवश्यक है।

प्र.। यदि कोई जन देवात्मा की सच्ची देव पूजा करने के योग्य न हो, वा योग्य न बन सके, तो इससे उसकी क्या क्या आत्मिक हानि हो सकती है?

उ.। इससे उसके आत्मिक रोगों से उसकी सत्य मोक्ष का कोई नियमित पथ न खुलेगा, और उसमें उच्च जीवन की उन्नति का भी कोई लगातार क्रम न चलेगा।

प्र.। क्या इस दशा में उसकी कोई और हानि भी होगी?

उ.। जी हां, यदि इस दशा में पतित होते होते उसमें किसी ऐसी उच्च संगत में योग देने की आकांक्षा भी न रहे, कि जिसमें किसी और योग्य साधक के द्वारा उस तक **देवात्मा** के **देव प्रभाव** पहुंच सकें; अथवा किसी ऐसी उच्च संगत में बैठने पर भी वह अपनी अयोग्यता के कारण देवात्मा के देव प्रभाव कुछ भी लाभ न कर सके, तो फिर उनके देव प्रभावों की प्राप्ति से पूर्णतः कट जाने पर उसके लिए नेचर के आत्मिक जगत् के अटल नियमानुसार दिनोंदिन और भी अधिक से अधिक पतित होते जाना **अनिवार्य** है।

प्र.। परन्तु यदि कोई जन ऐसा हो, कि वह अपने निज के साधन में भी देवात्मा के **देव प्रभावों** को लाभ करने के योग्य बन चुका हो, तो क्या वह अपने निज के साधन के द्वारा अपने आत्मा में देवात्मा के देव प्रभावों के प्रति अपने **आकर्षण** को लगातार बढ़ा वा उन्नत कर सकेगा?

उ.। यदि वह अपने ऐसे साधन के समय देवात्मा की **देवज्योति** के पाने पर क्या देवात्मा और क्या किसी मनुष्य वा पशु वा पौदे वा नेचर की किसी अन्य वस्तु के सम्बन्ध में अपनी किसी चिन्ता वा अपने किसी वचन वा अपनी किसी अन्य क्रिया को अपने आत्मिक जीवन के लिए **हानिकारक** रूप में देखकर उसके प्रति कोई **यथेष्ट उच्च घृणा** वा इससे भी ऊपर कोई **यथेष्ट दुख भाव** बोध न कर सके, अथवा धन, मान, बड़ाई, सन्तान, पति, पत्नी आदि विषयक किसी **नीच सुख अनुराग** को अपने आत्मिक जीवन के लिए पतनकारी रूप में देखकर उसके प्रति कोई **उच्च घृणा** वा इससे भी ऊपर कोई दुख बोध न कर सके, और ऐसी दशा रखकर देवात्मा की **इस देवज्योति का साथ न दे सके**, और उसका लगातार निरादर करके सुखी वा संतुष्ट रहे, तो उसमें केवल यही नहीं कि देवात्मा के देव प्रभावों के लिए कोई आकर्षण भाव उन्नत न होगा, किन्तु वह उलटा घटता जाएगा, और घटते घटते किसी दिन कुछ भी

न रहेगा।

फलत: किसी अधिकारी जन में भी देवात्मा के देव प्रभावों के प्रति उतने ही अंश आकर्षण बढ़ सकता है, कि जितने अंश उसके आत्मा में से एक वा दूसरे प्रकार का **पतनकारी सुख अनुराग घट सकता है**, और उस पतनकारी सुख अनुराग के प्रति उसमें **विकर्षण** उत्पन्न हो सकता है। परन्तु यदि **उसमें अपने किसी भी पतनकारी सुख अनुराग के प्रति कोई विकर्षण वा घृणा भाव उत्पन्न न हो, और अपने किसी पतनकारी विश्वास, वा अपनी किसी पतनकारी चिन्ता वा अपने किसी पतनकारी वचन वा अपनी किसी पतनकारी अन्य क्रिया के प्रति कोई सच्चा विकर्षण भाव जाग्रत न हो,** तो फिर नेचर के आत्मिक जगत् के अटल नियमानुसार उसमें देवात्मा के **देव प्रभावों के लिए किसी आकर्षण भाव की उन्नति भी सम्भव नहीं।**

———————

बत्तीसवां अध्याय

देवात्मा के देवरूप के सम्बन्ध में विश्वास भाव की उन्नति के साधनों की विधि

प्र.। देवात्मा के देवरूप के सम्बन्ध में विश्वास भाव की उन्नति क्योंकर हो सकती है?

उ.। जब तक उनके देवरूप के सम्बन्ध में उनके किसी विश्वासी जन के आत्मा में अपने इस भाव की **उन्नति** की कोई आकांक्षा वा कामना उत्पन्न न हो, तब तक वह उसकी उन्नति विषयक किसी साधन के ग्रहण करने का इच्छुक ही नहीं हो सकता। और यदि वह किसी अवसर पर देवात्मा के **देव प्रभावों** को पाकर किसी ऐसे साधन के ग्रहण करने के निमित्त अपने हृदय में कोई **अल्पकालिक लहर** उठने पर उसे आरम्भ भी कर दे, तो वह इस प्रकार के किसी साधन को लगातार चला नहीं सकता।

प्र.। इस विश्वास भाव की उन्नति विषयक आकांक्षा वा कामना से क्या अभिप्राय है?

उ.। यदि देवात्मा की **देवज्योति** को पाकर किसी अधिकारी जन में उनके देवरूप की कुछ सच्ची उपलब्धि हो, तो उसे अपनी इस उपलब्धि की दशा में इस महा सत्य की भी उपलब्धि होगी कि उसे अपने **आत्मा के अन्धकार के दूर करने**, उसके नाना प्रकार के पतनकारी विश्वासों, उसकी नाना प्रकार की पतनकारी चिन्ताओं, उसके नाना प्रकार के पतनकारी वचनों और उसकी विविध प्रकार की अन्य पतनकारी क्रियाओं को उनके **पतनकारी रूप में**, और अपने आत्मा और धर्म के विषय में **जिन सत्यों के देखने**, और उसे अपने आत्मिक जीवन के विकास के लिए जिन उच्च भावों को **सुन्दर रूप में उपलब्ध करने के लिए जिस देवज्योति की आवश्यकता है**, वह देवज्योति उसमें नहीं किन्तु देवात्मा में है; और उसे अपनी ऐसी जिन जिन पतनकारी गतियों से **सच्ची मोक्ष** मिल सकती है, उस मोक्ष की प्राप्ति, और उसे अपने आत्मा में जिस जिस प्रकार के उच्च वा सात्विक भावों को विकसित करके सच्चे धर्म जीवन के लाभ करने की आवश्यकता है, उस सच्चे धर्म जीवन की उत्पत्ति और

उन्नति जिस **देवतेज** की प्राप्ति से हो सकती है, वह **देवतेज** भी उसमें नहीं, किन्तु **उनके देव रूप** में है, तब इस **सत्य विश्वास के उत्पन्न होने पर** जब उसे यह ज्ञान भी हो, कि यदि किसी कारण से उसके भीतर का यह सच्चा और हितकर विश्वास मर जाय वा नष्ट हो जाय, तो फिर इस हानि से बढ़कर उसकी कोई और हानि नहीं। इसीलिए उसे अपने इस महा हितकर विश्वास को इतना गहरा और इतना गाढ़ वा उन्नत करना चाहिए कि जिससे वह कभी शिथिल वा नष्ट न हो, किन्तु वह उसमें **पूर्णत: स्थाई और अटल हो जाय,** तब उसके भीतर की यह चाह वा अभिलाषा उसके विश्वास भाव की उन्नति विषयक आकांक्षा वा कामना कहलाती है।

प्र.। क्या इस आकांक्षा से परिचालित होकर जब कोई जन देवात्मा के देवरूप के सम्बन्ध में कोई विश्वास वर्द्धक साधन ग्रहण करता है, **तब उससे उसे कोई उच्च वा सात्विक रस वा सुख भी मिलता है?**

उ.। जी हां, अवश्य। और यदि इस **उच्च सुख** की प्राप्ति में उसका कोई नीच सुख विषयक अनुराग रोक न बने, और वह उसे नष्ट न कर दे, और उस उच्च सुख की प्राप्ति के लिए उसका **आकर्षण** दिनों दिन बढ़ता जाय, तो वह **अपने इस सच्चे विश्वास के लिए** एक वा दूसरे प्रकार के साधन को न केवल ग्रहण कर सकता है, किन्तु उसे जारी भी रख सकता है, अन्यथा न वह किसी ऐसे साधन को ग्रहण कर सकता है और न उसे लगातार चला सकता है।

प्र.। देवात्मा के देवरूप के सम्बन्ध में यदि किसी अधिकारी जन में अपने विश्वास भाव की उन्नति के लिए यथेष्ट आकांक्षा वा अभिलाषा उत्पन्न हो जाय, तो वह अपने इस महा श्रेष्ठ भाव को किस किस विधि से उन्नत कर सकता है?

उ.। यदि कोई ऐसा अधिकारी आत्मा देवात्मा के **अद्वितीय देवरूप की उपलब्धि का सच्चा इच्छुक बन चुका हो,** और उनकी **देवज्योति** के पाने का अधिकारी और उसकी प्राप्ति का भी **सच्चा आकांक्षी** हो चुका हो, तो वह किसी शुद्ध और सुन्दर स्थान में अकेला वा अपने जैसे और अधिकारी जनों के साथ बैठकर **उनके इस देवरूप के प्रकाशक निम्नलिखित मूल सत्यों को उपलब्ध करने का** अभ्यास वा साधन करके अपने इस **सत्य विश्वास को** उन्नत वा विकसित कर सकता है:–

पहले मूल सत्य की उपलब्धि का साधन

देवात्मा में देव जीवन के विकास की कथाओं का पाठ और उन पर विचार, अर्थात्:-

नेचर के नियमानुसार इस पृथ्वी के मनुष्य जगत् के लाखों वर्षों के विकास के अनन्तर **देवात्मा के आविर्भाव में हित और सत्य विषयक अनुराग शक्तियां** जो पहले पहल **बीज रूप** में प्रगट हुईं; और फिर नेचर की ही विकासकारी विधि के द्वारा उनका जब जब और जितना जितना और जिस जिस प्रकार से **क्रमशः विकास** हुआ, उस विकास की कथा का उनकी रची हुई पुस्तकों और उनके लेखों में से पाठ, और उस कथा के सम्बन्ध में निम्नलिखित चार महा सत्यों पर ध्यानपूर्वक विचार:-

(1) उनके नन्हे आत्मा में **हित विषयक देव अनुराग** जो पहले पहल केवल **बीज रूप** में प्रगट हुआ था, वह बीज नेचर की विकासकारी विधि के अनुसार जब प्रस्फुटित हुआ और जब जब और जहां जहां और जिस जिस प्रकार से उन्नत हुआ, और फिर उन्नत होते होते जिस प्रकार से **नेचर के सारे जगतों** के साथ सम्बन्धित हो गया, और वह नेचर के प्रत्येक विभाग के सम्बन्ध में विविध प्रकार के **हितों के बोधी और प्रेमी बने**, उनके इस अद्वितीय हित अनुराग के विकास और विविध प्रकार के हित विषयक बोधों की बार बार उपलब्धि।

(2) उनके हित बोधों के **उलट** मनुष्य जगत् में नेचर के विविध विभागों के संबंध में जिस जिस प्रकार की **अहित उत्पादक** चिन्ताएं और अन्य क्रियाएं होती हैं, उनके विषय में **उन्होंने जो जो बोध लाभ किए**, उनके इन अहित विषयक अद्वितीय बोधों के विकास की बार बार उपलब्धि।

(3) उन्होंने अपने आत्मा में नेचर के प्रत्येक विभाग के सम्बन्ध में हित और अहित बोधों के विकसित होने पर क्या मनुष्य जगत् के लोगों के परस्पर के सम्बन्ध में, और क्या उस जगत् और उससे नीचे के जगतों के परस्पर के संबंध में जिस महा **अहित उत्पादक अनमेल** के सत्य को उपलब्ध किया, और इस **अनमेल के दूर होने और उसमें हित उत्पादक मेल के उत्पन्न होने की प्रबल आकांक्षा अनुभव की**, और इस प्रबल भाव से परिचालित होकर उन्होंने मनुष्य जगत् के अधिकारी जनों के लिए नेचर के सकल विभागों के सम्बन्ध में अपने अपने **उस अनमेल की दशा**

के देखने और उससे उद्धार पाने और उच्च बोधों को उत्पन्न करके उनके साथ हितकर मेल के उत्पन्न करने के सम्बन्ध में जो जो वर्जित और कर्तव्य कर्म विषयक आदेश लिखे, और उनके साधनों की विधियां बताईं, उनके इन आदेशों का पाठ और उन पर विचार करके उनकी इस अद्वितीय शिक्षा की विशेषता की बार बार उपलब्धि। और वह नेचर के सब विभागों में अहित उत्पादक अनमेल के दूर और हित उत्पादक मेल के उत्पन्न होने के निमित्त अपने दैनिक साधनों में अपने शुभ कामना विषयक संगीत के जिन निम्नलिखित पदों को गाकर शुभ कामना करते हैं, उनकी उस शुभ कामना की विशेषता पर विचार:-

"सकल विभागों में नेचर के,

उच्चगतिप्रद परिवर्तन हो;

नीच गति हो विनष्ट दिन दिन,

श्रेष्ठ मेल उनमें उत्पन्न हो।"

अर्थात् मेरे देव प्रभावों के द्वारा नेचर के सारे विभागों में जहां तक उच्च परिवर्तन सम्भव हो, वह उच्च परिवर्तन उत्पन्न हो, और जहां तक उनमें से परस्पर के सम्बन्ध की नीच गतियां विनष्ट हो सकती हों, वह विनष्ट हों; और इस प्रकार से उनमें **श्रेष्ठ मेल** की उत्पत्ति हो।

(4) उनके नन्हे आत्मा में **सत्य विषयक देव अनुराग जो पहले पहल बीज रूप में प्रगट हुआ था**, वह बीज उनमें नेचर की विकासकारी विधि के अनुसार जब प्रस्फुटित हुआ, और जब जब और जहां जहां और जिस जिस प्रकार से उन्नत हुआ, और उन्नत होते होते वह जिस प्रकार नेचर के सारे जगतों के साथ सम्बन्धित हो गया, और वह अपने इस सत्य अनुराग के विकास से नेचर के प्रत्येक विभाग के सम्बन्ध में सत्य और केवल सत्य ज्ञान के प्रेमी बन गए, उनके इस विकास की बार बार उपलब्धि।

फिर वह अपने इस सत्य अनुराग के विकास के साथ साथ नेचर और नेचर में से मनुष्यात्मा के सम्बन्ध में जिस जिस प्रकार क्रम क्रम से अधिक से अधिक सत्य ज्ञान लाभ करने के योग्य बने, और उनके बाल्य काल के धर्म के नाम से संस्कार-प्राप्त नाना प्रकार के मिथ्या विश्वास दूर हुए, और इस पृथ्वी के मनुष्यों में क्या धर्म के नाम से, क्या मनुष्यों के अपने परस्पर के बरतावों, और क्या नेचर के अन्य जगतों के सम्बन्ध में जिस जिस प्रकार के मिथ्या विश्वास, मिथ्या चिन्ताएं, मिथ्या वचन और अन्य मिथ्या-मूलक कर्म फैले हुए हैं, उनके विषय में उनके आत्मा में विविध बोधों की उत्पत्ति और उन्नति हुई, और अपनी इस उन्नति के मार्ग में एक विशेष काल में

पहुंचकर उन्होंने आत्मा और आत्मिक जीवन के विषय में नेचर–मूलक वा नेचर–सम्मत जो जो सत्य उपलब्ध किए, और उन्हें उपलब्ध करके उन्होंने इस पृथ्वी में धर्म के नाम से जितनी शिक्षा प्रचलित है, उसे **मिथ्या** बताया, और धर्म के विषय में सत्य ज्ञान की प्रकाशक पुस्तकें लिखीं, और प्रकाशित कीं, और इस धर्म विषयक सत्य ज्ञान की प्राप्ति के निमित्त पाठ और विचार विषयक साधनों की विधि तैयार और प्रचलित की, उनके इस अद्वितीय सत्य अनुराग विषयक विकास की बार बार उपलब्धि।

फिर इस प्रकार के सब पाठ और विचार के द्वारा इस तत्व की उपलब्धि, कि देवात्मा में **इन देव शक्तियों के प्रकाश और विकास की जो कथा है, वह पूर्णत: निराली है**; अर्थात् उनकी इन देव शक्तियों के बीजों से विहीन होने के कारण न तो विकास सम्बन्धी उसकी अपनी कोई ऐसी कथा है, न उसके किसी पारिवारिक वा अन्य सम्बन्धी की, न उसके किसी देशवासी की, न इस पृथ्वी के किसी भी देश के किसी जन की, न किसी कहलाने वाले देवता वा देवी की, न उनमें से किसी के कहलाने वाले अवतार की, न किसी महर्षि, ऋषि, मुनि, सिद्ध, बुद्ध, तीर्थंकर, जिन, योगी, भक्त, गुरु, साधु, महन्त, सन्यासी, वैरागी, पैगम्बर, पीर, वली और सेंट की, न किसी कहलाने वाले ईश्वर के किसी विशेष पुत्र वा किसी आचार्य आदि की। क्योंकि यदि उसमें वा उनमें से किसी भी सच्चे अस्तित्व रखने वाले में यह **सच्ची देव शक्तियां बीज रूप में आई होतीं,** और उनका उसमें वा उनमें से किसी में **विकास** हुआ होता, **तो उसकी अपनी वा उनमें से किसी और के विकास की कथा भी देवात्मा की इस विकास की कथा से मिलती जुलती पाई जाती। परन्तु क्या उसकी अपनी और क्या उनमें से किसी और की ऐसी कोई कथा नहीं है। इसलिए देवात्मा के देव जीवन की विकास विषयक यह कथा उनके अद्वितीय देवरूप वा अद्वितीय देव जीवन का पूर्ण और अकाट्य प्रमाण है।** इस मूल सत्य की बार बार उपलब्धि करने से साधक के भीतर **देवात्मा के सत्य देवरूप के सम्बन्ध में सत्य विश्वास भाव की उन्नति होती वा हो सकती है।**

दूसरे मूल सत्य की उपलब्धि का साधन

देवात्मा के परम लक्ष्य के सम्बन्ध में विविध लेखों का पाठ और उन पर विचार

यदि किसी आत्मा में **हित और सत्य विषयक देव शक्तियों** का क्रमश: विकास हुआ हो, तो उसके इस विकास के क्रम में एक ऐसे समय के आने पर, जब कि उनका उस पर **इतना प्रबल अधिकार हो,** कि **वही उसकी पूर्ण परिचालक बन जावें,** नेचर के आत्मिक जगत् के नियमानुसार **उनके भावी विकास के निमित्त** उसके लिए **अपनी अन्य सब शक्तियों को पूर्णत: समर्पण करना,** और उनकी **विरोधी** सब शक्तियों के साथ **युद्ध** करने के निमित्त खड़ा होना, और इस **देवयुद्ध** में प्रवृत्त होकर जिस जिस अधिकारी जन में जहां जहां तक सम्भव हो, **उन्हीं की जय चाहना,** और इस जय को लाभ करके जहां तक सम्भव हो, **प्रत्येक अधिकारी जन का आत्मिक कल्याण करना,** और इस अतुल संग्राम में प्रवृत्त रहकर **अपने देव जीवन का भी अधिक से अधिक विकास** करना, और इसी और केवल इसी कार्य को अपने आविर्भाव का **एक मात्र लक्ष्य वा परम लक्ष्य जानना और अनुभव करना,** और उसी के लिए जीना वा अपना जीवन उत्सर्ग करना अनिवार्य हो जाता है।

इसीलिए देवात्मा के इस उन्नतिशील देवजीवन के विकास में जब ऐसा समय आया, तब उन्होंने मनुष्य जगत् के सम्मुख अपने जिस **परम लक्ष्य की घोषणा की,** उस **परम लक्ष्य** की घोषणा उनकी इन सच्ची देव शक्तियों से विहीन उनसे पहले किसी कहलाने वाले देवता वा देवी वा उसके किसी कहलाने वाले अवतार वा किसी कहलाने वाले धर्म सम्प्रदाय के किसी संस्थापक आदि ने नहीं की थी; **क्योंकि इन सच्ची देव शक्तियों से विहीन होने के कारण उन में से कोई ऐसी घोषणा कर नहीं सकता था।**

नेचर की अपनी विधि के अनुसार इस समय के आने पर देवात्मा ने अपनी पूरे बत्तीस वर्ष की वयस में अपने इस **परम लक्ष्य** की अपने एक संगीत के जिन शब्दों के द्वारा घोषणा की, वह यह थे:-

''सत्य शिव सुन्दर ही, मेरा परम लक्ष्य होवे,
जग के उपकार ही में, जीवन यह जावे।''

अर्थात् सुन्दर सत्य और शुभ मेरा परम लक्ष्य हो, और जगत् के उपकार में ही मेरा यह सारा जीवन व्यतीत हो।

उनके इसी परम लक्ष्य के प्रगट करने वाले उनके कुछ वचन यह हैं:-

''सत्यस्य प्रेमी अहं, सत्यं मया जयं लभेत्;
शुभस्य च प्रेमी अहं, शुभं मया जयं लभेत्।

<u>असत्यस्य</u> शत्रुरहं, <u>असत्यं</u> मया नष्टं भवेत्;
अनृतस्य अनृतं

अशुभस्य शत्रुरहं, अशुभं मया नष्टं भवेत्।''

अर्थात्

''मैं सत्य का प्रेमी हूं, सत्य सदा मेरे द्वारा **जय** लाभ करे। मैं शुभ वा हित का प्रेमी हूं, शुभ वा हित सदा मेरे द्वारा **जय** लाभ करे। मैं असत्य वा मिथ्या का शत्रु हूं, असत्य वा मिथ्या सदा मेरे द्वारा **नष्ट** हो। मैं अशुभ वा अहित का शत्रु हूं, अशुभ वा अहित सदा मेरे द्वारा **नष्ट** हो।''

यह **परम लक्ष्य** देवात्मा से पहले इस पृथ्वी में किसी ने कभी प्रगट नहीं किया था - न किसी कहलाने वाले विष्णु, शंकर, ब्रह्मा, ईश्वर, परमेश्वर, परमात्मा, वाह गुरु, अल्ला, खुदा, लार्ड गॉड आदि किसी देवता ने, न उनमें से किसी के कहलाने वाले किसी अवतार वा किसी विशेष पुत्र ने, न किसी कहलाने वाले ऋषि, महर्षि, मुनि, योगी, भक्त, सन्त, महन्त, सिद्ध, बुद्ध, तीर्थंकर ने, और न किसी पैगम्बर, पीर, वली और गुरु आदि ने; क्योंकि, देवात्मा में जिन **सच्ची देव शक्तियों** का प्रकाश हुआ है, **उनसे विहीन** होकर किसी और के लिए ऐसे **परम लक्ष्य** की घोषणा करना **सम्भव** नहीं था। इसीलिए देवात्मा के भिन्न इस परम लक्ष्य की किसी ने कभी कोई घोषणा नहीं की।

देवात्मा के इस परम लक्ष्य की उपलब्धि के निमित्त उसके निम्नलिखित चार बड़े बड़े लक्षणों की उपलब्धि आवश्यक है:-

1- देवात्मा में अपने इस परम लक्ष्य की सिद्धि के निमित्त सब प्रकार के सुख विषयक देव त्याग का विकास

देवात्मा में अपने इस अद्वितीय परम लक्ष्य की सिद्धि के निमित्त जैसे **अशुभ** और **मिथ्या** के **अनुरागियों** और **पक्षपातियों** के साथ **देवयुद्ध** करना अनिवार्य हो गया, वैसे ही इस **देवयुद्ध** में **अशुभ पर शुभ** की और मिथ्या पर सत्य की जय के लिए यथावश्यक **अपने सब प्रकार के सुखों का त्याग करना भी अनिवार्य हो गया।** इन्हीं सुखों के *त्याग* का नाम **सुख विषयक देवत्याग** है।

2- देवात्मा में अपने परम लक्ष्य की सिद्धि के निमित्त यथावश्यक अपने विविध वंशीय, साम्प्रदायिक, सामाजिक और पारिवारिक आदि सब प्रकार के सम्बन्धियों के त्यागने के लिए जन विषयक देवत्याग का विकास

देवात्मा के लिए अपने परम लक्ष्य की सिद्धि के निमित्त जैसे अशुभ और असत्य के अनुरागियों और पक्षपातियों के साथ **देवयुद्ध** करना अनिवार्य हो गया, वैसे ही उनके इस **परम लक्ष्य** की सिद्धि में उनके जो जो वंशीय जन, साम्प्रदायिक जन, पारिवारिक जन और अन्य कहलाने वाले मित्र आदि जन विरोधी वा विघ्नकारी वा बाधाकारी वा रोक बने, उन सबका त्याग करना भी अनिवार्य हो गया; इसीलिए उन्होंने उनका भी त्याग किया। इस प्रकार के सब सम्बन्धियों के त्याग का नाम **जन विषयक देवत्याग** है।

3- देवात्मा में अपने परम लक्ष्य की सिद्धि के निमित्त विविध प्रकार के घोर से घोर और सांघातिक आघातों के ग्रहण और सहन करने के लिए दुख ग्रहण विषयक देव भाव का विकास

देवात्मा के लिए अपने परम लक्ष्य की सिद्धि के निमित्त जैसे **अशुभ** और **असत्य** के उन सब अनुरागियों और पक्षपातियों के साथ **देवयुद्ध** करना अनिवार्य हो गया, कि जो बाहर के जन थे और जो उनके **विरोधी** बनकर उनके **उत्पीड़नकारी** बने, और जिनकी उत्पीड़नकारी नाना प्रकार की नीच क्रियाओं से **बड़े बड़े हृदयविदारक आघातों और कष्टों और घोर से घोर दुखों, शारीरिक रोगों,** और **विविध प्रकार की अन्य हानियों को ग्रहण करना उनके लिए अनिवार्य हो गया;** वैसे ही उनके लिए **अपने पारिवारिक और सामाजिक जनों** की अबोधता, घमंड, द्वेष, स्वार्थ, कर्तव्य विहीनता, स्वेच्छाचारिता, और अपमान आदि मूलक विविध प्रकार की महा नीच क्रियाओं से भी साधारण आघातों और कष्टों के भिन्न, **नाना समयों में बड़े बड़े विशेष कष्ट और घोर से घोर दुख और बड़ी बड़ी भयानक यंत्रणाएं पाना और ग्रहण करना भी अनिवार्य हो गया।** फिर इनमें से उनके जो जो उपकृत जन **कृतघ्न** बन जाने पर उन्हें **भान्त भान्त से सताने, तड़पाने और** उनकी अन्य हानियां करने के लिए तैयार हुए, उनकी इन महा कृतघ्नता-मूलक क्रियाओं से भी अपने देव हृदय पर **बड़े बड़े आघात और दारुण कष्ट पाना और स्वीकार करना अनिवार्य हो गया।** इससे भी बढ़कर ऐसे ही नाना जनों की **पिशाचाना क्रियाओं** के कारण वह अपने शरीर की **स्नायु प्रणाली के चकनाचूर हो जाने पर** नाना समयों में जिस प्रकार शारीरिक **मृत्यु के निकट पहुंच जाते रहे,** वह महा शोचनीय दशा **पूर्णतः अवर्णनीय है।** और अपने जिस देवभाव के महा प्रबल अधिकार में होने के कारण उन्होंने अपने ऊपर यह सब प्रकार के महा आघात, महा कष्ट, महा यंत्रणाएं और अति दारुण दुख स्वीकार और ग्रहण किए, उसी का नाम **दुख ग्रहण विषयक देव भाव** है।

4- देवात्मा में अपने परम लक्ष्य की सिद्धि के निमित्त अपनी शारीरिक, मानसिक, विद्या और धन सम्पत्ति आदि विषयक सारी शक्तियों के अर्पण करने के समर्पण विषयक देव भाव का विकास

देवात्मा के लिए अपने परम लक्ष्य की सिद्धि के निमित्त जैसे **अशुभ** और **असत्य** के अनुरागियों और पक्षपातियों के साथ **देवयुद्ध** करना अनिवार्य हो गया, वैसे ही अपनी शारीरिक, मानसिक, विद्या और धन और अन्य सम्पत्ति विषयक **सब शक्तियों का अर्पण करना भी अनिवार्य हो गया।** इन्हीं सब शक्तियों के समर्पणकारी भाव का नाम **समर्पण विषयक देव भाव** है।

देवात्मा का यह **अद्वितीय परम लक्ष्य** उनके **अद्वितीय देवरूप** का दूसरा पूर्ण और अकाट्य प्रमाण है। इस दूसरे मूल सत्य की बार बार उपलब्धि करने से देवात्मा के सच्चे देव रूप के सम्बन्ध में विश्वास भाव की उन्नति होती वा हो सकती है।

तीसरे मूल सत्य की उपलब्धि का साधन

देवात्मा में देव जीवन के विकास से अद्वितीय देवज्योति का प्रकाश और विकास

देवात्मा में **सच्ची देव शक्तियों** के क्रमशः विकास से उनमें जिस **देवज्योति** का क्रमशः विकास हुआ, वह **देवज्योति** भी उनसे पहले **उन शक्तियों से विहीन** किसी भी कहलाने वाले देवता वा देवी वा उनमें से किसी के कहलाने वाले अवतार वा किसी कहलाने वाले धर्म सम्प्रदाय के संस्थापक वा किसी भी अन्य नामधारी मनुष्य में प्रगट नहीं हुई थी; इसलिए **इस देवज्योति** के द्वारा ही आत्मा के संगठन-प्राप्त रूप, उसके रोगों, उसके पतन, उस पतन के विनाशकारी फलों, उन फलों से उसकी मोक्ष, और उसमें उच्च जीवन के विकास के सम्बन्ध में **जो जो महा सत्य दिखाई देते हैं, वा दे सकते हैं,** और बिना उसके किसी और विधि और किसी और

प्रकार से दिखाई नहीं देते, और नहीं दे सकते, उनका ज्ञान भी उनमें से किसी को न था; और इन सत्यों के ज्ञान के विचार से इस पृथ्वी का सारे का सारा मनुष्य जगत् पूर्ण अन्धकार की दशा में था।

देवात्मा ने ही अपनी इस **अद्वितीय देवज्योति** को क्रम क्रम से विकसित करने के योग्य होने पर इन विषयों के छिपे हुए और अति गूढ़ **महा सत्यों** को समय के साथ साथ देखा और प्रगट किया है।

देवात्मा की रची हुई और पुस्तकों को छोड़कर देवशास्त्र के इसी तीसरे खंड में मनुष्यात्मा के सम्बन्ध में जितना कुछ वर्णन है, उसमें उनकी इसी पूर्णत: **नई शिक्षा** का प्रकाश किया गया है।

इस शिक्षा के ही सत्य ज्ञान से जहां किसी अधिकारी मनुष्य को **धर्म के विषय में सत्य ज्ञान मिलता है,** वहां उस पर यह सत्य भी प्रगट होता वा हो सकता है, कि **देवात्मा से पहले मनुष्य जगत् में किसी को भी धर्म के विषय में कोई सत्य ज्ञान न था,** और उनसे पहले इस पृथ्वी में किसी भी कहलाने वाले देवता वा देवी वा किसी भी सम्प्रदाय के संस्थापक के द्वारा धर्म विषयक सत्य ज्ञान का प्रचार नहीं हुआ था, और न किसी अन्धकारग्रस्त आत्मा के द्वारा उसका प्रचार होना कभी सम्भव था।

इस अद्वितीय **देवज्योति** के क्रमश: विकास से देवात्मा ने जिन महा गूढ़ सत्यों को देखा, उनमें से बड़े बड़े सत्य यह हैं:-

(1) मनुष्य के आत्मा के संगठन-प्राप्त रूप और उसके रोगों, उसके पतन और विनाश, उसके पतन से उसकी मोक्ष और उसमें उच्च जीवन के विकास के विषय में जो **सत्य ज्ञान** है, वही और केवल वही ज्ञान **धर्म विषयक सत्य ज्ञान** है; और इस सत्य ज्ञान को छोड़कर एक वा दूसरे किसी झूठे देवता, उसकी किसी झूठी स्तुति, उससे किसी झूठी प्रार्थना, उसके सम्बन्ध में किसी मंत्र वा उसके नाम आदि का जप, उससे किसी झूठी सहायता पर निर्भर, और उससे किसी झूठी मोक्ष, किसी प्रकार के योग वा अन्य विधि के द्वारा किसी सुख वा आनन्द की प्राप्ति आदि के विषय में इस पृथ्वी में जितने विश्वास वा मत, धर्म के नाम से फैले हुए हैं, उनमें से कोई विश्वास वा मत धर्म विषयक सत्य ज्ञान नहीं।

(2) धर्म विषयक सत्य ज्ञान की बुनियाद **एक मात्र सत्य नेचर पर है।** इसी हेतु से धर्म विषयक सत्य ज्ञान की प्राप्ति के लिए **सत्य नेचर के मूल तत्वों का ज्ञान भी आवश्यक है।** इसीलिए सत्य नेचर के अटल नियमों के विरुद्ध इस पृथ्वी के नाना सम्प्रदायों में धर्म के नाम से जो जो और जितनी जितनी शिक्षा

प्रचलित है, वह सब की सब पूर्णतः मिथ्या है।

(3) हित और सत्य विषयक पूर्णांग **देव अनुरागों** और उनके उलट अहित और असत्य विषयक पूर्णांग **देव घृणाओं** से विशिष्ट **एक मात्र देवात्मा ही सत्यदेव हैं**, और इन देव शक्तियों से विहीन **कोई सत्य अस्तित्व भी सत्यदेव नहीं।**

(4) सत्यदेव होने के कारण **एक मात्र देवात्मा** ही सब अधिकारी मनुष्यों के लिए **सत्य उपास्य हैं, और उनके भिन्न और कोई सत्य उपास्य नहीं।**

(5) मनुष्यात्माओं में विविध प्रकार के **सुख विषयक नीच अनुरागों** और उनसे उत्पन्न विविध प्रकार के **नीच घृणा भावों** की वर्तमानता और उनकी प्रेरणाओं से ही उनके द्वारा **सब प्रकार की मिथ्याओं और सब प्रकार के अहितों की उत्पत्ति होती है**। उसके यही नीच सुख अनुराग और उनसे उत्पन्न उसके नीच घृणा भाव मनुष्य जगत् में सब प्रकार की **मिथ्याओं** और सब प्रकार के **अहितों** की उत्पत्ति के **मूल कारण** हैं। इन्हीं दोनों के द्वारा मनुष्यात्माओं का **पतन** और उनकी **मृत्यु** वा उनका विनाश होता है, **इसलिए कोई भी सुख किसी मनुष्य के जीवन का लक्ष्य नहीं** हो सकता।

(6) नीच सुखों के सब प्रकार के अनुरागों और उनसे जिन जिन घृणाओं की उत्पत्ति होती है, उन सब घृणाओं और उन दोनों से जिन जिन असत्यों और अहितों की उत्पत्ति होती है, उन सब प्रकार के असत्यों और उन सब प्रकार के अहितों से जहां जहां तक किसी जन के लिए सम्भव हो, सच्चा उद्धार पाना ही **सत्य मोक्ष** है, और उसके भिन्न और कोई भी सत्य मोक्ष नहीं।

(7) किसी मनुष्यात्मा में **परोपकार** विषयक और देवात्मा के साथ आत्मिक सम्बन्ध उत्पादक उच्च वा सात्विक भावों की **जाग्रति और उन्नति से ही उच्च वा सच्चे धर्म जीवन का विकास होता है**, इसी उच्च जीवन की प्राप्ति से **उसके जीवन बल वा उसकी निर्माणकारी शक्ति की उन्नति होती है**; बिना इन उच्च शक्तियों के विकास के उसमें न तो **उच्च वा धर्म जीवन की उत्पत्ति होती है**, और न उसकी निर्माणकारी शक्ति की उन्नति होती है।

(8) देवात्मा के **देवप्रभावों** के मिलने से किसी अधिकारी आत्मा को उसकी योग्यता के अनुसार **जहां तक वा जितनी सत्य मोक्ष मिलती वा मिल सकती है**, वह उसे किसी और विधि से नहीं मिलती और नहीं मिल सकती। और जो जन अपेक्षाकृत बढ़िया श्रेणी के अधिकारी हों, उनमें उनके **सत्य देव रूप** के साथ जिन **उच्च वा सात्विक शक्तियों के द्वारा** सच्चा और आत्मिक सम्बन्ध स्थापन हो सकता है, उन सच्ची वा सात्विक शक्तियों का, और फिर उन्हें प्राप्त होकर उनके द्वारा

देवात्मा के देवरूप के साथ आत्मिक सम्बन्ध स्थापन हो जाने पर **उसमें उच्च वा धर्म जीवन का भी जितना विकास होता वा हो सकता है, उतना उच्च विकास उसमें और किसी विधि से नहीं हो सकता।** और उनके देवरूप के साथ सच्चे **आत्मिक सम्बन्ध** के स्थापित हो जाने से किसी अधिकारी आत्मा के लिए उसकी भावी सत्य मोक्ष और उसमें उसके भावी उच्च जीवन के विकास का जहां तक पथ खुल सकता है, वहां तक वह पथ किसी और विधि से नहीं खुलता और नहीं खुल सकता।

यह वह **महा सत्य** हैं कि जिन्हें **देवात्मा ने ही इस पृथ्वी में अपनी अद्वितीय देवज्योति के द्वारा देखा और प्रगट किया है,** और जिन्हें इस देवज्योति से विहीन किसी मनुष्य वा कहलाने वाले देवता वा देवी ने कभी नहीं देखा था, और इसीलिए कभी प्रगट भी नहीं किया था। फिर प्रत्येक अधिकारी आत्मा भी इन महा सत्यों को **केवल देवात्मा की ही देवज्योति को पाकर देख सकता है;** और उस देवज्योति के बिना कदापि नहीं।

अधिकारी मनुष्यों में इस देवज्योति के द्वारा उच्च परिवर्तन विषयक कार्य

----

(1) देवात्मा की इस अद्वितीय **देवज्योति** की जब कुछ किरणें किसी अधिकारी मनुष्य के आत्मा में पहुंचती हैं, तब उनके द्वारा उसका **आत्मिक अन्धकार दूर होता है,** और उसे धर्म के नाम से पहले से प्राप्त **कई प्रकार के मिथ्या विश्वास मिथ्या रूप में दिखाई देते हैं,** कि जो इस देवज्योति के बिना उसे पहले **कभी मिथ्या दिखाई नहीं देते थे।**

(2) देवात्मा की इसी **देवज्योति** की किरणों को पाकर किसी अधिकारी आत्मा को अपनी एक वा दूसरी **पतनकारी चिन्ता वा पतनकारी अन्य क्रिया अपने लिए पतनकारी वा हानिकारक रूप में दिखाई देती है,** कि जो उसे पहले इस **देवज्योति** के पाने के बिना अपने लिए पतनकारी वा हानिकारक रूप में दिखाई नहीं देती थी।

(3) देवात्मा की इसी **देवज्योति** की किरणों को पाकर किसी अधिकारी आत्मा को एक वा दूसरा **उच्च वा सात्विक भाव सुन्दर और अपने लिए हितकर रूप में दिखाई देता है**, कि जो इस **देवज्योति** के मिलने से पहले उसे सुन्दर और हितकर रूप में दिखाई नहीं देता था।

(4) देवात्मा की इसी **देवज्योति** की किरणों को पाकर किसी अधिकारी आत्मा को अपनी एक वा दूसरी **हीनता** दिखाई देती है, कि जो इस **देव ज्योति** के मिलने से पहले उसे कुछ भी दिखाई नहीं देती थी।

अपनी इसी देवज्योति के द्वारा अधिकारी आत्माओं में उच्च परिवर्तन लाने के निमित्त देवात्मा अपने दैनिक साधन में अपने शुभ कामना विषयक जिस संगीत का गान करते हैं, उसके कुछ पद यह हैं:-

आत्म तिमिर हर देवज्योति मम्,
आत्म प्रकाशक देवज्योति मम्,
आत्म बोध प्रद देवज्योति मम्,
चारों दिग वह
परकीरण हो;

तिमिर से निकलें जन अधिकारी,
आत्म रूप देखें अधिकारी,
आत्म रोग देखें अधिकारी,
आत्म-पात् देखें अधिकारी,
आत्म हित देखें अधिकारी,
आत्मज्ञान उनमें उत्पन्न हो।
सत्य धर्म का ज्ञान उत्पन्न हो।

फलत: इस **देवज्योति** के यह सब चमत्कार और लक्षण जैसे **अद्वितीय** हैं, वैसे ही यह **देवज्योति** जिस देवात्मा में विकसित हुई है, वह उनके **सत्य देवरूप** का तीसरा पूर्ण और अकाट्य प्रमाण है। इस तीसरे मूल सत्य की भी बार बार उपलब्धि करने से देवात्मा के सच्चे देवरूप के सम्बन्ध में विश्वास भाव की उन्नति होती वा हो सकती है।

चौथे मूल सत्य की उपलब्धि का साधन

देवात्मा में देव जीवन के विकास से अद्वितीय देवतेज का प्रकाश और विकास

देवात्मा में सच्ची देवी शक्तियों के क्रमशः विकास से निम्नलिखित चार देव भावों से विशिष्ट जिस **देवतेज** का क्रमशः विकास हुआ, उसका विकास भी उनसे पहले **उन देव शक्तियों से विहीन** किसी कहलाने वाले देवता वा देवी वा उनमें से किसी के कहलाने वाले अवतार वा किसी कहलाने वाले धर्म सम्प्रदाय के किसी संस्थापक वा किसी भी अन्य जन में नहीं हुआ थाः-

1-देवात्मा में देवतेज सम्बन्धी देव घृणा का विकास

----

(1) देवात्मा में शुभ और सत्य विषयक **देव अनुरागों** के क्रमशः विकास से नेचर के अटल नियमानुसार उनके विरुद्ध अशुभ और असत्य के प्रति जिन **घृणा शक्तियों वा घृणा भावों** का क्रमशः विकास हुआ, उन्हीं घृणा भावों का नाम **देव घृणा** है।

(2) देवात्मा में इसी **देव घृणा** के क्रमशः विकास के साथ साथ मनुष्यात्माओं की सब प्रकार की **मिथ्याओं** और उनकी **सब प्रकार** की आन्तरिक और बाह्यक **अशुभ-मूलक क्रियाओं** के प्रति घृणा भावों का क्रमशः विकास हुआ।

(3) देवात्मा में अपने इसी **देव घृणा** के विकास के कारण नेचर के नियमानुसार किसी भी **सुख अनुराग** की उत्पत्ति न हो सकी, और न हुई; क्योंकि **सुख अनुराग** से ही विविध प्रकार की मिथ्याओं और विविध प्रकार के अहितों की उत्पत्ति होती है। इसलिए **मनुष्यात्माओं की न्याईं देवात्मा किसी भी सुख के अनुरागी न बन सके, और न बने और न हुए।**

(4) देवात्मा में **देवघृणा** के विकास के कारण, जैसा कि नेचर के

नियमानुसार होना आवश्यक था, किसी भी **सुख के विषय**, अर्थात् किसी मनुष्य, पशु, पौदे वा वृक्ष, धन, धरती, घर वा अन्य पदार्थ के लिए भी किसी अनुराग की उत्पत्ति न हो सकी, और न हुई; और **मनुष्यात्माओं की न्याईं** वह **किसी भी सुख सम्बन्धी विषय के भी अनुरागी न बन सके, और न बने और न हुए।**

(5) देवात्मा में किसी भी सुख के **विषय**, अर्थात् किसी भी मनुष्य, पशु, पौदे वा वृक्ष, धन, धरती, घर वा अन्य पदार्थ के लिए अनुराग के उत्पन्न न होने से उनमें से किसी के प्रति **पक्षपात** की भी उत्पत्ति न हो सकी, और न हुई; और वह **मनुष्यात्माओं की न्याईं उनमें से किसी के पक्षपाती न बन सके, और न बने और न हुए।**

(6) देवात्मा में किसी भी सुख के **विषय** अर्थात् किसी मनुष्य, पशु, पौदे वा वृक्ष, धन, धरती, घर वा अन्य पदार्थ के अनुराग के उत्पन्न न होने से उनमें से किसी के सम्बन्ध में **दासत्व** की भी उत्पत्ति न हो सकी, और न हुई; और इसीलिए वह उनमें से किसी के साथ ''मोह'' बन्धन में न बंधे, **और न उनमें से किसी के दास बने और दास हुए।**

(7) देवात्मा में किसी भी सुख के **विषय** अर्थात् किसी मनुष्य, पशु, पौदे वा वृक्ष, धन, धरती, घर वा अन्य पदार्थ के अनुराग के उत्पन्न न होने से उनमें से किसी के प्रति **घृणा भाव** की भी उत्पत्ति न हो सकी, और न हुई; और वह **मनुष्यात्माओं की न्याईं उनमें से किसी के लिए घृणाकारी न बन सके, और न बने और न हुए।**

(8) देवात्मा में नेचर के किसी भी मनुष्य, पशु, पौदे वा वृक्ष और उसके किसी भी अजीवित पदार्थ के प्रति **घृणा भाव के उत्पन्न न होने से** उनमें से किसी के सम्बन्ध में **द्वेष वा प्रतिशोध वा ईर्षा भाव** की उत्पत्ति भी न हो सकी, और न हुई; और वह **मनुष्यात्माओं की न्याईं उनमें से किसी के सम्बन्ध में द्वेषी वा ईर्षाकारी न बन सके, और न बने और न हुए।**

2- देवात्मा में देवतेज सम्बन्धी देव दुख का विकास

मनुष्य जगत् में मनुष्यों के सुख विषयक नीच अनुरागों और उनके नीच घृणा भावों के द्वारा क्या उनके परस्पर के विविध सम्बन्धों में, और क्या पशु जगत् के लाखों जीवों के संबंध में जिस जिस प्रकार के पूर्णत: अनुचित महा कष्टों और महा दुखों की उत्पत्ति होती है, और उससे नीचे के जगतों के विविध अस्तित्वों का भी विविध प्रकार से अहित होता है; और उनके यह सब सम्बन्ध **अन्याय वा अधर्म-मूलक बने हुए** हैं, उनके इन **अधर्म-मूलक सम्बन्धों के प्रति** देवात्मा में जिस **दुख** का क्रमश: विकास हुआ, उसका नाम **देव दुख** है।

3- देवात्मा में देवतेज सम्बन्धी देव शत्रुता का विकास

देवात्मा में देव दुख के क्रमश: विकास से मनुष्य जगत् के सुख विषयक **नीच अनुरागों** और उनसे उत्पन्न उसके **नीच घृणा भावों** और उनसे जिस जिस प्रकार की **मिथ्याओं** और **अशुभों** की उत्पत्ति होती है, उन सबके प्रति क्रम क्रम से जिस शत्रुता विषयक भाव का विकास हुआ, और वह उन नीच अनुरागों और उन नीच घृणा भावों और उनसे उत्पन्न विविध प्रकार के असत्यों और विविध प्रकार के अहितों के अधिक से अधिक **शत्रु** बनते गए, उसका नाम देव शत्रुता है।

4- देवात्मा में देवतेज संबंधी देव विश्वास का विकास

देवात्मा में देवतेज सम्बन्धी देवयुद्ध के क्रमश: विकास से जैसे सब प्रकार के **अशुभ** और **असत्य** के **नष्ट** करने और उन पर **जय** लाभ करने का भाव दिनोंदिन विकसित होता गया, वैसे ही इस देवयुद्ध में रत होने और उसके द्वारा अशुभ और असत्य के प्रेमियों और पक्षपातियों पर नेचर की ही विकासकारी शक्तियों की सहायता को पाकर अशुभ के विरुद्ध शुभ की, और असत्य के विरुद्ध सत्य की जय पर जय लाभ करने से उनकी जय के सम्बन्ध में नेचर के विकास विषयक कार्य के प्रति क्रमश: जिस **विश्वास** का विकास हुआ उसी का नाम **देव विश्वास** है। इस देव

विश्वास के सम्बन्ध में देवात्मा का अपना वचन यह है:–

''असत्यस्य सह संग्रामे, सत्यमेव लभते जयम्;

अशुभस्य सह संग्रामे, शुभमेव लभते जयम्''।

(अर्थ)

असत्य के साथ संग्राम के उत्पन्न होने पर सत्य ही जय लाभ करता है। अशुभ के साथ संग्राम के होने पर शुभ ही जय लाभ करता है।

अधिकारी मनुष्यात्माओं में देवात्मा के इस देव तेज के द्वारा उच्च परिवर्तन की उत्पत्ति का कार्य

----

(1) **देवात्मा** के इस अद्वितीय **देवतेज** की जब कुछ किरणें किसी अधिकारी आत्मा में प्रवेश करने का अवसर पाती हैं, तब उसे उन्हीं की **देवज्योति** की किरणों के मिलने से अपने आत्मा वा धर्म के विषय में जो कोई विश्वास वा मत **मिथ्या दिखाई दिया हो**, उस मिथ्या विश्वास वा मिथ्या मत के प्रति उसमें **उच्च घृणा** की उत्पत्ति होती है, कि जो उच्च घृणा उसमें पहले नहीं होती; और यदि उसमें इस **देवतेज** की किरणें इतनी मात्रा में प्रवेश कर सकें, कि जितनी मात्रा में प्रवेश करने से ही नेचर के आत्मिक जगत् के नियमानुसार उसके **उस मिथ्या विश्वास वा मत का पूर्ण नाश हो सकता है**, तो उतनी मात्रा में इस **उच्च घृणा** के उत्पन्न हो जाने पर उसके लिए अपने उस **प्रिय मिथ्या विश्वास वा मिथ्या मत को परित्याग करना और उससे सत्य मोक्ष लाभ करना अनिवार्य हो जाता है।**

(2) देवात्मा के इस अद्वितीय **देवतेज** की जब कुछ किरणें किसी अधिकारी आत्मा में प्रवेश करती हैं, तब उनसे उन्हीं की **देवज्योति** की किरणों को पाकर अपनी जो कोई पतनकारी चिन्ता वा अन्य क्रिया **अपने लिए** पतनकारी वा हानिकारक रूप में दिखाई दी हो, उस पतनकारी चिन्ता वा अन्य क्रिया के लिए उसमें **उच्च घृणा** की उत्पत्ति होती है, कि जो **उच्च घृणा** उसमें पहले नहीं होती, और यदि उसमें इस **देवतेज** की किरणें इतनी मात्रा में प्रवेश कर सकें, कि जितनी मात्रा में प्रवेश करने पर ही नेचर के आत्मिक जगत् के नियमानुसार उसकी **उस** पतनकारी चिन्ता वा पतनकारी अन्य क्रिया का पूर्ण **नाश** हो सकता है, तो उतनी मात्रा में इस **उच्च घृणा** के उत्पन्न होने पर उसके लिए अपनी उस पतनकारी चिन्ता वा अन्य क्रिया का **परित्याग** करना और उससे **सत्य मोक्ष** लाभ करना अनिवार्य हो जाता है।

(3) देवात्मा के इस अद्वितीय **देवतेज** की जब कुछ किरणें किसी अधिकारी मनुष्य में प्रवेश करती हैं, तब उसे उन्हीं की **देवज्योति** की किरणों को पाकर अपना जो जो **आत्मिक विकार** अपने आत्मा के लिए हानिकारक वा पतनकारी रूप में दिखाई दिया हो, उस विकार के सम्बन्ध में **उच्च दुख** की उत्पत्ति होती है, कि जो **उच्च दुख** उसमें पहले नहीं होता। और यदि उसमें इस **देवतेज** की किरणें इतनी मात्रा में प्रवेश कर सकें, कि जितनी मात्रा में प्रवेश करने पर ही नेचर के आत्मिक जगत्

के नियमानुसार उसकी अपने उस पतनकारी **आत्मिक विकार** से शुद्धि हो सकती है, तो उतनी मात्रा में इस **उच्च दुख** के उत्पन्न होने पर उसके लिए अपने उस आत्मिक विकार के सम्बन्ध में **हानि परिशोध** करके उसके द्वारा जहां तक सम्भव हो, उससे **सत्य पवित्रता** वा **सत्य मोक्ष** लाभ करना अनिवार्य हो जाता है।

(4) देवात्मा के इस अद्वितीय **देवतेज** की जब कुछ किरणें किसी आत्मा में प्रवेश करती हैं, तब उसे उन्हीं की **देवज्योति** की किरणों को पाकर जो कोई उच्च वा सात्विक भाव **सुन्दर** और **अपने लिए हितकर** रूप में दिखाई दिया हो; उसके प्रति उसमें **आकर्षण** उत्पन्न होता है कि जो **आकर्षण** उसमें पहले नहीं होता। और यदि देवात्मा के इस **देवतेज** की किरणें उसे लगातार मिल सकें, और वह उन्हें ग्रहण कर सके, तो उनकी आवश्यक मात्रा में प्राप्ति से आत्मिक जगत् के नियमानुसार उसके भीतर का वह **आकर्षण भाव** धीरे धीरे और भी उन्नत हो सकता है, और वह उस उच्च वा सात्विक भाव के **उच्च सुख** का अनुरागी भी बन सकता है, और उसका अनुरागी बनने पर उसके द्वारा अपने आत्मा में उच्च जीवन का विकास कर सकता है।

अधिकारी जनों में अपने इसी **देवतेज** के द्वारा उच्च परिवर्तन उत्पन्न करने के निमित्त, देवात्मा अपने दैनिक साधन में अपने शुभ कामना विषयक जिस संगीत का गान करते हैं, उसके पद यह हैं:-

उच्च घृणा प्रद
उच्च दुख प्रद } देवतेज मम,
नीच राग हर
नीच घृणा हर } देवतेज मम, } चारों दिग वह परकीरण हो;

उच्च घृणा
उच्च दुख } पावें अधिकारी,
नीच राग
नीच घृणा } त्यागें अधिकारी, } आत्म रोग से
आत्म पात से
नीच गति से } निस्तारण हो

परम लक्ष्य मेरा पूरन हो;
जीवन व्रत मेरा पूरन हो।

उच्च भाव प्रद देवतेज मम, उच्च राग प्रद देवतेज मम,	चारों दिग वह परकीरण हो;

उच्च भाव उच्च राग उच्च अंग उच्च गति	पावें अधिकारी,	उच्च रूप श्रेष्ठ रूप आत्म बल जीवन बल	उनमें उत्पन्न हो।

परम लक्ष्य मेरा पूरन हो;
जीवन व्रत मेरा पूरन हो।

देवात्मा के **देवतेज** सम्बन्धी यह सब अद्वितीय लक्षण भी उनकी **सच्ची देव शक्तियों से विहीन** जैसे किसी कहलाने वाले देवता वा देवी में प्रगट नहीं हुए थे, और नहीं हो सकते थे, वैसे ही वह उनमें से किसी कहलाने वाले अवतार वा किसी भी कहलाने वाले धर्म सम्प्रदाय के किसी संस्थापक वा किसी भी अन्य मनुष्य में कभी उत्पन्न नहीं हुए थे, और नहीं हो सकते थे।

देवात्मा के सच्चे देवरूप के सम्बन्ध में उनकी रचित विविध पुस्तकों और लेखों के पाठ और विचार के द्वारा इन चारों मूल सत्यों की उपलब्धि से प्रत्येक अधिकारी आत्मा में उसकी अपनी योग्यता के अनुसार उनके प्रति सात्विक विश्वास भाव की उन्नति हो सकती है।

तैंतीसवां अध्याय

देवात्मा के देवरूप के सम्बन्ध में श्रद्धाभाव की उन्नति के साधनों की विधि

प्र.। देवात्मा के **देवरूप** के सम्बन्ध में उनका कोई श्रद्धावान् जन अपने **श्रद्धा भाव** की क्योंकर उन्नति कर सकता है?

उ.। जब तक देवात्मा के **देवरूप** के सम्बन्ध में किसी श्रद्धावान् जन के भीतर अपने श्रद्धा भाव की **उन्नति** की आकांक्षा वा कामना उत्पन्न न हो, तब तक वह अपने इस श्रद्धा भाव की उन्नति विषयक किसी साधन को ग्रहण करने का इच्छुक ही नहीं हो सकता। और यदि वह किसी अवसर पर देवात्मा के देव प्रभावों को पाकर उसके ग्रहण करने के निमित्त अपने हृदय में कोई अल्पकालिक लहर उठने पर उसे आरम्भ भी कर दे, तो भी वह इस प्रकार के किसी साधन को लगातार चला नहीं सकता।

प्र.। इस श्रद्धा भाव की उन्नति की आकांक्षा वा कामना क्या होती है?

उ.। इस सात्विक श्रद्धा भाव के उत्पन्न होने से किसी जन में जिस **सात्विक उच्च रस वा उच्च सुख** की उत्पत्ति होती है, उसके लिए जब किसी जन में **इतना आकर्षण उत्पन्न हो**, कि वह उसे **अपने आप** बार बार प्राप्त करना चाहे, और उसकी अप्राप्ति से दुख अनुभव करे, तब इस विषय में उसकी यह चाह उसकी **सात्विक आकांक्षा वा कामना** कहलाती है।

प्र.। क्या ऐसी आकांक्षा देवात्मा के प्रत्येक श्रद्धावान् जन में नहीं होती?

उ.। नहीं।

प्र.। या ऐसा भी होता है कि किसी किसी जन में कुछ दिनों के लिए इस प्रकार की आकांक्षा जागती और रहती है, और फिर मर जाती है?

उ.। जी हां।

प्र.। ऐसा क्यों होता है?

उ.। ऐसे जनों के आत्माओं में जो नीच सुख विषयक विविध प्रकार के अनुराग होते हैं, वह **इस सात्विक सुख के विरोधी होने के कारण** थोड़े दिनों में उसे दूर वा नष्ट कर देते हैं, और फिर वह इस सात्विक सुख के कुछ भी आकांक्षी नहीं रहते,

और अपने उन्हीं नीच सुखों की प्राप्ति से संतुष्ट रहते हैं।

प्र.। परन्तु देवात्मा के देवरूप के सम्बन्ध में यदि किसी अपेक्षाकृत श्रेष्ठ अधिकारी जन में अपने श्रद्धा भाव की उन्नति की यथेष्ट आकांक्षा वा कामना उत्पन्न हो जाय, तो वह अपने इस श्रद्धा भाव को किस विधि से उन्नत कर सकता है?

उ.। ऐसा जन अपने इस भाव की जिन जिन विधियों से उन्नति कर सकता है, वह यह हैं:-

(1) उनके देवरूप के सम्बन्ध में **विश्वास भाव** की उत्पत्ति और उन्नति के सम्बन्ध में जिन **मूल सत्यों की उपलब्धि** और उस उपलब्धि के निमित्त जिस जिस प्रकार के **पाठ और विचार** के साधनों की विधि का इससे पहले वर्णन हो चुका है, उनकी उपलब्धि और उनकी उपलब्धि के निमित्त जिस जिस प्रकार के पाठ और विचार के साधनों की विधि बताई जा चुकी है, उन पाठ और विचार विषयक नियमित साधनों से उनका श्रद्धावान जन उनके देवरूप के सम्बन्ध में अपने **श्रद्धा भाव** की उन्नति कर सकता है।

(2) देवात्मा की देवज्योति को पाकर किसी ऐसे श्रद्धावान जन को जिस समय और जिस स्थान में उनके देवरूप की **कुछ** भी सत्य उपलब्धि हो, उसके उपलब्ध होने पर अपने आपको उससे **विहीन** देखने, और उनके इस देवरूप की तुलना में अपने आपको **तुच्छ** उपलब्ध करने, और अपने घमंड भाव के घटने पर, यदि वह उनके इस देवरूप के सम्मुख दीनता पूर्वक जहां तक अपना सिर झुका सकता हो, वहां तक सिर झुका कर प्रणाम के द्वारा उनके प्रति **सच्चे सम्मान भाव का प्रकाश करे**, और जहां तक वह इस सम्मान भाव की प्रकाशक दशा में रह सकता हो, वहां तक इस दशा में रहने का **अभ्यास** करे, तो इस साधन से उसके श्रद्धा भाव की उन्नति हो सकती है।

(3) देवात्मा के देवरूप के सम्बन्ध में सच्ची श्रद्धा के उत्पन्न होने पर ऐसे श्रद्धावान जन में उनसे सम्बन्धित एक वा दूसरे जन, वा पशु वा उद्यान वा वृक्ष वा पौदे वा घर वा अन्य विविध प्रकार की वस्तुओं (विशेषकर उनकी रचित पुस्तकों और उनके रचित लेखों) के प्रति **सम्मान भाव का उत्पन्न होना भी अनिवार्य है।** इसलिए उनके प्रति हार्दिक भाव से आवश्यक और उचित सम्मान प्रदर्शन करने से देवात्मा के प्रति श्रद्धा भाव की उन्नति होती है।

(4) देवात्मा के प्रति सच्ची श्रद्धा की उन्नति से उनके किसी श्रद्धावान जन में उनके इस सत्य देवरूप के विरुद्ध उनके किसी घृणाकारी वा उनके उस रूप के उलटा दृष्टा जन से किसी बात के सुनने, वा किसी ऐसे बुरे जन के किसी लेख के पढ़ने,

वा उसके पास बैठने, वा उससे मिलने जुलने, वा उसकी संगत में रहने की आकांक्षा वा रुचि का न होना, वा **यदि पहले कभी ऐसी रुचि रही हो, तो उसका घटना और नष्ट होना जैसे अनिवार्य है**; वैसे ही उनके किसी ऐसे विरोधी जन के मुंह से उनके देवरूप के सम्बन्ध में कोई विरोधी बात सुनकर वा उसे किसी लेख में पढ़कर वा उसके विषय में किसी और से ऐसा समाचार पाकर उसकी ऐसी बुरी क्रिया से **अपने हृदय में आघात पाना भी अनिवार्य है।** इसलिए यदि किसी ऐसे अवसर पर उनका श्रद्धावान् जन चुपचाप न रहता हो, किन्तु अपने मुंह वा लेख वा दोनों के द्वारा **उस मिथ्या के खंडन वा प्रतिवाद करने की चेष्टा करता हो,** तो वह अपने ऐसे साधन के द्वारा भी उनके प्रति अपने इस सच्चे श्रद्धा भाव की उन्नति कर सकता है।

(5) देवात्मा का उनके जिन माता पिता के द्वारा आविर्भाव हुआ, जिस स्थान में उनके जन्मदाता, रक्षाकर्ता, पालनकर्ता और शिक्षादाता माता पिता के द्वारा उनकी वर्षों तक पालना हुई, उनके अद्वितीय आविर्भाव में उनके श्रद्धेय माता पिता और दादा दादी आदि पूर्वजों ने अपने श्रेष्ठ जीवन के द्वारा जहां तक भाग लिया, उनके इस जन्म स्थान और उनके उपकारी माता पिता और अन्य पूर्वजों के सम्बन्ध में उनके सच्चे श्रद्धावान् जन के हृदय में **ज्ञान लाभ करने की आकांक्षा का उत्पन्न होना और उनके प्रति उचित सम्मान बोध करना, उनके सद्गुणों का हृदय के उच्छवास के साथ वर्णन करना, और देवात्मा के जन्म और उनकी बाल्यलीला के स्थान के दर्शन की आकांक्षा और यथासाध्य उसकी यात्रा करना भी अनिवार्य है।** इसलिए इस प्रकार के साधन से भी उनके किसी श्रद्धावान जन में उनके प्रति श्रद्धा भाव की उन्नति हो सकती है।

(6) देवात्मा का अपने जन्म स्थान के भिन्न जिन जिन और स्थानों में किसी विशेष काल तक निवास रहा हो, और किसी ऐसे स्थान में उनके प्रति श्रद्धा आदि उच्च भाव उत्पादक कोई **स्मारक चिन्ह सुरक्षित किए गए हों, अथवा इससे भी बढ़कर उनकी कोई समाधि बनाई गई हो, उन स्थानों और उनके स्मारक चिन्हों और उनकी किसी ऐसी समाधि के दर्शनों की अभिलाषा का भी उनके किसी श्रद्धावान् जन में उत्पन्न होना अनिवार्य है।** इसलिए इस प्रकार के सच्चे भाव से परिचालित होकर यदि उनका कोई सच्चा श्रद्धावान् जन ऐसे स्थानों की उचित रूप से यात्रा करे, तो इस साधन के द्वारा भी उसके श्रद्धा भाव की उन्नति हो सकती है।

(7) देवात्मा के देवरूप के सम्बन्ध में सच्ची श्रद्धा के उत्पन्न होने पर ऐसे प्रत्येक श्रद्धावान जन में उनके इस देवरूप के प्रकाशक एक वा दूसरे स्तोत्र वा भजन

वा उनके उस रूप की प्रकाशक किसी आरती के आप गाने और उनके सुनने, उनके देवरूप के सम्बन्ध में आप कीर्तन करने वा उनके अन्य श्रद्धावान जनों के मुख से इस प्रकार के कीर्तन के सुनने और उनकी देवजीवन सम्बन्धी कथाओं के पढ़ने और सुनने के निमित्त भी आकांक्षा की उत्पत्ति का होना, और आप ऐसा साधन करके वा और जनों के ऐसे साधनों में योग देकर **जीवनदायक उच्च रस लाभ करना भी अनिवार्य है**। इसलिए ऐसे प्रत्येक साधन से भी उनके किसी सच्चे श्रद्धावान् जन में उनके प्रति श्रद्धा भाव की उन्नति हो सकती है।

(8) देवात्मा के देवरूप के सम्बन्ध में सच्ची श्रद्धा के उत्पन्न होने पर उनके ऐसे प्रत्येक श्रद्धावान जन में **उनके ऐसे सब सच्चे श्रद्धावान जनों के प्रति भी सम्मान भाव का होना अनिवार्य है**, कि जो सारी उमर उनके देवरूप के **सच्चे विश्वासी** और उनके देवरूप के प्रति **श्रद्धावान** रहे हों, और ऐसे जनों में से उन जनों के प्रति और भी अधिक सम्मान भाव रखना अनिवार्य है, कि जिनमें देवात्मा के सम्बन्ध में श्रद्धा भाव के भिन्न **कृतज्ञता** और उनके परम लक्ष्य में सेवा विषयक किसी भाव की उत्पत्ति और उन्नति भी हुई हो, और जिन्होंने अपने आत्मा में इन सात्विक भावों की वर्तमानता का भली भांत प्रमाण दिया हो। ऐसे जनों के जीवन चरितों से इन विषयों के पाठ और उन पर विचार और इन्हीं विषयों में उनके उपदेशों के पाठ और उन पर विचार करने से भी उनके श्रद्धावान् जन में श्रद्धा भाव की उन्नति हो सकती है।

चौंतीसवां अध्याय

देवात्मा के सम्बन्ध में कृतज्ञ भाव की उन्नति के साधनों की विधि

प्र.। देवात्मा के सम्बन्ध में उनका कोई कृतज्ञ जन अपने कृतज्ञ भाव की उन्नति क्योंकर कर सकता है?

उ.। जब तक कोई जन **केवल ऋण परिशोध भाव** से प्रेरित होकर अपनी ओर से अर्थात् **अपने आप** उनके सम्बन्ध में कोई **विशुद्ध सेवा** करना न चाहता हो, वा उनकी सेवा करके, उससे वह कोई **उच्च रस वा उच्च सुख और ऐसी कोई सेवा न कर के कोई दुख बोध न करता हो**, तब तक इस बात का कोई प्रमाण नहीं, कि उसमें देवात्मा के सम्बन्ध में किसी **सच्चे कृतज्ञ भाव** की उत्पत्ति हुई है। इसलिए ऐसी दशा में यदि कोई जन अपने आपको अपने मुंह वा लेख के द्वारा उनका उपकृत वा कृतज्ञ प्रगट भी करे, तो भी ऐसा प्रगट करना इस बात का प्रमाण नहीं, कि उसके आत्मा में उनके सम्बन्ध में **हित वा ऋण परिशोध विषयक किसी उच्च वा सात्विक कृतज्ञ भाव की जाग्रति वा उत्पत्ति हुई है**। इसलिए जब तक किसी जन में इस **कृतज्ञ भाव की वास्तविक उत्पत्ति न हो**, तब तक वह इस भाव की उन्नति का आकांक्षी वा अभिलाषी ही नहीं हो सकता।

प्र.। ऋण परिशोध भाव क्या होता है?

उ.। ऋण दो प्रकार का होता है। एक प्रकार का ऋण वह होता है, कि जो कोई जन अपनी स्वाधीन वयस में पहुंचकर किसी से कोई धन वा अन्य वस्तु **अपनी ओर से चाहकर** उधार लेता है। और दूसरी प्रकार का वह ऋण है, कि जिसे वह किसी से **आप चाहकर वा मांगकर नहीं लेता**, किन्तु अपनी शारीरिक वा आत्मिक **असहाय अवस्था** में किसी और से सहाय वा सेवा पाकर सत्य धर्म के नियमानुसार उसका **ऋणी** बन जाता है। इन दोनों प्रकार के ऋणों के दृष्टान्त यह हैं:–

किसी युवक मनुष्य ने किसी और जन के पास जाकर यह आवेदन किया, कि मेरे घर में एक मेहमान आने वाला है, मुझे उसके लिए एक चारपाई की आवश्यकता है, आप कृपा करके अपनी चारपाइयों में से एक चारपाई मुझे तीन रोज़ के लिए उधार दे दें, मैं उसे आज से चौथे दिन आपको लौटा दूंगा। एक और जन ने किसी और

धनी जन के पास जाकर कहा, कि मुझे सौ रुपए की आवश्यकता है, आप मुझे इतना रुपया उधार दे दें, और यदि उसका ब्याज लेना चाहें, तो इस दर से मैं उसका ब्याज देने के लिए भी तैयार हूं, और मैं आपका यह रुपया ब्याज समेत छः महीने तक अदा कर दूंगा। पहले जन के **अपनी ओर से आवेदन करने पर** उसे एक चारपाई दी गई, और दूसरे जन के भी **अपनी ओर से** आवेदन करने पर उसे सौ रुपया दिया गया। दोनों को ही यह चीज़ें इस शर्त पर दी गईं, कि वह उन्हें अपने इकरार के अनुसार नियत समय में वापिस दे देंगे। यह पहले प्रकार का ऋण है।

दूसरे प्रकार के ऋणों के दृष्टान्तः-

एक जन ने अपने वा किसी और के **असहाय बच्चे के शरीर की** कुछ वर्षों तक पालना की, उसे खाने के निमित्त अपने पास से आहार दिया, पीने के निमित्त पानी दिया, उसके पहनने के लिए अपने दामों से वस्त्र बनाए। उसके मलमूत्र लिप्त पोतड़े धोए, और सुखाए, उसे साफ़ रखने के लिए उसका मुंह धोया, उसके हाथ धोए, उसके सारे शरीर को नहलाया और पोंछा, उसे गोद में रखा, उसके खेलने के लिए खिलौने दिए, उसकी स्वास्थ्य की रक्षा और उन्नति के लिए उसे आवश्यकता के अनुसार खुली वायु में रखा, उसके पहनने के मैले कपड़े धोबी से धुलवाए और उसके लिए उसे पैसे दिए, वा आप धोए और धोने के लिए साबुन मोल लिया, उसकी बीमारी में उसकी चिकित्सा और शुश्रूषा की, और ऐसा करने में आवश्यक होने पर अपना उचित सुख वा अपना उचित आराम त्याग किया। फिर समय आने पर उसे विविध शब्दों का उच्चारण और बोलना सिखाया। किसी स्कूल में भेजकर उसे विद्या पढ़ाई, और विविध अन्य बातों की उसे शिक्षा दी। स्कूल की पढ़ाई के दिनों में उसकी फ़ीस दी, उसके लिए पुस्तकें मोल लेकर दीं, और उसके नाना प्रकार के अन्य खर्च पूरे किए। इत्यादि इत्यादि; बहुत वर्षों तक और विविध रूप से उसकी सहाय और सेवा की, और उसके निमित्त अपने शारीरिक और मानसिक परिश्रम के भिन्न अपना धन भी खर्च किया।

एक जन जवान या बूढ़ा होकर भी अपने आत्मा और आत्मिक जीवन के सम्बन्ध में पूर्ण अन्धकार और अज्ञान की दशा में था। वह नीच सुख विषयक नाना पतनकारी अनुरागों और उनसे उत्पन्न नाना पतनकारी नीच घृणाओं का दास था; और दिनों दिन पतित हो रहा था; और इस पतन के द्वारा दिनों दिन आत्मिक मृत्यु के निकट जा रहा था। उसमें आत्मिक बल उत्पादक कोई सात्विक भाव वा अनुराग न था, कि जिसके द्वारा परिचालित होकर वह अपने आत्मिक जीवन का विकास कर सकता। वह अपने आत्मा और आत्मिक जीवन के विचार से **अत्यन्त कृपापात्र और**

असहाय दशा में था, **और वह ऐसी दशा रखकर भी उसका बोधी न था**, और वह अपने आप अपने आत्मिक जीवन के पतन और विनाश से रक्षा पाने वा अपने लिए किसी आत्मिक बल के लाभ करने की कोई आकांक्षा वा अभिलाषा नहीं रखता था। अब यदि देवात्मा के देव प्रभावों की प्राप्ति के द्वारा उसमें अपनी इस महा शोचनीय दशा के सम्बन्ध में कोई बोध वा होश उत्पन्न हो, उसे उसके धर्म के नाम से संस्कार प्राप्त विविध प्रकार के महा हानिकारक मिथ्या विश्वासों से उसकी योग्यता के अनुसार मोक्ष प्राप्त हो, आत्मा और आत्मिक जीवन के सम्बन्ध में सत्य ज्ञान पाकर उसे धर्म के विषय में महा दुर्लभ सत्य ज्ञान लाभ हो, अपने पारिवारिक और अन्य नाना जनों और पशुओं और नेचर के अन्य अस्तित्वों के सम्बन्ध में उसे अपने एक वा दूसरे प्रकार के **अन्याय वा अहित-मूलक कर्मों** से मोक्ष लाभ हो, और इस मोक्ष के द्वारा जहां तक सम्भव हो, उसकी अपने आत्मिक पतन से रक्षा हो। अपने किसी पाप कर्म के सम्बन्ध में बोधी हो जाने पर उसमें उसके लिए **आवश्यक हानि परिशोध** करने का भाव जाग्रत हो, और वह इस प्रकार का सच्चा हानि परिशोध करके उसके विकार से पवित्रता लाभ करे। वह एक वा दूसरे प्रकार के शिष्ट वा श्रेष्ठ बोधों को पाकर शिष्टाचारी बने, और उसके द्वारा अपने आत्मिक पतन से कुछ और भी रक्षा पाए। किसी उच्च वा सात्विक भाव के विकसित करने के योग्य होने पर वह अपने आत्मा में कोई उच्च जीवन विकासक सात्विक भाव लाभ करे; और फिर इस प्रकार का सब अमूल्य हित पाकर उसे यह बोध हो, कि इस प्रकार से उसका जितना आत्मिक हित हुआ है, और इस हित की प्राप्ति से उसका जितना शारीरिक वा मानसिक हित हुआ है, और उसके इसी आत्मिक परिवर्तन से उसे धन वा किसी अन्य सम्पत्ति वा मान वा पद आदि की प्राप्ति हुई है, वह सब प्रकार का दुर्लभ हित उसे एक मात्र देवात्मा के ही महा दुर्लभ देव प्रभावों की प्राप्ति से लाभ हुआ है; और यदि वह **उनके देव प्रभावों** के लाभ करने का शुभ अवसर न पाता, तो उसे इन सब प्रकार के हितों की कदापि प्राप्ति न होती। और फिर वह अपने आत्मा में अपने ऐसे सर्वोच्च हितकारी के उन महा उपकारों को सम्मुख लाकर अपना आप **उनका अतिशय ऋणी बोध करे, और इस धर्म ऋण के परिशोध के निमित्त उसमें कोई सच्ची और यथेष्ट आकांक्षा जाग्रत हो**, और वह अपनी ओर से इस धर्म ऋण के परिशोध करने के लिए तैयार हो, और वह उसके निमित्त आवश्यक साधन ग्रहण करे, और अपने इस साधन से **उच्च रस वा उच्च सुख** अनुभव करे, और उसके न करने से दुख वा कष्ट बोध करे; तब उसकी इस गति से इस बात का प्रमाण मिल सकता है, कि उसमें अपने आत्मिक बोध, आत्मिक ज्ञान, आत्मिक मोक्ष

और आत्मिक जीवन दाता **देवात्मा के सम्बन्ध में कृतज्ञता विषयक उस सच्चे सात्विक भाव की जाग्रति हुई है, कि जिस भाव की उन्नति का साधन करके जहां एक ओर वह इस भाव के द्वारा उनके साथ अपना आत्मिक सम्बन्ध स्थापन कर सकता है, वहां अपने आत्मा में उच्च जीवन और बल की उत्पत्ति भी कर सकता है।**

प्र.। यदि कोई अधिकारी जन कृतज्ञ भाव की इस श्रेष्ठ दशा में पहुंच चुका हो, तो वह किस प्रकार के साधनों से अपने इस भाव की उन्नति कर सकता है?

उ.। कोई अधिकारी जन अपने आत्मा में यथेष्ट रूप से इस कृतज्ञ भाव की उत्पत्ति के अनन्तर अपनी जिस जिस प्रकार की शक्तियों के द्वारा इस धर्म ऋण परिशोध विषयक साधन को पूरा करके अपने आत्मिक जीवन को विकसित कर सकता है, वह यह हैं:–

(1) रुपए की भेंट के द्वारा।

(2) भूमि, घर, दुकान, कूप आदि की भेंट के द्वारा।

(3) मानसिक शक्तियों, अर्थात् अपनी विद्या, अपनी कारीगरी, अपनी विचार शक्ति, अपनी लेख शक्ति और अपनी वाक् शक्ति की भेंट के द्वारा।

(4) शरीर अर्थात् अपने हाथ पांव आदि की शक्तियों की भेंट के द्वारा।

इनमें से जिस जिस शक्ति के द्वारा जहां तक कोई जन केवल **विशुद्ध** कृतज्ञ भाव से परिचालित होकर उनकी सेवा करने के योग्य हो, वहां तक वह उनकी ऐसी सेवा करके अवश्य अपना आत्मिक हित साधन करता है।

प्र.। क्या विशुद्ध कृतज्ञ भाव के जागने पर भी ऐसा नहीं होता, कि एक एक मनुष्य अपने आत्मा में धन सम्पत्ति आदि के प्रति नीच अनुराग रखने के कारण उन्हें उचित मात्रा में भेंट करने की सामर्थ्य नहीं रखता, और इसीलिए उन्हें उचित मात्रा में भेंट नहीं करता?

उ.। अवश्य; पहले तो मनुष्य जगत् के लोगों में **स्वार्थ सुख** का इतना प्रबल अधिकार है, कि उसके द्वारा पतित होते होते उनका आत्मा इतना कठोर बन जाता है, कि उनमें से साधारणत: किसी के आत्मा में सच्चे कृतज्ञ भाव की उत्पत्ति ही नहीं होती, और वह अपने आत्मा के सम्बन्ध में अपने किसी परम हितकर्ता के लिए तो कहीं रहा, अपने माता पिता आदि साधारण उपकारियों के उपकारों के लिए भी अपने भीतर कोई कृतज्ञ भाव बोध नहीं करते। दूसरे जिन बहुत थोड़े से जनों में यह भाव किसी सीमा तक जाग्रत भी होता है, वह भी अपनी उपरोक्त प्रकार की शक्तियों में से किसी एक वा दूसरे प्रकार की शक्तियों के **सुख विषयक अनुराग के बंधनों से**

इतने जकड़े हुए होते हैं, कि वह अपनी कितनी ही शक्तियों को तो कुछ भी भेंट करने की इच्छा नहीं कर सकते; और जिन शक्तियों के भेंट करने का वह कुछ भाव रखते भी है, उन्हें भी साधारणत: **यथेष्ट वा आवश्यक मात्रा में भेंट करने की सामर्थ्य नहीं रखते; और इसीलिए उन्हें भी यथेष्ट वा आवश्यक मात्रा में भेंट नहीं करते।**

लाखों स्वार्थपरायण और महा नीच और महा पतित लोग अपने उपकारी माता पिता से, जहां तक सम्भव हो, उनका सब धन और उनकी अन्य सब सम्पत्ति अपने लिए तो ले लेना चाहते हैं, परन्तु उनके उपकारों के प्रति किसी कृतज्ञ भाव के न रखने के कारण उनके आत्मिक भले के लिए उनकी अपनी उपार्जन की हुई सम्पत्ति को भी उन्हीं को दे देना नहीं चाहते; और यह तो कहां सम्भव है, कि वह अपनी ही उपार्जन की हुई सम्पत्ति में से कोई अच्छा अंश उनके और औरों के भले के लिए उनके चरणों में भेंट करें।

इसके विपरीत करोड़ों मनुष्य केवल यही नहीं, कि अपने किसी प्रकार के उपकारी के सम्बन्ध में **अपने आपको ऋणी अनुभव नहीं करते**, और किसी उपकारी के उपकारों के लिए **कोई कृतज्ञ भाव नहीं रखते**, किन्तु उनमें से हज़ारों लोग एक वा दूसरे कारण से कृतघ्न बन जाने पर अपने किसी उपकारी को उलटा सताने, कष्ट पहुंचाने, उत्पीड़ित करने वा इससे भी बढ़कर उसकी हत्या तक कर देने के लिए तैयार हो जाते हैं; और **ऐसी राक्षसी क्रियाएं** करके अपनी **राक्षसी प्रकृति** की तृप्ति करते हैं, और अपने आत्मा में इस राक्षसी प्रकृति के होने का प्रमाण देते हैं।

प्र.। परन्तु यदि कुछ मनुष्य ऐसी जन्मजात योग्यता रखते हों, कि उनमें देवात्मा के सम्बन्ध में किसी सच्चे ऋण परिशोध वा कृतज्ञ भाव की यथेष्ट मात्रा में जाग्रति हो सकती हो, और उनमें उसकी जाग्रति हो भी जाय, तो वह अपने इस सात्विक भाव को किस किस साधन से उन्नत करके अपने आत्मिक जीवन वा उसके बल को विकसित कर सकते हैं?

उ.। ऐसे जन अपने इस भाव से परिचालित होने पर उसकी अल्प वा अधिक गहराई और अपनी समझ के अनुसार स्वयं जान लेंगे, कि इस भाव की उन्नति के लिए जिन चार प्रकार की भेटों के साधनों का पहले उल्लेख किया जा चुका है, उनमें से किस किस भेंट विषयक साधन को वह आप ग्रहण कर सकते हैं, और उसे कितने कितने अंश वा कहां तक पूरा करने की आकांक्षा शक्ति रखते हैं, और फिर यदि वह अपनी अपनी योग्यता के अनुसार ऐसे साधन ग्रहण और पूरे करेंगे, तो ऐसा

करने से जैसे एक ओर **उनका यह कृतज्ञ भाव उन्नत होगा**, वैसे ही दूसरी ओर उसकी उन्नति के साथ साथ उनके भेंट विषयक त्याग में भी उन्नति होती जाएगी।

प्र.। क्या देवात्मा की स्थूल देह की मृत्यु के अनन्तर भी उनका कोई **सच्चा कृतज्ञ जन** उनके सम्बन्ध में अपने इस भाव की उन्नति कर सकता है?

उ.। अवश्य कर सकता है। यदि उसने अपने किसी धन वा अपनी किसी अन्य सम्पत्ति को उनके इस लोक में वर्तमान होते हुए उन्हें भेंट न किया हो, और पीछे से उसके हृदय में उसमें से किसी के भेंट करने की सच्ची और यथेष्ट आकांक्षा उत्पन्न हो, तो वह उसे उस फंड के लिए भेंट कर सकता है, कि जिसका नाम ''भेंट फंड'' है, और जिसे उन्होंने ही स्थापन किया है। इसके भिन्न देवात्मा नकद रुपए के भिन्न अपने पीछे अपनी जिस जिस प्रकार की सम्पत्ति यथा मकानात, भूमि, उद्यान, वृक्ष, स्मारक चिन्ह आदि और अपने आश्रित परन्तु अपने इस लोक के त्याग करने के समय तक अपने सम्बन्ध में वफ़ादार वा सच्चे जन वा पशु अपने पीछे छोड़ गए हों, उनमें से किसी की भी अपने कर्तव्य भाव के अनुसार सच्ची रक्षा करने वा उनके उचित रूप से प्रबंध करने की आवश्यक योग्यता रखने पर, उनमें से उनके संरक्षक वा संरक्षकों की अनुमति के अनुसार उनकी रक्षा और उनके सम्बन्ध में सब प्रकार की आवश्यक सेवा का भार अपने ऊपर ले सकता है, और अपने इसी सच्चे और विशुद्ध कृतज्ञ भाव से परिचालित होकर और ऐसी प्रत्येक सेवा को भलीभांत पूरा करके इस साधन के द्वारा भी अपने इस भाव को उन्नत और अपने आत्मिक बल की वृद्धि कर सकता है।

पैंतीसवां अध्याय

देवात्मा के देव प्रभावों के प्रति आकर्षण भाव की उन्नति के साधनों की विधि

प्र.। देवात्मा के **देव प्रभावों** के प्रति किसी अधिकारी जन में **आकर्षण भाव** की उन्नति क्योंकर हो सकती है?

उ.। जब तक किसी जन में अपने किसी भी **नीच सुख** के सम्बन्ध में उसके **पतनकारी होने का बोध जाग्रत न हो**, और वह इस महा सत्य को उपलब्ध न करे, कि देवात्मा के **देव प्रभावों** की प्राप्ति से ही उसका अपने **उस नीच सुखजात पतन से सच्चा उद्धार** हो सकता है, और इसके भिन्न उसमें कोई ऐसा **उच्च वा सात्विक भाव** भी जाग्रत और उन्नत हो सकता है, **कि जिसके द्वारा उसके आत्मा की निर्माणकारी शक्ति का बल बढ़** सकता है, और वह इन सत्य बोधों को पाकर उनके **देव प्रभावों की प्राप्ति को संसार के प्रत्येक लाभ से अपने लिए सर्वोच्च लाभ** और उनकी प्राप्ति से अपने आपको **सुखी** और **कृतार्थ बोध न करे**, तब तक जैसे एक ओर वह देवात्मा के **देव प्रभावों** के प्रति कोई **आकर्षण** बोध नहीं कर सकता, वैसे ही इस आकर्षण की उन्नति के लिए **त्याग वा समर्पण** विषयक किसी सच्चे और आवश्यक साधन के ग्रहण करने का इच्छुक भी नहीं बन सकता। इसलिए जैसे इन बोधों की यथेष्ट जाग्रति पर कोई जन अपने **किसी नीच सुख विषयक अनुराग के दासत्व से मोक्ष पाने का सचमुच अभिलाषी हो सकता है**, वैसे ही उसकी यह सच्ची अभिलाषा देवात्मा के जिन **देव प्रभावों** की प्राप्ति से पूर्ण हो सकती है, उन **देव प्रभावों** का भी वह अभिलाषी हो सकता है, और जब देवात्मा के देव प्रभावों की प्राप्ति के लिए इस प्रकार से किसी जन में सच्ची अभिलाषा जाग्रत हो जाय, तब उसकी **इसी अभिलाषा को देवात्मा के देव प्रभावों के प्रति आकर्षण भाव कहते हैं।**

प्र.। यदि किसी अधिकारी जन में अपने किसी **पतनकारी सुख अनुराग वा पतनकारी घृणा भाव** के सम्बन्ध में **सच्चा बोध** जाग्रत हो गया हो, अथवा उनमें से किसी के द्वारा परिचालित होकर वह नेचर के जिस किसी जीवित वा अजीवित अस्तित्व के सम्बन्ध में **कोई अपहरणकारी वा हानिकारक चिन्ता वा क्रिया करता**

हो, उस बुरी चिन्ता वा बुरी क्रिया का **सच्चा बोध** हो गया हो, और वह उससे उद्धार पाने का सच्चा इच्छुक बन गया हो; और वह यह जानता भी हो, कि **देवात्मा के देव प्रभावों की प्राप्ति** से ही उसका उस नीच सुख अनुराग वा उससे उत्पन्न किसी पतनकारी चिन्ता वा क्रिया से उद्धार हो सकता है, और वह उनके देव प्रभावों की प्राप्ति के लिए सच्ची आकांक्षा वा अभिलाषा रखता हो, तो वह देवात्मा के इन अमूल्य देव प्रभावों की प्राप्ति के लिए किस किस विधि से क्या क्या साधन करे?

उ.। वह किसी एकान्त, शुद्ध और सुन्दर स्थान में बैठकर पहले देवात्मा को **उनकी छवि** के द्वारा स्मरण करे, और फिर वह उनके देव प्रभावों की प्राप्ति के लिए उनसे सरल भाव के साथ इस प्रकार से प्रार्थना करे:-

हे सत्य देव! मेरे आत्मा में तुम्हारी **देव ज्योति** की किरणें प्रवेश करें; और उनके द्वारा मेरा आत्मा **ज्योतिर्मान** हो, और मुझे अपनी अमुक पतनकारी चिन्ता वा क्रिया अपने असल रूप में दिखाई दे, कि जो मैंने तुम्हारे वा किसी मनुष्य वा पशु वा पौदे वा जड़ वस्तु के सम्बन्ध में की है, वा मुझ से होती या हो जाती है, और मैं इस समय उसकी बुरी छवि को उसके **सच्चे बुरे रूप में उपलब्ध कर सकूं**, और उसके उस बुरे रूप का अपनी साधन पुस्तक में भलीभांत वर्णन कर सकूं। इसके भिन्न, हे देव! मेरे आत्मा में उच्च घृणा और उच्च दुख उत्पादक तुम्हारे **देवतेज** की वह किरणें भी प्रवेश करें, कि जिनकी प्राप्ति से मेरे भीतर अपनी इस पतनकारी चिन्ता वा क्रिया के लिए **घृणा भाव** वा इससे भी ऊपर **दुख भाव** की उत्पत्ति हो, कि जिनकी उत्पत्ति से ही जहां एक ओर मैं **उससे सत्य मोक्ष** लाभ कर सकता हूं, वहां दूसरी ओर उसके सम्बन्ध में **हानि परिशोध** का यथेष्ट रूप से साधन करने के योग्य भी हो सकता हूं, और ऐसा साधन करके उसके **विकार** से भी अपने आत्मा में **सच्ची पवित्रता** वा शुद्धि लाभ कर सकता हूं।

इस प्रकार की सच्ची प्रार्थना में यदि कोई सच्चा भजन वा संगीत भी सहायक बन सकता हो, तो उसका भी वह सरल भाव और हृदय के योग के द्वारा गान करे। इसके अनन्तर यदि उसकी इस पतनकारी चिन्ता वा क्रिया को पतनकारी रूप में ही दिखाने वाला देवात्मा के किसी ऐसे विश्वासी जन का कोई लेख उसके पास हो, कि जिसने उसी पतनकारी चिन्ता वा क्रिया से देवात्मा के देव प्रभावों की प्राप्ति से **मोक्ष** वा उसके **विकार** से पवित्रता लाभ की हो, तो वह उसका ध्यान और विचार के साथ पाठ करे; अथवा देवात्मा के किसी ऐसे लेख का पाठ करे, कि जो इसी विषय में हो, और जिसके पाठ से भी उस तक उनके **देवप्रभाव** पहुंच सकते हों। फिर उनके देवप्रभावों के मिलने पर उसे अपनी वह पतनकारी चिन्ता वा क्रिया अपने वा

किसी हानिप्राप्त जन के सम्बन्ध में **जैसी जैसी कुछ बुरे वा हानिकारक रूप में बोध हो**, उसका **वर्णन** अपनी साधन पुस्तक में (जो इसी अभिप्राय के लिए हो) लिखे। और यदि वह अपने भीतर **उसके सम्बन्ध में हानि परिशोध करने की सच्ची प्रेरणा बोध करे**, तो उसने उसकी हानि के विषय में जो कुछ अपनी साधन पुस्तक में लिखा हो, उसकी नकल करे; वा उसी प्रकार के वर्णन की कोई चिट्ठी लिखे। इसके अनन्तर उसे देवात्मा से उनके देव प्रभावों का जो महा दुर्लभ और अति अमूल्य दान मिला हो, उसे सम्मुख लाकर उनके प्रति अपने आत्मा में अनुग्रहीत वा कृतज्ञ बोध करने के निमित्त उनके देवरूप को स्मरण करे, और अपने सिर को बार बार उनके आगे झुकाके और सच्चे प्रणाम की दशा में पहुंचकर अपने भीतर उनके सम्बन्ध में अपनी तुच्छता को उपलब्ध करे, और उनके देवरूप के प्रति अपने सच्चे विश्वास और दीन भाव को जाग्रत करे।

इस साधन के अनन्तर वह उस **नकल** या उस **चिट्ठी** को हानिप्राप्त जन के पाठ के लिए या तो उसे आप दे दे, वा किसी और प्रकार से उसके पास भेज दे। अथवा यदि उसके भीतर केवल इतनी ही प्रेरणा उत्पन्न हो, कि वह उस विषय में हानिप्राप्त जन के सम्मुख जाकर अपनी उस बुरी वा अपराध वा अवज्ञा वा पाप-मूलक चिन्ता वा क्रिया के सम्बन्ध में अपने हार्दिक शोक वा दुख का प्रकाश करे, तो उसके पास पहुंचकर ऐसा करे, वा यदि इन दोनों बातों के करने के लिए प्रेरणा उत्पन्न हो, तो वह यह दोनों ही बातें करे।

प्र.। यदि कोई साधक ऐसा हो, कि वह अपने साधन में इससे भी अधिक देवात्मा के देव प्रभाव लाभ करना चाहता हो, कि जिससे उसे देवात्मा वा किसी मनुष्य वा पशु वा अन्य वस्तु के सम्बन्ध में अपनी वह छिपी हुई चिन्ता वा अन्य क्रिया कि जो उसके आत्मा के लिए पतनकारी हो, और **जिसके विषय में वह पूर्णत: अबोधी हो, अपने प्रकृत रूप अर्थात् पतनकारी रूप में दिखाई दे**, और उसके सम्बन्ध में भी उसे उनके देवतेज की वह किरणें प्राप्त हों, कि जिनकी प्राप्ति से उसके आत्मा में उसके पतनकारी रूप के प्रति **उच्च घृणा और उच्च दुख** की उत्पत्ति हो; तो फिर वह उनकी प्राप्ति के लिए और क्या करे?

उ.। वह उनकी प्राप्ति के लिए अपने उसी आन्तरिक भाव के अनुसार देवात्मा से फिर बार बार प्रार्थना करे; और जब बार बार की ऐसी प्रार्थना से उसे उनकी **देवज्योति** प्राप्त हो, और उसकी प्राप्ति से उसके सम्मुख उनके वा किसी मनुष्य वा पशु वा पौदे आदि के सम्बन्ध में अपनी कोई आन्तरिक चिन्ता वा बाह्यक क्रिया पतनकारी रूप में प्रगट हो, अथवा इससे भी बढ़कर उनके **देवतेज** की किरणों के

मिलने से उसके भीतर अपनी उस चिन्ता वा क्रिया के सम्बन्ध में **उच्च घृणा** वा इससे भी ऊपर **उच्च दुख** का भाव जाग्रत हो, तब वह पहले साधन में बताई हुई विधि के अनुसार फिर उसके इस दृश्य और अपने भाव का अपनी साधन पुस्तक में वर्णन करे; और फिर उसकी **नकल** को वा उसी प्रकार के वर्णन से भरी हुई अपनी किसी **चिट्ठी** को हानि प्राप्त जन के पास भेजे, अथवा उसके इस पृथ्वी में वर्तमान होने और उसके पास सुगमता के साथ जाने के योग्य होने पर, उसके पास जाकर उसके सम्मुख अपने मुंह के द्वारा अपने शोक और दुख का प्रकाश करे; और उसके परिशोध के निमित्त अपने **तन** वा अपने **धन** के द्वारा उसे और जो जो कुछ करना उचित बोध हो, उसे पूरा करे।

प्र.। यदि किसी ऐसे साधक को ऐसे देव प्रभाव तो प्राप्त हों, परन्तु जिस किसी जन के सम्बन्ध में उसने कोई बुरी वा पतनकारी चिन्ता वा बुरी वा पतनकारी अन्य क्रिया की हो, वह इस पृथ्वी में वर्तमान न हो, तो ऐसी दशा में वह उसके सम्बन्ध में अपने **हानि परिशोध** विषयक साधन को क्योंकर पूरा करे?

उ.। ऐसी दशा में यदि उसका साधन वास्तविक ठीक वा सत्य हो, तो उस हानि के सम्बन्ध में उसके आत्मा में जहां तक दुख की उत्पत्ति होगी, उसकी लहरें व्योम के द्वारा फैलकर हानि प्राप्त देवात्मा वा किसी मनुष्य वा पशु तक पहुंचकर उन पर भी शान्तिप्रद प्रभाव डालेंगी, और साधक के आत्मा की शुद्धि वा पवित्रता का कारण भी बनेंगी।

प्र.। क्या ऐसा साधक इस अभिप्राय के लिए कोई और उपाय वा साधन भी ग्रहण कर सकता है?

उ.। कर सकता है, यदि उसके भीतर किसी ऐसे साधन को ग्रहण करने की कोई सच्ची और यथेष्ट प्रेरणा उत्पन्न हो।

प्र.। ऐसी सच्ची प्रेरणाएं किस किस प्रकार की हो सकती हैं?

उ.। देवात्मा के सम्बन्ध में उसके द्वारा जो हानि हुई हो, उसके लिए धन विषयक किसी दंड का ग्रहण, कि जिसे वह उनके भेंट फंड में दे सकता है; अथवा वह अपने शरीर के द्वारा उनके किसी ऐसे पारिवारिक सम्बन्धी वा पशु वा उद्यान वा गृह आदि की **उचित और विशुद्ध** सेवा कर सकता है, कि जिसकी पालना वा रक्षा वा देख भाल का भार देवात्मा ने अपनी स्थूल देह के त्याग करने तक अपने ऊपर रखा हो; और यदि किसी हानिप्राप्त मनुष्य के सम्बन्ध में उसे अपने आत्मा में इसी प्रकार के हानि परिशोध करने की प्रेरणा उत्पन्न हो, तो वह इसी प्रकार से उसके किसी ऐसे सम्बन्धी आदि के सम्बन्ध में धन, तन, वा दोनों के द्वारा सेवाकारी बन

सकता है, कि जिसकी पालना वा रक्षा आदि का भार उस जन के ऊपर रहा हो; और यदि किसी हानिप्राप्त पशु वा पौदे के सम्बन्ध में उस में हानि परिशोध करने की आकंक्षा जागी हो और वह पशु वा पौदा इस पृथ्वी में न हो, तो उसकी जाति वा नसल के सम्बन्ध में वह इसी प्रकार का साधन ग्रहण करके अपने आत्मा का सच्चा कल्याण कर सकता है।

प्र.। यदि किसी अधिकारी और सुयोग्य जन में अपने **आत्मा** और **देवात्मा** के सम्बन्ध में **सत्य ज्ञान** के लाभ करने की **आकांक्षा** जाग्रत हुई हो, और वह यह जानता हो, कि इस सत्य ज्ञान की प्राप्ति के लिए उसे देवात्मा के देव प्रभावों के मिलने की आवश्यकता है, और यह कि उनकी देव ज्योति की प्राप्ति के बिना वह इन विषयों के सम्बन्ध में किसी **सत्य को उसके प्रकृत रूप में देख नहीं सकता**, और जब तक वह किसी ऐसे सत्य को अपनी आन्तरिक आंख से **उसके प्रकृत रूप में देख वा उपलब्ध न कर सके**, तब तक उसके विषय में उसे कोई **साक्षात् सत्य ज्ञान** नहीं हो सकता, तो वह ऐसे **साक्षात् सत्य ज्ञान की प्राप्ति के निमित्त** देवात्मा के देव प्रभावों को पाने के लिए किस प्रकार का साधन करे?

उ.। यदि किसी जन में ऐसी वास्तविक आकांक्षा जागी हो, तो वह किसी शुद्ध, सुन्दर और एकान्त स्थान में बैठकर पहले **देवात्मा** को उनकी छवि के दर्शन के द्वारा स्मरण करे, और अपने चित्त को स्थिर करके और **केवल उनके ध्यान के द्वारा उनके साथ आत्मिक योग की दशा ग्रहण करे**; फिर वह आत्मा वा देवात्मा में से जिस किसी के सम्बन्ध में जिस प्रकार के साक्षात् सत्य ज्ञान की प्राप्ति का आकांक्षी वा अभिलाषी हो, उसके लिए **उनसे उनकी देव ज्योति की सरल भाव से बार बार और लगातार प्रार्थना करे**। ऐसी बार बार की प्रार्थना के अनन्तर जब उसके आत्मा में उनकी **देव ज्योति** का प्रकाश हो जाय, तब वह इस विषय में उनके किसी लेख का ध्यान पूर्वक पाठ करे। अब यदि उसे किसी ऐसे विषय के सम्बन्ध में **किसी सत्य के उपलब्ध करने के लिए जितनी मात्रा में देव ज्योति की आवश्यकता** है, वह उसे मिल चुकी होगी, तो वह किसी ऐसे सत्य का अवश्य **दर्शन** कर सकेगा; और उसके दर्शन से वह उस विषय में **साक्षात् सत्य ज्ञान** लाभ करेगा। परन्तु यदि वह अपने हृदय की ऐसी दशा न रखता होगा, वा उसके चौतरफ़ा सामान उसके लिए **यथेष्ट रूप से अनुकूल न होंगे**, तो वह देवात्मा से प्रार्थना करने पर भी उनकी **देव ज्योति को पूर्णतः वा उतनी मात्रा में लाभ न कर सकेगा**, कि जिससे उसे उस **सत्य** को जितने उज्ज्वल रूप में देखने की आवश्यकता है, उतने उज्ज्वल रूप में वह उसे देख वा उपलब्ध कर सके।

फलत: देवात्मा की **देव ज्योति** की प्राप्ति के विषय में नेचर के आत्मिक जगत् के जो अटल नियम हैं, वह जब तक ठीक ठीक पूरे न होंगे, तब तक किसी ऐसे साधक को उनकी यथेष्ट मात्रा में देव ज्योति न मिलेगी, और उसके मिलने से उसे जिस सत्य की ठीक ठीक उपलब्धि हो सकती थी, वह न होगी; और इसलिए उस विषय में उसे जिस **साक्षात् सत्य ज्ञान** की प्राप्ति की आवश्यकता थी, वह **साक्षात् सत्य ज्ञान** उसे न मिलेगा।

प्र.। किसी साधक की अपनी **आन्तरिक अनुकूल दशा** क्या होती है?

उ.। किसी साधक के आत्मा की वह दशा कि जिसमें उसके किसी सच्चे साधन के द्वारा उसमें देवात्मा की देव ज्योति की कुछ न कुछ किरणें पहुंच सकती हैं; अर्थात् उसका आत्मा इतना कठोर न बन चुका हो, कि जिसकी कठोरता के कारण देवात्मा की **देव ज्योति** की कुछ भी किरणें उसमें प्रवेश न कर सकें, और वह साधन के लिए बैठने पर भी अपने आत्मा की उसी पहली **अन्धकार की दशा** में रहे कि जिसमें वह बैठने से **पहले** था।

प्र.। किसी आत्मा में इतनी **कठोरता** क्योंकर उत्पन्न हो जाती है, कि जिसके उत्पन्न हो जाने से उसमें देवात्मा की देव ज्योति की कोई किरण भी प्रवेश नहीं कर सकती?

उ.। ऐसी कठोरता की उत्पत्ति के बड़े बड़े कारण यह हैं:-

(1) सुख विषयक नाना नीच अनुरागों का बढ़ते जाना।

(2) नीच घृणा का बढ़ते जाना, – विशेषकर जिस देवात्मा की देव ज्योति को पाकर ही किसी जन का आत्मा ज्योतिर्मान् होकर किसी आत्मिक सत्य को साक्षात् रूप से देखकर उसके विषय में साक्षात् सत्य ज्ञान लाभ कर सकता है, उसी देवात्मा के प्रति किसी कारण से **नीच घृणा** का भड़कना वा उत्पन्न होना।

(3) नेचर के किसी जगत् के अस्तित्व के सम्बन्ध में किसी **दुराचार** का होते रहना।

(4) देवात्मा की देव ज्योति में जब किसी सत्य का साक्षात् दर्शन हो, तब उसका **निरादर** करना; अर्थात् उस सत्य का ज्ञान होने से जिस किसी मिथ्या चिन्ता, मिथ्या विश्वास, मिथ्या वचन और किसी मिथ्या वा कपटता-मूलक अन्य क्रिया का **त्याग करना** अपने आत्मिक हित के लिए आवश्यक हो, उसका त्याग न करना; और जिस किसी सत्य के ग्रहण करने और उसका साथ देने से उसकी कोई सुखदायक परन्तु पतनकारी चिन्ता वा कोई और क्रिया दूर होती हो, उसे ग्रहण न करना, वा उसका साथ न देना, और **उसकी तुलना में अपने आत्मा में मिथ्या और कपटता**

को बढ़िया स्थान देना।

इन चारों में से प्रत्येक के द्वारा ही नेचर के आत्मिक जगत् के अटल नियमानुसार मनुष्य का आत्मा **कठोर** बनता है, और जब वह कठोर होते होते इतना कठोर बन जाता है, कि फिर उसमें देवात्मा की **देवज्योति** के प्रवेश करने के लिए कोई मार्ग नहीं रहता, तब फिर किसी ऐसे कठोर आत्मा में देवात्मा की देवज्योति की कुछ भी किरणें प्रवेश नहीं कर सकतीं, और इसीलिए नहीं करतीं। और वह **अपने गठन-प्राप्त आत्मा और अपने आत्मिक जीवन की हानि और हित के सम्बन्ध में किसी सत्य के देखने के योग्य नहीं रहता, और पूर्णत: अन्धा हो जाता है।**

प्र.। यह तो बड़ी भयानक दशा है!! किसी मनुष्य का अपने सार वा मूल अस्तित्व अर्थात् आत्मा और आत्मिक जीवन के सम्बन्ध में किसी सत्य के देखने के योग्य न होना वा न रहना अत्यंत शोचनीय दृश्य है!!!

उ.। निश्चय।

प्र.। बाहर की **प्रतिकूल दशा** क्या होती है?

उ.। बाहर की प्रतिकूल दशा के बड़े बड़े कारण यह हैं:-

(1) जल के द्वारा शरीर को जितना शुद्ध वा परिष्कार करना आवश्यक है, उसे उतना परिष्कार न करना, और उसे **अपवित्र वा मैला** रखना।

(2) शरीर में जो वस्त्र धारण किए हों, उनका शुद्ध वा परिष्कार न होना।

(3) साधन के लिए जो **स्थान हो**, उसका शुद्ध वा परिष्कार न होना - विशेषकर उसका उसके अपने वा किसी और वा औरों के अपवित्र **प्रभावों** को धारण करते करते बहुत **अपवित्र** बन जाना।

(4) उसके मन की स्थिरता को भंग करने वाली किसी विघ्नकारी बात का होना।

प्र.। यदि किसी साधक की अपनी आन्तरिक दशा भी अच्छी हो, और उसे बाहर की भी अनुकूल दशा प्राप्त हो, और वह अपने साधन स्थान में बैठकर देवात्मा की देवज्योति के पाने की कुछ न कुछ योग्यता भी रखता हो, और वह आत्मा और देवात्मा के विषय में साक्षात् सत्य ज्ञान की प्राप्ति का अभिलाषी भी हो और उसे देवात्मा से देवज्योति के लिए बार बार प्रार्थना करने से इतनी ज्योति भी मिलती हो, कि जिसमें **उसे आत्मा अथवा देवात्मा के सम्बन्ध में साक्षात् रूप से कोई सत्य दिखाई देता हो**, तो वह इस सत्य के दर्शन के अनन्तर फिर और क्या करे?

उ.। वह उसके अनन्तर **उस सत्य को बार बार देखने वा उपलब्ध करने**

का यत्न करे।

प्र.। इससे उसे क्या लाभ होगा?

उ.। इस साधन से जहां एक ओर उसके सम्मुख वह सत्य जैसे अधिक से अधिक **उज्ज्वल रूप** में दिखाई देगा, वहां दूसरी ओर वह उसके **धारणा** के **पट** में धीरे धीरे अधिक से अधिक गहराई में **अंकित** होगा, और वह आवश्यकता के समय में उसे शीघ्र स्मरण कर सकेगा।

प्र.। इसके भिन्न इस विषय में वह और क्या साधन करे?

उ.। वह यदि किसी ऐसे विषय में **विचार** करने की **यथेष्ट शक्ति** रखता हो, और वह यह भी जानता हो, कि नेचर की जिन जिन घटनाओं के द्वारा उसके उस उपलब्ध किए हुए **सत्य की पोषकता होती हो**, उन उन घटनाओं वा दृष्टान्तों के दृश्य भी उसके सम्मुख प्रगट हों, तो वह इसके लिए एक ओर देवात्मा से उनकी **देवज्योति** के और अधिक मिलने के लिए एकान्त चित्त से प्रार्थना करे, और दूसरी ओर नेचर से योग करके अपने बार बार के विचार के द्वारा उस सत्य की पोषकता के सम्बन्ध में उसकी उन नाना घटनाओं को अपने सम्मुख लाने की चेष्टा करे, कि जो उसकी योग्यता के अनुसार उसके सम्मुख आ सकती हों, और यदि वह उस समय उसके सम्मुख भली भांत प्रगट न हों, तो अगले दिन, और इसी प्रकार उसके अनन्तर भी वह उनके सम्बन्ध में अपने विचार के साधन को उसी प्रकार से जारी रखे, जब तक उनके विषय में उसे **साक्षात् सत्य ज्ञान प्राप्त न हो जाय**।

प्र.। इसके भिन्न वह किसी ऐसे ज्ञान की उन्नति के लिए क्या करे?

उ.। इस विषय में उसे जिन और विचारशील जनों के लेख मिल सकते हों, उन्हें भी इसी भाव को लेकर पाठ करे। इससे भी उसे उन सत्यों की प्राप्ति में सहायता मिलेगी। फिर उन्हें बार बार अपने **चित्त में बिठाने का यत्न करे**, अथवा उन्हें अपनी किसी नोटबुक वा साधन पुस्तक में लिखने की चेष्टा करे। ऐसे साधनों से **वह सत्य उसके भीतर भली भांत अंकित हो जाएंगे**, और वह आवश्यकता के समय उनका भलीभांत अपने मुंह वा लेख वा दोनों के द्वारा वर्णन कर सकेगा।

प्र.। क्या कोई साधक इन साधनों के द्वारा अपने इस महा मूल्यवान और दुर्लभ ज्ञान को लगातार बढ़ा सकता है?

उ.। यदि ऐसे किसी साधक के आत्मा में **परोपकार** विषयक भाव इतना उन्नत हो चुका हो, कि वह आत्मा वा देवात्मा के विषय में जिन जिन सत्यों को देवात्मा की देवज्योति में आप देखने के योग्य हो चुका है, वह उनका ऐसे लोगों में **अवश्य प्रचार करेगा**, कि **जो उन सत्यों से अज्ञानी हैं**, और जो उनके विरुद्ध नाना

मिथ्याओं को सत्य मानकर विश्वास करते हैं, और अपने इन मिथ्या विश्वासों के कारण अपने आत्मा की वा उसके भिन्न अपने शरीर की वा उसके भिन्न अपनी अन्य कई प्रकार की हानियां करते हैं, और उनका प्रचार करने में उसे जिस जिस प्रकार के **समर्पण और त्याग** की आवश्यकता होगी, उस समर्पण और त्याग को भलीभांत ग्रहण करेगा, तो वह अपने इस प्रकार के साधन के द्वारा अवश्य अधिक से अधिक सत्यों के देखने और उपलब्ध करने के लिए **उनकी देवज्योति को भी अधिक से अधिक लाभ करने का अधिकारी बनता जाएगा;** अन्यथा यदि वह **स्वार्थ परायण** बनकर इस प्रकार के दुर्लभ ज्ञान को केवल अपने ही लिए अधिक से अधिक लाभ करने का इच्छुक होगा, अथवा लोगों के सम्मुख उनका वर्णन करके **अपने आपको उनसे बढ़िया दिखाना** और इस प्रकार से बढ़िया दिखाकर अपने **घमंड भाव** की तृप्ति करना चाहेगा, तब वह उनकी इस **देवज्योति** को और अधिक लाभ न कर सकेगा; और उसके इस प्रकार के अमूल्य सत्य ज्ञान की उन्नति का मार्ग बंद हो जाएगा। और यदि इससे भी बढ़कर वह उसका प्रचार करते समय लोगों में इस **मिथ्या विश्वास** के उत्पन्न करने की चेष्टा करेगा, कि जिस ज्ञान को वह उनके सम्मुख प्रचार कर रहा है, वह उसे **देवात्मा और उनकी देवज्योति के द्वारा नहीं मिला,** किन्तु वह उसे अपने आप मिला है, **तब इस मिथ्याचार के कारण उसका और भी जल्दी जल्दी पतन होगा।** और वह अपने उस पहले ज्ञान को भी धीरे धीरे खो बैठेगा; अर्थात् वह उन सत्यों के देखने के योग्य भी न रहेगा, कि जिन्हें वह पहले देखता था, और इसीलिए उनके विषय में वह फिर पहले की न्याईं **अन्धकार की दशा में** पहुंच जाएगा।

प्र.। तब क्या नेचर के आत्मिक जगत् के नियमानुसार यह आवश्यक है, कि जिस किसी अधिकारी जन को **आत्मा** और **देवात्मा** के सम्बन्ध में देवात्मा की **देवज्योति के द्वारा** जब और जिस किसी सत्य का दर्शन वा उसकी उपलब्धि हो तब वह

(1) उस सत्य के विरुद्ध किसी मनुष्य के सम्मुख भी अपना कोई विश्वास वा मत प्रगट न करे, कोई लेख न लिखे, कोई साम्प्रदायिक चिन्ह न रखे, और कोई अनुष्ठान न करे; और

(2) जो लोग उस सत्य के ज्ञान से अंधे हों, उनके भले के लिए खुले दिल से और पूर्णतः निडर होकर और बिना किसी लालच के उसका प्रचार करे?

उ.। निश्चय। अन्यथा वह इन विषयों में फिर देवात्मा की **देवज्योति** की प्राप्ति और उसके द्वारा इन विषयों में **और अधिक सत्यों की उपलब्धि** का अधिकारी

न रहेगा। हां इससे भी बढ़कर **मिथ्या** का साथ देने से धीरे धीरे वह उन सत्यों के दर्शन से भी **अन्धा** हो जाएगा, कि जिनके दर्शन का वह पहले किसी काल में अधिकारी था।

प्र.। यदि किसी जन में ऐसी आकांक्षा उत्पन्न हुई हो, कि उसकी **निमार्णकारी शक्ति का बल बढ़े**, और उसके लिए उसमें क्या देवात्मा और क्या मनुष्य, क्या पशु, क्या उद्‌भिद् आदि नेचर के किसी जगत् के सम्बन्ध में किसी **उच्च सात्विक भाव** की उत्पत्ति हो, तो वह अपनी इस आकांक्षा की सिद्धि के लिए क्या क्या साधन करे?

उ.। मनुष्य अपनी प्रकृति से ही **सुख परायण** अर्थात् **सुख का अनुरागी** है। अब यदि उसके आत्मा में कोई ऐसा **उच्च भाव** जाग्रत न हुआ हो, कि जिसकी प्रेरणा से जब वह कोई चिन्ता वा अन्य क्रिया करे, तब उसे **सुख बोध** हो, तो वह **अपने आप** अपनी निर्माणकारी शक्ति के बल के बढ़ाने के लिए **अपने आत्मा में किसी भी उच्च भाव की उत्पत्ति वा उन्नति का कभी भी आकांक्षी वा अभिलाषी हो नहीं सकता**। और जब उसमें इस प्रकार की कोई सच्ची आकांक्षा वा अभिलाषा ही वर्तमान न हो, तब वह उसकी उन्नति के लिए किसी प्रकार का भी साधन न तो सरलता के साथ ग्रहण कर सकता है, और न उसे पूरा ही कर सकता है।

परन्तु यदि किसी जन के आत्मा में देवात्मा के सम्बन्ध में उनके देव प्रभावों को पाकर विश्वास और श्रद्धा आदि उच्च वा सात्विक भावों में से पहले से कोई भाव जाग चुका हो, और उस भाव के पूरा होने से उसे इतना सुख मिलता हो, कि जिसके बार बार लाभ करने के लिए उसमें **अभिलाषा** उत्पन्न होती हो, और **वह किसी ऐसे सुख का लालसी बनकर उस उच्च वा सात्विक भाव की उन्नति चाहता हो**, तो वह इस अभिप्राय के लिए उन साधनों को ग्रहण और पूरा कर सकता है, कि जिनका इससे पहले वर्णन हो चुका है।

इसी प्रकार यदि किसी के आत्मा में मनुष्यादि नेचर के किसी जगत् के सम्बन्ध में **परोपकार विषयक किसी उच्च वा सात्विक भाव की** उत्पत्ति हुई हो, और **वह उसके सुख का इतना अभिलाषी बन चुका हो**, कि अपने उस भाव को शिथिल करना न चाहता हो, किन्तु **उन्नत करना चाहता हो**, तो वह भी इसके निमित्त देवात्मा के देव प्रभावों के पाने की उसी साधन विधि को ग्रहण और पूरा कर सकता है, कि जिसका इससे पहले वर्णन किया गया है। परन्तु यदि उसका यह भाव पूर्णतः विशुद्ध न होगा, अर्थात् वह किसी का किसी प्रकार का उपकार करके उस परोपकार विषयक **सात्विक सुख के भिन्न** उसके बदले में **उससे वा किसी और से अपना कोई**

और सुख चाहेगा, तो फिर नेचर के आत्मिक जगत् के अटल नियमानुसार केवल यही नहीं, कि किसी भी साधन के ग्रहण करने से उसके **उस भाव की उन्नति न होगी**, किन्तु उसमें उसके जिस **किसी नीच सुख विषयक भाव की जितनी खोट मिली हुई होगी**, उतना ही उसका **वह उच्च भाव भी दिनों दिन घटता चला जाएगा**; और यदि उसका उसी प्रकार से **ह्रास** होता गया, तो उसका वह भाव एक दिन पूर्णत: नष्ट हो जाएगा।

फलत: मनुष्य होकर यह किसी भी मनुष्य की प्रकृति में अनिवार्य है कि उसे

(1) अपने जिस किसी मिथ्या विश्वास, अपनी जिस किसी मिथ्या चिन्ता, अपने जिस किसी मिथ्या कथन वा वचन वा अंगीकार वा अपनी मिथ्या-मूलक किसी भी क्रिया को **मिथ्या जानकर भी** उसके प्रति कोई **घृणा** न हो, और उससे कोई **दुख** न हो, हां, ऐसी दशा में उसे उलटा **सुख** मिलता हो;

(2) किसी मनुष्य वा पशु, वा पौदे वा जड़ पदार्थ के सम्बन्ध में अपनी कोई हानिकारक चिन्ता वा अन्य क्रिया करने और **उसे हानिकारक** जानकर भी उसके प्रति कोई **घृणा** न हो, और उससे उसे कोई **दुख बोध** न होता हो, प्रत्युत **सुख बोध** होता हो;

(3) अपने अस्तित्व और उसमें भी अपने मूल अस्तित्व अर्थात् आत्मा के सम्बन्ध में **अज्ञानी वा अन्धकार ग्रस्त** रहने में अपनी इस **अज्ञानता वा अन्धता के प्रति** कोई **घृणा** न हो, वा इस दशा से उसे कोई **दुख बोध** न होता हो, प्रत्युत **सुख बोध** होता हो,

(4) अपने **आत्मिक पतन** का कोई बोध न हो, और उसका अपने सुख विषयक **जिन जिन नीच अनुरागों और अपनी जिन जिन नीच घृणाओं** के द्वारा **आत्मिक पतन** हो रहा हो, उसके विषय में किसी प्रकार के पतन को जानकर वा सुनकर उसके प्रति उसे कोई **घृणा** बोध न होती हो, और उस पतन की दशा के प्रति उसे कोई दुख बोध न होता हो, और न उसे अपने आत्मिक बल के विषय में कोई बोध हो, और न उस बल के बढ़ाने वाले किसी **उच्च भाव** को जानकर वा उसका नाम सुनकर उसके प्रति कोई **आकर्षण** हो, और वह अपने आत्मिक बल के दिनों दिन नष्ट होने पर उससे कोई कष्ट वा दुख बोध न करता हो;

तो वह उससे **मोक्ष पाने** वा अपने आत्मा में किसी **उच्च भाव के जाग्रत वा उन्नत करने के लिए कुछ भी और कभी भी कोई आकांक्षा बोध करे**; क्योंकि नेचर के आत्मिक जगत् के अटल नियमानुसार उसमें इस प्रकार की ऐसी कोई आकांक्षा वा अभिलाषा हो नहीं सकती। इसीलिए मनुष्य जगत् में से जिस जिस जन

में ऐसी योग्यता हो, कि उसमें एक ओर कुछ भी वा किसी अंश में भी अपने किसी पतनकारी विश्वास वा अपनी किसी पतनकारी क्रिया आदि के सम्बन्ध में उस **घृणा** और उस **दुख** की उत्पत्ति हो सकती हो, कि जिसकी यथेष्ट उत्पत्ति से ही उसे अपनी किसी प्रकार की **ऐसी मिथ्या वा अहित- मूलक चिन्ता वा क्रिया से नेचर के नियमानुसार सच्ची मोक्ष मिलनी सम्भव हो**, उससे उसे सच्ची मोक्ष देने, और दूसरी ओर जिस जिस जन के आत्मा में कुछ भी वा किसी अंश में भी किसी प्रकार का कोई **उच्च भाव जाग्रत वा उन्नत हो सकता हो**, उसके जाग्रत वा उन्नत करने के लिए ही **सच्ची देव शक्तियों से विशिष्ट देवात्मा का मनुष्य जगत् में आविर्भाव हुआ है।** क्योंकि देवात्मा के ऐसे आविर्भाव के बिना मनुष्य जगत् में इस प्रकार का कोई शुभ परिवर्तन आ नहीं सकता था।

छत्तीसवां अध्याय

कोई मनुष्यात्मा देवात्मा की शरण में आकर भी उनके देव प्रभावों की प्राप्ति से किन किन कारणों से वंचित हो जाता है, वा वंचित रहता है?

प्र.। जब कोई मनुष्यात्मा देवात्मा के **देव प्रभावों** को पाकर और उनके द्वारा आवश्यक अंश में आत्मिक परिवर्तन लाभ करके उनकी शरण में आ गया हो, तब वह उसके अनन्तर फिर अपने किन किन **पतनकारी भावों के कारण** उनके देव **प्रभावों के पाने के योग्य नहीं रहता**?

उ.। उसके अन्य **सुख विषयक नीच अनुरागों** के भिन्न कि जिनका **दास** होने पर वह उनसे **विमुख** बनता है, और उनके साथ अपना आत्मिक मेल स्थापन करना नहीं चाहता और नहीं करता, उसके **अहं सुख अनुराग विषयक कई प्रकार के भाव विशेष रूप से उसे उनसे विमुख बनाते और रखते हैं**; और वह उसे ऐसी पतन की दशा में पहुंचा देते हैं, कि यदि वह पहले कभी उनके देव प्रभावों के पाने की योग्यता रखता था; तो फिर वह अपनी इस पतन की दशा में पहुंचकर उनके **देव प्रभावों के पाने के योग्य नहीं रहता**, और इसीलिए उनकी प्राप्ति से वंचित हो जाता है।

प्र.। वह अहं अनुराग-जात् पतनकारी भाव कौन कौन से हैं?

उ.। वह महा पतनकारी भाव यह हैं:-

(1) स्वार्थ सुख अनुराग का प्रबल अधिकार।

(2) घमंड सुख अनुराग का प्रबल अधिकार।

(3) स्वेच्छाचार सुख अनुराग का प्रबल अधिकार।

(4) घृणा सुख अनुराग का प्रबल अधिकार।

1- स्वार्थ सुख अनुराग का प्रबल अधिकार

---

(1) किसी जन का देवात्मा से **कई प्रकार का आत्मिक और अन्य विविध हित पाकर भी** उनके साथ अपना किसी प्रकार का **कोई सम्बन्ध बोध**

न करना, और अपनी पत्नी वा अपने पति वा अपने बच्चे वा अपने किसी ऐसे ही और जन वा जनों के भिन्न कि जिनके साथ वह अपने **किसी एक वा दूसरे प्रकार के नीच सुख विषयक अनुरागों से बंधा हुआ हो**, देवात्मा के साथ किसी प्रकार का **कोई सम्बन्ध न रखना।**

(2) उनसे **महा दुर्लभ आत्मिक हित** पाकर भी जहां तक सम्भव हो, उनके परम लक्ष्य के सम्बन्ध में किसी प्रकार से भी सेवाकारी बनना न चाहना।

(3) 1- उनके देवरूप, 2- उनके देवप्रभावों, 3- उनकी धर्म विषयक सत्य शिक्षा, 4- उनके परम लक्ष्य और उनके अद्वितीय कार्य की महिमा के देखने, उपलब्ध करने और अपने वा अपने पारिवारिक जनों के सम्बन्ध में उनके **उपकारों** को स्मरण करने और **उनके सम्बन्ध में अपनी किसी स्वार्थ-मूलक** वा किसी और अनुचित वा **हानिकारक क्रिया** के सम्बन्ध में विचार करने के लिए अपने भीतर कोई भाव न रखना।

(4) देवात्मा के जिन देव प्रभावों के द्वारा उसके अपने गांव वा नगर वा अपने देश के किसी स्थान में लोगों के धर्म विषयक मिथ्या विश्वासों और उनकी किसी प्रकार की सामाजिक बुराइयों वा उनके किसी प्रकार के पापों के दूर करने वा किसी प्रकार की किसी और भलाई का काम होता हो, उनके ऐसे निराले और महा हितकर कामों के लिए अपने धन और अपनी संपत्ति में से **दान करने का कोई भाव न रखना;** और अपने बेटों आदि के भिन्न अपने धन और अपनी सम्पत्ति को किसी ऐसे भले काम के लिए अर्पण करके अपने आत्मा वा अपने देश का कोई हित न चाहना और न करना; और जहां तक सम्भव हो, अपनी किसी शारीरिक वा मानसिक शक्ति को किसी ऐसे काम की उन्नति के लिए काम में न लाना और न लाना चाहना।

2- घमंड सुख अनुराग का प्रबल अधिकार

(1) मैं घटिया होकर भी किसी की दृष्टि में घटिया न दिखाई दूं, वा घटिया न समझा जाऊं; इस भाव से प्रेरित होकर किसी के सम्बन्ध में भी अपने किसी अपराध वा पाप वा दुराचार, वा अपनी किसी अज्ञानता वा अबोधता वा अपने अन्याय-मूलक किसी कर्म वा अपनी किसी अयोग्यता, अथवा अपनी किसी हीनता को न मानना; और किसी के सम्बन्ध में अपनी किसी अवज्ञा, अपनी किसी भूल, अपने किसी अपराध वा अपने किसी पाप को स्वीकार न करना, वा इससे भी बढ़कर इनमें से किसी के छिपाने के लिए कई प्रकार के झूठ घड़ना, वा इससे भी अधिक बढ़कर अपनी ओर से **किसी और जन पर झूठे अपराध वा कलंक लगाना**, और इस

प्रकार से दिनों दिन **झूठ का अनुयायी** बनकर अपने आत्मा को अंधकार से भरते जाना।

(2) **देवात्मा की देव शक्तियों से पूर्णत: शून्य** और नाना प्रकार के नीच सुख अनुरागों और नीच घृणाओं से विशिष्ट केवल मनुष्यात्मा होने के कारण आत्मा और आत्मिक जीवन के सम्बन्ध में नाना सत्यों के देखने के अयोग्य होकर, और किसी एक वा दूसरी वास्तविक बुराई वा भलाई के सम्बन्ध में अपने आत्मा में **कोई बोध न रखकर** भी इन विषयों में अपने आपको उनसे **बढ़कर ज्ञानी और बोधी समझना वा विश्वास करना।** और अपने किसी पुराने **कुसंस्कार** वा अपने किसी सुख विषयक नीच अनुराग के **पक्षपात** के कारण **नेचर के आत्मिक जगत् के किसी सत्य वा उस की किसी सत्य घटना को** परित्याग करके **अपने ही घमंड भाव की प्रेरणा के अनुसार** अपने आपको **सदा ठीक** और यदि देवात्मा की कोई शिक्षा वा क्रिया उसके विपरीत हो, तो उन्हें सदा **भ्रान्त** समझना वा **विश्वास करना**; और इस **महा झूठ** का दिनों दिन **अभ्यासी** बनकर अपने आत्मा में अन्धकार को बढ़ाते रहना।

(3) किसी मत भेद के रखने पर देवात्मा की अपेक्षा **अपने आपको बढ़िया** और उन्हें घटिया दिखाने के निमित्त जगह जगह अपने ऐसे झूठे बढ़ियापन की डींग मारना, और उनकी निंदा करना, और उनके सम्बन्ध में और लोगों में **मिथ्या और अश्रद्धा** का प्रचार करना।

(4) अपने **घमंड भाव** के कारण देवात्मा की शरण प्राप्त किसी ऐसे जन को भी **अपने से घटिया देखना और समझना वा विश्वास करना** कि जिसने देवात्मा के देव प्रभावों से परिवर्तित होकर, आत्मिक वा धर्म जीवन की प्राप्ति के लिए **उसकी अपेक्षा बहुत बढ़कर त्याग किए हों,** और जो उसकी अपेक्षा देवात्मा के परम लक्ष्य के लिए बहुत बढ़कर **सेवाकारी** हो।

3- स्वेच्छाचारिता सुख अनुराग का प्रबल अधिकार

----

(1) अपने **किसी भी सुख अनुराग के विरुद्ध** चाहे वह उसके वा उसके भिन्न किसी और के लिए **कैसा ही पतनकारी वा हानिकारक क्यों न हो,** देवात्मा के किसी उपदेश को ग्रहण न करना, और उससे उलटा **दुखी होना,** और इसीलिए इस विषय में **अपनी ही इच्छा के अनुसार चलना और उनकी शुभ इच्छा का साथ न देना, और उसे पालन न करना।**

(2) अपने किसी भी **सुख अनुराग के विरुद्ध,** चाहे उसकी प्राप्ति उसके आत्मा के लिए कैसी ही **पतनकारी** अथवा इससे भी बढ़कर किसी और के लिए भी कैसी ही **हानिकारक** क्यों न हो, अपने से किसी बड़े जन वा अपने किसी शासनकर्ता के मुख से भी किसी बात को न सुनना वा उसके सम्बन्ध में किसी रोक टोक को **पसंद न करना;** हां, उलटा उससे **दुखी होना,** और इसलिए उस विषय में **अपनी ही इच्छा के अनुसार चलने** का यत्न करना, और अपनी ऐसी गति से अपनी वा अपने भिन्न **किसी और की हानि** करते रहना।

(3) देवात्मा की किसी संस्था से सम्बन्ध रख कर भी अपने **स्वेच्छाचारिता विषयक सुख अनुराग** के कारण उस संस्था के सम्बन्ध में उसके एक वा दूसरे उचित नियम वा उसकी किसी एक वा दूसरी उचित और ठीक विधि के अनुसार काम करने के लिए अपने आपको **बाध्य अनुभव न करना,** और उसके सम्बन्ध में **भलीभांत अपना कर्तव्य पालन न करना;** और ऐसी नीच दशा रखकर उसके सम्बन्ध में अपने आपको **हानिकारक** प्रमाणित करना।

(4) देवात्मा के परम लक्ष्य में **किसी प्रकार की सेवा का भार ग्रहण करके** उनकी बताई वा स्वीकार की हुई किसी एक वा दूसरी ऐसी हितकर विधि के अनुसार काम न करना, कि जो उसे अपने किसी सुख वा अपनी किसी रुचि के विरुद्ध बोध हो; और उस विषय में केवल **अपनी रुचि वा अपनी इच्छा के** अनुसार काम करके अपने आपको **बाध्यता के भाव से शून्य** और उस काम के सम्बन्ध में **हानिकारक** प्रमाणित करना, अथवा इससे भी बढ़कर उस विषय में उसके लिए जितना काम करना और जितना ध्यान देना आवश्यक हो, **उतना काम न करना और उतना ध्यान न देना;** और अपनी इस **अबाध्यता** के कारण उसकी **हानि** करके संतुष्ट वा प्रसन्न रहना, और इस प्रकार से अपने आपको किसी **गठन-प्राप्त समाज वा सोसायटी** के अधीन रहने वा उसके नियमों के अनुसार चलने वा उनके पालन करने के **अयोग्य** प्रमाणित करना।

4-नीच घृणा सुख अनुराग का प्रबल अधिकार

अनुराग और घृणा एक दूसरे के **विरोधी** भाव हैं। जो मनुष्य जिस जिस सुख का अनुरागी होता है, उस-उस सुख के उलट उसे जिस किसी मनुष्य वा जिस किसी पशु वा जिस किसी और से कोई वा किसी प्रकार का दुख मिलता हो, उसके प्रति उसमें **घृणा** भाव की अल्पाधिक उत्पत्ति हो जाती है। **यही घृणा नीच घृणा**

कहलाती है। मनुष्यात्मा का यह नीच भाव **महा पतनकारी** भाव है। जैसे मनुष्य जगत् में लाखों और करोड़ों लोग **अपने अपने नाना सुख विषयक नीच अनुरागों** की प्रबल प्रेरणाओं से प्रेरित होकर औरों के सम्बन्ध में नाना प्रकार के मिथ्या और अन्य दुराचार वा अन्याय-मूलक कर्म करते हैं, वैसे ही वह अपने अपने भीतर के कई प्रकार के नीच घृणा भावों की प्रेरणाओं से भी नाना प्रकार के मिथ्या और अत्याचार-मूलक कर्म करते हैं। यथा:-

(1) जो मनुष्यात्मा किसी मनुष्य वा पशु आदि को घृणा करता है, वह उसके **अशुभ की आकांक्षा** करता है, अर्थात् वह उसका बुरा चाहता है; इसीलिए वह किसी ऐसे मनुष्य वा पशु आदि के सम्बन्ध में जिसे वह घृणा करता हो, किसी प्रकार की अशुभ घटना को देखकर वा सुनकर सुख वा तृप्ति लाभ करता है।

(2) इस महा पतनकारी घृणा भाव के कारण मनुष्यात्मा **उलटा दृष्टा** बन जाता है, अर्थात् वह जिस किसी जन को **घृणा** करता है, उसकी नाना बातों को **उलटे रूप में देखता और प्रगट करता है।** वह अपने शुभाकांक्षी वा उपकारी को **अशुभाकांक्षी** वा शत्रु के रूप में और अपने किसी वास्तविक **हानि कर्ता** को **शुभाकांक्षी वा मित्र** के रूप में देखता और विश्वास करता है।

(3) इस महा पतनकारी घृणा भाव के कारण मनुष्यात्मा किसी और मनुष्य वा मनुष्यों के सम्बन्ध में **द्वेषभावी** बन जाता है, अर्थात् वह जिसे वा जिन्हें घृणा करता है, उसकी वा उनकी यथा अवसर और यथा शक्ति वह अपनी ओर से भी **एक वा दूसरे प्रकार की हानि करके आराम वा तृप्ति पाता है।**

(4) इस महा पतनकारी घृणा भाव के कारण मनुष्यात्मा अपने उपकारियों के सम्बन्ध में **कृतघ्न** बन जाता है अर्थात् वह उनके **उपकारों के लिए ऋणी बोध** करने और इस ऋण परिशोध के लिए उनका सेवाकारी बनने के स्थान में, उन्हें विविध प्रकार से **सताने और उत्पीड़ित करने के लिए** तैयार हो जाता है, – यहां तक कि कोई कोई जन **कृतघ्न** बनकर अपने माता पिता वा किसी अन्य उपकारी की **हत्या** तक करके अपने हृदय को आराम वा शान्ति देता है।

इन अहंजात चारों प्रकार के **महा पतनकारी परन्तु सुखदायक भावों** के अधिकार से **जो जो जन कुछ भी मोक्ष पाने की योग्यता नहीं रखते,** वह देवात्मा की शरण में आने का महोच्च अधिकार पाकर भी, **उनके देव प्रभावों की प्राप्ति के योग्य नहीं रहते;** और उनकी प्राप्ति से वंचित रहकर **धीरे धीरे अधिक से अधिक पतित होते रहते हैं।**

सैंतीसवां अध्याय

मनुष्यात्मा की स्वाधीनता का ढकोसला

प्र.। जो लोग यह कहते वा विश्वास करते हैं, कि मनुष्य को उसके किसी ईश्वर, परमेश्वर, परमात्मा, ब्रह्म, वाहगुरु, अल्ला, गॉड आदि नामक "देवता" ने उत्पन्न किया वा बनाया है, और उसने उसे ऐसी **शक्ति वा स्वाधीनता दी** है, कि जिसके **बल** से यदि वह चाहे, तो वह **अपनी किसी भी ऐसी चिन्ता वा क्रिया से पूर्णतः बच सकता और बचा रह सकता है**, कि जिसे उसके उस देवता ने **बुरी वा पाप-मूलक** बताया हो, उनका यह कथन वा विश्वास कैसा है?

उ.। उनका यह कथन वा विश्वास **पूर्णतः मिथ्या है**:-

(1) उनका यह कथन वा विश्वास ही **पूर्णतः मिथ्या है**, कि **मनुष्य को उनके किसी इस वा उस देवता ने उत्पन्न किया वा बनाया है**। इसलिए जब कि ऐसा कोई कहलाने वाला देवता मनुष्य के अस्तित्व का उत्पन्नकर्ता वा सृष्टा वा बनाने वाला ही नहीं, तब उनका यह कहना वा विश्वास करना, कि **उस देवता** ने अपनी ओर से उसे इतनी वा उतनी शक्ति देकर यह **स्वाधीनता** दी है, कि वह यदि चाहे, तो अपने वा किसी और के सम्बन्ध में **कोई बुरा वा हानिकारक कर्म करे वा न करे, तर्क विद्या के सच्चे नियमानुसार मिथ्या के भिन्न और कुछ नहीं**।

(2) प्रत्येक मनुष्य अपनी रात दिन की **सच्ची परीक्षा** से यह सत्य देखता वा देख सकता है, कि वह अपने **जिस किसी नीच सुख वा नीच घृणा भाव के अधिकार में आकर उसका पूरा पूरा दास बन चुका है**, उसके विषय में वह **यह जान कर भी** कि उसकी तृप्ति करने से उसकी **अपनी** वा किसी **और की अमुक अमुक हानियां** होती हैं; अपने भीतर उस सुख के छोड़ने के निमित्त **कोई शक्ति वा बल नहीं रखता, और वह उसके अधिकार वा दासत्व से अपने आप नहीं निकल सकता, और वह अपनी जिस सुखदायक अनुराग शक्ति के अधीन हो चुका है, उसके सम्बन्ध में वह अपनी कोई स्वाधीनता नहीं रखता।**

मनुष्य जब कभी कुछ **चाहता** है, और जो कुछ चाहता है, तब वह अपने भीतर के किसी **भाव की** वर्तमानता और उसकी प्रेरणा से ही **चाहता है**। परन्तु वह

अपने उस भाव वा अपनी चाह की तृप्ति तभी कर सकता है, कि जब उसकी तृप्ति में उसका **अपना उससे कोई अधिक बलवान भाव वा उससे बाहर की नेचर की कोई और शक्ति रोक न बने**, अर्थात् उसकी उस भाव शक्ति के बल की तुलना में वह और शक्ति **अधिक बलवती न हो**। अन्यथा वह कोई बात चाहकर भी उसे पूरा करने के योग्य नहीं हो सकता।

दृष्टान्त:-

यदि कोई बच्चा वा युवा जो किसी शारीरिक बीमारी के कारण इतना निर्बल हो चुका है, कि वह अपनी चारपाई पर भी किसी की सहायता के बिना आप उठकर नहीं बैठ सकता, उस दशा में यह चाहे कि वह **अपने आप** उस चारपाई से उतर कर आधे मील वा एक मील तक भाग कर चला जाय, तो उसका ऐसा चाहना निष्फल प्रमाणित होगा, और वह कदापि ऐसा न कर सकेगा। यदि एक अस्सी वा नब्बे वर्ष का बूढ़ा जन यह चाहे, कि जैसे लड़कपन और जवानी की दशा में उसका शारीरिक बल धीरे धीरे **अपेक्षाकृत बढ़ता गया था**, और उसके शारीरिक अंग अपेक्षाकृत मज़बूत होते गए थे, वैसे ही अब भी उसका शारीरिक बल दिनों दिन बढ़ता जाय, और उसके शारीरिक अंग पुष्ट वा मज़बूत होते जाएं, तो उसकी यह कामना वा चाह कदापि पूरी न होगी; और उसका शारीरिक बल दिनों दिन अधिक न बढ़ेगा, और उसके शारीरिक अंग दिनों दिन अधिक पुष्ट वा मज़बूत न होंगे, **क्योंकि उसकी यह चाह वा कामना नेचर के शरीर सम्बन्धी अटल नियमों के विरुद्ध है।**

इसी प्रकार यदि कोई जन किसी ऐसी नदी की **प्रबल धार** में बहा जा रहा हो, कि जिसकी धार का बल उसके अपने शारीरिक बल से अधिक हो, तो वह यह चाहकर भी कि मैं इस धार में बहता न चला जाऊं, **अपनी इस कामना में सफल काम न होगा।** और यदि उसकी ऐसी दशा में किसी अनुकूल घटना से उसे कोई आवश्यक सहायता न मिले, **तो उसके लिए अपने बल को धीरे धीरे खोकर उस नदी के जल में डूबकर मर जाना अनिवार्य होगा।** और क्या यह सत्य नहीं, कि नाना जन मरने की इच्छा न रखकर भी किसी नदी वा समुद्र के जल में **विवश डूबकर मर जाते हैं?** अवश्य सत्य है।

परन्तु यदि कोई जन कुछ भी कष्ट बोध करने पर अपने मुंह पर से किसी मक्खी को उड़ा देना चाहता हो, और उसकी इस चाह वा उसके इस भाव का साथ देने के लिए उसके **किसी हाथ में यथेष्ट बल भी हो**, और उसमें किसी और की ओर से कोई रोक न हो, तो वह अपनी इस चाह के अनुसार उस मक्खी को वहां

से उड़ा वा हटा देने के लिए अपने उस हाथ को अवश्य काम में ला सकेगा। इसी नियम के पूरा होने पर वह अपने चलने फिरने, सोने, जागने, खाने, पीने आदि के सम्बन्ध में भी कई और काम कर सकेगा।

इसी तरह यदि कोई जन कुछ मिठाई खाना चाहता हो, और वह मिठाई उसे किसी हलवाई की दुकान से ही मिल सकती हो, और उसके मोल लेने के लिए उसे जितने पैसों की आवश्यकता हो, वह पैसे भी उसके पास हों, और उसमें उस समय **उन पैसों के प्यार वा लालच की शक्ति इतनी प्रबल न हो**, कि जो उसकी उस वासना वा कामना में **रोक बन सके**, और वह उस हलवाई की दुकान तक जाने के लिए **अपने शरीर में बल भी रखता हो**, और उसमें उस समय **आलस्य का भाव इतना प्रबल न हो**, कि जो उसके शरीर के चलने व गति करने में **बाधा दे वा रोक बने**, और **किसी और ओर से भी** उस समय उसकी इस चाह में **कोई रोक न हो**, तो फिर इन कुल शर्तों के पूरा होने पर वह अपनी उस चाह में अवश्य सफल काम होगा; अन्यथा न होगा।

इसलिए यदि किसी बुराई वा किसी पाप को कोई मनुष्य (1) **बुराई वा पाप जानता भी हो**, और (2) उससे उसकी वा किसी और की **जो जो हानि होती हो, वह उस हानि को चाहता भी न हो**, परन्तु यदि वह उसकी सुख विषयक लालसा की शक्ति के पूर्ण अधीन हो चुका हो, तो वह चाहकर भी उसकी अधीनता वा उसके पंजे और उसके द्वारा उसकी वा किसी और की जो हानि होती है, उस हानि से निकल न सकेगा। और वह अपनी ही परीक्षा के द्वारा इस **सत्य** को साफ उपलब्ध करता है, कि **केवल चाहने से** वह अपने भीतर की किसी भी ऐसी नीच वा पतनकारी शक्ति के अधिकार से निकल नहीं सकता; और वह अपने आप अपनी किसी भी ऐसी सुखप्रद शक्ति से मोक्ष वा **मुक्ति नहीं पा सकता**, कि जिसके वह **अधीन** वा जिसका वह **दास** हो चुका है। और ऐसी दशा में यदि उसकी उस पतनकारी दशा से **मोक्ष सम्भव भी हो, तो वह उसे किसी और के द्वारा ही मिल सकती है**; और वह अपने आप और केवल अपनी इच्छा से उससे मोक्ष नहीं पा सकता।

फिर क्या मनुष्य जगत् में लाखों और करोड़ों लोग ऐसे नहीं कि **जो अपनी किसी भी ऐसी बुराई वा नीच गति वा अपने किसी भी ऐसे पाप से निकलना ही पसंद नहीं करते, और उससे कदापि उद्धार नहीं चाहते, कि जिसके द्वारा उन्हें कोई सुख वा रस मिलता हो**? क्या यह सच नहीं, कि लाखों लोग **नशे के सुख के** लिए जिन जिन विषाक्त और स्वास्थ्य नाशक वस्तुओं, और

स्वाद रस की प्राप्ति के लिए जिन जिन स्वास्थ्य नाशक अन्य वस्तुओं को खाते वा पीते हैं; **काम रस** की प्राप्ति के लिए **व्यभिचार** करते हैं, धन प्राप्ति के सुख के निमित्त **ठगी** करते हैं, **रिश्वत** लेते हैं, **धरोहर** मारते हैं, **चोरी** करते हैं, **जुआ** खेलते है, **झूठ बोलते और** झूठी गवाहियां देते हैं; और अन्य विविध प्रकार के **अन्याय वा अपहरण-मूलक कर्म करते हैं; मान बड़ाई** आदि के **दास** होकर अपने किसी धर्म मत वा बिरादरी वा भाईचारे वा समाज वा सोसायटी वा सम्प्रदाय आदि की **किसी प्रथा वा रसम वा अनुष्ठान आदि को मिथ्या जानकर भी उसे सम्पन्न करते हैं,** अपने एक वा दूसरे प्रकार के **धर्मसूचक चिन्हों को मिथ्या जानकर भी उन्हें रखते हैं,** और विविध प्रकार के **अन्य कपटता-मूलक कर्म करते हैं,** वह अपने उन **सुखों** से अपने आप **कभी भी निकलना वा उनसे मोक्ष पाना नहीं चाहते?** हां, इससे भी बढ़कर यदि कोई और जन, यहां तक कि उनके अपने माता पिता वा अन्य उपकारी जनों में से कोई जन, उन्हें उनकी किसी ऐसी **सुखदायक क्रिया** से निकालने की चेष्टा करे, और उनकी इस **सुखदायक क्रिया के विरुद्ध कुछ कहे वा उपदेश दे, तो उससे वह अपने हृदय में उलटा आघात और दुख मालूम करते हैं;** और नाना दशाओं में उसकी किसी ऐसी बात को सुनना तक नहीं चाहते, और इससे भी बढ़कर उसे **घृणा** की दृष्टि से देखते हैं? **तब क्या जो जन ऐसी दशा में है, उन्हें स्वाधीन बताना वा विश्वास करना एक पूर्णत: बनावटी** बात वा **ढकोसला** नहीं? अवश्य है।

फलत: जब कोई मनुष्य अपनी किसी भी पतनकारी परन्तु **सुखदायक शक्ति के पूर्ण अधीन हो जाने के कारण उसका आप मालिक वा प्रभु नहीं रहता,** किन्तु उसका **दास** बन जाता है, तब वह स्वाधीन नहीं, किन्तु **पराधीन** होता है। और जो **पराधीन** है, वह **स्वाधीन** कहां? इसलिए जो जन **पराधीन** हैं, वह **स्वाधीन नहीं।** और सुख अनुरागी होकर जो जो जन **जिस जिस सुख के दास बन जाते हैं,** वह उसके सम्बन्ध में **स्वाधीन** नहीं होते; किन्तु **पराधीन** होते हैं।

इस सुख अनुराग-जात **दासत्व वा अधीनता** को प्राप्त होकर करोड़ों लोग अपनी जिन जिन नीच गतियों के द्वारा अपना अपना आत्मिक पतन करते हैं, उस पतन से वह अपने आप उद्धार वा मोक्ष वा मुक्ति नहीं पा सकते; और न सच्ची देवशक्तियों से विहीन उनका कोई कहलाने वाला देवता वा उस देवता का कोई कहलाने वाला अवतार वा भक्त वा कोई कहलाने वाला योगी, ऋषि, मुनि, सन्त, महन्त, सिद्ध, बुद्ध, जिन और तीर्थंकर आदि ही उन्हें उस दासत्व से, जहां तक सम्भव हो, कोई सच्ची मोक्ष दे सकता है।

इस प्रकार की सच्ची मोक्ष किसी **अधिकारी** जन को किसी शुभ अवसर के प्राप्त होने पर केवल **देवात्मा के देव प्रभावों के प्राप्त होने पर ही मिल सकती है, अन्यथा किसी और प्रकार से नहीं।**

प्र.। तब क्या मनुष्य अपनी किसी भी चिन्ता वा क्रिया के सम्बन्ध में स्वाधीन नहीं?

उ.। मनुष्य में जो जो और जिस जिस प्रकार की **चिन्ताएं** उत्पन्न होती हैं, और वह जिस जिस प्रकार के **मिथ्या विश्वास** रखता है, जिस जिस प्रकार की **मिथ्या और अन्याय-मूलक नाना क्रियाएं करता है**, और अपनी शरीर सम्बन्धी जिस जिस प्रकार की खाने, पीने, सोने, जागने, मल मूत्र त्याग करने, चलने फिरने, हाथ पांव हिलाने, बोलने, बैठने, लेटने आदि की क्रियाएं करता है, **वह अपने विविध प्रकार के भावों से परिचालित होकर ही करता है।** इसीलिए

(1) जिस किसी विषय में किसी चिन्ता वा क्रिया के करने के निमित्त उसमें **कोई भाव वर्तमान न हो, उसके विषय में वह कोई भी चिन्ता वा क्रिया नहीं कर सकता, और नहीं करता।**

(2) जिस जिस प्रकार की चिन्ता वा क्रिया के करने के लिए उसमें **कोई भाव वर्तमान भी हो,** उस भाव विषयक चिन्ता वा क्रिया से उसे रोकने वा उसके पूर्णतः नष्ट कर देने के लिए जब तक उसमें **कोई और भाव** उत्पन्न न हो, तब तक उसका **अपने उस भाव के द्वारा परिचालित होने पर कुछ न कुछ चिन्ता वा क्रिया करना अनिवार्य है।**

इसीलिए जब किसी मनुष्य को अपने शरीर के सम्बन्ध में भूख बोध हो रही हो, प्यास लग रही हो, मल मूत्र के त्याग करने के लिए प्रेरणा हो रही हो, नींद आ रही हो, और इसी प्रकार उसकी कोई और भाव शक्ति उसके शरीर के किसी अंग को वा उसकी किसी मानसिक चिन्ता को हिला रही हो, **तब उसमें अपनी उस भाव शक्ति के द्वारा वह प्रेरणा वा क्रिया वा चिन्ता अवश्य** उत्पन्न होगी। और यदि वह उसकी तृप्ति को कुछ काल तक **रोकने वा रोके रखने की चेष्टा करेगा, तो उसकी उत्पादक भी या तो उसके भीतर की अपनी ही कोई और भाव शक्ति** होगी, वा उससे बाहर नेचर की कोई अन्य **शक्ति** होगी; और यदि उनमें से कोई शक्ति **रोक न बनेगी**, तो वह अपनी उस भाव शक्ति से प्रेरित वा परिचालित होकर **उसकी तृप्ति के लिए अवश्य कोई क्रिया** करेगा।

प्र.। यदि प्रत्येक मनुष्य अपने किसी न किसी भाव से ही परिचालित होकर कोई बुरी वा भली चिन्ता वा अन्य क्रिया करता है; तो उसे किसी के सम्बन्ध में

किसी **अपराध-मूलक कर्म के करने** पर राजशासन की ओर से **कोई दंड क्यों दिया जाता है?**

उ.। वह दण्ड इसलिए दिया जाता है, कि उसकी उस क्रिया से **किसी और वा औरों को जो हानि पहुंचती है**, उस **हानि** से उसकी वा औरों की **रक्षा की जाय**; क्योंकि वह वा और जन उसके द्वारा **अपनी ऐसी कोई हानि कराना नहीं चाहते**, और वह अपने भीतर **उस हानि से बचने वा रक्षा पाने वा सुरक्षित रहने का भाव रखते हैं**। इसीलिए जहां वह किसी एक वा बहुत से जनों की किसी प्रकार की हानिकारक क्रिया वा क्रियाओं से अपनी रक्षा आप नहीं कर सकते, वहां इस काम के पूरा करने के लिए और जन अपने एक वा दूसरे **भाव** के कारण तैयार हो जाते है, और उनके द्वारा ऐसा काम होने लगता है। ऐसे लोग ऐसे कई प्रकार के **अपराध-मूलक कर्मों के सम्बन्ध में** अपने अपने भावों के अनुसार **कोई दंड विधि नियत वा ग्रहण करते हैं**; कि जो **शासन प्रणाली** कहलाती है। यह शासन प्रणाली अपनी घटिया वा अपेक्षाकृत बढ़िया दशा के विचार से नाना प्रकार की होती है। और इस शासन प्रणाली के द्वारा जहां तक सम्भव हो, **अपराधी जनों के हाथों से नाना लोगों की नाना प्रकार की हानियों** से रक्षा होती है।

जैसे कोई बाघ वा शेर यद्यपि **अपने भीतर के किसी भाव से परिचालित होकर ही किसी की किसी गौ वा भेड़ वा बकरी को मारकर खा जाना चाहता है**, तथापि जिस जन की वह गौ वा भेड़ वा बकरी होती है, वह **अपने भाव के अनुसार** उस शेर के द्वारा **उसका वध नहीं चाहता**, और इसीलिए आवश्यक होने पर वह उस शेर को आप आहत वा वध करके वा किसी और से कराके **उसकी और अपने उचित अधिकार की रक्षा करना चाहता है**; अथवा कोई और जन उससे पैसे लेकर वा बिना पैसे लेने के उसके **उस उचित अधिकार की रक्षा करते हैं**; वैसे ही किसी देश वा प्रदेश के निवासी जनों के **उचित अधिकार** की जो लोग इसी प्रकार से रक्षा करते है; और जहां तक सम्भव हो, उनमें शान्ति रखते वा इससे भी बढ़कर उनकी एक वा दूसरे प्रकार की भलाई का यत्न करते हैं, उनकी इसी कार्य प्रणाली को गवर्नमेंट कहते हैं, और जैसे शेर के अनुचित आक्रमण से बचने के निमित्त उसे कोई आवश्यक कष्ट देना वा आहत वा वध करना **उचित** है, वैसे ही मनुष्य समाज के किसी जन के किसी उचित अधिकार की रक्षा करने के लिए उसके किसी अनुचित आक्रमणकारी जन वा जनों को भी **एक वा दूसरे प्रकार का दंड देना उचित और आवश्यक कर्म है।**

फलत: प्रत्येक मनुष्य अपने एक वा दूसरे प्रकार के **भाव के द्वारा ही**

परिचालित होने पर किसी प्रकार की कोई चिन्ता वा कोई क्रिया करता वा कर सकता है, उसके बिना कदापि नहीं। इसलिए सच्चे अर्थों में उसकी अपनी स्वाधीनता कुछ भी नहीं।

―――――――

अड़तीसवां अध्याय

केवल सुख वा दुख के आधार पर ही किसी आत्मा में उसकी अपनी योग्यता के अनुसार किसी सीमा तक उच्च परिवर्तन आ सकता है, और उसके बिना किसी और प्रकार से नहीं

मनुष्य अपनी प्रकृति से ही **सुखपरायण** है; अर्थात् वह कई प्रकार के **सुखों के प्रति गहरा अनुराग** रखता है। वह जिस जिस सुख के लिए अनुराग रखता है, उसके विरुद्ध वह किसी **दुख** को केवल वहीं तक चाहता है, जहां तक उसे उस सुख वा किसी और सुख की प्राप्ति उतने दुख के ग्रहण करने के बिना **सम्भव न हो।**

इसलिए जब कभी वह किसी प्रकार का दुख ग्रहण करना वा अपने किसी सुख का त्याग करना चाहता है, तब वह किसी सुख की ही प्राप्ति के लिए ऐसा ग्रहण वा त्याग करता है। वह सुख और केवल सुख के लिए अनुराग रखता है। सुख के लिए ही अपने आत्मा में लालसा रखता है, और सुख के लिए ही जीता और जीना चाहता है। फलत: उसकी सब चिन्ताएं और उसकी अन्य सब क्रियाएं सुख की प्राप्ति वा उसके विरोधी किसी दुख से बचने के लिए ही होती हैं।

इसलिए जब कोई मनुष्य अपने किसी ऐसे सुख का अनुरागी होता है, कि जो उसे अपनी किसी शारीरिक इन्द्रिय के द्वारा मिलता हो, तब वह उसकी प्राप्ति के लिए **असंयमी वा अमिताचारी** बन जाता है; क्योंकि ऐसा बन जाना उसके लिए **अनिवार्य** है। ऐसी दशा में वह उन नाना प्रकार की वस्तुओं को खाता और पीता है, कि जो उसे **स्वाददार** बोध होती हों। और फिर वह अपने किसी ऐसे स्वाद के सुख का **दास** बन जाने पर अपने शरीर के स्वास्थ्य की हानि करने से भी नहीं टलता। इसी प्रकार **नशे** के सुख वा **काम सुख** वा **आलस्य सुख** आदि का अनुरागी होकर वह अपनी शारीरिक स्वास्थ्य वा अपने शरीर की गठन का नाना प्रकार से **अहित वा अशुभ करता है।** सन्तान विषयक सुख का अनुरागी और **दास** बन कर उसकी

पालना में क्या उसके शरीर और क्या उसके आत्मा और क्या अपने आत्मा के लिए विविध प्रकार के अशुभ वा अहित की उत्पत्ति करता है। धन, सम्पत्ति, मान, बड़ाई आदि के सुखों का अनुरागी बनकर उन सुखों की प्राप्ति के लिए विविध प्रकार की **मिथ्याओं** और विविध प्रकार के **अन्याय-मूलक कर्मों** का आश्रय लेता है; और अपने आत्मा की हानि के भिन्न नाना समयों में अपने शरीर की भी बहुत हानि करता है। वह एक एक बार किसी सुख के अनुराग से पागल होकर अपने जीवित शरीर की भी अपने हाथों से **हत्या** कर देता है। फलत: मनुष्य के द्वारा क्या मनुष्य जगत् में और क्या उससे नीचे के जगतों में **क्या उसका अपना और क्या औरों का जितना और जिस जिस प्रकार का अशुभ होता है, वह सब कुछ उसकी सुख अनुरागी प्रकृति के कारण होता है।**

सुख अनुरागी होकर और **सुख अनुरागी प्रकृति रखकर कोई भी मनुष्य अपनी इस मूल प्रकृति के विरुद्ध नहीं जा सकता,** क्योंकि ऐसा करना उसके लिए नेचर के अटल नियमानुसार **असम्भव** है।

तब मनुष्य की इस सुख अनुरागी प्रकृति में यदि नेचर के ही नियमानुसार कोई श्रेष्ठ वा उच्च परिवर्तन **सम्भव** हो, तो वह उसमें केवल एक इसी विधि के द्वारा हो सकता है – और वह भी प्रत्येक मनुष्य में नहीं, किन्तु कुछ अधिकारी जनों में कि उनमें से जिन जिन में जहां जहां तक किसी प्रकार के मिथ्या विश्वास, उनकी किसी मिथ्या चिन्ता वा उनके किसी प्रकार के मिथ्या-मूलक आचरण वा उनके किसी अन्याय वा अत्याचार-मूलक कर्म के लिए **आत्मिक घृणा** वा किसी किसी विशेष दशा में उनमें से किसी के प्रति **आत्मिक दुख** की उत्पत्ति हो सकती हो, वह **घृणा** और वह **दुख उनमें उत्पन्न हों**, तब और तब वह उससे **विरत** हो सकते हैं, अन्यथा कभी नहीं। फिर यह भी आवश्यक है कि उससे विरत हो जाने पर उन्हें कोई **कष्ट बोध** न हो, किन्तु **आराम वा सुख बोध हो।**

इसी प्रकार यदि अहं सुख अनुरागी जनों में उनके उस सुख के विरुद्ध कोई ऐसा **उच्च भाव** जाग्रत हो सकता हो, कि जिसके उत्पन्न हो जाने पर उन्हें उस भाव के द्वारा किसी प्रकार का **सुख मिलता वा मिल सकता हो**, और वह भाव उनमें उत्पन्न हो जाय, तो वह उसके उस **सुख की चाट** में अपने वा किसी और के लिए कोई श्रेष्ठ वा शुभकर क्रिया कर सकते हैं, अन्यथा नहीं।

सुखार्थी मनुष्य जगत् में नेचर के इसी उच्च परिवर्तन विषयक सत्य और अटल नियम के पूरा करने के लिए देवात्मा का आविर्भाव हुआ है।

उनतालीसवां अध्याय

मनुष्य जगत् के विकास में एक नए युग के उत्पन्न करने के लिए देवात्मा का आविर्भाव

मनुष्य की उत्पत्ति के अनन्तर क्या उसके मस्तिष्क की और क्या उसकी मानसिक और अन्य शक्तियों की उन्नति अत्यन्त धीमी गति से हुई है। एक बड़े लम्बे काल तक मनुष्य इतना जंगली था, कि वह नर नारी के सम्बन्ध में भी परस्पर के जोड़े के बन्धन से भी नहीं बन्धा था। फिर जब उसमें नर नारी विषयक कई प्रकार के सुखों का आकर्षण बढ़ा, और उसने धीरे धीरे **पारिवारिक जीवन** ग्रहण किया, और अन्य बातों के भिन्न सन्तान पालन के सम्बन्ध में भी उसकी सोच विचार आदि मानसिक शक्तियों पर अधिक बोझा पड़ा, तब उसकी कुछ और उन्नति हुई। इसी प्रकार उसके एक वा दूसरे प्रकार के **दुख** ने भी उसकी कई प्रकार की शक्तियों को कुछ कुछ हिलाने और धीरे धीरे उनकी उन्नति में कुछ न कुछ सहायता की।

पहले पहल इस पृथ्वी में मनुष्यों की संख्या अत्यन्त थोड़ी थी, परन्तु फिर काल के साथ साथ धीरे धीरे उनकी संख्या बढ़ती गई। हज़ारों वर्षों तक मनुष्य न आग बनाना जानता था, न कोई **कपड़ा** बनाना जानता था, न कोई कपड़ा पहनता था, न किसी धातु को ज़मीन से निकालना और उसकी कोई वस्तु बनाना जानता था, न वह कोई गांव वा नगर रखता था, न कोई दुकान करता था, न कोई और व्यवसाय करता था, और न लिखना पढ़ना जानता था, किन्तु प्रायः बहुत से जंगली पशुओं की न्याईं अपना जीवन रखता था।

फिर जब से एक ओर उसकी सोच विचार आदि मानसिक शक्तियों की उन्नति का **अपेक्षाकृत अधिक पथ खुला**, और दूसरी ओर उसके सुख अनुराग भी धीरे धीरे और बढ़े तब से उसके **इन सुख अनुरागों के परिचालन से जैसे उसकी कई प्रकार की उन्नति का और अधिक क्रम जारी हुआ;** वैसे ही वह अपने ऐसे कई सुखादि भावों के बढ़ने से धीरे धीरे अधिक से अधिक नीच भी बनता गया – यहां तक कि वह अपने नाना कर्मों के विचार से पशुओं की अपेक्षा भी अत्यन्त नीच बन गया।

पशु जगत् के प्रति कई प्रकार के अत्याचारों को छोड़कर मनुष्य के द्वारा उसके

अपने जगत् के सम्बन्ध में जितना अत्याचार हुआ है, हत्याएं हुई हैं, जितना अपहरण हुआ है, निर्बल स्त्रियों पर अन्याय हुआ है; सबल पुरुषों ने निर्बल पुरुषों, स्त्रियों और बच्चों को बलात् पकड़ पकड़ कर उन्हें **दास वा गुलाम** बनाया है, उन्हें पशुओं की न्याईं औरों के हाथों में बेचा और इस गुलामी का व्यवसाय करके धन कमाया है; नाना प्रकार के मिथ्या और महा हानिकारक धर्म मतों का प्रचार किया है, और झूठे धर्म मतों का विश्वासी बन जाने पर नाना देशों के लोगों ने अपने जैसा धर्ममत न रखने वालों को जिस जिस प्रकार से उत्पीड़ित किया है, उन्हें जीता हुआ अग्नि में डाल कर जलाया है, उन्हें अन्य नाना विधियों से सताया और तड़पाया है उनकी हत्याएं की हैं; एक वा दूसरे प्रकार के कहलाने वाले **देवतों परन्तु वास्तव में प्रेत आत्माओं के चाहने पर उनके आगे पशुओं के भिन्न मनुष्यों के भी गले काट काट कर उनके रुधिर की उन्हें बलियां दी हैं**; एक वा दूसरे कहलाने वाले देवतों का आदेश मानकर अपने से भिन्न सम्प्रदायों के अनुयाइयों के साथ अन्याय-मूलक युद्ध किया है, ऐसे युद्धों में एक ओर के जनों ने दूसरी ओर के जनों पर जय लाभ करने पर उनके गांवों को लूटा है, उन्हें आग लगाकर फूंका है, उनकी स्त्रियों और बच्चों को दास बनाने के भिन्न सती स्त्रियों के सतीत्व को नष्ट किया है; पतियों के मर जाने पर विधवा स्त्रियों का माल ले लेने के निमित्त उनमें यह मिथ्या विश्वास उत्पन्न करके, कि जो विधवा अपने मरे हुए पति के साथ चिता में बैठकर आप भी मर जाती है, वह न केवल आप स्वर्ग को जाती है, किन्तु अपने पति को भी स्वर्ग में ले जाती है, उनके पतियों की मृत देह के साथ उनकी पत्नियों को भी अग्नि में दग्ध किया है; स्त्रियों और अन्य हज़ारों जनों को घटिया बताकर उन्हें उनकी मानसिक उन्नति से वंचित किया है, पुरुषों ने विधवाओं को उचित रूप से पुनर्विवाह करने से रोका और बन्द किया है, और अपने काम सुखादि की प्राप्ति के निमित्त अपने लिए बहुत से विवाहों की प्रथा जारी की है; घमंड और घृणा भाव से परिचालित होकर लाखों और करोड़ों जनों को अकारण अपनी अपेक्षा घटिया कहकर उन्हें अस्पर्श्य अथवा अछूत बताया और उनके प्रति कई प्रकार का अत्याचार किया है, परस्पर के सम्बन्ध में कई प्रकार के पूर्णत: **मिथ्या भेदों** का प्रचार किया है; धन, सम्पत्ति, पद और राज्य के लालच का दास बन जाने पर उनकी प्राप्ति के लिए नाना प्रकार के अत्याचारों का पथ ग्रहण किया है; राज्य पाने पर अपनी अपनी पतित प्रकृति के अनुसार महा भयानक दंड विधियां नियत की हैं; अपने आहार और अन्य सुखों की प्राप्ति के लिए पशु जगत् के नाना प्रकार के जीवों की हत्या विधेय वा उचित बताई है; और इसी प्रकार के अन्य महा अत्याचार-मूलक कर्मों का प्रचार

किया है, उनका मनुष्य जगत् के लिखे हुए इतिहास से भी भलीभांत प्रमाण मिलता है।

यह मनुष्य जगत् की अन्धकारमय छवि है, कि जो निश्चय इतनी भयानक है, और इतनी बुरी है, कि जिससे बढ़कर बुरी कोई और छवि नहीं हो सकती। और जो छवि उसके अपने ही विविध प्रकार के **नीच सुख विषयक अनुरागों और अपनी ही नीच घृणाओं के द्वारा उत्पन्न हुई है**।

परन्तु इस अत्यन्त शोचनीय और महाराक्षसी छवि के भिन्न मनुष्य जगत् के क्रमशः परिवर्तन में एक और छवि भी उत्पन्न हुई है, कि जो अवश्य बहुत सुन्दर है, और इसीलिए प्रशंसनीय है। यह सुन्दर छवि भी **उसके सुख अनुराग के बढ़ने से** धीरे धीरे **विकसित हुई है**। हज़ारों वर्षों के अनन्तर जब कितने ही मनुष्यों ने यह जाना कि नेचर ही उनके कई प्रकार के सुखों का भंडार है, और उसकी नाना वस्तुओं और उसकी नाना शक्तियों में उनके **सुखों** की सामग्री है, और उनके भीतर उनके विषय में **ज्ञान** लाभ करने की आकांक्षा जाग्रत हुई, और वह आकांक्षा धीरे धीरे बढ़ी, तब कितने ही देशों के ऐसे मनुष्यों ने नेचर के सम्बन्ध में ज्ञान लाभ करने की पहले जो **केवल कल्पना-मूलक** विधि थी, उससे ठीक फल निकलता न देखकर उसे धीरे धीरे त्याग किया, और नेचर के विषय में ठीक ज्ञान की प्राप्ति के निमित्त जिस ठीक प्रणाली की आवश्यकता थी, उसे मालूम और ग्रहण किया; तब से इस नई प्रणाली के अनुसार नेचर के विषय में ठीक ज्ञान लाभ करने में उन्होंने बहुत सफलता लाभ की। यही वह विधि थी, कि जिसे **वैज्ञानिक विधि** कहते हैं।

एक ओर इस ठीक विधि के अनुसार चलने और दूसरी ओर उससे बहुत काल पहले से नाना देशों के लोगों में गणित विद्या की जो कुछ उन्नति हो चुकी थी, उससे सहाय लेने से धीरे धीरे इस **नए वैज्ञानिक ज्ञान की उन्नति का मार्ग और अधिक से अधिक खुला**। और इस नए मार्ग के खुलने से इस पृथ्वी के कई देशों में मनुष्यों के लिए **विविध प्रकार के नए सुखों की प्राप्ति का एक नया युग आरम्भ** हुआ, कि जिस युग को **मशीनरी वा कला कौशल का युग कह सकते हैं**।

इस नए युग के प्रगट होने से मनुष्य ने नेचर की नाना अजीवित शक्तियों को अपने अधिकार में लाकर और उन्हें अपनी नाना प्रकार की सेवा में लगाकर जिस जिस प्रकार से अपने लिए नए नए सुखों को प्राप्त किया है, वह सुख उससे पहले मनुष्य जगत् के और लोगों को कभी प्राप्त न थे। इसी के साथ साथ उसके शिल्प और वाणिज्य विषयक कार्य की भी बहुत उन्नति हुई।

फिर सैंकड़ों वर्षों तक आपस के सम्बन्ध में अत्याचार और विविध लड़ाइयों

और विविध प्रकार के झगड़ों और दुखों और कष्टों के भोगने के बाद धीरे धीरे उसकी प्रकृति में और भी परिवर्तन आया, और उसने लाचार होकर औरों के **उन अधिकारों को स्वीकार किया, कि जिन्हें वह पहले स्वीकार नहीं करता था।** इन अधिकारों के स्वीकार करने से उसकी परस्पर की लड़ाइयों और अपराध विषयक दंड विधियों में भी धीरे धीरे बहुत सी अच्छी तबदीली आई, और कई प्रकार की अत्याचार-मूलक विधियां जो पहले जारी थीं, वह दूर हुईं। और उसके अपने देश और अन्य देशों के परस्पर के सम्बन्धों में भी कई प्रकार की **शान्तिप्रद** अवस्था आई, और इस शान्ति की उन्नति का मार्ग भी कुछ और अधिक खुला।

मनुष्य जगत् में सुख दुख के आधार पर इस प्रकार की उन्नति वा सभ्यता उत्पादक जिस जिस विषय में जितना जितना परिवर्तन आया है, वह नेचर के विकासकारी कार्य की अवश्य एक विचित्र और मनोहर छवि है।

परन्तु मनुष्य जगत् में इस प्रकार की उन्नति के आने और धीरे धीरे उसके **सुसभ्य** बनते जाने पर भी उसकी **सुखपरायण विषयक मूल प्रकृति में कोई अन्तर नहीं आया।** वह अपने नाना प्रकार के नए नए सुखों का अनुरागी बनकर दिनोंदिन **सुखासक्त** बनता गया। उसकी सुखासक्ति दिनोंदिन बढ़ती गई। वह दिनोंदिन "मौज बहार" के जीवन का **प्रेमी** बनता गया। उसकी **भोग विलास विषयक लिप्सा** दिनों दिन वृद्धि पाती गई।

सभ्यता (Civilization) के बढ़ने के साथ साथ जहां मनुष्य का विविध प्रकार का बल बढ़ता गया, और जंगली अथवा अपनी अपेक्षा कम सभ्य लोगों की तुलना में यह अधिक से अधिक बलशाली बनता गया, उसके साथ ही उसके विविध प्रकार के सुख अनुराग भी बढ़ते गए। वह दिनों दिन धन सम्पत्ति, अपनी सन्तान, अपने खान पान, अपने मान, अपनी बड़ाई, निर्बलों पर अपने आधिपत्य, राज्य और राज्य पद और अन्य भोग विलासों और उनके सामानों का अनुरागी और उनका **दास** भी बनता गया। और उसकी सभ्यता की उन्नति के साथ साथ उनमें नाना प्रकार की उन बुराइयों की उत्पत्ति भी होती गई कि जो उसकी पहली असभ्य दशा में न थीं। अर्थात्:-

सैकड़ों लोग जो बहुत बड़े बड़े धनी बन गए, उन्होंने एक ओर **भोग विलासी बन जाने** और दूसरी ओर उसकी प्राप्ति के लिए धन विषयक बड़ी बड़ी स्थाई आमदनी रखने के कारण काम काज करना छोड़ दिया, और "मौज बहार" का जीवन ग्रहण किया। फिर वह लाखों जन जो श्रमी भी थे, वह परिश्रम के द्वारा अपनी जीविका के उपार्जन करने की सच्ची कामना और योग्यता रखकर भी अपने लिए

कोई जीविका वा काम नहीं पा सके, वा किसी जीविका वा काम के मिल जाने पर उससे जो कुछ धन मिला, उससे उनकी अपनी वा अपने पारिवारिक जनों की दैनिक आवश्यकताएं भी भलीभांत पूरी न हुईं, कि जिससे धीरे धीरे उनकी असन्तुष्टता बढ़ती गई। दूसरी ओर धनी लोग अपने अपने कारखानों आदि में उनसे अधिक से अधिक काम निकालने के तो इच्छुक रहे, परन्तु उनकी इस शोचनीय दशा की ओर से उदासीन रहे, जिसका फल यह हुआ कि उनका आपस का सम्बन्ध बहुत कड़वा और अशान्ति जनक बन गया।

राज्य शासन और राज्य पद और मान बड़ाई के लालसियों में अपने अपने अभीष्ट की सिद्धि के निमित्त **मिथ्या और कपटता-मूलक विविध प्रकार की कुटिल चालों वा पॉलिसियों के ग्रहण करने और उन पर चलने का भाव बढ़ने लगा।**

शिष्टाचारी कहलाने के निमित्त परन्तु मन मन में एक दूसरे के प्रति **असद् भाव** रखकर भी **कपटी रूप** धारण करके मिलने जुलने की प्रथा जारी हुई।

नर नारी के सम्बन्ध में पवित्रता मूलक नियम का ह्रास होने लगा, और नाना देशों के सैकड़ों युवकों और युवतियों ने अपने अपने विधेय विवाह से पहले ही अपने अपने काम विषयक सुख की प्राप्ति के लिए परस्पर के साथ गुप्त सम्बन्ध को उचित और ठीक मानना शुरू किया, और ऐसा करने में किसी प्रकार की कोई हानि बोध न की।

कई प्रकार का पूर्णत: मिथ्या सोशल भेद उत्पन्न हुआ, कि जिस भेद के विषय में धीरे धीरे बोध के उत्पन्न होने पर नाना देशों के लोगों में कई प्रकार का विवाद और आन्दोलन उत्पन्न हुआ।

नाना देशों के शासन कर्ताओं की श्रेणी में कुटिल राजनीति के प्रचलित होने के कारण उनके परस्पर **अविश्वास** की वृद्धि हुई।

पॉलिटीकल विषयों में मिथ्या और कपटता मूलक चालों की उन्नति हुई।

स्वाद और शिकार आदि सुखों की वृद्धि से नाना प्रकार के निर्दोष, निर्बल और कई प्रकार के सेवाकारी पशुओं की हत्या बढ़ती गई।

काम सुख की लालसा के बढ़ने से पति पत्नी के सम्बन्ध में कुछ भी अन्मेल के पैदा हो जाने पर एक दूसरे को त्याग करने अर्थात् एक दूसरे को तलाक देने वा लेने की विधियां बढ़ती गईं।

नाना देशों के बहुत से शासनकर्ताओं ने अपने आपको बाहर से शान्ति का पक्षपाती बताकर भी और कई दशाओं में परस्पर के सम्बन्ध में शान्ति पत्रों पर

हस्ताक्षर करके भी अपने मन मन में परस्पर के प्रति अविश्वास के कारण युद्ध विषयक सामानों को घटाने के स्थान में उन्हें गुप्तरूप से बढ़ाने का यत्न किया।

जिन नाना देशों के लोगों में अपने सच्चे वा ख्याली किसी प्रकार के ऐसे अधिकारों की प्राप्ति के लिए आकांक्षा जागी और बढ़ी, कि जिनके देने के लिए दूसरी ओर के लोग तैयार न थे, तब उनके हृदय में उनके प्रति नीच घृणाएं उत्तेजित हुईं, और जो जो जन उनकी इन नीच घृणाओं के भड़काने और उस आग की लपटों के प्रचण्ड करने में और सैकड़ों की अपेक्षा बढ़ चढ़कर भाग लेने लगे, वह उनके नेता बने, और उनके अनुयाइयों ने उन्हें बड़े बड़े सम्मान सूचक नामों से पुकारना और बड़े बड़े सम्मान देना आरम्भ किया; जिससे उनका अपना घमंड भाव भी दिनों दिन बढ़ता गया, और इस घृणा और घमंड भाव के बढ़ने के साथ साथ नेचर के नियमानुसार दूसरी ओर के लोगों के प्रति उनकी उलटी दृष्टि भी बढ़ती गई। इस उलटी दृष्टि के उत्पन्न हो जाने से उनके भीतर से एक ओर अपनी अपनी विविध प्रकार की हीनता के देखने की शक्ति चली गई, और दूसरी ओर सत्य के विरुद्ध अपनी अपनी क़ीमत बढ़ गई। इसी उलटी दृष्टि के कारण दूसरी ओर के लोगों के सद्गुणों के देखने की योग्यता भी चली गई, और उनके सम्बन्ध में कई प्रकार की पूर्णतः मिथ्या और कपटता-मूलक चालें ग्रहण होती गईं, और ऐसी विविध प्रकार की मिथ्याओं और कपटताओं की चालों का ग्रहण करना आवश्यक और उचित समझा गया।

यद्यपि नाना प्रकार के सुख विषयक नीच अनुरागों के बढ़ते जाने से करोड़ों जनों के आत्मा कठोर से कठोर बनते गए, और उनमें धीरे धीरे **अंधकार की अधिक से अधिक वृद्धि होती गई**; तथापि विज्ञान की अधिक से अधिक उन्नति से नेचर के जड़ पदार्थों और इन पदार्थों की कई प्रकार की शक्तियों के विषय में ज्ञान के बढ़ते जाने से लाखों जनों के वह विविध प्रकार के अंध और मिथ्या विश्वास दूर हो गए, कि जो उनमें धर्म के नाम से पहले से वर्तमान थे, और जिन का दूर होना विज्ञान की उन्नति के साथ साथ आवश्यक था। परन्तु यद्यपि इस दशा में पहुंचकर यह लोग नाना प्रकार के मिथ्या धर्म मतों के छोड़ देने के लिए तो मजबूर हो गए, तथापि धर्म के विषय में किसी सत्य ज्ञान के न होने के कारण अन्धकार में भटकने लगे, और पहले की अपेक्षा भी अपने नीच सुखों के और अधिक लालसी और **दास** बन गए। ऐसे जनों में से कितने ही जड़वादी बने, और इस दशा में अपने अस्तित्व की मूल और सार वस्तु की सत्ता की ओर से भी अंधे और अविश्वासी हो गए। इत्यादि इत्यादि।

फलत:-

1- देवात्मा के आविर्भाव से पहले सारा मनुष्य जगत् **आत्मिक अन्धकार** से भरा हुआ था, अर्थात् मनुष्य जगत् के किसी भी **मनुष्य** वा उसके कहलाने वाले किसी भी **उपास्य देवता वा देवी** वा उसके कहलाने वाले किसी भी **गुरु** वा **ऋषि** वा **मुनि** वा **पीर** वा **पैगम्बर** वा **जिन** वा **तीर्थंकर** वा **बुद्ध** आदि को **आत्मा** के गठनप्राप्त रूप, उसके रोगों, उसके पतन और उसके विनाश और उसके पतन से उसकी मोक्ष की सत्य विधि और उसमें उच्च जीवन की उत्पत्ति और उन्नति की आवश्यकता और उसकी प्राप्ति की सत्य विधि का कुछ भी सत्य ज्ञान न था।

क्यों न था? इसलिए कि इस प्रकार का सत्य ज्ञान देवात्मा की ही जिस **देव ज्योति** के द्वारा लाभ हो सकता है, वह **देवज्योति** उनमें से किसी में न थी।

2- आत्मा और आत्मिक जीवन के विषय में **देवात्मा की देवज्योति के द्वारा** उपरोक्त प्रकार का जो सत्य ज्ञान मिलता है, **वही और केवल वही सत्य ज्ञान धर्म विषयक सत्य ज्ञान है**, उसे छोड़कर धर्म विषयक और कोई सत्य ज्ञान नहीं।

इसीलिए धर्म विषयक सत्य ज्ञान से रहित होने के कारण इस पृथ्वी के सब मनुष्य और उनके सब उपास्य देवी देवते और उनके सब प्रकार के कहलाने वाले धर्म शिक्षक आदि धर्म विषयक सत्य ज्ञान के विचार से भी पूर्ण अन्धकार की दशा में थे।

इस आत्मिक घोर अन्धकार के कारण इस पृथ्वी के करोड़ों लोग धर्म के नाम से नाना प्रकार के अत्यन्त हानिकारक और मिथ्या विश्वासों में **लिप्त** थे।

फिर **मिथ्या के अनुरागी** होने के कारण इस पृथ्वी के करोड़ों मनुष्य केवल यही नहीं, कि नाना प्रकार के **मिथ्या धर्म मतों पर विश्वास करते थे**; किन्तु उन मिथ्या मतों के विश्वासी होने के भिन्न वह अपने विविध प्रकार के व्यवसायों के द्वारा धन उपार्जन के लिए अपने किसी अपराध वा पाप वा अपने किसी दोष वा अपनी किसी हीनता के छिपाने के लिए, अपने किसी पारिवारिक वा अन्य जन के साथ किसी सुख विषयक अनुराग से बंधे होने के कारण उसके भी किसी अपराध वा पाप वा दोष वा उसकी किसी हीनता आदि के छिपाने के लिए, अपनी वा अपनी किसी वस्तु की प्रशंसा करके अपने लिए बड़ाई विषयक सुख की प्राप्ति के लिए, औरों से मान वा पद लाभ वा इसी प्रकार के किसी पॉलिटिकल अभीष्ट के पूरा करने के लिए,

किसी के सम्बन्ध में अपने घृणा विषयक विविध भावों की तृप्ति के लिए और अपने परस्पर के विविध अन्य बर्तावों में अपने किसी अन्य सुख की प्राप्ति के लिए यथावश्यक **विविध प्रकार की मिथ्याओं का बर्ताव करते और उनका आचरण रखते** थे।

3- इस पृथ्वी के करोड़ों मनुष्य धर्म के नाम से **विविध प्रकार के झूठे और अत्यन्त हानिकारक विश्वासों में लिप्त होने के कारण** जिन जिन को अपना **उपास्य** मानते थे, वह **सच्ची देव शक्तियों और धर्म विषयक सत्य ज्ञान से शून्य होने**, और नाना प्रकार की पूर्णतः **मिथ्या शक्तियों** से विशिष्ट माने जाने, और नाना प्रकार की मिथ्या और पाप-मूलक शिक्षा देने आदि के कारण उपास्य माने जाने के योग्य न थे।

इसी प्रकार वह **सच्ची देव शक्तियों से विहीन** जिस जिस को अपना **उपास्य** मानकर उसकी जिस प्रकार की **पूजा** करते थे, उनकी उस पूजा में उनके उपास्य के सम्बन्ध में उनके स्तोत्र और भजन आदि स्तुति सूचक पाठ और गान आदि सत्य न थे।

फिर पापों के विषय में भी वह कोई **सत्यज्ञान** न रखते थे, इसलिए वह **पापों से मुक्ति के विषय में नाना प्रकार के झूठे विश्वास रखते** थे; और धर्म के नाम से विविध प्रकार के अनुचित और हानिकारक वा वृथा **साधन और अनुष्ठान और तप और त्याग और व्रत और तीर्थ आदि** करते थे।

वह अपने अपने विविध प्रकार के **सुख विषयक नीच अनुरागों** और विविध प्रकार की **नीच घृणाओं** के **दास** होने के कारण केवल यही नहीं, कि अपनी ओर से नेचर के विविध विभागों के सम्बन्ध में **विविध प्रकार की अन्याय-मूलक चिन्ताएं और अन्याय-मूलक कर्म** करते थे, किन्तु अपने इस वा उस उपास्य का आदेश जान कर भी कई प्रकार के पाप कर्म करते थे।

4- इस पृथ्वी के **सब के सब मनुष्य केवल सुख दुख के बोधी होने और सुखों के लिए अनुराग रखने के कारण एक वा दूसरे प्रकार के सुख को ही स्वभावतः अपने जीवन का लक्ष्य जानते** थे, जब कि आत्मिक सत्य ज्ञान के अनुसार किसी प्रकार का भी सुख मनुष्य के अस्तित्व का लक्ष्य नहीं।

अब जबकि

सारा मनुष्य जगत् आत्मा और आत्मिक जीवन के विषय में सत्य ज्ञान के विचार से घोर अन्धकार और अज्ञान की दशा में था, और करोड़ों **मनुष्य** धर्म के नाम से सैकड़ों प्रकार के **मिथ्या विश्वासों के महा हानिकारक जाल में**

फंसे हुए थे; और उनके भिन्न वह अपने नाना सम्बन्धों में नाना प्रकार की मिथ्या, कपटता, ठगी वा प्रवंचना-मूलक क्रियाएं करते थे;

अपने **सुख विषयक नीच अनुरागों** और उनसे उत्पन्न नाना प्रकार के **नीच घृणा भावों** से परिचालित होकर क्या परस्पर के सम्बन्ध में और क्या अपने से नीचे के जगतों के सम्बन्ध में **विविध प्रकार की अन्याय-मूलक चिन्ताएं** और विविध प्रकार के अन्याय-मूलक कर्म करते थे;

वह अपनी जिन जिन सुखदायक परन्तु पतनकारी गतियों के अधीन थे, उनके दास होने के कारण दिनोंदिन आत्मिक पतन और विनाश की ओर जा रहे थे। और वह अपने अपने इस आत्मिक पतन का कोई सच्चा बोध न रखते थे, और न उससे मोक्ष पाने के लिए अपने भीतर कोई आकांक्षा रखते थे, और न वह अपनी ऐसी महा शोचनीय और महा असहाय दशा में उससे आप मोक्ष पाने के योग्य थे, और न वह अपने किसी प्रकार के आत्मिक शुभ के विषय में कोई सत्य बोध वा उसके लिए कोई सत्य आकांक्षा रखते थे;

तब मनुष्य जगत् की इस नितांत अन्धकारग्रस्त, महा अबोधी, महापतित और महा हानिकारक दशा में उच्च परिवर्तन लाने और उसमें एक पूर्णतः नए और शुभ युग की उत्पत्ति करने के लिए उसी मनुष्य जगत् से ही परन्तु उससे ऊपर जिन सच्ची और अद्वितीय देव शक्तियों से विशिष्ट देवात्मा के आविर्भाव की आवश्यकता थी, उन सच्ची और अद्वितीय देव शक्तियों से विभूषित देवात्मा का आर्विभाव हुआ। और उनके इस आर्विभाव से मनुष्य जगत् के विकास में उस पूर्णतः नए युग का आरम्भ हुआ, कि जिसका उत्पन्न होना नेचर के विकास क्रम में आवश्यक था।

———

चालीसवां अध्याय

भविष्य काल में देवात्मा के द्वारा मनुष्य जगत् और उससे नीचे के जगतों में उच्च परिवर्तन

देवात्मा के आविर्भाव से मनुष्य जगत् में जिस जिस प्रकार का **उच्च परिवर्तन** आरम्भ हुआ है, वह उच्च परिवर्तन उसमें उनकी **सच्ची देवशक्तियों के देव प्रभावों के बिना कदापि नहीं हो सकता था।** इसलिए **भविष्य काल में भी** नेचर के नियमानुसार मनुष्य जगत् में जिस जिस प्रकार का उच्च परिवर्तन **केवल उन्हीं के देवप्रभावों के द्वारा सम्भव है**, और उसके विकास का क्रम आगे चल सकता है, वह उच्च परिवर्तन वा विकास भी उन्हीं के देवप्रभावों के द्वारा आएगा, और वह उच्च परिवर्तन इस प्रकार का है:-

1- देवात्मा में उनकी सच्ची और अद्वितीय देव शक्तियों के विकास से जिस **देव ज्योति** और जिस **देवतेज** का विकास हुआ है, उनकी उस **देवज्योति** और उस **देवतेज** की किरणें जिन जिन अधिकारी जनों में उनकी अपनी अपनी योग्यता के अनुसार जितने जितने अंश प्रवेश करने का अवसर पा सकी हैं, उनसे उनके आत्मा ज्योतिर्मान हुए हैं, और वह उनकी इस **देवज्योति** में अपने अपने आत्मा के गठनप्राप्त रूप और अपने अपने आत्मिक जीवन की विविध बातों के सम्बन्ध में **कई प्रकार के सत्यों के देखने के योग्य हुए हैं; और इन सत्यों के दर्शन से उन्हें धर्म के विषय में सत्य ज्ञान मिला है,** कि जो सत्य ज्ञान उन्हें देवात्मा की इस **देवज्योति** के बिना कभी भी और कहीं से भी प्राप्त नहीं हो सकता था। और इस सत्य ज्ञान के मिलने से ही उनके अपने आत्मा के सम्बन्ध में जिस जिस प्रकार के **मिथ्या विश्वास** दूर हुए हैं, वह मिथ्या विश्वास भी उनकी इस देवज्योति के बिना किसी और प्रकार से दूर नहीं हो सकते थे।

मनुष्य जगत् में यह पहली प्रकार का उच्च परिवर्तन है, कि जो **देवात्मा के आविर्भाव के द्वारा ही आ सकता था**, और आया है। इसीलिए नेचर के अटल नियमानुसार **भविष्य काल** में भी मनुष्य जगत् के अधिकारी आत्माओं में ऐसा उच्च परिवर्तन केवल उन्हीं की **देवज्योति** और उन्हीं के **देवतेज** के द्वारा आएगा, और उसके बिना कदापि नहीं।

2-देवात्मा की ही **देवज्योति** को पाकर जिन जिन अधिकारी जनों को अपनी अपनी योग्यता के अनुसार नेचर के जिस किसी जगत् के सम्बन्ध में अपने **जिन जिन अन्याय मूलक-कर्मों वा दुराचारों को अपने अपने आत्मा के लिए हानिकारक रूप में देखने का अवसर मिला है**, और उनके **देवतेज** की किरणों को पाकर उनमें से जिस जिस के प्रति उनमें **उच्च घृणा** का इतना भाव उत्पन्न हुआ है, कि जिससे उन्होंने नेचर के ही आत्मिक जगत् के नियमानुसार **अपने अपने उन पापों वा दुराचारों को त्याग कर दिया है**, और उनसे सच्ची मोक्ष लाभ की है; वह सच्ची मोक्ष भी उन्हें देवात्मा के ही **देवप्रभावों** की प्राप्ति से लाभ हो सकती थी, और इसीलिए लाभ हुई। इस **सच्ची मोक्ष** को पाकर उनके आत्माओं में जो कुछ **उच्च परिवर्तन** आया, और उनमें इस उच्च परिवर्तन के आने से पहले उनके द्वारा नेचर के जिस किसी जगत् के जिन जिन अस्तित्वों को जो जो **हानियां** पहुंचती थीं, और जो जो अनुचित **दुख** मिलता था, उस उस हानि और उस उस दुख से बचने का उन्हें अवसर मिला वह **उच्च परिवर्तन** मनुष्य जगत् में **देवात्मा के ही इन विचित्र प्रभावों की प्राप्ति से सम्भव** था, और उनकी प्राप्ति के बिना कदापि नहीं। इसलिए **भविष्य काल में भी इस प्रकार का उच्च परिवर्तन देवात्मा के ही देवप्रभावों के द्वारा आएगा, और उनके बिना कदापि नहीं।**

इसके भिन्न देवात्मा की **देवज्योति** और उनके **देवतेज** अर्थात् उनके **देव प्रभावों** को पाकर जिन जिन अधिकारी जनों में नेचर के किसी विभाग के सम्बन्ध में अपने एक वा दूसरे पाप वा दुराचार के प्रति **उच्च घृणा** के भिन्न **इतने उच्च दुख की भी उत्पत्ति हुई**, कि जिससे परिचालित होकर वह अपने एक वा दूसरे **पाप का सच्चा परिशोध करने के लिए प्रस्तुत हुए**, और इस प्रकार से **अपने अपने पापों का सच्चा परिशोध करने के लिए** उन्होंने अपने द्वारा हानि प्राप्त जनों को वा उनके मर जाने पर उनके वारिसों को उनका वह धन दुखी हृदय के साथ वापिस किया, कि जिसे उन्होंने उनसे अपने अन्याय-मूलक कर्मों के द्वारा प्राप्त किया था, और उनमें से कितनों ने उसे **ब्याज सहित** वापिस किया, और कितने ही और जनों ने इसी प्रकार की **विविध अपहरण की हुई वस्तुएं हानि प्राप्त जनों को लौटाईं**, उनकी ऐसी अनोखी क्रियाओं से जहां एक ओर ऐसे जनों को अपने अपने उन **आत्मिक विकारों से सच्ची पवित्रता मिली,** कि जो इस प्रकार के पापों से उनमें उत्पन्न हुए थे, वहां दूसरी ओर हानि प्राप्त जनों वा उनके वारिसों को अपना अपना खोया हुआ धन भी मिला, और अपनी अपनी खोई हुई वस्तुएं भी प्राप्त हुईं, और उससे उन्हें शान्ति मिली, और उचित सुख लाभ हुआ। और जब किसी ऐसे

परिशोधकर्ता को अपने द्वारा हानि प्राप्त जनों का कुछ पता न मिला, तब उसने उस अपहरण के द्वारा प्राप्त धन को अपने पास रखने के स्थान में किसी भले काम के लिए समर्पण किया। **ऐसा अनोखा और पूर्णतः विस्मयजनक आत्मिक उच्च परिवर्तन भी मनुष्य जगत् में देवात्मा के आविर्भाव के बिना कदापि नहीं हो सकता था, इसीलिए भविष्य काल में भी अधिकारी जनों में इस प्रकार का उच्च परिवर्तन देवात्मा के ही देव प्रभावों के द्वारा आएगा, और आ सकेगा, और उनके बिना कदापि नहीं।**

3- देवात्मा की **देवज्योति** की किरणों को पाकर जिन जिन अधिकारी जनों में क्या देवात्मा और क्या नेचर के अन्य विविध जगतों के सम्बन्ध में किसी एक या दूसरे प्रकार के ऐसे **उच्च बोध वा उच्च भाव** की उत्पत्ति वा उन्नति हुई, कि जिसके द्वारा परिचालित होने से उन्हें एक वा दूसरे प्रकार की शुभ चिन्ता वा एक वा दूसरे प्रकार का शुभ कर्म करके अपनी आत्मिक निर्माणकारी शक्ति के बल के बढ़ाने में कुछ न कुछ सहायता मिली, उसकी उत्पत्ति वा उन्नति भी मनुष्य जगत् में **देवात्मा के आविर्भाव के बिना कदापि नहीं हो सकती थी। और भविष्य काल में भी अधिकारी जनों में इस प्रकार का उच्च परिवर्तन केवल देवात्मा के ही देव प्रभावों के द्वारा आएगा, और उनके बिना कदापि नहीं।**

4- देवात्मा में जिन सच्ची और अद्वितीय देव शक्तियों का बीज रूप में प्रकाश और उनका क्रमशः विकास हुआ है, उन शक्तियों को पाकर वह नेचर के मनुष्य, पशु, उद्भिद् और जड़ वा भौतिक जगत् के सम्बन्ध में जो जो कुछ **शुभ** हो, उसी के लिए अपने आत्मा में सच्चा और **पूर्ण अनुराग,** और उसके विरुद्ध जो जो कुछ **अशुभ** हो, उसके लिए सच्चा और **पूर्ण घृणा** भाव रखते हैं।

इसी प्रकार नेचर के प्रत्येक जगत् के सम्बन्ध में **जो जो नियम और जो जो घटना सत्य हो,** और उसका उन्हें ज्ञान प्राप्त हो चुका हो, उसी और केवल उसी पर विश्वास करने, उसी का साथ देने, और उसी का प्रकाश और प्रचार करने के लिए वह अपने आत्मा में पूर्ण अनुराग, और उसके विरुद्ध प्रत्येक असत्य वा प्रत्येक मिथ्या के प्रति पूर्ण घृणा और उसके नष्ट करने के लिए पूर्ण वैर भाव रखते हैं। इसीलिए देवात्मा अपनी इन सच्ची देव शक्तियों को विकसित करके **नेचर के प्रत्येक जगत के प्रत्येक अस्तित्व के साथ केवल शुभ और सत्य-मूलक सम्बन्ध रखते हैं,** और उसके भिन्न उसके साथ किसी प्रकार का सुख विषयक वा सुख अनुराग से उत्पन्न घृणा भाव विषयक कोई सम्बन्ध नहीं रखते। वह नेचर के प्रत्येक जगत की हानि और हित के सम्बन्ध में अपने भीतर जितने और जिस जिस प्रकार के विशेष

बोध रखते हैं, वह बोध उनकी इन सच्ची देव शक्तियों से विहीन किसी भी कहलाने वाले देवता वा देवी वा किसी कहलाने वाले धर्म सम्प्रदाय के संस्थापक में वर्तमान न थे, और न उनकी इन सच्ची देव शक्तियों से विहीन किसी में वर्तमान हो सकते हैं। इसलिए इन विशेष बोधों को प्राप्त होकर देवात्मा ने अधिकारी मनुष्यों के लिए नेचर के चारों जगतों के सम्बन्ध में **वर्जित** और **कर्तव्य** कर्म विषयक अपनी ओर से जितनी और जो जो विशेष और पूर्णत: नई शिक्षा दी है, वह विशेष और नई शिक्षा भी उन्हें कहीं और किसी और के द्वारा नहीं मिल सकती। और उनके इन नए वर्जित और कर्तव्य विषयक आदेशों के पाठ से मनुष्य जगत् के अधिकारी जन उनकी **देवज्योति** के प्राप्त होने पर अपनी अपनी योग्यता के अनुसार नेचर विषयक विविध जगतों के सम्बन्ध में अपने अपने आत्माओं की **जिस जिस हीनता को देख सकते हैं, उस हीनता का ज्ञान भी वह उनकी देवज्योति और उनकी इस शिक्षा के बिना कहीं और किसी प्रकार से नहीं पा सकते।** और न उनकी इस देवज्योति की प्राप्ति और उनके इन शिक्षा विषयक सत्यों के देखने के बिना किसी काल में भी किसी जन को अपनी किसी ऐसी हीनता के विषय में सच्चा ज्ञान और सच्चा बोध मिला था।

फिर देवात्मा के ही **देवतेज** के मिलने पर किसी अधिकारी जन में अपनी **किसी ऐसी हीनता को देखकर उसके प्रति जो उच्च घृणा उत्पन्न हो सकती है**, और वह उसके दूर करने का **आकांक्षी** बन सकता है, वह **उच्च घृणा और उच्च आकांक्षा भी** उसमें देवात्मा के **देवतेज की प्राप्ति के** बिना कहीं और किसी प्रकार से उत्पन्न नहीं हो सकती। **इसलिए इस प्रकार का उच्च परिवर्तन भी भविष्य काल में किसी अधिकारी आत्मा में केवल देवात्मा के देव प्रभावों के द्वारा ही आ सकता है और आएगा, और उनके बिना कदापि नहीं।**

प्र.। क्या देवात्मा के **देवप्रभावों** से मनुष्य जगत् में जो जो कुछ उच्च परिवर्तन आता है, उसके आने से उससे नीचे के जगतों में भी कुछ उच्च परिवर्तन आता वा आ सकता है?

उ.। निश्चय। जब किसी मनुष्य में देवात्मा के **देव प्रभावों के द्वारा** अपने जगत् के भिन्न उससे नीचे के किसी जगत् अर्थात् पशु वा उद्भिद् वा जड़ पदार्थों के सम्बन्ध में अपनी किसी **हानिकारक वा पतनकारी क्रिया** का बोध उत्पन्न होता है, वा इससे भी ऊपर किसी उच्च बोध या भाव के जाग्रत होने से उनमें से किसी जगत् का कुछ भी और किसी प्रकार का हित होता है, तब उसके ऐसे सब प्रकार के उच्च परिवर्तन से उससे नीचे के जगतों में भी उच्च परिवर्तन उत्पन्न होता है।

इसलिए देवात्मा जो नेचर के चारों जगतों में उच्च परिवर्तन लाने के लिए प्रगट हुए हैं, वह नेचर के चारों जगतों में उच्च परिवर्तन के लाने के निमित्त अपने प्रतिदिन के विशेष साधन में अपने परम लक्ष्य सम्बन्धी गीत के जिस पद को गाकर नेचर के नियमानुसार अपनी **शुभकामनाओं** के द्वारा अपने **देव प्रभावों** को अपने चारों ओर **विकीर्ण** करते हैं, वह यह है:–

''सकल विभागों में नेचर के,

उच्च गति प्रद परिवर्तन हो;

नीच गति हो विनष्ट दिन दिन,

श्रेष्ठ मेल उनमें उत्पन्न हो।''

अर्थात्

मेरे देवप्रभावों के द्वारा नेचर के प्रत्येक जगत् में जहां जहां और जितना जितना उच्च परिवर्तन आ सकता है, वह आवे; और उसके प्रत्येक जगत् में से जहां जहां तक कोई नीच वा पतनकारी गति विनष्ट हो सकती है, वह विनष्ट हो; और इस प्रकार से जहां जहां तक सम्भव हो, नेचर के चारों जगतों में परस्पर **श्रेष्ठ मेल** वा एकता की उत्पत्ति हो।

————————

देव शास्त्र के पहले खंड

का

सूची पत्र

ग्रन्थ परिचय

नेचर तत्व

देव शास्त्र

ग्रंथ परिचय

इस पुस्तक का नाम **देव शास्त्र** है। यह देव शास्त्र अपने नाना विषयों की शिक्षा के अनुसार नाना खंडों में विभक्त है।

इससे पहले देव शास्त्र के दो संस्करण छप चुके हैं, और अब उसका यह तीसरा संस्करण प्रकाशित होता है। देव शास्त्र के पहले संस्करण की तुलना में उसके दूसरे संस्करण की क्या क्या विशेषता थी, उसे उन दोनों के पाठक जान चुके हैं। अब उसके दूसरे संस्करण की अपेक्षा उसके इस तीसरे संस्करण की क्या क्या **विशेषता** है, वह उन जनों पर स्वयं प्रगट हो जाएगी कि जो उसके दूसरे संस्करण को पढ़ चुके हैं, और अब उसके इस तीसरे संस्करण को पढ़ेंगे।

देव शास्त्र के पहले खंड में **एक मात्र सत्य नेचर** के संबंध में उन विविध **तत्त्वों** की संक्षिप्त व्याख्या की गई है, कि जिन पर **देवात्मा की धर्म विषयक सब सत्य शिक्षा स्थापित** है। वस्तुत: जिस **सत्य नेचर** के **सत्य नियमों** और उसके ऐसे नियमों के अनुसार उसमें जिस जिस प्रकार की **सत्य घटनाएं** प्रगट होती वा हो सकती हैं, उन पर स्थापित जिस आत्मिक धर्म विषयक **सत्य ज्ञान** की मनुष्य मात्र को आवश्यकता है, और जिसकी प्राप्ति से ही कोई मनुष्य **मिथ्या धर्म मतों के महा भयानक विश्वास जाल से उद्धार पा सकता** है, वह सत्य नेचर क्या है, वह कितनी बड़ी, कितनी विशाल और कितनी महान है, और वह क्योंकर **स्वयंभू** वा **अविनाशी** वा **नित्य** है, और वह अपनी सब प्रकार की क्रियाओं वा गतियों और उनके फलों के विचार से क्योंकर **सदा विश्वास** के योग्य है; और उस में विविध प्रकार के **जड़ लोकों** और विविध श्रेणियों के **जीवित अस्तित्वों** की किस किस प्रकार से **उत्पत्ति वा उन्नति** होती है, और उनमें से किन किन का उसकी किस किस विधि से पतन वा नाश होता है; इत्यादि नाना अमूल्य सत्यों का इस खंड के विविध अध्यायों में वर्णन किया गया है।

देव शास्त्र के इस पहले खंड से आगे उसके अन्य नाना खंडों में अन्य नाना प्रकार के तत्त्वों का निर्णय वा वर्णन होगा।

यह देव शास्त्र **नेचर-मूलक सत्य धर्म के ज्ञान** का प्रतिपादन करता है।

इस पृथ्वी में यही और **केवल यही शास्त्र** इस महा सत्य की घोषणा करता है, कि मनुष्य के आत्मा की गठन और उसके जीवन के विविध तत्त्वों के संबंध में **नेचर पर स्थापित जो सत्य ज्ञान है, वही धर्म विषयक सत्य ज्ञान** है; और उसके भिन्न वा उसके विपरीत धर्म के नाम से इस पृथ्वी में जितनी और जिस जिस प्रकार की शिक्षा प्रचलित है, वह **सब की सब मिथ्या** है। यही शास्त्र इस महा सत्य की घोषणा करता है, कि जिस दशा में अन्य लाखों अजीवित और जीवित अस्तित्वों की न्याईं **मनुष्य का आत्मा भी सत्य नेचर का ही अंश** और एक मात्र उसी के **आश्रित** और उसी के **अटल नियमों के अधीन है**, तब **मनुष्यात्मा से संबंधित सब प्रकार का ज्ञान भी वही सत्य हो सकता और सत्य माना जा सकता है, कि जो नेचर-मूलक हो** - अर्थात् जिस की सच्चाइयों का नेचर के **सत्य** और **अटल नियमों** और उन सत्य नियमों के अनुसार उसमें **जो सत्य घटनाएं** उत्पन्न होती वा हो सकती हैं, उनके द्वारा **प्रमाण** मिलता वा प्रमाण मिल सकता हो।

एक मात्र सत्य नेचर के **सत्य नियमों** और उस की **सत्य घटनाओं** पर स्थापित होने के कारण **सत्य धर्म वा आत्मज्ञान** विषयक शिक्षा का जैसे एक ओर **विज्ञान-मूलक** और **कल्पना-रहित** होना आवश्यक है, वैसे ही दूसरी ओर **यही और केवल यही** सत्य शिक्षा **सब मनुष्यों के लिए ग्रहणीय है।**

1– वह नेचर क्या है जिस पर सत्य धर्म की शिक्षा स्थापित है?

-----

(1) **जड़ और शक्ति से संयुक्त** सब प्रकार के अत्यंत छोटे और अत्यंत बड़े अजीवित और जीवित अस्तित्वों से विशिष्ट एक और पूर्ण अस्तित्व का नाम **नेचर** है।

(2) नेचर के अंतर्गत सब प्रकार के अजीवित और जीवित अस्तित्व **दो** ही प्रकार के पदार्थों से बने हुए हैं, जिनमें से एक का नाम **जड़** और दूसरे का नाम **शक्ति** है।

(3) यह नेचर अपने रूप में **परिवर्तन शील** है, अर्थात् वह अपनी ही **शक्तियों के कार्य से** अपने विशाल रूप में **सदा परिवर्तित** होती रहती है, और इस प्रकार से परिवर्तित होकर वह अपने आप ही अपने भीतर नए नए आकार और गुण विशिष्ट लाखों अजीवित और जीवित अस्तित्वों को **प्रगट वा उत्पन्न** और अन्य लाखों अस्तित्वों को **लोप वा नष्ट** करती रहती है।

(4) नेचर के अन्तर्गत सब प्रकार के जड़ और शक्ति विशिष्ट अस्तित्वों में यद्यपि परिवर्तन होता है, और उसमें इस परिवर्तन विषयक कार्य से नए नए अस्तित्व प्रगट और लोप भी होते हैं; तथापि **उसमें जड़ और शक्ति की जितनी पूर्ण मात्रा है**, उसमें किसी काल में भी कुछ कमी वा वृद्धि नहीं होती। वह मात्रा उसमें **सदा उतनी की उतनी ही रहती** है, इस हेतु से नेचर **अविनाशी वा नित्य** है। इसीलिए वह **अनादि** है। वह **सदा** से है, और **सदा** रहती है। वह **सदा से सत्य** है, और **सदा सत्य रहती** है। और उसका कोई और सृष्टा वा रचना कर्ता नहीं है।

(5) नेचर अपनी जिन जिन विधियों के द्वारा परिवर्तित होती है, उसकी वह परिवर्तन विषयक सब विधियां सदा **अटल** होती हैं, अर्थात् वह एक समय में कुछ और दूसरे समय में कुछ और नहीं होतीं। नेचर की यही अटल विधियां उसके **अटल नियम** कहलाती हैं।

(6) नेचर एक और पूर्ण अस्तित्व है; और उस के अन्तर्गत जितने और जिस जिस प्रकार के अजीवित और जीवित अस्तित्व प्रगट होते और स्थिति करते हैं, **वह सब के सब उसी के अंश और उसी के परिवर्तन विषयक अटल** नियमों के अधीन होते हैं।

(7) नेचर इतनी बड़ी और इतनी दूर तक फैली हुई है, कि उसके विस्तार की सीमा कोई मनुष्य अपनी **कल्पना शक्ति** के द्वारा भी स्थिर नहीं कर सकता। नेचर अपने इस विस्तार के विचार से अति विशाल, अति महान, अति अद्भुत और असीम है।

(8) नेचर में उसकी शक्ति और जड़ में **अकाट्य संबंध** है, अर्थात् उनमें से एक के साथ दूसरे का **सदा जुड़ा हुआ वा मिला हुआ होना अनिवार्य** है। इसीलिए नेचर में शक्ति और जड़ में से कोई भी अपने आप **स्वतंत्र** रूप से कहीं और कभी नहीं मिलता और कहीं और कभी स्थिति नहीं करता।

(9) नेचर की ही एक मूल शक्ति परिवर्तित होकर **नाना प्रकार** की शक्तियां बन जाती है अर्थात् वही कभी ताप, कभी ज्योति और कभी किसी और रूप में बदल जाती है; वही शक्ति काल के साथ **अनुकूल दशा** में पहुंच कर **अजीवित से जीवित बन जाती** है, और फिर जीवित बनकर लाखों और करोड़ों प्रकार के रूप ग्रहण करती है। नेचर की ही एक वा दूसरी जीवित शक्ति प्रतिकूल दशा में बदल कर जीवित से **अजीवित** भी बन जाती है, और अपने जीवन विषयक सब प्रकार के लक्षणों को खोकर अपने **व्यक्तिगत अस्तित्व के विचार से पूर्णत: नष्ट हो जाती** है।

(10) नेचर से उत्पन्न वा प्रगट होकर लाखों शक्ति और जड़ विशिष्ट अजीवित और जीवित अस्तित्व नेचर में ही रहते हैं, और उसी में ही उस के **अटल नियमानुसार** परिवर्तित होते हैं, और परिवर्तित होकर **अपनी दशा में पतित वा नीच, उच्च वा श्रेष्ठ बनते हैं।**

(11) नेचर के जिस अंश वा जिस विभाग में जो कुछ **परिवर्तन** होता है, वह नेचर की ही विविध शक्तियों के कार्य से होता है। नेचर में कोई परिवर्तन अटकल पच्चू वा अनाप शनाप नहीं होता। नेचर में जब किसी **नए** अस्तित्व का प्रकाश होता है, तब उसी की **अटल कार्य विधि** के अनुसार होता है; और जब कोई अस्तित्व प्रगट हो कर धीरे धीरे **उन्नत वा विकसित** होता है, तब भी वह उसी के **अटल नियमों के अनुसार** उन्नत वा विकसित होता है; और नेचर में जब कोई अस्तित्व प्रगट होकर अपनी दशा में पतन वा विनाश की ओर जाता है, तब भी वह **उसी के अटल नियमानुसार पतित वा विनष्ट होता** है।

(12) नेचर के **अटल नियमों के अधिकार** से उसका कोई भी अस्तित्व – चाहे वह सूर्य और चन्द्र आदि कहलाने वाला कोई लोक वा गोला हो, और चाहे वह कोई वृक्ष वा पशु वा मनुष्य आदि कहलाने वाला जीवित अस्तित्व हो – बाहर

नहीं है।

(13) नेचर ही एक मात्र सत्य और अनन्त ज्ञान की भंडार है। नेचर ही सब मनुष्यों के लिए एकमात्र जानने वा अध्ययन और विश्वास करने की वस्तु है।

(14) नेचर के ही किसी अजीवित वा जीवित जगत् के **सत्य नियमों** और उसकी **सत्य घटनाओं** के विषय में **ठीक ज्ञान** के मिलने से किसी मनुष्य को **सत्य ज्ञान** की प्राप्ति होती वा हो सकती है; इसीलिए प्रत्येक मनुष्य की अपनी, अपने परिवार, अपनी समाज, अपनी जाति वा अपने देश वा किसी और देश की भलाई बहुत कुछ इसी **नेचर विषयक सत्य ज्ञान की उन्नति पर निर्भर करती** है; और जिस देश के निवासी **इस नेचर विषयक सत्य ज्ञान से जितने अंश शून्य होते** हैं, उतने ही अंश वह उन देशों के निवासियों की अपेक्षा जो उसके विषय में अधिक ज्ञान रखते हैं; नाना बातों के विचार से **बहुत घटिया और निर्बल होते** हैं।

(15) नेचर की सत्यता और उसके साथ अपने अति घनिष्ठ और सच्चे संबंध से **किसी नर वा नारी मनुष्य का अन्धा वा अज्ञानी रहना, और नेचर के उन अटल नियमों को न जानना और न समझना जिनका उसकी अपनी उत्पत्ति, स्थिति, उन्नति वा अपने विकास अथवा अपने पतन वा विनाश और उनसे मोक्ष आदि से संबंध है, उसका सब से बड़ा दुर्भाग्य** है; क्योंकि इस प्रकार का ज्ञान नेचर ने **मनुष्य** के लिए ही **संभव** किया है, और उससे नीचे के जगतों में से किसी और जीवधारी के लिए नहीं।

(16) सत्य नेचर के सत्य रूप को जानकर **जो जन उसी में और उसी के द्वारा** अपने अस्तित्व के प्रकाश और अपने अस्तित्व को **एक मात्र उसी के पूर्ण आश्रित देखने** और **उपलब्ध** करने के योग्य हो जाते हैं, वह उसके संबंध में अपने हृदय के गहरे उच्छवास से भर कर एक एक बार विवश यह पुकार उठते हैं:-

"नेचर के बिना मैं कुछ भी नहीं,
मेरा अस्तित्व यह कुछ भी नहीं;
नेचर से स्वतंत्र कुछ भी नहीं,
कोई अस्तित्व ही कुछ भी नहीं।"

2- इस पृथ्वी में विविध प्रकार के मिथ्या देवतों और देवियों की उत्पत्ति

इस पृथ्वी में मनुष्य जब तक इतना मूर्ख, इतना अबोधी, इतना असभ्य और इतना जंगली था, कि उसे यह सत्य मालूम नहीं हुआ था, कि जब उस के किसी पारिवारिक जन वा उसके जत्थे के किसी नेता वा सरदार वा प्रभु की मृत्यु हो जाती है, तब वह अपने स्थूल शरीर से जुदा होकर किसी और सूक्ष्म शरीर के साथ भी कहीं रहता वा रह सकता है, और न उसके किसी स्थूल देह त्यागी परन्तु जीवित **सूक्ष्म शरीर धारी** किसी पारिवारिक संबंधी वा उसके जत्थे के किसी सरदार वा नेता वा प्रभु वा स्वामी को ही यह पता था, कि स्थूल शरीर धारी लोगों में से कुछ लोग ऐसी योग्यता रखते हैं, कि जिन पर वह अपना आवेश करके अपने मन की किसी बात को अपने संबंधियों वा अपने अनुयायियों तक पहुंचा सकता है, तब तक मरे हुए सूक्ष्म शरीर धारी जनों का यहां के स्थूल देह धारी जनों के साथ बातचीत आदि विषयक कोई संबंध स्थापन नहीं हुआ था। बहुत लंबे काल तक यही हाल रहा। यह वह काल था, कि जिसमें लोग किसी अस्तित्व को भी देवता वा देवी नहीं मानते थे, और न किसी ऐसे देवता वा देवी को कोई भेंट देते थे, वा उसकी कोई स्तुति वा उससे किसी प्रकार की प्रार्थना आदि करते थे। और अब साधारण जन जिसको धर्म मत वा धर्म संबंधी विश्वास वा धर्म विषयक साधन वा धर्म विषयक कोई क्रिया कहते हैं ऐसा वह कोई धर्म मत वा धर्म संबंधी विश्वास न रखते थे, और न कोई कहलाने वाली धर्म विषयक क्रिया करते थे।

फिर अनुकूल समय के आने पर एक वा दूसरे स्थान के ऐसे मरे हुए लोगों ने जो अपने महा नीच वा अधम कर्मों के कारण अत्यन्त घटिया सूक्ष्म शरीर पाकर **भूत प्रेत वा चुड़ैल** बने थे, और जो परलोक में पहुंचने के अयोग्य होने के कारण इसी पृथ्वी में रहने के लिए लाचार थे, यह जान कर कि कितने ही स्थूल देह धारी जन ऐसे हैं, कि जिन पर आवेश करके वह उनके द्वारा अपनी एक वा दूसरी बात अन्य लोगों पर प्रगट कर सकते हैं, और इसी प्रकार कितने ही ऐसे जन भी हैं, कि जब वह सोए हुए हों, तब उनके सिरहाने खड़े होकर वह उनके भीतर एक वा दूसरे प्रकार का **स्वप्न** उत्पन्न करके उसके द्वारा भी उन तक अपना कोई ख़्याल पहुंचा सकते हैं, तब उन्होंने अपने इस ज्ञान के अनुसार स्वभावत: किसी एक वा दूसरे जन पर आवेश करके अथवा कभी कभी किसी जन पर स्वप्न के द्वारा अपने अपने विचार

प्रगट करने आरंभ किए।

इन भूतों वा प्रेतों में से कितने ही ऐसे जन भी थे, कि जो पहले स्थूल देह रखने पर एक वा दूसरे जत्थे के **नेता वा लीडर** थे, और वह उस जत्थे के **लॉर्ड वा स्वामी वा मालिक वा राजा** आदि कहलाते थे, और जो किसी और जत्थे के लोगों पर **वीरता** के साथ **आक्रमण** करके उनका माल लूट लेने, उनके पशुओं को छीन लेने, उनमें से कितनों को पकड़कर अपना दास वा ग़ुलाम बनाकर उनसे जबरन काम लेने, उनकी स्त्रियों को लौन्डी आदि बनाकर उन्हें संभोग करने, उनके अधिकृत देश को छीनकर उसके आप मालिक वा प्रभु वा राजा बन जाने की योग्यता रखते थे। इसी प्रकार यदि उनके जत्थे के लोगों पर उपरोक्त अभिप्राय से किसी और जत्थे का नेता वा प्रभु वा सरदार वा राजा आक्रमण करे, तो उसका वीरता के साथ मुकाबिला करके उनकी रक्षा भी करते थे; और अपने जत्थे के लोगों को सब प्रकार की लूट आदि में हिस्सा देते थे; इसलिए अन्य सब मरे हुए लोगों की अपेक्षा ऐसे सब **वीर जन** विशेष रूप से सम्मान और प्रतिष्ठा के पात्र समझे और माने जाते थे।

इन जत्थों के नेताओं वा शासन कर्ताओं के भिन्न अन्य मरे हुए लोगों के पारिवारिक वा संबंधी जन पितर वा "एन्सेस्टर" आदि नामों से पुकारे जाते थे।

फिर जो लोग स्थूल शरीर के मर जाने पर निहायत घटिया सूक्ष्म शरीर के प्राप्त होने पर भूत प्रेत बनकर इसी पृथ्वी में रह जाते हैं, उनको नेचर के नियमानुसार अपने अपने गठनप्राप्त **जीवित** सूक्ष्म शरीर की पालना के लिए उसी प्रकार **आहार** की आवश्यकता होती है, जिस प्रकार उनके स्थूल देह धारी संबंधियों आदि को अपने **जीवित** स्थूल शरीर के लिए। इसलिए ऐसे मरे हुए जन अपने अपने सूक्ष्म शरीर की पालना के निमित्त यहां के स्थूल देह धारी लोगों की खुराक में से जो **सूक्ष्मांश** निकलते हैं, उन्हें एक वा दूसरे प्रकार से लाभ करके और खाके अपना अपना शरीर जीवित रखते हैं। परन्तु जब पूर्वोक्त प्रकार के भुतनों में से नाना भुतनों को स्थूल देह धारियों तक अपने अपने विचार प्रगट करने का अवसर मिल गया, तब उन्होंने किसी एक वा दूसरे स्थूल देह धारी मनुष्य पर आवेश करके यह बताना आरंभ किया, कि वह अमुक अमुक पारिवारिक जन के अमुक अमुक संबंधी हैं, अथवा अमुक जत्थे के प्रभु वा नेता वा स्वामी हैं, और अपने दैनिक आहार के लिए अमुक अमुक वस्तुएं वा अमुक अमुक पशु वा किसी मनुष्य का गरम गरम रुधिर और अमुक अमुक नशेदार चीज़ें और अमुक अमुक प्रकार की सुखदायक सुगंधि आदि चाहते हैं, और जो लोग उन्हें इन नाना चीज़ों की भेंट देकर उनको प्रसन्न करेंगे, उनकी नाना प्रकार की मनोकामनाओं को वह पूरा करेंगे, और जो जन उनकी इन इच्छाओं को पूरा न

करेंगे, उन पर वह कुपित होकर उनकी और उनके प्रिय जनों और पशुओं आदि की नाना प्रकार से हानि करेंगे, और उन्हें तरह तरह से सताएंगे, और कष्ट देंगे।

उनकी इस बातचीत का यह फल हुआ, कि सैंकड़ों लोगों ने अपनी अज्ञानता के कारण उनकी इन मिथ्या बातों पर विश्वास करके उन्हें प्रसन्न करने के लिए उन्हें कई प्रकार की खाने और पीने की वस्तुओं के सिवाए, **बलि वा कुर्बानी** के नाम से न केवल पशु जगत् के नाना प्रकार के **असहाय जीवों** की किन्तु उनके भिन्न **असहाय मनुष्यों** की भी **हत्या** करके उनके रक्त वा रुधिर की भेंटें देनी आरंभ कीं; उनके सूंघने के लिए सुगंधि जनक कई प्रकार की चीज़ें देनी शुरू कीं; उनके नशे के लिए सोमरस, शराब, भंग आदि वस्तुओं की भेंटें उनके आगे रखीं। फिर उनके आगे इन सब वस्तुओं की भेंट रखने के लिए पहले चबूतरे वा थड़े आदि के आकार की वेदियां बनाई गईं। फिर धीरे धीरे उनपर मकान बने, और जिन जनों के द्वारा यह मरे हुए भुतने अपने अपने विचारों को प्रगट करते थे, और जो उनके लिए लोगों से विविध प्रकार की भेंटें लेकर उन्हें ठीक ठीक करके वा कराके, उन्हें विधि पूर्वक उनके आगे रखने आदि नाना बातों का काम करते थे, वह उनके पुजारी वा प्रीस्ट वा मजावर आदि और उन भुतनों में से जो जो भुतने उपरोक्त जत्थों के नेता वा प्रभु वा स्वामी वा शासन कर्ता रहे थे, वह ''**देवता**'' कहलाने लगे, और उनमें से जिन जिन की कोई पत्नी मर चुकी थी, वह ''**देवी**'' कहलाई, और शेष और भुतने जो अन्य लोगों के पारिवारिक वा वंशीय संबंधी थे, वह **पितर** वा वडवडेरे आदि नामों से पुकारे गए।

इन पुरोहितों ने इन झूठे देवतों के लिए उपरोक्त भेंटों के भिन्न उनकी आज्ञा के अनुसार वा उनकी आज्ञा बताकर **अपने** लिए भी साधारण लोगों से उपरोक्त वस्तुओं के भिन्न धन और धरती आदि नाना प्रकार की और चीज़ों की भेंटें लेनी आरंभ कीं; और इन मिथ्या देवतों के ''**मीडियम**'' बनकर उन्होंने भी अपनी अनुचित कमाई की दुकानें खोल दीं।

फिर जो लोग उनके लिए भेंट लाते, वह इस **मिथ्या विश्वास** के वशीभूत होकर कि उनकी अमुक कामना को उनके अमुक कहलाने वाले देवता ने ही पूरा किया है, और उन्हें अमुक अमुक प्रकार का जो सुख मिला वा मिल रहा है, वह उसी की कृपा से है, उनकी प्रशंसा और स्तुति करके उन्हें धन्य धन्य कहने और धन्यवाद देने लगे, और फिर धीरे धीरे ऐसी प्रशंसा, स्तुति, धन्यवाद और प्रार्थना के सूचक नाना प्रकार के मंत्र, स्तोत्र, गीत और भजन आदि बनाए गए, और ऐसी कुल भेंटों और स्तुति और धन्यवाद और प्रार्थना आदि की क्रियाओं का नाम **धर्म वा**

मज़हब वा रिलीजन रखा गया।

इन नाना भुतने देवतों और कितनी ही भुतनी देवियों ने लोगों को जिस जिस प्रकार की मनोकामनाओं वा मुरादों का लालसी पाकर उन्हें अपना अन्ध **विश्वासी** बनाया था, और उनकी जिन जिन कामनाओं को पूरा करने के निमित्त उन्होंने उनमें **झूठे विश्वास** उत्पन्न किए थे, वह इस प्रकार की थीं:-

उन्हें पुत्र देना, पौत्र देना, उनके लिए वर्षा करना, और उसके द्वारा उनकी खेतियों में बहुत से अनाज की उत्पत्ति करना, उनके बागों के फलदार वृक्षों में बहुत से फल पैदा करना, उनकी सब प्रकार की बीमारियां दूर करना, उन्हें और उनके पारिवारिक वा प्रिय जनों को नीरोग वा तंदुरुस्त रखना, उनके पशुओं की वृद्धि करना, उनके शत्रुओं को मार देना, उन्हें लड़ाई में जय देना, उन्हें धन सम्पत्ति और राज्य देना; आदि।

इसके विपरीत जो लोग उन्हें भेंट पूजा न दें, उन पर कुपित होकर उनकी और उनके प्रिय जनों की उपरोक्त बातों के उलट सब प्रकार की **हानि** करना और उन्हें नाना प्रकार के कष्ट पहुंचाना।

इन कहलाने वाले देवतों को इस प्रकार की भेंट प्राप्त करते देखकर और भी कितने ही भुतनों ने जो कि पहले किसी जत्थे के नेता वा सरदार न थे, एक वा दूसरे मीडियम के द्वारा साधारण लोगों को यह कहकर कि वह भी उनसे प्रसन्न होकर उनकी सब प्रकार की मुरादों वा मनोकामनाओं के पूरा करने की सामर्थ्य रखते हैं, और कुपित होकर उनकी विविध प्रकार की हानियां कर सकते हैं, उपरोक्त प्रकार की भेंटें मांगनी और लेनी आरंभ कीं, और इस प्रकार वह भी **देवता** वा **देवी** बन गए।

फिर इन कहलाने वाले देवतों ने जैसे एक ओर लोगों को अपना **अन्ध विश्वासी और अनुगत** बनाने के निमित्त नाना प्रकार की **मिथ्याओं** का प्रचार किया था, वैसे ही वह स्थूल देह धारी होने के दिनों में जिस जिस प्रकार के **अत्याचार, दुराचार वा पाप और अपराध करते रहे थे**, उनकी भी उन्होंने अपने उन अन्ध विश्वासियों को शिक्षा दी।

इन मिथ्या देवतों ने जिस जिस प्रकार की **मिथ्याओं** का प्रचार किया था, और जिस जिस प्रकार के **घोर पापों और महा अपराधों की शिक्षा दी थी**, उस का मोटा मोटा वर्णन आगे चल कर मिलेगा।

इन मिथ्या देवतों की मान्यता और पूजा के साथ साथ उनसे नीचे के दर्जे में पितरों के लिए भी भेंटों के देने की नाना विधियां प्रचलित हुईं। चीन और जापान आदि नाना देशों में यह पितरों की भेंट पूजा अब तक भी होती है। भारत वर्ष के

करोड़ों हिन्दू भी अब तक **श्राद्ध** और **तर्पण** के नाम से पितरों के लिए पिन्ड और जल देने की क्रियाएं करते हैं। आश्विन मास के पन्द्रह दिन इस प्रकार की क्रिया के लिए विशेष रूप से नियत हैं, और उन दिनों को हिन्दू लोग **पितृ पक्ष** कहते हैं।

जब उपरोक्त प्रकार से इस पृथ्वी के विविध जत्थों के एक वा दूसरे सरदार वा स्वामी वा लॉर्ड आदि मरने के बाद देवता कहलाने लगे, और उनकी पूजाएं जारी हो गईं; तब उनके पीछे उनके वंश में से जो जो जन सरदार वा राजा हुए, उनके भीतर भी यह ख़्याल पैदा हुआ, कि यदि उनके अमुक अमुक संबंधी **मरने के बाद** देवता बन गए हैं, तो वह अपनी अपनी स्थूल देह के साथ जीते हुए भी क्यों न देवता बन जाएं? इस अभिप्राय के लिए उन्होंने पुरोहित क्लास के नाना चालाक लोगों को धन आदि देकर उनसे सहाय ली, और उन्होंने उन्हें देवता बताकर उनके देवता होने का मिथ्या विश्वास लोगों में फैला दिया; और फिर वह भी देवता माने गए। और इस विधि से मिथ्या देवतों की संख्या बराबर बढ़ती गई।

इससे आगे इस पृथ्वी के नाना अन्य राजाओं और अन्य जनों को भी किसी इस वा उस देवता का **अवतार** बताकर उनके देवता होने का प्रचार किया गया। राजा दशरथ के पुत्र राम और वसुदेव के पुत्र कृष्ण और मरियम के पुत्र ईसा आदि इसी विधि से देवता बने थे।

इस पृथ्वी के नाना देशों में जब एक ओर इस प्रकार के देवतों की संख्या बहुत बढ़ गई, और उनके **पुजारियों** के परस्पर, उनकी अपनी अपनी आमदनी के कारण, ईर्ष्या और द्वेष भाव बहुत बढ़ गया, तब उनमें से किसी एक सम्प्रदाय के लोगों ने जब किसी दूसरे सम्प्रदाय के लोगों वा उनके देश पर आक्रमण करके उन पर जय लाभ की, उस समय उन्होंने उनके देवतों के मंदिरों को ढा कर और उनकी पूजा बन्द कर के अपने देवता की पूजा स्थापन करने की चेष्टा की, और इस प्रकार की लड़ाइयों और अन्य अत्याचारों के द्वारा इस पृथ्वी के कई देशों में किसी कहलाने वाले एक देवता को सत्य देवता बताकर केवल उसकी मान्यता और पूजा स्थापित की गई।

फिर और आगे चलकर जिन्होंने आत्मज्ञान वा योग वा किसी देवते की भक्ति आदि के नाम से किसी एक वा दूसरे प्रकार के सुखों की प्राप्ति को लक्ष्य बताकर और किसी ऐसे लक्ष्य का प्रचार करके कोई सम्प्रदाय स्थापन किया, उनके कई स्थापन कर्ता भी **देवता** वा किसी पहले देवता के **अवतार** माने गए, उनकी मूर्तियां बनाई गईं; और उनके लिए भी मंदिर निर्मित हुए, और अन्य देवतों की न्याईं उनकी भी पूजा जारी हुई; और इस विधि से उनके पुजारियों के लिए भी विविध

प्रकार की अनुचित कमाई के रास्ते खुल गए।

नए से नए मिथ्या देवतों के बनाने का यह काम बराबर जारी रहा। उनके लिए पहले पहल जो मंदिर बने थे, उनमें किसी एक वा दूसरे देवता की निशानी के तौर पर कुछ पत्थर रखे गए, फिर उनकी कई प्रकार की मूर्तियां बनाकर और उन्हें इस वा उस देवते वा देवी का झूठ मूठ **प्रतिरूप** बताकर उनकी स्थापना की गई। उसके बाद वह मूर्तियां कई प्रकार की लकड़ी और कई प्रकार की धातुओं की भी बनाई गईं; और एक एक स्थान के भिन्न नाना स्थानों में ऐसे मंदिर बना बना कर और उनमें पहले से माने हुए किसी देवता वा देवी की मूर्ति को स्थापन करके और उनके पुजारी बनकर बहुत से चालाक जनों ने अपने अपने लिए लोगों से विविध प्रकार के चढ़ावे लेने की दुकानें खोल दीं।

इससे आगे कितने ही चालाक जनों ने नेचर के विविध अजीवित अस्तित्वों को इस वा उस देवता का निवास स्थान अथवा उसका अधिष्ठाता वा शासन कर्ता देवता बताकर उनकी पूजाएं जारी कीं; और लोगों से उनके नाम से भेंटें लेनी शुरू कीं; और इस नई विधि के अनुसार किसी ने सूर्य, किसी ने चन्द्र, किसी ने आकाश, किसी ने बादलों, किसी ने वायु, किसी ने अग्नि, किसी ने समुद्र, किसी ने किसी नदी, किसी ने किसी पशु, किसी ने किसी वृक्ष आदि में किसी देवता व देवी का वास स्थान बताकर उनकी पूजा प्रचलित की; और इस विधि से भी नाना प्रकार के **नए नए देवतों** की उत्पत्ति होती गई। इसके भिन्न कितने ही चालाक जनों ने एक वा दूसरे प्रकार के पूर्णत: कल्पित नाम रखकर कई प्रकार के और कल्पित देवतों और देवियों की पूजा भी प्रचलित की। और इस विधि से भी उन्होंने अपनी अपनी पाप-मूलक कमाई की दुकानें जारी कर दीं।

इस प्रकार से धीरे धीरे इस पृथ्वी में सैंकड़ों मिथ्या देवतों और मिथ्या देवियों की उत्पत्ति हुई और उनके प्रचार से करोड़ों मनुष्य इन मिथ्या देवतों के **अन्ध विश्वासी** बने और अब तक हैं।

इस पृथ्वी के यह सब बनावटी देवते **सच्ची देव शक्तियों** से विहीन होने के कारण पूर्णत: **झूठे देवते थे; और सच्ची देव शक्तियों** के विकास से जो **देव ज्योति** विकसित होती है, उससे शून्य होने के कारण वह सत्य धर्म विषयक ज्ञान से पूर्णत: शून्य और अज्ञानी थे।

3- इस पृथ्वी के मिथ्या धर्म मत और उनके प्रवर्तक और प्रचारक

-----

(1) नेचर के **सत्य नियमों** और उसकी **सत्य घटनाओं के विरुद्ध** इस पृथ्वी में जितने और जिस जिस प्रकार के कहलाने वाले ''धर्ममत'' प्रचलित हैं, **वह सबके सब पूर्णत: मिथ्या हैं।**

(2) इस पृथ्वी में जितने मिथ्या ''धर्ममत'' प्रचलित हैं, उन सबके प्रवर्तक और प्रचारक (चाहे वह सूक्ष्म देह धारी प्रेत मनुष्य थे, और चाहे वह स्थूल देह धारी अन्य मनुष्य थे) **सच्ची देव शक्तियों** अर्थात् नेचर संबंधी सब प्रकार के सत्यों के लिए पूर्ण अनुराग और उन सत्यों के विरुद्ध सब प्रकार की मिथ्याओं के लिए पूर्ण घृणा, और नेचर के सब विभागों के सब प्रकार के हितों वा शुभों के लिए पूर्ण अनुराग, और उन हितों के विरुद्ध सब प्रकार के अहितों वा अशुभों के लिए पूर्ण घृणा शक्तियों से विहीन थे।

(3) सच्ची देव शक्तियों से विहीन होने के कारण वह उस **देव ज्योति** और उस **देव तेज** से भी **पूर्णत: शून्य थे,** कि जिनका केवल उस आत्मा में ही विकास हो सकता है, कि जिसमें **नेचर के विकास क्रम से सच्ची देव शक्तियों का आविर्भाव हुआ हो,** और जिनको प्राप्त होकर ही कोई आत्मा वास्तविक **देवात्मा वा सत्य देव वा सच्चा देवता होता वा हो सकता है।**

(4) सच्ची देव शक्तियों के विकास से जिस **देव ज्योति** की उत्पत्ति होती है, **देव ज्योति से विहीन** होने के कारण इस पृथ्वी के सब प्रकार के मिथ्या धर्म मतों के प्रवर्तक और प्रचारक **मनुष्यात्मा की गठन और उसके रोगों और उसके पतन और विनाश** और उस पतन से उसकी मोक्ष और उसमें उच्च जीवन उत्पादक उच्च वा सात्विक भावों के विकास के संबंध में नाना प्रकार के सत्यों के देखने और जानने के पूर्णत: अयोग्य थे; और इसीलिए इन सत्यों को देखकर ही सत्य धर्म के विषय में जो ज्ञान लाभ होता है, उस ज्ञान से पूर्णत: शून्य थे; अर्थात् वह सत्य धर्म विषयक ज्ञान के विचार से पूर्णत: अज्ञानी वा अन्धकार ग्रस्त थे।

(5) एक ओर **सच्ची देव शक्तियों से विहीन** और दूसरी ओर केवल **विविध प्रकार के सुखों और दुखों के बोधी होने के कारण** इस पृथ्वी के सब प्रकार के मिथ्या धर्म मतों के प्रवर्तकों और प्रचारकों ने केवल एक वा दूसरे प्रकार

का **सुख लाभ करना** और एक वा दूसरे प्रकार के सच्चे वा कल्पित **दुखों से निवृत्ति** पाना ही अपना और अन्य मनुष्यों का परम **लक्ष्य** समझा था, और क्या उन्होंने और क्या उनके अनुगत जनों ने **सुख और केवल सुख की ही प्राप्ति अपने अपने जीवन का परम लक्ष्य जाना था।**

(6) एक ओर सच्ची देव शक्तियों से **विहीन** और दूसरी ओर एक वा दूसरे प्रकार के **सुखों के अनुरागी** होने के कारण, इस पृथ्वी के सब प्रकार के धर्म मतों के प्रवर्तकों और प्रचारकों के लिए नेचर के अटल नियमानुसार **विविध प्रकार की मिथ्याओं और विविध प्रकार की अहित मूलक चिन्ताओं और अन्य क्रियाओं की ओर गति करना अनिवार्य था;** इसीलिए **वह जिन जिन सुखों के अनुरागी थे**, उनकी **प्राप्ति** के लिए उनके हृदयों में जिस जिस प्रकार की **मिथ्याओं** के बोलने वा उनका प्रचार करने के लिए **गहरी प्रेरणाएं** उत्पन्न हुई थीं, उनका उन्होंने प्रचार किया था, अर्थात् उनमें से कितनों ने

1- अपने आपको वा किसी अन्य सत्य वा कल्पित अस्तित्व को झूठ मूठ **देवता वा देवी** बताकर अपनी वा उसकी पूजा का प्रचार किया था;

2- अपने आपको वा किसी अन्य कहलाने वाले देवता को सूर्य, चन्द्र, पृथ्वी, अग्नि, जल, वायु आदि का अधिष्ठाता वा शासन कर्ता बताकर **मिथ्या** का प्रचार किया था;

3- अपने आपको वा किसी अन्य कहलाने वाले देवता को अजीवित लोकों और उद्भिद्, पशु और मनुष्य आदि जीवित अस्तित्वों का **सृष्टा वा उत्पन्न वा रचना कर्ता** बताकर **मिथ्या** का प्रचार किया था;

4- अपने आपको वा किसी अन्य कहलाने वाले देवता को झूठ मूठ **सर्वज्ञ, अन्तर्यामी, त्रिकालज्ञ, सर्वदर्शी** वा **अलीमकुल** बताकर **मिथ्या** का प्रचार किया था;

5- अपने आपको वा किसी अन्य कहलाने वाले देवता को **सर्व शक्तिमान, सर्व सामर्थ्यवान, क़ादिर मुतलक, ऑलमाइटी** आदि बताकर **मिथ्या** का प्रचार किया था;

6- अपने आपको वा किसी अन्य कहलाने वाले समझ बूझ विशिष्ट देवता को **नाना अंगों से विशिष्ट किसी जीवित जड़ शरीर से पूर्णतः रहित और केवल निराकार रूप धारी** बताकर **मिथ्या** का प्रचार किया था;

7- अपने आपको वा किसी अन्य कहलाने वाले देवता को झूठ मूठ सारी नेचर का शासन कर्ता वा प्रभु वा राजा वा मालिककुल वा रब्ब वा लॉर्ड आदि

बताकर **मिथ्या** का प्रचार किया था;

8- अपने आपको वा किसी अन्य कहलाने वाले देवता को इस पृथ्वी के मनुष्यों के मरने के अनन्तर उनके पापों का **झूठ मूठ विचार कर्ता और दंड दाता** बताकर **मिथ्या** का प्रचार किया था;

9- अपने आपको वा किसी अन्य कहलाने वाले देवता को इस पृथ्वी के लोगों के मरने के अनन्तर उनके भले कर्मों का झूठ मूठ **पुरस्कार दाता** बताकर **मिथ्या** का प्रचार किया था;

10- अपने आपको वा किसी अन्य कहलाने वाले देवता को लोगों के पापों का **दंड दाता** बताकर उनके दंड भोगने के लिए **कल्पित दुखों से भरपूर विविध प्रकार के मिथ्या नरकों वा दोज़ख आदि का प्रचार किया था;**

11- अपने आपको वा किसी अन्य कहलाने वाले देवता को इस पृथ्वी के लोगों के मरने के अनन्तर उनके **भले कर्मों का पुरस्कार वा फल दाता** बताकर उनके फलों के पाने के लिए कल्पित सुखों से भरपूर विविध प्रकार के **मिथ्या स्वर्गों वा बैकुंठों वा बहिश्त आदि का प्रचार किया था;**

12- अपने आपको वा किसी अन्य कहलाने वाले देवता को इस पृथ्वी के लोगों के मरने के अनन्तर उनके पापों का हिसाब रखने वाला और उनके उन पापों के लिए शारीरिक महा कष्टदायक विविध प्रकार के दंडों का देने वाला बताकर नाना प्रकार की **मिथ्या का प्रचार किया था;**

13- लोगों को उनके मरने के अनन्तर एक ओर कल्पित दुखों से पूर्ण किसी कल्पित नरक के दुखों से बचाने वा मोक्ष देने और दूसरी ओर कल्पित सुखों से भरपूर किसी कल्पित स्वर्ग वा लोक वा धाम में स्थान देने के नाम से मोक्ष विषयक नाना प्रकार की **मिथ्या गप्पों** का प्रचार किया था;

14- बुरे और भले कर्मों के फलों के पाने के लिए कल्पित नरकों और स्वर्गों के भिन्न मरने के अनन्तर फिर इसी पृथ्वी में मनुष्य वा पशु वा वृक्ष वा पत्थर आदि **बनकर जन्म लेने** अथवा पुनर्जन्म पाने की **पूर्णतः मिथ्या शिक्षा का प्रचार किया** था;

15- यह जानकर कि इस पृथ्वी के करोड़ों लोग पुत्र, पौत्र, धन, धरती, खेतों में पैदावार, गाय, बैल, बकरी, भेड़ आदि विविध प्रकार के उपयोगी पशुओं की वृद्धि, आरोग्यता, विवाह, लड़ाई में जय, शत्रुओं के नाश आदि विविध प्रकार की कामनाएं रखते हैं, और वह अपनी इन कामनाओं के पूरा होने के निमित्त बहुत गहरी लालसाएं रखते हैं, उन्हें अपना **अन्ध विश्वासी** वा अनुगत बनाने के लिए **नेचर के अटल**

नियमों के विरुद्ध अपने आपको झूठ मूठ उनकी ऐसी नाना प्रकार की कामनाओं वा मुरादों का पूर्ण कर्ता बताकर मिथ्या का प्रचार किया था;

16- यह जान कर कि इस पृथ्वी के करोड़ों लोग अपने अपने पारिवारिक जनों, अपनी सन्तान, अपने धन वा माल आदि के संबंध में जिस जिस प्रकार की हानियां नहीं चाहते, और ऐसी किसी भी हानि के लिए अपने भीतर **भय वा डर का भाव** रखते हैं, उन्हें **डराकर** अपना **अन्ध विश्वासी** वा **अनुगत** बनाने के निमित्त **शाप, बददुआ** और **कर्स** आदि के नाम से नेचर के अटल नियमों के विरुद्ध अपनी शक्ति के द्वारा उनकी ऐसी हानियों के करने के विषय में **झूठे डरावों** का प्रचार किया था;

17- अपनी महिमा के संबंध में लोगों को **अन्ध विश्वासी** बनाने के लिए **नेचर के सत्य और अटल नियमों के विरुद्ध** अपने भीतर नाना प्रकार की **अलौकिक क्रियाओं** वा **करामातों** वा **मोजज़ों** वा **मिरेकलों** के दिखाने की शक्ति रखने के संबंध में **मिथ्या गप्पों और मिथ्या कहानियों का प्रचार** किया था;

18- लोगों को अपनी महिमा के संबंध में **अन्ध विश्वासी और अपना अनुगत बनाने के निमित्त** अपनी वा किसी कहलाने वाले अन्य विशेष विशेष जनों की **उत्पत्ति** और **मृत्यु** के संबंध में **नेचर के अटल नियमों के विरुद्ध** विविध प्रकार की पूर्णतः **मिथ्या कहानियों** का प्रचार किया था;

19- लोगों को कल्पित नरकों वा उनके भिन्न पुनर्जन्म वा आवागमन आदि के कल्पित दुखों से **मोक्ष** पाने के संबंध में विविध प्रकार की अन्य मिथ्या बातों यथा मिथ्या तीर्थों, मिथ्या जपों, मिथ्या तपों, मिथ्या व्रतों, मिथ्या भजनों, मिथ्या पाठों, मिथ्या वेशभूषा और नाना प्रकार के मिथ्या आडम्बरों आदि का प्रचार किया था;

20- लोगों के भक्ति और योग आदि के नाम से एक वा दूसरे प्रकार के **सुखों का लालसी बन जाने पर** उनकी प्राप्ति के लिए विविध प्रकार के **अनुचित त्यागों और मिथ्या साधनों का प्रचार किया था**। इत्यादि इत्यादि।

(7) एक ओर **सच्ची देव शक्तियों से विहीन** और दूसरी ओर एक वा दूसरे प्रकार के **सुखों के अनुरागी होने के कारण उन सुखों की प्राप्ति के निमित्त**, इस पृथ्वी के मिथ्या धर्ममतों के नाना प्रवर्तकों और प्रचारकों के हृदयों में **जिन जिन दुराचारों** (बुरे वा पाप कर्मों) **के आप करने की प्रबल प्रेरणाएं उत्पन्न हुई थीं, वह पाप वा अत्याचार उन्होंने आप भी किए थे**, और उन्हें **जिन जिन पापों वा दुराचारों वा अत्याचारों** की अपने **अन्ध विश्वासियों को शिक्षा देने**

के लिए आवश्यकता बोध हुई थी, उनकी उन्होंने उन्हें शिक्षा दी थी।

(8) मिथ्या धर्ममतों के नाना प्रवर्तकों और प्रचारकों ने अपने **अन्ध विश्वासियों** को जिस जिस प्रकार के महा अन्याय और अत्याचार मूलक कर्मों के करने की शिक्षा दी थी, उनके कुछ दृष्टान्त यह हैं:-

1- मांसाहार;

2- मांसाहार के लिए औरों के भिन्न नाना प्रकार के उपकारी पशुओं की हत्या;

3- किसी कहलाने वाले देवता वा देवी को रक्त (खून) का आहार देने के निमित्त नाना प्रकार के असहाय पशुओं की हत्या;

4- किसी कहलाने वाले देवता वा देवी को मनुष्य के शरीर का रुधिर आहार के लिए देने के निमित्त असहाय मनुष्यों की हत्या;

5- नशे के लिए विविध प्रकार की विषाक्त वस्तुओं का व्यवहार;

6- बहु विवाह अर्थात् इस पृथ्वी में एक पत्नी के जीते हुए किसी और वा कई कई स्त्रियों अथवा एक पति के जीते हुए कई और पुरुषों से विवाह;

7- बाल्यकाल में विवाह;

8- अल्पकालिक विवाह वा मुता;

9- व्यभिचार;

10- नियोग;

11- विधवाओं के लिए विवाह का पूर्ण निषेध;

12- तलाक;

13- मनुष्यों में नर नारी, जाति, कुल, वंश और वर्ण, भोजन, व्यवसाय और विवाह आदि के विषय में नाना प्रकार के मिथ्या और अन्याय-मूलक प्रभेदों का प्रचार;

14- असहाय मनुष्यों को बलात् पकड़ कर उन्हें गुलाम और लौंडी बनाना और उन्हें पशुओं की न्याईं बेचना वा मोल लेना;

15- सती के नाम से जीती हुई अबला स्त्रियों को अग्नि में जलाना;

16- अपने से भिन्न धर्ममत रखने वालों पर विविध प्रकार के घोर अत्याचार करना - अर्थात् उन्हें उनके संबंधियों से बलात् अलग कर देना, उन्हें अपनी जाति अथवा अपने देश से बलात् निकाल देना, उनका धन और उनकी सम्पत्ति लूट लेना, उन्हें भान्त भान्त की शारीरिक पीड़ा देना, उन्हें क़ैद करना, उन्हें आग में जलाना, वा किसी और विधि से उनकी हत्या करना, इत्यादि इत्यादि।

वस्तुत: मिथ्या धर्ममतों के प्रवर्तकों आदि की **उपरोक्त सब प्रकार की मिथ्याओं** और उनकी **अपनी** नाना प्रकार की **पाप क्रियाओं** और अपनी ओर से अपने अन्ध विश्वासियों को महा भयानक और घोर पापों के करने की शिक्षाओं और उनके अन्ध विश्वासियों की ओर से भी उनकी ऐसी शिक्षाओं पर चलकर महापाप और अपराध मूलक कर्मों से केवल यही नहीं, कि मनुष्य जगत् पर, किन्तु उससे नीचे के विविध जगतों के अस्तित्वों पर जितनी और जिस जिस प्रकार की महा हृदय विदारक तबाहियां आई हैं, उतनी और उस प्रकार की तबाहियां किसी और के द्वारा नहीं आईं।

4- मनुष्यात्मा और सत्य धर्म के ज्ञान और सत्य धर्म की प्राप्ति के विषय में देवात्मा की मूल शिक्षा

नेचर में मनुष्य जगत् के विकास क्रम में सच्ची और **अद्वितीय देव शक्तियों** को प्राप्त होकर एक मात्र **देवात्मा** ने ही यह सत्य शिक्षा दी है कि,

(1) मनुष्य के आत्मा की **गठन**, उसके **नीच अनुरागों** और उसकी **नीच घृणाओं** से उत्पन्न उस के **विविध रोगों** और उन रोगों के कारण उस में जिस जिस प्रकार का **पतन** होता है, उस **पतन**, और उस पतन के बढ़ते जाने से अन्त में उसके जीवन वा उसके अस्तित्व का जो **पूर्ण विनाश** हो जाता है, उस **विनाश** और उसके ऐसे **पतन** से उसकी **मोक्ष** की विधि और उसमें **उच्च जीवन वा आत्मिक बल उत्पादक उच्च भावों वा अनुरागों** की उत्पत्ति और उन्नति वा विकास के संबंध में **नेचर** के सत्य नियमों और उसकी सत्य घटनाओं पर स्थापित जो सत्य ज्ञान है, वही और केवल वही ज्ञान सत्य धर्म का ज्ञान है।

(2) प्रत्येक अधिकारी मनुष्य के लिए अपने **आत्मिक अस्तित्व के संबंध में बोधी बनना** और अपने आत्मा की गठन और उसके जीवन के **पतन** और उस पतन से मोक्ष और उसमें **उच्च जीवन** के विकास के संबंध में **सत्य ज्ञान लाभ करना** और अपने आत्मिक पतन से **सत्य मोक्ष पाना** और अपने आत्मा में उच्च भावों की जाग्रति और उन्नति के द्वारा उच्च जीवन में विकसित होना **उसका एक मात्र सत्य और परम लक्ष्य है।**

(3) किसी प्रकार का **सुख लाभ करना मनुष्यात्मा** का लक्ष्य नहीं, क्योंकि किसी **सुख का भी अनुरागी** बनने से प्रत्येक मनुष्य के लिए **मिथ्या और अहित की ओर अनुगमन करना** और ऐसे अनुगमन से अपने आत्मा को **पतित** करना और उसमें **अंधकार** की उत्पत्ति करना, और इस अन्धकार के कारण उसके प्रकृत रूप, उसके पतन, उस पतन से मोक्ष, उसके विनाश और विकास आदि विषयों के संबंध में नेचर-मूलक विविध **सत्यों के देखने के दिनों दिन अयोग्य बनना**, और अन्त में **पूर्ण अयोग्य वा अन्धा बन जाना अनिवार्य है।**

(4) कोई मनुष्य सुख को लक्ष्य रखकर अपने स्वाद विषयक सुख अनुराग, काम विषयक सुख अनुराग, किसी नशा विषयक सुख अनुराग, सन्तान विषयक सुख अनुराग, धन सम्पत्ति उपार्जन विषयक सुख अनुराग, और इनके भिन्न मान बड़ाई, प्रशंसा, पद वा किसी प्रकार के अन्य सुख विषयक अनुराग से परिचालित होकर **जब**

और जितनी **चिन्ताएं** वा अन्य **क्रियाएं करता है** – उनमें से चाहे उसकी कोई क्रिया किसी और के संबंध में अन्याय वा अत्याचार-मूलक न भी हो – तब भी उन सबके द्वारा उसका आत्मा दिनों दिन **कठोर** होकर विविध प्रकार से **पतित** होता रहता है। और इन नीच अनुरागों के कारण उसमें जिस जिस प्रकार की **नीच घृणाओं** की उत्पत्ति होती है, उन **घृणाओं** से परिचालित होकर वह जिस जिस प्रकार की चिन्ताएं वा अन्य क्रियाएं करता है उनके द्वारा भी उसका उपरोक्त **पतन बढ़ता** रहता है।

(5) प्रत्येक आत्मा अपने **पतन** के बढ़ने के साथ साथ दिनों दिन अधिक से अधिक **अंधकार ग्रस्त** और **कठोर बनने के भिन्न, उलटा दृष्टा और निर्बल भी बनता जाता** है और इस दशा में आत्म तिमिर नाशक और आत्मरूप प्रकाशक **देव ज्योति** की प्राप्ति और आत्मिक वा धर्म विषयक विविध सत्यों के देखने और अपने इस पतन से मोक्ष पाने और अपने आत्मा में उच्च भावों की जाग्रति और उन्नति के लाभ करने के संबंध में (यदि उसे ऐसी कोई जन्म जात योग्यता मिली भी हो) दिनों दिन अधिक से अधिक **अयोग्य** होता जाता है, और अपने इस पतन के बढ़ते जाने पर अपनी शरीर निर्माणकारी शक्ति के बल के पूर्णत: नष्ट हो जाने पर एक दिन आप भी अपने व्यक्तिगत अस्तित्व के विचार से पूर्णत: नष्ट हो जाता है।

(6) मनुष्य के लिए अपने सब प्रकार के **सुख अनुरागों** और उसके इन अनुरागों से जिस जिस प्रकार की **घृणाओं** की उत्पत्ति होती है, उन **घृणाओं** के **दासत्व** वा **अधिकार** और उनके विकार से उद्धार लाभ करना ही **सच्ची मोक्ष** है। इसलिए इस पृथ्वी के कहलाने वाले धर्म सम्प्रदायों में इस सच्ची मोक्ष के विरुद्ध परन्तु मोक्ष के नाम से जितनी और जिस जिस प्रकार की शिक्षा प्रचलित है, वह **सबकी सब पूर्णत: मिथ्या** है।

(7) किसी भी मनुष्य की अपने आत्मिक पतन से सच्ची मोक्ष किसी कहलाने वाले देवता वा देवी आदि से **क्षमा** चाहने वा उससे किसी ऐसी **क्षमा** के मिल जाने के संबंध में **अन्ध विश्वास** के कर लेने से प्राप्त नहीं होती, और न किसी कहलाने वाले देवता वा देवी के नाम वा उसके संबंध में किसी मंत्र आदि के जप वा स्तोत्र आदि के पाठ वा भजन आदि के गान, वा किसी मूर्ति आदि के दर्शन वा किसी नदी आदि में स्नान वा किसी नदी के जल पान वा शरीर पर किसी प्रकार के चिन्ह धारण करने वा **अन्ध विश्वास मूलक किसी भी और मिथ्या क्रिया के करने से प्राप्त होती वा हो सकती है।**

(8) जब तक कोई मनुष्य अपने किसी **मिथ्या विश्वास वा अपनी किसी मिथ्यामूलक चिन्ता वा क्रिया** अथवा अपनी किसी **अशुभ वा अत्याचार वा पापमूलक क्रिया** के संबंध में संतुष्टता वा सुख बोध करता हो और **नेचर की किसी सत्य विधि के अनुसार** उसके आत्मा में किसी ऐसी चिन्ता वा क्रिया के प्रति कोई **सच्ची और यथेष्ट घृणा** जाग्रत न हो, तब तक उससे उसकी **सच्ची मोक्ष नहीं होती**, और नहीं हो सकती।

(9) जब तक किसी मनुष्य के आत्मा में अपने किसी **पाप** वा अपनी किसी भी **अन्याय मूलक वा बुरी क्रिया** के लिए सच्चे और यथेष्ट दुख की उत्पत्ति **न हो** तब तक वह उसके लिए कोई **सच्चा परिशोध** नहीं कर सकता; और बिना किसी ऐसे सच्चे परिशोध के वह **उसके विकार से मोक्ष वा पवित्रता लाभ नहीं कर सकता।**

(10) सच्ची देव शक्तियों से विहीन और इसीलिए **सच्ची देव ज्योति से शून्य प्रत्येक व्यक्ति के लिए** – चाहे वह ईश्वर, परमेश्वर, परमात्मा, ब्रह्म, लॉर्ड, गॉड, प्रभु, महा प्रभु, रब्ब, अल्ला, खुदा, वाहगुरु, ज़रदुश्त, ''मालिककुल'' वा उनमें से किसी का अवतार वा विशेष संबंधी अथवा कोई पैगम्बर, नबी, पीर, वली, भक्त, गुरु, योगी, सन्त, महन्त, साधु, सन्यासी, वीतरागी, वैरागी, ऋषि, महर्षि, मुनि, सिद्ध, बुद्ध, तीर्थंकर आदि नामों से पुकारा गया हो वा पुकारा जाता हो; और चाहे वह किसी इस वा उस **देवते वा देवी** के नाम से बुलाया गया हो, वा बुलाया जाता हो – मनुष्यात्मा के संगठित रूप, उसके पतन, उस पतन से उसकी मोक्ष, और उसके जीवन के विकास विषयक आदि महा गूढ़ सत्यों के संबंध में **अज्ञानी वा अन्धकार ग्रस्त होना और रहना अनिवार्य है।**

(11) सच्ची देव शक्तियों से विहीन और इसी लिए **सच्चे देव तेज से शून्य प्रत्येक व्यक्ति के लिए** चाहे वह ईश्वर, परमेश्वर, महेश्वर, विष्णु, शंकर, परमात्मा, ब्रह्म, लॉर्ड, गॉड, प्रभु, महा प्रभु, रब्ब, अल्ला, खुदा, वाहगुरु, ज़रदुश्त, मालिक कुल, वा उनमें से किसी का अवतार वा विशेष संबंधी, पैगम्बर, नबी, पीर, वली, भक्त, गुरु, योगी, सन्त, महन्त, साधु, सन्यासी, वीतरागी, वैरागी, ऋषि, महर्षि, मुनि, सिद्ध, बुद्ध, तीर्थंकर आदि नामों से पुकारा गया हो, वा पुकारा जाता हो, और चाहे वह किसी इस वा उस **देवते वा देवी** के नाम से बुलाया गया हो, वा बुलाया जाता हो – क्या मनुष्य जगत् और क्या इससे नीचे के जगतों के विविध अस्तित्वों के संबंध में आप विविध प्रकार के अन्याय वा अत्याचार मूलक कर्म करना और औरों को भी उनकी शिक्षा देना अनिवार्य है।

(12) सच्ची देव शक्तियों से विभूषित **देवात्मा** की **देव ज्योति** और उनके **देव तेज** के **देव प्रभावों** को प्राप्त होकर किसी भी **अधिकारी** मनुष्य का **अपनी योग्यता** के अनुसार जितना आत्मिक अन्धकार दूर हो सकता है और उसे सत्य धर्म विषयक जितना ज्ञान मिल सकता है, उसे अपने आत्मा के संबंध में नाना मिथ्या विश्वासों से जितनी सच्ची मोक्ष मिल सकती है, और उसे अपने विविध प्रकार के अन्याय-मूलक वा पाप कर्मों से जितनी मुक्ति प्राप्त हो सकती है वा उससे भी ऊपर उनमें से जिन जिन **विकारों** से उसे जहां तक **पवित्रता** लाभ हो सकती है, और उसमें जहां तक उच्च वा सात्विक भावों का विकास हो सकता है, उनमें से कोई बात भी **देवात्मा** को छोड़कर वा उनसे कोई संबंध न रखकर, किसी जन को अपनी सोच विचार वा अपनी बुद्धि वा अपनी किसी विद्या वा चतुराई वा किसी मिथ्या देवते वा देवी के विश्वास वा उसकी किसी प्रकार की पूजा वा धर्म के नाम से किसी भी क्रिया से लाभ नहीं हो सकती।

यह वह महा सत्य हैं, कि जिन्हें **देवात्मा** के भिन्न इस पृथ्वी में किसी और ने नहीं देखा और नहीं जाना और नहीं प्रगट किया, और जिनकी देवात्मा के भिन्न किसी और ने कभी शिक्षा नहीं दी।

देवात्मा ने सच्ची देव शक्तियों को प्राप्त होकर और उन्हें विकसित करके **आत्मिक तिमिर नाशक** और **आत्मिक रूप प्रकाशक जो देव ज्योति** लाभ की है, और **मिथ्या और अहित विनाशक** और **उच्च भाव उत्पादक जो देव तेज** प्राप्त किया है, उनकी इस अद्वितीय **देव ज्योति** और उनके इस अद्वितीय **देव तेज** के **देव प्रभावों** को पाकर सैंकड़ों अधिकारी आत्माओं **का उनकी अपनी अपनी योग्यता के अनुसार आत्मिक पतन से उद्धार हुआ है,** और कितने ही आत्माओं **में कई उच्च भावों वा उच्च जीवन की उत्पत्ति हुई है।**

————————

ग्रन्थ कर्ता की शुभकामना

ऐसा हो

कि जिस विशाल नेचर ने अपने रूप के परिवर्तन चक्र में अपनी विकास विषयक गति के द्वारा सैंकड़ों और सौर मंडलों की रचना के भिन्न अपने **करोड़ों वर्षों** के लगातार कार्य से हमारे **सौर मंडल** की रचना की है;

और जिस विशाल नेचर ने हमारे सौर मंडल में हमारी पृथ्वी को प्रगट किया है, और हमारी यह पृथ्वी जो पहले अति उत्तप्त दशा में थी, उसे लाखों वर्षों तक धीरे धीरे ठंडा किया है, और फिर उसे इस दशा में पहुंचाया कि जिससे उसका ऊपर का तल ठोस हो गया और उसके चारों ओर फैली हुई दो प्रकार की गैसें आपस में मिलकर पानी बन गईं, और वह पानी हमारी पृथ्वी के नाना भागों में भर गया, और उसमें इस जल और उसके चारों ओर के वायु मंडल के अनुकूल दशा में पहुंच जाने पर जहां जहां उसकी कोई निर्जीव शक्ति **सजीव शक्ति** बन सकती थी, वह सजीव शक्ति बन गई;

और जिस विशाल नेचर ने अपने इसी विकास कार्य के क्रम में अनुकूल दशा के आने पर इन **सजीव शक्तियों** में से जो जो जीवनी शक्तियां गठन-प्राप्त जीवनी शक्तियां बनकर एक एक सैल के जीवित आकार बना सकती थीं, उनके द्वारा पहले पहल एक एक सैल के जीवित आकारों को बनाकर उन्हें उद्भिद् और पशु जगत् के जीवों की भविष्य की उन्नति में सहायक बनाया; और फिर अपने ही विकास कार्य के द्वारा इन जीवित आकारों को परिवर्तित करके **लाखों वर्षों** में विविध प्रकार के घटिया और बढ़िया दर्जे के उद्भिद् और पशु रूप धारी करोड़ों जीवों की उत्पत्ति की;

और जिस विशाल नेचर ने पशु जगत् की एक वा दूसरी शाखा की उन्नति को जारी रखकर उसमें से मनुष्य जगत् का प्रकाश किया;

और जिस विशाल नेचर ने मनुष्य जगत् के उच्च परिवर्तन के क्रम में अपने **लाखों वर्षों** के कार्य के द्वारा सत्य और शुभ विषयक सर्वाङ्ग अनुराग और उसके विरुद्ध असत्य और अशुभ विषयक सर्वाङ्ग घृणा शक्तियों से विशिष्ट **देवात्मा** को आविर्भूत किया;

और जिस विशाल नेचर ने मनुष्य जगत् में अद्वितीय देव शक्तियों से विशिष्ट देवात्मा को इसलिए प्रगट किया, कि जैसे उसके निर्जीव सूर्य की ज्योति और तेज से हमारी पृथ्वी के सब प्रकार के छोटे से छोटे और बड़े से बड़े जीव धारियों के जीवित

शरीरों की जहां तक उसके अपने नियमानुसार रक्षा वा उन्नति हो सकती है, वह रक्षा और उन्नति हो रही है, वैसे ही जीवित जगत् के सूर्य **देवात्मा** की **देव ज्योति** और उनके **देव तेज** के द्वारा मुख्यत: मनुष्य जगत् और गौणत: उससे नीचे के जगतों की **जीवनी शक्तियों** की भी उसके नियमानुसार जहां जहां तक रक्षा वा उन्नति संभव है, वह रक्षा और उन्नति हो; और वह उसके उस विकास कार्य को उन तरफ़ों में और आगे बढ़ाएं, कि जिन तरफ़ों में उसका और आगे बढ़ना **देव शक्तियों से विहीन** मनुष्य जगत् के आत्माओं के द्वारा संभव न था; और वह अपनी इन देव शक्तियों को प्राप्त होकर उनके **देव प्रभावों** के द्वारा उसके नाना दिशाओं से बंद विकास मार्ग के खोलने और उसके बढ़ाने वा प्रशस्त करने का हेतु हों;

और इसलिए जिस विशाल नेचर ने अपने विकास विषयक महान कार्य के प्रशस्त वा उन्नत करने के लिए **देवात्मा** को आविर्भूत किया है;

और जिस विशाल नेचर ने देवात्मा को आविर्भूत करके अपनी ही विविध गुप्त विधियों से उनके शरीर की रक्षा और पालना और उनके आत्मा में देव शक्तियों के विकास के पथ में नाना प्रकार से सहायता की है;

और जिस विशाल नेचर ने देवात्मा में इन देव शक्तियों को विकसित करके उन्हें सत्य और शुभ का इतना गहरा अनुरागी बना दिया, कि वह सत्य और शुभ का राज्य लाने और असत्य और अशुभ का राज्य मिटाने वा नष्ट करने के लिए अपनी सब प्रकार की शारीरिक, मानसिक, विद्या और धन सम्पत्ति विषयक शक्तियों को **अर्पण** और सब प्रकार के आवश्यक **त्याग** करने के योग्य हुए, और उन्होंने अपनी बत्तीस वर्ष की आयु में पहुंचकर अपने इस परम लक्ष्य के पूरा करने के निमित्त वह जीवन व्रत ग्रहण किया, कि जो व्रत उनसे पहले इस पृथ्वी में किसी और ने ग्रहण नहीं किया था, और जिसका ग्रहण करना इन देव शक्तियों से विहीन किसी भी अस्तित्व के लिए संभव न था;

और जिस विशाल नेचर ने देवात्मा के इस अद्वितीय लक्ष्य की सिद्धि के लिए अपनी गुप्त विधियों के द्वारा जहां एक ओर अपने नियमानुसार जहां जहां तक और जिस जिस प्रकार से और जब जब तक जो जो सहाय मिल सकती थी, उसकी प्राप्ति के निमित्त विविध प्रकार के सब सामान पैदा किए, वहां दूसरी ओर उनके परम लक्ष्य की महा कठिन, महा विपद और संकट और दुखमय राह में अपने नियमानुसार और अपनी ही गुप्त विधियों से उसकी महा भयानक रुकावटों, महा विघ्नकारी दुर्घटनाओं से जब और जहां जहां तक रक्षा हो सकती थी, उनसे रक्षा की, और उन्हें दूर करने के निमित्त अनुकूल घटनाएं उत्पन्न कीं;

वही विशाल और सत्य नेचर, वही अपने विकास पथ की रक्षक और वर्द्धनकारी नेचर उनके – वास्तव में अपने – परम लक्ष्य की सिद्धि में आगे भी सदा सब प्रकार से उनकी सहायक हो।

वही सत्य नेचर देवात्मा के इस ग्रन्थ के द्वारा उनकी **देव ज्योति** को **अधिकारी जनों** के हृदयों में पहुंचाकर जहां जहां तक वह इसमें प्रगट किए हुए सत्यों को उन्हें दिखा सकती हो, वहां वहां तक वह उन सत्यों को उनके आत्माओं में प्रगट करे और इस पृथ्वी में जितने और जिस जिस प्रकार के मिथ्या धर्म मत फैले हुए हैं, उन धर्म मतों की उन महा पतनकारी मिथ्याओं और दुराचारों से भरी हुई शिक्षाओं को भी उन पर प्रगट करे, कि जिनसे उद्धार पाने के बिना किसी सम्प्रदाय वा समाज वा जाति वा देश के लोगों के उस सच्चे आत्मिक हित का मार्ग नहीं खुल सकता, कि जो पूर्णत: बन्द पड़ा हुआ है; और जिस के खोलने और प्रशस्त करने के निमित्त ही उसने **देवात्मा** को आविर्भूत किया है।

ऐसा हो, कि वही सत्य और विशाल नेचर इस देव शास्त्र की रचना और उसके निराले और महान उद्देश्य को सफल करे।

———

देव शास्त्र

पहला खंड

नेचर तत्त्व

अर्थात्

नेचर वा प्रकृति के विषय में जानने के
योग्य नितान्त आवश्यक सत्य

-देव धर्म प्रवर्तक विरचित

देव शास्त्र

पहला खंड

नेचर तत्त्व

नेचर वा प्रकृति के विषय में जानने के
योग्य नितान्त आवश्यक सत्य

पहला अध्याय

नेचर का सत्य, आश्चर्यमय और महा विशाल रूप

हम जिस के अंश हैं वह नेचर,
है केवल सत्य वही नेचर;
है महा विशाल वही नेचर,
है अद्भुत असीम वह नेचर।

हम और तुम और हमारे और तुम्हारे पारिवारिक संबंधी, और हमारे और तुम्हारे भिन्न प्रत्येक देश और प्रदेश और प्रत्येक जाति और रंग के सब मनुष्य, सब प्रकार के पशु अर्थात् चौपाए, रेंगने वाले कीड़े, मछलियां और पक्षी, सब प्रकार के छोटे और बड़े पर्वत, छोटी और बड़ी नदियां, छोटे और बड़े मैदान और खड्ड और छोटे और बड़े समुद्र वा सागर, छोटे और बड़े नगर और गांव, हमारे घर और हमारे घरों की सब वस्तुएं, हमारी यह पृथ्वी, हमारा सूर्य और हमारे सूर्य के चारों ओर घूमने वाले नाना ग्रह और उपग्रह, जिन्हें हम **सत्य मानते और जानते हैं, वह नेचर के ही छोटे छोटे अंश हैं**। यह सब लाखों छोटे और बड़े जीवित और अजीवित अस्तित्व उसी प्रकार नेचर के विशाल रूप के विविध अंश हैं, जिस प्रकार हमारे हाथ, पांव, नाक, कान, हमारी हड्डियां और हमारी खाल और हमारे बाल आदि हमारे शरीर के नाना अंश हैं।

नेचर का यह विस्तार यहीं तक समाप्त नहीं हो जाता, किन्तु यह नेचर अपने इन सब अंशों के भिन्न और भी बहुत आगे तक फैली हुई है – हां, इतनी दूर तक आगे फैली हुई है, कि जिसकी हम अपनी कल्पना शक्ति के द्वारा भी कोई सीमा स्थिर नहीं कर सकते।

अब हम जिस पृथ्वी पर रहते हैं, पहले उसी के विस्तार को देखो। हमारी यह पृथ्वी नारंगी के समान गोल है, और वैज्ञानिक विधि के द्वारा वैज्ञानिकों ने इस पृथ्वी के विस्तार का जितना खोज किया है, और जो विधि पूर्णतः सत्य है, उस विधि और उनकी गणना के अनुसार हमारी इस पृथ्वी का व्यास प्रायः आठ हज़ार मील है, और उसका घेरा कोई चौबीस हज़ार मील के लगभग है। फिर हमारी यह पृथ्वी हमारे जिस सूर्य के चारों ओर घूमती है, उस सूर्य का घेरा प्रायः **सत्ताईस लाख मील** है; अर्थात् हमारे सूर्य का घेरा, हमारी पृथ्वी के घेरे से सौ गुणे से भी अधिक बड़ा है। फिर हमें अपनी इस पृथ्वी से जो सफेद चन्द्र दिखाई देता है, और जो कभी बहुत छोटा सा दरान्ती जैसे रूप का दोनों सिरों से झुका हुआ और कभी कुछ उससे अधिक बड़ा और कभी पूरे गोल रूप में नज़र आता है, वह भी हमारी पृथ्वी की न्याईं एक गोला है। यह चन्द्र कहलाने वाला गोला हमारी पृथ्वी के चारों ओर उसी प्रकार घूमता रहता है, जिस प्रकार पृथ्वी हमारे सूर्य की रात दिन परिक्रमा करती रहती है। पृथ्वी के घूमने के कारण इस चन्द्र का कोई अंश क्रम क्रम से हमारी आंखों की ओट में आकर कुछ दिन तक हम से छिपता रहता है, और फिर उसके अनन्तर कुछ दिनों तक धीरे धीरे अधिक से अधिक प्रगट होता रहता है। यह चन्द्र हमारी पृथ्वी से प्रायः ढ़ाई लाख मील की दूरी पर है, और उसका घेरा प्रायः सात हज़ार मील है।

हमारा सूर्य हमारी पृथ्वी से प्राय: नौ करोड़ तीस लाख मील की दूरी पर है। हमारी यह पृथ्वी एक लट्टू की न्याईं घूमती हुई एक दिन और एक रात में अपने चारों ओर का एक चक्कर पूरा करती है; और यह इसी प्रकार आगे से आगे बढ़ती हुई प्राय: तीन सौ पैंसठ दिन और छ: घण्टों में सूर्य के चारों ओर की परिक्रमा समाप्त करती है, और उसके इसी परिक्रमा विषयक काल को हम एक वर्ष कहते हैं।

तुम पूछ सकते हो, कि क्या हमारी इस पृथ्वी की न्याईं हमारे इस सूर्य के गिर्द कोई और गोला भी घूमता है? इसके उत्तर में हम बताना चाहते हैं, कि हां, हमारी पृथ्वी के भिन्न सात और गोले भी हमारे सूर्य की प्रदक्षिणा करते रहते हैं, और उनके नाम यह हैं:-

बुध, शुक्र, मंगल, बृहस्पति, शनि, यूरेनस और नेपचून, पृथ्वी समेत मिलकर यह आठों गोले हमारे इसी सूर्य के गिर्द घूमते हैं। इन सब गोलों को ग्रह कहते हैं।

हमारे सूर्य से सबसे निकट का जो ग्रह उस के चारों ओर घूमता है, उसका नाम **बुध** है; और सूर्य से उसकी मध्य दूरी प्राय: तीन करोड़ साठ लाख मील है, और उसका व्यास प्राय: तीन हज़ार छै सौ मील है। यह ग्रह अठ्ठासी दिनों में अपने चारों ओर का और **अठ्ठासी दिनों** में ही सूर्य के गिर्द अपना चक्कर पूरा कर लेता है।

इससे दूर जो ग्रह सूर्य के चारों ओर घूमता है, उसका नाम **शुक्र** है। यह सूर्य से प्राय: छ: करोड़ सत्तर लाख मील की दूरी पर है, और वह दो सौ पच्चीस दिन में एक बार सूर्य के चारों ओर घूम जाता है।

इससे दूर जो गोला सूर्य के चारों ओर घूमता है, वह हमारी अपनी पृथ्वी है। फिर हमारी इस पृथ्वी से दूर जो ग्रह सूर्य के चारों ओर घूमता है, उसका नाम **मंगल** है। उसकी सूर्य से मध्य दूरी प्राय: चौदह करोड़ दस लाख मील है, और वह छ: सौ सत्तासी दिनों में सूर्य के गिर्द घूम कर अपना एक चक्कर पूरा करता है।

इससे दूर जो ग्रह सूर्य के गिर्द घूमता है, उसका नाम **बृहस्पति** है और सूर्य से उसकी मध्य दूरी प्राय: अड़तालीस करोड़ तीस लाख मील है, और वह ग्यारह साल नौ महीने में एक बार अपनी सूर्य की परिक्रमा पूरी करता है।

इससे दूर जो ग्रह सूर्य के चारों ओर घूमता है, उसका नाम **शनि** है। इसकी सूर्य से मध्य दूरी प्राय: अठ्ठासी करोड़ साठ लाख मील है, और वह साढ़े उनत्तीस साल में सूर्य के गिर्द अपना एक चक्कर पूरा करता है।

इससे दूर जो ग्रह सूर्य के गिर्द घूमता है, उसका नाम **यूरेनस** है, और वह चौरासी साल में सूर्य के गिर्द अपनी एक परिक्रमा पूरी करता है।

इससे दूर जो ग्रह सूर्य के चारों ओर चक्कर लगाता है, उसका नाम **नेपचून** है, और वह सूर्य से दो अरब अस्सी लाख मील की मध्य दूरी पर है, और एक सौ चौंसठ साल में सूर्य के चारों ओर फिर कर अपनी एक परिक्रमा पूरी करता है।

अब तुम कुछ देर चुपचाप होकर यह सोचना आरंभ करो, कि दो अरब अस्सी लाख मील का फासला कितना होता है। तुम जानते होगे, कि एक मील की लम्बाई सत्तरा सौ साठ गज़ की होती है, और एक लाख मील में सौ हज़ार मील होते हैं, और एक करोड़ मील में सौ लाख मील होते हैं, और एक अरब मील में सौ करोड़ मील होते हैं। ऐसे दो अरब अस्सी लाख मील के फासले पर से यह **नेपचून** नामक ग्रह सूर्य के गिर्द घूमता है, और एक सौ चौंसठ वर्षों में सूर्य के चारों ओर घूमकर अपनी एक परिक्रमा पूरी करता है। ओह! सोचो तो सही यह कितनी लम्बी दूरी है!! और जो ग्रह इतनी लम्बी दूरी पर से सूर्य के गिर्द घूमता है, उसके एक चक्कर के लिए आकाश में कितना विशाल स्थान वर्तमान है!! फिर तुम्हें यह भी जान लेना चाहिए, कि इन ग्रहों में से कितनों के गिर्द घूमने वाले अपने अपने चान्द भी हैं। और कइयों के गिर्द घूमने वाले एक से अधिक अर्थात् कई कई चान्द हैं, और यह सब उसी प्रकार के चान्द हैं, जिस प्रकार हमारी पृथ्वी के गिर्द घूमने वाला हमारा एक चान्द है। इन सब ग्रहों के चारों ओर घूमने वाले इन सब चान्दों को **उपग्रह** कहते हैं।

हमारे सूर्य के गिर्द फिरने वाले और उसके मुंह की ओर देखने वाले यह आठों ग्रह और उनके सब चान्द मानो उसके परिवार के मेम्बर हैं। और इन सब को मिलाकर हमारे सूर्य का जो एक अत्यन्त विशाल परिवार बना हुआ है, उसे **सौर्य मंडल** कहते हैं।

परन्तु इस बहुत बड़े विस्तार में फैले हुए इस सौर्य मंडल की तुलना में तुम्हारा आश्चर्य और भी सैंकड़ों गुणा बढ़ जाएगा, जब तुम को यह मालूम होगा, कि जिस आकाश में इतनी जगह है, कि उसमें हमारे सूर्य का इतना महान परिवार रहता है, वह इतना फैला हुआ और महत् परिवार आकाश के केवल एक अत्यन्त छोटे से कोने में वास करता है!! क्योंकि इस आकाश में हमारे जैसे और हज़ारों सूर्य भी स्थिति करते हैं, और उन सबके अपने अपने परिवार भी हैं। इन हज़ारों सूर्यों में से बहुत से सूर्य हमारे सूर्य की अपेक्षा भी बहुत बड़े हैं। इसलिए अब तुम सोचो कि

जिस **नेचर** वा प्रकृति के विशाल रूप के यह सब अंग वा अंश हैं, उस **नेचर** की महिमा कितनी महान, कैसी अगम्य और कैसी अपार और कैसी अवर्णनीय है!!

———————

दूसरा अध्याय

नेचर का जड़ और शक्तिमय महान रूप

आओ, अब हम अपनी खोज में कुछ और आगे बढ़ें। पहले हम यह प्रश्न करें, कि यह नेचर जो हमारे चारों ओर अरबों और खरबों मील से भी बहुत दूर तक फैली हुई है, और जिसमें छोटे और बड़े भान्त भान्त के अगणित, अजीवित और जीवित अस्तित्व वर्तमान हैं, उसके इन सब अस्तित्वों की बनावट में क्या क्या वस्तुएं पाई जाती हैं, अर्थात् नेचर के यह सब प्रकार के अस्तित्व वा अंश किस किस वस्तु से बने हुए हैं? इस प्रश्न के उत्तर में हम तुम्हें बताना चाहते हैं, कि नेचर में उसके अंश स्वरूप जितने अस्तित्व पाए जाते हैं, वह सबके सब - चाहे वह अजीवित हों, और चाहे जीवित - केवल दो ही प्रकार की वस्तुओं से बने हुए हैं, जिनमें से एक प्रकार की वस्तु का नाम **जड़** है, और दूसरे प्रकार की वस्तु का नाम **शक्ति** है। सारी नेचर का मसाला यही दोनों पदार्थ हैं, और सारी नेचर इन्हीं दो प्रकार के मसालों से बनी हुई है।

तुम्हारे घर की ईंटें, तुम्हारी पत्थर की चक्की, तुम्हारे मिट्टी के घड़े, तुम्हारे धातु के बर्तन, तुम्हारे कपड़े, तुम्हारी मेज़, तुम्हारी कुर्सियां, तुम्हारी कलमें, तुम्हारी पैंसिलें, तुम्हारी किताबें, तुम्हारे पैसे, तुम्हारे रुपए, तुम्हारे खाने पीने की चीज़ें, तुम्हारे मां बाप, तुम्हारे गाय बैल, तुम्हारे घोड़े और गधे और इनके भिन्न आकाश के सब सूर्य और सब तारे और सब चान्द इन्हीं दोनों प्रकार की वस्तुओं से बने हुए हैं।

मोटे ढंग से समझाने के निमित्त यहां पर यह बताना आवश्यक है, कि जब तुम कोई ईंट, पत्थर, लोहे का बट्टा, ताम्बे का पैसा, चांदी का रुपया, सोने की मोहर हाथ पर रखते हो तब उससे तुम्हें अपनी स्नायु प्रणाली के द्वारा उसका कुछ बोझा वा **भार** अवश्य **बोध** होता है, और ऐसे प्रत्येक मनुष्य को ही उनका **भार** बोध होता है, कि जिसके हाथ प्रकृत दशा में हों। अब जो जो वस्तु तुम्हें वा किसी भी मनुष्य को **भारवान** बोध होती है, उसे **जड़** वस्तु कहते हैं। इस के भिन्न इसी विषय में तुम अपनी बुद्धि शक्ति के द्वारा यह भी समझ सकते हो, कि जो वस्तु तुम्हें **भारवान** बोध होती है, उसका छोटे से छोटा **अंश** भी कि जिसे तुम चाहे अपनी आंखों से न भी देख सको, अवश्य **कुछ न कुछ भार** रखता है; और तुम चाहे उसके भार को कभी

तोल न सको, तो भी उसमें **कुछ भार** अवश्य है।

इसीलिए जिन वस्तुओं के आकारों वा रूपों को तुम अपनी आंखों से देखते हो, वह सब वस्तुएं और उनके भिन्न जिन वस्तुओं के आकारों को तुम अपनी आंखों से किसी सूक्ष्म दर्शक यंत्र की सहायता के बिना वा उसकी सहायता से भी नहीं देख सकते, वह सबकी सब वस्तुएं किसी एक जड़ पदार्थ वा कई प्रकार के जड़ पदार्थों से ही मिलकर बनी हैं। वैज्ञानिकों ने अपनी खोज के द्वारा अब तक जो कुछ मालूम किया है, उसके अनुसार नेचर के यह सब जड़ पदार्थ **बानवे (अब 118)** प्रकार से कम नहीं हैं।

अब हम तुम्हें बहुत मोटे ढंग से **शक्ति** के विषय में कुछ बताना चाहते हैं। जो वस्तु किसी जड़ आकार को हिलाती है, अथवा उसे हटाकर एक स्थान से दूसरे स्थान में पहुंचा देती है, अथवा किसी जड़ आकार को तोड़ती वा जोड़ती है, और ऐसा करके उसके आकार वा रूप में किसी प्रकार का परिवर्तन उत्पन्न करती है, अथवा अपनी गति से तुम पर वा किसी और वस्तु पर कोई धक्का लगाती वा तुम्हारे शरीर में कोई सनसनी वा तुम्हारे मस्तिष्क में कोई चिन्ता वा तुम्हारे हृदय में कोई लहर वा गति पैदा करती है, उसे **शक्ति** कहते हैं।

नेचर में यह शक्ति **अजीवित** और **जीवित** के भेद से मुख्यतः दो प्रकार की पाई जाती है। विद्युत, ताप, प्रकाश और चुम्बक नामक शक्तियां जीवन रहित अर्थात् **अजीवित शक्तियां** हैं। इनसे ऊपर किसी किसी धातु में जीवन विशिष्ट परन्तु गठन विहीन शक्ति का प्रकाश हुआ है। फिर उससे ऊपर एक दूसरे से भिन्न विविध प्रकार की गठन प्राप्त जीवित शक्तियों का विकास हुआ है, कि जो उद्भिद्, पशु और मनुष्य जगत् के जीवित शरीरों में पाई जाती हैं। यह गठन-प्राप्त जीवनी शक्तियां उद्भिद्, पशु और मनुष्य जगत् के प्रत्येक अस्तित्व में भिन्न भिन्न प्रकार की हैं, और लाखों और करोड़ों की संख्या में हैं।

तुम जब अपनी आंखों से किसी जड़ वस्तु के रूप वा आकार को देखते हो, तब अपनी दृष्टि शक्ति के कार्य से उस रूप वा आकार का बोध लाभ करते हो। तुम जब अपने कानों से कोई शब्द सुनते हो, तब अपनी श्रवण शक्ति की सहायता से। तुम जब कोई बोझा उठाते हो, तब अपने हाथ की शक्ति से। तुम जब कुछ सोच विचार करते हो, तब तुम अपनी मानसिक शक्तियों के द्वारा ऐसा करते हो। तुम जब कभी अपने हाथ से किसी मनुष्य वा पशु को प्यार करते हो, तब भी तुम यह क्रिया अपनी किसी भाव शक्ति की मदद से करते हो। तुम्हारे शरीर का हृदय पिंड और तुम्हारे फेफड़े जो रात दिन गति की दशा में रहते हैं, वह भी शक्ति के बल से ही

हिलते हैं। वस्तुतः नेचर के सब प्रकार के छोटे और बड़े अस्तित्वों में सूर्य और चन्द्र में, तुम्हारे खून के प्रत्येक बिन्दु में, राई के छोटे छोटे एक एक दाने और रेत के छोटे छोटे लाखों कणों में **नेचर की ही शक्तियां** भरी हुई हैं, और नेचर में कोई भी ऐसा छोटा वा बड़ा अस्तित्व नहीं, कि जिसमें उसकी एक वा दूसरे प्रकार की शक्ति वर्तमान नहीं।

इसीलिए नेचर भर में जहां कहीं जड़ है, वहीं शक्ति है; और जहां कहीं शक्ति है, वहीं जड़ है; दोनों में ही अकाट्य संबंध है। इसीलिए जो लोग किसी अस्तित्व को निराकार अर्थात् जड़ आकार वा जड़ शरीर रहित बताते हैं, उनका यह कथन पूर्णतः मिथ्या है।

फिर जहां सभी जड़ पदार्थ, चाहे वह कितने ही छोटे और चाहे कितने ही बड़े क्यों न हों, अवश्य थोड़े वा बहुत **भारवान** होते हैं, अर्थात् वह अपना अपना अल्प वा अधिक भार अवश्य रखते हैं; वहां प्रत्येक शक्ति, चाहे वह अजीवित हो और चाहे जीवित हो, सदा भार हीन होती है, अर्थात् उसमें **कभी कोई भार नहीं होता।**

***यद्यपि** जड़ एवं शक्ति एक दूसरे में परिवर्तित हो सकते हैं परंतु जड़ और शक्ति की कुल मात्रा सदैव उतनी की उतनी ही रहती है।

***इस ग्रंथ के रचयिता की देव शास्त्र खण्ड 2 में दी गई लिखित आज्ञा के पालन हेतु नवीनतम वैज्ञानिक अनुसंधान के अनुसार इस पैराग्राफ को बदल दिया गया है। 1927 ई० के वैज्ञानिक ज्ञान के अनुसार (Original) पुस्तक में निम्नलिखित दिया हुआ था:-

"यद्यपि जड़ पदार्थ परिवर्तित होकर स्थूल आकार से अपेक्षाकृत सूक्ष्म आकार में और सूक्ष्म आकार से स्थूल आकार में परिणत हो जाते हैं, परन्तु वह कभी भी भार हीन नहीं होते और नहीं हो सकते; इसीलिए वह कभी भी शक्ति नहीं बनते वा नहीं बन सकते। इसी प्रकार यद्यपि शक्ति एक रूप से दूसरे रूप में परिणत हो जाती है, परन्तु वह कभी भी भारवान अर्थात् जड़ पदार्थ नहीं बनती। इसलिए यह **दोनों ही मूलतः भिन्न भिन्न वस्तुएं** हैं। वह सदा से भिन्न भिन्न थीं, और सदा ही भिन्न भिन्न रहती हैं। उनमें से कभी भी एक की दूसरे से उत्पत्ति नहीं हुई और न कभी हो सकती है।"

तीसरा अध्याय

नेचर का परिवर्तन शील परन्तु अविनाशी और नित्य रूप

है सदा बदलती यह नेचर,

पर अविनाशी है यह नेचर;

हर काल में रहती यह नेचर,

है नित्य स्वयम्भू यह नेचर।

नेचर परिवर्तन शील है; अर्थात् वह अपने सारे रूप में प्रति क्षण बदलती रहती है। नेचर के परिवर्तन शील होने से उसका प्रत्येक छोटा और बड़ा अजीवित और जीवित जगत् और उसके ऐसे प्रत्येक जगत् का प्रत्येक अजीवित वा जीवित अस्तित्व परिवर्तित होता है। नेचर में रात दिन यह परिवर्तन कौन उत्पन्न करता है? उसकी अपनी शक्तियां। नेचर के जिस किसी विभाग में उसकी जो जो शक्तियां गति की दशा में होती हैं, वह अपनी गति से जैसे अपने रूप में आप बदलती रहती हैं, वैसे ही वह अपनी गति से जिस जिस जड़ वस्तु को जहां जहां तक धक्का लगाने वा उन्हें जोड़ने और तोड़ने आदि की योग्यता रखती हैं वहां तक उन्हें भी बदल देती हैं।

नेचर की इन शक्तियों के कार्य से उसके किसी अंश में उन्नतिदायक वा विकासकारी और किसी अंश में पतन वा ध्वंसकारी परिवर्तन होता है। विकासकारी परिवर्तन से उसके कुछ अंश पहले की अपेक्षा श्रेष्ठ बनते वा उन्नति लाभ करते हैं, और पतनकारी परिवर्तन से उसके कुछ अंश बिगड़ते वा पतित होते हैं। और कितने ही अंश पतित होते होते अपने पहले व्यक्तिगत अस्तित्व को खोकर उसी में ही लय वा लोप हो जाते हैं।

तुम क्या अपने अस्तित्व और क्या अपने से बाहर नेचर के और नाना जगतों के अस्तित्वों में नेचर की इस परिवर्तनकारी क्रिया को भलीभांत देख सकते हो। आज तुम शरीर के विचार से बालक होकर खेलते कूदते हो, परन्तु कुछ वर्ष पहले जब

तुम उत्पन्न हुए थे, तब तुम खेलना कूदना तो कहीं रहा, अपने आप उठ बैठ भी नहीं सकते थे। पहले तुम जब शिशु थे, तब तुम वह बोली नहीं बोल सकते थे, जो तुम अब बोलते हो, और वह बातें नहीं समझ सकते थे, जो अब समझते हो। फिर जवानी की दशा में पहुंचकर एक एक बालक के शरीर में साधारणत: जितना बल उत्पन्न हो जाता है, उतना बल उसमें बालकपन में नहीं होता, और जवानी की दशा से गिरने पर जब वह बूढ़ा हो जाता है, तब उसके शरीर में जवानी जैसा बल नहीं रहता; और फिर एक दिन निर्बल होते होते वा किसी रोग वा दुर्घटना से उसका यह बूढ़ा शरीर भी नहीं रहता; किन्तु एक वा दूसरे प्रकार से नेचर में ही लोप हो जाता है। मनुष्य जगत् के भिन्न पशु और उद्भिद् जगत् के जीवित आकारों में भी तुम प्रतिदिन नाना प्रकार का परिवर्तन देख सकते हो। इन जीवित जगतों के भिन्न अजीवित जगतों में भी नेचर की शक्तियों से रात दिन परिवर्तन होता रहता है। समुद्रों और नदियों और झीलों और कुओं आदि का पानी सूर्य के ताप से एक ओर भाप बन बनकर उड़ता रहता है, और दूसरी ओर उनमें नेचर की ही विधि से नया पानी भी आता रहता है। हवा कभी गरम और कभी ठंडी हो जाती है। भूचाल आदि से पृथ्वी कितनी ही जगहों से धंस कर नीची और कई जगहों से ऊंची हो जाती है। तुम्हारी धातु की वस्तुएं धीरे धीरे घिसती रहती हैं। विविध प्रकार के पत्थर रगड़ खा खाकर अपने आकार में बदलते रहते हैं; इत्यादि।

नेचर में जो जो परिवर्तन पहले हुआ है, वह सब नेचर की अपनी ही शक्तियों से, और जो परिवर्तन अब हो रहा है, वह भी नेचर की ही अपनी शक्तियों से, और जो परिवर्तन उसमें किसी भविष्य काल में होगा, वह भी उसकी अपनी ही शक्तियों से। तुम्हारे चूल्हे की लकड़ियों को नेचर की ही **ताप शक्ति** जलाकर **राख** बना देती है। तुम्हारे आटे की रोटी को नेचर की ही शक्ति पका देती है। तुम्हारे ठंडे पानी को नेचर की ही शक्ति गरम कर देती है। तुम जिस रेल पर चढ़कर एक स्थान से दूसरे स्थान को जाते हो, उसके इंजन को नेचर की ही शक्ति चलाती है, और उसे एक स्थान से दूसरे स्थान में ले जाती है।

फिर जैसे यह सच है, कि नेचर की कोई शक्ति भी जब गति की दशा में होती है, तब क्या उसमें और क्या उसके बल से किसी और जड़ आकार में परिवर्तन तो होता है, और इसीलिए नेचर के सभी छोटे और बड़े अस्तित्व अपनी अपनी दशा में अल्प वा अधिक **सदा** परिवर्तित होते रहते हैं, और नेचर में कोई भी अस्तित्व ऐसा नहीं जो कभी बदलता नहीं, वैसे ही यह भी सच है, कि इस सब परिवर्तन से नेचर की जड़ वा शक्ति में से किसी का भी **नाश** नहीं हो जाता; अर्थात् वह **दोनों** ही

वस्तुएं अपनी कुल* मात्रा में उतनी की उतनी ही रहती हैं।

तुम किसी काग़ज़ वा कोयले के टुकड़े को जला कर उन दोनों के पहले आकार वा रूप का अवश्य नाश कर सकते हो, अर्थात् वह पहला काग़ज़ काग़ज़ न रहेगा, और वह पहला कोयला, कोयला न रहेगा, परन्तु वह दोनों ही जिन जड़ वस्तुओं से बने हुए हैं, उन दोनों के जड़ पदार्थ और उन दोनों के भीतर की शक्ति का तुम **नाश नहीं** कर सकते; और तुम्हारे भिन्न कोई और भी नहीं कर सकता। वह एक रूप से दूसरे रूप में अवश्य बदल जाते हैं, परन्तु उनके जड़ और उनकी शक्ति की (कुल*) मात्रा उतनी की उतनी रहती है। जैसे तुम एक सेर गेहूं के दानों को आटे के रूप में बदल सकते हो, परन्तु वह आटा (यदि उड़ न गया हो) तोल में एक सेर का एक सेर ही रहता है; उसी प्रकार एक सेर पानी बर्फ के रूप में बदल कर एक सेर का एक सेर ही रहता है, और एक सेर बर्फ ताप से पिघल कर और फिर पानी बन जाने पर एक सेर ही रहती है। इसलिए जब कि नेचर में एक वा दूसरा अस्तित्व बदलने पर अपने **व्यक्तिगत रूप** को तो अवश्य खो देता है, परन्तु वह नेचर के जिस मसाले से बना हुआ होता है, **उसके उस मसाले (जड़ तथा शक्ति) का नाश कभी नहीं होता**, तब यह साफ़ प्रमाणित है, कि नेचर के सारे मसाले (जड़ तथा शक्ति) का **कभी नाश नहीं होता**, और वह अपनी (कुल*) मात्रा में प्रत्येक काल में ज्यों का त्यों रहता है, और इसीलिए नेचर **अविनाशी** है, और **जिसका किसी काल में भी नाश संभव न हो**, और जो प्रत्येक काल में वर्तमान हो, वह निश्चय **नित्य** है।

अब यह प्रश्न किया जा सकता है, कि जो नेचर **अविनाशी** अथवा **नित्य** है, उसका कभी भी कोई और पैदा करने वाला हो सकता है? इसके उत्तर में हम कहते हैं, कि कदापि नहीं; क्योंकि नेचर का उत्पन्न कर्ता वा सृष्टा तब कोई माना जा सकता है, कि जब वह अर्थात् नेचर किसी काल में वर्तमान न हो। परन्तु जब वह **अविनाशी** वा **नित्य** होने के कारण **हर काल** में वा **सदा** वर्तमान रहती है, तब किसी को उसका पैदा करने वाला बताना वा मानना भ्रम वा मिथ्या के भिन्न और कुछ नहीं।

नेचर अविनाशी है। नेचर काल के विचार से आदि अन्त रहित, और **नित्य** और इसीलिए **स्वयंभू** है, और **उसका कोई उत्पन्न कर्ता वा सृष्टा न पहले कोई था, न अब है और न कभी किसी और काल में हो सकता है।**

कृपया पृष्ठ 33 का फुटनोट (Footnote) देखें। उसके अनुसार यहां कुल का शब्द सम्मिलित किया गया है ।

चौथा अध्याय

नेचर का पक्षपात रहित और पूर्ण विश्वसनीय रूप

जब जब है बदलती यह नेचर,
अपने ही नियम से यह नेचर;
उसमें सच्ची रहती नेचर,
विश्वास के योग्य सदा नेचर।

इससे पहले बताया जा चुका है, कि नेचर अपने विविध अंगों के विचार से परिवर्तन शील है, अर्थात् वह कभी भी केवल एक दशा में नहीं रहती, किन्तु सदा बदलती रहती है। अब प्रश्न यह है, कि नेचर में जहां कहीं और जो कुछ परिवर्तन होता है, वह क्या यूं ही अटकल पच्चू होता है वा उसकी किसी **अटल विधि** से होता है? इस प्रश्न के उत्तर में हम बताना चाहते हैं, कि नेचर में जब और जो जो कुछ परिवर्तन होता है, वह कभी भी अनाप शनाप वा अटकल पच्चू नहीं होता; किन्तु वह सदा उसकी अपनी किसी **अटल विधि** वा अपने **अटल नियम** अनुसार होता है।

अब हम नेचर की इस परिवर्तन विषयक **अटल विधि** का पहले उसके अजीवित विभाग में दर्शन करना चाहते हैं। हम प्रतिदिन जो पानी पीते हैं, पहले उसी की दशा पर विचार करें। हम चाहे यह पानी किसी कुएं से लें, चाहे किसी तालाब वा झील वा नदी वा समुद्र से लें, वह जिन दो प्रकार की गैसों अर्थात् आक्सीजन और हाइड्रोजन नामक हवाओं से बना हुआ है, उसके फाड़ने पर पानी की बनावट से यही दो गैसें निकलती हैं, और उनके भिन्न और कोई वस्तु नहीं निकलती। फिर इससे भी बढ़कर **आश्चर्य** की बात यह है, कि जितनी जितनी मात्रा में यह दोनों गैसें आपस में मिलकर पानी के रूप में बदलती हैं, उतनी उतनी ही मात्रा में मिलकर यह सदा पानी बनती हैं; उससे कम न उससे अधिक। फिर हर देश और हर नगर और हर गांव और हर मौसम में पानी में उनकी यही और केवल यही **नियत मात्रा** रहती है, और उसमें कभी भी कोई अन्तर नहीं होता। फिर यही दो गैसें ऐसी हैं, कि जो अपनी अपनी नियत मात्रा में मिलकर पानी बनती हैं, परन्तु उनके भिन्न कोई और दो

वा दो से अधिक गैसें मिलकर कभी और किसी दशा में पानी नहीं बनतीं। उनके इस रासायनिक मेल का यह नियम अटल है।

अब हम यदि किसी बहती हुई नदी के किनारे पर जा खड़े हों तो क्या देखते हैं, कि उस नदी की धार जिस ओर को बही जा रही है, उस ओर की ज़मीन की तली उससे ऊपर की धार की तली से अवश्य कुछ नीची है, और इसलिए वहां पर पृथ्वी का आकर्षण अधिक होने के कारण ऊपर की धार के पानी का नीचे की ओर बहकर आना आवश्यक है – आवश्यक है, इसीलिए वह पानी ऊंची ज़मीन से बह कर नीची ज़मीन की ओर आता है। अब हम इस नियम को जान कर यदि उसके अनुसार उस नदी वा किसी और नदी से काट कर अपनी कोई नहर बनावें, तो हम क्या देखते हैं, कि उस नदी से पानी निकल कर और बहकर हमारी नहर में अवश्य जाता है, और हमारी नहर में भी आगे से आगे की ओर बहता चला जाता है; और इस पानी की इस धार के बहाव को किसी देवते वा देवी का कोई आदेश वा उसका कोई मंत्र वा कोई शब्द वा किसी मनुष्य का कहलाने वाला कोई जादू वा टोना रोक नहीं सकता; और कहीं भी रोक नहीं सकता। इस विधि के अनुसार जहां कहीं और जिस देश में कोई नहर बनाई जाती है, उसमें पानी ज़रूर जाता और बहता है, और नेचर की यह विधि पूर्णत: **अटल** प्रमाणित होती है।

फिर इसी पानी के विषय में यदि हम कुछ और भी परीक्षा करें तो हम देखते हैं, कि यदि हम अपने एक तौलिए को उसमें भिगो कर और फिर उसे निचोड़ कर मामूली हवा में लटका दें, तो धीरे धीरे उस का पानी उड़ता जाता है, और वह तौलिया सूखना आरंभ करता है और कुछ देर में वह पूर्णत: सूख जाता है। अब यह तौलिया वायु मंडल की जिस दशा में और उसके जितने अंश के ताप से और जितनी देर में यहां सूख जाता है, वायु मंडल की ठीक उसी दशा और उसके उतने ही दर्जे की गर्मी में और उतने ही और उसी प्रकार के पानी से गीला होने पर यही तौलिया उतनी ही देर में किसी और जगह में भी सूख जाएगा; अर्थात् उसका पानी धीरे धीरे हवा के ताप से भाप बनकर उड़ जाएगा, और अपने आसपास की हवा में मिल जाएगा, और नेचर की इसी विधि के अनुसार उसकी यह क्रिया प्रत्येक देश और प्रत्येक समय और ठीक इन्हीं हालात में सत्य और अटल प्रमाणित होगी।

इसी प्रकार आग के जितने दर्जे के ताप से और जिस जिस दशा में तुम्हारा कोई कपड़ा यहां पर जलकर राख बन सकता है, उसी दर्जे के ताप से किसी और का वैसा ही कपड़ा उसी उसी दशा में किसी और देश में भी जलकर राख हो जाएगा। इसी तरह जिस नाप का एक एंजिन जितनी भाप से गति करने के योग्य हो

जाएगा, ठीक उसी नाप का एक और एंजिन भी उतनी ही भाप से गति करने के योग्य बन जाएगा, और इस गति के संबंध में नेचर का यह नियम सदा अटल प्रमाणित होगा।

फिर हमारी यह पृथ्वी जो सूर्य के चारों ओर घूमती है, और हमारा यह चन्द्र जो हमारी पृथ्वी की परिक्रमा करता है, इन दोनों की ही चाल की नाप को जानकर एक एक योग्य ज्योतिषी हिसाब लगा कर यह बता सकता है, कि अगले साल में किस दिन सूर्य ग्रहण अथवा किस रात को और किस समय चन्द्र ग्रहण होगा, और इस प्रकार का ठीक हिसाब सदा ठीक प्रमाणित होता है। क्यों? इसलिए कि नेचर अपने नियम में सदा सच्ची रहती है।

नेचर के नियम की सच्चाई के विषय में एक और दृष्टान्त तुम्हें विशेष कर और बहुत बढ़कर आश्चर्यजनक मालूम होगा; और वह यह है:-

एक समय था कि जब ज्योतिष के ज्ञानियों को पृथ्वी, बुध, शुक्र, मंगल, आदि ग्रहों का तो ज्ञान हो चुका था, और उन्हें यह भी मालूम हो चुका था, कि वह सूर्य की परिक्रमा करते हैं, और उनकी गति वा चाल का भी उन्हें पता लग चुका था; परन्तु नेपचून नामक एक ग्रह जो सूर्य से दो अरब अस्सी लाख मील के फासले पर था, और जो सूर्य के गिर्द घूमता था, उसका उनमें से किसी को भी पता न था। फिर जब एक यूरोप निवासी ज्योतिष शास्त्र वेत्ता ने गणित के द्वारा गणना करके देखा, कि जो ग्रह उस समय तक जाने जा चुके थे, उनकी उस समय की गति की गणना उनकी असल गति से ठीक मेल नहीं खाती, तब उससे उसने यह नतीजा निकाला, कि इस सौर मंडल में कहीं कोई और ग्रह ऐसा होगा, कि जो अपनी भार शक्ति से इन ग्रहों की चाल में कुछ गड़बड़ उत्पन्न करता है। इसी प्रकार की गणना करने से एक और अंग्रेज़ ज्योतिषी के भीतर भी इसी प्रकार की चिन्ता उत्पन्न हुई। इसलिए इस बात की खोज के लिए जब सन् 1846 ई. में एक और खोजी ज्योतिषी ने उस ओर एक बलिष्ठ दूरबीन लगाकर देखना आरंभ किया, तो वह बहुत आश्चर्य से देखता है, कि उस दूरबीन के द्वारा उसे वह नया ग्रह दिखाई दे रहा है, कि जिसे वह ढूंढ रहा था, और वह नया ग्रह यही **नेपचून** था। अब यदि नेचर में जड़ पदार्थों के संबंध में **भार विषयक नियम पूर्णतः सच्चा और हर हाल में सच्चा न होता**, तो इस नए ग्रह का पता क्योंकर लग सकता था! नेचर का शक्ति विषयक यह नियम **अटल** था और **अटल** है; इसलिए हिसाब के द्वारा नेपचून का पता निकल आया।

अब एक और अति आश्चर्यजनक घटना का हाल भी सुनो। हम इससे पहले

बता चुके हैं, कि जड़ पदार्थों में अब तक की खोज से सतानवे (अब 118)* प्रकार के रूढ़ि वा भूत पदार्थ (elements) माने जाते हैं। इनमें से छब्बीस प्रकार के भूत पदार्थों का अब तक भी पता नहीं लगा है। फिर भी वैज्ञानिक लोग यह क्यों कहते हैं, कि सतानवे प्रकार के भूत पदार्थ हैं? इस का उत्तर यह है, कि जब किसी भूत पदार्थ को इतना गरम किया जाए, कि जिससे तपते तपते उसका रंग सफेद हो जाए, और फिर एक औज़ार के द्वारा कि जिसका नाम स्पेक्ट्रोस्कोप है, उसकी रोशनी को फाड़ कर देखा जाए, तो प्रत्येक भूत पदार्थ की ऐसी रोशनी से जो रेखाएं बनती हैं, वह एक दूसरे के साथ अपनी अपनी दूरी की नियमता के आधार पर अपने परस्पर के विशेष संबंध का प्रमाण देती हैं। इन नियमित दूरी प्रदत्त रेखाओं को देखकर सब भूत पदार्थों की एक ऐसी तालिका बनाई गई है, कि जिसमें हाइड्रोजन गैस से लेकर, कि जो अब तक सबसे हल्की समझी गई है, यूरेनियम गैस तक कि जो अब तक सबसे भारी मालूम हुई है, कौन कौन सा भूत पदार्थ दोनों के बीच में और एक दूसरे के संबंध में कहां कहां अपना स्थान रखता है, उसे दिखाया गया है। अब इस तालिका के बन जाने पर यह मालूम हुआ, कि इसमें छब्बीस स्थान ऐसे हैं, कि जिनके भूत पदार्थों का यद्यपि पता नहीं लगा, तथापि उनका नेचर में कहीं न कहीं वर्तमान होना **अवश्यम्भावी** है, और वह निश्चय कहीं हैं, और खोजने वा ढूंढने से समय के साथ धीरे धीरे उनका निश्चय पता निकल आएगा।

अब अजीवित जगत् के इन दृष्टान्तों से आगे चलकर हम कुछ जीवित जगत् के दृष्टान्त देना चाहते हैं।

एक किसान जब किसी खेत में गन्ने बोता है, तब वह साफ़ जानता है, कि उसके गन्नों में से गेहूं वा जव वा चने के दाने न निकलेंगे, और वह कभी भी नहीं निकलते। फिर वह यह पूरा विश्वास करता है कि जिस खेत में वह छोले बो रहा है, उस खेत में छोलों की टांटों में कभी गेहूं वा जव के दाने न बनेंगे, और वह कभी भी नहीं बनते। और उसका ऐसा विश्वास सदा सच्चा प्रमाणित होता है। नेचर के अटल नियम को जानकर हम यह विश्वास करते हैं कि हम अपने बाग़ीचे में चाहे जितने गुलाब के पौधे लगावें, पर उनमें से किसी पौधे में से भी चमेली वा मोतिए

---

*जड़ पदार्थों में 2022 तक की खोज के अनुसार 118 प्रकार के रूढ़ि वा भूत पदार्थ (elements) पाए गए हैं जिन में से 94 पृथ्वी पर प्राकृतिक रूप से मिलते हैं। बाकी के 24 elements आज की तिथि तक पृथ्वी पर खगोलीय स्पैक्ट्रम (astronomical spectrum) के द्वारा अपने प्राकृतिक रूप में ढूंढे नहीं जा सके हैं परंतु उन्हें वैज्ञानिकों द्वारा कृत्रिम रूप से तैयार किया गया है।

के फूल न निकलेंगे, और वह कभी भी नहीं निकलते। इसी प्रकार तुम्हारी बेरी के वृक्ष में जो फल लगेंगे, वह कभी भी आम के से फल न होंगे, और तुम्हारे आम के वृक्ष में जो फल लगेंगे, वह कभी भी संतरे वा नीम्बू के वृक्षों के से फल न होंगे। तुम्हारी मुर्गी जब अंडे देगी, तब उन अंडों में से कभी भी कौवे के बच्चे बनकर न निकलेंगे। तुम्हारी गौ से जब कभी बच्चा पैदा होगा, तब वह कभी भी घोड़े वा ऊंट की शकल का न होगा। तुम्हारी स्त्री से जब कभी बच्चा उत्पन्न होगा, तब वह कभी भी बिल्ली वा कुत्ते का सा बच्चा न होगा। इसी प्रकार तुम्हारी घोड़ी वा ऊंटनी जब बच्चा देगी तब वह बच्चा कभी भी किसी मनुष्य का सा बच्चा न होगा। क्यों? इसलिए कि नेचर में जो घटना वा क्रिया होती है, वह **सदा** उसके किसी **अटल नियम** के अनुसार होती है, और उसके विरुद्ध कभी और किसी काल में कुछ नहीं होता।

फिर इन उत्पत्ति के नियमों को छोड़ कर जब हम नेचर के मृत्यु विषयक नियमों को देखते हैं, तब हम उन्हें भी उसी प्रकार **अटल** पाते हैं। तुम यदि किसी मनुष्य वा पशु को यथेष्ट मात्रा में संखिया वा अफीम का विष खिलाओ, तो निश्चय उसके जीवित शरीर की मृत्यु हो जाएगी; और प्रत्येक देश और प्रत्येक जाति के मनुष्य वा पशु के शरीर की मृत्यु हो जाएगी। इस अटल नियम के अनुसार तुम यदि किसी जीवित पौधे वा वृक्ष के शरीर में भी इनमें से किसी विष को यथेष्ट मात्रा में संचार करो, तो उसकी भी मृत्यु हो जाएगी, और नेचर का यह नियम सब देशों के पौधों वा वृक्षों के संबंध में ठीक प्रमाणित होगा। इसी प्रकार फांसी की ठीक विधि के अनुसार जहां और जिस जन वा पशु को फांसी दी जाएगी, वहीं उसकी अवश्य मृत्यु हो जाएगी।

फिर जब किसी वृक्ष वा पशु वा मनुष्य के शरीर को उसकी जीवनी शक्ति पूर्णतः छोड़ देती है, तब उस के शरीर की निश्चय मृत्यु हो जाती है, अर्थात् वह शरीर फिर कभी भी जीवित नहीं हो सकता, और वह कभी भी जीवन के लक्षण प्रकाश नहीं कर सकता। नेचर ने किसी जीवित शरीर के सचमुच और पूर्णतः मर जाने पर फिर उसका जी उठना कभी और किसी दशा में संभव नहीं रखा, और वह कभी भी और किसी दशा में भी फिर जीवित नहीं हो सकता – न वह पहले कभी हुआ; न अब हो सकता है, और न कभी आगे होगा। इसीलिए कोई कहलाने वाला देवता वा गुरु वा पीर वा वली वा पैग़म्बर वा नबी वा बुद्ध वा सिद्ध आदि नेचर के इस अटल नियम के विरुद्ध किसी वास्तविक निर्जीव शरीर वा मुर्दे को न अब जीवित कर सकता है, न पहले कभी कोई कर सका था, और न आगे कभी कोई कर सकेगा।

और जो लोग यह विश्वास करते हैं कि किसी काल में किसी कहलाने वाले देवते वा किसी और ने किसी वास्तविक निर्जीव शरीर को जीवित कर दिया था, उन का यह विश्वास पूर्णत: मिथ्या है।

फिर नेचर के जीवित जगतों में विभिन्नता का जो नियम काम करता है, वह भी अटल है। उद्भिद्, पशु और मनुष्य जगत् की जीवनी शक्तियों के द्वारा यद्यपि उद्भिद्, पशु और मनुष्य कहलाने वाले नए नए जीवों की उत्पत्ति होती है; तथापि उन सब के ही आकारों और गुणों में कुछ न कुछ विभिन्नता अवश्य होती है। मनुष्य जगत् में से जैसे कोई स्त्री किसी पुरुष के साथ नेचर की विशेष विधि के द्वारा संबंधित होने के बिना कोई बच्चा पैदा नहीं कर सकती, वैसे ही कोई स्त्री पुरुष उपरोक्त विधि के अनुसार संबंधित होकर भी सब प्रकार से पूर्णत: एक रूप और पूर्णत: एक प्रकार के गुण रखने वाले बच्चे भी उत्पन्न नहीं कर सकते – यहां तक कि किसी स्त्री के दो जोड़े बच्चे भी सब बातों के विचार से पूर्णत: एक प्रकार के आकार और एक ही प्रकार के गुण रखने वाले नहीं होते, और नहीं हो सकते। पशु और उद्भिद् जगत् की उत्पत्ति में भी यही नियम काम करता है। इसी प्रकार की अल्पाधिक विभिन्नता के कारण वह सब एक दूसरे से अलग पहचाने जाते हैं। उत्पत्ति के विषय में नेचर का विभिन्नता विषयक यह नियम सदा अटल है। और कोई भी कहलाने वाला सर्वशक्तिमान देवता वा उसका कोई एजेन्ट वा कोई भी करामात दिखाने की सामर्थ्य रखने का दावा करने वाला जन इस अटल नियम के विरुद्ध कभी भी कोई बात वा करामात नहीं दिखा सकता।

इसी प्रकार शारीरिक परिवर्तन के विषय में भी नेचर के नियम अटल हैं। तुम कभी भी अपनी बकरी को बन्दर और बन्दर को बकरी वा किसी मनुष्य को तीतर वा कबूतर और किसी तीतर वा कबूतर वा बटेर को मनुष्य के रूप में बदल नहीं सकते, और तुम्हारे भिन्न कोई और भी ऐसा नहीं कर सकता। तुम किसी सांप को घोड़ा और किसी घोड़े को सांप वा भैंस वा कौवा नहीं बना सकते, और तुम्हारे भिन्न कोई और भी ऐसा नहीं कर सकता। ऐसा क्यों नहीं कर सकता? यदि तुम पानी को जमाकर उसकी बर्फ बना सकते हो, लोहे से तलवार बना सकते हो, लकड़ी से मेज़ बना सकते हो, आटे से रोटी बना सकते हो, तो तुम उपरोक्त प्रकार का परिवर्तन क्यों नहीं कर सकते? इसलिए कि नेचर ने तुम्हारे लिए **अपने अटल नियम के अनुसार जो जो परिवर्तन संभव रखा है**, उसी का ज्ञान लाभ करके तुम वह परिवर्तन कर सकते हो। परन्तु उसने तुम्हारे वा किसी और के लिए अपने अटल नियम के अनुसार जो जो परिवर्तन **असंभव** रखा है, वह तुम कहीं और किसी काल में भी नहीं कर

सकते, और तुम्हारे भिन्न कोई और भी नहीं कर सकता। **नेचर के सब नियम अटल हैं, और नेचर अपने प्रत्येक नियम के लिए सदा सच्ची रहती है।** इसीलिए जो लोग यह विश्वास करते हैं, कि मनुष्य अपने स्थूल शरीर की मृत्यु के अनन्तर कभी मनुष्य से बन्दर वा गौ वा भैंस वा घोड़ा वा बिल्ली वा भेड़िया वा शेर वा तीतर वा बटेर वा कौवा वा सांप वा बिच्छू वा कोई पौधा वा वृक्ष बन जाता है, उनका यह विश्वास पूर्णतः मिथ्या है।

अब नेचर की इस **नियम विषयक सच्चाई** का जिस किसी मनुष्य को यथार्थ ज्ञान हो जाता है, वह साफ़ साफ़ जानता और बोध करता है, कि नेचर के किसी भी **अटल नियम के विरुद्ध** किसी भी कहलाने वाले धर्म सम्प्रदाय के किसी संस्थापक वा उसके चेलों वा साथियों आदि ने **करामात वा अलौकिक वा अद्भुत क्रियाओं** के नाम से अपने किसी देवता वा उपास्य की महिमा वा अपने किसी मत के प्रचार के लिए अथवा किसी जन की किसी एक वा दूसरी कामना के पूर्ण करने, अथवा किसी जन वा पशु वा अन्य अस्तित्व को किसी शाप वा जादू आदि के द्वारा एक वा दूसरे प्रकार की हानि पहुंचाने के संबंध में जिस जिस **प्रकार की सैंकड़ों कहानियां वा गप्पें फैलाई हैं, वह सब की सब पूर्णतः मिथ्या हैं,** और सत्य धर्म की शिक्षा के पूर्णतः विरुद्ध हैं। और वह सभी यह प्रमाण देती हैं, कि उनके जान बूझ कर घड़ने और फैलाने वाले जन **मनुष्यात्मा और उसके जीवन विषयक विविध सत्यों के ज्ञान के विचार से पूर्णतः अज्ञानी और अन्धकार ग्रस्त थे।**

————

पांचवां अध्याय

नेचर में नए नए अस्तित्वों के प्रगट होने और उनमें श्रेष्ठता वा उन्नति, पतन वा विनाश का कार्य

नेचर में उपजती हर हस्ती,

नेचर में रहती हर हस्ती;

नेचर में बिगड़ती वा बनती,

है विनष्ट वा $\frac{उन्नत}{विकसित}$ होती।

यह बताया जा चुका है, कि नेचर में जो कुछ है, वह दो प्रकार की वस्तुओं से बना हुआ है, जिनमें से एक वस्तु का नाम **जड़** और दूसरी वस्तु का नाम **शक्ति** है। जड़ और शक्ति ही **दो** चीज़ें हैं, कि जो नेचर के प्रत्येक अंश वा उसके प्रत्येक अस्तित्व में पाई जाती हैं।

और यह भी बताया जा चुका है कि **नेचर की अपनी शक्तियों से ही उसके रूप में सदा परिवर्तन होता है**। अब यहां यह बताना है, कि नेचर की अपनी शक्तियों के कार्य से उसमें किस किस प्रकार का परिवर्तन होता है।

जैसा कि पहले भी वर्णन हो चुका है, वैज्ञानिकों ने अब तक नेचर के जड़ पदार्थों के विषय में ज्ञान लाभ करने के लिए जितनी छानबीन की है, उससे मालूम हुआ है, कि नेचर में जितने **रूढ़ि वा भूत पदार्थ** पाए जाते हैं, वह भूत पदार्थ अपनी गिनती में **सतानवे (अब 118)**[*] से कम नहीं हैं। अर्थात् जिनको हम जड़ पदार्थ कहते हैं, वह सब जड़ पदार्थ एक प्रकार के नहीं, किन्तु **कम से कम सतानवे (अब 118)**[*] प्रकार के हैं। तुम ने लोहे की परातें देखी होंगी, ताम्बे की देगचियां वा ताम्बे के पैसे देखे होंगे, चांदी के रुपए और सोने की मोहरें देखी होंगी। यह सभी जड़ पदार्थ हैं। तथापि खालिस लोहा, खालिस ताम्बा, खालिस चांदी और

---

[*]कृपया पृष्ठ 40 का फुटनोट (footnote) देखें।

खालिस सोना जड़ पदार्थ कहला कर भी **एक प्रकार के जड़ पदार्थ नहीं, किन्तु वह सभी भिन्न भिन्न प्रकार के जड़ पदार्थ हैं।** जैसे यह चारों धातुएं जड़ पदार्थ कहला कर भी भिन्न भिन्न प्रकार की हैं, वैसे ही मिट्टी, पत्थर, पानी और हवा आदि पदार्थों में ढूंढने से और भी बहुत से एक एक प्रकार के जड़ पदार्थ मिलते हैं। इन्हीं एक एक प्रकार के जड़ पदार्थों को **भूत वा रूढ़ि पदार्थ** (elements) कहते हैं। ऐसे ही भूत वा रूढ़ि पदार्थों की संख्या अब तक जितनी मालूम हो चुकी है, वह सतानवे (अब 118)* हैं। हो सकता है, कि काल के साथ साथ यह संख्या और भी अधिक बढ़ जाय। **इन सब पूर्णत: नए नए नाना प्रकार के रूढ़ि वा भूत जड़ पदार्थों की उत्पत्ति नेचर के ही मूल जड़ पदार्थ और उसी की मूल शक्ति के कार्य से मालूम होती है।**

फिर इन रूढ़ि पदार्थों में से बहुत से भूत वा रूढ़ि पदार्थ ऐसे हैं, कि जब वह एक दूसरे के साथ अपनी अपनी विशेष मात्रा में रासायनिक विधि से मिल जाते हैं, तो उनके इस प्रकार के सम्मेलन से भी पूर्णत: नए नए पदार्थ बन जाते हैं। यथा:- आक्सीजन नामक गैस (जो हमारी उस हवा में भी मिली हुई है, कि जिसमें हम श्वास लेते हैं) जब हाइड्रोजन नामक एक और गैस से मिल जाती है, तब उनके परस्पर रासायनिक योग से **पूर्णत: एक और नई चीज़** बन जाती है, जिसे **पानी** कहते हैं, और जो हम लोग पीते हैं। सोडियम नामक धातु जब क्लोरीन नामक गैस से मिलती है; तब दोनों के योग से **एक और पूर्णत: नई चीज़** बन जाती है, जिसे **नमक** कहते हैं। नेचर की इसी प्रकार की विधि से दो वा उससे अधिक रूढ़ि पदार्थों के योग से जो जो नई वस्तुएं बन जाती हैं, उनके उस योग को **रासायनिक योग** कहते हैं। परन्तु ऐसे भी कई रूढ़ि पदार्थ हैं, कि जो आपस में कभी और किसी तरह से नहीं मिलते। तुम पूछ सकते हो, कि जो जो रूढ़ि पदार्थ एक दूसरे से आपस में मिल जाते हैं, और जो किसी और के साथ नहीं मिलते, उसका कारण क्या है? इस प्रश्न का उत्तर यह है, कि जिस जिस रूढ़ि पदार्थ के भीतर की शक्ति किसी दूसरे रूढ़ि पदार्थ के भीतर की शक्ति के लिए **आकर्षण** रखती है, वह एक दूसरे से मिल जाते हैं, और मिलकर एक नया यौगिक पदार्थ बन जाते हैं, परन्तु जिन जिन रूढ़ि पदार्थों के भीतर की शक्तियां एक दूसरे के लिए यथेष्ट आकर्षण नहीं रखतीं, अथवा विकर्षण रखती हैं, वह एक दूसरे से नहीं मिलते, और वह एक दूसरे से बिल्कुल अलग थलग रहते हैं।

---

*कृपया पृष्ठ 40 का फुटनोट (footnote) देखें।

नेचर के हर रूढ़ि पदार्थ और उसके छोटे से छोटे अंश में **शक्ति** भरी हुई है। यह शक्ति जैसे रेत के एक एक कण में अलग अलग भरी हुई है, वैसे ही प्रत्येक वृक्ष और प्रत्येक पशु और प्रत्येक मनुष्य के शरीर में भी अलग अलग वर्तमान है। जैसे रेत के करोड़ों कण हैं, वैसे ही उन करोड़ों कणों में करोड़ों शक्तियां भी हैं, वैसे ही करोड़ों वृक्षों और करोड़ों घासों और करोड़ों कीड़ों और करोड़ों मछलियों और करोड़ों पक्षियों और अन्य पशुओं और करोड़ों मनुष्यों के आकारों में भी करोड़ों और अरबों जीवनी शक्तियां हैं, और वह सब शक्तियां एक दूसरे से **अलग अलग** और भिन्न भिन्न रूप रखती हैं।

फिर नेचर की ही शक्तियों के कार्य और उसी के जड़ पदार्थों से उसके भीतर हज़ारों **सूर्य**, हज़ारों **ग्रह** और **उपग्रह** बनते वा निर्मित होते हैं। अब भी बड़ी बड़ी बलिष्ठ दूरबीनों के द्वारा आकाश में ऐसे स्थान दिखाई देते हैं, कि जहां पर नए नए सूर्यों के बनने वा निर्माण होने का काम हो रहा है। नेचर के इसी निर्माणकारी कार्य से करोड़ों वर्षों में हमारा सूर्य भी निर्मित हुआ है, और उसके चारों ओर घूमने वाले ग्रह और उपग्रह बने हैं। हमारे इसी सूर्य की प्रदक्षिणा करने वाले ग्रहों में से हमारी यह पृथ्वी है, कि जिसमें हम रहते हैं।

हमारी यह पृथ्वी भी एक काल में सूर्य की न्याईं अत्यन्त उत्तप्त और प्रकाशवान गोला थी। फिर धीरे धीरे वह लाखों वर्षों में ठंडी होते होते इस दशा में पहुंची, कि जिसमें उसके ऊपर का एक बहुत मोटा परत ठोस हो गया, और उसमें उसके चारों ओर की फैली हुई आक्सीजन और हाइड्रोजन गैसें मिल कर पानी बन गईं, और वह पानी इस पृथ्वी के ऊपर भर गया।

इतने लम्बे काल तक हमारी इस पृथ्वी पर किसी छोटे से छोटे जीवधारी का भी प्रकाश नहीं हुआ था; क्योंकि उसकी पहली **अति उत्तप्त** दशा में उसमें न कोई जीवधारी प्रगट हो सकता था, और न जी सकता था। फिर जब यह पृथ्वी अपने **निर्माणकारी** परिवर्तन में ऐसी दशा में पहुंची, कि जब उस के पानी में जीवधारी प्रगट होने और जीवित रहने के योग्य हो गए, तब सबसे पहले उसमें उसकी कई धातुओं में जो **जीवित शक्तियां** प्रगट हुई थीं, उनमें से कितनी ही जीवनी शक्तियां अनुकूल दशा के मिलने पर परिवर्तित होकर **एक-एक सैल की जीवित शरीर निर्माणकारी जीवनी शक्तियां बन गईं।** इस प्रकार की आदिम जीवनी शक्तियां अब भी इस पृथ्वी में पाई जाती हैं। यह एक एक सैल के जीवित शरीर इतने छोटे-छोटे हैं, कि वह केवल आंख से देखे नहीं जा सकते, और इसीलिए वह अणुवीक्षण यंत्र के द्वारा ही दिखाई देते हैं।

हमारी पृथ्वी में यह एक एक सैल के अत्यन्त छोटे-छोटे जीवित शरीर दो प्रकार के प्रगट हुए, जिनमें से एक प्रकार के सैल वाले जीवित शरीरों में से उद्भिद् जगत् संबंधी और दूसरे प्रकार के सैल वाले जीवित शरीरों में से पशु जगत् संबंधी नाना प्रकार के नए नए जीवों की उत्पत्ति हुई है। पहलों से काल के साथ साथ बहुसेल विशिष्ट हज़ारों प्रकार की घासों, लताओं, झाड़ियों और विविध प्रकार के पौधों और बड़े बड़े वृक्षों का प्रकाश हुआ है। और दूसरों में से काल के साथ साथ बहुसेल विशिष्ट नाना प्रकार के पशु जगत् संबंधी जीवों की उत्पत्ति हुई है। नेचर में जैसे उसी की विधि के अनुसार जीवित शरीर निर्माणकारी शक्तियां अपने अपने निवास और विविध कार्यों के लिए जीवित आकार वा शरीर निर्माण करती हैं, वैसे ही वह नेचर की ही विधि के अनुसार अपने द्वारा और लाखों प्रकार के नए नए जीवित आकार उत्पन्न करती हैं।

पशु जगत् में जिन नाना प्रकार के नए नए जीवों की उत्पत्ति हुई है उनमें से कितने ही ऐसे हैं, कि जो अब तक भी केवल जल में ही रहते हैं। कितने ही ऐसे हैं, कि जो जल और स्थल दोनों में रहते वा रह सकते हैं। कितने ही ऐसे हैं, कि जो केवल स्थल में ही रहते हैं। कितने ही भूमि के भीतर कोई छेद बनाकर वा पहले से बने हुए किसी सुराख के भीतर रहते हैं, और कितने ही भूमि से ऊपर हवा में और कितने ही वृक्षों के ऊपर वास करते हैं।

पशु जगत् के परिवर्तन क्रम में पहले पहल कई प्रकार के ऐसे जीव उत्पन्न हुए थे, कि जिनके शरीर में कोई हड्डी वा खून नहीं था। फिर बीच की कुछ और उन्नति के अनन्तर उसमें ऐसे जीव प्रगट हुए, कि जो हड्डी और खून वाले शरीर धारी बने। हड्डी वाले जीवों में से सबसे ऊंची श्रेणी के वह जीव हैं, कि जो दूध पिलाने वाले हैं, और जिन्हें स्तनपायी कहते हैं। इन दूध पिलाने वाले जीवों में से जो जीव माता की गर्भ स्थली में आंवल के साथ बनते हैं, उन में ही मस्तिष्क और उसके साथ साथ मानसिक शक्तियों का क्रमशः अधिक विकास हुआ है।

नेचर में जैसे उसी की शक्तियों और उसी के जड़ पदार्थों से नए नए लाखों अजीवित और जीवित अस्तित्व बन कर प्रगट वा उन्नत होते हैं, और उनमें से जो जो अपने भीतर एक ओर श्रेष्ठ वा उन्नत होने की योग्यता रखते हैं, और दूसरी ओर उन्हें **आवृत्तकारी अनुकूल दशा** भी मिल जाती है, वह अपनी अपनी योग्यता के अनुसार **अधिक श्रेष्ठ वा उन्नत** हो जाते हैं; वैसे ही लाखों अजीवित और जीवित अस्तित्व **जो अपने भीतर श्रेष्ठ** वा **उन्नत होने की योग्यता नहीं रखते, अथवा ऐसी योग्यता रखने पर भी अपनी उन्नति के लिए आवृत्तकारी अनुकूल दशा**

नहीं पा सकते, वा नहीं पाते; वह अपने अपने व्यक्तिगत आकार और गुणों में धीरे धीरे **पतित** होते जाते हैं, और यदि उनका यह पतन बराबर जारी रहे, तो वह पतित होते होते एक दिन उसी में लय वा **लोप** होकर अपने व्यक्तिगत अस्तित्व के विचार से **पूर्णत: नष्ट** हो जाते हैं।

———————

छठा अध्याय

नेचर में पशु जगत् के विकास में मनुष्य का प्रकाश

नेचर में उसकी मूल शक्ति और उसके मूल जड़ पदार्थ के करोड़ों वर्षों के क्रमश: परिवर्तन के अनन्तर सैंकड़ों और सूर्य मंडलों के भिन्न हमारे सूर्य मंडल का भी प्रकाश हुआ है। हमारे सूर्य मंडल से कितने ही अन्य ग्रहों और उपग्रहों के भिन्न हमारी अपनी पृथ्वी और उसके गिर्द घूमने वाले चन्द्र का भी संबंध है। पहले हमारी यह पृथ्वी अत्यन्त उत्तप्त और पिघली हुई दशा में थी। और जैसा कि पहले बताया जा चुका है लाखों वर्षों में उसके ताप के घटते जाने से जब उस के ऊपर का एक बड़ा परत इतना ठोस हो गया, कि जिससे वह अपने ऊपर पानी धारण करके कुछ सेवाकारी होने के योग्य हो गई, तब उसके चारों ओर जो गैस मंडल प्रगट हो चुका था, उसमें से आक्सीजन और हाइड्रोजन नामक दो गैसों के मिल जाने से पानी बनकर वह उसके कई भागों में इकट्ठा हो गया। ऐसी सब उत्पत्ति का होना नेचर के निर्माण वा विकास कार्य के अनुसार आवश्यक था। परन्तु जब तक यह जल और वायु और सूर्य की ज्योति आदि चीज़ें कुछ और नए अस्तित्वों के लिए सेवाकारी न बनें; तब तक जैसे एक ओर उनकी कोई अधिक सफलता नहीं हो सकती थी, वैसे ही उनमें कोई अधिक उच्च परिवर्तन भी नहीं आ सकता था। और इसीलिए नेचर का विकास विषयक कार्य आगे नहीं बढ़ सकता था।

इसी हेतु से समय के आने पर हमारी पृथ्वी में जो जल भरा हुआ था, उसमें सबसे पहले पहल एक एक सैल के जीवित अत्यन्त छोटे छोटे शरीरों का और फिर काल के साथ साथ इन्हीं जीवित शरीरों की दो शाखाओं से बहुसेल विशिष्ट उद्भिद् और पशु जगत् से संबंध रखने वाले सैंकड़ों प्रकार के छोटे छोटे और बड़े बड़े जीवित पौधों और जीवों का प्रकाश हुआ। इस प्रकार उद्भिद् जगत् के प्रकाश से उसके नाना प्रकार के अस्तित्वों से पशु जगत् के नाना प्रकार के जीवों की **पालना और सेवा का कार्य** आरंभ हो गया। और उद्भिद् जगत् में से जो जो पौधे वा वृक्ष जितने जितने अंश अपने वा पशु जगत् के लिए **सेवाकारी** बनने लगे, उतने उतने अंश उनके जीवन में **उच्च परिवर्तन** के आने से नेचर का **विकास कार्य** आगे बढ़ने लगा, और

वह आप भी पहले की अपेक्षा **उच्च रूप** में बदलने लगे। इसी प्रकार पशु जगत् में से जिस जिस श्रेणी के जीवों में अपने वा उद्भिद् जगत् वा दोनों के संबंध में एक वा दूसरे प्रकार से **सेवाकारी** होने की योग्यता उत्पन्न हुई, और वह अपनी अपनी इस योग्यता के अनुसार उनके लिए जितने जितने अंश **सेवाकारी** होने लगे, वह भी अपनी इस सेवा की मात्रा के अनुसार पहले की अपेक्षा श्रेष्ठ बनने लगे।

परन्तु इस समय तक क्या भौतिक, क्या उद्भिद् और क्या पशु जगत् के विषय में नेचर के उन नियमों के ढूंढने और जानने की योग्यता रखने वाला और उन्हें जान कर पूरा करने वाला कोई भी ऐसा जीव वर्तमान न था, कि जिसके द्वारा **इन जगतों के अधिकारी अस्तित्वों के विकास का क्रम कुछ और आगे बढ़ सकता।** इस अभाव के कारण नेचर के विकास का पथ बहुत कुछ रुका हुआ था। इसलिए उचित समय के आने पर पशु जगत् की ही वानर जाति के किसी पूर्वज से भिन्न भिन्न प्रकार के जितने जीवों की शाखाएं उत्पन्न हुईं, उन्हीं शाखाओं में से एक शाखा मनुष्यों की प्रगट हुई। वानर जाति के जीवों में से गुरिल्ला और चिंपांज़ी के साथ मनुष्य के आकार की जितनी सादृश्यता है, उतनी किसी और के साथ नहीं। मनुष्य ने नेचर के विकास क्रम में पशु जगत् की अपेक्षा अपने मस्तिष्क में जिन जिन उन्नतशील मानसिक शक्तियों की प्राप्ति की विशेषता लाभ की, उन शक्तियों की काल के साथ साथ धीरे धीरे वृद्धि के होने से क्या भौतिक, क्या उद्भिद् और क्या पशु जगत् की उन्नति का रुका हुआ मार्ग भी पहले की अपेक्षा और अधिक खुल गया।

फिर हमारी पृथ्वी के जिस जिस स्थान में मनुष्यों की उत्पत्ति हुई, वह सब मनुष्य एक प्रकार के न थे, और नेचर के **विभिन्नता विषयक अटल नियम के अनुसार** वह एक प्रकार के हो भी नहीं सकते थे। उनके रंग (वर्ण) अलग अलग थे। उन्हें बोलने और समझने और सोच विचार आदि करने की जो जो उन्नतशील शक्तियां मिली थीं, वह भी सब पूर्णत: एक प्रकार की न थीं, किन्तु भिन्न भिन्न थीं, और उन सबकी उन्नति के लिए आवृत्तकारी सामान भी एक प्रकार के न थे। इसी प्रकार उनके हृदय के आकर्षण और विकर्षण विषयक भावों में भी बहुत विभिन्नता थी।

वह सब भिन्न भिन्न प्रकार के मनुष्य पहले हज़ारों वर्षों तक प्राय: जंगली पशुओं की न्याईं जीवन व्यतीत करते रहे। फिर बहुत लंबे काल के व्यतीत हो जाने पर उनमें से कुछ कुछ की मानसिक उन्नति के लिए अनुकूल सामान पैदा हुए, और उनकी समझ बूझ, सोच विचार और बोली की शक्तियों की अल्पाधिक जाग्रति

आरंभ हुई। परन्तु अवस्था भेद से उनकी बोली के शब्दों में भी भेद होता गया, और इसीलिए रंग वा वर्ण के भिन्न उनकी भाषाएं भी अलग अलग हो गईं।

उनकी इन मानसिक शक्तियों पर पहले पहल हज़ारों वर्षों तक उनकी कल्पना शक्ति का बहुत बड़ा अधिकार रहा; और उनकी कल्पना शक्तियों के उत्तेजित करने में **भय** और **आश्चर्य** आदि भाव उत्पादक नेचर की नाना घटनाओं ने बहुत बढ़ चढ़कर भाग लिया। और इन भावों से परिचालित होकर इस पृथ्वी के नाना देशों के सैंकड़ों मनुष्य नेचर के नाना अस्तित्वों के संबंध में ऐसी ऐसी सैंकड़ों पूर्णत: मिथ्या बातों के विश्वासी बने, कि जिन मिथ्या बातों के विश्वास से पशु जगत् के और सब जीव पूर्णत: रहित थे।

फिर इस दशा में भी जब एक वा दूसरे स्थान का मनुष्य इतना उन्नत हो गया, कि वह अपनी पालना और रक्षा के लिए पशु पालने वा इससे भी बढ़कर खेती करने के योग्य बन गया, तब उसने अपने स्वार्थ भाव से परिचालित होकर नाना प्रकार के पशुओं को पालकर और उनके विषय में घटिया कोटि के पशुओं से बढ़िया कोटि के पशुओं के पैदा करने की नेचर विषयक विधि को जानकर गाय, बैल, भैंस, बकरी, घोड़े आदि नाना प्रकार के पशुओं की नसलों को पहले की अपेक्षा सैंकड़ों गुणा श्रेष्ठ बना दिया। ऐसे ही मनुष्यों ने भेड़िया प्रकृति रखने वाले जंगली कुत्तों की नसलों को बदल कर पहले की अपेक्षा विविध प्रकार के अच्छे अच्छे सुशील, कृतज्ञ और कई बातों के विचार से बहुत हितकर वा सेवाकारी जीव बना दिया। ऐसे ही मनुष्यों ने उस जंगली घोड़े को जो किसी काल में प्राय: कुत्ते के डील डौल के बराबर था उससे कई गुणा बड़ा और ताकतवर बना दिया। ऐसे ही मनुष्यों ने बहुत थोड़ा दूध देने वाली गौ और भैंस को बहुत दूध देने वाली बना दिया। ऐसा ही उच्च परिवर्तन लाने वाले मनुष्यों ने प्राय: बेर के बराबर के डीलडौल के जंगली सेब को बड़े बड़े सुन्दर और सुस्वादु और हितकर आकारों में बदल दिया। और उद्भिद् जगत् के खाने के योग्य नाना दानों को घटिया दशा से बदलकर बढ़िया दशा में परिवर्तित कर दिया। घटिया दर्जे के आमों को और अन्य नाना प्रकार के फलदार वृक्षों को बड़े बड़े और सुस्वादु फलदाता वृक्ष बना दिया। फिर जिस जिस देश के मनुष्यों में ऐसे मनुष्यों की उत्पत्ति हुई, कि जो नेचर की कुछ और अधिक खोज के करने के अनुरागी और अभिलाषी बने, उन्होंने हमारी पृथ्वी के भीतर सोने, चांदी, ताम्बे, लोहे और कोयले आदि विविध प्रकार की हितकर वस्तुओं का जो खज़ाना बन्द पड़ा हुआ था उसे ढूंढ निकाला, और उनका अपने विविध प्रकार के कामों में प्रयोग करके उनकी सफलता कर दी। उन्होंने पृथ्वी के नाना कुरूप अंशों को बदल कर और उन पर सड़कें और नहरें आदि

बनाकर और उनके दोनों ओर बड़े बड़े वृक्ष आदि लगाकर उन्हें बहुत सुन्दर और नया रूप दे दिया। उन्होंने पृथ्वी के ऊपर के तल पर एक वा दूसरे स्थान में बाग़, बग़ीचे और फुलवाड़ियां लगाकर उसके रूप को श्रेष्ठ बना दिया। उन्होंने उस पर सुन्दर और बड़े बड़े मकान बनाकर और उन्हें नाना चीज़ों से सजाकर अति सुन्दर और हितकर रूप दे दिया। इसी प्रकार मनुष्य ने लिखने के हुनर को जान कर मनुष्य की मानसिक उन्नति के लिए नाना विषयों में सैंकड़ों और हज़ारों पुस्तकें लिखीं, और बड़े बड़े पुस्तकालय स्थापन कर के और कई प्रकार की विद्याओं की शिक्षा के लिए स्कूल और कॉलेज खोलकर अपनी जाति के लाखों मनुष्यों की मानसिक उन्नति का भंडार उत्पन्न कर दिया। मनुष्य ने ही नाना प्रकार की कलों के बनाने की विधि को जानकर क्या मनुष्यों और क्या कई प्रकार के पशुओं के लिए नाना प्रकार के सुखदायक सामान उत्पन्न कर दिए। मनुष्यों में से ही जिन जिन के हृदयों में दया भाव का विकास हुआ, उन्होंने नाना मनुष्यों और पशुओं के शारीरिक रोगों और कष्टों के निवारण करने के लिए अस्पताल वा चिकित्सालय बना दिए। इत्यादि इत्यादि।

अब यदि इस पृथ्वी पर पशु जगत् के प्रकाश के अनन्तर उसमें से मनुष्य जगत् का प्रकाश न हुआ होता, तो नेचर के उपरोक्त तीनों जगतों के संबंध में उपरोक्त प्रकार की कोई भी उन्नति न होती, और मनुष्य जगत् के विकास के अनन्तर उसकी विविध शक्तियों के द्वारा नेचर का विकास कार्य जितना आगे बढ़ा है, वह कदापि आगे न बढ़ सकता।

———————

सातवां अध्याय

नेचर में मनुष्य जगत् के विकास में देवात्मा का आविर्भाव

इससे पिछले अध्याय में बताया जा चुका है, कि नेचर में मनुष्य जगत् के प्रगट होने से क्या भौतिक, क्या उद्‌भिद्, क्या पशु और क्या उसके अपने जगत् के विकास विषयक उच्च कार्य में एक नया काल वा युग उत्पन्न हो गया। परन्तु जहां यह सच है, कि मनुष्य जगत् के प्रकाश से क्या उसके और क्या उससे नीचे के जगतों के विकास में एक वा दूसरे प्रकार की ऐसी सहायता मिली, कि जो उन्हें मनुष्य के द्वारा ही मिल सकती थी, और उसके भिन्न किसी और से नहीं मिल सकती थी, वहां यह भी सच है, कि मनुष्य जगत् के प्रकाश से क्या उसके अपने जगत् और क्या उससे नीचे के जगतों के लिए विविध प्रकार की जितनी **हानि** हुई है, उतनी हानि भी मनुष्य के द्वारा ही हो सकती थी, और उसके सिवाए किसी और जीव के द्वारा नहीं।

नेचर के विकास क्रम में मनुष्य जगत् के जीवों को यद्यपि श्रेष्ठ आकार की शारीरिक गठन, भाषा विषयक श्रेष्ठ और उन्नतशील शक्ति और कई प्रकार की उन्नतशील मानसिक शक्तियों के मिल जाने से अपने से नीचे के जगतों की तुलना में **कई प्रकार की विशेषता** लाभ हुई, तथापि उसके साथ ही उनमें **सुख** और **दुख** विषयक **पाशिवक बोधों** के कारण विविध प्रकार के **सुखों की प्राप्ति के लिए महा नीच और पतनकारी आकर्षण भी बढ़ता गया, और उसके बढ़ने से वह नाना प्रकार के पतनकारी और महा हानिकारक सुखों के अनुरागी और दास बन गए।** इन्हीं महा नीच **सुख अनुरागों** और उनके उत्पन्न हो जाने से मनुष्य में जिस जिस प्रकार की **महा नीच और पतनकारी घृणाओं** की उत्पत्ति और वृद्धि हुई, उनसे परिचालित होकर वह क्या अपने और क्या अपने से नीचे के जगतों के नाना अस्तित्वों के लिए **महा भयानक हानिकारक जीव** बन गया।

मनुष्यों में अपने महा पतनकारी **सुख अनुरागों** और उनसे उत्पन्न महा पतनकारी **नीच घृणाओं** से जिस जिस प्रकार के **मिथ्या विश्वासों**, जिस जिस

प्रकार की **मिथ्या कल्पनाओं वा चिन्ताओं, विविध प्रकार की कपटताओं और विविध प्रकार की प्रवंचना विषयक क्रियाओं की उत्पत्ति हुई**, और अपने एक वा दूसरे सुख की प्राप्ति और तृप्ति को **मुख्य** रख कर नेचर के और नाना अस्तित्वों की **हानि** करने के विषय में उसके भीतर विविध उपायों के सोचने और उन्हें पूरा करने के लिए जिस जिस प्रकार की सामर्थ्य उत्पन्न हुई, उस उस प्रकार की और उतनी सामर्थ्य उससे नीचे के किसी पशु में उत्पन्न नहीं हुई।

खुराक, धन, सम्पत्ति, प्रभुता, मान बड़ाई, राज्य और अन्य विविध सुख विषयक अनुरागों की तृप्ति के लिए केवल यही नहीं, कि मनुष्य मांसाहारी और पशु जगत् के विविध प्रकार के जीवों के लिए अन्य कई प्रकार से **हत्याकारी** बना, किन्तु वह अपने ही जगत् के लोगों के माल और धन को भी नाना प्रकार की ठगी और बददयानती, रिश्वत और चोरी आदि के द्वारा **अपहरण** करने लगा, और अनेक दशाओं में लुटेरा और डाकू बनकर भी औरों के धन और माल आदि को बलपूर्वक छीनने लगा, और ऐसा होकर असहाय और निर्बल जनों के शरीरों का घातक और **हत्याकारी** बना। इसी प्रकार अपने जैसे लुटेरों के समूह बना कर औरों की ज़मीनों, औरों के गांवों और नगरों और पशुओं आदि पर आक्रमण करके, उनके घरों को आग से जला के, असहाय स्त्रियों और बूढ़ों और बच्चों आदि का खून करके वा उन्हें गुलाम बना के और उनके धन और माल को छीनकर उन ज़मीनों और गांवों और नगरों आदि का भी मालिक बना। इन्हीं लुटेरों और हत्याकारियों के नाना समूहों के जो लोग **नेता वा लीडर** थे, वह उन समूहों के प्रभु वा नाथ वा स्वामी वा लॉर्ड वा राजा आदि नामों से पुकारे जाते थे। इन्हीं में से कितने ही जनों ने अपने अपने स्थूल शरीरों की मृत्यु के अनन्तर भूत वा प्रेत बन जाने पर अपने लिए मनभाती चीज़ों के खाने का सुख और सुगंधि विषयक घ्राण सुख, नशे का सुख, और अपनी प्रशंसा और स्तुति आदि का सुख लाभ करने के लिए एक वा दूसरे मीडियम के द्वारा इस प्रकार की झूठी बातें कहनी शुरू कीं, कि वह अब भी **पहले की तरह उन के नेता और प्रभु** हैं, और वह उन्हें औरों के धन और माल को छीनकर दिलवा देने और औरों की ज़मीनों और बस्तियों को छीनकर उनका मालिक बना देने की पूर्ण सामर्थ्य रखते हैं। इसके भिन्न उनमें और भी बहुत सी शक्तियां हैं, अर्थात् वह उनसे अमुक अमुक प्रकार की **भेंट वा बलि, प्रशंसा वा स्तुति आदि को पाकर** और उनकी प्राप्ति से खुश होकर, उन्हें सन्तान देने, उनकी बीमारियों को दूर करने, उनके पशुओं की वृद्धि करने, उनके खेतों में अनाज की पैदावार के बढ़ा देने, और आवश्यक समय पर खेतों के लिए मेंह बरसाने आदि की भी सामर्थ्य रखते हैं। इसी प्रकार नाराज़ वा

कुपित होने पर वह उन पर बिजली गिरा कर, हवा वा पानी का तूफान वा भूचाल लाकर, उनके लिए बड़ी बड़ी बीमारियां भेजकर, उनके माल वा धन की चोरी करवाकर, उनकी स्त्रियों का गर्भपात करके, उनकी खेतियों की अति वर्षा से वा वर्षा बन्द करके अथवा टिड्डियों आदि को भेजकर उनके द्वारा उन्हें खिलाकर उनकी बहुत बड़ी हानि कर सकते हैं; और उनके शत्रुओं को उन पर विजयी करके, उन पर भान्त भान्त की तबाही ला सकते हैं, और उन्हें भान्त भान्त से सता और कष्ट पहुंचा सकते हैं। उनमें इस प्रकार के **पूर्णत: मिथ्या विश्वासों** को उत्पन्न करके वह उनके पूजनीय बन गए, और वह उनके भिन्न भिन्न इष्ट देवता कहलाने लगे। मनुष्य जगत् में पहले पहल ऐसे अधम जनों के मर जाने और मरकर प्रेत वा भूत बन जाने पर एक प्रकार के देवतों की उत्पत्ति हुई।

फिर इन भूत वा प्रेत देवतों में से कई एक ने अपनी किसी किसी पत्नी को भी जो भूतनी बनकर उनके साथ रहती थी, अपनी न्याईं अलौकिक शक्तियां रखने वाली अर्थात् धन, सन्तान आदि दाता, रोग हर्ता, पशु वृद्धि कर्ता, दुग्ध वर्धन कर्ता और लड़ाई में विजय दाता आदि बताकर और उसे देवी कहकर उसके लिए भी भेंट पूजा जारी कराई। इन की देखा देखी और खून पीने वाली भूतनियां भी अपने आप को इस वा उस नाम की देवी बताकर नाना जनों से अपने अपने लिए भेंट पूजा लेने लगीं।

ऐसे नाना देवतों वा देवियों के बन जाने पर उनके वह पारिवारिक विशेष विशेष संबंधी वा मध्यवर्ती भी जो अपनी अपनी स्थूल देह के साथ इसी पृथ्वी पर वर्तमान थे, **देवता** वा **देवी** कहलाने और माने जाने लगे।

इसी प्रकार पुरोहित श्रेणी में से कितने ही चालाक जनों ने इस पृथ्वी के कितने ही विख्यात वा वीर राजाओं को भी किसी पहले से बने हुए देवते का अवतार बताकर और एक वा दूसरे स्थान में उनकी वा उनके साथ उनकी स्त्रियों आदि की कुछ मूर्तियां रखकर भेंट पूजा लेने की और बहुत सी दुकानें खोल दीं।

फिर किसी इस वा उस देश के लोगों में से जो इन प्रेत देवतों वा प्रेतनी देवियों के पुजारी थे, और जो इन देवतों वा देवियों की स्तुति आदि के संबंध में छंद वा मंत्र रचने की योग्यता रखते थे, कितने ही जनों ने अपने आपको भी देवता बताना आरंभ किया, और वह भी देवता माने जाने लगे। उसके अनन्तर उनकी सन्तान भी औरों से अधिक सम्मान और भेंट आदि पाने की पात्र समझी गई।

इन महा अधम प्रेत आत्माओं के देवता वा देवी बन जाने पर और नाना मध्यवर्ती जनों ने भी उनके एजेन्ट बनकर उनकी भेंट पूजा के नाम से अपने लिए

भी कई प्रकार की वस्तुओं अर्थात् धन और ज़मीनों आदि की भेंट लेनी आरंभ की, और इस विधि से उन्होंने भी इन महा अधम देवतों वा देवियों के संबंध में उपरोक्त झूठे विश्वास फैला फैला कर अपने अपने लिए महा पापमूलक कमाई की दुकानें जारी कीं।

जब यह सब प्रकार की दुकानें अच्छी तरह चल पड़ीं, तब इसी अभिप्राय को सम्मुख रखकर बहुत से चालाक लोगों ने और भी कई प्रकार के उपाय सोचे। अर्थात् कितनों ने कितने ही समुद्रों, कितनी ही नदियों और कितनी ही झीलों आदि के अलग अलग शासन कर्ता देवते बताए और उनके नाम से नाना प्रकार की वस्तुओं की भेंट लेनी शुरू की। कितनों ने किसी नदी को किसी देवते की स्त्री बताकर भी उसकी पूजा करानी शुरू की, कितनों ने सूर्य और ग्रहों को देवते बताकर उनकी पूजा जारी कराई, और कितनों ने नाना वृक्षों के वासी अथवा नाना वृक्षों के पत्तों के प्रेमक देवते कल्पना किए। कितनों ने तरह तरह की धातु और पत्थर और लकड़ी और मिट्टी आदि की मूर्तियां बनाकर वा बनवाकर, और उन्हें विविध प्रकार के देवतों वा देवियों का रूप बताकर, और उन मूर्तियों को जगह जगह स्थापन करके उनके नाम से विविध प्रकार की भेंट लेनी शुरू की। कितनों ने एक वा दूसरे पशु के विषय में यह झूठ घड़कर कि वह अमुक अमुक देवता का वाहन है वा उसमें अमुक अमुक देवता रहते हैं, उनकी भी पूजा करानी जारी कराई।

फिर कितने ही और होशियार जनों ने इन झूठे देवतों और देवियों में से किसी के साथ **विशेष संबंध रखने**, वा उसकी ओर से **प्रेरित** होकर उसकी ओर से विविध प्रकार के **संवाद** दाता होने की घोषणा करके साधारण लोगों को अपना **अन्ध विश्वासी वा अनुगत** बनाना आरंभ किया, और इस विधि से अपना अपना एक वा दूसरा अभिप्राय सिद्ध किया। और उन्होंने और उनके भिन्न और बहुतों ने इन देवतों की चाल पर चलकर अपने आपको **नेचर के सत्य और अटल नियमों के विरुद्ध** भान्त भान्त की **करामातों** के दिखाने और लोगों की मुरादों के पूरा करने की सामर्थ्य रखने की भी गप्पें फैलाईं।

कितनों ने गंडे, तावीज़, जादू, और टोने के नाम से इसी प्रकार की और दुकानें खोलीं।

उपरोक्त अधम आत्माओं के भिन्न कि जो पहले किसी एक वा दूसरे लुटेरे समूह के नेता वा प्रभु वा लॉर्ड आदि कहलाते थे, और फिर मरने के बाद वह देवता बन गए थे, और भी बहुत से नए नए परन्तु पूर्णतः झूठे शिक्षक उत्पन्न हुए, और उनके द्वारा भी नाना प्रकार के मिथ्या विश्वास फैलाए गए, और उन्होंने भी अपने

आप को गुरु वा शिक्षक वा वली वा पीर वा सन्त आदि बताकर अपने अपने लिए अन्ध विश्वासी अनुगत प्राप्त करने के लिए अपने अपने संबंध में तरह तरह की झूठी करामातों की गप्पें फैलाईं।

कितनों ने **सुख की प्राप्ति को मनुष्य का मुख्य लक्ष्य जानकर** और गृहस्थी बनकर पत्नी और सन्तान और अन्य नाना जनों के साथ संबंधित होने से जो विविध प्रकार की दिक्कतें पैदा होती हैं, और उनके वा अन्य जनों के संबंध में विविध प्रकार के **कर्तव्य पालन** करने का बोझा ग्रहण करने से जो नाना प्रकार के कष्ट और दुख मिलते हैं, उन दुखों से बचने और इस वा उस प्रकार के **सुख और आनन्द** के लाभ करने वा भोगने के लिए उन सबको त्याग कर त्यागी, वैरागी, वीतरागी, सन्यासी आदि कई प्रकार के अपने नाम रखकर विविध प्रकार के मत जारी किए, और नेचर के आत्मिक जगत् की सत्य शिक्षा के विरुद्ध सुख और आनन्द को मनुष्य जीवन का लक्ष्य जानकर और उसकी शिक्षा देकर मिथ्या का राज्य फैलाया; और साधारण लोगों से सम्मान और विविध प्रकार की सेवा पाने और उनके पूज्य वा उपास्य बनने और अपने अपने मत के फैलाने के निमित्त अपने अपने संबंध में **नेचर के सत्य नियमों के विरुद्ध** नाना प्रकार की **झूठी करामातों** का भी प्रचार किया।

फिर इस पृथ्वी के नाना देशों में भेंट पूजा के लेने वाले लाखों की संख्या में जो पुरोहित वा प्रीस्ट उत्पन्न हो गए थे, उनमें से सैंकड़ों जनों ने नाना स्थानों के संबंध में नाना प्रकार के मिथ्या विश्वास फैलाकर उन्हें **तीर्थ स्थान** बताया, और इन कहलाने वाले तीर्थ स्थानों में से किसी में हज़ारों और किसी में लाखों की संख्या में प्रतिवर्ष जो यात्रीगण पहुंचने लगे, उनकी जेबों से लाखों रुपए निकालने लगे, और मौज बहार और निकम्मेपन का जीवन व्यतीत करके एक ओर नेचर के नियमानुसार जहां आप दिनों दिन अधिक से अधिक पतित बनने लगे, वहां ऐसे लाखों और करोड़ों अन्ध विश्वासियों के लिए भी हानिकारक होने लगे।

उपरोक्त प्रकार के झूठे देवतों और झूठी देवियों और उनके साथ अपना विशेष संबंध बताकर और उनके वा अपने विषय में अलौकिक क्रियाओं वा करामातों के दिखाने की सैंकड़ों प्रकार की मिथ्या गप्पों को फैलाकर, और उनके कोप और शाप के **झूठे** डरावे देकर केवल साधारण जनों को ही नहीं लूटा गया, किन्तु किसी **इस वा उस देवते की ओर से प्रेरणा व उसके नाम से आदेश बताकर** एक वा दूसरे का राज्य आदि छीनने वा किसी से अपना वा अपने किसी संबंधी का **बदला** लेने के लिए इस पृथ्वी के नाना देशों में जितने और जिस जिस प्रकार के **युद्ध** किए गए हैं, और इन युद्धों में हज़ारों और लाखों लोगों की हत्या की गई है, हज़ारों जनों

का माल लूटा गया है, हज़ारों स्त्रियों का सतीत्व नष्ट किया गया है, और ऐसी लड़ाइयों में जय पाने पर हज़ारों पुरुषों और स्त्रियों को पकड़ कर उन्हें कैदी और गुलाम बनाया गया है, और उन्हें गाजर मूली की न्याईं बेचा गया है, और हज़ारों नन्हे नन्हे बच्चों को यतीम बनाया गया है, और इस प्रकार के बहुत से महा पाप और महा अत्याचार किए गए हैं, और ऐसे महा भयानक पापों और अपराधों के द्वारा इस पृथ्वी पर जिस जिस प्रकार की पिशाच लीला दिखाई गई है, उसका ठीक ठीक और पूरा पूरा दृश्य कोई दिखा नहीं सकता, और उसकी ठीक ठीक और पूरी पूरी तस्वीर कोई खैंच नहीं सकता – हां, मनुष्य के लिखित इतिहास से उसका जितना पता मिलता है, वह भी अतिशय भीषण है।

इसके भिन्न किसी कहलाने वाले इस वा उस प्रभु वा ईश्वर के विश्वासियों ने अपने अपने ऐसे ईश्वर वा प्रभु को दूसरे ईश्वर वा प्रभु से बढ़िया बताने के लिए नेचर के सत्य नियमों के विरुद्ध उसे सर्वज्ञ और सर्व शक्तिमान और नाना जगतों का सृष्टा वा उत्पन्न कर्ता और शरीर रहित वा अवतार ग्रहण कर्ता आदि प्रगट करके लोगों के मिथ्या विश्वासों को और भी बहुत अधिक बढ़ाया है; क्योंकि नेचर के अटल नियमों के अनुसार किसी भी बुद्धि वा ज्ञान विशिष्ट व्यक्ति के लिए जैसे सर्वज्ञ वा सर्व शक्तिमान होना **संभव नहीं**, वैसे ही स्वयंभू और अविनाशी, पूर्ण नेचर वा उसके किसी जगत् का कोई सृष्टा वा उत्पन्न वा रचना कर्ता होना भी संभव नहीं।

उपरोक्त सब प्रकार के देवतों वा देवियों वा अन्य कई प्रकार के उपास्य जनों के संबंध में नाना प्रकार के मिथ्या विश्वासों के प्रचार का क्रम यहीं पर समाप्त नहीं होता, किन्तु यह क्रम और भी आगे चलता है। इन नाना प्रकार के मिथ्या विश्वासों के प्रचारकों में से कितने ही चालाक जनों ने यह देखकर कि साधारण लोगों को ऐसे देवतों वा देवियों आदि की ओर से नाना प्रकार की मुरादों के पूरा करने का **झूठा लालच** और उनके **कोप वा शाप** के नाम से उन पर एक वा दूसरे प्रकार की तबाही वा मुसीबत लाने का **डरावा** देना ही काफी नहीं है, किन्तु उन्हें अपने विविध नीच अभिप्रायों की सिद्धि के लिए कुछ और भी करने की आवश्यकता है, उन्होंने मनुष्य के स्थूल शरीर के छोड़ने के अनन्तर भी उसके लिए तरह तरह के सुखों वा दुखों की प्राप्ति के संबंध में नाना प्रकार के झूठ घड़े और फैलाए। कितनों ने लोगों के मरने के बाद अपने इस वा उस प्रचलित देवता को उनके कर्मों का विचार वा न्यायकर्ता मैजिस्ट्रेट होने का मिथ्या विश्वास फैलाया, और इस दुनिया के मैजिस्ट्रेटों की न्याईं उसकी कल्पित कचहरी बताई; उसके वा उसके सिंहासन वा तख्त के गिर्द नाना प्रकार के कल्पित दूत वा यम वा फरिश्ते आदि नामक आज्ञाकारी नौकर चाकर

घड़कर खड़े किए। कुछ ने ऐसे दफ्तरदार वा सरिश्तेदार घड़े, कि जो लोगों के प्रत्येक दिन के कर्मों का हिसाब रखने वाले बताए गए। कुछ जन ऐसे एक वा दूसरे मैजिस्ट्रेट देवते के विशेष विशेष मित्र वा संबंधी प्रगट किए गए, कि जिन की सिफ़ारिश के बिना कोई मरा हुआ जन उससे अपने नाना पापों वा अपराधों के दंड से क्षमा नहीं पा सकता। फिर जिन जिन जनों के पापों के क्षमा करा देने के निमित्त मैजिस्ट्रेट देवता के इस वा उस गहरे मित्र की ओर से कोई सिफ़ारिश पहुंची हो, उसके लिए ऐसी क्षमा की प्राप्ति के भिन्न उसके रहने के लिए विविध प्रकार के शारीरिक सुखों से भरपूर स्वर्ग वा बैकुंठ वा बहिश्त वा जन्नत वा हैवन आदि कहलाने वाले विविध प्रकार के स्थान घड़े गए, जहां रहने से उसे उस मैजिस्ट्रेट देवता की ओर से तरह तरह की स्वाददार और नशेदार चीज़ें खाने और पीने के लिए मिलेंगी। बहुमूल्य भूषण और वस्त्र पहनने के लिए प्राप्त होंगे, और पुरुष होने पर उसे बहुत ही सुन्दर सुन्दर युवा स्त्रियां संभोग करने के लिए मिलेंगी। और ऐसे लाखों लोगों के लिए जो उनकी इन मन घड़ंत बातों पर विश्वास न करेंगे, और ऐसी मन घड़ंत बातों के विश्वासी बनकर अपने अपने पापों के लिए क्षमा वा मुक्ति लाभ न करेंगे, उन्हें झूठे डरावों के द्वारा काबू करने के लिए नरक वा जहन्नुम वा हैल आदि कहलाने वाले विविध प्रकार के शारीरिक कष्टों से भरपूर महा दुखदाई स्थान घड़े, और इन कल्पित नरकों के **झूठे डर** और इन कल्पित स्वर्गों की प्राप्ति के **झूठे लालच** विषयक विश्वासों को फैलाकर उनके प्रचारकों ने अपने अपने विविध प्रकार के अभिप्राय सिद्ध किए।

साधारण मनुष्यों के लिए मरने के बाद अपने अपने पापों से क्षमा वा मुक्ति पाने के नाम से यह एक प्रकार की गप्पें थीं जो घड़ी गईं, और जिनका प्रचार करके लाखों और करोड़ों जनों को उनका **मिथ्या विश्वासी** बनाया गया। फिर कितने चालाक लोगों ने यह देख कर कि उन्होंने जिन झूठे स्वर्गों का प्रचार किया है, उन्हें इस दुनिया के बहुत धनी, मानी, प्रभु वा शासन कर्ता लोग पूर्णतः पसंद नहीं कर सकते, क्योंकि यहां के जो राजे वा महाराजे अपनी अपनी फौजों, अपने अपने रिसालों, अपने सिविल और फौज़ी अफसरों आदि से जिस जिस प्रकार का सम्मान पाते हैं, उसके लिए उनके आकाश के कल्पित स्वर्गों में कोई प्रबंध नहीं, और ऐसे राजे और धनी लोग यहां पर अपने धन के द्वारा जिस जिस प्रकार की सुखप्रद सवारियां रखते हैं, वैसी सवारियां भी उन्हें आकाश के स्वर्गों में न मिलेंगी, और यहां पर वह जिन लोगों पर अधिकार पाकर उन्हें जिस जिस प्रकार से पुरस्कार वा विविध प्रकार के दंड देने की शक्ति रखते हैं, कि जिस दंड से वह किसी को वध भी करा सकते हैं, वह शक्ति भी उनके स्वर्ग में जाने से उन्हें प्राप्त न होगी, इसलिए उन्हें

इस विषय में कुछ और नई घड़ंत करने की आवश्यकता प्रतीत हुई। इसके भिन्न जब यह प्रश्न भी उठने लगा, कि क्या कारण है, कि एक एक जन किसी कहलाने वाले इस वा उस सर्व शक्तिमान देवता को मानकर भी यदि उसे कोई भेंट पूजा देकर और उसकी महिमा विषयक नाना स्तोत्र वा भजन आदि गाकर उसे कभी भी प्रसन्न नहीं करता, तो भी वह हृष्ट पुष्ट रहता है, अच्छा स्वास्थ्य रखता है, धनी बन जाता है, सन्तान, नौकर, चाकर और बहुत सी सवारियां रखता है, परन्तु एक और जन जो उसे भेंट पूजा देता रहता है, उसकी महिमा के संबंध में बहुत से स्तोत्र वा भजन आदि गाता रहता है, फिर भी वह पहले जन की तुलना में कंगाल रहता है, और कई प्रकार के अन्य सुखों से भी वंचित रहता है; तब इस प्रश्न का उत्तर देना भी आवश्यक हो गया। इसलिए इन दोनों बातों के विषय में साधारण लोगों को तसल्ली देने के लिए एक और मिथ्या घड़ी और फैलाई गई। और वह मिथ्या यह थी, कि लोग अपने अपने भले वा बुरे कर्मों का फल केवल आकाश के स्वर्ग वा नरक की प्राप्ति के द्वारा ही नहीं पाते, किन्तु कुछ काल तक उनमें रहने के बाद वह फिर इस दुनिया में जन्म लेकर उनके फल पाते हैं; अर्थात् जिनके कर्म अमुक मैजिस्ट्रेट देवता की दृष्टि में अच्छे होते हैं, उनको वह किसी मनुष्य आदि के रूप में फिर इस दुनिया में भेज देता है, और वह यहां राजा, महाराजा, धनी और उच्च पदस्थ आदि होकर तरह तरह का सुख पाते हैं, और जिन जिन के कर्म अमुक मैजिस्ट्रेट देवता के ख़्याल में अच्छे नहीं होते, वह इस दुनिया में मनुष्य वा पशु वा वृक्ष आदि बनकर अपने उन पिछले बुरे कर्मों के कारण नाना प्रकार के दुख भोगते हैं।

इस मिथ्या विश्वास के फैलने पर फिर यह प्रश्न उठा कि जो लोग अपने पिछले जन्म के अच्छे कर्मों के बदले में धन, मान, उच्च पद और राज्य आदि लाभ करते हैं, वह भी तो तरह तरह के दुख पाते हैं- कोई धन के चले जाने से, कोई सन्तान के न होने से, कोई अपनी प्रिय पत्नी वा प्रिय सन्तान आदि के वियोग से, कोई अपमान वा अपयश के मिलने से, कोई अपनी वा अपने किसी प्रिय की किसी बीमारी आदि से विविध प्रकार का दुख भोगते हैं - इसलिए इस **पुनर्जन्म की विधि के मानने से भी तो किसी मनुष्य को नाना दुखों से मोक्ष नहीं मिलती**। तब इन सब प्रकार के दुखों से जहां तक संभव हो, अधिक से अधिक मुक्ति पाने के निमित्त धन, मान, पत्नी, संतान, उच्च पद और राज्य आदि विषयक नाना प्रकार के सुखों के **त्याग** और आप कमाकर खाने के स्थान में औरों से भिक्षा मांगकर शरीर पालने और चित्त की उपरोक्त लालसा विषयक वृत्तियों के संबंध में निरोध विषयक अभ्यास करने, अथवा इस वा उस कहलाने वाले देवता के साथ इस वा उस प्रकार का प्रेम

करके आनन्द लाभ करने की नाना विधियां निकाली गईं।

हां! बात यह है कि इस पृथ्वी का प्रत्येक जन ही एक वा दूसरे प्रकार के **सुखों का लालसी रहा है** - चाहे वह सुख इस लोक में मिलें, और चाहे स्थूल शरीर छोड़ने के अनन्तर किसी और लोक में। सुख और केवल सुख लाभ करना - और उसे किसी भी उपाय वा अभ्यास के द्वारा लाभ करना - इस पृथ्वी के सब मनुष्यों ने अपने अपने अस्तित्व का **मुख्य वा परम लक्ष्य** समझा था, और उसके भिन्न और कुछ नहीं। और उनके जिस किसी अनुचित सुख में भी किसी की ओर से कोई रोक वा विघ्न उत्पन्न हो, उसके संबंध में घृणा अनुभव करना और घृणा-मूलक एक वा दूसरी क्रिया प्रदर्शन करना उनकी प्रकृति बन गई थी। वस्तुतः मनुष्य जगत् की जब ऐसी महा शोचनीय और पतित दशा थी, अर्थात्

(1) जबकि नाना प्रकार के महा पतित और महा अधम मनुष्य अपने अपने स्थूल शरीरों के रखने के समय वा उसके त्याग के अनन्तर नेचर के आत्मिक जगत् के अटल नियमानुसार सूक्ष्म शरीर धारी **प्रेत वा भूत** बन कर अपने आपको **झूठ मूठ देवता वा देवी** बताकर करोड़ों अन्धकार ग्रस्त जनों के पूज्य वा उपास्य बने हुए थे।

(2) जबकि उपरोक्त सब प्रकार के कहलाने वाले क्या नर वा नारी देवते, और क्या उनके कहलाने वाले नाना अवतार, वा संबंधी, वा मित्र, वा दरबारी, वा भक्त, वा प्रेरित, आदि और क्या उनके लाखों पुजारी, और क्या अन्य सब प्रकार के मनुष्य आत्मा आत्मिक ज्ञान के विचार से घोर अन्धकार की दशा में पड़े हुए थे; और इस आत्मिक अन्धकार के कारण अपने अपने अस्तित्व की सार और मूल वस्तु अर्थात् आत्मा के रूप और उसके जीवन के पतन और विनाश और विकास विषयक नाना तत्त्वों के ज्ञान से पूर्णतः शून्य थे।

(3) जबकि आत्मा के रूप और उसके जीवन के पतन और विनाश और विकास आदि के संबंध में जिस **सत्य ज्ञान** की प्राप्ति से ही **सत्य धर्म** का ज्ञान होता है, **उस सत्य धर्म के ज्ञान से ही पूर्वोक्त सब कहलाने वाले देवते वा उनके कहलाने वाले अवतार वा संबंधी वा मित्र वा प्रेरित वा भक्त वा दरबारी वा पुजारी और कई प्रकार के अन्य उपास्य और उनके भिन्न और सब लोग पूर्णतः शून्य थे।**

(4) जबकि एक ओर सत्य धर्म के ज्ञान से पूर्णतः शून्य और दूसरी ओर विविध प्रकार के निम्न भावों से परिचालित होकर कहलाने वाले नाना देवतों और नाना देवियों और अन्य उपास्यों ने वा उनके नाम से अन्य नाना जनों ने मनुष्य के पाप कर्मों के विषय में नाना प्रकार के मिथ्या विश्वास फैलाए हुए थे। यथाः-

(अ) **पापों की क्षमा के लिए मिथ्या विश्वास।** अर्थात् मनुष्य इस पृथ्वी में चाहे जितने ही पाप वा दुराचार करे, परन्तु यदि वह इस वा उस देवता वा उसके इस वा उस संबंधी वा मित्र वा दरबारी वा उसके इस वा उस प्रेरित जन वा भक्त आदि के संबंध में अमुक अमुक प्रकार का विश्वास करे, तो उसे इस वा उस देवता से अपने सारे पाप कर्मों के दंड से पूर्ण **क्षमा** और मुक्ति मिल जाती है, और फिर उसे जहां एक ओर उनके कारण दंड विषयक कोई दुख वा कष्ट नहीं मिलता, वहां दूसरी ओर उसे नाना प्रकार के स्वर्ग संबंधी **सुख** भी मिलते हैं।

(इ) **पाप कर्मों को किसी और के ऊपर मढ़ देने का झूठा विश्वास।** अर्थात् किसी काल में पाप कर्मों के संबंध में यह मिथ्या विश्वास भी प्रचलित किया गया था, कि मनुष्य के पाप कर्म उसके घर के कूड़े करकट की न्याईं उसके भीतर पड़े रहते हैं, और जैसे मनुष्य अपने घर के कूड़े करकट को जब चाहे उठाकर कहीं बाहर फेंक सकता है, वैसे ही वह जब चाहे अपने पाप कर्मों को भी उठाकर किसी और मनुष्य के भीतर फेंक सकता है, और आप उनके बुरे फलों से मुक्ति पा सकता है। इस मिथ्या विश्वास के आधार पर कितने ही कहलाने वाले देवताओं ने भी उस काल में अपने अपने पाप कर्म किसी किसी और मनुष्य पर लाद दिए थे।

(उ) **पाप कर्मों से पुनर्जन्म पाकर मनुष्य का पशु वा वृक्ष आदि बनने का मिथ्या विश्वास।** अर्थात् मनुष्य को अपने अपने पाप कर्मों के लिए नरक-वास के भिन्न इस पृथ्वी में मनुष्य वा पशु आदि बन कर भान्त भान्त का दुख भोगना पड़ता है, और इस प्रकार उसे लाखों बार जन्म लेकर करोड़ों वर्षों तक दुख मिलता रहता है। और जब तक उसके इस पुनर्जन्म का क्रम बन्द न हो, तब तक उसके दुखों का भी अन्त नहीं होता। इस मिथ्या विश्वास के फैल जाने से नाना प्रकार के स्वार्थ परायण लाखों लोगों की खूब बन आई और उन्होंने इस मिथ्या विश्वास के आधार पर अपनी अपनी कमाई के लिए नाना प्रकार की झूठी दुकानें खोल दीं।

कुछ ने कहा कि जिस जिस नदी के किनारे उन्होंने अपनी दुकानें खोली हुई हैं, उसके पवित्र जल से मनुष्यों के सब प्रकार के बड़े और छोटे पाप धुल जाते हैं, और फिर उसे लाखों वर्षों तक पुनर्जन्म के दुख नहीं भोगने पड़ते। इसीलिए यदि कोई जन उस नदी में स्नान करे, और उसे पुष्प धूप आदि अर्पण करके उसकी पूजा करे, वा उसका किंचित मात्र जल ही पान करे, तो उसकी पुनर्जन्म से मुक्ति हो जाती है।

कुछ ने बताया कि अमुक अमुक मंदिर की मूर्ति के दर्शन से सब प्रकार के पापों और पुनर्जन्म के दंड से मोक्ष मिल जाती है।

कुछ ने कहा कि अमुक अमुक सर वा सरोवर वा कुंड वा बावली आदि में

स्नान करने से भी सब प्रकार के पापों के दंड वा पुनर्जन्म से मुक्ति मिल जाती है।

कुछ ने यह देखकर कि किसी विशेष नदी की झूठी महिमा के फैल जाने से लाखों लोग वहां स्नान के लिए जाते हैं, और वहां उन यात्रियों से जो रुपया मिलता है, उससे वहां के पुजारियों की बहुत बड़ी आमदनी होती है, अपने स्थान के किसी कुएं के संबंध में यह मिथ्या विश्वास फैला दिया, कि वह नदी पृथ्वी के नीचे नीचे बहती हुई उस कुएं में आ गई है, और इसलिए उस कुएं के जल में भी स्नान करने से पुनर्जन्म से मुक्ति हो जाती है।

कुछ ने बताया कि शरीर पर अमुक अमुक प्रकार के चिन्ह धारण करने से भी पुनर्जन्म से मोक्ष हो जाती है।

कुछ ने कहा कि अमुक अमुक नदी के तट पर वा अमुक अमुक नगर वा स्थान में मरने से भी पुनर्जन्म से मुक्ति मिल जाती है।

कुछ ने कहा कि अमुक अमुक देवता वा देवी को अपने शरीर के किसी अंग वा किसी पशु वा अन्य मनुष्य की हत्या करके उसका खून भेंट करने से भी पुनर्जन्म से मुक्ति मिल जाती है।

कुछ ने बताया कि इस वा उस विशेष विधि वा पूजा के द्वारा मद्य, मांस, मैथुन आदि के भोगने से भी पुनर्जन्म से मोक्ष हो जाती है।

कुछ ने कहा कि इस वा उस कहलाने वाले देवता के इस वा उस नाम के लेने वा उसके इस वा उस मंत्र का जप करने से भी मनुष्य को पुनर्जन्म से मुक्ति मिल जाती है।

कुछ ने बताया कि इस वा उस अन्य मंत्र के जप वा किसी इस वा उस स्तोत्र वा किसी इस वा उस पुस्तक वा उसके किसी अंश के पाठ करने से भी मनुष्य को पुनर्जन्म से मोक्ष प्राप्त हो जाती है। इत्यादि।

(ए) **पाप कर्मों से उनका कोई फल न चाहने से मोक्ष पा जाने का मिथ्या विश्वास।** अर्थात् जब कोई मनुष्य अपने किसी कर्म के फल की प्राप्ति चाहता है, तब उसके **ऐसा चाहने से** उसे अपने एक वा दूसरे कर्म का फल मिलता है, और फिर उसे अपने इन सकाम कर्मों का फल पाने के लिए पुनर्जन्म भी लेना पड़ता है, इसलिए यदि कोई मनुष्य चाहे कैसे ही बुरे वा भले कर्म करता हो, परन्तु वह अपने उन कर्मों का आप कोई फल न चाहे वा उनका फल किसी इस वा उस देवता को अर्पण कर दे, तो फिर उसे अपने उन कर्मों का फल भोगने के लिए इस संसार में जन्म नहीं लेना पड़ता, और उसकी पुनर्जन्म से पूर्ण मोक्ष हो जाती है।

(5) जबकि ऐसे कहलाने वाले झूठे देवतों और अन्य कई प्रकार के उपास्यों की

प्रसन्नता के लिए पूजा वा नमाज़ वा इबादत वा वरशिप आदि के नाम से उनकी झूठी स्तुति की जाती थी, और उनकी महिमा के विषय में झूठी गाथाएं गाई जाती थीं, झूठे वाक्य वा वचन पढ़े वा उच्चारण किए जाते थे, और झूठे स्तोत्र और झूठे भजन वा गीत गाए जाते थे।

(6) जबकि ऐसे कहलाने वाले देवतों आदि को झूठ मूठ सर्वज्ञ, सर्वशक्तिमान और दुख हर्ता और पापों के फलों से तारणकर्ता वा मुक्तिदाता आदि मान कर उनसे तरह तरह की मिथ्या वा निष्फल प्रार्थनाएं की जाती थीं।

(7) जबकि ऐसे कहलाने वाले देवतों वा देवियों के जो जो जन विशेष विशेष संबंधी, दरबारी, मित्र और सिफ़ारिशी आदि माने जाते थे, उनके संबंध में इस प्रकार के झूठे विश्वास फैले हुए थे, कि वह अपने इस वा उस देवते से अपने अनुगतों वा विश्वासियों को इस वा उस कहलाने वाले नरक के दुखों से मोक्ष वा मुक्ति और इस वा उस कहलाने वाले स्वर्ग के सुख दिलवा सकते हैं।

(8) जबकि ऐसे कहलाने वाले देवतों वा देवियों के संबंध में नेचर के अटल नियमों के विरुद्ध नाना प्रकार की अलौकिक क्रियाओं वा करामातों के दिखाने के मिथ्या विश्वास फैले हुए थे।

(9) जबकि ऐसे कहलाने वाले देवतों वा देवियों में से किसी एक वा दूसरे के संबंध में नेचर के अटल नियम के विरुद्ध अवतार लेने की मिथ्या गप्पें भी फैली हुई थीं।

(10) जबकि ऐसे कहलाने वाले देवतों वा देवियों में से किसी इस वा उस देवते के कहलाने वाले भक्त वा संबंधी वा मित्र वा दरबारी वा उसकी ओर से प्रेरित आदि कहलाने वाले नाना जनों के संबंध में भी नेचर के अटल नियमों के विरुद्ध नाना प्रकार की अलौकिक क्रियाओं वा करामातों के दिखाने के मिथ्या विश्वास फैले हुए थे।

(11) जबकि ऐसे कहलाने वाले देवतों वा देवियों के चाहने पर बलि वा कुर्बानी के नाम से पशु जगत् के नाना प्रकार के लाखों निर्दोष जीवों के गले काटे जाते थे, और इन असहाय जीवों की हत्या की जाती थी।

(12) जबकि इन कहलाने वाले देवतों वा देवियों में से जो जो अपने नशे के लिए भंग, धतूरा, शराब आदि कई प्रकार की मादक वस्तुएं चाहते थे, उनकी तृप्ति के लिए पूजा के नाम से उन्हें ऐसी मादक वस्तुएं दी जाती थीं।

(13) जबकि इन कहलाने वाले देवतों वा देवियों में से जिन जिन की मूर्तियां बनाकर स्थापन की गई थीं, उन अजीवित मूर्तियों को **जीवित** बना देने के नाम से प्राण प्रतिष्ठा की **झूठी** प्रथाएं प्रचलित थीं।

(14) जबकि ऐसे कहलाने वाले देवतों वा ऐसी कहलाने वाली देवियों को खुश करने के लिए पूजा, उपासना वा इबादत वा सेवा आदि के नाम से उनकी मूर्तियों को नहलाया जाता था; फिर उन्हें किसी वस्त्र से पोंछा जाता था; फिर यदि उन देवतों में से किसी को वस्त्र धारण करना पसंद हो, तो उनकी मूर्तियों को सुन्दर सुन्दर वस्त्र पहनाए जाते थे; उनके सूंघने के लिए धूप और पुष्प आदि अर्पण किए जाते थे, और उनके खाने वा भोग के लिए नैवेद्य के नाम से नाना प्रकार के सुस्वादु भोजन और फल आदि उनके आगे रखे जाते थे।

(15) जबकि उपरोक्त प्रकार का कहलाने वाला कोई देवता यदि पहले से विवाहित हो, तो उसके साथ उसकी एक वा दूसरी पत्नी की मूर्ति रखकर उसके संबंध में भी उपरोक्त प्रकार की क्रियाएं की जाती थीं।

(16) जबकि नाना स्थानों में इन कहलाने वाले देवतों को नाच और गान के द्वारा खुश करने के लिए कितने ही लोग अपनी अपनी लड़कियां अर्पण करते थे, कि जो सारी उमर अविवाहित रहकर उनकी मूर्तियों के सामने नाच और गान करके उन्हें प्रसन्न करने का काम करती थीं, और वह देव दासियां कहलाती थीं।

(17) जबकि इन देवतों आदि के भिन्न कितने ही पीर और वली आदि कहलाने वाले जनों की कब्रों पर फूल रखकर और दीवे वा बत्ती जलाकर और **तवाफ़** आदि चढ़ाकर इसी प्रकार की पूजा की जाती थी; और उनसे एक वा दूसरी दुनियावी मुराद के पूरा कर देने के निमित्त प्रार्थनाएं की जाती थीं।

(18) जबकि नाना जनों ने **सुख वा आनन्द को मनुष्य का परम लक्ष्य जानकर** और उसके शिक्षक बनकर त्याग वा वैराग्य के विषय में नेचर के आत्मिक जगत् के सत्य नियमों के विरुद्ध पूर्णत: मिथ्या शिक्षा फैलाई हुई थी; और साधारण लोगों में अपने अपने मिथ्या मत के प्रचार और अपने वा अपने त्यागी वा वैरागी वा वीतरागी वा भिक्षुक आदि कहलाने वाले शिष्य उपदेशकों के लिए विविध प्रकार की सेवा पाने के निमित्त उन्होंने आप वा अपने नाना शिष्यों आदि के द्वारा नेचर के अटल नियमों के विरुद्ध क्या दान के फलों के संबंध में और क्या अपने संबंध में अलौकिक क्रियाओं वा करामातों के दिखाने के नाम से सैंकड़ों मिथ्या कहानियां घड़ कर फैलाई हुई थीं।

(19) जबकि मनुष्यों की बनाई वा रची हुई विविध पुस्तकों को किसी कहलाने वाले इस वा उस सर्वज्ञ देवते की बनाई, वा रची हुई, वा उसकी ओर से दी हुई, वा उसके शब्दों को उसके वचन बताकर लोगों को उनका मिथ्या विश्वासी बनाया जाता था। और किसी पुस्तक को झूठ मूठ किसी कहलाने वाले धर्म शिक्षक की देह मानकर

उसके खाने वा भोग के लिए प्रतिदिन किसी मीठी वस्तु की भेंट रखकर, और उस समय कुछ पाठ करके उसकी पूजा की जाती थी; और रात में उसे झूठ मूठ **सुलाया** और प्रात: काल के समय गीत गा गाकर उसे फिर दर्शन देने के लिए झूठ मूठ **जगाया** जाता था।

(20) जबकि यही नहीं, कि लाखों जन किसी इस वा उस देवता के भक्त वा उपासक, वा किसी इस वा उस आनन्द दायक ध्यान आदि विधि के अभ्यासी कहलाकर अपने अपने शरीर पालन के लिए भी कोई काम न करते थे; और अपने अनुगतों वा मिथ्या विश्वासियों की कमाई से अपने खाने पीने और वस्त्र आदि के लिए लाखों रुपए झाड़ते थे, और **निकम्मे** रहकर औरों की कमाई पर जीने के अभ्यासी बने हुए थे; किन्तु अपने अपने आहार और वस्त्र आदि के भिन्न भंगेड़ी, चरसी, शराबी आदि बनकर अपने तरह तरह के नशों और अपने सफर और अन्य खर्चों के लिए भी उनसे रुपया निकालते थे।

(21) जबकि उपरोक्त प्रकार के जनों में से हज़ारों जन अपने अपने गुप्त अंग के संबंध में अकेले अकेले कोई बुरी क्रिया वा आपस में अप्राकृतिक कर्म करके केवल यही नहीं, कि अपने अपने आत्माओं के भिन्न अपने अपने शरीरों का भी नाश करते थे, किन्तु अवसर पाकर अपने विश्वासी और सेवाकारी सैंकड़ों गृहस्थी जनों की बहू बेटियों के सतीत्व के नष्ट करने का भी महा पाप करते थे।

(22) जबकि कहलाने वाले धर्म विषयक मतभेद के कारण नाना सम्प्रदायों के लाखों जन एक दूसरे को **घृणा** करते थे; और अपने अपने मिथ्या विश्वासों के पक्षपाती और अनुरागी होने के कारण उन सैंकड़ों जनों को कि जो उनकी अपेक्षा कम दुराचारी और अन्य कई बातों के विचार से अधिक श्रेष्ठ होते थे, झूठ मूठ भ्रष्ट, गुमराह, बुरा, नारकीय और जहन्नुमी आदि बताते थे।

(23) जबकि धर्म के नाम से विविध प्रकार के मिथ्या विश्वासों के फैल जाने पर पुरोहित, पंडे, महा ब्राह्मण, चौबे, गंगा पुत्र, प्रीस्ट, पादरी, भाई, मुल्लां और मौलवी आदि कहलाने वाले लाखों जन परिवार रखकर भी मिथ्या मतों के विश्वासियों से लाखों और करोड़ों रुपया झाड़ते थे।

(24) जबकि बहुत से जन आप गुरु कहलाकर वा किसी कहलाने वाले गुरु की सन्तान होकर एक वा दूसरी विधि से अपने अन्ध विश्वासियों से प्रति वर्ष लाखों रुपया प्राप्त करते थे।

(25) जबकि सैंकड़ों लोग विविध स्थानों को झूठ मूठ **तीर्थ** बताकर उन स्थानों के यात्रियों से लाखों रुपयों की भेंट लाभ करते थे।

(26) जबकि धर्म मत वा दीन वा मज़हब के नाम से किसी बात की दुहाई देकर इस वा उस सम्प्रदाय के हज़ारों लोग आपस में लड़कर सैंकड़ों और हज़ारों जनों को घायल और वध करते थे।

(27) जबकि झूठे तप और व्रत आदि के नाम से लाखों जन अपनी अपनी शारीरिक स्वास्थ्य की विविध प्रकार से हानि करते थे।

(28) जबकि इस पृथ्वी के हज़ारों दुकानदारों की तरह धन और सम्पत्ति की प्राप्ति के निमित्त धर्म वा मज़हब के नाम से तरह तरह की **ठगी** जारी थी।

(29) जबकि कहलाने वाले नाना देवताओं और उनके अवतारों और अन्य नाना प्रकार के शिक्षकों की ओर से नाना दशाओं में मिथ्या भाषण और मिथ्या-मूलक अन्य विविध उपायों के ग्रहण करने की शिक्षा जारी थी।

(30) जबकि इस पृथ्वी के एक वा दूसरे किसी जन वा जन समूह को किसी और जन वा जन समूह की अपेक्षा **झूठ मूठ** छोटा वा बड़ा मानने वा विश्वास करने की प्रथा जारी थी।

(31) जबकि इस पृथ्वी के इस वा उस देश में **मिथ्या-मूलक** विविध प्रकार के पारिवारिक वा सामाजिक अनुष्ठान किए जाते थे।

(32) जबकि कहलाने वाले नाना देवताओं वा उनके नाम से उनके नाना एजेन्टों ने इस जगत् में भान्त भान्त के अन्य पापों और अपराधों की शिक्षा फैलाई हुई थी। यथा:-

   (1)   मांसाहार की शिक्षा;

   (2)   भंग और शराब आदि नाना प्रकार के नशों के सेवन की शिक्षा;

   (3)   किसी देवते के आराम के दिन को यदि कोई जन पवित्र न जाने, और वह उस दिन काम करे, तो उसके मार डालने की शिक्षा;

   (4)   अपने से भिन्न धर्म मत रखने वाले जनों की हत्या करने की शिक्षा;

   (5)   इस वा उस देवते को विविध प्रकार के पशुओं की और उनके भिन्न मनुष्यों की भी बलि देने की शिक्षा;

   (6)   लड़के लड़कियों का बाल्य काल में ही विवाह कर देने की शिक्षा;

   (7)   व्यभिचार विषयक पाप कर्म पर पर्दा डालने के निमित्त थोड़ी देर के लिए किसी कहलाने वाली धर्म विधि से विवाह कर लेने की शिक्षा;

   (8)   पति के मर जाने पर उसकी विधवा पत्नी को अपने पति के शव के साथ उसकी चिता पर बैठकर जीवित जलकर मर जाने की शिक्षा;

   (9)   मनुष्यों को पकड़ कर उन्हें ज़बरन दास और दासी बनाने, और उनकी इच्छा के विरुद्ध उनसे काम लेने, और जब जी चाहे उन्हें बेचने और

मोल लेने की शिक्षा;

(10) अपने भिन्न किसी और सम्प्रदाय के उन जनों को मार डालने की शिक्षा, कि जो **उनके देवता** को बलि न देकर किसी **अन्य देवता** को बलि देते हों;

(11) अपने से भिन्न अन्य सम्प्रदायों के देवी देवतों के मन्दिरों आदि के ढाने और नष्ट कर देने की शिक्षा;

(12) जब किसी सम्प्रदाय का कोई कहलाने वाला देवता अपने विश्वासियों को किसी लड़ाई में जय देकर कोई नगर दिलवा दे, तब उसके रहने वालों की हत्या कर देने की शिक्षा;

(13) जब किसी कहलाने वाले देवते की सहायता से लड़ाई के द्वारा उसके विश्वासियों को किसी नगर पर अधिकार मिल जाए, तब वहां की स्त्रियों और बच्चों और पशुओं आदि को लूट लेने की शिक्षा;

(14) किसी लड़ाई में जय पाने पर पुरुषों को ज़बरन दास वा गुलाम और स्त्रियों को लौंडी बनाने की शिक्षा, और उन लौंडियों के साथ व्यभिचार करने की शिक्षा;

(15) किसी देवते वा उसकी ओर से दी हुई किसी पुस्तक के संबंध में करोड़ों जनों के अन्ध विश्वासी बन जाने पर उनके संबंध में आप कोई विश्वास न रख कर भी, पूर्ण कपटी बन कर राज्य आदि की प्राप्ति के निमित्त किसी जत्थे के बनाने और इस अभिप्राय के लिए उनके विषय में मिथ्या के प्रचार करने अथवा राज्य आदि की प्राप्ति के लिए अन्य मिथ्या और पाप मूलक उपायों के ग्रहण करने की शिक्षा;

(16) एक पत्नी के जीते हुए पुरुषों और कहीं कहीं स्त्रियों को भी बहु विवाह करने की शिक्षा;

(17) विधवा स्त्रियों को कभी और किसी दशा में भी विवाह न करने की शिक्षा;

(18) चोरी करने की शिक्षा;

(19) अपने से भिन्न मत रखने वालों को देश से बाहर निकाल देने की शिक्षा;

(20) नियोग आदि के नाम से व्यभिचार करने की शिक्षा; इत्यादि, इत्यादि।

और यद्यपि यह सच है, कि मनुष्य जगत् हज़ारों वर्ष पहले जिस जंगली वा

पूर्ण असभ्य अवस्था में था, उसके अनन्तर उस दशा से नाना देशों के लोग नेचर से अल्प वा अधिक आवृत्तकारी **अनुकूल** सामानों को पाकर धीरे धीरे अल्पाधिक ऊपर निकल आए, और वह नाना बातों के विचार से पहले की अपेक्षा बहुत सुसभ्य बन गए। नेचर के कई विषयों के संबंध में उनका ज्ञान पहले की अपेक्षा बहुत बढ़ गया, और वह इस ज्ञान के द्वारा नेचर के कितने ही भौतिक पदार्थों और नेचर की कई शक्तियों के ज्ञाता होकर उनके द्वारा पहले की अपेक्षा नाना प्रकार की दुर्घटनाओं से अपने शरीर की अधिक रक्षा करने और उसके लिए विविध प्रकार के अधिक सुख और आराम लाभ करने के योग्य बन गए। उनकी शासन वा राज्य वा अपराध विषयक दंड विधि भी पहले की अपेक्षा बहुत श्रेष्ठ हो गई। ईश्वर वा परमेश्वर वा अल्ला वा लॉर्ड गॉड आदि कहलाने वाले नाना देवतों वा उनके विविध नाम धारी एजेन्टों वा मध्यवर्तियों ने मतभेद और अन्य नाना बातों के कारण अपने से किसी भिन्न सम्प्रदाय के मनुष्यों की हत्या करने, उनका माल लूटने, उन्हें ज़बरन पकड़ कर ग़ुलाम और उनकी स्त्रियों को लौंडी बनाने, ऐसी लौन्डियों के साथ व्यभिचार करने आदि के जिन महा भयानक दुराचारों की शिक्षा दी थी, उस शिक्षा को भी कई देशों के सुसभ्य लोग महा अपराध मूलक ही जानने लगे, और इसीलिए उन कहलाने वाले देवतों वा उनके एजेन्टों ने उपरोक्त जिस जिस प्रकार की हत्या उचित बताई थी, उस हत्या के करने वालों को हत्यारा समझ कर उनके लिए दंड विधि बनाई गई। फिर प्राचीन काल में नाना सम्प्रदायों के लोगों में कोई जन पति होने पर अपनी पत्नी के संबंध में, और कोई जन पिता माता होने पर अपनी संतान के संबंध में और इसी प्रकार कई और संबंधों में जो जो महा अत्याचार-मूलक बर्ताव करने का अधिकार रखते थे, उसके अनन्तर उनके वह कई अधिकार भी नहीं रहे। और कई प्रकार की और पुरानी सोशल बुराइयां भी जो पहले बुराइयां नहीं मानी जाती थीं, वह उसके बाद बुराइयां समझी और मानी गईं; और स्त्रियों और बच्चों को कई प्रकार के जो अधिकार पहले प्राप्त न थे, वह उस के अनन्तर उन्हें प्राप्त हो गए। विद्या की उन्नति के लिए विविध प्रकार की संस्थाएं जारी हुईं कि जो पहले न थीं। पहले की अपेक्षा शारीरिक रोगों की चिकित्सा और शारीरिक स्वास्थ्य की रक्षा के सामान भी अधिक पैदा हो गए। अन्तर्जातीय युद्धों के संबंध में नीति विषयक ज्ञान में भी बहुत श्रेष्ठता आई।

फिर पहले जो लोग नेचर के किसी विषय में अनुसंधान करके किसी ऐसे सत्य का प्रकाश करते थे, कि जो ईश्वर वा परमेश्वर वा अल्ला वा खुदा वा लॉर्ड गॉड आदि कहलाने वाले किसी देवते की ओर से दी वा रची हुई किसी कहलाने वाली पुस्तक की किसी झूठी बात के विरुद्ध होता था; तब उस सत्य के प्रगट करने

वालों पर उन कहलाने वाले देवतों के बहुत से एजेन्टों और अन्य विश्वासियों की ओर से जो जो विविध प्रकार के महा अत्याचार किए जाते थे, वह भी उसके अनन्तर उचित नहीं माने गए; और ऐसे अत्याचारी दंड के अधिकारी समझे गए। पहले किसी कहलाने वाले इस वा उस देवते वा उसकी रचित आदि कहलाने वाली किसी पुस्तक पर विश्वास न करने वालों को वा किसी ऐसी पुस्तक की किसी मिथ्या बात के खंडन करने वालों को जिस जिस प्रकार के दंडों का भागी माना जाता था, उसके अनन्तर उनको किसी ऐसे दंड का भागी नहीं समझा गया; और किसी विषय में किसी मत भेद के कारण किसी को अपराधी समझना और उसके लिए उसे उत्पीड़ित करना भी ठीक नहीं माना गया; इत्यादि इत्यादि नाना बातों के विचार से मनुष्य जगत् में अवश्य बहुत उन्नति हुई।

तथापि इसके साथ ही यह भी पूर्णत: सच है, कि ऐसी सब प्रकार की उन्नति के होने पर भी,

(1) इस पृथ्वी के जिन जिन देशों में जिन जिन विविध प्रकार के देवतों वा देवियों वा अन्य उपास्यों की प्राचीन काल में पूजा जारी की गई थी, **वह सच्ची देव शक्तियों से विहीन होने के कारण** (जैसा कि पहले बताया जा चुका है) जैसे पहले **सबके सब मिथ्या देवते और मिथ्या उपास्य थे, और उनमें से कोई भी सत्य देवता वा सत्य उपास्य न था**; वैसे ही उस काल के अनन्तर भी उन्हीं वा उसी प्रकार के जिन जिन देवतों और देवियों और अन्य उपास्यों को सत्य मान कर उनकी पूजा जारी थी, वह भी सब के सब मिथ्या देवते और मिथ्या उपास्य थे;

(2) इस पृथ्वी के सारे देशों में जैसे प्राचीन काल में नाना प्रकार के मिथ्या देवतों वा देवियों वा अन्य उपास्यों वा उनके नाम से उनके एजेन्टों की ओर से मनुष्य के गठन-प्राप्त आत्मा और उसके आत्मिक जीवन के संबंध में जो जो नाना प्रकार के धर्म मत वा विश्वास फैलाए गए थे **वह सबके सब पूर्णत: मिथ्या थे**, और आत्मा के गठन-प्राप्त सत्य रूप और उसके जीवन के पतन और विनाश और विकास विषयक सत्य ज्ञान से सारा **मनुष्य जगत् घोर अन्धकार की दशा में पड़ा हुआ था**, वैसे ही उस काल के बाद भी मनुष्य जगत् में उसी प्रकार के झूठे मत और विश्वास जारी रहे, और मनुष्य जगत् इस सत्य ज्ञान के विचार से पूर्ण अन्धकार में ही पड़ा रहा;

(3)   इसी प्रकार मनुष्य जगत् में जैसे पहले किसी कहलाने वाले इस वा उस देवता और उसकी वा उसके किसी कहलाने वाले अवतार, वा उसकी ओर से प्रेरित, वा उसके किसी मित्र, वा विशेष संबंधी आदि की दी हुई वा उसकी ओर से

बताई हुई झूठी और कई प्रकार की पाप-मूलक शिक्षा को धर्म की ठीक शिक्षा समझ कर विश्वास किया जाता था, वैसे ही उस काल के अनन्तर भी उसी प्रकार के विश्वास जारी रहे;

(4) और जैसे पहले हज़ारों और लाखों जन किसी प्रकार के आनन्द वा सुख की प्राप्ति और विविध प्रकार के दुखों से निवृत्ति पाने के निमित्त अपने पारिवारिक और अन्य संबंधियों आदि को त्याग करके और भिक्षा आदि के द्वारा अपने शरीर का पालन करके अपने अपने चित्त की वृत्तियों को निरोध करने की नाना विधियों और उनके द्वारा आनन्द लाभ करने को धर्म वा धर्म का साधन जानते थे, वैसे ही उसके अनन्तर भी हज़ारों और लाखों जन उसी प्रकार की बातों को धर्म वा धर्म का साधन जानते रहे;

(5) और इस पृथ्वी के नाना देशों में जैसे पहले लाखों जन विविध प्रकार के निम्न श्रेणी के सुखों अर्थात् ''मौज बहार'' की प्राप्ति को ही अपने अस्तित्व का मुख्य लक्ष्य समझते थे, और मुख से किसी इस वा उस धर्म मत के मानने का इकरार कर देना, वा धर्म के नाम से अपने सम्प्रदाय की किसी प्रचलित रसम को पूरा कर देना ही यथेष्ट समझते थे, वैसे ही उसके अनन्तर भी लाखों जन ऐसा ही जानते और समझते रहे;

(6) और जैसे पहले कितने ही जन इस पृथ्वी के प्रचलित धर्म मतों को स्वार्थ परायण जनों की घड़ंत, और उन्हें पूर्णत: मिथ्या जानकर किसी धर्म मत पर विश्वास न रखते थे, वैसे ही उसके अनन्तर भी कितने ही जन ऐसा कोई विश्वास न रखते थे;

(7) और जैसे पहले सैंकड़ों जन जड़वादी बन कर मनुष्य के आत्मा और उसके रोगों और पतन और उसकी मृत्यु और उसकी रक्षा और उन्नति विषयक नाना प्रकार के सत्यों के देखने के पूर्णत: अयोग्य थे, वैसे ही उसके अनन्तर भी इसी श्रेणी के सैंकड़ों जन उन सत्यों के ज्ञान से शून्य थे;

(8) और जैसे पहले इस पृथ्वी के सारे देशों में मनुष्य की **मोक्ष, मुक्ति, नजात वा उसके सैल्वेशन और निर्वाण आदि** के नामों से नाना प्रकार के मिथ्या विश्वास फैले हुए थे, वैसे ही उसके अनन्तर भी फैले हुए थे;

(9) और जैसे पहले इस पृथ्वी के सारे देशों में क्या इस लोक और क्या परलोक में एक वा दूसरे प्रकार का **सुख वा आनन्द** लाभ करना मनुष्य का मुख्य लक्ष्य समझा गया था, और वह पूर्णत: मिथ्या था, वैसे ही उसके अनन्तर भी वह मनुष्य का मुख्य लक्ष्य माना वा बताया गया था, कि जो सत्य न था;

(10) और जैसे पहले इस पृथ्वी के नाना देशों में धर्म के नाम से कई प्रकार के मिथ्या और महा हानिकारक अनुष्ठान जारी थे, और नाना प्रकार की कुरीतियां प्रचलित थीं, वैसे ही उसके अनन्तर भी ऐसे अनुष्ठान होते थे, और ऐसी कुरीतियां जारी थीं;

(11) और जैसे पहले इस पृथ्वी के नाना देशों में धर्म के नाम से नाना प्रकार के मिथ्या साधन और नाना प्रकार की पूर्णत: पाप-मूलक क्रियाएं होती थीं, वैसे ही उस के अनन्तर भी इसी प्रकार के मिथ्या साधन होते थे, और पाप-मूलक क्रियाएं होती थीं;

(12) और जैसे पहले अन्य कई प्रकार के उपायों की तरह धर्म विषयक विविध प्रकार के मिथ्या विश्वास भी लाखों मनुष्यों के लिए खुराक, वस्त्र, धन और जायदाद आदि की प्राप्ति का **उपाय** बने हुए थे, वैसे ही वह उसके अनन्तर भी उन्हीं चीज़ों की प्राप्ति का उपाय बन रहे थे, और जैसे पहले बहुत से झूठे, कपटी परन्तु बड़े बड़े चालाक लोगों के हाथों में उपरोक्त मिथ्या विश्वास राजनैतिक वा पोलीटिकल अभिप्राय की सिद्धि का **उपाय** (ज़रिया) बने हुए थे, वैसे ही उसके अनन्तर भी वह उसकी सिद्धि का उपाय (ज़रिया) थे;

(13) और जैसे पहले इस पृथ्वी के लाखों लोग झूठ, बददयानती, ठगी और रिश्वत आदि विविध दुराचारों के द्वारा धन सम्पत्ति उपार्जन करते थे, वैसे ही उस के अनन्तर भी करोड़ों लोग ऐसे ही दुराचारों के द्वारा धन सम्पत्ति उपार्जन करते थे;

(14) और जैसे पहले लाखों अबला स्त्रियों पर लाखों पुरुषों की ओर से विविध प्रकार के अत्याचार होते थे, वैसे ही उसके अनन्तर भी उनके जन्म लेने पर एक वा दूसरे नीच उद्देश्य से सैंकड़ों कन्याओं की हत्या की जाती थी, सैंकड़ों लड़कियां दुराचार के निमित्त बेची जाती थीं, सैंकड़ों छोटी छोटी उमर की लड़कियों को विवाह की आड़ में बड़े बड़े बूढ़े पुरुषों से सैंकड़ों वा हज़ारों रुपया लेकर बेचा जाता था, और हज़ारों लड़कियां ऐसे पुरुषों के साथ ब्याही जाती थीं कि जिनके पास पहले से ही एक वा कई विवाहित स्त्रियां मौजूद होती थीं;

(15) और जैसे पहले कहलाने वाले विविध धर्म मतों के प्रचार के लिए, स्त्री पुरुष विषयक काम मूलक प्रेम से परिचालित होने पर एक दूसरे की प्राप्ति के लिए, और अपने किसी बैरी के साथ युद्ध के दिनों में उसे पराजित करने वा हानि पहुंचाने के लिए, और राजनैतिक वा पोलीटिकल नाना अभिप्रायों की सिद्धि के लिए, और ऐसी ही कई प्रकार की और बातों के लिए प्रत्येक मिथ्या, प्रवंचना वा कपटता-मूलक आचरण ठीक वा उचित माने जाते थे, वैसे ही उसके अनन्तर भी ऐसे कई

प्रकार के आचरण उचित वा ठीक माने जाते थे;

(16) और जैसे पहले इस पृथ्वी के प्रत्येक देश, प्रत्येक नगर, प्रत्येक गांव और प्रत्येक सम्प्रदाय और प्रत्येक श्रेणी और वर्ण वा रंग के लोगों में नाना प्रकार के असंयम, मिथ्याचार और अन्याय-मूलक विविध प्रकार के कर्म अर्थात् पाप वा दुराचार वा अत्याचार फैले हुए थे, वैसे ही उसके अनन्तर भी ऐसे कर्म होते थे;

(17) और जैसे पहले हज़ारों और लाखों लोग जाति, वंश, कुल, रंग, धर्ममत, व्यवसाय, वा किसी अन्य विषय के संबंध में प्रभेद के होने पर एक दूसरे को अकारण घटिया वा बुरा जानकर **घृणा** करते थे, और हज़ारों वा लाखों जनों को झूठ मूठ अस्पर्श्य वा छूने के अयोग्य कह कर उनके प्रति कई प्रकार के अत्याचार करते थे, वैसे ही उसके अनन्तर भी लाखों लोग इसी प्रकार के प्रभेद के कारण एक दूसरे के प्रति **पूर्णत: अनुचित और महा हानिकारक घृणाएं**, और लाखों जनों को झूठ मूठ छूने के अयोग्य बताकर उनके प्रति कई प्रकार के अत्याचार करते थे;

(18) और जैसे पहले कई प्रकार के कहलाने वाले देवतों वा देवियों वा पीरों आदि को खून की भेंट देने के निमित्त, पशु जगत् के हज़ारों निर्दोष जीवों के गले काट काट कर बलि वा कुर्बानी का महा पाप किया जाता था, और उनके भिन्न करोड़ों मनुष्यों के खाने के निमित्त पशु जगत् के लाखों चौपायों, मछलियों और विविध प्रकार के पक्षियों की हत्या की जाती थी, और व्यापार और शिकार के निमित्त भी पशु जगत् के छोटे बड़े नाना प्रकार के करोड़ों जीव मारे जाते थे, और ऐसी सब प्रकार की हत्या का महा पाप जारी था, वैसे ही उसके अनन्तर भी इस प्रकार के महा पाप होते थे;

(19) और जैसे पहले पशु जगत् से नीचे उद्भिद् और भौतिक जगत् के नाना प्रकार के अस्तित्वों के संबंध में कई प्रकार के दुष्कर्म होते थे, वैसे ही उसके अनन्तर भी उनके संबंध में नाना प्रकार के अनुचित वा बुरे कर्म होते थे;

(20) और जैसे पहले धर्म के नाम से नाना प्रकार के **मिथ्या विश्वासों** के फैल जाने से सैंकड़ों और हज़ारों मुफ्तखोरों और अन्य नाना प्रकार के लाखों अनाधिकारी लोगों को प्रति वर्ष पुण्य वा दान देने वा उनकी सेवा करने के नाम से हज़ारों और लाखों रुपया लुटाया जाता था, वैसे ही उसके अनन्तर भी इसी प्रकार से न केवल लाखों, किन्तु करोड़ों रुपया बर्बाद किया जाता था; इत्यादि इत्यादि।

तब मनुष्य जगत् की ऐसी सब प्रकार की महा शोचनीय और महा पतित दशा में **श्रेष्ठ परिवर्तन लाने के लिए**, नेचर के विकास विषयक अटल नियम के अनुसार **अनुकूल समय के आने पर**, इस पृथ्वी में एक ऐसे पुरुष का प्रगट होना

नितान्त आवश्यक था, कि

(1) जो नेचर के अटल नियमानुसार अपने आत्मा और उसकी विविध शक्तियों के प्रकाश और विकास के निमित्त मनुष्य के गठन-प्राप्त शरीर को प्राप्त होकर उसकी सब प्रकार की पतनकारी आत्मिक प्रकृति से ऊपर हो, अर्थात् मनुष्य विविध प्रकार के सुखों का बोधी होकर जिन नाना प्रकार के सुखों का अनुरागी बन जाता है, और घटिया वा बढ़िया कोटि के एक वा दूसरे प्रकार के सुखों की प्राप्ति के भिन्न वह उनसे ऊपर अपने आत्मा के लिए कोई और लक्ष्य नहीं जानता और नहीं रखता, और एक वा दूसरे कहलाने वाले धर्म मत का विश्वासी वा मानने वाला होकर भी, वह एक वा दूसरे प्रकार के सुखों की प्राप्ति को ही अपने अस्तित्व का **मुख्य लक्ष्य** जानता है; और विविध सुखों का अनुरागी और दास और विविध दुखों का घृणाकारी बनकर, वह उन सुखों की प्राप्ति और उनके उलट विविध प्रकार के दुखों से निवृत्ति पाने के लिए **सत्य के पथ से स्वभावत:** विमुख हो जाता है; और नाना प्रकार के मिथ्या धर्म मतों का विश्वासी बनता है; नाना प्रकार की प्रवंचना और कपटता का आश्रय लेता है, और विविध प्रकार की मिथ्या-मूलक अन्य क्रियाएं करता है; और सत्य और शुभ वा हित के पथ से विमुख होकर नेचर के क्या जीवित और क्या अजीवित विभागों के नाना अस्तित्वों के संबंध में नाना प्रकार के अन्याय, अत्याचार वा पाप और विविध प्रकार के अन्य दुराचार वा अपराध करता है; और मिथ्या और अशुभ परायण बनकर और उससे अपने आत्मा को कठोर बना कर उसमें **अन्धकार** की उत्पत्ति करता है; और अपने आत्मिक अन्धकार के कारण अपने आत्मा के सत्य रूप और उसके **पतन** के विषय में **अन्धा** बन जाता है; और मिथ्या और अहित-मूलक नाना प्रकार की गतियां करके दिनों दिन **पतित** होकर भी प्रसन्न वा संतुष्ट रहता है, और अपनी ऐसी पतनकारी गतियों के प्रति कोई घृणा वा दुख बोध नहीं करता; और अपने **आत्मिक सच्चे शुभ से अन्धा और अबोधी रहकर** और उस सच्चे शुभ के लिए अपने भीतर कोई अनुराग न रखकर उसकी प्राप्ति के लिए अपने विविध सुखों और अपने विविध सुखप्रद संबंधियों और सामानों आदि को **त्यागना**, और इससे भी ऊपर अपनी सारी शक्तियों को **अर्पण** करना नहीं चाहता; उसकी इस मनुष्य प्रकृति से ऊपर कोई पुरुष ऐसी अमानुषी वा सच्ची देव प्रकृति लेकर प्रगट हो, कि जो मनुष्य की इस महा पतनकारी प्रकृति के ठीक विरुद्ध हो; अर्थात्

जो किसी प्रकार के सुख का भी अनुरागी वा दास न हो, और किसी प्रकार के सुख की प्राप्ति को अपना मुख्य लक्ष्य न जानता और न रखता हो;

जो सुख विषयक अनुरागों से अतीत अपने आत्मा में **सब प्रकार के सत्य और शुभ विषयक पूर्णाङ्ग देव अनुरागों** और सब प्रकार की मिथ्या और सब प्रकार के अशुभ वा अहित वा अन्याय वा पाप वा दुराचारों के प्रति **पूर्णाङ्ग देव घृणाओं** से विभूषित हो;

(2) जो इन **अद्वितीय देव अनुरागों और देव घृणाओं को प्राप्त होकर** नेचर के प्रत्येक विभाग का सच्चा और सर्वाङ्ग हितैषी हो; और क्या मनुष्य जगत् और क्या उससे नीचे के सब जगतों में जहां जहां तक और जिस जिस प्रकार के हित की उत्पत्ति संभव हो, उसका पूर्ण आकांक्षी और प्रेमक हो; और मनुष्य जगत् से सब प्रकार की मिथ्या और सब प्रकार के अशुभ के नष्ट करने और उसमें सत्य और शुभ का सच्चा देवराज लाने के निमित्त मिथ्या और अशुभ के साथियों वा अनुरागियों के साथ सच्चा और अद्वितीय धर्म युद्ध कर सकता हो, और अपने इस अद्वितीय संग्राम में उनसे **सब प्रकार के दुखों को ग्रहण कर सकता हो**, सब प्रकार के उत्पीड़नों को सह सकता हो, अपनी शारीरिक स्वास्थ्य का त्याग कर सकता हो, रोगी बन सकता हो, रोग विषयक सब प्रकार के कष्ट भोगने के लिए तैयार हो; सत्य धर्म वा अपने देव जीवन की रक्षा के निमित्त आवश्यक होने पर अपने पारिवारिक और अन्य सब प्रकार के संबंधियों, मित्रों और अन्य जनों वा बिरादरी वा समाज वा सोसाइटी आदि से संबध काट सकता हो; और सब प्रकार की बदनामी और सब प्रकार के अपयश वा दुर्नाम के दुखों को अपने ऊपर ले सकता हो;

(3) जो एक ओर मिथ्या और अशुभ के अनुरागियों के साथ **सदा युद्ध** कर सकता हो, और कभी और किसी दशा में ऐसे युद्ध से विमुख न होता हो, और उनकी ओर से विविध अत्याचारों के तीर खाने और उनसे आहत होने के लिए सदा तैयार हो; और जो दूसरी ओर उन्हें कभी **घृणा** न करता हो, और उनका कभी अहित न चाहता हो, किन्तु अवसर पाने पर उनका हित करने के निमित्त सदा उत्सुक रहता हो;

(4) जो अपनी सब शारीरिक और मानसिक शक्तियों, और अपनी विद्या आदि के भिन्न **अपनी सब धन सम्पत्ति** को सत्य और शुभ की जय के लिए **अर्पण** कर सकता हो,

(5) जो उन देव अनुरागों और देव घृणाओं को विकसित करके अपने आत्मा में उस **देव ज्योति** और उस **देव तेज** को विकसित करने के योग्य हो, कि जिन्हें विकसित करके वह उनका सत्य उपास्य हो, कि जिसकी सच्ची आत्मिक पूजा करके अधिकारी जन अपने अपने आत्माओं का सच्चा हित साधन कर सकते हों;

(6) जो अपनी **देव ज्योति** और अपने **देव तेज** के यथेष्ट रूप से विकसित हो जाने पर, आत्मा और आत्मिक जीवन विषयक गुप्त और गूढ़ तत्त्वों का ज्ञाता होकर **धर्म के विषय में सत्य ज्ञान की शिक्षा दे सकता हो**, और मनुष्य मात्र के लिए एक मात्र **नेचर** वा **विज्ञान-मूलक सत्य धर्म** का शिक्षक हो सकता हो;

(7) जो प्रत्येक देश और जाति और रंग और सम्प्रदाय के अधिकारी लोगों के आत्माओं में अपनी **देव ज्योति** और अपने **देव तेज** के द्वारा उच्च परिवर्तन लाने, और उनमें आत्मा और धर्म के विषय में नेचर मूलक सत्य ज्ञान और सत्य विश्वास की उत्पत्ति करने की सामर्थ्य रखता हो, और उन्हें मिथ्या देवतों और देवियों और अन्य मिथ्या उपास्यों और उनके एजेन्टों और अन्य अन्ध विश्वासियों की ओर से फैलाए हुए आत्मा और धर्म विषयक विविध प्रकार के मिथ्या विश्वासों से **सत्य मोक्ष** देने के योग्य हो;

(8) जो ऐसे अधिकारी लोगों के आत्माओं को कि जो नेचर के विविध जगतों के संबंध में नाना प्रकार की पतनकारी आन्तरिक चिन्ताएं और बाह्यक क्रियाएं करके अपने अपने आत्माओं को पतित करते हों, उनकी अपनी अपनी योग्यता के अनुसार उनकी उन पतनकारी चिन्ताओं और क्रियाओं से सत्य मुक्ति देने और इससे भी बढ़कर उनके विकार से भी उनके हृदयों को, जहां तक संभव हो, पवित्र करने की सामर्थ्य रखता हो;

जो अधिकारी आत्माओं में उनकी अपनी अपनी योग्यता के अनुसार उन **उच्च भावों** के जाग्रत और उन्नत करने की योग्यता रखता हो, कि जिन्हें प्राप्त होकर उनका आत्मा उच्च वा श्रेष्ठ बन सकता हो;

और जो इन सब प्रकार के सच्चे हितों का दाता होने के कारण अधिकारी मनुष्यों का सर्वाङ्ग आत्मिक कल्याण कर्ता हो।

इसी उद्देश्य के पूरा करने के निमित्त नेचर ने मनुष्य जगत् के क्रम विकास में ठीक समय के आने पर पूर्वोक्त सब **अद्वितीय देव शक्तियों से विशिष्ट देवात्मा को आविर्भूत किया।**

यही वह देवात्मा हैं, कि जिनके विषय में कहा गया है कि,

एको ही देवात्मा सत्य देव:,
स देव ज्योतिर्तेजश्च सूर्य:;
स एव एक: सद्धर्म शिक्षक:,
सर्वाङ्ग आत्मिक कल्याण कर्ता।

अर्थ

(1) एक मात्र देवात्मा ही सच्चे देवता वा सत्य देव हैं,

(2) वह देव ज्योति और देव तेज के सूर्य हैं,

(3) वही एक मात्र सत्य धर्म के शिक्षक हैं, और

(4) वही [सब अधिकारी] मनुष्य आत्माओं के
सर्वाङ्ग कल्याण कर्ता हैं।

यही वह देवात्मा हैं, कि जिनके अद्वितीय आविर्भाव का निम्नलिखित संगीत में अति संक्षिप्त रूप से वर्णन किया गया है:-

देवात्मा का अद्वितीय आविर्भाव

नीच राग औ' नीच घृणा की,

      मानव जग में रौ थी जारी;

मिथ्या और $\left.{\dfrac{\text{अहित}}{\text{अशुभ}}}\right\}$ के प्रेमक,

      बने हुए थे नर और नारी। 1

आत्म-तिमिर से भरे हुए थे,

      आत्म $\left.{\dfrac{\text{बोध}}{\text{ज्ञान}}}\right\}$ नहीं रखते थे;

जो कुछ सचमुच धरम न था,

      वह उसको धरम समझते थे। 2

मिथ्या मतों के थे विश्वासी,

      मिथ्या उपास्य रखते थे;

धर्म नाम से नाना विध के,

      मिथ्या साधन करते थे। 3

मिथ्याचारी पापी बन कर,

      आत्म-अहित वह करते थे;

विविध अहित औरों का करके,

      पतन मार्ग पर चलते थे। 4

सुख को लक्ष्य जान कर अपना,

      शुभ का गला काटते थे;

आत्मा के बिन शरीर का भी,

      अहित भयानक करते थे। 5

धर्म नाम से मिथ्या गप्पें,

      चारों दिग् फैलाते थे;

करामात फैलाकर झूठी,

      झूठ का पोषण करते थे। 6

नीच भावों के वशीभूत हो,
नीच गति दिग् जाते थे;
विश्व के सकल विभागों की ही,
बहु विधि हानि करते थे। 7

आत्म-नाश थे अपना करते,
औरों का भी करते थे;
आत्म-पतन से बेसुध रहकर,
जीवन दिन दिन खोते थे। 8

ऐसी घोर दुर्दशा थी जब,
उसके विनष्ट करने को;
प्रगटे **सत्य देव** / **देवगुरु** } भारत में,
सत्य औ' शुभ के लाने को। 9

देव शक्तियां बीज रूप में,
पाकर आविर्भूत हुए;
दिन दिन उनमें विकसित होकर,
देव जीवन को प्राप्त हुए। 10

देव जीवन के विकास के संग,
देव ज्योति का बढ़ा प्रकाश;
देव तेज का भी उसके संग,
दिन दिन होता रहा विकास। 11

बत्तीस साल की उमर हुई जब,
तब **जीवन व्रत** ग्रहण किया;
पब्लिक सभा में घोषण करके,
परम लक्ष्य निज प्रगट किया। 12

परम लक्ष्य साधन के हेतु,
अपना सब कुछ भेंट किया;
अद्वितीय सब त्याग ग्रहण कर,
प्रति दिन उसको सिद्ध किया। 13

सत्य और शुभ की जय हेतु,
मिथ्या अशुभ पै करके वार;

सत्य औ' शुभ को विजयी करके,

उनकी महिमा की परचार। 14

देव ज्योति बिन अन्धे थे जो,

उनको दे यह ज्योति दान;

आत्मिक सत्य दिखाकर उनको,

धर्म का दीना सच्चा ज्ञान। 15

सुख पाकर नाना पापों में,

जो जन करते उनको प्यार;

देव तेज से उपजा **घिरणा**,

उनसे उनका किया उद्धार। 16

पर धन हरण वा अन्य पाप से,

जिन में उसका भरा विकार;

हानि शोध भाव उपजा कर,

उससे उनका किया उद्धार। 17

जो जन पूरे स्वार्थ परायण,

देव तेज कर के संचार;

स्वार्थ राग से निकाल उनको,

पर हित का उपजाया प्यार। 18

सत्य धर्म विषयक जो साधन,

उन सब का कीन्हा प्रचार;

उच्च चरित संगठित है कीन्हा,

जीवन की जो वस्तु सार। 19

अद्वितीय $\dfrac{\text{जीवन व्रत}}{\text{है कारज}}$} उनका,

अद्वितीय हैं श्री भगवान्;

ऐसे $\dfrac{\text{सत्य देव}}{\text{देव गुरु}}$} की महिमा,

$\dfrac{\text{देश देश}}{\dfrac{\text{नगर नगर}}{\text{गांव गांव}}}$} $\dfrac{\text{हम करें महान्}}{\text{तुम करो महान्}}$} । 20

————

अर्थ

जबकि मनुष्य जगत् में विविध प्रकार के सुखों के **अनुरागों** की महा पतनकारी रौ जारी थी; जबकि इन **नीच अनुरागों** के कारण मनुष्यों में नाना प्रकार की **नीच घृणाएं** भी भरी हुई थीं; जबकि मनुष्य अपने अपने पतनकारी आत्मिक रोगों के कारण विविध प्रकार की मिथ्या और विविध प्रकार के पापों और विविध प्रकार के अमिताचारों आदि के प्रेमक बने हुए थे; जबकि आत्मिक रोगों से मनुष्यों के आत्मा कठोर बनकर अन्धकार से भरे हुए थे, और उन्हें कोई बोध न था, कि आत्मा क्या और उसके रोग क्या, और उन रोगों से आत्मा को क्या क्या भयानक फल मिलते हैं; और उन रोगों से नेचर के अटल नियमों के अनुसार किसी जन को किस विधि से और किस से और कहां से सच्ची मुक्ति वा मोक्ष मिल सकती है, जबकि लोग ऐसी बातों को धर्म समझते थे, कि जो धर्म की बातें न थीं; जबकि लोग मिथ्या मतों के विश्वासी थे, और मिथ्या उपास्य देवतों को मानते थे;

जबकि लोग धर्म के नाम से इस वा उस सुख और आनन्द की प्राप्ति के लिए अपने अपने आत्माओं के संबंध में विविध प्रकार के हानिकारक साधन करते थे;

जबकि लोग विविध प्रकार के झूठ और पाप-मूलक कर्म करके आत्मिक पतन की राह पर जा रहे थे;

जबकि लोग अपनी अज्ञानता से सुख को अपने जीवन का लक्ष्य जानकर शुभ का गला घोंटते थे, और सुख को अपना लक्ष्य जानकर न केवल अपने अपने आत्मिक जीवन की, किन्तु अपने अपने शरीर की भी विविध प्रकार से हानि करते थे;

जबकि लोग धर्म के नाम से विविध प्रकार की मिथ्या गप्पें फैला रहे थे, और नेचर के अटल नियमों के विरुद्ध अलौकिक क्रियाओं वा मोजज़ों वा करामातों के दिखाने और विविध प्रकार की मुरादों के पूर्ण करने और श्राप और बददुआओं वा कर्स आदि के द्वारा उन्हें हानि पहुंचाने की शिक्षा देकर लोगों में विविध प्रकार के मिथ्या विश्वास उत्पन्न कर रहे थे; और अपने नीच भावों के दास बन कर नेचर के प्रत्येक विभाग के संबंध में तरह तरह की हानियां करते थे;

जबकि लोग अपना आत्म-नाश करने के भिन्न अपने **बुरे प्रभावों** और अपनी **मिथ्या शिक्षा** से औरों के आत्माओं का भी नाश करते थे, और आत्मिक हित से बेसुध और बेहोश रह कर अपने आत्मिक जीवन को दिनों दिन नष्ट करते थे;

जबकि मनुष्य जगत् की ऐसी घोर **दुर्दशा** थी, तब इस महा दुखदायी और पतनकारी हालत में श्रेष्ठ परिवर्तन लाने के लिए नेचर के करोड़ों वर्षों के विकास क्रम में सत्य और शुभ के अनुरागों को बीज रूप में पाकर **देवात्मा** प्रगट हुए और **नेचर की विकासकारी गुप्त विधि और अपने सब प्रकार के सच्चे और पूर्ण त्यागों और सब प्रकार के पूर्ण समर्पणों के द्वारा उन्हें विकसित करके उन्होंने अद्वितीय देव जीवन लाभ किया,** और इन **देव शक्तियों** के विकास के साथ साथ उन्होंने नेचर के आत्मिक जगत् के नियमों के अनुसार अपने आत्मा में **अद्वितीय देव ज्योति** और **अद्वितीय देव तेज** को भी विकसित किया;

बत्तीस वर्ष की आयु के पूर्ण होने पर उन्होंने एक बहुत बड़ी पब्लिक सभा में अपना **परम लक्ष्य** प्रगट करके उसके पूर्ण करने के निमित्त अपना **अद्वितीय जीवन व्रत ग्रहण किया,** और उसकी सिद्धि के निमित्त अपना सब कुछ भेंट किया, और सब प्रकार के अद्वितीय त्याग करके उन्होंने उसे सिद्ध किया;

उन्होंने सत्य और शुभ की जय के लिए सब प्रकार की मिथ्या और सब प्रकार के अशुभ के साथ घोर युद्ध किया, और सत्य और शुभ को विजयी कर के उनकी महिमा का प्रचार किया,

जो लोग **देव ज्योति के बिना** आत्मा और आत्मिक जीवन के संबंध में **पूर्ण अन्धकार** की दशा में थे, और इसलिए सत्य धर्म का कुछ भी ज्ञान न रखते थे, उन तक उन्होंने उनकी योग्यता के अनुसार अपनी **देव ज्योति** की किरणों को पहुंचा कर उन्हें **सत्य धर्म का ज्ञान** प्रदान किया;

जो लोग **सुख के दास** होकर तरह तरह के **पाप** वा **अत्याचार** करते थे, उनके आत्माओं में उन्होंने अपने **अद्वितीय देव तेज** की किरणों को पहुंचा कर उनकी योग्यता के अनुसार उनमें **विविध पापों के लिए उच्च घृणा पैदा करके उनसे उनका उद्धार किया,** और बहुत से स्त्री पुरुषों में अपने **अद्वितीय देव तेज** की किरणों को पहुंचाकर उनमें उनके पहले किए हुए कई पापों के संबंध में **उच्च दुख उत्पन्न करके** उनमें **हानि परिशोध** का भाव जाग्रत किया और उन लोगों ने विविध पाप और अन्याय मूलक विधियों से जो जो धन उपार्जन किया था, और **जिन जिन का माल मारा था,** उसे उन्होंने उस भाव से परिचालित होकर हार्दिक दुख के साथ (और कइयों ने सूद समेत) वापिस किया;

जो लोग पूरे स्वार्थ परायण थे, उनमें से जो जो जन उनके स्वार्थ नाशक **देव तेज की किरणों के पाने और ग्रहण करने के योग्य** थे, उनमें अपने **देव तेज की किरणों** को पहुंचा कर उन्होंने उनके आत्माओं में एक वा दूसरे प्रकार के **उच्च**

भाव जाग्रत किए;

और जिस जिस आत्मा में उसकी योग्यता के अनुसार जहां जहां तक **उच्च चरित** विकसित हो सकता था, उसे उन्होंने उत्पन्न किया;

इसलिए क्या उनका यह परम लक्ष्य और क्या उसकी सिद्धि के लिए उनका जीवन व्रत और क्या उनकी यह देव ज्योति और क्या उनका यह देव तेज और क्या उनकी इस देव ज्योति और उनके इस देव तेज के द्वारा आत्माओं में आश्चर्य जनक उच्च परिवर्तन **उनके अद्वितीय आविर्भाव का सच्चा प्रमाण है**। इस पृथ्वी में ऐसा आश्चर्यजनक परिवर्तन उनसे पहले कोई भी कहलाने वाला उपास्य देव वा देवी वा हादी वा गुरु वा अवतार आदि नहीं ला सका था, और नहीं ला सकता था। इसलिए ऐसे **सत्य देव** की ऐसी अद्वितीय महिमा का तुम देश देश और नगर नगर और गांव गांव में प्रचार करो।

यही वह देवात्मा हैं, कि जिन में सत्य और शुभ विषयक सर्वाङ्ग अनुराग और मिथ्या और अशुभ विषयक सर्वाङ्ग घृणा के विकास से निम्नलिखित मंत्र उनका जीवन मंत्र रहा है:-

देवात्मा का जीवन मंत्र

सत्यस्य प्रेमी अहं,
        सत्यं मया जयं लभेत्;
शुभस्य च प्रेमी अहं,
        शुभं मया जयं लभेत्।
अनृतस्य / असत्यस्य } शत्रु रहं,
        अनृतं मया नष्टं भवेत्;
अशुभस्य शत्रु रहं,
        अशुभं मया नष्टं भवेत्।

अर्थ

मैं सत्य का प्रेमी हूं, इसलिए सत्य मेरे द्वारा जय लाभ करे;
मैं शुभ का प्रेमी हूं, इसलिए शुभ मेरे द्वारा जय लाभ करे।
मैं असत्य का शत्रु हूं, इसलिए असत्य मेरे द्वारा नष्ट हो;
मैं अशुभ का शत्रु हूं, इसलिए अशुभ मेरे द्वारा नष्ट हो।

यही वह देवात्मा हैं, कि जिन्होंने निम्नलिखित दो संगीतों के द्वारा अपने आविर्भाव के परम लक्ष्य को इस प्रकार प्रगट किया:-

परम लक्ष्य मेरा पूरन हो, ⎱
जीवन व्रत मेरा पूरन हो। ⎰
सकल विभागों में नेचर के,
        उच्च गति प्रद परिवर्तन हो;
नीच गति हो विनष्ट दिन दिन,
        श्रेष्ठ मेल उनमें उत्पन्न हो। 1
परम लक्ष्य मेरा पूरन हो, ⎱
जीवन व्रत मेरा पूरन हो। ⎰
आत्म-तिमिर हर देव ज्योति मम, ⎱
आत्म-प्रकाशक देव ज्योति मम, ⎰
        चारों दिग् वह परकीरण हो;
तिमिर से निकलें जन अधिकारी, ⎱
आत्म-रूप देखें अधिकारी, ⎰
        आत्म-ज्ञान उनमें उत्पन्न हो, ⎱ 2
        सत्य धर्म का ज्ञान उत्पन्न हो। ⎰
परम लक्ष्य मेरा पूरन हो, ⎱
जीवन व्रत मेरा पूरन हो। ⎰
उच्च घृणा प्रद देव तेज मम, ⎱
उच्च दुख प्रद देव तेज मम, ⎰
        चारों दिग् वह परकीरण हो;
उच्च घृणा ⎱
─────── ⎰ पावें अधिकारी,
उच्च दुख

$$\left.\begin{array}{c}\text{नीच राग}\\ \overline{\text{नीच घृणा}}\end{array}\right\}$$ त्यागें अधिकारी,

$$\left.\begin{array}{c}\text{आत्म-रोग}\\ \overline{\text{आत्म-पतन}}\end{array}\right\}$$ से निस्तारन हो। 3

$$\left.\begin{array}{l}\text{परम लक्ष्य मेरा पूरन हो,}\\ \text{जीवन व्रत मेरा पूरन हो।}\end{array}\right\}$$

$$\left.\begin{array}{l}\text{उच्च भाव प्रद देव तेज मम,}\\ \text{उच्च राग प्रद देव तेज मम,}\end{array}\right\}$$

चारों दिग् वह परकीरण हो;

$$\left.\begin{array}{c}\text{उच्च भाव}\\ \overline{\text{उच्च राग}}\\ \overline{\text{उच्च अंग}}\end{array}\right\}$$ पावें अधिकारी;

$$\left.\begin{array}{c}\text{उच्च रूप}\\ \overline{\text{श्रेष्ठ रूप}}\end{array}\right\}$$ उनमें उत्पन्न हो। 4

$$\left.\begin{array}{l}\text{परम लक्ष्य मेरा पूरन हो,}\\ \text{जीवन व्रत मेरा पूरन हो।}\end{array}\right\}$$

$$\left.\begin{array}{l}\text{देश देश औ' नगर नगर में,}\\ \text{नगर नगर औ' गांव गांव में,}\end{array}\right\}$$

$$\left.\begin{array}{c}\text{देव ज्योति}\\ \overline{\text{देव तेज}}\end{array}\right\}$$ का परचारन हो;

देव समाज हो उन्नत दिन दिन,

देवराज नित विस्तीरन हो। 5

परम लक्ष्य मेरा पूरन हो,

जीवन व्रत मेरा पूरन हो।

भावार्थ

मेरा परम लक्ष्य पूरा हो, मेरा जीवन व्रत पूरा हो।

मेरी देव शक्तियों के देव प्रभावों के द्वारा नेचर के सारे विभागों में जहां जहां तक संभव हो, उच्च परिवर्तन उत्पन्न हो, और उनमें एक दूसरे के संबंध में जिस जिस प्रकार की नीच गतियां काम कर रही हैं, वह जहां तक संभव हो, नष्ट हों, और उनमें श्रेष्ठ मेल उत्पन्न हो। मनुष्यों के आत्माओं के अन्धकार को दूर करने और उनके असल रूप को दिखाने वाली जो मेरी **देव ज्योति** है, उसकी किरणें मेरे चारों तरफ फैलें, और अधिकारी लोग उन्हें अपनी अपनी योग्यता के अनुसार अपने अपने आत्माओं में लाभ करके अपने अपने आत्मा के सच्चे रूप और उसकी सच्ची अवस्था का ज्ञान लाभ करें, और उन्हें **सच्चा आत्म-ज्ञान वा सत्य धर्म का ज्ञान प्राप्त हो।**

मेरे **देव तेज** के द्वारा आत्मा में सुख विषयक नीच अनुरागों और उसके उलट दुख विषयक नीच घृणाओं के लिए जिस **उच्च घृणा** और **उच्च दुख** की उत्पत्ति होती है, उसकी किरणें मेरे चारों ओर फैलें, और जो जो लोग जहां जहां तक उन किरणों के पाने और ग्रहण करने की योग्यता रखते हों, उनके भीतर मेरे **देव तेज** की यह किरणें प्रवेश करें, और उनके द्वारा उन्हें अपनी अपनी योग्यता के अनुसार आत्मिक रोगों और आत्मिक **पतन** से सच्ची **मोक्ष** प्राप्त हो; और मेरे **देव तेज** से मनुष्यों में जिन **उच्च भावों वा जिन उच्च अनुरागों** की उत्पत्ति हो सकती है, उसकी किरणें मेरे चारों ओर फैलें, और जो जो अधिकारी आत्मा उन्हें अपनी अपनी योग्यता के अनुसार जहां जहां तक ग्रहण कर सकते हों उन्हें वह ग्रहण करें और इस विधि से उनके आत्माओं में एक वा दूसरे प्रकार के **जीवन दायक उच्च भावों वा उच्च रागों** का विकास हो।

प्रत्येक देश और प्रत्येक नगर और प्रत्येक गांव में मेरी **देव ज्योति** और मेरे **देव तेज** का प्रचार हो, जिससे जहां एक ओर देव समाज की दिनों दिन उन्नति हो, वहां दूसरी ओर सच्चा देव राज इस दुनिया में स्थापित हो।

देवात्मा का परम लक्ष्य प्रकाशक दूसरा संगीत

$$\left.\frac{\text{परम लक्ष्य}}{\text{जीवन व्रत}}\right\}\ \text{मम पूरन होवे,}$$

$$\left.\frac{\text{नया जन्म}}{\text{नया रूप}}\right\}$$ यह दुनिया पावे;

देव राज इस जग में आवे। 1

राज सत्य का जग में आवे,

जो कुछ मिथ्या सब मिट जावे;

जो कुछ शुभ हो वह सब आवे,

जो कुछ अशुभ नष्ट सब होवे। 2

$$\left.\frac{\text{परम लक्ष्य}}{\text{जीवन व्रत}}\right\}$$ मम पूरन होवे;

$$\left.\frac{\text{नया जन्म}}{\text{नया रूप}}\right\}$$ यह दुनिया पावे।

मिथ्यापन विश्वास से जावे,

मिथ्यापन साधन से जावे;

मिथ्यापन बर्ताव से जावे,

मिथ्या-मूलक भय दुख जावे। 3

$$\left.\frac{\text{परम लक्ष्य}}{\text{जीवन व्रत}}\right\}$$ मम पूरन होवे;

$$\left.\frac{\text{नया जन्म}}{\text{नया रूप}}\right\}$$ यह दुनिया पावे।

नीच राग औ' नीच घृणा जो,

मानव जग से सब क्षय पावे;

उच्च राग औ' उच्च घृणा जो,

मानव जग में विकसित होवे। 4

$$\left.\frac{\text{परम लक्ष्य}}{\text{जीवन व्रत}}\right\}$$ मम पूरन होवे;

$$\left.\frac{\text{नया जन्म}}{\text{नया रूप}}\right\}$$ यह दुनिया पावे।

जो कुछ पवित्र वह सब आवे,

जो कुछ मलिन सभी वह जावे;

जो कुछ सुन्दर विकसित होवे,

जो कुछ कुत्सित वह क्षय पावे। 5

$\left.\dfrac{\text{परम लक्ष्य}}{\text{जीवन व्रत}}\right\}$ मम पूरन होवे;

$\left.\dfrac{\text{नया जन्म}}{\text{नया रूप}}\right\}$ यह दुनिया पावे।

न्याय सकल जो विकसित होवे,

$\left.\dfrac{\text{जो अन्याय}}{\text{जो कुछ पाप}}\right\}$ सभी मिट जावे;

जो कुछ सुनियम वह सब आवे,

जो कुछ $\dfrac{\text{अनियम}}{\text{कुनियम}}$ वह क्षय पावे। 6

$\left.\dfrac{\text{परम लक्ष्य}}{\text{जीवन व्रत}}\right\}$ मम पूरन होवे;

$\left.\dfrac{\text{नया जन्म}}{\text{नया रूप}}\right\}$ यह दुनिया पावे।

सुश्रृंखला जो वह सब आवे,

विश्रृंखला सब ही मिट जावे;

जग में उच्च शान्ति आवे,

$\left.\dfrac{\text{नीच कलह}}{\text{नीच युद्ध}}\right\}$ सब ही क्षय पावे। 7

$\left.\dfrac{\text{परम लक्ष्य}}{\text{जीवन व्रत}}\right\}$ मम पूरन होवे;

$\left.\dfrac{\text{नया जन्म}}{\text{नया रूप}}\right\}$ यह दुनिया पावे।

बोध आत्मिक हित का होवे,

नीच सुखों पर वह जय पावे;

है अनमेल जहां जगतों में,

शुभ कर मेल वहां सब आवे। 8

$\left.\dfrac{\text{परम लक्ष्य}}{\text{जीवन व्रत}}\right\}$ मम पूरन होवे;

$\left.\dfrac{\text{नया जन्म}}{\text{नया रूप}}\right\}$ यह दुनिया पावे।

भावार्थ

मेरा $\dfrac{\text{परम लक्ष्य}}{\text{जीवन व्रत}}$ } पूरन हो, और उससे यह दुनिया नया रूप लाभ करे।

जहां तक संभव हो, इस दुनिया में सत्य का राज आवे और जो कुछ मिथ्या वा झूठ है, वह सब नष्ट हो। जो जो सच्ची भलाई है, वह सब इस दुनिया में पैदा हो, और सब प्रकार की बुराइयां इस दुनिया से नष्ट हों। मनुष्यों के विश्वासों में विविध प्रकार का जो जो झूठ भरा हुआ है, और धर्म वा मज़हब के नाम से उनके विविध प्रकार के साधनों वा अमलों में जिस जिस प्रकार की मिथ्या वर्तमान है, और उनके भिन्न उनके प्रतिदिन के बर्तावों में जिस जिस प्रकार के झूठ की भरमार है और उन्हें मिथ्या-मूलक जो जो भय और दुख मिलते हैं, वह सब नष्ट हों। मनुष्यों के आत्माओं में जिस जिस प्रकार के सुखों के लिए नीच अनुराग पाए जाते हैं, और उनमें एक दूसरे के संबंध में नीच घृणाएं काम कर रही हैं, वह सब नष्ट हों; और उनमें जीवन दायक उच्च भावों और उच्च घृणाओं की उत्पत्ति हो। मनुष्यों में क्या उनके शरीर और क्या उनके आत्माओं के लिए जो जो कुछ सच्ची पवित्रता है, उसका उनमें बोध उत्पन्न हो, और उसके लिए प्यार जागे, और जो जो कुछ सच्ची मलिनता है, वह सब नष्ट हो। नेचर में जो जो सच्चा, पवित्र और हितकर सौन्दर्य है, उसका बोध और प्यार मनुष्यों में उत्पन्न हो, और उसके विरुद्ध सब प्रकार के कुत्सितपन के लिए घृणा जाग्रत हो। जो जो कुछ नेचर के सच्चे नियम के अनुसार न्याय-मूलक हो, उसका बोध और उसका प्यार मनुष्यों में उत्पन्न हो, और जो कुछ उसके उलट अन्याय वा अत्याचार-मूलक हो, वह सब इस दुनिया से नष्ट हो। मनुष्यों के जीवन में सच्ची नियमता का भाव उत्पन्न हो, और उनमें क्या अपने और क्या औरों के संबंध में जिस जिस प्रकार की अनियमितता पाई जाती है, वह नष्ट हो। दुनिया के विविध संबंधों में जिस जिस प्रकार की अनुचित क्रियाएं होती हैं, वह सब नष्ट हों। और इस दुनिया में जिस कदर अनुचित झगड़े जारी हैं, और अनुचित लड़ाइयां होती हैं, वह सब नष्ट हों, और इस दुनिया में शान्ति उत्पन्न हो। मनुष्यों में आत्मा का सत्य ज्ञान और उसकी भलाई का सच्चा बोध उत्पन्न हो, और उनकी आत्मिक भलाई की उनके नीच सुखों पर जय हो। और जहां जहां जीवित और अजीवित जगतों में अनमेल उत्पन्न हो रहा है, वह अनमेल जहां तक संभव हो, दूर हो, और उनमें भलाई को लेकर सच्चा मेल स्थापित हो।

———

आठवां अध्याय

नेचर के संबंध में स्मरण रखने के योग्य बड़े बड़े सोलह सत्य सिद्धान्त

1- सब प्रकार के छोटे से छोटे और बड़े से बड़े अजीवित और जीवित **सच्चे** अस्तित्वों के **समूह** का नाम **नेचर** वा **प्रकृति** है।

2- नेचर में जितने अस्तित्व हैं, वह सबके सब केवल **दो** प्रकार की ही वस्तुओं से मिलकर बने हैं, जिनमें से एक को **जड़** और दूसरी को **शक्ति** कहते हैं।

नेचर में कोई भी अस्तित्व ऐसा नहीं, कि जो इन दोनों चीज़ों से मिल कर न बना हो; क्योंकि नेचर में **जड़** और **शक्ति** का अकाट्य संबंध है। इसलिए इन दोनों में से केवल एक वस्तु को लेकर और दूसरी से पूर्णत: अलग कोई भी अस्तित्व संभव नहीं।

3- नेचर की जो वस्तु मनुष्य को **भारवान** बोध होती है, उसके छोटे से छोटे **अंश** और उसकी अपेक्षा बड़े से बड़े डील वाले पदार्थ को **जड़** पदार्थ कहते हैं।

4- नेचर में जो वस्तु मनुष्य को क्या अपने शरीर के भीतर, क्या अपने शरीर के ऊपर और क्या अपने से भिन्न किसी और जीवित वा अजीवित अस्तित्व को धक्का मारती वा लगाती वा हिलाती जुलाती, वा उसमें किसी प्रकार की गति वा चाल पैदा करती हुई, वा अपनी गति वा किसी और जीवित वा अजीवित अस्तित्व की गति में रोक डालती हुई, वा अपनी वा उसकी गति को पूर्णत: बन्द करती हुई बोध होती है, उसे **शक्ति** कहते हैं।

5- सारी नेचर एक पूर्णाङ्ग शरीर की न्याईं है, और उसके भीतर के सब अस्तित्व उसी के अंश व अंग हैं; इसीलिए वह सब एक दूसरे के साथ **साक्षात् वा असाक्षात् निकट वा दूर का संबंध रखते हैं।**

नेचर में कोई अस्तित्व ऐसा नहीं, और न हो सकता है, कि जो उसके अन्य किसी भी अस्तित्व के साथ कोई और किसी प्रकार का संबंध न रखता हो, अर्थात् वह **पूर्णत: स्वतंत्र हो,** और उस पर किसी और अस्तित्व का कभी और कोई **प्रभाव** (असर) न पड़ता हो; इस प्रकार की **पूर्ण स्वतंत्रता** नेचर में उसके किसी अस्तित्व के लिए **संभव** नहीं।

6- नेचर अपने समस्त **जड़** पदार्थों और अपनी समस्त **शक्तियों** की **समस्त मात्रा** के विचार से जैसे पहले **सदा** से थी; वैसी ही वह **सदा** रहती है; और यद्यपि उसके भीतर का प्रत्येक अस्तित्व **अवश्य परिवर्तित** होता है, तथापि वह जिन दो प्रकार के पदार्थों से संयुक्त होता है, उसके वह दोनों पदार्थ कभी भी **पूर्णतः नष्ट नहीं हो जाते**; किन्तु **एक वा दूसरे रूप में सदा वर्तमान रहते हैं**; इसलिए नेचर **अविनाशी है**, और इसलिए वह **अनादि वा स्वयंभू है।**

7- जबकि प्रत्येक सच्चा अस्तित्व नेचर का ही **अंश** है, इसलिए **नेचर के भिन्न और उससे बाहर जैसे पहले कभी कोई अस्तित्व न था, वैसे ही कभी भविष्य में भी नहीं हो सकता।**

8- जबकि सत्य नेचर से बाहर वा अतीत किसी भी अजीवित वा जीवित अस्तित्व का होना ही **असंभव** है, तब उससे बाहर किसी अस्तित्व को मानकर और उसे नेचर का सृष्टा वा उसके ही पदार्थों को जोड़ तोड़ कर उसके किसी अजीवित वा जीवित लोक वा उसके किसी भी अस्तित्व का बनाने वा रचना करने वाला बतलाना झूठी कल्पना वा झूठी गप्प के भिन्न और कुछ नहीं।

9- नेचर में जैसे उसके गठन-प्राप्त जीवित आकार धारी सब प्रकार के अस्तित्वों में क्या उनकी **अपनी अपनी जीवनी शक्तियों के कार्य से** और क्या उनसे बाहर की उसकी विविध प्रकार की अन्य शक्तियों के कार्य से **प्रति क्षण परिवर्तन** होता है, वैसे ही उसके अजीवित लोकों और उसके अन्य अजीवित वा जड़ अस्तित्वों में भी कितनों की **अपनी अपनी शक्तियों** और उनके भिन्न अपने से बाहर की **अन्य शक्तियों के कार्य से** और औरों में केवल बाहर की विविध शक्तियों के द्वारा **सदा परिवर्तन** होता है, और इस परिवर्तन से नेचर के सब प्रकार के जीवित और अजीवित अस्तित्व अपने अपने आकार और गुणों में बदलते रहते हैं, और नेचर में कोई भी जीवित वा अजीवित अस्तित्व ऐसा नहीं है, और न हो सकता है, कि जो **परिवर्तित** न होता हो।

10- नेचर में उसका प्रत्येक अस्तित्व जब **परिवर्तित** होता है, तब उससे वह अपने **आकार** वा अपने **गुणों** में पहले की अपेक्षा या तो **नीच** वा **बुरा** वा **पतित** वा **अश्रेष्ठ** बन जाता है, अथवा **उच्च** वा **श्रेष्ठ।** इसलिए नेचर के इस **लगातार परिवर्तन** से उसका कुछ भाग पहले की अपेक्षा दिनों दिन **उच्च से उच्च** बनता रहता है, और उसका कुछ भाग पहले की अपेक्षा **बिगड़ता वा पतित** होता रहता है।

नेचर में पहले प्रकार का परिवर्तन उसका **निर्माण वा विकासकारी** और

दूसरे प्रकार का परिवर्तन उसका **पतन वा विनाशकारी** परिवर्तन कहलाता है।

11- नेचर में क्या उसके अजीवित और क्या जीवित दोनों प्रकार के ही अस्तित्व **पतनकारी** गतियों में पड़ कर **बिगड़ते वा पतित** होते हैं, और यदि वह लगातार उसी पतन के क्रम में पड़े रहें, तो फिर वह एक दिन **अपने प्रथम-लब्ध सब गुणों और सब आकारों को खो बैठते हैं**, और अपने इन व्यक्तिगत **गुणों** और अपने इन व्यक्तिगत **आकारों** के पूर्णत: खो चुकने पर वह अपने पहले व्यक्तिगत अस्तित्व के विचार से एक दिन पूर्णत: **नष्ट** हो जाते हैं।

12- नेचर में उसके निर्माणकारी कार्य के द्वारा जैसे उसके कई प्रकार के जड़ पदार्थ परिवर्तित होकर **उत्तम से उत्तम रूप और गुण ग्रहण करते हैं**, वैसे ही उसकी कितनी ही **अजीवित शक्तियां** परिवर्तित होकर पहले **जीवित** बन जाती हैं; फिर उसके अनन्तर उन्हीं शक्तियों में से कुछ जीवित शक्तियां परिवर्तित होकर **गठन-प्राप्त जीवित शक्तियां** बनती हैं और वह नाना प्रकार के **विविध गुण विशिष्ट** उद्भिद्, पशु और मनुष्य के आकार निर्माण करती हैं। इस विधि से नेचर में उसकी **अपनी ही शक्तियों के कार्य से** एक ओर **जीवन रहित** और दूसरी ओर **जीवन विशिष्ट स्थूल और सूक्ष्म जगतों की उत्पत्ति** होती है।

13- नेचर के ही विकास क्रम में ठीक समय के आने पर हमारी पृथ्वी प्रगट हुई, फिर बहुत लम्बे काल के अनन्तर ठीक समय के आने पर उस पर पहले पहल एक एक सैल के जीवित आकारों और फिर उद्भिद् और पशु जगत् से संबंध रखने वाले बहु सैल विशिष्ट नाना प्रकार के जीवों का प्रकाश हुआ। और फिर उचित समय के आने पर पशु जगत् के ही स्तन्यपायी जीवों की एक शाखा में से धीरे धीरे मनुष्य का विकास हुआ है।

14- मनुष्य जगत् के विकास क्रम में मनुष्यों के सब प्रकार के नीच अनुरागों और उनकी सब प्रकार की नीच घृणाओं विषयक निम्न आत्मिक प्रकृति से पूर्णत: रहित और **सब प्रकार के सत्य और शुभ विषयक देव अनुरागों** और उनके उलट सब प्रकार की मिथ्या और सब प्रकार के अशुभों वा अहितों वा अन्याय-मूलक कर्मों वा पापों वा दुराचारों के प्रति पूर्णाङ्ग घृणा भावों से विभूषित **एक मात्र सत्य देव वा देवात्मा** का आविर्भाव हुआ है, कि जो इस पृथ्वी के सब अधिकारी मनुष्यों के लिए,

(1) एक मात्र सत्य उपास्य देव हैं,

(2) धर्म विषयक ज्ञान के एक मात्र सत्य शिक्षक वा गुरु हैं,

(3) उनकी अपनी अपनी योग्यता के अनुसार उनके एक

मात्र सर्वाङ्ग और सत्य मोक्ष दाता हैं,

(4) उनकी अपनी अपनी योग्यता के अनुसार उनके एक मात्र सर्वाङ्ग उच्च भावों के विकास कर्ता हैं।

15- नेचर के विविध विभागों के अस्तित्वों में से जो जो अस्तित्व उसके विकास वा निर्माण विषयक कार्य का जहां जहां तक **साथ नहीं देते,** वा उसका कुछ भी साथ नहीं देते, वा उलटा उसकी **विरोधिता** करते हैं, वा उसमें रोक बनते हैं; वहां वहां तक ऐसे सब अस्तित्व **दिनों दिन पतित दशा** को प्राप्त होते रहते हैं।

16- नेचर के विविध विभागों के अस्तित्वों में से जो जो अस्तित्व उसके **निर्माण वा विकासकारी कार्य में जहां जहां तक साथ देते और सहायक वा सेवाकारी बनते हैं**, वहां वहां तक वह अपनी ऐसी गतियों से आप भी श्रेष्ठ बनते वा विकसित होते हैं। इसीलिए नेचर के किसी विभाग के किसी भी ऐसे अस्तित्व के श्रेष्ठ बनाने में **विशुद्ध सेवा के भाव से परिचालित होकर सेवाकारी बनने के योग्य होना**, कि जिसमें किसी प्रकार की कोई श्रेष्ठता आ सकती हो, मनुष्य का बहुत बड़ा अधिकार वा सौभाग्य है; क्योंकि किसी ऐसी विशुद्ध सेवा के करने के योग्य होने से ही वह अपनी उस सेवा की श्रेणी और मात्रा के अनुसार **अपने आत्मिक जीवन को श्रेष्ठ बना सकता है, और अपना आत्मिक-हित साधन कर सकता है।**

देव शास्त्र के दूसरे खंड

का
सूची पत्र।

सत्य और मिथ्या तत्व

दूसरा अध्याय

तीसरा अध्याय

चौथा अध्याय

देव शास्त्र

दूसरा खंड

सत्य और मिथ्या तत्व

देव शास्त्र के इस खंड में

सत्य ज्ञान की आवश्यकता; सत्य ज्ञान की प्राप्ति के निमित्त आठ प्रकार के बोधों और चार प्रकार के अनुरागों की आवश्यकता; मनुष्य जगत् में नाना प्रकार की मिथ्याओं की उत्पत्ति और उनके कारणों; मनुष्यों के लिए किसी और मनुष्य पर विश्वास करने की आवश्यकता; और किसी जन वा सम्प्रदाय का कौन सा विश्वास वा मत सत्य है वा मिथ्या, उसकी पहचान के लिए नेचर-मूलक चार कसौटियों का वर्णन है।

— देव धर्म प्रवर्तक विरचित

देव शास्त्र

दूसरा खंड

सत्य और मिथ्या तत्व

पहला अध्याय

मनुष्य को सत्य ज्ञान की आवश्यकता

देव शास्त्र के पहले खंड में यह बताया जा चुका है, कि **एक मात्र नेचर ही सत्य है**; वही **सदा से सत्य** थी; और वही **सदा सत्य** रहती है। **नेचर** के भिन्न वा उससे बाहर **कुछ भी और कोई सत्ता भी और कोई बात भी सत्य नहीं**। इस कारण किसी भी मनुष्य के लिए जिस जिस प्रकार का और जहां जहां तक **सत्य ज्ञान** लाभ करना संभव है, **उस सब सत्य ज्ञान की असीम भंडार एक मात्र नेचर ही है, और उसके भिन्न और कुछ नहीं**।

सत्य ज्ञान की प्राप्ति के लिए **नेचर ने ही जो जो नियम रखे हैं**, उन्हीं के ठीक ठीक जानने और उन्हीं के अनुसार चलने की आवश्यकता है। उन्हें छोड़ कर और उनके विरुद्ध जिन जिन मनुष्यों ने **केवल** अपनी अपनी कल्पना शक्ति के द्वारा जितनी और जिस जिस प्रकार की कहानियां और जितनी और जिस जिस प्रकार की अन्य नाना बातें घड़कर मनुष्य जगत् में फैलायी हैं, और लाखों और करोड़ों मनुष्यों को उनका विश्वासी बनाया है, वह सब पूर्णत: मिथ्या हैं।

नेचर में प्रत्येक मनुष्य का आत्मा उसके शरीर की न्याईं गठन-प्राप्त रूप रखता है, और प्रत्येक मनुष्य के आत्मा और उसके शरीर का जीवन और मरण नेचर के अटल नियमों के अधीन है। नेचर ने मनुष्य के शरीर के जीने के निमित्त उद्‌भिद जगत् की नाना चीज़ों को तो अवश्य खाद्य वा खुराक बनाया है, परन्तु उस जगत् की और

कितनी ही वस्तुओं के भिन्न **उन** वस्तुओं को कदापि खाद्य नहीं बनाया, कि जिनमें विविध प्रकार के विष की उत्पत्ति हुई वा होती है। नेचर ने कॉफी, चाय, कोको, तम्बाकू, भंग, धतूरा, गांजा, अफ़ीम, शराब, कोकेन आदि विषाक्त पदार्थों को मनुष्य के शरीर की पालना के लिए खाद्य वा खुराक नहीं बनाया। इसलिए जब कोई मनुष्य इन के **सुखदायक प्रभावों का लालसी वा अनुरागी बनकर** उन्हें पीना वा खाना आरंभ करता है, और इस सुख की चाट में उन्हें पीता और खाता रहता है; तब उनमें से प्रत्येक के भीतर जो विष वर्तमान होता है, उसके असरों से नेचर के अटल नियमानुसार उसके गठन-प्राप्त शरीर के विविध अंग बिगड़ने लगते हैं; और उन अंगों के बिगड़ने से उसमें नाना रोगों और कष्टों की उत्पत्ति होती है, बल क्षीण होता है, और उसके शरीर की आयु भी घट जाती है। जिस प्रकार मनुष्य के गठन-प्राप्त जीवित शरीर के संबंध में यह विविध प्रकार की पतनकारी घटनाएं उत्पन्न होती हैं कि जिनका उत्पन्न होना अनिवार्य है; उसी प्रकार उसका आत्मा भी जब अपने किसी भी सुखदायक अभीष्ट की प्राप्ति के लिए **जान बूझकर किसी प्रकार की मिथ्या को पोषण वा उसका व्यवहार वा प्रचार करता है**, अथवा अनजाने भी किसी मिथ्या के अनुसार आप चलकर वा औरों को चलाकर किसी प्रकार के पाप वा अत्याचार की उत्पत्ति करता है; तब उससे नेचर के आत्मिक जगत् के अटल नियमानुसार उसका आत्मा पतित और उसका आत्मिक बल धीरे धीरे क्षय वा नष्ट होता है, और उसके हित अर्थात् जीवन की प्राप्ति वा उन्नति का मार्ग भी धीरे धीरे बन्द होता जाता है। ओह! इस संसार में अपने आत्मा के गठन-प्राप्त रूप और उसके जीवन और पतन और मरण आदि विविध विषयों के संबंध में अन्धा और अज्ञानी रहना मनुष्य के लिए कितनी बड़ी शोचनीय बात! और उसकी कितनी बड़ी दुर्दशा!!

इसलिए सत्य नेचर और उसमें भी अपने सत्य और सार अस्तित्व अर्थात् आत्मा के संबंध में अधिक से अधिक सत्य ज्ञान लाभ करने के योग्य होना; और उसके विपरीत सब प्रकार के मिथ्या विश्वासों, मिथ्या संस्कारों, मिथ्या मतों और मिथ्या कल्पनाओं से रहित होना वा मोक्ष पाना; और प्रत्येक मिथ्या को छोड़कर केवल सत्य को ही ग्रहण करना मनुष्य का अति श्रेष्ठ और अति कल्याणकारी अधिकार है।

नेचर के किन किन विषयों के संबंध में मनुष्य को सत्य ज्ञान की प्राप्ति हो सकती है?

नेचर के जिन जिन विषयों के संबंध में मनुष्य को सत्य ज्ञान की प्राप्ति हो सकती है, वह यह हैं:-

(1) नेचर के जड़ और शक्ति विशिष्ट विविध प्रकार के अस्तित्वों की **सत्ता** के विषय में;

(2) नेचर के विविध प्रकार के **वास्तविक अस्तित्वों** के **जड़ रूप** और उनके **गुणों** के विषय में;

(3) नेचर के विविध प्रकार के **वास्तविक अस्तित्वों** की **अजीवित वा जीवित शक्तियों** और उनके **गुणों के** विषय में;

(4) नेचर के विविध प्रकार के **वास्तविक अस्तित्वों** में उसकी जिन जिन अटल विधियों के अनुसार विविध प्रकार का **परिवर्तन** होता है, उसकी उन **अटल विधियों** अर्थात् उसके उन **अटल नियमों** और उन परिवर्तन विषयक **घटनाओं** के संबंध में।

सत्य नेचर के इन चारों प्रकार के सत्य विषयों के भिन्न मनुष्य जगत् में और जिस जिस प्रकार की और जितनी जितनी शिक्षा प्रचलित है, वह सब की सब **मिथ्या गप्पों** के भिन्न और कुछ नहीं। ऐसी सब गप्पों से मोक्ष पाना जैसे प्रत्येक मनुष्य के लिए आवश्यक है; वैसे ही इन मिथ्या विश्वासों से जो जो जन जिन जिन जनों को जहां जहां तक मोक्ष देने की सामर्थ्य रखते हों, उनके लिए भी उन्हें उनसे मोक्ष देने के निमित्त संग्राम करना, क्या उन मिथ्या विश्वासियों और क्या उन्हें अपने विविध प्रकार के भले के लिए भी नितान्त आवश्यक है।

नेचर के विविध विषयों के संबंध में मनुष्य को किस किस प्रकार की बोध शक्तियों के द्वारा साक्षात् सत्य ज्ञान मिल सकता है?

नेचर के विविध विषयों के संबंध में जिस जिस प्रकार की बोध शक्तियों के द्वारा मनुष्य को साक्षात् सत्य ज्ञान लाभ हो सकता है, वह यह हैं:-

1- साक्षात् ज्ञान उत्पादक कई प्रारंभिक बोध शक्तियां (ज्ञान इन्द्रियां)।

2- साक्षात् ज्ञान उत्पादक कई मानसिक शक्तियां।

3-साक्षात् ज्ञान उत्पादक अहं संबंधी कई बोध शक्तियां।

4-साक्षात् ज्ञान उत्पादक निम्न भाव विषयक बोध शक्तियां।

5-साक्षात् ज्ञान उत्पादक कई सद्गुण विषयक बोध शक्तियां।

6-साक्षात् ज्ञान उत्पादक न्याय विषयक उच्च वा सात्विक बोध शक्तियां।

7-साक्षात् ज्ञान उत्पादक श्रद्धा, परोपकार और परसेवा विषयक उच्च वा सात्विक बोध शक्तियां।

8-साक्षात् सत्य ज्ञान उत्पादक कई प्रकार की देव शक्तियां।

यह सब प्रकार की बोध शक्तियां मनुष्य को नेचर के जिस जिस विषय के साथ जोड़ कर उसे उसके संबंध में साक्षात् सत्य ज्ञान देती वा दे सकती हैं; उनमें से जो जो बोध शक्तियां जिन मनुष्यों में विकसित नहीं हुईं, वा वह बोध शक्तियां उनमें वर्तमान नहीं, वह सब मनुष्य नेचर के उन उन विषयों के संबंध में जिनके साथ उन बोध शक्तियों का साक्षात् संबंध है, अपने लिए कोई और किसी प्रकार का साक्षात् सत्य ज्ञान लाभ नहीं कर सकते।

इन आठों साक्षात् सत्य ज्ञान प्रदायिनी बोध शक्तियों के भिन्न सत्य ज्ञान की प्राप्ति के लिए मनुष्य में जिन चार प्रकार की और अनुराग वा प्रेम शक्तियों की वर्तमानता की आवश्यकता है, वह यह हैं:-

1-किसी विषय में सत्य ज्ञान की प्राप्ति के लिए उस विषय संबंधी प्रत्येक सत्य के प्रति यथेष्ट अनुराग वा प्रेम।

2-किसी विषय में सत्य ज्ञान की प्राप्ति के लिए परीक्षा विषयक विधि के प्रति यथेष्ट अनुराग वा प्रेम।

3-किसी विषय में सत्य ज्ञान की जांच के लिए तर्क विधि के प्रति यथेष्ट अनुराग वा प्रेम।

4-विविध प्रकार के सत्यों के देखने के लिए विविध प्रकार की ज्योति के प्रति अनुराग वा प्रेम।

1- साक्षात् ज्ञान उत्पादक कई प्रारंभिक बोध शक्तियां
(ज्ञान इन्द्रियां)

नेचर ने अपने जिस जिस प्रकार के अस्तित्वों के संबंध में **साक्षात् सत्य ज्ञान** लाभ करने के निमित्त मनुष्य को **उनके आकार, उनके शब्द, उनके गन्ध, उनके रस आदि का बोध देने वाली विविध इन्द्रियां** दी हैं; **उन्हीं इन्द्रियों के द्वारा** उनका उसे **साक्षात् ज्ञान** होता और हो सकता है; उनके भिन्न किसी और प्रकार से नहीं।

दृष्टान्तः-

जब किसी मनुष्य की आंखें ठीक दशा में हों, और वह उन्हें **खोले** हुए हो, और उस समय उसके चारों ओर नेचर की जो जो वस्तुएं वर्तमान हों, उनके रूप सूर्य वा किसी लैम्प आदि की **ज्योति** के द्वारा ज्योतिर्मान हो रहे हों, और ऐसी वस्तुओं में से जिन जिन के रूप से **ज्योति की किरणें** निकल कर उसकी आंखों तक पहुंच कर उनके भीतर उनका प्रतिबिम्ब डाल सकती हों, वह डाल रही हों, और उन प्रतिबिम्बों को उसकी आकार प्रदर्शक स्नायु उसके मस्तिष्क तक पहुंचाकर उन्हें उसके आत्मा के सम्मुख ला रही हो, तब वह अपने से बाहर की उन **सच्ची वस्तुओं के आकारों** का **साक्षात् दर्शन** वा अवलोकन कर सकता है; और उनके आकारों को देखकर न केवल उनकी **सत्ता** वा **वास्तविकता** के विषय में किन्तु जैसा जैसा उनका अपना अपना रूप है, उनके उन अलग अलग रूपों के विषय में भी **साक्षात् ज्ञान** लाभ कर सकता है। परन्तु यदि वह **चक्षु हीन** अर्थात् **अन्धा** हो, अथवा ठीक आंखें रखने पर भी उन्हें **पूर्णतः बन्द** रखे, वा वह अपनी आंखों को खुला रखे, परन्तु उसके चारों ओर **पूर्ण अन्धकार** हो, और इस अन्धकार के कारण उसके चारों ओर की वस्तुएं **ज्योतिर्मान न हों**, तो उसे उनके आकार वा रूप के विषय में **कोई साक्षात् ज्ञान नहीं मिल सकता**; और इसीलिए उसे उनका कोई **साक्षात् ज्ञान** भी **नहीं हो सकता**; क्योंकि, नेचर ने इस अभिप्राय के लिए अपनी जो अटल विधि रखी है, वह पूर्ण नहीं हुई। ऐसी दशा में वह किसी और जन के कथन पर **विश्वास** करके ही उनके विषय में कोई सत्य वा असत्य ज्ञान लाभ कर सकता है।

इसी प्रकार यदि किसी मनुष्य की **श्रवण इन्द्रिय** ठीक हो, और उसके चारों ओर **शब्द** की लहर वाहक वायु भी वर्तमान हो, और उस समय किसी मनुष्य वा

पशु वा बाजे आदि के द्वारा जो शब्द निकल रहा हो, उनमें से किसी की ओर उसका यथेष्ट **ध्यान** भी हो, और उस शब्द की लहरें हवा के भीतर से चल कर और उसके कानों के परदों तक पहुंच कर अपना **धक्का** लगा रही हों, और उसके कानों के भीतर की शब्द बोध दायिनी स्नायु शक्तियां उसकी इन लहरों को उसके मस्तिष्क तक पहुंचा रही हों, तब वह मनुष्य उस शब्द को सुनकर उसके विषय में **साक्षात् ज्ञान** लाभ कर सकेगा। परन्तु यदि नेचर की यह सब विधि पूर्ण न हो, तो फिर वह उनमें से किसी ऐसे शब्द को न तो सुन सकेगा, और न उसके विषय में कोई **साक्षात् ज्ञान** ही लाभ कर सकेगा।

इसी तरह यदि किसी मनुष्य के **नाक** के भीतर की **गन्ध बोधक** गिलटियां और उसकी गन्ध वाहक स्नायु ठीक हो, और उसके नाक के नथुनों के पास कोई फूल वा अतर आदि गन्ध दायक वस्तु रखी जाए, तो उसे उसकी गन्ध का **साक्षात् ज्ञान** हो जाएगा – यहां तक कि यदि कोई गन्ध दायक वस्तु उससे कुछ दूरी पर भी हो, परन्तु उसके सूक्ष्म कण वायु के भीतर से होकर उसकी नाक के नथुनों में प्रवेश कर सकते हों, और उसमें **गन्ध बोधक शक्ति** भी यथेष्ट रूप से वर्तमान हो, तो भी वह **उसकी गन्ध के विषय में साक्षात् ज्ञान** लाभ कर सकेगा। परन्तु यदि नेचर की यह सब विधि पूर्ण न हो, तो फिर वह इस प्रकार की किसी गन्ध के विषय में कोई **साक्षात् ज्ञान** लाभ न कर सकेगा।

इसी प्रकार यदि किसी मनुष्य के मुंह में उस की जिह्वा के साथ **रस वा स्वाद बोध** दायिनी जिन जिन गिलटियों का संबंध है, वह गिलटियां वर्तमान हों, और वह ठीक दशा में हों, तब यदि किसी मिसरी वा नमक की डली वा कच्चे आम की चटनी उन गिलटियों को छुवेगी, तो उसे उनके **मीठे वा नमकीन वा खट्टे** होने का **सच्चा और साक्षात् ज्ञान** हो जाएगा, परन्तु यदि नेचर की यह विधि पूरी न हो, तो फिर उसे उनमें से किसी वस्तु के स्वाद का कोई **साक्षात् ज्ञान** न होगा।

इन चारों प्रकार की ज्ञान दायिनी इन्द्रियों के भिन्न मनुष्य के सारे शरीर में जो और **स्नायु जाल** फैला हुआ है, उसके **ठीक** होने पर ही उसके द्वारा मनुष्य **विविध प्रकार का अन्य साक्षात् ज्ञान लाभ करता वा कर सकता है।** अर्थात् किसी वस्तु के **कठोर वा नम्र वा कोमल** होने का ज्ञान; **ताप वा ठंड** विषयक ज्ञान; किसी जड़ पदार्थ के **भार** का ज्ञान, और इनके भिन्न मल वा मूत्र के **त्याग की आवश्यकता** का ज्ञान; प्यार के भाव से किसी के शरीर पर हाथ फेरने से **सुख** का ज्ञान; किसी के मारने वा किसी और प्रकार से चोट के लग जाने पर **दर्द वा पीड़ा** का ज्ञान; भूख और प्यास का ज्ञान; खुजली वा गुदगुदाहट का ज्ञान; और कई अन्य प्रकार

के साक्षात् ज्ञान लाभ कर सकता है। परन्तु इन सब विषयों में यदि नेचर की यह विधि पूरी न हो, तो वह उनके विषय में कोई **साक्षात् ज्ञान** लाभ नहीं कर सकता।

प्रश्न। क्या नेचर की इस विधि के अनुसार दुनिया के लोग अपनी अपनी ठीक ज्ञान दायिनी इन्द्रियों के द्वारा जिन नाना प्रकार की जड़ वस्तुओं के **आकार** और उनके **शब्दों** आदि का जो जो **साक्षात् ज्ञान** लाभ करते हैं, वह सब एक ही प्रकार का होता है, और उसे **वह सभी सत्य मानते हैं**?

उत्तर। यदि वह झूठ न बोलें, और उन में से किसी के इस प्रकार के ज्ञान की प्राप्ति में कोई **भूल** न हो गई हो, **तो वह सभी उसे सत्य मानेंगे।**

इन विषयों के कुछ दृष्टान्त यह हैं:-

यदि हमारे सामने कुछ दूरी पर एक बड़ा **आम** का वृक्ष खड़ा हो, तो हम अपने ही स्थान में खड़े रहकर उसके अस्तित्व की **सत्यता का साक्षात् ज्ञान** अपनी उन **चक्षु इन्द्रियों** के द्वारा लाभ कर सकते हैं, कि जो एक ओर **ठीक दशा** में हों, और दूसरी ओर वह वृक्ष जिस किसी **ज्योति** से ज्योतिर्मान हो, उसकी **किरणें हमारी चक्षु इन्द्रियों** तक पहुंच सकती हों; और उस समय हमारा ध्यान भी उसी वृक्ष की ओर हो। इसी प्रकार यदि हमारे भिन्न और **दस, बीस, तीस, चालीस वा पचास जन** उस वृक्ष के चारों तरफ कुछ कुछ फासले पर खड़े हुए हों, और उन सब की आंखें **ठीक हालत** में हों, और उस वृक्ष पर जो **ज्योति** पड़ रही हो, उसकी **किरणें** भी उनकी आंखों तक ठीक ठीक पहुंच सकती हों, और उनका ध्यान भी उस वृक्ष की ओर हो, तो वह भी **उस वृक्ष के अस्तित्व का साक्षात् ज्ञान** उसी प्रकार लाभ करेंगे, जिस प्रकार हम ने लाभ किया है। और यदि वह झूठ न बोलें, तो **हम और वह सब ही उस आम के अस्तित्व को सत्य मानेंगे।** और यदि वह और हम उसके पत्तों के रूप को भी पहले से पहचानते हों, और हम में से कोई झूठ न बोले, **तो हम सभी उसे आम का ही वृक्ष कहेंगे।** और हमारा परस्पर इन दोनों बातों के विषय में कोई **मतभेद वा झगड़ा न होगा।**

इसी प्रकार कानों की **श्रवण इन्द्रिय** के द्वारा मनुष्य को जिस जिस **शब्द** का **साक्षात् ज्ञान** हो सकता है, उस **शब्द** को सुनकर सैंकड़ों लोग (यदि वह झूठ न बोलें) उसे सत्य मानेंगे। और यदि वह लोग नाना प्रकार के भिन्न भिन्न शब्दों के पहचानने के योग्य हों, तो वह उन शब्दों को सुनकर यह भी सत्य साक्षी देंगे, कि उनमें से कौन सा शब्द किसी कौवे, वा मोर वा मुर्ग का है, वा कौन सा शब्द बिजली की गरज वा किसी हाथी वा घोड़े वा शेर का है।

फिर किसी अंधेरे कमरे में बैठे हुए **सौ मनुष्य** भी अपने अपने मुंह में **गुड़**

का एक टुकड़ा वा थोड़ी सी **चीनी** डालकर अपनी अपनी **रस बोधक इन्द्रिय** के द्वारा उसके **मीठेपन** के विषय में **सत्य ज्ञान** लाभ कर सकते हैं। और यदि वह झूठ न बोलें, तो उसके मीठेपन के विषय में वह सब के सब **सच्ची साक्षी** भी दे सकते हैं, और उनमें इस विषय में कोई **मतभेद** न होगा।

इसी प्रकार किसी गांव के रहने वाले सैंकड़ों जन भी गर्मी वा सर्दी के मौसम में अपने अपने शरीर के **स्नायु जाल पर वायु के स्पर्श से गर्मी वा सर्दी** की सनसनी का बोध होने पर उस मौसम के विषय में सच्ची गवाही देकर उसे गर्मी वा सर्दी का ठीक ठीक मौसम बता सकते हैं, और उनमें कोई मतभेद नहीं हो सकता।

फिर यदि कुछ मनुष्य एक जगह बैठे हों, और उनके निकट ही परन्तु उनकी आंखों से ओझल कुछ लाल मिर्चें आग में डाली गई हों, और उनके **सूक्ष्म कण** जो **वायु** में फैले हुए हों, वह उनकी **घ्राण इन्द्रिय** तक पहुंच कर उसे छू सकते हों, और उन सब की वह इन्द्रियां भी **ठीक दशा** में हों, और वह जन लाल मिर्चों की गन्ध की पहचान भी रखते हों, तो वह अपने नाक की इसी घ्राण इन्द्रिय के द्वारा इस सत्य को **साक्षात्** रूप से जान जाएंगे, कि कहीं लाल मिर्चें आग में जल रही हैं। और यदि वह झूठ न बोलें, तो उनमें इस विषय में कोई मतभेद न होगा; और वह सभी नेचर की इस सत्य घटना को सत्य मानेंगे।

2- साक्षात् ज्ञान उत्पादक कई मानसिक शक्तियां

नेचर के संबंध में कई प्रकार का **साक्षात् ज्ञान** मनुष्य को अपनी जिन कई मानसिक शक्तियों के विकास के द्वारा होता वा हो सकता है, वह यह हैं:-

(1) धारणा शक्ति।
(2) स्मरण शक्ति।
(3) कल्पना शक्ति।
(4) ध्यान शक्ति।
(5) बुद्धि अर्थात् विचार करने वाली शक्ति, आदि।

दृष्टांत:-

एक मनुष्य किसी और मनुष्य को अपने शहर में कई बार देखता रहा है। इस प्रकार बार बार देखने से उसका रूप उसकी धारणा शक्ति में अंकित हो गया है। कई महीने के बाद वह उसे किसी और जगह देखता है, तब उसके देखते ही उसके भीतर यह विचार उत्पन्न होता है, कि यह तो वही मनुष्य मालूम होता है, कि जिसे

मैंने अपने शहर में कई बार देखा है। उसकी स्मरण शक्ति भी उसके इस विचार के समय तत्काल यह साक्षी देती है, कि हां, यह वही मनुष्य है, जिसे तुमने पहले भी कई बार अपने शहर में देखा है। बिना अपनी धारणा और स्मरण शक्तियों के वह मनुष्य उस अन्य मनुष्य के संबंध में यह सत्य ज्ञान लाभ नहीं कर सकता था।

एक लड़के ने मोर की कहानी अपनी किसी पाठ्य पुस्तक में पढ़ी थी। उस पुस्तक में मोर की छवि भी दी हुई थी, कि जिसे वह अनेक बार देख चुका था, और इसीलिए उसकी वह छवि उसकी धारणा शक्ति में अंकित हो चुकी थी। वह अपने बाप के साथ किसी ऐसी पब्लिक पशुशाला (Menagerie) में जाता है, जहां विविध प्रकार के चौपाए, जल जन्तु और पक्षी आदि रहते हैं। वहां पर एक घर में कई जीवित मोर भी हैं। यह बालक उन्हें देखता है, और उन्हें देखते ही उसके भीतर यह चिन्ता पैदा हो जाती है, कि क्या यह वही मोर पक्षी नहीं, कि जिसकी तस्वीर उसने अपनी पुस्तक में देखी थी? उसकी स्मरण शक्ति उसके इस विचार में उसका साथ देकर कहती है, कि हां, इसकी शकल बेशक उसी छवि की न्याईं है, और वह झट यह विश्वास करके कि यह पक्षी मोर ही है, अपने बाप से कहता है, कि पिता जी! यह तो मुझे मोर पक्षी मालूम होता है। पिता कहता है, तुम्हारा समझना ठीक है, यह मोर पक्षी ही है।

एक बालक की **धारणा शक्ति** में अपनी माता की आवाज़ भली भांत अंकित हो गई है। वह लड़का घर से बाहर खेल रहा है। उसकी माता घर के भीतर बैठी हुई कुछ काम कर रही है। वह अपने बेटे को किसी काम के लिए आवाज़ देकर बुलाती है। बालक झट समझ लेता है, कि यह उसकी माता का शब्द है, और यह शब्द सुन कर वह उसके पास चला जाता है।

एक जन काली मिर्चों के चटपटे स्वाद को अपनी **धारणा शक्ति** में धारण कर चुका है। खाना खाते समय उसके खाने की वस्तुओं में कुछ चटनी भी उसके आगे रखी जाती है। उस चटनी में कुछ काली मिर्चें भी पीस कर डाली गई हैं। वह अपनी उंगली में लगाकर थोड़ी सी चटनी अपने मुंह में डालता है, और वह अपनी **बुद्धि शक्ति के द्वारा** झट जान जाता है, कि उस चटनी में काली मिर्चें भी मिली हुई हैं।

एक जन अपने घर में बैठा हुआ है। उसकी **धारणा शक्ति** में प्याज़ की गन्ध अंकित हो चुकी है। पास के किसी घर में कोई स्त्री अपनी देग़ची में कुछ प्याज़ डाल कर भून रही है। यह जन उस प्याज़ और उस स्त्री को अपनी आंखों से नहीं देखता, परन्तु उस भुनते हुए प्याज़ के जो अति सूक्ष्म कण हवा के द्वारा उसके नाक के नथुनों में पहुंचकर उसकी घ्राण गिलटियों को स्पर्श करते हैं, उनके स्पर्श करने पर

वह अपनी बुद्धि के द्वारा झट मालूम कर लेता है, कि कहीं प्याज़ भूना जा रहा है।

एक जन कोई किताब पढ़ रहा है, उसमें लिखा हुआ है, कि अमुक मुनि के शाप से एक स्त्री पत्थर की शिला बन गई, और एक और राज पुत्र के पांव के स्पर्श से वह शिला फिर वही पहली स्त्री बन गई। वह **परिवर्तन विषयक नेचर** के **अटल नियमों का ज्ञान** लाभ कर चुका है। वह यह कथा पढ़ते ही अपनी **बुद्धि शक्ति** के द्वारा झट समझ जाता है, कि यह सारी कहानी **पूर्णतः मिथ्या** है। परन्तु, एक और जन जिसे एक ओर नेचर के नियमों के विषय में इस प्रकार का ज्ञान प्राप्त नहीं हुआ, और दूसरी ओर उसकी धारणा शक्ति में इस प्रकार के संस्कार अंकित किए गए हैं, कि मुनि कहलाने वाले जनों के शाप से इस प्रकार की बातें हो जाती हैं, और इस इस प्रकार से किसी ऐसे शाप का मोचन भी हो जाता है, वह उस पुस्तक को पढ़कर और बुद्धि शक्ति रखकर भी उस कथा को मिथ्या मानने के स्थान में सत्य मानता है।

किसी स्कूल का मास्टर कुछ लड़कों को कुछ पाठ पढ़ा रहा है, और वह उसका अभिप्राय भी उन्हें बता रहा है। बता चुकने के बाद वह उन लड़कों से पूछता है, कि तुम में से किस किस ने इस अभिप्राय को समझ लिया है? तीन लड़के उत्तर देते हैं, कि हमने समझ लिया है। दो लड़के कहते हैं, कि हमारी समझ में कुछ नहीं आया। जब मास्टर ने पहले तीन लड़कों से कहा कि तुम में से प्रत्येक लड़का बतावे, कि उसने क्या समझा है, तब उनमें से दो लड़कों का बयान तो ठीक निकलता है; परन्तु तीसरे लड़के का बयान कुछ ठीक और कुछ ग़लत होता है। बुद्धि शक्तियां इन सब लड़कों में हैं, परन्तु एक ओर उनकी बुद्धि शक्तियां एक प्रकार की नहीं, अर्थात् किसी की बुद्धि शक्ति अपेक्षाकृत बहुत कमज़ोर और किसी की अपेक्षाकृत बहुत तीव्र वा बलिष्ठ है; दूसरी ओर उनकी **कल्पना शक्तियां** भी जो किसी बात की ठीक वा गलत तस्वीर खैंचकर उनके सम्मुख लाती हैं; वह भी एक प्रकार की नहीं, इसीलिए जिन दो लड़कों की **कल्पना शक्तियों** ने उस अभिप्राय की ठीक ठीक तस्वीर खैंचकर उनके आत्मा के सम्मुख रखी, उन्होंने उस पाठ के ठीक अभिप्राय को समझ लिया, और उसे बता भी दिया। परन्तु जिन जिन की **कल्पना शक्ति** बहुत दुर्बल थी, और वह उस पाठ की मानसिक छवियां खैंचकर उनके आगे न रख सकी, उन्होंने मानसिक छवियों को न देखने के कारण मास्टर के पूछने पर यह बतलाया कि वह उसके अभिप्राय को कुछ नहीं समझे। फिर एक और लड़के ने अपनी कल्पना शक्ति के द्वारा उसकी पूरी पूरी तस्वीर तो न देखी, परन्तु कुछ देखी, इसलिए उसका बयान कुछ ठीक और कुछ गलत निकला।

प्रश्न। क्या जिस जन की **कल्पना शक्ति** उसके सम्मुख किसी विषय की कोई तस्वीर नहीं खैंच सकती, वह जन उस विषय को बिल्कुल नहीं समझता?

उत्तर। नहीं। जिस विषय के प्रति किसी जन में कुछ भी अथवा यथेष्ट मात्रा में आकर्षण न हो, उस विषय के संबंध में उसकी कल्पना शक्ति या तो उसकी कोई छवि भी नहीं बना सकती, अथवा बहुत अपूर्ण वा दूषित बनाती है। इसीलिए कितने ही लड़के और कितनी ही लड़कियां स्कूल वा कॉलेज की पढ़ाई के एक वा दूसरे विषय में ठीक नहीं चलते, और कितनों को वह स्कूल वा कॉलेज छोड़ देना पड़ता है। वह यों अच्छी बुद्धि शक्ति रखते हैं, और किसी किसी और विषय को अच्छा समझते हैं, और उसमें उन्नति भी करते वा कर सकते हैं, परन्तु जिस विषय के संबंध में उन्हें अपनी कल्पना शक्ति से आवश्यक सहाय नहीं मिलती, उसमें वह कच्चे रहते हैं, और उसकी परीक्षा में भी उत्तीर्ण नहीं होते।

फलत: मनुष्य की बुद्धि शक्ति को किसी विषय के संबंध में विचार करने और विचार करके किसी ठीक नतीजे पर पहुंचने के लिए जिस जिस अन्य मानसिक शक्ति की सहायता की ज़रूरत है, उस सहायता के देने के लिए यदि उसके आत्मा में कोई शक्ति वर्तमान न हो, तो उसके लिए उस विषय के सत्य ज्ञान के संबंध में **अन्धा** वा **ज्ञानशून्य रहना अनिवार्य है।**

फिर यदि कोई मनुष्य किसी विषय को समझने की भी योग्यता रखता हो, परन्तु वह किसी और नीच अनुराग के वशीभूत होने के कारण उस विषय के संबंध में विचार करते समय भली भांत अपना **ध्यान** न दे सकता हो, वा बहुत कम वा कुछ भी ध्यान न दे सकता हो, तो भी वह उस विषय के अभिप्राय को पूरा पूरा और ठीक ठीक न समझ सकेगा।

3- साक्षात् ज्ञान उत्पादक अहं संबंधी कई बोध शक्तियां

मनुष्य का बच्चा जब माता के गर्भ से उत्पन्न होता है, तब क्या उस समय और क्या उसके अनन्तर कुछ काल तक जैसे और कई प्रकार के साक्षात् ज्ञान उत्पादक बोध और भाव उसमें नहीं होते, वैसे ही उसके भीतर अहं अर्थात् अपनी मैं वा अपने व्यक्तिपन (Individuality) के संबंध में भी कोई बोध नहीं होता। इसीलिए उससे जो जो क्रियाएं होती हैं, उनमें से किसी क्रिया के संबंध में वह यह नहीं जानता, कि यह क्रिया **मैंने** की है। वह भूख लगने पर मां के स्तन को अपने मुंह में डालकर दूध पीता है, परन्तु वह यह नहीं जानता कि "मैं" दूध पी रहा हूं।

वह मल मूत्र के वेग के होने पर उन्हें त्याग करता है, परन्तु वह यह नहीं जानता कि "मैं" यह मल मूत्र त्याग कर रहा हूं, वह दुख दर्द से रोता है, परन्तु वह यह नहीं जानता कि "मैं" रो रहा हूं। वह जब कभी मुस्कुराता है, तब वह यह नहीं जानता, कि "मैं" मुस्कुरा रहा हूं। वह जब अपनी आंखों से किसी मनुष्य वा किसी अन्य वस्तु की ओर देखता है, तब वह यह नहीं जानता कि "मैं" उसे देख रहा हूं। वह जब अपने कानों से कोई शब्द सुनता है, तब वह यह नहीं जानता, कि "मैं" वह शब्द सुन रहा हूं। यहां तक कि कुछ कुछ बोलना सीख जाने पर भी वह अपनी किसी क्रिया के संबंध में "मैं" के शब्द का किसी भाषा में भी व्यवहार नहीं करता। फिर जब समय आने पर उसमें अपने **व्यक्तिपन** अर्थात् "मैं" का बोध उत्पन्न हो जाता है, कि जो पहले न था, तब वह अपनी एक वा दूसरी क्रिया वा अपने किसी भाव के संबंध में **"मैं"**, **"मुझे"** और **"मेरी"** और **"मेरा"** का व्यवहार करने लगता है। अर्थात् तब वह इस प्रकार बोलता है:- मुझे भूख लगी हुई है, मेरी टोपी कहां है, मैं वह खिलौना लूंगा, मैं वह दवा नहीं पिऊंगी, मैंने यहां पेशाब नहीं किया, मैंने उसको नहीं मारा, मैं उसके साथ नहीं खेलूंगी, मैं मिठाई खाऊंगा, यह मेरा जूता है, यह मेरी सोंटी है, इत्यादि। इस "मैं", "मेरी" "मुझे" आदि के बोध के उत्पन्न हो जाने पर मनुष्य का एक वा दूसरा बच्चा अपनी एक वा दूसरी क्रिया आदि को **अपने साथ** संबंधित करता है; परन्तु इस बोध के जाग आने पर भी वह एक काल तक यह नहीं जानता, कि यदि मेरे अमुक अमुक कर्म को कोई और अपने वा किसी अन्य अस्तित्व के लिए हानिकारक बताता है, तो मैं उसके लिए दायी वा ज़िम्मेवार हूं, अर्थात् **"मैं"** उसके लिए अपराधी हूं, वा अपराधी समझा जा सकता है, और उसके लिए मैं दंड पाने का भी भागी बन सकता हूं। इसीलिए बच्चे अपनी वयस के एक विशेष काल तक किसी सुसभ्य गवर्नमेंट के निकट अपने किसी अपराध के लिए दंड पाने के योग्य नहीं समझे जाते।

4-साक्षात् ज्ञान उत्पादक निम्न भाव विषयक बोध शक्तियां

नेचर की जिन जिन बातों की **सत्यता** का **साक्षात् ज्ञान** किसी मनुष्य को अपने भीतर के किसी प्रकार के **सच्चे भाव** के द्वारा ही हो सकता है, उसका **साक्षात् ज्ञान** उसे अपनी उस **भाव शक्ति** के द्वारा ही होता वा हो सकता है, अन्यथा नहीं। इस प्रकार के कई निम्न भाव यह हैं:- (1) धन विषयक लालच वा

प्यार भाव (2) वात्सल्य भाव (3) काम भाव; इत्यादि।

दृष्टान्त:-

किसी मनुष्य का चार वा छ: महीने का बच्चा जिसमें **रुपए पैसे के लिए कोई आकर्षण वा लालच का भाव नहीं जागा**, यह नहीं जानता और नहीं जान सकता, कि **रुपए पैसे का प्यार** क्या होता है? अथवा उसका तीस वर्ष की उमर का बाप रुपये के प्रेम में उसकी प्राप्ति के लिए जिस जिस प्रकार की **चिन्ताएं** करता है, वह चिन्ताएं किस प्रकार की होती हैं, और उसके हृदय पर वह अपना **क्या क्या सुखदायक वा दुख दायक असर डालती** हैं? और यद्यपि यह सब घटनाएं नेचर में होती हैं, और वह सभी **सच** भी हैं, तथापि उनके संबंध में वह बच्चा कोई **साक्षात् ज्ञान** नहीं रखता, और उनके ज्ञान के विषय में **पूर्णत: अन्धा** वा अज्ञानी होता है।

फिर उसे **किसी ऐसे आघात् वा कष्ट की सत्यता का भी कोई साक्षात् ज्ञान नहीं हो सकता** और नहीं होता, कि जो किसी धन के **लालसी** दस वा पन्द्रह वा बीस वा तीस साल की उम्र वाले जन को अपने रुपए पैसों के चोरी वा गुम हो जाने से होता है। इसीलिए वह जब तक उस **भाव से विहीन** रहता है, तब तक उस भाव के द्वारा जो जो **सत्य ज्ञान** मिलता है, उसे वह सत्य ज्ञान **साक्षात्** रूप से कभी प्राप्त नहीं होता, और नहीं हो सकता।

फिर जो बच्चा अभी किसी और बच्चे का **बाप** नहीं, और उस में **वात्सल्य भाव** उत्पन्न नहीं हुआ, उसे किसी ऐसे बाप के **बच्चे के मर जाने पर** कि जिसमें वह **वात्सल्य भाव विकसित हुआ हो**, और जो उस भाव के द्वारा अपने उस बच्चे के साथ **मोह बंधन** से बन्धा हुआ हो, जिस प्रकार का **आघात् और दुख** पहुंचता है, उसका भी कोई **साक्षात् सत्य ज्ञान** नहीं होता, और नहीं हो सकता।

इसी तरह जिस बालक में अभी **काम विषयक भाव** विकसित नहीं हुआ, उसे इस बात का कुछ भी **साक्षात् ज्ञान** नहीं होता, कि उसका बाप उसकी मां वा किसी स्त्री के लिए **जो काम मूलक आकर्षण वा प्रेम** रखता है, **वह प्रेम किस प्रकार का होता है**, और न उसे उस **दुख** का कोई **साक्षात् ज्ञान** होता है, कि जो उस जन को होता है, कि जिसमें वह **भाव** पैदा वा उत्पन्न हो चुका हो, और वह उस भाव के द्वारा किसी स्त्री का प्रेमक भी बन चुका हो, परन्तु किसी कारण से वह स्त्री उससे बिछड़ गई हो।

5- साक्षात् ज्ञान उत्पादक कई सद्गुण विषयक बोध शक्तियां

उपरोक्त नाना बोध शक्तियों के भिन्न जिन कई अन्य बोध शक्तियों का कितने ही मनुष्यों में विकास हुआ है, वह इस प्रकार की हैं:-

(1) सौन्दर्य बोध।

(2) भाषा विषयक बोध।

(3) स्वर ताल विषयक बोध।

(4) परिपाटी बोध।

(5) परिष्कारता बोध। आदि।

दस वा बीस मनुष्यों में से किस किस का चेहरा **कुत्सित** है, और किस किस का सुन्दर; और सुन्दर चेहरा रखने वाले जनों में से किसका चेहरा **सबसे बढ़कर सुन्दर** है, अथवा दस वा बीस गौवों, बैलों और घोड़ों में से कौन सी गौ सब गौवों से वा कौन सा बैल अन्य सब बैलों से वा कौन सा घोड़ा और सब घोड़ों से बढ़कर **सुन्दर** है, अथवा एक ही प्रकार के बहुत से वृक्षों में से कौन सा वृक्ष **सबसे सुन्दर** है, वा गुलाब के बीसियों पौधों में से किस गुलाब के पौधे का फूल **सबसे अधिक सुन्दर** है, अथवा विविध प्रकार की अन्य वस्तुओं में से किस किस का रूप किस किस की अपेक्षा **अधिक सुन्दर** है, वा किस किस का रूप सुन्दर नहीं, किन्तु **कुत्सित** है, इस प्रकार का सत्य ज्ञान किसी पशु को नहीं हो सकता, और मनुष्यों में भी केवल उन्हीं जनों को हो सकता है, कि जिनमें **सौन्दर्य बोधक कोई शक्ति यथेष्ट रूप में विकसित हुई हो**।

फिर किसी एक ही बात वा अभिप्राय के प्रगट करने के निमित्त नाना मनुष्य अपनी **जिस जिस भाषा वा बोली** का व्यवहार करते हैं, उनमें से किस किस का वाक्य विन्यास कहां कहां तक किसी और की अपेक्षा **सुन्दर** है, अथवा किसी शिल्प शाला में जिन जिन लोगों के बनाए हुए चित्र रखे गए हैं, उनमें से किस किस का बनाया हुआ **चित्र** किस किस की अपेक्षा **अधिक सुन्दर** है, अथवा कई हस्तलिपियों में से किस जन की हस्तलिपि सुन्दर और किसकी सुन्दर नहीं है, इत्यादि, नाना प्रकार के सौन्दर्य वा असौन्दर्य की पहचान **केवल बाहर की आंखों से नहीं हो सकती**, किन्तु उसके लिए **किसी और बोध शक्ति की आवश्यकता है**। इसीलिए जिस जिस मुनष्य में सौन्दर्य बोधक विविध शक्तियों का विकास हुआ हो, वही उनके द्वारा विविध आकारों के **सौन्दर्य** वा उनके **कुत्सितपन** के संबंध में **साक्षात् ज्ञान** लाभ

कर सकता है, और **जिसमें वह बोध उत्पन्न न हुए हों,** वह उनके संबंध में कोई **साक्षात् ज्ञान** लाभ नहीं कर सकता।

इसी प्रकार इस मनुष्य वा उस स्त्री के कंठ से वा इस वा उस बाजे आदि से जो शब्द निकल रहा है, वह किसी **स्वर वा ताल के अनुसार** निकल रहा है, वा बिना किसी स्वर वा ताल के; और अमुक काव्य वा ग़ज़ल वा गीत वा शेर अपने अपने शब्दों के वज़न और उनकी गठन के विचार से ठीक हैं वा नहीं, इन और ऐसी ही कई बातों की पहचान के लिए **जिन जिन बोध शक्तियों की आवश्यकता है,** वह **बोध शक्तियां** जब तक किसी मनुष्य में विकसित न हुई हों, तब तक वह उनके विषय में कोई **साक्षात् ज्ञान** लाभ नहीं कर सकता।

फिर जिस जिस स्थान वा घर वा प्रकोष्ठ में कई प्रकार की वस्तुएं रखी हुई हों, वह सब वस्तुएं वहां पर किसी **परिपाटी वा सुश्रृंखला** की अवस्था में रखी हुई हैं, वा अपरिपाटी वा विश्रृंखला की दशा में, इसका सत्य और साक्षात् ज्ञान भी उसी जन को हो सकता है, कि जिसमें **परिपाटी वा सुश्रृंखला बोधक शक्तियां वर्तमान हों,** परन्तु जिसमें **यह बोध शक्तियां** वर्तमान न हों, उसे इस विषय में कोई **साक्षात् ज्ञान नहीं** हो सकता।

इसी तरह उपरोक्त वस्तुओं में से कौन कौन सी वस्तुएं **परिष्कार** वा **साफ़** दशा में हैं, और कौन कौन सी **मैली** हैं, उनके विषय में भी **साक्षात् ज्ञान** ऐसे ही जनों को हो सकता है, जिनमें **परिष्कारता और मलिनता प्रदर्शक बोध** विकसित हुए हों, अन्यथा नहीं।

6- साक्षात् सत्य ज्ञान उत्पादक न्याय-मूलक उच्च वा सात्विक बोध शक्तियां

पशु जगत् से ही मनुष्य का विकास हुआ है। पशु जगत् के विविध प्रकार के लाखों जीव जैसे पहले अपने एक वा दूसरे **सुखकर भाव** की तृप्ति के लिए एक दूसरे पर कई प्रकार के **अन्याय वा अत्याचार** करते थे, वैसे ही वह अब भी करते हैं। मनुष्य भी उसी प्रकार अपने एक वा दूसरे भाव की तृप्ति के लिए नाना प्रकार के पशुओं के भिन्न अपने जगत् के जीवों पर भी उसी प्रकार **अन्याय वा अत्याचार** करता था, और मनुष्य जगत् में अब तक भी एक बहुत बड़ी सीमा तक इस प्रकार का अन्याय वा अत्याचार जारी है।

अन्याय वा अत्याचार किसे कहते हैं? किसी मनुष्य का किसी और मनुष्य वा पशु आदि के स्वत्व वा **उचित अधिकार वा हक़ का अपहरण** करके अपने

किसी भाव की तृप्ति करना, वा अपनी किसी आवश्यकता को निवारण करना; और इससे भी बढ़कर नाना दशाओं में अपनी ऐसी **अपहरण** विषयक विविध क्रियाओं को **उचित** मानना, उचित बताना और उचित बताकर उनका प्रचार करना।

　　जब मनुष्य इस पृथ्वी पर प्रगट हुआ, और फिर वह कई प्रकार के पशुओं की न्याईं आपस में मिल कर किसी सोसाइटी वा समूह की शकल में रहने लगा, तब उनमें से यदि कोई जन किसी और जन की कोई खाद्य वस्तु छीन कर खा लेता, वा उसकी किसी और वस्तु को चुरा कर अपने काम में ले आता, अथवा किसी की किसी क्रिया से कुपित होकर और **प्रतिशोध** भाव से भर कर अपने से किसी दुर्बल जन को मारता पीटता वा उसकी हत्या करता, वा उसे किसी और प्रकार से सताता वा उसकी कोई हानि करता, वा कामातुर होकर किसी जन की किसी पत्नी वा लड़की पर हाथ डालता, वा इस भाव से परिचालित होकर उसके साथ कोई बलात् कर्म करता, अथवा इसी प्रकार की कोई और बात करता; तब इस दशा में उन में स्वभावत: बहुत झगड़ा और फ़साद होता, और जो जो जन जिस जिस पार्टी के साथ किसी प्रकार के अनुराग बंधन से बंधे हुए होते, वह उस उस पार्टी वा समूह का साथ देते। ऐसी लड़ाइयां बड़े बड़े लम्बे काल तक जारी रहतीं। इन विपदों से तंग आकर धीरे धीरे मनुष्य इस हालत में आया, कि उसने उन बातों को जो इस प्रकार की लड़ाई झगड़े की जड़ थीं, **अपराध मानना आरंभ किया, और जिन जिन कर्मों को उसने अपराध माना, उनके कर्ताओं के लिए उसने दण्ड की विधि नियत की**। फिर कोई जन सचमुच अपराधी है वा नहीं, उसके अनुसंधान, विचार और फैसले के लिए एक वा दूसरे प्रकार की और विधि सोची और ग्रहण की। इस प्रकार से अपराध कहलाने वाले कई कर्म **अन्याय कर्म** माने गए, और उनके विषय में विचार करने और दण्ड देने वाले न्याय कर्ता स्वीकार किए गए। इन्हीं नाना विधियों का नाम पंचायत वा शासन वा हकूमत वा राज्य वा सरकार वा गवर्नमेंट आदि रखा गया।

　　परन्तु शासन वा राज्य विधि स्थापन हो जाने पर भी मनुष्य के आपस के झगड़ों का पूर्ण निवारण नहीं हुआ। चोरी, डकैती आदि कई मोटे मोटे कर्मों को अपराध मान लेने के अनन्तर **जब नेचर के विकासकारी कार्य के अनुसार** एक वा दूसरे काल में एक वा दूसरे जन समूह में कोई ऐसा मनुष्य प्रगट हुआ, जिसे यह अनुभव हुआ कि यद्यपि उस समूह में जिन कई अपराधों को अपराध माना जाता है, वह तो अवश्य अपराध ही हैं, तथापि जिस अमुक कर्म को ठीक वा उचित माना जाता है, वह कदापि ठीक वा उचित नहीं; किन्तु वह भी **अपराध** है। अथवा उस

समूह में जिस अमुक कर्म को अनुचित वा बुरा विश्वास किया जाता है, वह कदापि अनुचित वा बुरा नहीं। तब फिर उनमें परस्पर विवाद उत्पन्न हुआ। और फिर धीरे धीरे जब और लोगों ने भी उसके इस मत को ठीक मान लिया, तब समय के साथ साथ उनका वह विवाद भी दूर हो गया। मनुष्य जगत् में नाना प्रकार की क्रियाओं के संबंध में इस प्रकार का विवाद अब भी जारी है, और इस प्रकार के विवाद वा आन्दोलन के द्वारा जैसे उसके न्याय-मूलक विचारों और भावों में अब तक धीरे धीरे उन्नति हुई है, वैसे ही आगे भी उन्नति होगी।

फिर एक काल था जब कि चोरी के अपराध में चोरी करने वाले जन के हाथ काट दिए जाते थे, और कहीं कहीं उसे मृत्यु का भी दंड दिया जाता था। कहीं पति के मरने पर उसकी पत्नी के लिए अपने पति की मृत देह के साथ चिता पर बैठकर और उसी के साथ जलकर मर जाना उचित कर्म समझा जाता था। कहीं लड़कियों की उत्पत्ति पर उन्हें मार देना ठीक समझा जाता था। कहीं पुरुष के लिए एक पत्नी के वर्तमान होने पर भी और बहुत से विवाह करना उचित माना जाता था। कहीं पुरुष के लिए उसकी पत्नी के मर जाने पर तो और विवाह करना ठीक माना जाता था, परन्तु किसी विधवा के लिए पुनर्विवाह उचित नहीं माना जाता था। कहीं मनुष्य को बलात् पकड़ कर उससे कोई काम लेना ठीक समझा जाता था; और कहीं मनुष्यों को डंगरों (पशुओं) की न्याईं बेचना और मोल लेना भला काम समझा जाता था। कहीं मोल ली हुई वा किसी लड़ाई में पकड़ी हुई स्त्री के साथ काम-मूलक संबंध स्थापन करना ठीक समझा जाता था। कहीं मांसाहार वा किसी देवता वा देवी को बलि देने के लिए किसी मनुष्य वा पशु को वध करना ठीक माना जाता था। और कहीं इसके विरुद्ध इन कर्मों को अनुचित समझा जाता था; इत्यादि।

परन्तु नेचर के विकास विषयक कार्य से जिस जिस देश में जब जब ऐसे मनुष्य प्रगट हुए, कि जिनमें उस काल के और साधारण जनों की अपेक्षा **न्याय भाव** की अधिक जाग्रति हुई; और इस अपेक्षाकृत अधिक जाग्रति के कारण उन्हें किसी सोसाइटी की **कोई प्रचलित बात वा प्रथा वा उसका कोई अनुष्ठान वा विश्वास वा मत वा उसका शासन विषयक कोई नियम ऐसा बोध हुआ, कि वह न्याय-संगत नहीं**, और उसके मानने वा जारी रहने से औरों के किसी सच्चे वा **जन्मजात अधिकार वा हक़ का अपहरण होता है**, तब उन्होंने केवल अपने इसी **उच्च भाव** के अनुसार और उसके बदले में अपने लिए कोई धन वा मान वा पद आदि की प्राप्ति को न चाह कर अपनी उस न्यायसंगत बात के प्रचार के लिए जो जो कुछ उचित यत्न वा उपाय वा परिश्रम किया, और उसमें उन्हें जितनी कुछ

सफलता हुई, और उसकी ऐसी सफलता से जिन जिन लोगों को अपना अपना सच्चा अधिकार वा हक़ प्राप्त हुआ, उससे मनुष्य जगत् में निश्चय कल्याण आया है, और उसका उन्नति के मार्ग में पग उठा है; और ऐसे विविध जनों के द्वारा मनुष्य जगत् में नेचर के विकास विषयक नियम की भी निश्चय जय हुई है।

मनुष्य जगत् में क्रम क्रम से इसी न्याय भाव की अधिक से अधिक जाग्रति के होते जाने से जैसे एक ओर किसी सोसाइटी वा समूह में उसके नाना अपराध कर्मों वा बुरे वा पाप कर्मों के संबंध में क्रम क्रम से **सत्य ज्ञान की उत्पत्ति** हुई है, वैसे ही शासन वा राज्य वा गवर्नमेंट की ओर से जब किसी कर्म को **अपराध** जान कर उसके कर्ताओं के लिए दंड विधि ग्रहण की गई है, तब कई दशाओं में ऐसी विधि के द्वारा भी एक वा दूसरे प्रकार का अपराध पूर्णत: नष्ट वा कम वा बहुत कम हो गया है। इसी प्रकार किसी अन्याय-मूलक कर्म के विरुद्ध मत के प्रचार से जब बहुत से जनों का मत न्याय-मूलक हो गया है, तब भी कई दशाओं में सोसाइटी में से वह अन्याय-मूलक कर्म धीरे धीरे घट गया है।

कर्तव्य बोध

इस पृथ्वी के जिस किसी देश के लोगों में कुछ ऐसे जन प्रगट हुए हैं, कि जिनमें यह बोध जागा है, कि मनुष्य के अमुक अमुक कर्म से जिस किसी अन्य मनुष्य वा पशु आदि के सच्चे अधिकार वा हक़ का **अपहरण** होता है, वह न्याय-मूलक नहीं; **इसीलिए वह कर्तव्य कर्म भी नहीं**, और उस कर्म का करना किसी के लिए भी उचित वा ठीक नहीं; और उन्होंने उसका इसी प्रकार प्रचार किया है, और उनके प्रचार से धीरे धीरे कुछ और लोगों ने भी उस कर्म को **अकर्तव्य** बोध किया है, और उसके प्रति घृणा बोध को प्राप्त हो कर उसे **त्याग** किया है; उनमें **कर्तव्य बोध** की जाग्रति हुई है। यह बहुत मूल्यवान बोध है। किसी विषय में भी इस बोध के यथेष्ट रूप में जागने पर उसके बोधी के भीतर उसके पूरा करने के निमित्त **अपने** एक वा दूसरे प्रकार के **सुख** आदि का **त्याग** करना आवश्यक हो जाता है, और इसीलिए ऐसा सच्चा **कर्तव्य परायण** मनुष्य उस विषय में **विश्वास का पात्र** बन जाता है। इस कर्तव्य भाव को प्राप्त होकर ही एक एक मनुष्य किसी और का नौकर होकर अपनी उस नौकरी के संबंध में अपने मालिक को ठगना नहीं चाहता; अर्थात् उसे जितना काम करना चाहिए, उसमें कमी करके अपना कोई शारीरिक वा अन्य सुख लाभ करना नहीं चाहता, किन्तु अपना पूरा काम करके ही चैन पाता है; और मालिक अपने नौकर के संबंध में हानिकारक वा अपहरण कर्ता

बनना नहीं चाहता। यदि किसी जन के लिए बिना पैसा लेने के किसी के संबंध में कोई काम करना आवश्यक और उचित हो, तो वह बिना पैसा लेने के उस काम को भलीभांत और ठीक समय में पूरा करना चाहता है, और उसके निमित्त अपने किसी और सुख वा लाभ को परित्याग करता है। जिस देश के लोगों में यह **कर्तव्य विषयक बोध** जितने अंश अधिक वर्तमान होता है, उतने ही अंश अधिक उनमें ऐसे लोग मिलते हैं, कि जो **विश्वास वा भरोसे के योग्य होते हैं**, और उतने ही अंश वह उस देश के लोगों से **बढ़िया** होते और अपने कामों के द्वारा **बढ़िया फल** उत्पन्न करते हैं, कि जिन में यह भाव नहीं जागा, और वह लोग किसी विषय में किसी विश्वास वा भरोसे के योग्य नहीं बन सके। कोई मनुष्य क्या अपने और क्या अपने से नीचे के जिस जिस जगत् के विविध अस्तित्वों के संबंध में जहां तक **कर्तव्य बोधी** होता है, वहां तक वह अपने उस संबंध में कम हानिकारक और अधिक विश्वास वा भरोसे के योग्य होता है।

बाध्यता बोध

जब किसी मनुष्य में किसी अन्य मनुष्य के संबंध में अपनी किसी सद्प्रतिज्ञा के पालन के विषय में इस प्रकार का भाव काम करता हो, कि चाहे मुझे अपने किसी शारीरिक सुख वा किसी आराम वा अपने प्रिय धन वा प्रिय संबंधी का त्याग क्यों न करना पड़े, मैं अपनी इस सद्प्रतिज्ञा के पालन से विमुख वा बाग़ी नहीं बन सकता, और उसके पालन के संबंध में कोई झूठा बहाना वा उज़र नहीं बना सकता; और मैं उसके पूरा करने के लिए **बाध्य** हूं; तब जिस किसी मनुष्य में इस प्रकार का उच्च भाव वर्तमान हो, उसके इस भाव को **बाध्यता विषयक भाव** कहते हैं। इस भाव के उत्पन्न होने से ही किसी मनुष्य की स्वेच्छाचारिता घटती है, और वह अपनी किसी **सद्प्रतिज्ञा** के संबंध में विश्वास का पात्र बनता है।

इसी प्रकार जब किसी शुभ लक्ष्य पर स्थापित किसी गठन-प्राप्त समाज वा सोसाइटी वा किसी अन्य शासन आदि का अंग बनकर कोई मनुष्य उसके शुभ नियमों वा उसकी किसी शुभ विधि वा उसके अफ़सरों के शुभ आदेशों के पालन के निमित्त अपने भीतर यह **बाध्यता** विषयक इतना प्रबल भाव रखता हो, कि जिसके कारण वह उनके संबंध में **स्वेच्छाचारी** न बन सकता हो; किन्तु उसके निमित्त उसे अपना जो जो सुख वा सुख विषयक संबंध वा सामान वा धन वा कोई कार्य आदि **त्याग** करना आवश्यक हो, उसे भलीभांत **त्याग** करके ही चैन पाता हो, तब वह जन किसी ऐसे संबंध में **विश्वास का पात्र** बनता है। इसीलिए जिस देश के लोगों में इस

बाध्यता विषयक भाव का जितने अंश अधिक विकास हुआ है, उतने ही अंश उस देश में इस विषय में अधिक विश्वास के योग्य जन पैदा हो गए हैं; और वह लोग इन भावों को प्राप्त हो कर नेचर के अटल नियमानुसार उस देश के लोगों से अधिक श्रेष्ठ बन गए हैं, कि जिनमें वह भाव वर्तमान नहीं, वा उनकी अपेक्षा कम वा बहुत कम वर्तमान हैं।

नेचर के किसी अजीवित वा जीवित अस्तित्व के संबंध में मनुष्य की जो जो क्रिया वा चिन्ता **अन्याय-मूलक** होती है, वह जब तक उसे **सुखदायक और प्रिय** अनुभव हो; और उसके प्रति उसमें कोई **घृणा** न हो, तब तक वह अपनी उस अन्याय-मूलक क्रिया और चिन्ता को छोड़ना नहीं चाहता। यह **अन्याय-मूलक कर्म** नाना प्रकार के हैं; और लाखों लोग अपने नाना संबंधों में विविध प्रकार के अन्याय-मूलक कर्म और चिन्ताएं करते हैं; और ऐसा करके केवल यही नहीं कि अपने हृदय में कोई दुख वा कष्ट अनुभव नहीं करते, किन्तु नाना दशाओं में बहुत सुख वा तृप्ति वा खुशी वा आनन्द लाभ करते हैं।

न्याय विषयक अन्य विविध बोध

न्याय विषयक नाना भावों वा बोधों से विहीन होकर जैसे लाखों लोग मनुष्य जगत् के और लाखों वा करोड़ों जनों के संबंध में अन्याय वा परहानि विषयक विविध प्रकार की चिन्ताएं और विविध प्रकार के कर्म करते हैं, वैसे ही लाखों लोग क्या मांस खाने के लिए क्या उनकी विविध वस्तुओं के द्वारा वाणिज्य करके धन उपार्जन करने के लिए, क्या अपने एक वा दूसरे प्रकार के कहलाने वाले देवी देवतों को उनके खून की बलि देने के लिए, क्या उनका शिकार करके खुशी लाभ करने के लिए और क्या अन्य कई बातों के लिए **पशु जगत् के विविध प्रकार के जीवों के प्रति विविध प्रकार के अन्याय वा अत्याचार करते हैं**। और उनके यह सब प्रकार के **अत्याचार** इतने भयानक हैं, कि जिनका वर्णन नहीं हो सकता। परन्तु यह सब कुछ महा भयानक अन्याय वा अत्याचार वा जुल्म उन पर इसलिए होता है, कि उनके कर्ताओं के आत्माओं में उन जीवों के संबंध में न्याय-मूलक विविध प्रकार के आवश्यक उच्च भाव वर्तमान नहीं होते, अथवा उनमें उनका विकास नहीं हुआ। ऐसे अत्याचारी लोग अपना तो यह जन्मजात अधिकार वा **"पैदायशी हक़"** समझते हैं, कि जब तक वह किसी और पर कोई ऐसा आक्रमण न करें कि जिससे उसकी जान के चले जाने का खतरा हो, तब तक किसी को यह न्याय-संगत अधिकार नहीं, कि वह अपने किसी अभिप्राय के लिए उनकी यूं ही हत्या कर दे; तथापि वह पशु जगत्

के इसी प्रकार के **सच्चे पैदायशी हक़** को नहीं मानते और अपनी स्वार्थ मूलक नीच प्रकृति के कारण उनके उस हक़ का साथ नहीं देते।

न्याय विषयक बोध नाना प्रकार के हैं, और वह बहुत से हैं। अब इन बोधों वा भावों में से जो जो भाव किसी जन में जागा हुआ हो, उसके हृदय में उस उस भाव के द्वारा जिस जिस प्रकार की हलचल पैदा होती है, और उसके मस्तिष्क में जिस जिस प्रकार के विचार उठते हैं, और जो चिन्ताएं होती हैं, उनका **साक्षात् ज्ञान** उन लाखों जनों को नहीं होता और नहीं हो सकता, कि जो **उस भाव से रहित** होते हैं।

इसी प्रकार एक ओर जिस मनुष्य में किसी **अन्याय-मूलक कर्म** के विषय में **उच्च घृणा भाव** की उत्पत्ति नहीं हुई, और दूसरी ओर वह उस कर्म को करके **सुख** पाता है, और उससे **सुख पाकर** उसके लिए वह उलटा **आकर्षण वा अनुराग** रखता है, वह उस **अन्याय-मूलक** कर्म के संबंध में जिस जन के भीतर **उच्च घृणा** है **उसकी उस घृणा संबंधी चिन्ताओं को उपलब्ध नहीं कर सकता,** और इसीलिए उनके विषय में कोई **साक्षात् सत्य ज्ञान लाभ नहीं कर सकता।**

7- साक्षात् सत्य ज्ञान उत्पादक श्रद्धा, परोपकार वा परसेवा विषयक उच्च वा सात्विक बोध शक्तियां

जब किसी मनुष्य के आत्मा में कोई ऐसा भाव जाग्रत हुआ हो, कि जिसकी प्रेरणा से वह अपने उन पारिवारिक और कुछ अन्य जनों के भिन्न कि जिन के साथ **वह किसी नीच अनुराग वा मोह के बंधन से बंधा हुआ हो;** किसी और मनुष्य वा पशु वा वृक्ष वा पौधे आदि के संबंध में बिना किसी और की प्रेरणा के **अपने आप किसी प्रकार का उपकार विषयक कोई कर्म करना चाहता और करता हो, और ऐसा करके उसके बदले में अपना कोई सुख विषयक अभीष्ट सिद्ध करना न चाहता हो,** तब उसके ऐसे किसी भी भाव को परोपकार संबंधी सात्विक भाव कहते हैं।

मनुष्य जगत् में विविध प्रकार के **सुख अनुरागों** की जितनी उत्पत्ति और वृद्धि हुई है, उन अनुरागों के दासत्व के कारण इस जगत् के सौ में से शायद अट्ठानवे वा कुछ उससे भी अधिक जन इतने **स्वार्थी** बन गए हैं, कि उनकी स्वार्थ अनुरागी हृदय भूमि में से **विशुद्ध परोपकार विषयक किसी सात्विक भाव की उत्पत्ति संभव नहीं रही।** इसीलिए मनुष्य जगत् में ऐसे जनों की संख्या **बहुत थोड़ी है,**

कि जिनमें किसी एक वा दूसरे प्रकार के परोपकार विषयक सच्चे सात्विक भाव की उत्पत्ति वा उन्नति हुई है।

इन सात्विक वा उच्च भावों में से बड़े बड़े सात्विक भाव यह हैं:-

(1) श्रद्धा विषयक सात्विक भाव। जब किसी मनुष्य के आत्मा में विशुद्ध परोपकार विषयक किसी सात्विक भाव की उत्पत्ति हुई हो, और वह अपने उस सात्विक भाव से ही परिचालित होकर नेचर के मनुष्य वा पशु वा उद्भिद् जगतों में से किसी जगत् के अस्तित्वों में से किसी के संबंध में कोई विशुद्ध परोपकार विषयक कार्य और उसके निमित्त सब प्रकार का आवश्यक समर्पण और त्याग करता हो, तब उसके किसी ऐसे परोपकार संबंधी काम के सौन्दर्य को देखकर वा जान कर यदि किसी मनुष्य को उसकी **महिमा** दिखाई दे, और वह एक ओर उस महिमा को उपलब्ध करने पर अपने भीतर प्रबल आकांक्षा अनुभव करता हो, और दूसरी ओर किसी प्रकार के लालच वा डर के बिना अन्य जनों के सम्मुख उसकी प्रशंसा करने के लिए अपने हृदय में यथेष्ट उच्च भाव रखता हो, और इस भाव के अनुसार उसका प्रचार करता हो, और ऐसा करके ही अपने भीतर उच्च आराम वा शान्ति अनुभव करता हो, और इस हितकर कार्य के निमित्त वह एक वा दूसरी सीमा तक आप भी आवश्यक समर्पण और त्याग करता हो, तो उसके इस भाव को **सात्विक श्रद्धा** कहते हैं।

इस सच्ची सात्विक श्रद्धा की प्राप्ति के बिना कोई मनुष्य आत्मिक जगत् के सत्य धर्म विषयक तत्वों का साक्षात् ज्ञान लाभ नहीं कर सकता।

फिर किसी सच्चे उपास्य देव की **सच्ची आत्मिक पूजा के लिए पूजा विषयक जिन कई सात्विक भाव संबंधी अंगों की आवश्यकता है,** उन अंगों में से यह श्रद्धा विषयक सात्विक भाव **एक आवश्यक अंग है।**

परन्तु इस पृथ्वी के मनुष्य जगत् में ऐसे ही लोगों की संख्या बहुत अधिक है, कि जो अपने बढ़े हुए अहं अनुरागजात घमंड भाव के कारण अपने आपको **झूठ मूठ** इतना **बढ़िया** समझते हैं, कि फिर वह इस योग्य ही नहीं रहते, कि वह किसी जन के **किसी विशुद्ध परोपकार संबंधी सात्विक भाव के सौन्दर्य वा उसकी महिमा को देख सकें।** और यही नहीं, कि वह किसी विशुद्ध परोपकार संबंधी सात्विक भाव की **महिमा** वा उसके **सौन्दर्य** को देख नहीं सकते, और उसकी निष्कपट और सरल चित्त होकर और हृदय के उच्छ्वास के साथ कोई **प्रशंसा वा स्तुति नहीं कर सकते,** और इसीलिए नहीं करते, किन्तु कई दशाओं में अपने अहं विषयक प्रबल

अनुराग के कारण किसी ऐसे सात्विक भाव धारी जन की महिमा वा उसकी किसी ऐसी सात्विक क्रिया की किसी और के मुख से भी स्तुति वा प्रशंसा नहीं सुन सकते। ऐसे **अहं अनुरागी** वा घमंडी जन अपने मुख से **अपनी मिथ्या प्रशंसा** वा बड़ाई सुनकर सुखी वा खुश होते हैं, परन्तु किसी और की किसी सच्ची प्रशंसा को भी सुनकर कष्ट अनुभव करते, कुढ़ते, और जल भुन जाते हैं।

ऐसी दशा में ऐसे जन अपने भीतर के आत्मिक विष उत्पादक और आत्मिक जीवन विनाशक **नीच घृणा** के भाव से भर कर और उसके द्वारा परिचालित होकर केवल यही नहीं, कि किसी जन के किसी ऐसे सच्चे सात्विक भाव की वर्तमानता को स्वीकार तक नहीं करते, और इसीलिए उसे स्वीकार न करके वह **असत्य का साथ देते हैं**; किन्तु उलटा अपनी ओर से उसके संबंध में कोई ऐसा दोष आरोपण कर देते हैं, कि जो **पूर्णत: मिथ्या** होता है। और वह अहं अनुराग जनित इस प्रकार की विविध **मिथ्याओं** का साधन करते करते अपने आत्मा को दिनों दिन **अन्धकार ग्रस्त** और **पतित** करते रहते हैं।

इसलिए ऐसे अहंकारी जनों की अपेक्षा वह जन कितने **श्रेष्ठ** हैं, कि जो किसी जन के किसी विशुद्ध **परोपकार उत्पादक सात्विक भाव और उस भाव से जिन जिन शुभ कर्मों की उत्पत्ति होती है**, उनकी **महिमा** को देख सकते हैं; और इस भाव के विचार से **उसे अपने से श्रेष्ठ और अपने आप को उससे हीन वा घटिया देखने पर जलते और कुढ़ते नहीं**, और अपने आपको इस विषय में उससे बड़ा दिखाने के निमित्त किसी **मिथ्या** का प्रयोग नहीं करते, किन्तु उसके आगे सम्मान भाव से भर कर झुक जाते हैं।

जिस देश में एक ओर परोपकार उत्पादक किसी सात्विक भाव को प्राप्त होकर कुछ जन किसी विशुद्ध परोपकार विषयक कार्य में प्रवृत्त होते हैं, और दूसरी ओर कुछ जन किसी ऐसे परोपकार विषयक कार्य की महिमा को उपलब्ध करने के योग्य होकर ऐसे परोपकारी जनों और **उनके परोपकार विषयक कामों को सुन्दर वा आकर्षणीय रूप में** देखते हैं, और उनमें एक वा दूसरे प्रकार से **सहाय वा सेवाकारी बनने के लिए अपने हृदय में यथेष्ट प्रेरणाएं अनुभव करके अपने तन, मन, धन आदि को अर्पण करते हैं**, उस देश में उन भलाइयों के आने से उसके निवासियों की उन्नति होती है, और इसीलिए वह देश ऐसे देशों की अपेक्षा उन्नत दशा में होता है, कि जिनमें इस प्रकार के लोग उत्पन्न नहीं होते वा पाए नहीं जाते।

सच्चा श्रद्धावान जन अपने आत्मा में किसी के परोपकार उत्पादक किसी सच्चे सात्विक भाव की जिस **महिमा** को देखता वा उपलब्ध करता है, और उसकी महिमा के विषय में **जिन जिन सत्यों को उपलब्ध करके** उनका **साक्षात् ज्ञान** लाभ करता है, उन सत्यों के संबंध में वह जन कि जो इस भाव से विहीन होते हैं, विद्वान, चतुर, सयाने, धनवान, और मानी आदि होकर भी कोई साक्षात् ज्ञान नहीं रखते, और न ऐसी दशा में उसे लाभ ही कर सकते हैं।

(2) **कृतज्ञता विषयक सात्विक भाव**। जब कोई मनुष्य अपने शारीरिक वा मानसिक वा आत्मिक **किसी भी उपकारी के सच्चे उपकारों को उपलब्ध करके अपने ऊपर उसके उपकारों को ऋण की न्याईं अनुभव करता हो**, और अपने आपको उसका **ऋणी** बोध करके उस ऋण के परिशोध के निमित्त अपने हृदय में कोई **सच्चा और विशुद्ध भाव उठता हुआ अनुभव करता हो, तब उसके इस भाव को कृतज्ञता विषयक सात्विक भाव कहते हैं**।

इस पृथ्वी में करोड़ों जन ऐसे पाए जाते हैं, कि जिनमें **अहं अनुराग संबंधी स्वार्थ भाव इतने प्रबल रूप में वर्तमान होता है, कि वह अपने प्रति किसी जन के किसी प्रकार के उपकार को भी अनुभव नहीं करते**। और लाखों जन अपने **स्वार्थ भाव के इतने अधीन होते हैं कि वह अपने लिए किसी और से किसी प्रकार की कोई सहायता चाहकर** और उससे **कोई सहायता पाकर भी** उसके संबंध में **अपने आप को कुछ भी ऋणी अनुभव नहीं करते** - यहां तक कि अपनी किसी आवश्यकता के समय किसी से कोई वस्तु मांगकर और लेकर भी उस वस्तु को उसे वापिस तक करना नहीं चाहते; और किसी से रुपया **उधार** लेकर भी उसे अदा करना नहीं चाहते; और जहां तक संभव हो, उसे किसी एक वा दूसरे अनुचित उपाय के द्वारा दबा वा मार लेने की कोशिश करते हैं।

फिर जो लोग अपनी ओर से **उधार** ली हुई किसी वस्तु वा **उधार** लिए हुए किसी धन को वापिस भी कर देते हैं, उनमें से भी बहुत से लोग ऐसे होते हैं, कि जो अपने माता पिता वा किसी अन्य पालनकर्ता वा अपने किसी मानसिक वा आत्मिक हितकर्ता के उन उपकारों के लिए कि जिनको उन्होंने अपनी **किसी याचना के बिना** लाभ किया हो, **कोई कृतज्ञ भाव अनुभव नहीं करते**; और अपने किसी ऐसे उपकारी के किसी रोग वा शोक वा विपद में ग्रस्त होने, वा धन कमाने के अयोग्य और कंगाल हो जाने पर आप उसकी सहायता वा सेवा करने के योग्य होकर भी उसकी कुछ भी सहायता वा सेवा करना नहीं चाहते और नहीं करते; और इससे भी

बढ़कर कई दशाओं में उसके प्रति किसी कारण से **घृणाकारी** बन जाने पर उसे ऐसी अवस्था में भी उलटा **हानि और दुख पहुंचा कर** अपने महा अधम हृदय की तृप्ति ढूंढते और करते हैं। यही वह महा अधम लोग हैं कि जो **कृतघ्न** कहलाते हैं।

फिर कितने ही जन अपने **स्वार्थ भाव** से इतने **अंधे और अधम बन जाते हैं, कि अपने किसी नीच अभीष्ट की प्राप्ति वा अपने किसी प्रतिशोध भाव की तृप्ति के लिए** अपने किसी उपकारी को तरह तरह से सताने और कितनी दशाओं में उसकी **हत्या** तक करने से भी नहीं रुकते।

परन्तु नेचर के विकासकारी नियमानुसार मनुष्य जगत् के जिन अपेक्षाकृत थोड़े से जनों में यह सात्विक भाव यथेष्ट रूप में प्रगट होता है, वह अपने इस भाव से परिचालित होकर जैसे अपने विविध प्रकार के उपकारियों के उपकार विषयक ऋण को अनुभव करते हैं, वैसे ही ऐसे उपकारों के मूल्य के अनुसार उस ऋण का परिशोध भी करना चाहते हैं, और अपनी सामर्थ्य के अनुसार विविध रूप से उनके लिए सेवाकारी बन कर उसका परिशोध करते हैं।

प्रश्न। क्या जो माता पिता अपनी किसी सन्तान का किसी शुद्ध सात्विक भाव से पालन नहीं करते, और केवल पाश्विक सन्तान अनुराग के वशीभूत होकर अथवा इसके भिन्न उससे अपने लिए किसी इस वा उस प्रकार के **लाभ** की आशा रखकर उसकी पालना करते हैं, उनके प्रति भी किसी सन्तान के लिए **सेवाकारी होना आवश्यक है**?

उत्तर। निःसंदेह। यदि किसी सन्तान में **सच्चा और यथेष्ट कृतज्ञ भाव** जाग्रत हो, तो वह उस भाव को प्राप्त होकर और उससे परिचालित होकर उनकी सेवा करने के बिना रह नहीं सकता। **यही नियम और उपकारियों के संबंध में भी है**। किसी सच्चे कृतज्ञ भावी के लिए यह सोचने की ही आवश्यकता नहीं, कि उसके किसी उपकारी ने उसका जो कुछ उपकार किया है, वह उसने किस भाव से किया है; किन्तु उसके लिए **केवल** यह देखना ही काफ़ी है, कि उसने उससे किसी प्रकार की भी शारीरिक वा मानसिक वा कोई और ऐसी सेवा पाई है, कि जो **सचमुच** उसके **शुभ** का कारण हुई है, और बस।

अब जिन लाखों स्वार्थ परायण मनुष्यों में इस सच्चे सात्विक कृतज्ञ भाव की उत्पत्ति नहीं हुई, वा नहीं हो सकती, वह उन सच्चे कृतज्ञ भाव धारी जनों के हृदयों में उसके द्वारा जिस जिस प्रकार की हलचल उत्पन्न होती है, और उनके भीतर जिस जिस प्रकार के विचार प्रगट होते हैं, **उनके विषय में कोई साक्षात् सत्य ज्ञान**

लाभ नहीं कर सकते।

(3) पर कष्ट अनुभूति विषयक सात्विक भाव। जब कोई जन किसी मनुष्य वा पशु जगत् के किसी बड़े वा छोटे जीव के किसी **शारीरिक कष्ट** को देख वा सुनकर (कि जिसके साथ वह किसी नीच अनुराग बंधन से बंधा हुआ न हो) अपने हृदय में कोई आघात् वा चोट अनुभव करता हो, और उस आघात् के अनुभव करने पर उसके उस दुख वा कष्ट के चले जाने के निमित्त अपने हृदय में बार बार उसी प्रकार की **आकांक्षा वा प्रेरणा अनुभव करता हो**, जिस प्रकार वह अपने किसी कष्ट के दूर हो जाने के निमित्त करता है; और वह अपनी इस प्रबल आकांक्षा वा प्रेरणा के अनुसार उसके दूर होने के निमित्त कोई चिन्ता वा विचार करता हो; अथवा वह अपने इस विचार के अनुसार उसके दूर होने के निमित्त अपनी ओर से उसे कोई परामर्श देता वा उसे कोई उपाय बताता हो, अथवा इससे भी बढ़कर उसके उस कष्ट के दूर करने के निमित्त वह आप कोई **उचित उपाय वा काम** करता हो; तब उसके भीतर का यह श्रेष्ठ भाव कि जिसके द्वारा वह किसी और के दुख वा कष्ट को अनुभव करता और उसके दूर होने का आकांक्षी बनता है, **पर कष्ट अनुभूति विषयक सात्विक भाव कहलाता है**। इसी पर कष्ट अनुभूति उत्पादक सात्विक भाव को **दया वा सहानुभूति भाव** भी कहते हैं।

जिन जनों में यह सात्विक भाव नहीं होता, वह अपने वा किसी और के आहार के निमित्त किसी मुर्ग़ी वा बकरे वा भेड़ वा मछली आदि पशु जगत् के किसी जीव को **आप वध करने पर वा उन्हें किसी और के द्वारा वध होते देखकर अपने हृदय में कोई आघात् वा चोट अनुभव नहीं करते**; और **कोई ऐसा असहाय और निर्बल जीव** अपने मारे जाने के समय अपने जिस प्रकार के **महा कष्ट वा आर्त्तनाद** का प्रकाश करता है, उसके उस कष्ट वा आर्तनाद की कोई लहर उनके कठोर हृदयों को नहीं छूती। इसीलिए जिस जन के हृदय में पर कष्ट अनुभूति वा दया का भाव विकसित हुआ है, उसके भीतर किसी ऐसी निर्दयता विषयक क्रिया को देखकर जिस जिस प्रकार की हलचल पैदा होती है, और उसके भीतर जिस जिस प्रकार की चिन्ताएं उत्पन्न होती हैं, उनकी सत्यता का इस भाव से विहीन जनों को कोई **साक्षात् ज्ञान नहीं होता और नहीं हो सकता**।

इसी प्रकार जब कुछ डाकू किसी के घर में डाका डालने पर किसी स्त्री के किसी ज़ेवर को सुगमता से न निकाल सकने पर, उसे अपने हाथ के बल वा झटके से वा किसी शस्त्र के द्वारा काट कर निकालते हैं, और इस प्रकार से **उसे कष्ट पहुंचाकर और घायल करके लहूलुहान** कर देते हैं, अथवा उसके पति आदि से

उसकी नकदी आदि का पता पूछने और उसके न बताने पर उसे आग के द्वारा झुलसा कर वा किसी और प्रकार का **दारुण कष्ट** देकर उसे बताने के लिए मजबूर करते हैं, तब उन बेचारों के हृदयों में जिस जिस प्रकार की हलचल उत्पन्न होती है, और उनके भीतर जिस जिस प्रकार की चिन्ताओं की उत्पत्ति होती है, उनका उन डाकुओं को **कोई साक्षात् ज्ञान नहीं होता और नहीं हो सकता।**

फिर जो लोग किसी ऐसे व्यवसाय से धन कमाते हों, कि जिस में पशु जगत् संबंधी एक वा दूसरे प्रकार के जीवों को मारकर उनका मांस वा उनकी चर्बी वा उनके पर वा उनका तेल वा उनकी कोई और वस्तु बेचने से धन की प्राप्ति होती हो, वह भी पशु जगत् के ऐसे विविध प्रकार के जीवों को आप मार कर वा औरों से मरवा कर उन पर जो जो **अत्याचार** करते हैं; अथवा जो जन ऐसे **मिथ्या विश्वासी** बन चुके हों, कि जिस विश्वास के अनुसार वह अपने किसी अभीष्ट की सिद्धि के लिए किसी कहलाने वाले देवता वा देवी को प्रसन्न करने के लिए **किसी पशु वा मनुष्य की हत्या** करके "बलि" के नाम से उसकी भेंट देते हों, उन्हें भी उन जीवों के भीतर जो कुछ गुज़रता है, उसके संबंध में कोई साक्षात् ज्ञान नहीं होता, और उनके ऐसे अत्याचार से किसी असहाय पशु वा मनुष्य के हृदय में जो जो दुख की लहर उठती है, उसका भी उन्हें कोई साक्षात् ज्ञान नहीं होता, और नहीं हो सकता।

(4) पर अभाव अनुभूति विषयक सात्विक भाव। यदि किसी मनुष्य में कोई ऐसा **भाव** वर्तमान हो, कि जिससे उसके आत्मा में किसी ऐसे मनुष्य वा पशु वा वृक्ष के संबंध में (जिसके साथ वह किसी मोह वा नीच अनुराग के बंधन से बंधा हुआ न हो) उसके **किसी अभाव** वा उसकी किसी **सच्ची आवश्यकता** को देख वा सुन वा जान कर **उसके दूर होने के निमित्त कोई आकांक्षा अनुभव होती हो**, और वह अपनी इस आकांक्षा के अनुसार उस सच्चे अभाव वा उसकी किसी सच्ची वा उचित आवश्यकता के दूर करने के निमित्त अपनी ओर से जो कुछ सहाय कर सकता हो, उस सहाय के करने के लिए अपने हृदय में **यथेष्ट प्रेरणा** अनुभव करता हो, तो उसका यह भाव **पर अभाव अनुभूति विषयक सात्विक भाव कहलाता है।**

इस उच्च वा सात्विक भाव को **प्रबल रूप** में प्राप्त होकर मनुष्य यथा संभव, यथा अवसर और यथा शक्ति किसी और मनुष्य वा पशु वा वृक्ष आदि की किसी उचित आवश्यकता को जानकर उसकी निवृत्ति के लिए आप कोई यत्न वा उपाय करता है, अथवा किसी और के इसी प्रकार के किसी काम में **सहायक** बनता है।

पर अभाव अनुभूति विषयक सात्विक भाव **कई प्रकार के** होते हैं, और जिस

मनुष्य में उनमें से **जो भाव** वर्तमान हो, उसके द्वारा परिचालित होकर वह क्या मनुष्य, क्या पशु और क्या उद्भिद् जगत् संबंधी जीवों के किसी अभाव को दूर करने के लिए एक वा दूसरे प्रकार से सहायक बनता वा बनना चाहता है। इसीलिए मान बड़ाई की लालसा से रहित होकर और केवल किसी एक वा दूसरे **विशुद्ध और प्रबल सात्विक भाव से ही परिचालित होकर** कई जन मनुष्यों वा पशुओं के किसी जल विषयक अभाव के दूर करने के निमित्त कुएं, बावलियां, तालाब और हौज़ आदि बना देते हैं; मुसाफ़िरों के ठहरने के निमित्त धर्मशाला वा सराय आदि बना देते हैं; दुर्भिक्ष के दिनों में दरिद्रों वा भूखों के लिए अन्नसत्र जारी करते हैं; थोड़ा धन रखने वालों के लिए सस्ते मूल्य पर अनाज आदि वस्तुओं के बेचे जाने का प्रबंध करते हैं; अनाथों के लिए अनाथालय और विधवाओं के लिए विधवा आश्रम आदि विविध उपकार संबंधी संस्थाएं स्थापन करते हैं, इत्यादि। ऐसे जन मनुष्यों की मानसिक शिक्षा और उन्नति के लिए विविध प्रकार के स्कूल और कॉलेज वा यूनिवर्सिटी स्थापन करते हैं; पुस्तकालय खोलते हैं, छात्रवृत्तियां देते हैं, और छात्र निवास निर्माण करते हैं; लोगों के एक वा दूसरे प्रकार के मिथ्या विश्वासों के दूर करने के निमित्त अख़बार वा जरनल जारी करते हैं, विविध पुस्तकें लिखते और प्रकाशित करते हैं, और उन्हें एक वा दूसरे विषय में अवगति देने के लिए उपदेश वा व्याख्यान आदि देते हैं। इत्यादि इत्यादि।

परन्तु जिन जनों में इस प्रकार के पर अभाव निवारण विषयक कोई प्रबल सात्विक भाव नहीं होते, वह जैसे आप इन्हीं विशुद्ध भावों से परिचालित होकर इस प्रकार के परोपकार विषयक कोई कार्य नहीं करते, और उनके विषय में उनके भीतर कोई चिन्ताएं उत्पन्न नहीं होतीं, वैसे ही जिन जनों में वह भाव प्रबल रूप से वर्तमान हों, उनके हृदयों में उन भावों के कारण जिस जिस प्रकार की हलचल होती है, और उनके भीतर ऐसी हलचल से जिस जिस प्रकार की चिन्ताएं उत्पन्न होती हैं, उनके संबंध में भी वह **कोई साक्षात् ज्ञान लाभ नहीं कर सकते**।

8- साक्षात् ज्ञान उत्पादक कई प्रकार की देव शक्तियां

मनुष्यात्मा के संबंध में जिन नाना प्रकार की बोध शक्तियों का ऊपर वर्णन किया गया है, उन सब बोध शक्तियों से ऊपर देवात्मा में जिन कई और सर्वोच्च शक्तियों का विकास हुआ है, वह देव शक्तियां हैं।

देवात्मा में ऐसी जिन कई देव शक्तियों का विकास हुआ है, वह यह हैं:-

(1) नेचर के प्रत्येक जगत् के संबंध में सत्य और केवल सत्य ज्ञान के लिए पूर्ण अनुराग।

(2) नेचर के प्रत्येक जगत् के संबंध में सब प्रकार के मिथ्या विश्वासों के लिए पूर्ण घृणा।

(3) नेचर के प्रत्येक जगत् के संबंध में हित वा शुभ के लिए पूर्ण अनुराग।

(4) नेचर के प्रत्येक जगत् के संबंध में सब प्रकार के अहितों वा अशुभों के लिए पूर्ण घृणा।

इन अद्वितीय देव शक्तियों के आविर्भाव और उनके संबंध में नाना सत्यों का देव शास्त्र के पहले खंड के सातवें अध्याय में वर्णन हो चुका है; इसलिए उस वर्णन के यहां दुहराने की आवश्यकता नहीं। देवात्मा में इन **देव शक्तियों** के बीज रूप में प्रकाश और उनके क्रमशः विकास से जिस **देव जीवन**, जिस **देव ज्योति** और जिस **देव तेज** की उत्पत्ति हुई है, और उन्हें अपनी इस **देव ज्योति** के द्वारा मनुष्य के **आत्मा के** गठन-प्राप्त **रूप**, उसके **रोगों**, उसके **पतन**, उस पतन से उसकी **मोक्ष** और उसके **जीवन के विनाश और विकास** के संबंध में जो जो **साक्षात् सत्य ज्ञान** मिला है, उस साक्षात् सत्य ज्ञान की उपलब्धि किसी ऐसे जन को नहीं हो सकती, कि जो उन शक्तियों से **विहीन** हो। इसी प्रकार उनकी इस **देव ज्योति** और उनके इस **देव तेज** की किरणों को पाकर किसी अधिकारी जन में जिस जिस प्रकार का **महा आश्चर्यजनक शुभ परिवर्तन उत्पन्न होता है**, उस परिवर्तन का **साक्षात् ज्ञान** वा उसकी **उपलब्धि भी** उस नर वा नारी जन को नहीं हो सकती, और नहीं होती, कि **जिसमें उपरोक्त किरणें कभी नहीं पहुंचीं, वा नहीं पहुंच सकतीं।** इसीलिए कोई ऐसा जन **देवात्मा के अद्वितीय आविर्भाव, उनकी अद्वितीय देव शक्तियों, उनके अद्वितीय देव रूप और अधिकारी मनुष्य मात्र के लिए उनके एक मात्र सत्य उपास्य और एक मात्र सत्य धर्म के शिक्षक और उनके एक मात्र सर्वाङ्ग आत्मिक कल्याण कर्ता होने** के संबंध में **कोई साक्षात् सत्य ज्ञान** लाभ नहीं कर सकता; और **अपने आत्मिक अन्धकार** के कारण इन विषयों में **उनकी अद्वितीय महिमा को उपलब्ध भी नहीं कर सकता।**

उपरोक्त आठों साक्षात् सत्य ज्ञान प्रदायिनी **बोध शक्तियों** के भिन्न सत्य ज्ञान की प्राप्ति के लिए मनुष्य में जिन चार प्रकार की और अनुराग वा प्रेम शक्तियों की आवश्यकता का ऊपर उल्लेख हो चुका है, उनका अब नीचे वर्णन किया जाता है:-

1- किसी विषय में सत्य ज्ञान की प्राप्ति के लिए उस विषय के संबंध में प्रत्येक सत्य के प्रति यथेष्ट अनुराग वा प्रेम की आवश्यकता

कोई मनुष्य अपनी ज्ञान इन्द्रियों, अपनी मानसिक शक्तियों, अपने अध्ययन और अपनी परीक्षा के द्वारा नेचर के किसी विषय के संबंध में किसी सत्य के जानने वा उसकी प्राप्ति के लिए उस समय तक **अपने आप कोई यत्न नहीं करता**, और नहीं कर सकता, जब तक उसके हृदय में उस विषय के संबंध में **सत्य की प्राप्ति के लिए कोई आकांक्षा न हो।**

मनुष्य जगत् के ऐसे हज़ारों लोग जो अंक गणित, रेखा गणित, बीज गणित, त्रिकोण मिति आदि कोई गणित भी अथवा उसके भिन्न रसायन वा पदार्थ विज्ञान वा शरीर तत्व वा शारीरिक चिकित्सा वा अन्य विषय की कोई विद्या सीखते हैं, वह उन्हें अपने हृदय के किसी सत्य ज्ञान विषयक प्रेम से परिचालित होकर नहीं सीखते; क्योंकि उनमें ऐसा कोई सच्चा प्रेम वर्तमान ही नहीं होता – किन्तु वह अपने माता पिता आदि किसी संरक्षक की प्रेरणा से अथवा किसी ऐसी शिक्षा को सीख कर किसी व्यवसाय के द्वारा धन कमाने वा किसी प्रकार का पद लाभ करने के लालसी होकर ही सीखते हैं। इसलिए वह कई प्रकार के **साइंस (Science)** सीख कर भी और उनके संबंध में किसी यूनिवर्सिटी से डिग्रियां लेकर भी **किसी साइंस के संबंध में अपनी ओर से नए से नए सत्यों के खोजने वा अनुसंधान करने के काम में रत नहीं देखे जाते।** उलटा सैंकड़ों जन साइंस सीख कर भी अथवा इससे भी बढ़कर आप किसी एक वा दूसरे प्रकार के साइंस के संबंध में सत्य के खोजी होकर भी **उस साइंस की ही सत्य शिक्षा के विरुद्ध** नाना प्रकार के **मिथ्या विश्वास** और नाना प्रकार के **मिथ्या मत** आदि रखते हैं; और आत्मा तो कहीं रहा, अपने शरीर के संबंध में भी नाना सुखों के दास होने के कारण कितनी ही दशाओं में जान बूझ कर भी **स्वास्थ्य विषयक नाना प्रकार के सत्य नियमों के विरुद्ध चलते हैं।**

फिर हिसाब के हज़ारों ज्ञाता जन किसी हिसाब के निकालते समय वा रसायन विद्या के सैंकड़ों ज्ञाता किसी रासायनिक सत्य के देखने वा दिखाने के निमित्त, उसके सत्य नियमों का इसलिए पालन नहीं करते, कि वह **सत्य के आकांक्षी वा प्रेमक होते हैं**, किन्तु इसलिए कि यदि वह उनके संबंध में किसी **ठीक नियम का अनुसरण न करेंगे**, तो वह उन विषयों की उन बातों को ठीक प्रमाणित न कर सकेंगे, अथवा उन विषयों की परीक्षा में वह ठीक न उतरेंगे किन्तु उसमें फेल हो जाएंगे।

इसीलिए नेचर के किसी विषय के संबंध में सत्य ज्ञान की प्राप्ति के निमित्त जब तक **किसी जन में यथेष्ट रूप से अनुराग वा प्रेम विकसित न हो**, तब तक वह उस विषय के संबंध में अपने आप कोई चिन्ता वा क्रिया नहीं करता, और नहीं कर सकता। ऐसा प्रेमहीन जन उसकी प्राप्ति के निमित्त अपनी ओर से कोई पुस्तक मोल लेना और उसके लिए पैसे ख़र्च करना नहीं चाहता; उसकी ख़ोज के लिए किसी ज्ञान दाता के पास पहुंचना नहीं चाहता; उसके लिए अपना समय, अपना धन, अपना सुख वा आराम आदि **अर्पण** करना नहीं चाहता; उसके लिए अपने किसी सुख दायक संबंधी वा सुखदायक विषय का **त्याग** करना नहीं चाहता; फलत: किसी जन में किसी ऐसे प्रेम के यथेष्ट रूप में वर्तमान होने से **जिन जिन लक्षणों का प्रगट होना अनिवार्य है, वह लक्षण उसके द्वारा प्रगट नहीं होते।**

2- किसी विषय में सत्य ज्ञान की प्राप्ति के लिए परीक्षा विधि के प्रति यथेष्ट अनुराग वा प्रेम की आवश्यकता

नेचर के जड़ पदार्थों और उन पदार्थों में नेचर की ही विविध प्रकार की जो शक्तियां भरी हुई हैं, उन शक्तियों और उनके कार्य से उसमें रात दिन जिस जिस प्रकार का परिवर्तन होता रहता है, उस परिवर्तन की **विधियों के** विषय में **सत्य ज्ञान** की प्राप्ति जैसे मनुष्य के लिए अति आवश्यक है, वैसे ही इस सत्य ज्ञान की प्राप्ति के निमित्त उसे अपनी ज्ञान इन्द्रियों और मानसिक शक्तियों के भिन्न **परीक्षा विषयक ठीक विधि के ग्रहण करने की भी नितान्त आवश्यकता है।**

मनुष्य केवल अपनी आंखों वा केवल अपने कानों वा केवल अपनी कल्पना वा विचार आदि किसी मानसिक शक्ति के द्वारा यह नहीं जान सकता, कि जो पानी वह पीता है, वह पानी भूत वा रूढ़ि अथवा यौगिक पदार्थ है, और गेहूं के जिन पिसे हुए दानों की वह रोटी पकाकर खाता है, उन दानों में क्या क्या भूत पदार्थ मिले हुए हैं; इसी प्रकार वह जो आलू वा पालक वा अन्य भाजियां खाता है, उनमें क्या क्या भूत पदार्थ हैं? फिर हमारी इस पृथ्वी और हमारे वायुमंडल में और उनके भिन्न हमारे सूर्य और चन्द्र आदि विविध लोकों में क्या क्या भूत वा रूढ़ि पदार्थ वर्तमान हैं?

इसी प्रकार सूर्य से जो **ज्योति** निकलती है, उसका हमारे वा पशुओं वा वृक्षों के शरीरों के साथ क्या संबंध है? सूर्य अथवा अग्नि से जो **ताप** निकलता है, उस **ताप** के द्वारा नेचर में किस किस प्रकार का काम हो रहा है, और उससे हम आप क्या क्या काम ले सकते हैं? जिस **बिजली** की चमक को हम अपनी आंखों से बादलों में देखते हैं, और जिसकी कड़क को हम इस पृथ्वी पर अपने कानों से सुनते

हैं, उसकी शक्ति हमारे किस किस काम आ सकती है? इत्यादि। और न वह यह जान सकता है, कि मनुष्य नेचर के किस किस पदार्थ और उसकी किस किस शक्ति पर अधिकार पाकर उससे अपना क्या क्या अभीष्ट सिद्ध कर सकता है, और उनमें से किस किस के ज्ञान से वह अपना क्या क्या अभाव वा दुख दूर कर सकता है, वा क्या क्या सुख पा सकता है?

यह और इस प्रकार का और विविध ज्ञान हम नेचर की जिस **सच्ची विधि** को अवलम्बन करके लाभ कर सकते हैं, उसी का नाम **परीक्षा विधि** (Experiment) है।

किसी घर में चार जन ज्वर से बीमार पड़े हैं। अब हम केवल अपनी आंखों, केवल अपने कानों, केवल अपनी जीभ, केवल अपनी नाक और केवल अपने हाथों आदि किसी भी शारीरिक अंग के द्वारा यह नहीं जान सकते, कि उनमें से किस किस का ज्वर वा शारीरिक ताप किस किस की अपेक्षा कितना कितना अधिक है। इस ज्ञान के लिए हमें थर्मामीटर वा तापमापक यंत्र की आवश्यकता है। उसके द्वारा ही हम उन चारों जनों के शारीरिक ताप को माप सकते हैं, उसके भिन्न कदापि नहीं। अर्थात् थर्मामीटर के द्वारा हम उनके ताप की **परीक्षा** करके उनमें से प्रत्येक जन के ताप के विषय में **सत्य ज्ञान** लाभ कर सकते हैं, और ऐसी **परीक्षा करने के बिना** किसी और प्रकार से इस विषय में कोई **ठीक ठीक ज्ञान** लाभ नहीं कर सकते।

गेहूं के दानों से भरी हुई एक गाड़ी बाज़ार में खड़ी है, उसमें ठीक ठीक कितने मन और कितने सेर और कितने छटांक दाने हैं, उनके इस वज़न का **ठीक ठीक ज्ञान** हम उन्हें परस्पर के माने हुए किसी वज़न विषयक पैमाने के द्वारा तोल कर ही लाभ कर सकते हैं, बिना उसके कदापि नहीं।

अमुक नहर वा अमुक सड़क वा अमुक दरी वा अमुक चादर वा अमुक बांस की सीढ़ी वा ऐसी ही कोई और वस्तु **ठीक ठीक कितनी लम्बी है**, उसका ज्ञान हमें केवल ठीक ठीक नापने की परीक्षा से ही हो सकता है, उसके बिना कदापि नहीं।

किसी जन की एक बड़ी थैली में जो रुपए भरे हुए हैं, वह संख्या में **ठीक ठीक कितने** हैं, और अमुक रेल की गाड़ियों में जो मुसाफ़िर बैठे हुए हैं, उनकी **ठीक ठीक संख्या** क्या है, यह सत्य ज्ञान भी हमें गिनती विषयक **ठीक परीक्षा** के द्वारा ही मिल सकता है, उसके बिना कदापि नहीं।

अमुक मनुष्य अंकगणित (हिसाब) जानता है वा नहीं, और अमुक जन अंग्रेज़ी भाषा की कोई पुस्तक पढ़ सकता है वा नहीं, और वह जन हिन्दी अक्षरों में कोई चिट्ठी लिख सकता है वा नहीं, और वह जन अमुक यूनिवर्सिटी के बी.ए. कोर्स के

विविध विषयों को जानता है वा नहीं, और वह जन स्वर के साथ किसी सितार वा तबले वा ढोलक वा हारमोनियम को बजाकर कोई शब्द निकाल सकता है वा नहीं, और वह जन स्वर ताल के साथ अमुक गीत वा भजन गा सकता है वा नहीं, और वह जन अपने हाथ से किसी गुलाब के फूल वा गाय वा घोड़े की छवि किसी काग़ज़ पर खैंच सकता है वा नहीं; इन और इसी प्रकार की और बातों का **ठीक ठीक ज्ञान** हम इस वा उस जन की **परीक्षा** लेकर ही लाभ कर सकते हैं, उसके बिना कदापि नहीं।

अमुक जन किसी के संबंध में कोई **कर्तव्य बोध** रखता है वा नहीं, वह रुपए के लेनदेन में **भरोसे** के योग्य है वा नहीं; वह किसी और की किसी खाने की वस्तु की **चोरी** करके खा जाने का लालची है वा नहीं; वह अपनी किसी **सद्प्रतिज्ञा** को पूरा कर सकता है वा नहीं, इत्यादि इत्यादि नाना बातों को हम उस जन की **परीक्षा** करके ही जान सकते हैं उसके बिना कदापि नहीं।

फलत: जिन जिन बातों का ठीक ठीक ज्ञान **परीक्षा** की ही ठीक विधि के ग्रहण करने से हो सकता है, उनके विषय में जिस जिस देश के लोग जहां जहां तक इस विधि के ग्रहण करने के योग्य बन गए हैं, वह ऐसे देशों के लोगों की अपेक्षा अधिक ज्ञानी हो गए हैं, कि जो इस विधि के द्वारा नेचर विषयक विविध प्रकार के ज्ञान लाभ करने के प्रेमक नहीं बने, और ऐसी बातों को सत्य मान कर विश्वास करते हैं, कि जो **परीक्षा के द्वारा कभी भी सत्य प्रमाणित नहीं हो सकतीं।**

यद्यपि यह सत्य है कि मनुष्य को अपने कई प्रकार के ऐसे दैनिक कर्मों के संबंध में जिन्हें वह छोड़ नहीं सकता था, जब और जो जो कुछ अपनी किसी **साधारण परीक्षा** के द्वारा सत्य मालूम हुआ, उसे उसका ज्ञान अवश्य हुआ, परन्तु जब तक उपरोक्त विषयों के ज्ञान की प्राप्ति के लिए उसमें कोई **आन्तरिक आकांक्षा** नहीं जागी, वा प्रेम उत्पन्न नहीं हुआ और वह उनके संबंध में **परीक्षा विषयक ठीक विधि को ग्रहण नहीं कर सका** – और वह लाखों वर्षों तक ऐसा नहीं कर सका – तब तक वह ज्ञानोन्नति के उस मार्ग पर नहीं पड़ा, कि जिसका क्रम बराबर जारी रह सकता। इसीलिए लाखों वर्षों तक वह इस **परीक्षा सापेक्ष ज्ञान को लाभ नहीं कर सका;** और जिस ज्ञान को अब साधारण बोलचाल में 'साइंस' वा 'विज्ञान' कहते हैं, उसकी वह प्राप्ति नहीं कर सका।

फिर बहुत बड़े काल के बीत जाने पर नेचर के संबंध में इस प्रकार के **परीक्षा मूलक ज्ञान की प्राप्ति के निमित्त जिन जिन मनुष्यों में यथेष्ट प्रेम विकसित हुआ,** उन्हें उसकी प्राप्ति के लिए जिस जिस प्रकार की महा कठिनाइयां उठानी पड़ीं,

और नाना प्रकार की उलझनों और दिक्क़तों में से गुज़रना पड़ा, उन सबकी अलग कहानी है। ऐसे जन नेचर के जिन जिन अस्तित्वों को अपनी कोरी आंखों से देख ही नहीं सकते थे, उनके देखने के निमित्त उन्हें दूरबीन और खुर्दबीन नामक यंत्रों का आविष्कार और उन्हें काल के साथ साथ धीरे धीरे उन्नत करना पड़ा है। ताप के नापने के निमित्त थर्मामीटर और सूर्य आदि लोकों में जो जो भूत पदार्थ पाए जाते हैं, उनके जानने के लिए स्पेक्ट्रोस्कोप और अन्य विविध बातों के जानने के लिए अन्य विविध प्रकार के यंत्रों के बनाने की आवश्यकता हुई है।

इन सब महा कठिनाइयों पर जय पाकर और कितनों ने अपनी अपनी सारी उमर इसी खोज के काम में लगाकर नेचर के संबंध में इस 'साइंस' वा 'विज्ञान' विषयक जिस अमूल्य ज्ञान को लाभ किया है, उससे नाना सुयोग्य जनों के सम्मुख नेचर के संबंध में जो जो कुछ **महा सत्य** प्रकाशित हुए हैं वह यह हैं:-

(1) एक मात्र नेचर ही सत्य है, और उसके भिन्न वा उससे अतीत कोई भी सत्ता वा कोई भी और बात सत्य नहीं।

(2) नेचर के क्या अजीवित और क्या जीवित जगतों में जो जो कुछ **परिवर्तन** हो रहा है, वह उसके जिस जिस जगत् में **जिस जिस विधि** से हो रहा है, वह **विधि** अनाप शनाप नहीं; अर्थात् वह कभी कुछ और कभी कुछ नहीं; किन्तु वह **सदा अटल** है। **इसलिए वह सदा ही पूर्ण विश्वास के योग्य है**। नेचर की इसी अटल विधि को **नेचर का नियम कहते हैं**।

(3) जबकि नेचर में उसके किसी **नियम** के विरुद्ध **कोई भी घटना उत्पन्न नहीं होती, और नहीं हो सकती**; इसलिए नेचर के **किसी नियम के विरुद्ध** नाना मनुष्यों ने धर्म के नाम से वा किसी और नाम से जो जो शिक्षाएं दी हैं, वा जो जो मत फैलाए हैं, वह सब शिक्षाएं और वह सब मत **पूर्णतः मिथ्या हैं**।

(4) नेचर के किसी सत्य नियम के अनुसार उसके जिस किसी जगत् में जो जो घटनाएं उत्पन्न होती वा हो सकती हैं, वही घटनाएं **सत्य** हैं। उन घटनाओं में से किसी भी **वास्तविक घटना के भिन्न** और जिस किसी बात को सत्य बताया गया है - वह बात चाहे नेचर के किसी नियम के विरुद्ध न भी हो फिर भी - वह **सत्य नहीं**।

इन चार महा सत्यों के देखने के योग्य होने पर यदि कोई भी **पक्षपात रहित जन** उनकी कसौटी के द्वारा इस पृथ्वी के धर्म सम्प्रदायों के विविध प्रकार के

विश्वासों वा मतों की **परीक्षा** करना आरंभ करे, तो उस पर भली भांत प्रमाणित हो जाएगा, कि नेचर-मूलक और विज्ञान-सम्मत एक मात्र देव धर्म की शिक्षा के भिन्न **इस पृथ्वी के सारे धर्ममत मिथ्या हैं।** और यदि इन मिथ्या मतों के विश्वासियों को उनके किसी प्रकार के भी मिथ्या विश्वास को इस **परीक्षा विषयक कसौटी के अनुसार** सत्य प्रमाणित करने के लिए चैलेन्ज दी जाए, तो वह कभी भी उस चैलेन्ज के स्वीकार करने का साहस न करेंगे।

देव शास्त्र के प्रणेता ने सन् 1912 ई. में इसी प्रकार की एक चैलेन्ज सब प्रकार के ईश्वर वादियों को दी थी, परन्तु किसी भी सम्प्रदाय का कोई जन उसे स्वीकार न कर सका; और कोई जन भी उन परीक्षा विषयक शर्तों को क़बूल करके अपने दावे को सत्य प्रमाणित करने के लिए मैदान में आने का साहस न कर सका। वह चैलेन्ज इस प्रकार की थी:-

ईश्वर वा खुदा के विश्वासियों को चैलेन्ज

"ईश्वर" वा "खुदा" के विश्वासी कहते हैं, कि वह जिस ईश्वर वा खुदा को अपना उपास्य मानते हैं, वह

(1) सारे जगतों का पैदा करने वाला है, और जिस ज़मीन पर हम लोग रहते हैं, और जो सूर्य उसे प्रकाशित करता है, उन्हें उसी ने पैदा किया वा बनाया है;

(2) सर्वज्ञ है, अर्थात् वह सब कुछ जानता है;

(3) सर्व शक्तिमान है, और यह ज़मीन उसी की शक्ति के द्वारा घूमती है, और हमारा सूर्य और उससे संबंधित अन्य विविध नक्षत्र और उपनक्षत्र भी उसी की शक्ति से गति की दशा में हैं। परन्तु इनमें से कोई बात भी **परीक्षा** के द्वारा सत्य प्रमाणित नहीं होती।

उनकी पहली बात की परीक्षा करने के लिए हम एक मेज़ पर कुछ गीली मिट्टी रख देते हैं, और सब प्रकार के ईश्वर वादियों को चैलेन्ज देते हैं, कि वह अपने ईश्वर वा खुदा से कहें, कि वह इस मिट्टी की एक एक इंच के व्यास की तीन चार गोलियां बना दें; क्योंकि उनके कथन के अनुसार उनका जो ईश्वर ज़मीन के इतने बड़े गोले को बना सकता है, कि जिस का व्यास आठ हज़ार मील के लगभग है, वह एक एक इंच के व्यास की तीन चार गोलियां अवश्य बना सकता है। अब यदि उनका यह ईश्वर ऐसा न कर सके, जैसा कि कोई भी **झूठा और बनावटी अस्तित्व** कदापि

ऐसा नहीं कर सकता, तो फिर साफ़ साबित हो जाएगा, कि उनका पहला दावा **झूठ** के भिन्न और कुछ नहीं।

उनकी दूसरी बात की परीक्षा करने के लिए हम एक छपी हुई किताब, कुछ कोरा काग़ज़ और एक पैन्सिल एक मेज़ पर रख देते हैं, और सब प्रकार के ईश्वर वादियों को यह चैलेन्ज देते हैं, कि वह अपने उस ईश्वर को कहें, कि हम उससे उस किताब के जिस बन्द पृष्ठ की इबारत को लिखवाना चाहें, उसे वह उस कोरे काग़ज़ पर पैन्सिल के द्वारा लिख दे, क्योंकि जो ईश्वर विविध मनुष्यों के हृदयों के गुप्त भावों को पूर्ण रूप से जान सकता है, वह एक बन्द पुस्तक के किसी विशेष पृष्ठ पर जो कुछ लिखा हुआ है, उसे भी अवश्य पढ़ और जान सकता है। अब यदि वह ऐसा न कर सके, जैसा कि **कोई भी झूठा और बनावटी अस्तित्व ऐसा कदापि नहीं कर सकता**, तो फिर पूर्ण रूप से यह प्रमाणित हो जाएगा, कि उनका यह दूसरा कथन भी **झूठ** के भिन्न और कुछ नहीं।

उनके तीसरे कथन की परीक्षा के लिए हम अपनी बन्द जेबी घड़ी एक मेज़ पर रख देते हैं; और सब प्रकार के ईश्वर विश्वासियों को चैलेन्ज देते हैं; कि वह अपने ईश्वर से कहें, कि वह उसे चला दे, क्योंकि उनका जो ईश्वर ज़मीन वा चान्द के गोले को घुमा सकता है, वह एक घड़ी के स्प्रिंग को तो अवश्य चला सकता है। अब यदि वह ऐसा न कर सके, जैसा कि **कोई भी झूठा और बनावटी अस्तित्व ऐसा कदापि नहीं कर सकता**; तो फिर यह बात भी प्रमाणित हो जाएगी, कि उनका यह तीसरा कथन भी **झूठ** के भिन्न और कुछ नहीं।

फिर सन 1926 ई. में राधास्वामी मत के विश्वासी एक ग्रेजुएट प्रोफ़ैसर की दो चिट्ठियों के उत्तर में इस मत की और नाना मिथ्या बातों का खंडन करने के भिन्न उन्हें उनके कहलाने वाले 'संत सत्गुरु' और उनके कहलाने वाले 'सुरत शब्द योग' और उनकी कहलाने वाली अद्‌भुत शक्तियों की **परीक्षा** के संबंध में जो चैलेन्ज दी गई थी, वह इस प्रकार की थी:-

"मैं आपको फिर चैलेन्ज देता हूं, कि यदि आप किसी झूठे विश्वास को छोड़ने और किसी सच्चे विश्वास को ग्रहण करने की आवश्यकता को मानते हों, और किसी सच्चे विश्वास से ही अपना और औरों का सच्चा भला समझते हों, तो क्या आप अपने परमात्मा संबंधी विश्वास को और क्या राधास्वामी मत के प्रवर्तक वा उनकी मृत्यु के अनन्तर आप जिन जिन को अपना 'संत सत्गुरु' वा 'वक़्त गुरु' मानते हों, उनमें से जिस जिस को आप सर्वज्ञ और सर्व शक्तिमान् मानते हों, उनके इन गुणों को लाहौर में आकर परीक्षा के द्वारा साबित करके दिखलाएं। और यदि आपको अपने

किसी ऐसे 'संत सत्गुरु' को इस परीक्षा के लिए लाहौर में लाने के निमित्त सफ़र ख़र्च और खाने पीने आदि के लिए रुपए की आवश्यकता हो; तो मैं आपके ऐसे संत सत्गुरु और उनके साथ चार पांच चेलों के लिए लाहौर तक का सैकंड क्लास रेलवे का किराया और लाहौर में उनके ठहरने के लिए मकान और उनके खाने पीने का सब खर्च देने के लिए तैयार हूं। क्या आप मेरे इस पूर्णतः उचित और युक्तिसंगत आवेदन को स्वीकार करने का साहस करेंगे?

मेरी इस परीक्षा की विधि यह होगी:-

(1) आप के संत सत्गुरु अपने कहलाने वाले "सुरत शब्द योग" से अपने शरीर से अपने आत्मा को बाहर निकाल कर उस शरीर को अजीवित अर्थात् मुर्दा कर दें, कि जिसकी तसदीक़ विश्वास के योग्य दो डाक्टरों के द्वारा कराई जाएगी। फिर वह अपने उस कहलाने वाले योग के द्वारा आध घंटे तक विविध "आसमानों" की सैर करने के अनन्तर अपने आत्मा को फिर उसी मुर्दा शरीर में दाखिल करके उसे फिर जीवित वा ज़िन्दा कर दें।

(2) यदि यह कहा जाए कि वह अपने शरीर से अपने आत्मा को पूर्णतः बाहर निकाल कर भी उसे जीवित रख सकते हैं, और अपने आत्मा को उससे निकाल कर उसे लाखों मील दूर ले जाने की सामर्थ्य भी रखते हैं, तो इस बात की परीक्षा के लिए हम किसी कमरे में एक बक्स के भीतर कई जनों के फ़ोटो बन्द करके रख देंगे, और आप के अन्तर्यामी सत्गुरु लाखों मील आकाश में उड़ने के स्थान में उसी निकट के कमरे में अपने आत्मा को ले जाकर और उस बक्स की तस्वीरों को देखकर बतावें, कि वह किस किस जन के फ़ोटो हैं।

(3) हम किसी भी भाषा की एक पुस्तक बन्द दशा में एक मेज़ पर रख देंगे, और उनसे पूछेंगे कि वह हमारे बताने के अनुसार उसके चार भिन्न भिन्न सफ़ों पर जो जो कुछ लिखा हुआ हो, उसे किसी काग़ज़ पर लिख दें; और फिर उस किताब को खोलकर देखा जाएगा कि उन्होंने जो कुछ उस काग़ज़ पर लिखा है, उनके वह लेख उस पुस्तक के उन उन सफ़ों के लेख से पूर्णतः मिलते हैं वा नहीं।

(4) हम एक डब्बे में चार धागे अलग अलग लम्बाइयों के डाल कर और उसे बन्द करके एक मेज़ पर रख देंगे। आपके अन्तर्यामी संत सत्गुरु उन धागों की ठीक ठीक लम्बाइयां बतावें; और फिर हम उन धागों की असली लम्बाई के साथ उनकी बताई हुई इन लम्बाइयों को मिलाकर देखेंगे, कि उनका ऐसा बताना सत्य है

वा नहीं।

(5) हम मिट्टी की एक ईंट एक मेज़ पर रख देंगे, और आपके संत सत्गुरु उसे अपनी शक्ति से सोना बना दें। उसके सोना बन जाने पर वह ईंट उन्हीं को नज़र (भेंट) कर दी जाएगी।

(6) हम ताप मापक एक थर्मामीटर एक मेज़ पर रख देंगे। आपके संत सत्गुरु अपनी शक्ति से उसके पारे को एक मिनट के अन्तर अन्तर दस डिग्री ऊपर चढ़ा दें, वा दस डिग्री नीचे उतार दें।

(7) एक ऐसे लैम्प से जो बिजली की शक्ति से रोशन हो सकता हो, बिजली की रौ का सिलसिला काट दिया जाएगा, और वह उसे अपनी शक्ति वा अपने योग बल से एक मिनट तक फिर ज्योतिर्मान कर दें।

(8) एक गमला जिसमें हरे पत्तों का एक जीवित पौधा लगा हुआ होगा, किसी मेज़ पर रख दिया जाएगा, और आपके गुरु साहब अपने योग बल से उसके हरे पत्तों को एक मिनट तक के समय में लाल रंग के पत्ते बना दें।

(9) हम एक घड़ी की चाल बन्द करके उसे मेज़ पर रख देंगे, और आपके गुरु उसे स्पर्श करने के बिना अपनी शक्ति के बल से उसे फिर चलता कर दें।

(10) कुछ गीली मिट्टी किसी डब्बे में बन्द करके एक मेज़ पर रख दी जाएगी; और आपके संत सत्गुरु अपनी शक्ति से एक मिनट के अन्दर उसके भीतर एक एक इंच के व्यास की कुछ गोलियां बना दें।

इस प्रकार की सब परीक्षा एक पब्लिक सभा में की जाएगी, और उसमें नाना सम्प्रदायों के चुने चुने माननीय जन कम से कम सौ की संख्या में वर्तमान होंगे।

यदि आपके संत सत्गुरु इस परीक्षा के द्वारा सच्चे प्रमाणित हुए, तो उसी समय उन चुने हुए जनों में से बारह जनों के हस्ताक्षर कराके उनकी इस सफलता पर उन्हें एक लिखा हुआ सर्टिफिकेट दिया जाएगा, और यदि वह इस परीक्षा में फ़ेल हुए, तो वही बारह जन उनके झूठे होने का एक सर्टिफिकेट लिखकर तैयार करेंगे, और उस पर वह अपने अपने हस्ताक्षर करेंगे, और उसकी तसदीक़ के लिए आप के संत सत्गुरु साहब को भी उस पर अपने हस्ताक्षर करने पड़ेंगे। फिर यह सर्टिफिकेट नाना अखबारों में छापा जाएगा।

अब यदि आपके संत सत्गुरु जी के उपरोक्त दावे सच हैं, और आप भी उन्हें सत्य मानते हों, तो फिर आपको इस चैलेन्ज के स्वीकार करने में कोई टाल मटोल

नहीं करना चाहिए। आप इस लेख के मिलने पर चालीस दिन के अन्दर अन्दर इस चैलेन्ज के स्वीकार वा न स्वीकार करने के संबंध में पता दें।"

यहां यह बता देना आवश्यक है कि जैसी आशा हो सकती थी, वह प्रोफ़ैसर साहब इस परीक्षा विषयक चैलेन्ज को स्वीकार करने का साहस न कर सके, और इसीलिए उन्होंने उसे स्वीकार न किया।

3- किसी विषय में सत्य ज्ञान की जांच के लिए तर्क विधि के प्रति यथेष्ट अनुराग वा प्रेम की आवश्यकता

मनुष्य जिन नाना प्रकार के "धर्म मतों" वा अन्य बातों को सत्य जान कर विश्वास करता है, **उसके वह विश्वास सत्य हैं वा मिथ्या**, इसकी जांच के लिए एक विचार विषयक भी बहुत आवश्यक विधि है, कि जिसे तर्क विधि वा तर्क प्रणाली कहते हैं।

इस तर्क विधि के द्वारा केवल वही जन अपने किसी विश्वास वा मत की जांच वा पड़ताल करता वा कराना चाहता है, कि जो एक ओर इस विषय में किसी सत्य के जानने की आकांक्षा रखता हो; और दूसरी ओर जो तर्क प्रणाली उसके इस महत् उद्देश्य में सहायक बन सकती है, उसे वह जानता हो, और उसके प्रति भी उसके हृदय में आवश्यक अनुराग वा प्रेम वर्तमान हो।

यदि यह दोनों बातें किसी जन में वर्तमान न हों – जैसा कि वह करोड़ों मनुष्यों में पाई नहीं जातीं – तो वह अपने जिन जिन संस्कार-प्राप्त वा अन्य विश्वासों वा मतों का पूर्ण अनुरागी और पूर्ण पक्षपाती बन चुका है, **उनके विषय में वह इस तर्क विधि का भी प्रयोग करना ही नहीं चाहता।**

इसलिए किसी जन के किसी विश्वास वा मत की जहां तक इस तर्क विधि के द्वारा जांच हो सकती है, उसके प्रयोग के द्वारा जब तक वह अपने किसी विश्वास वा मत की जांच करने वा कराने के लिए सरल भाव से तैयार न हो, तब तक वह यह नहीं जान सकता कि उन में से उसका कौन कौन सा विश्वास वा मत **मिथ्या** है, और कौन सा **सत्य**। दृष्टान्त:-

तर्क विद्या से अज्ञानी: किसी तर्क विद्या से अज्ञानी जन ने किसी स्थान में एक पौधा देखा। उसके पत्ते हरे थे, और उसमें लाल रंग के फूल लगे हुए थे। इस पौधे का नाम उसे कनैल बताया गया। फिर उसने किसी बाग में एक गुलाब का पौधा देखा, कि जिसके पत्तों का भी रंग हरा था, और उसमें भी लाल रंग के फूल लगे

हुए थे। उसे देखकर उसने एक और जन से (जो कि तर्क विद्या विशारद था) कहा, कि जिस पौधे के पत्ते हरे हों, और उसमें लाल फूल लगे हुए हों, वह कनैल का पौधा होता है; इसलिए यह पौधा अवश्य कनैल का है।

तर्क विद्या विशारद: तुम्हारा यह सिद्धान्त सत्य नहीं। जिस पौधे के पत्ते हरे हों, और उसमें लाल रंग के फूल लगे हुए हों, वह जैसे कनैल हो सकता है, वैसे ही उससे भिन्न कोई और पौधा भी हो सकता है। नेचर में ऐसे पौधे वा वृक्ष नाना प्रकार के हैं, कि जिनके पत्ते हरे होते हैं, और जिनमें लाल रंग के फूल भी होते हैं, परन्तु वह सब कनैल नहीं। इसीलिए यह पौधा जिसे तुम कनैल समझते और कहते हो, कदापि कनैल नहीं; किन्तु यह गुलाब का पौधा है। और इस के पत्ते यद्यपि हरे हैं, तथापि यह कनैल के पत्तों का सा रूप नहीं रखते; और इसके फूल यद्यपि लाल हैं, तथापि यह कनैल के फूलों से अपना भिन्न रूप रखते हैं। इसलिए इस विषय में तुम्हारा सिद्धान्त **मिथ्या** है।

तर्क विद्या से अज्ञानी: मेरे गांव में तीन स्त्रियां **व्यभिचार** विषयक पाप कर्म के द्वारा पैसे कमाती थीं। वह तीनों ही **गोरे** रंग की थीं। इसलिए यह धर्म देवी नामक स्त्री भी जो गोरे रंग की है, अवश्य व्यभिचारिणी होगी।

तर्क विद्या विशारद: तुम्हारा यह सिद्धान्त सत्य नहीं है। यह हो सकता है, कि तुम्हारे गांव में जो तीन स्त्रियां व्यभिचार के द्वारा पैसे कमाती थीं, वह सब गोरे रंग की ही हों, परन्तु इस बात से यह सिद्धान्त निकालना कि जो स्त्री गोरे रंग की होती है, **वह अवश्य व्यभिचारिणी होती है, कदापि ठीक नहीं हो सकता।** जैसे गोरे रंग की कुछ स्त्रियां व्यभिचारिणी हो सकती हैं, वैसे ही काले वा किसी और रंग की भी। नेचर में किसी स्त्री वा पुरुष के शारीरिक रंग पर उसका व्यभिचारी वा व्यभिचार रहित होना **निर्भर** नहीं करता, किन्तु उसके हृदय के भावों पर निर्भर करता है। इसलिए अपने अपने इन भावों के अनुसार जैसे गोरे वा काले रंग की सैंकड़ों स्त्रियां व्यभिचारिणी हो सकती हैं, और हैं, वैसे ही इन्हीं रंगों की लाखों स्त्रियां व्यभिचार रहित भी हो सकती हैं; और हैं।

तर्क विद्या से अज्ञानी: मैं बहुत वर्षों तक स्कूलों का इंस्पेक्टर रहा हूं। मैंने ऐसे बहुत से स्कूल देखे हैं, कि जिनमें विधवा स्त्रियां उस्तानियां थीं। मैंने उनमें से किसी के संबंध में भी यह नहीं सुना कि वह अच्छे चाल चलन की हैं। इसलिए मेरा यह विश्वास है, कि कोई भी विधवा उस्तानी अच्छे चाल चलन की नहीं हो सकती।

तर्क विद्या विशारद: आप का यह सिद्धान्त सत्य नहीं। ऐसी कुछ विधवा शिक्षिकाएं तो अवश्य हो सकती हैं, कि जिनका चाल चलन अच्छा न हो; किन्तु

किसी भी ऐसी विधवा स्त्री के आचार से यह सिद्धान्त निकालना, कि प्रत्येक विधवा अध्यापिका बुरा चाल चलन रखती है, कदापि ठीक नहीं। हम ऐसी बहुत सी विधवा स्त्रियों को जानते हैं, कि जो सारी उमर नेक चलन रहीं, और कभी भी व्यभिचारिणी नहीं बनीं।

तर्क विद्या से अज्ञानी: मैं शराब पीता हूं। कितने ही "बड़े बड़े" गवर्नर, मैजिस्ट्रेट, जज, राजे, महाराजे, धनी और विद्वान भी शराब पीते हैं। उनके भिन्न हज़ारों साधारण लोग भी शराब पीते हैं। इसलिए जिस वस्तु को ऐसे ऐसे और इतनी इतनी संख्या में लोग पीते हों, उसका पीना अवश्य ठीक है।

तर्क विद्या विशारदः आपका यह सिद्धान्त कि जबकि सैंकड़ों 'बड़े बड़े' और उनके भिन्न हज़ारों छोटे छोटे लोग शराब पीते हैं, इसलिए उसका पीना उचित है, कदापि ठीक नहीं। कोई शराब ऐसी नहीं, कि जिसमें थोड़ा वा बहुत ज़हर (अलकोहल) मिला हुआ न हो। शराब का यही अलकोहल नामक ज़हर जब मनुष्य के शरीर में दाखिल होता है, तब उससे पीने वाले को एक प्रकार का जो सुखकर असर अनुभव होता है, उसी को नशा कहते हैं। इसी सुखदायक नशे के लालसी होकर हज़ारों लोग एक वा दूसरे प्रकार की शराब पीते हैं। परन्तु नेचर के अटल नियमानुसार इस ज़हर के द्वारा मनुष्य के शरीर के नाना बड़े बड़े अंग बिगड़ना आरंभ करते हैं; और वह धीरे धीरे जब बहुत बिगड़ जाते हैं, तब पीने वाले के शरीर में कई प्रकार के रोगों की उत्पत्ति होती है, और ऐसे जन अपनी पूरी उमर नहीं पाते, और वह अकाल मृत्यु को प्राप्त होते हैं। फिर न केवल शराब किन्तु किसी भी ज़हरीली वस्तु का पीना वा खाना नेचर ने मनुष्य के लिए उचित वा ठीक नहीं रखा। इसलिए आपका यह सिद्धान्त **पूर्णतः मिथ्या** है।

तर्क विद्या से अज्ञानी: मुझे शराब, भंग और अफ़ीम आदि कई चीज़ों के नशों का **सुख** बहुत **प्यारा** लगता है। मेरे कई मित्र भी इन **सुखदायक नशों** के लिए बहुत **अनुराग** रखते हैं। अब जब कि यह नशेदार चीज़ें हम सबको ही बहुत **सुखदायक** और इसीलिए **आकर्षणीय** प्रतीत होती हैं, तब वह हमारे शरीर के लिए हितकर ही हो सकती हैं; और हानिकारक कदापि नहीं हो सकतीं।

तर्क विद्या विशारदः तुम्हारा यह सिद्धान्त **पूर्णतः मिथ्या है**, कि जो चीज़ तुम्हारे वा किसी के लिए **सुखदायक** हो, वह तुम्हारे वा उसके शरीर के लिए कदापि हानिकारक नहीं हो सकती। किसी **विष** के एक सीमा तक खाने वा पीने और उससे शरीर की स्नायु प्रणाली के कुछ देर तक **सुन्न** हो जाने से मनुष्य को एक प्रकार का **सुख** अवश्य बोध हो सकता है, परन्तु उस विष के असर से **उसकी शारीरिक**

स्नायु प्रणाली को हानि भी अवश्य पहुंचती है। इसलिए जिस स्नायु प्रणाली के द्वारा ही शरीर के विविध अंग चलते वा अपना अपना काम करते हैं, उसकी हानि से उन अंगों में से **एक वा दूसरे अंग भी धीरे धीरे बिगड़ने लगते हैं**; और उनके बिगड़ने से कई प्रकार के **शारीरिक रोग** भी उत्पन्न होते हैं, और उन रोगों से उसका शारीरिक स्वास्थ्य भी बिगड़ और उमर भी घट जाती है।

फिर इन और इसी प्रकार की और विषाक्त वस्तुओं में इतना ज़हर होता है, कि यदि उनको यथेष्ट मात्रा में खाया वा पिया जाए, तो उससे मनुष्य के मस्तिष्क को इतनी हानि पहुंचती है, कि वह कई बार पूर्णतः **अचेत वा बेहोश** हो जाता है, अथवा पूरा बेहोश न होने पर **उसकी बुद्धि अपना काम ठीक नहीं करती**; और इस दशा में जैसा कि होना चाहिए, वह **पागलों** की न्याईं नाना प्रकार की अनाप शनाप बातें बकता है। और यदि उसके शरीर में इन विषाक्त चीज़ों में से किसी का ज़हर बहुत अधिक मात्रा में चला जाए, तो उससे उसकी मृत्यु भी हो जाती है।

नेचर ने किसी भी मनुष्य के लिए **किसी विषाक्त वस्तु को खाद्य वस्तु नहीं बनाया**। मनुष्य केवल अपने सुख अनुराग के वशीभूत होकर ही उसका सेवन करके अपने शारीरिक स्वास्थ्य वा अपने जीवन की हानि करता है, इसलिए तुम्हारा यह सिद्धान्त, कि जो कुछ तुम्हें या तुम्हारे जैसे और जनों को **सुखदायक और आकर्षणीय बोध होता है**, वह तुम्हारे वा उनके लिए **स्वास्थ्यकर वा हितकर है**, नेचर के अटल नियम वा उसके सच्चे आदेश के विरुद्ध होने के कारण **पूर्णतः मिथ्या** है।

तर्क विद्या से अज्ञानी: हम हिन्दू हैं। हमारे भाईचारे में बहुत लम्बे काल से यह प्रथा चली आती है, कि जिस जन के कोई लड़का उत्पन्न होता है, उसके सिर के बाल जन्म काल से ही रख लिए जाते हैं, और फिर समय आने पर अमुक पहाड़ी स्थान की अमुक देवी के मंदिर की यात्रा करके वहीं पर उस लड़के का मुन्डन कराया जाता है। यदि वहां पर उस लड़के का मुन्डन न कराया जाए, और घर में ही वा किसी और स्थान में उसका मुन्डन कराया जाए, तो हम यह विश्वास करते हैं, कि ऐसा करने से या तो वह लड़का शीघ्र मर जाएगा, या उसके पिता की शीघ्र मृत्यु हो जाएगी।

तर्क विद्या विशारद: तुम्हारा यह विश्वास नेचर के किसी भी **अटल नियम के अनुसार नहीं**, इसलिए **पूर्णतः मिथ्या** है। क्या तुम साक्षात् रूप से यह सत्य नहीं देखते, कि तुम्हारे भाईचारे के भिन्न जिन अन्य नाना भाईचारों में - और ऐसे भाईचारे बहुत हैं - इस प्रकार की प्रथा नहीं है, और वह तुम्हारी इस अमुक देवी

के मंदिर में पहुंच कर अपने अपने लड़कों के मुन्डन नहीं कराते, और मुसलमान और ईसाई सम्प्रदायों में से तो कोई जन भी तुम्हारी उस कहलाने वाली देवी के स्थान में जाकर अपने किसी भी लड़के का मुंडन नहीं कराता, उनके लड़के वा वह आप शीघ्र नहीं मर जाते? फिर यद्यपि तुम उस कहलाने वाली देवी के स्थान में जाकर अपनी लड़कियों का मुंडन नहीं कराते, तथापि वह सब लड़कियां शीघ्र नहीं मर जातीं, और न तुम उनके पिता होकर शीघ्र मर जाते हो। इन साक्षात् सत्य प्रमाणों की वर्तमानता में तुम्हारा यह विश्वास **मिथ्या** के भिन्न और कुछ नहीं। बात यह है, कि तुम बाल्य काल से इस कुसंस्कार को प्राप्त होकर और उसके द्वारा **अन्ध विश्वासी** बन जाने के कारण साक्षात् प्रमाण के विपरीत ऐसा विश्वास करते हो, कि जो पूर्णत: मिथ्या है।

तर्क विद्या से अज्ञानी: जब कोई मनुष्य मेरे और मेरे कई एक प्रिय जनों के भिन्न किसी और के संबंध में मुझ से यह कहता है, कि उसने अमुक अमुक **बुरी क्रिया** की है, अथवा वह इस इस प्रकार की बुरी क्रियाएं करता है; तब उसके मुंह से किसी ऐसी बात के सुनते ही मेरे भीतर **उसके कथन पर विश्वास उत्पन्न हो जाता है।** फिर मैं अपने इस विश्वास का अपने और मिलने जुलने वालों से वर्णन करता हूं, और वह भी मेरी न्याईं मेरे इस कथन को सत्य मान लेते हैं। अब जब कि हम इतनी संख्या के लोग किसी जन के किसी आचरण को बुरा विश्वास करते हों, तब हमारा इस प्रकार का यह विश्वास कदापि मिथ्या नहीं हो सकता।

तर्क विद्या विशारद: अहं अनुरागी लाखों जन अपने इस महा नीच और पतनकारी अनुराग के कारण जैसे एक ओर अपने किसी सच्चे अपराध वा अन्याय वा पाप मूलक कर्म को अपराध वा अन्याय वा पाप मूलक कर्म मानना नहीं चाहते, और अपने किसी वास्तविक मिथ्या विश्वास वा मिथ्या मत को मिथ्या मानने के लिए तैयार नहीं होते, वैसे ही दूसरी ओर वह इन विषयों में किसी सत्य बताने वाले जन के मुख से कोई ऐसी बात सुनकर उलटा उससे आघात् और कष्ट अनुभव करते हैं; और नाना दशाओं में उसकी इस सत्य बात को केवल यही नहीं कि झूठ बताते हैं, किन्तु अपने विविध प्रकार के झूठ के द्वारा उस में उलटा इस विश्वास के उत्पन्न करने का यत्न करते हैं, कि वह बुरी बातें उनमें नहीं हैं; परन्तु जब उन्हीं के सम्मुख कोई जन **किसी और जन के संबंध में** (विशेष कर जबकि उसके प्रति उनमें कोई अनुराग भाव भी न हो) मिथ्या अभियोग विषयक बातें सुनावे, तो उसकी उन झूठी बातों को सुनकर उनके अहं अनुरागी आत्मा को केवल यही नहीं कि **कोई आघात् नहीं लगता वा कोई कष्ट नहीं पहुंचता;** किन्तु उलटा उन्हें एक प्रकार का

सुहावना रस वा सुख मिलता है। और वह इस सुख वा रस को पाकर उनकी उन मिथ्या बातों को **स्वभावतः अपने भीतर निगल जाना चाहते हैं, और निगल जाते हैं।** फिर ऐसे लोग किसी के संबंध में उन मिथ्या कलंकों पर विश्वास करके और साक्षात् वा असाक्षात् रूप से अपने आपको उस जन से **कुछ बढ़िया अनुभव करके** अपने इस बढ़ियापन विषयक प्रेम का रस वा सुख भी लाभ करते हैं। **इसलिए ऐसे लोग केवल यही नहीं कि उन मिथ्या बातों को स्वभावतः सत्य** मानने के लिए तैयार रहते हैं, किन्तु अपने और अपने कुछ प्रिय जनों के भिन्न और सब जनों के संबंध में इस प्रकार की मिथ्या बातों के सुनने और सुनकर उनसे उपरोक्त प्रकार का रस पाने के लिए अल्पाधिक उत्सुक भी रहते हैं। और वह नाना जनों को उस जन के संबंध में आप भी मिथ्या विश्वासी बनाने का काम करते हैं। **परन्तु इस हेतु से किसी का यह सिद्धान्त निकालना** कि जबकि बीसियों लोग उस जन के संबंध में इस इस प्रकार के विश्वास रखते हैं, इसलिए उनके वह विश्वास सत्य हैं, कदापि ठीक नहीं हो सकता। किन्तु जो जो जन ऐसा सिद्धान्त निकालते हैं, उनका ऐसा सिद्धान्त **पूर्णतः मिथ्या** है।

तर्क विद्या से अज्ञानी। मेरा अमुक धर्म मत वा धर्म विषयक विश्वास वा अमुक मत वा अमुक मंतव्य (फ़ैसला) **इसलिए ठीक है, कि वह मुझे सुखदायक बोध होता है,** और जब कोई जन उसे अनुचित वा सत्य के विरुद्ध कहता है, तब उसके इस कहने से मेरे हृदय पर चोट लगती है, और उस चोट से **मुझे कष्ट बोध होता** है। इसलिए कोई भी और किसी प्रकार का भी मत वा विश्वास जो किसी मनुष्य को **सुखकर** वा तृप्तिकर वा शान्तिकर बोध हो, **वह अवश्य ठीक है।** और उसके विरुद्ध किसी और का कोई भी कथन वा मत जो किसी को **कष्ट दायक** बोध हो, **वह अवश्य ठीक नहीं है।**

तर्क विद्या विशारद। आपका यह सिद्धान्त **पूर्णतः मिथ्या** है, कि किसी मनुष्य को उसका जो जो मत वा विश्वास वा फैसला **सुखदायक और प्रिय** बोध हो वह अवश्य ठीक है, और उसके विरुद्ध किसी का जो जो मत वा विश्वास आदि **कष्टकर वा दुखप्रद बोध हो,** वह अवश्य ठीक नहीं है। एक रिश्वत लेने वाले जज वा मैजिस्ट्रेट को किसी से धन की रिश्वत लेकर **न्याय को बेच देना और न्याय के विरुद्ध कोई फ़ैसला कर देना सुख दायक और प्रिय हो सकता है,** और इस प्रकार की रिश्वत लेने वाले कई जन उसका लेना भी ठीक मानते हैं, परन्तु इससे उनका यह मत ठीक वा उनमें से किसी का वह कर्म **न्याय-मूलक नहीं हो सकता,** और नहीं होता। किसी पुरुष को किसी स्त्री के साथ बलात् **मैथुन** करने से

सुख की अवश्य प्राप्ति हो सकती है, और किसी चोर को किसी का धन चुरा लेने से और किसी बटमार वा डाकू को किसी का धन बलात् छीन लेने से सुख अवश्य मिल सकता और मिलता है, और इस सुख के कारण उन्हें वह कर्म **प्रिय** भी बोध होते वा हो सकते हैं; परन्तु इन दो बातों को हेतु बनाकर कि (1) जिस कर्म से किसी को **सुख** मिलता हो, और (2) वह कर्म उसे **प्रिय** बोध होता हो, यह सिद्धान्त निकालना कि इन दोनों हेतुओं की वर्तमानता में वह कार्य भी सदा उचित वा न्याय-मूलक वा न्याय-संगत होता है, **पूर्णत: मिथ्या** है।

फिर यदि ऐसा सिद्धान्त मिथ्या न होता, तो इस प्रकार के कर्म कभी अपराध न समझे जाते; और कोई सुसभ्य गवर्नमेंट उन्हें **अपराध** मान कर उनके विषय में किसी जन के **अपराधी** प्रमाणित होने पर उसके लिए किसी प्रकार की **दंड** विधि की व्यवस्था न करती। परन्तु क्या यह सत्य नहीं, कि **ऐसे कर्म अपराध माने गए हैं**; और उनके कर्ताओं के लिए **दंड** विधि की व्यवस्था भी रखी गई है? हां, एक एक सुसभ्य गवर्नमेंट की ओर से कई ऐसे कर्मों को भी अब **अपराध** माना जाता है, और उनके कर्ताओं को **दंड** दिया जाता है, कि जिनको किसी इस वा उस कहलाने वाले **सर्वज्ञ देवते वा त्रिकालज्ञ पुरुष** की ओर से **उचित वा शुभ बताया गया है।**

इसलिए जो जो **कर्म** किसी को सुखदायक और प्रिय बोध हो, वह अवश्य ठीक वा न्याय-संगत है, ऐसा मानना कदापि **सत्य सिद्धान्त** नहीं।

तर्क विद्या से अज्ञानी: मैं दूध नहीं पीती। मेरे भिन्न और कई स्त्रियां भी दूध नहीं पीतीं। मैं और वह सभी दूध को **घृणा** करती हैं। तब जो वस्तु मुझे और अन्य कई स्त्रियों को प्यारी नहीं, किन्तु **घृणित** बोध होती है, उसका पीना किसी भी स्त्री के लिए - हां, किसी भी पुरुष के लिए - क्योंकर ठीक हो सकता है? नहीं हो सकता; इसलिए दूध का पीना किसी भी स्त्री वा पुरुष के लिए ठीक नहीं।

तर्क विद्या विशारद: तुम्हारा यह सिद्धांत **पूर्णत: मिथ्या** है। मनुष्य जिस किसी खाद्य वा पानीय वस्तु को **घृणा** करता हो, उसे वह आप तो अवश्य खाना वा पीना नहीं चाहता; परन्तु कोई खाद्य वा पानीय वस्तु इसलिए अखाद्य वा अपानीय नहीं हो जाती, कि उसे अमुक जन वा कुछ जन अपने खाने वा पीने के काम में नहीं लाते।

नेचर के नियमानुसार किसी मनुष्य के लिए कोई वस्तु तभी अखाद्य मानी जा सकती है कि जब उसका खाना उसके **स्वास्थ्य के लिए हानिकारक हो, वा न्याय विषयक किसी सत्य नियम के विरुद्ध हो।** अब दूध का पीना न तो न्याय भाव के विरुद्ध है, और न वह लाखों जनों के शारीरिक स्वास्थ्य के लिए ही हानिकारक

है, किन्तु उलटा वह उनके लिए बहुत स्वास्थ्यकर प्रमाणित होता है; तब इस हेतु से कि तुम वा तुम्हारे जैसी कुछ स्त्रियां दूध नहीं पीतीं, इसलिए उसका पीना किसी और स्त्री वा पुरुष के लिए भी उचित नहीं, एक पूर्णतः मिथ्या सिद्धान्त है।

तर्क विद्या से अज्ञानी: ईश्वर नामक एक सर्वज्ञ पुरुष है। यह पुस्तक जो मेरे हाथ में है, उसी की रची हुई है। इसलिए इस पुस्तक में जो कुछ लिखा हुआ है, वह सब सत्य है।

तर्क विद्या विशारद: तुम्हारा यह सिद्धान्त सत्य नहीं। तुम कहते हो कि ईश्वर नामक कोई सर्वज्ञ पुरुष है। परन्तु पहले तो किसी ऐसे पुरुष के होने का ही कोई प्रमाण नहीं; दूसरे तुम्हारे इस कहने का भी कोई प्रमाण नहीं, कि जो पुस्तक तुम्हारे हाथ में है, वह किसी और जन की लिखी वा बनाई हुई नहीं, किन्तु जिसे तुम सर्वज्ञ ईश्वर कहते हो, उसी की यह रची वा बनाई हुई है। इसलिए जब तक इन दोनों बातों का तुम कोई अकाट्य प्रमाण न दे सको, तब तक तुम्हारा यह सिद्धान्त ठीक नहीं माना जा सकता, कि इस पुस्तक में जो कुछ लिखा हुआ है, वह निश्चय सब सत्य है।

तर्क विद्या से अज्ञानी: ईश्वर केवल एक पुरुष है, और वही एक पुरुष सर्वज्ञ है। उसी एक पुरुष को कोई परमेश्वर, कोई विष्णु, कोई राम, कोई परमात्मा, कोई अल्ला, कोई ख़ुदा, कोई लॉर्ड गॉड, कोई जहवा, कोई ज़रदुश्त, कोई ब्रह्म और कोई वाहगुरु आदि कहता है। यह सब नाम अवश्य जुदा जुदा हैं, परन्तु यह सब नाम **केवल उस एक ही पुरुष के हैं**।

तर्क विद्या विशारद: तुम्हारा यह सिद्धान्त पूर्णतः मिथ्या है। ईश्वर, परमात्मा, विष्णु, जहवा, अल्ला, ख़ुदा, ब्रह्म, राम, वाहगुरु आदि नाम किसी एक ही पुरुष के नहीं हो सकते। क्यों? इसलिए कि यदि यह सब भिन्न भिन्न नाम किसी एक ही पुरुष के होते, और वह पुरुष तुम्हारे विश्वास के अनुसार **सर्वज्ञ** भी है, तो उसकी रची वा उसकी ओर से दी हुई जो जो पुस्तकें बताई जाती हैं – और ऐसी पुस्तकें बहुत सी बताई जाती हैं – उन सब पुस्तकों की शिक्षा भी सब विषयों के संबंध में एक ही जैसी होती; **अर्थात् उनमें से किसी विषय के संबंध में उनकी शिक्षा एक दूसरे के विरुद्ध न होती**। परन्तु जबकि नाना विषयों के संबंध में – विशेषतः मनुष्य के नाना भले और बुरे कर्मों के संबंध में भी – **उनकी शिक्षा एक दूसरे के विरुद्ध है, तब ऐसी सब विरोधी शिक्षा किसी एक सर्वज्ञ पुरुष की नहीं हो सकती**। इसलिए ईश्वर, परमात्मा, विष्णु, जहवा, अल्ला, ज़रदुश्त, ब्रह्म, राम, वाहगुरु आदि नाम भी **किसी एक ही पुरुष के नहीं हो सकते, किन्तु वह सब नाम सत्य वा कल्पित**

जुदा जुदा अस्तित्वों के हैं, न कि किसी एक पुरुष के।

तर्क विद्या से अज्ञानी: ईश्वर नामक एक सर्वज्ञ पुरुष तो ज़रूर है; परन्तु नेचर के भिन्न उसकी अपनी बनाई वा रची हुई कोई और पुस्तक नहीं है। जैसे लकड़ी की मेज़ें और कुर्सियां केवल मनुष्य ही बनाते और बना सकते हैं, वैसे ही विविध प्रकार की पुस्तकें भी केवल मनुष्य ही बनाते वा बना सकते हैं। इसलिए मनुष्य ही किसी पुस्तक के बनाने वा रचना करने वाले माने जा सकते हैं, उनके भिन्न और कोई नहीं। परन्तु हम यह विश्वास करते हैं, कि प्रत्येक मनुष्य में साधारण श्रवण इन्द्रिय के भिन्न एक और विशेष श्रवण शक्ति भी होती है, कि जिसे हम "कॉन्शंस" वा "विवेक" कहते हैं; और मनुष्य की इसी विवेक शक्ति के द्वारा सर्वज्ञ ईश्वर उस तक अपने मन के विचार प्रगट करते हैं, और मनुष्य उनकी इस वाणी को अपनी इसी शक्ति के द्वारा सुनता है। इसके भिन्न यदि कोई मनुष्य हमारे इस ईश्वर से कोई बात पूछता है, तो वह उसके उस प्रश्न का उत्तर भी उसकी इसी विवेक शक्ति के द्वारा दे देते हैं। फलत: ऐसे "विवेक" वा "कॉन्शंस" के द्वारा प्रत्येक मनुष्य ईश्वर के आदेश को सुनता और सुन सकता है, और उससे बातचीत कर सकता है, और उससे अपने एक वा दूसरे प्रश्न के ठीक ठीक उत्तर भी पा सकता है।

तर्क विद्या विशारद: यह तो तुम कहते हो कि ईश्वर नामक एक सर्वज्ञ पुरुष है, परन्तु तुम्हारा ऐसा कहना तो उसके होने का कोई प्रमाण नहीं। इसके भिन्न तुम्हारा यह मानना भी सत्य नहीं, कि मनुष्य में कोई "विवेक" वा "कॉन्शंस" नामक ऐसी विशेष श्रवण शक्ति होती है, कि जिसके द्वारा तुम्हारे कहलाने वाले ईश्वर उस तक अपने आदेश (हुक्म) पहुंचाते हैं, और वह उसके प्रश्नों का ठीक ठीक उत्तर भी देते हैं। क्यों? इसलिए कि **जो लोग अपने अपने मतों वा अपनी अपनी क्रियाओं को ईश्वर का आदेश बताते हैं**, वह यदि किसी वास्तविक सर्वज्ञ पुरुष की ओर से मानी जाएं, **तो उनमें से कोई बात भी एक दूसरी के विरुद्ध न हो।** परन्तु वास्तव में ऐसा नहीं है। और नाना बातों को छोड़कर उनकी शिक्षा वा उनका कथन नाना भले और बुरे कर्मों के संबंध में भी एक **दूसरे के पूर्णत: विरुद्ध पाया जाता है**, अर्थात् यदि एक मत मनुष्य की किसी क्रिया को **ईश्वर की इच्छा के अनुसार और इसीलिए भली बताता है, तो दूसरा उसी क्रिया को उसी ईश्वर की इच्छा के विरुद्ध और इसीलिए बुरी बताता है।** तब ऐसी   विरोधी शिक्षा **किसी एक सर्वज्ञ पुरुष की नहीं हो सकती।** इसलिए इस विषय में तुम्हारा यह सिद्धान्त **पूर्णत: मिथ्या** है।

तर्क विद्या से अज्ञानी:

(1) मैं ईसाई हूं। ईसाई मत को विविध यूनिवर्सिटियों के सैंकड़ों ग्रेजुएट और लाखों अन्य पढ़े लिखे लोग सत्य विश्वास करते हैं; इसलिए यह मत अवश्य सत्य है।

(2) मैं सनातन धर्मी हूं। मेरे धर्म मत को क्या कितनी ही यूनिवर्सिटियों के सैंकड़ों ग्रेजुएट और क्या अन्य लाखों पढ़े लिखे लोग सत्य मानते हैं, इसलिए मेरा यह मत निश्चय सत्य है।

(3) मैं मुसलमान हूं। मेरे इस्लामी मत को सैंकड़ों ग्रेजुएट और अन्य लाखों पढ़े लिखे लोग सच्चा मान कर विश्वास करते हैं, इसलिए मेरा यह मत अवश्य सत्य है।

(4) मैं बौद्ध हूं। बौद्ध मत को करोड़ों जन सत्य जान कर विश्वास करते हैं, और उनमें लाखों पढ़े लिखे जन हैं, इसलिए बौद्ध मत निश्चय सत्य मत है।

(5) मैं जैनी हूं। जैन मत को लाखों जन सच्चा मानते हैं, और इन विश्वासियों में कितने ही जन ग्रेजुऐट और हज़ारों अन्य पढ़े लिखे लोग हैं, इसलिए जैन मत ज़रूर सच्चा है।

(6) मैं सिख हूं। सिख मत को लाखों लोग सत्य मानकर विश्वास करते हैं, और उनमें कई ग्रेजुऐट और हज़ारों अन्य पढ़े लिखे जन शामिल हैं। इसलिए सिख मत अवश्य सत्य है।

(7) मैं आर्य समाजी हूं। आर्य समाज के वैदिक धर्म को हज़ारों पढ़े लिखे और बीसियों ग्रेजुऐट सत्य मानते हैं। इसलिए मेरा मत निश्चय सच्चा है।

(8) मैं ब्राह्म समाजी हूं। ब्राह्म समाज के मत की सच्चाई पर कितने ही ग्रेजुऐट और सैंकड़ों अन्य पढ़े लिखे लोग विश्वास करते हैं, इसलिए वह अवश्य सत्य मत है। इत्यादि इत्यादि।

तर्क विद्या विशारद: तुम सबके ही यह सिद्धान्त **पूर्णत: मिथ्या** हैं। कोई धर्म मत इसलिए सत्य नहीं हो सकता, कि उसे इस वा उस संख्या के ग्रेजुऐट वा अन्य पढ़े लिखे लोग सत्य मानते हैं; किन्तु वह तभी सत्य हो सकता है, और सत्य माना जा सकता है, कि **जब वह उस कसौटी के अनुसार सत्य प्रमाणित हो, कि जो सत्य नेचर ने सत्य ज्ञान की प्राप्ति के लिए रखी है**। इसलिए जब कि किसी धर्म मत वा किसी बात का सत्य वा मिथ्या होना **नेचर की स्वीकृत की हुई**

कसौटी के अनुसार परीक्षा करने पर ही प्रमाणित हो सकता है, तब उस **कसौटी को छोड़कर** इतने वा उतने ग्रेजुएट वा इतने वा उतने पढ़े लिखे लोगों की संख्या को हेतु बताकर किसी भी धर्म मत को सत्य मानना तर्क विधि के पूर्णतः विरुद्ध और इसीलिए **पूर्णतः मिथ्या सिद्धान्त** है।

तर्क विद्या से अज्ञानी: मुझे सैंकड़ों जनों के हालात जानने का अवसर मिला है, और मुझे उनमें से एक जन भी ऐसा नहीं मिला, कि जो क्या अपने किसी व्यवसाय विषयक काम के संबंध में, क्या अपने गुणों के प्रकाश के संबंध में, क्या अपने भिन्न अपने किसी प्रिय जन के संबंध में, क्या अपने किसी शत्रु वा विरोधी के संबंध में, और क्या अपने किसी पारिवारिक अनुष्ठान के संबंध में एक वा दूसरे अवसर पर झूठ न बोलता हो, वा मिथ्या-मूलक कोई क्रिया न करता हो। ऐसे नाना अवसरों पर मैं आप भी मिथ्या-मूलक आचरण करता रहा हूं। इसलिए मैं यह विश्वास नहीं करता, कि मनुष्य जगत् में उत्पन्न होकर कोई पुरुष भी ऐसा हो सकता है, कि जो **सर्वांङ्ग सत्य अनुरागी हो**, और मेरे इस सिद्धान्त के साथ मेरे और बहुत से साथी और मित्र सहमत हैं।

तर्क विद्या विशारद: आपका यह सिद्धान्त ठीक नहीं। इस पृथ्वी के परिवर्तन चक्र में एक काल ऐसा था, कि जब इसमें पशु जगत् संबंधी विविध आकारों के जीवों की उत्पत्ति तो हो गई थी, परन्तु इसमें मनुष्य रूप धारी कोई जीव प्रगट नहीं हुआ था। अब पृथ्वी की केवल उस दशा को सम्मुख लाकर क्या किसी जन के लिए यह सिद्धान्त निकालना ठीक हो सकता है, कि उसके बाद उसमें मनुष्य की उत्पत्ति नहीं हुई? फिर इसी पृथ्वी में एक समय ऐसा था, जबकि मनुष्यों के उत्पन्न हो जाने के अनन्तर हज़ारों वर्षों तक उनमें से एक जन भी **लिखा पढ़ा न था**, तब क्या मनुष्य जगत् की उस दशा को सम्मुख रखकर किसी के लिए यह सिद्धान्त निकालना ठीक हो सकता है, कि मनुष्य जगत् में कोई भी पढ़ा लिखा आदमी नहीं हो सकता? इसी प्रकार यदि दस वर्ष वा उससे कम वयस के पांच हज़ार लड़के भी यह कहें कि जबकि हम में से एक लड़का भी किसी यूनिवर्सिटी से एम. ए. डिग्री प्राप्त नहीं, इसलिए कोई मनुष्य भी किसी यूनिवर्सिटी का एम. ए. डिग्री प्राप्त नहीं हो सकता, तो क्या उनका यह सिद्धान्त ठीक हो सकता है? कदापि नहीं, कदापि नहीं। क्योंकि इस प्रकार का प्रत्येक सिद्धान्त जैसे **नेचर के विकास विषयक अटल नियम के पूर्णतः विरुद्ध है**, वैसे ही **नेचर ने अपने इसी नियम के अनुसार ठीक काल के आने पर मनुष्य जगत् में जिस सर्वांङ्ग** सत्य **अनुरागी पुरुष को प्रगट किया है**, उसके **देव जीवन विषयक सारे सत्य वृत्तान्त के भी पूर्णतः विरुद्ध**

है। इसलिए आपका यह सिद्धान्त **पूर्णतः मिथ्या है**।

तर्क विद्या से अज्ञानी: जबकि इस पृथ्वी के प्रत्येक देश, प्रत्येक प्रदेश, प्रत्येक नगर और प्रत्येक गांव में ऐसे लोग पाए जाते हैं, कि जो अपने विविध प्रकार के **मिथ्या वा अन्याय-मूलक आचरणों के द्वारा** नाना मनुष्यों को विविध प्रकार का **अनुचित दुख देते हैं**, उनकी विविध प्रकार से हानि करके उनका **अहित करते हैं**; और मैं आप भी इस प्रकार के नाना अहित कर्म करता हूं; तब यह क्योंकर संभव है, कि मनुष्य जगत् में कोई ऐसा आत्मा प्रगट हुआ हो, कि जिसमें **हित विषयक सर्वाङ्ग अनुरागों का विकास हुआ हो**? ऐसा नहीं हो सकता। इसलिए मैं इस बात को नहीं मान सकता, कि **इस पृथ्वी में किसी सर्वाङ्ग हित अनुरागी वा सर्वाङ्ग हितकर्ता पुरुष का आविर्भाव हुआ है।**

तर्क विद्या विशारद: आपका यह सिद्धान्त **पूर्णतः मिथ्या है**। यह तो सत्य है, कि इस पृथ्वी के न केवल मनुष्य जगत् किन्तु उससे नीचे के जगतों के हज़ारों अस्तित्वों के संबंध में भी लाखों मनुष्यों के द्वारा **नाना प्रकार का अन्याय वा अहित हुआ है और हो रहा है**, परन्तु **इससे यह सिद्धान्त निकालना कि मनुष्य जगत् में से किसी सर्वाङ्ग हित अनुरागी और सर्वाङ्ग हितकर्ता पुरुष का प्रगट होना ही असंभव है, नेचर के विकास विषयक अटल नियम के पूर्णतः विरुद्ध है**। इसके भिन्न जिस पुरुष में इन सर्वाङ्ग हित अनुराग विषयक शक्तियों का विकास हुआ है, उसके देव जीवन के विकास विषयक सत्य वृत्तान्त के भी **आपका यह कथन पूर्णतः विरुद्ध है**। इसलिए आपका यह सिद्धान्त **पूर्णतः मिथ्या है**।

तर्क विद्या से अज्ञानी: मुझे और मेरे भिन्न सैंकड़ों जनों को **आत्मा के संबंध में देवात्मा की शिक्षा प्रिय मालूम नहीं होती**, और इसीलिए हम उसे **मिथ्या** जानते हैं। हम सबके भीतर देवात्मा के लिए बहुत गहरी घृणा है; और इसीलिए हमारी यही कामना रहती है, कि किसी प्रकार वह और उसकी ऐसी शिक्षा का प्रचार और उसकी इस शिक्षा के आधार पर उसका सारा कार्य जितना शीघ्र नष्ट हो जाए, उतना ही अच्छा है। और जब कि ऐसी कामना केवल मेरी ही नहीं, किन्तु सैंकड़ों जनों की है, इसलिए जैसे हमारी यह कामना **उचित** है, वैसे ही देवात्मा की शिक्षा भी अवश्य मिथ्या और हानिकारक है।

तर्क विद्या विशारद: तुम्हारा यह सिद्धान्त **पूर्णतः मिथ्या** है, कि आत्मा के विषय में **देवात्मा** की जो जो शिक्षा है, **वह इसलिए मिथ्या है, कि वह तुम्हारी बचपन की संस्कार प्राप्त शिक्षा वा तुम्हारे वर्षों के संस्कार प्राप्त विश्वासों के विरुद्ध है**। और न वह इसलिए **बुरी** हो सकती है, कि तुम अपने भीतर के **महा नीच**

घृणा भाव के कारण उसे उलटे रूप में देखकर भली के स्थान में बुरी कहते वा बुरी बताते हो। और न वह इसलिए असत्य वा हानिकारक हो सकती है, कि तुम अपने **नीच घृणा भाव** से परिचालित होकर देवात्मा वा उसके कार्य के नष्ट हो जाने की **कामना** करते हो। **किन्तु वह इसलिए सत्य और हितकर है, कि वह सत्य नेचर के उन सत्य नियमों और उन सच्ची घटनाओं के अनुसार है, कि जिनकी सत्यता को केवल यही नहीं कि तुम अपनी आत्मिक अन्धता के कारण देख नहीं सकते,** किन्तु अपने नीच घृणा भाव के कारण **उलटे रूप** में देखते हो।

इसके भिन्न जबकि नेचर के विकासकारी कार्य से देवात्मा जिन अद्वितीय **देव शक्तियों** को पाकर प्रगट हुए हैं, और वह उन **देव शक्तियों** को अपने जिस जिस प्रकार के **समर्पण** और **त्याग** के द्वारा विकसित करके उनके विकास से अपने भीतर **देव ज्योति** और **देव तेज** के लाभ करने के योग्य हुए हैं, उनसे तुम्हारे और तुम्हारे जैसे और करोड़ों मनुष्यों के आत्मा ही शून्य हैं, **तब उन देव शक्तियों के द्वारा ही जिन जिन आत्मिक सत्यों का साक्षात् ज्ञान होना संभव है,** उनका साक्षात् **ज्ञान तुम्हें नहीं हो सकता।** इसलिए एक ओर तुम अपनी आत्मिक अन्धता से जिन सत्यों को देख नहीं सकते, और दूसरी ओर अपने महा पतनकारी नीच घृणा भाव के द्वारा परिचालित होकर जो कुछ देखते हो, वह **उलटा** देखते हो; तब तुम्हारा यह सिद्धान्त कि **जो कुछ तुम्हारे संस्कार प्राप्त विश्वासों वा तुम्हारे माने हुए मतों के विरुद्ध है,** वह सत्य और हितकर नहीं हो सकता, **पूर्णतः मिथ्या** है।

4- नेचर के विविध प्रकार के सत्यों के देखने के लिए विविध प्रकार की ज्योति की आवश्यकता

नेचर के जिन चार प्रकार के सत्यों के दर्शन वा उनकी उपलब्धि के लिए जिन चार प्रकार की ज्योतियों की आवश्यकता है, वह यह हैं:-

(1) बाह्यक ज्योति।
(2) मानसिक ज्योति।
(3) सात्विक ज्योति।
(4) देव ज्योति।

(1) बाह्यक ज्योति

मनुष्य अपने शरीर में ज्ञान उत्पादक चक्षु इन्द्रियां रखकर भी उनके द्वारा घने अंधकार में **किसी जड़ वस्तु के आकार को नहीं देख सकता**, और इसलिए उसके विषय में वह कुछ भी **साक्षात् सत्य ज्ञान लाभ नहीं कर सकता**। क्यों? इसलिए कि यद्यपि नेचर ने मनुष्य को चक्षु इन्द्रियां दी हैं, तथापि उन्हें देकर उनके संबंध में **उसी नेचर ने अपना यह अटल नियम रखा** है, कि जब तक किसी जड़ वस्तु के आकार को **कोई ज्योति ज्योतिर्मान न करे**, और उस ज्योतिर्मान आकार से उस ज्योति की किरणें निकल कर किसी मनुष्य की आंखों तक पहुंच कर अपना प्रतिबिम्ब न डालें, और वह प्रतिबिम्ब उन आंखों के आकार दर्शक स्नायु के द्वारा उसके मस्तिष्क तक न पहुंचे तब तक कोई भी मनुष्य उस वस्तु के आकार को कभी भी साक्षात् नहीं देख सकता, और वह **उस** वस्तु के रूप के संबंध में कोई साक्षात् ज्ञान लाभ नहीं कर सकता, इसीलिए मनुष्य की चक्षु इन्द्रियों की सफलता बाह्यक ज्योति के महा भंडार **सूर्य** की अथवा किसी और वैसी ही बाह्यक ज्योति के बिना नहीं हो सकती।

इसके भिन्न सूर्य की ज्योति भी किसी मनुष्य वा पशु को किसी **जड़ वस्तु** के आकार के दिखाने में ही सहायक नहीं बनती, किन्तु उसकी आंखों की एक सीमा तक रक्षा और पालना भी करती है, इसीलिए यदि किसी चक्षु रखने वाले मनुष्य वा पशु को वर्षों तक **लगातार अन्धकार** में रहना पड़े, तो उससे उसकी आंखों की दृष्टि शक्ति विकारयुक्त हो जाती है। हमारी पृथ्वी के एक देश में पहाड़ों की गुफा (Mammoth Caves in U.S.A.) में एक ऐसी झील है, कि जिसमें **सदा अन्धकार** रहता है। उस झील में किसी कारण से जिन मछलियों ने रहना स्वीकार किया, उनकी आंखों के भीतर के आकार दर्शक स्नायु धीरे धीरे सुकड़ने लगे, और एक लम्बे काल के अनन्तर उस झील के भीतर की सब मछलियां इस स्नायु के सुकड़ वा मर जाने से अपनी दृष्टि शक्ति से वंचित हो गईं; अर्थात् उनकी दृष्टि शक्ति नष्ट हो गई, और वह सब अंधी हो गईं। अब उस में मछलियां तो रहती हैं, पर वह सब की सब अंधी हैं।

(2) मानसिक ज्योति

इस सूर्यादि की ज्योति से ऊपर एक और दूसरी श्रेणी की ज्योति है, कि जिसे **मानसिक ज्योति** कहते हैं। यह ज्योति मनुष्य में उसकी **मानसिक शक्तियों की उन्नति से उत्पन्न होती** है, और इसीलिए वह मानसिक वा आन्तरिक ज्योति

कहलाती है। इस **मानसिक ज्योति** के द्वारा हज़ारों मनुष्य गणित शास्त्र के भिन्न नाना प्रकार के अन्य वैज्ञानिक सत्यों को देखकर और जान कर उनका ज्ञान लाभ करते हैं।

किसी परीक्षा के समय पहले पहल एक वा दूसरे प्रकार के प्रश्न के न समझने पर, और फिर बार बार उसके विषय में सोच विचार करते रहने पर, जब किसी विद्यार्थी लड़के के भीतर **उसका उत्तर प्रगट हो जाता** है, वा उस उत्तर की प्राप्ति के निमित्त **कोई विधि प्रकाशित हो जाती** है, तब वह उत्तर उसे उसकी इसी **मानसिक ज्योति** में दिखाई देता है, वा उसकी प्राप्ति की विधि उसके भीतर उसकी इसी **मानसिक ज्योति में प्रगट होती** है। इसीलिए जब कोई जन किसी कठिनाई से निकलने के निमित्त बार बार सोचने पर भी कोई उपाय मालूम नहीं कर सकता, तब वह यह कहता है, कि मुझे अब तक इसका कोई हल वा कोई उपाय नहीं **सूझता**, अर्थात् **दिखाई** नहीं देता; जबकि बाहर के सूर्य की ज्योति उस समय में भी उसके चारों ओर फैली हुई होती है, और उसकी अपनी बाहर की आंखें भी ठीक दशा में होती हैं।

इसी प्रकार जब किसी स्कूल वा कॉलेज में किसी लड़के को किसी पाठ्य पुस्तक के पढ़ते समय उसके किसी विषय के संबंध में कोई बात समझ में नहीं आती, अर्थात् उसके संबंध में उसे **कोई सत्य दिखाई नहीं देता**, तब उस विषय में उसे अपने से किसी **अधिक मानसिक ज्योति रखने वाले उस्ताद वा प्रोफ़ैसर से** पूछने की आवश्यकता बोध होती है। फिर जब उसमें उसके किसी शिक्षक वा अध्यापक की **मानसिक ज्योति** प्रवेश करके उसके भीतर **नया उजाला** पैदा कर देती है, तब वह अपने भीतर उस सत्य को – जिसे वह पहले नहीं देखता वा देख सकता था – देखने के योग्य हो जाता है। और कुछ लड़के ऐसे भी होते हैं, कि जो अपने एक वा दूसरे दोष के कारण अपने उस्ताद वा प्रोफ़ैसर से भी एक वा दूसरे विषय में **कोई ज्योति लाभ नहीं कर सकते**, और इसीलिए वह **उसके संबंध में किसी सत्य को नहीं देखते और नहीं देख सकते।**

(3) सात्विक ज्योति

इस मानसिक ज्योति से ऊपर एक और **तीसरी श्रेणी की ज्योति** है, कि जिसे **सात्विक ज्योति** कहते हैं। यह ज्योति भी आन्तरिक ज्योति होती है। इस ज्योति का केवल उन मनुष्यों में विकास होता है, कि जिनके आत्मा में एक वा दूसरे

प्रकार का कोई **सात्विक वा उच्च भाव** जाग्रत हुआ हो। और वह उस उच्च भाव संबंधी विविध कार्य करने के योग्य होकर उसे उन्नत भी करते हों। परन्तु जिनमें ऐसा कोई भाव वर्तमान न हो, उनके आत्मा में यह **सात्विक ज्योति भी वर्तमान नहीं होती**।

(4) देव ज्योति

यह सब प्रकार की बाह्यक और आन्तरिक ज्योतियों से पूर्णतः भिन्न, अति विलक्षण, सर्वाङ्ग हितकर, और **सर्वोच्च ज्योति है**।

इस महान और परम श्रेष्ठ और परम आवश्यक ज्योति का इस पृथ्वी के मनुष्य जगत् में देवात्मा के आविर्भाव से पहले किसी में विकास नहीं हुआ था।

यह देव ज्योति जिन चार प्रकार की देव शक्तियों की उत्पत्ति और उन्नति से देवात्मा में धीरे धीरे अधिक से अधिक विकसित हुई है, वह यह हैं:-

(1) उनमें नेचर के प्रत्येक अजीवित और जीवित विभाग के अस्तित्वों के **हित वा शुभ के लिए पूर्णांग अनुराग**।

(2) उनमें नेचर के प्रत्येक अजीवित और जीवित विभाग के अस्तित्वों के **अहित वा अशुभ के संबंध में पूर्णांग घृणा**।

(3) उनमें नेचर के प्रत्येक अजीवित और जीवित विभाग के अस्तित्वों के संबंध में **सत्य ज्ञान की प्राप्ति के लिए पूर्णांग अनुराग**।

(4) उनमें नेचर के प्रत्येक अजीवित और जीवित विभाग के अस्तित्वों के संबंध में **सब प्रकार के मिथ्यामूलक विश्वासों, सब प्रकार की मिथ्या मूलक चिन्ताओं, सब प्रकार के मिथ्यामूलक कथन और सब प्रकार के मिथ्यामूलक कर्मों के लिए पूर्णांग घृणा**।

इन चारों प्रकार की देव शक्तियों की उत्पत्ति और क्रमशः उन्नति से नेचर के अटल नियमानुसार जैसे एक ओर देवात्मा में अद्वितीय **देव ज्योति** की उत्पत्ति और उन्नति हुई है; वैसे ही दूसरी ओर उनमें अद्वितीय **देव तेज** की भी उत्पत्ति और उन्नति हुई है।

देवात्मा के आविर्भाव से पहले इस पृथ्वी का **सारा मनुष्य जगत् इन देव शक्तियों से विहीन होने के कारण क्या इस अद्वितीय देव ज्योति और क्या इस अद्वितीय देव तेज से पूर्णतः शून्य था**। और प्रत्येक मनुष्य का आत्मा **उस**

घोर अन्धकार से भरा हुआ था, कि जिसे आत्मिक अन्धकार कहते हैं। **आत्मिक अन्धकार** से आवृत्त होने के कारण मनुष्य जगत् के किसी भी नर वा नारी मनुष्य को अपने आत्मा और आत्मिक जीवन के नाना प्रकार के सत्यों के संबध में उसी प्रकार से कोई ज्ञान न था, जिस प्रकार से उससे नीचे की तीनों प्रकार की ज्योतियों के बिना कोई मनुष्य उन सत्यों को नहीं देख सकता, कि जो नेचर के नियमानुसार केवल उन्हीं में देखे और उपलब्ध किए जा सकते हैं।

देवात्मा के प्रकट होने से पहले उनकी **देव ज्योति से विहीन होने के कारण** जैसे इस पृथ्वी के प्रत्येक देश के प्रत्येक मनुष्यात्मा में **विविध प्रकार के सुखों के लिए गाढ़ आकर्षण वा अनुराग और सब प्रकार के दुखों के लिए गाढ़ विकर्षण वा घृणा भाव वर्तमान था**, वैसे ही उसके अनन्तर भी उनकी इस देव ज्योति से विहीन प्रत्येक मनुष्य की वही दशा रही और है। इसीलिए प्रत्येक देश और प्रत्येक रंग के सुखार्थी लोग जैसे अब से पहले क्या इस लोक और क्या परलोक में केवल **सुख** की प्राप्ति को ही **अपना मुख्य लक्ष्य** जानते और विश्वास करते थे, वैसे ही अब भी करते हैं। देवात्मा की देव ज्योति से विहीन मनुष्य मात्र का यह जीवन मंत्र रहा है:-

"यावज्जीवेत सुखं जीवेत"

अर्थ- मनुष्य जब तक जिए सुख के लिए जिए। फलतः मनुष्य होकर जैसे पहले सब प्रकार के मनुष्य सुख और दुख के बोधी होकर स्वभावतः **केवल सुख को ही अपना लक्ष्य जानते थे**, वैसे ही अब भी। वह जैसे पहले सुख की प्राप्ति और दुख की निवृत्ति को ही मनुष्य का परम पुरुषार्थ जानते थे, वैसे ही अब भी।

मनुष्यों में इसी सुख की अति गहरी लालसा और दुख के लिए अति गहरे भय वा घृणा भाव की वर्तमानता को जानकर नाना प्रकार के प्रेत आत्माओं ने नाना देशों में अपने लिए एक वा दूसरे प्रकार के सुखदायक पदार्थों की प्राप्ति के लिए अपने आपको देवता वा देवी बता कर और उनमें इस प्रकार के पूर्णतः मिथ्या विश्वास उत्पन्न करके कि वह उनकी अमुक अमुक प्रकार की मुरादें पूरी करके उन्हें बहुत सुखी कर सकते हैं, उनसे अपने लिए तरह तरह की भेंटें आदि चाहीं और ली हैं। इसी सुख विषयक गहरी लालसा को जानकर उन्होंने इस लोक से परे किसी और स्थान में अपने इस वा उस प्रकार के विश्वासियों वा पुजारियों को नाना प्रकार का सुख देने के निमित्त तरह तरह के सुखों से परिपूर्ण **पूर्णतः मिथ्या** और कल्पित "स्वर्गों" का विश्वासी बनाया है; और जो जन उनके विश्वासी वा पुजारी न हों, वा

न बनें, उन्हें डराने और डराकर अपना विश्वासी वा पुजारी बनाने के निमित्त उन्होंने वा उनके विश्वासियों ने तरह तरह के दुखों से परिपूर्ण "नरकों" की कथाएं प्रचलित की हैं।

इन्हीं नाना प्रकार के सुख अनुरागों के दासत्व में फंसकर मनुष्य क्या मनुष्य जगत् और क्या उससे नीचे के जगतों के नाना प्रकार के अस्तित्वों के संबंध में विविध प्रकार की मिथ्यामूलक आन्तरिक चिन्ताओं और बाह्यक क्रियाओं के भिन्न अन्याय वा अत्याचार मूलक विविध प्रकार की आन्तरिक चिन्ताएं और बाह्यक क्रियाएं करता है; और इस प्रकार की अपनी **सब मिथ्याओं** और इस प्रकार के अपने **सब दुराचारों** वा अन्याय-मूलक कर्मों से अपने आत्मा में और कई प्रकार के **पतनों** के भिन्न जिस महा हानिकारक **अंधकार** की उत्पत्ति करता है, उसके उत्पन्न हो जाने से **न तो वह अपने आत्मा के गठन प्राप्त प्रकृत रूप को देख सकता है, न उसके रोगों को देख सकता है, न उसके पतन को देख सकता है, न इस पतन के लगातार जारी रहने से आत्मा की जो सच्ची मृत्यु होती है उसी के सत्य को देख सकता है, और न वह उस विधि के सत्यों को देख सकता है कि जिस से किसी जन को आत्मिक पतन से सच्ची मोक्ष मिल सकती है, और न वह उस विधि के सत्यों को देख सकता है कि जिसके द्वारा किसी मनुष्य के आत्मा में उच्च जीवन की उत्पत्ति वा उन्नति हो सकती है, और न वह इस सत्य को ही देख सकता है, कि किसी प्रकार का भी सुख लाभ करना मनुष्य का परम लक्ष्य वा परम पुरुषार्थ नहीं है।**

इस प्रकार के अन्धे और अन्धकार ग्रस्त अधिकारी आत्माओं में जिस **सर्वोच्च और अद्वितीय ज्योति की किरणें** प्रवेश करके उन्हें उनकी योग्यता के अनुसार **ज्योतिर्मान** कर सकती हैं, और उन्हें उपरोक्त प्रकार के **अति आवश्यक और अति हितकर सत्यों को दिखा सकती हैं, और उनके विषय में उन्हें सत्य ज्ञान दे सकती हैं, और इस प्रकार के सत्य ज्ञान के मिलने से ही उन्हें जिस धर्म विषयक सत्य ज्ञान की प्राप्ति होती है, वह सत्य ज्ञान प्रदान कर सकती है, उसी का नाम देव ज्योति है।**

नेचर के अटल नियमानुसार इस **देव ज्योति के भिन्न उपरोक्त सब प्रकार के सत्यों का दर्शन और उनका ज्ञान किसी भी और प्रकार की ज्योति के द्वारा नहीं हो सकता।**

दूसरा अध्याय

मनुष्य जगत् में नाना प्रकार की मिथ्याओं की उत्पत्ति
और उसमें इस उत्पत्ति के कारण

मनुष्य के संबंध में इस **गूढ़ सत्य** का जानना नितांत आवश्यक है, कि उसके हाथ पांव आदि नाना **शारीरिक अंगों** को (सब को नहीं) और उसके मस्तिष्क से संबंध रखने वाली उसकी कल्पना और विचार करने वाली बुद्धि आदि **मानसिक शक्तियों** को उसकी विविध प्रकार की **भाव शक्तियां ही परिचालित करती हैं।** अर्थात् किसी मनुष्य में भी उसके हाथ पांव आदि नाना **शारीरिक अंग** अपने आप कोई काम नहीं करते, और इसी प्रकार उसकी बुद्धि, कल्पना, स्मरण आदि **मानसिक शक्तियां अपने आप कोई काम नहीं करतीं**, किन्तु वह उसकी विविध प्रकार की **भाव शक्तियों के अधीन केवल उनके चलाने से चलती वा कोई काम करती हैं।**

मनुष्य की नाना प्रकार की **भाव शक्तियों के अधीन** उसकी यह शारीरिक और मानसिक शक्तियां उसी प्रकार काम करती हैं, जिस प्रकार किसी बढ़ई वा तरखान के अधीन उसके विविध प्रकार के औज़ार काम करते हैं। मनुष्य की विविध **भाव शक्तियों** में से हर एक शक्ति मानो तरखान के सदृश है, और उसकी नाना शारीरिक और मानसिक शक्तियां मानो तरखान के औज़ारों के सदृश हैं। इसीलिए यदि कोई मनुष्य अपने **दया** आदि किसी **उच्च भाव** से परिचालित होकर अपने इन औज़ारों वा शस्त्रों से काम लेता है, और वह उसके द्वारा परिचालित होकर किसी अन्य मनुष्य वा पशु के **किसी वास्तविक कष्ट के दूर करने के निमित्त** कोई **हितकर क्रिया** करता है; तो उससे **पर हित** की उत्पत्ति होती है; और जो मनुष्य किसी **दुष्ट भाव** से परिचालित होकर किसी जन वा पशु को **छेड़ कर वा कष्ट पहुंचाकर** अपने उस नीच भाव की तृप्ति करने और उससे खुश होने की चेष्टा करता है, उससे **पर अहित** की उत्पत्ति होती है।

एक चोर जब यह सोचना आरंभ करता है, कि अमुक जन की अमुक वस्तु को चुरा कर प्राप्त करने में वह क्योंकर सफल काम हो सकता है, तब उसकी **बुद्धि** उसके इस **भाव** से परिचालित होकर **उसे ऐसी चोरी की विधि बताने में उसका साथ देती है**, और उसके **पांव और हाथ उस चोरी के कर्म में उस के**

सहायक बन जाते हैं; और यदि वह इसके उलट अपने किसी **परोपकार उत्पादक सात्विक भाव** से परिचालित होकर यह सोचना आरंभ करे कि वह अमुक अमुक जन वा अपनी किसी समाज के अमुक प्रकार के भले के लिए क्योंकर सहायक बन सकता है, तो उसकी बुद्धि शक्ति उसे उस भले काम में सहायक बनने की एक वा दूसरी विधि बताने लगती है, और यदि वह किसी ऐसी विधि के अनुसार यह निश्चय करे, कि मुझे इतने रुपए देकर इस भले काम में सहाय करनी चाहिए, तो उसके हाथ पांव आदि उसके इस भाव के द्वारा परिचालित होकर इस भले काम में उसका साथ देने के लिए तैयार हो जाते हैं। इसीलिए यदि उसका कुछ रुपया किसी बैंक में जमा हो, और वह उस बैंक से अपना कुछ रुपया निकाल कर उस भले काम के लिए देना चाहता हो, तो वह अपनी मेज़ की दराज़ वा अपने किसी बक्स में से अपनी चैक बुक निकालता और उसमें से एक चैक को भर कर उस पर अपने हस्ताक्षर करके उसे उस भले काम के लिए दे देता है, और इस क्रिया में उसके हाथ पांव उसकी सहायता करते हैं। यदि कोई जन बाज़ार में से जाते हुए वहां के किसी दुकानदार से किसी वस्तु के मोल लेने की प्रबल वासना रखता है, तो वह उसके मोल लेने के लिए तैयार हो जाता है, और उसकी जेब में से रुपए वा पैसों के निकालने में उसके हाथ उसकी सहायता करते हैं, यदि कोई मनुष्य गठ-कतरा हो, तो उसकी विचार शक्ति और उसके हाथ पांव की शक्तियां किसी और की गांठ काटने वा उसकी जेब में से किसी वस्तु के चुपचाप निकाल लेने में उसकी सहायक बनती हैं।

फलत: ऐसी कोई चिन्ता नहीं, ऐसा कोई वचन नहीं, और ऐसा कोई शारीरिक कर्म नहीं, कि जो मनुष्य अपने किसी **भाव** से परिचालित होकर नहीं करता।

मनुष्य के यही नाना प्रकार के **भाव** उसकी नाना प्रकार की मानसिक और शारीरिक शक्तियों को चलाते और उनसे अपना काम लेते हैं। और कोई मनुष्य कभी भी अपने किसी भाव से परिचालित होने के बिना किसी प्रकार की कोई मानसिक चिन्ता वा अपने मुंह और हाथ पांव आदि के द्वारा कोई कर्म नहीं करता, और नहीं कर सकता।

यद्यपि यह सच है कि प्रत्येक मनुष्य का बच्चा जन्म लेने पर अपनी माता वा अपने पिता अथवा दोनों वा किसी और मनुष्य के द्वारा प्रतिपालित होने पर अनुकूल दशा में पहले पहल उन्हीं की कोई भाषा सीखने और उन्हीं के एक वा दूसरे विश्वास वा मत आदि को अपनी धारणा शक्ति में ग्रहण करने के लिए मजबूर है – चाहे उनके वह विश्वास वा मत **पूर्णत: मिथ्या** ही हों – और इसीलिए करोड़ों मनुष्य इस प्रकार के **संस्कार-प्राप्त भान्त भान्त के मिथ्या विश्वास रखते हैं**; तथापि यह भी सच

है कि इस प्रकार के **मिथ्या विश्वासों वा मतों** के ग्रहण करने में उनका अपना हाथ कुछ नहीं होता, किन्तु ऐसे **मिथ्या विश्वास वा मत** उन्हें **किसी और से** मिलते हैं। परन्तु जब से उनके **अपने भीतर** के एक वा दूसरे प्रकार के सुख विषयक **नीच अनुराग** उन्नत होकर उन्हें एक वा दूसरे प्रकार की **मिथ्या के घड़ने** और उस का औरों के संबंध में **व्यवहार** करने की प्रेरणाएं करनी आरंभ करते हैं, अथवा उन नीच अनुरागों से उत्पन्न उनकी **अपनी नीच घृणाएं** उन्हें इसी प्रकार किसी **मिथ्या के घड़ने** की चिन्ता और किसी के संबंध में किसी प्रकार की मिथ्या क्रिया के करने के लिए प्रवृत्त करती हैं, तब से वह ऐसी सब प्रकार की मिथ्याओं के **आप उत्पादक** बनते हैं।

अब हमें यह देखना है, कि और अन्याय-मूलक पाप वा अहित कर्मों के भिन्न कि जो मनुष्य जगत् में मनुष्य के द्वारा किए जाते हैं, उनमें जिस जिस प्रकार की **मिथ्याएं** फैली हुई हैं – और वह विविध प्रकार की मिथ्याओं में लिप्त हैं – **वह सब मिथ्याएं उनमें उनके किस किस प्रकार के भावों से उत्पन्न होती हैं।**

नेचर के करोड़ों वर्षों के विकास क्रम में **देवात्मा** में जिन चार प्रकार की सच्ची **देव शक्तियों** का विकास हुआ है, **उन सच्ची देव शक्तियों से विहीन** मनुष्य जगत् के **प्रत्येक मनुष्य के लिए** अपने विविध प्रकार के **सुख उत्पादक** अनुरागों और उनके उलट विविध प्रकार की घृणाओं से परिचालित होकर जानबूझ कर नाना प्रकार की मिथ्याएं घड़ना और उन्हें अपने व्यवहार में लाना अनिवार्य है।

दृष्टान्त:-
1- मनुष्यों में खाने पीने की चीज़ों और धन सम्पत्ति विषयक
   सुखों की प्राप्ति के कारण विविध प्रकार
   की मिथ्याओं की उत्पत्ति

खाने पीने की वस्तुओं और धन सम्पत्ति की प्राप्ति के लिए इस पृथ्वी के नाना देशों में नाना जनों ने अपने आपको वा औरों को **नेचर के सत्य नियमों के विरुद्ध** **वर और शाप दाता** देवता, देवी, वली, पीर, सिद्ध आदि कहकर किसी से **प्रसन्न** होने पर उसके विविध प्रकार के अभीष्टों वा उसकी मुरादों का पूर्णकर्ता, और **कुपित** होने पर उसके लिए नाना प्रकार से **हानिकर्ता** बता कर, और लोगों में इस प्रकार के **पूर्णत: मिथ्या विश्वास** उत्पन्न करके उनसे विविध प्रकार के **चढ़ावे** लिए हैं, और अब तक भी लेते हैं; **उनकी** यह शिक्षा **पूर्णत: मिथ्या-मूलक** है, और उन्होंने ऐसे

विविध प्रकार के चढ़ावों की प्राप्ति के लिए लोगों में उपरोक्त प्रकार के जो जो विश्वास फैलाए हैं, वह भी **पूर्णतः मिथ्या** हैं।

इसके भिन्न धन आदि की प्राप्ति के लिए इस पृथ्वी के नाना देशों में नाना प्रकार की वस्तुओं के बेचने के लिए जो विविध प्रकार की छोटी और बड़ी लाखों दुकानें जारी हैं, उनमें जिस जिस प्रकार की **मिथ्याओं** का व्यवहार होता है, और उनके भिन्न और विविध प्रकार के अन्य हज़ारों व्यवसायी जनों की ओर से भी जिस जिस प्रकार की **मिथ्याओं का** बर्ताव किया जाता है, उन **मिथ्याओं** को भी लाखों लोग जानते हैं। फिर हज़ारों दुकानदार और अन्य व्यवसायी जिस प्रकार की मिथ्या-जात ठगी, प्रवंचना वा प्रताड़ना आदि का व्यवहार करके धनादि उपार्जन करते हैं, उसके प्रेमक बनकर वह अपनी किसी सन्तान को भी उसकी शिक्षा देते हैं, कि जो उसी व्यवसाय के द्वारा धन उपार्जन करना चाहती हो।

2- मनुष्यों में राज्य विषयक सुखों की प्राप्ति और राज्य विषयक विविध बातों के संबंध में विविध प्रकार की मिथ्याओं की उत्पत्ति

इसके भिन्न नाना देशों के लोगों में राज्य की प्राप्ति अथवा उसकी रक्षा के निमित्त क्या किसी युद्ध वा लड़ाई के दिनों में और क्या अन्य विविध अवसरों में नाना प्रकार की **मिथ्या** न केवल आवश्यक किन्तु **उचित** भी मानी गई है, और ऐसे विविध अवसरों पर जिस जिस प्रकार की **कुटिल राजनीतियों** का व्यवहार होता है, और सैंकड़ों लोग किसी इस वा उस माननीय राजकर्मचारी के पद वा किसी और राजनैतिक (पोलिटिकल) अभीष्ट के लिए जिस जिस प्रकार की **मिथ्याओं** का व्यवहार करते हैं, वह भी कोई गुप्त बात नहीं है।

3- मनुष्यों में मनुष्य प्रेम विषयक सुख की प्राप्ति के कारण विविध प्रकार की मिथ्याओं की उत्पत्ति

लाखों मनुष्य अपनी सन्तान वा किसी अन्य जन के अनुरागी बन कर अपने अपने इस अनुराग के कारण भी कई प्रकार की **मिथ्याओं** की उत्पत्ति करते हैं।

दृष्टान्तः-

लाखों लोग ऐसे हैं, कि यदि उनमें से किसी जन के कई बच्चे हों; और वह उनमें से किसी एक की अपेक्षा किसी दूसरे बच्चे को **अधिक प्रेम** करता हो, तो

वह अपने जिस बच्चे को अधिक प्रेम करता है, उसके मुख से किसी के संबंध में किसी बात को सुनकर उसके प्रति अपने इस **अधिक प्रेम** के कारण अधिक **विश्वास** करने का भाव रखता है। इसीलिए जिसके संबंध में उसका कम प्रेम है, उसके संबंध में यदि उसका अधिक प्रेम भाजन बच्चा कोई **झूठी** शिकायत भी करे, तो वह उसको **ठीक** मानने के लिए तैयार हो जाता है, और उसका कम प्रेम भाजन लड़का यदि उसकी उस झूठी शिकायत को झूठ भी बतावे, तो भी वह उसकी बात पर विश्वास नहीं करता।

एक बार एक स्थान में किसी डिग्री प्राप्त जन को अपने किसी बच्चे के रोने की आवाज़ सुनाई दी। वह झट भागकर वहां पहुंचा जहां उसका वह लड़का रो रहा था। उसके पास किसी और जन का एक लड़का खड़ा हुआ था। डिग्री प्राप्त जन ने बिना किसी अनुसंधान के यह **झूठ मूठ** विश्वास करके कि इसी लड़के ने उसके लड़के को मारा होगा, उसके एक थप्पड़ मारा, कि जिसकी चोट से वह लड़का भी रोने लगा। अपने पिता की इस क्रिया को देखकर उनके लड़के ने उसी समय अपने पिता को कहा कि इस लड़के ने तो मुझे नहीं मारा, किन्तु जिस और लड़के ने मारा था, उससे उलटा इसने मुझे बचाने का प्रयत्न किया था। तब उसके पिता को अपनी यह क्रिया **मिथ्या-मूलक** प्रतीत हुई।

एक बार एक स्थान में एक जन की लड़की ने अपने भाई की अपनी मां से यह सच्ची शिकायत की, कि वह उसे मारता है। उसकी मां अपने उस लड़के को अपनी इस लड़की की अपेक्षा **अधिक प्यार** करती थी। उसने केवल यही नहीं कि अपनी ही लड़की की इस सच्ची शिकायत पर कोई ध्यान न दिया, किन्तु उलटा उस पर **कुपित** होकर उसे कहा कि तू अपने भाई की जब देखो तभी शिकायत करती रहती है, कि जो बहुत खराब बात है।

इसी प्रकार एक वा दूसरे प्रकार की आत्मिक नीच प्रकृति के मेल हो जाने के कारण जिन जनों में **मित्रता** पैदा हो जाती है, वह भी अपने इस नीच अनुराग के कारण जब अपने मित्र के मुंह से किसी ऐसे जन के संबंध में (कि जिसके प्रति उनका कुछ अनुराग न हो, अथवा इससे भी बढ़कर घृणा भाव वर्तमान हो) कोई झूठी बात भी सुनते हैं, तब उसे सत्य मानने के लिए तैयार हो जाते हैं, और सत्य मान लेते हैं। ऐसे हज़ारों जन इस प्रकार के अनुराग से भी परिचालित होकर **मिथ्या** की उत्पत्ति करते हैं।

4- मनुष्यों में काम मूलक सुख अनुराग के कारण
नाना मिथ्याओं की उत्पत्ति

काम भाव से परिचालित होकर जब कोई पुरुष वा स्त्री एक दूसरे के अनुरक्त वा प्रेमक बन जाते हैं, तब वह एक दूसरे को आकृष्ट करने और एक दूसरे के प्रति अपने प्रेम के दिखाने के निमित्त नाना प्रकार की **मिथ्या** बातें घड़ते और एक दूसरे पर प्रगट करते हैं। शोक! इस पृथ्वी के नाना देशों में नाना लोगों ने इस प्रकार के प्रेम के संबंध में इस प्रकार की सब मिथ्याओं का प्रयोग भी **पूर्णत: उचित** बताया है।

5- मनुष्यों में स्वाद विषयक सुख अनुराग के कारण
नाना मिथ्याओं की उत्पत्ति

करोड़ों मनुष्यों में इस स्वाद वासना विषयक सुख का इतना अधिकार होता है, कि उसके वशीभूत होकर वह क्या अपनी बचपन, क्या युवा और क्या वृद्धावस्था में भी नाना समयों में मिथ्या बोलते हैं।

दृष्टान्त:-

सैंकड़ों जन कई प्रकार की स्वादिष्ट वस्तुएं चुरा कर खा जाते हैं, और पूछने पर पूर्णत: **मिथ्या** उत्तर देते हैं, कि उन्होंने ऐसा नहीं किया। सैंकड़ों जन किसी अरुचिकर दवा के संबंध में इस प्रकार के मिथ्या बहाने बनाकर कि वह दवा उनके लिए ठीक नहीं बैठती और लाभदायक नहीं, वा उससे उन्हें उलटा हानि पहुंचती है, उसे खाना नहीं चाहते और नहीं खाते। सैंकड़ों जन जब अपनी पत्नी को यह कहते हैं कि अमुक दवा तुम अपने अमुक बीमार बच्चे को अमुक अमुक समय में पिला देना; और वह प्रतिज्ञा करती है, कि वह ऐसा करेगी, परन्तु जब उसका बच्चा उस अरुचिकर दवा को पीने से इन्कार करता है, तब वह उसके साथ प्रेम बंधन से बंधी हुई होने के कारण वह दवा उसे नहीं पिलाती, और पति के घर आने और पूछने पर **झूठ मूठ** यह कह देती है, कि उसने उस बच्चे को वह दवा पिला दी है, और इसी प्रकार जब वह अपने उस बच्चे से पूछता है, कि तूने वह दवा पी ली है, तब वह भी अपनी मां की शिक्षा के अनुसार यह कह कर कि हां, उसने पी ली है, मिथ्या का व्यवहार करता है।

6- मनुष्यों में आलस्य विषयक सुख अनुराग के कारण विविध प्रकार की मिथ्याओं की उत्पत्ति

लाखों मनुष्यों में आलस्य विषयक सुख अनुराग का इतना प्रबल अधिकार होता है कि वह उसके **दास** वा वशीभूत होने के कारण, जहां तक संभव हो, काम करने से जी चुराते हैं। वह पड़े वा बैठे रहना चाहते हैं परन्तु, अपने हाथों वा पांवों वा मस्तिष्क को जहां तक संभव हो, हिलाना नहीं चाहते – यहां तक कि अपने पेट पालन के निमित्त भी या तो कुछ करना नहीं चाहते, या जहां तक संभव हो, थोड़े से थोड़ा काम करना चाहते हैं। उनके चारों ओर पशु जगत् के नाना चौपाए और पक्षी आदि अपनी अपनी शारीरिक पालना के निमित्त खुराक और पानी आदि की तलाश और उनकी प्राप्ति के निमित्त खूब प्रयत्न वा संग्राम करते दिखाई देते हैं, तथापि यह आलस्य अनुरागी जन मनुष्य होकर भी परिश्रमी बनने से घबराते हैं। ऐसे लोगों में औरों के संबंध में किसी प्रकार के **कर्तव्य बोध** की जाग्रति वा उन्नति नहीं होती; इसीलिए ऐसे लाखों लोग जब अपने वा अपने पारिवारिक जनों की शारीरिक आवश्यकताओं के लिए किसी की मज़दूरी वा नौकरी आदि का कोई काम भी करते हैं, तब वह उसके संबंध में जहां तक संभव हो, थोड़े से थोड़ा काम करना चाहते हैं। वह किसी और से अपने लिए पूरी मज़दूरी वा पूरी वृत्ति वा पूरी तनख़्वाह ले लेना चाहते हैं, परन्तु उसके लिए पूरा काम करना नहीं चाहते, और पूछे जाने पर उसके संबंध में **कोई न कोई झूठा बहाना घड़ देते हैं।** फिर अपने पारिवारिक संबंधियों के संबंध में भी वह अपने कर्तव्य विषयक कर्मों को भली भांत पूरा नहीं करते, और टोके जाने पर एक वा दूसरा **मिथ्या बहाना** बनाते रहते हैं।

जिस देश के निवासियों में इस प्रकार के लोगों की जितनी अधिकता होती है, उस देश के लोग आत्मिक पतन के भिन्न **धन** और **बल** आदि सभ्यता विषयक उन्नति के विचार से भी बहुत **घटिया** दशा में होते हैं।

7- मनुष्यों में उनके घृणा भावों के कारण विविध प्रकार की मिथ्याओं की उत्पत्ति

इस पृथ्वी के लोगों में परस्पर के संबंध में अहं अनुराग से उत्पन्न ईर्ष्या द्वेष आदि विविध प्रकार के **घृणा भावों** के कारण, क्या **धर्ममत के भेद** से, क्या किसी प्रकार के **व्यवसाय विषयक भेद** से, क्या **स्त्री पुरुष विषयक भेद** से, क्या **वर्ण भेद** से, क्या **जाति भेद** से, और क्या अन्य कई प्रकार के **भेदों** से विविध प्रकार

की **मिथ्याओं** की उत्पत्ति हुई है, और उन सब के भिन्न इन्हीं विविध प्रकार के **घृणा भावों** के कारण उनके परस्पर के नाना अन्य बर्तावों में भी कई प्रकार की **मिथ्याओं** का व्यवहार होता है।

दृष्टान्त:-

कोई मनुष्य किसी जन से कोई वस्तु उधार मांगता है, उस जन के पास वह वस्तु है, परन्तु किसी कारण से वह उसे घृणा करता है, और उसे अपनी वह वस्तु देना नहीं चाहता, परन्तु उसके साथ ही वह किसी कारण से इस विषय में **सत्य बात** कहने से भी डरता है, तब वह इस प्रकार का कोई **मिथ्या बहाना** बना कर कि वह चीज़ उसके पास नहीं है, उससे अपना पीछा छुड़ाना चाहता है, और इस प्रकार से वह **मिथ्या** की उत्पत्ति करता है।

फिर हज़ारों लोग ऐसे होते हैं, कि यदि कोई जन उनकी किसी **कामना** को किसी कारण से पूरा न करे, वा न कर सके, तो वह उससे **दुखदायक आघात् पाकर** उसके प्रति घृणाकारी बन जाते हैं। इसी प्रकार लाखों जन अपने अहं अनुराग के इतने दास होते हैं, कि यदि उनमें से किसी जन को कोई झूठ मूठ भी यह कह दे, कि अमुक जन तुम्हारी इस वा उस हीनता वा तुम्हारे इस वा उस बुरे कर्म का किसी अमुक जन वा अमुक जनों के सम्मुख वर्णन करता था, तो भी वह उसके उस कथन पर विश्वास करके उसके प्रति **घृणा** भाव से भर जाते हैं। इस प्रकार के लाखों घृणाकारी जन अपने अपने घृणा भाव से परिचालित होकर उन सब जनों के संबंध में जिन के प्रति वह घृणा भाव रखते हों, एक वा दूसरे अवसर पर जहां अपनी ओर से उस पर कोई **मिथ्या कलंक वा अपवाद** लगाकर अपने उस घृणा भाव की तृप्ति करते हैं, वहां किसी और के मुख से भी उसके संबंध में किसी **मिथ्या कलंक** को सुनकर और उसे पूर्णत: **मिथ्या जान कर भी** उसकी **पोषकता** करने के लिए तैयार हो जाते हैं। फिर कितने ही लोगों में अहं अनुराग इतना प्रबल होता है, कि वह अपनी प्रशंसा के भिन्न – चाहे वह मिथ्या प्रशंसा भी हो – अपने कानों से किसी और की किसी ऐसी **सच्ची प्रशंसा** को भी सुनकर **बहुत कष्ट अनुभव करते हैं**, कि जिसके कारण वह जन उनकी अपेक्षा कुछ **बढ़िया** समझा जा सकता हो। वह उसकी ऐसी सच्ची प्रशंसा को भी सह नहीं सकते; इसीलिए यदि कुछ और न हो सके, तो वह उसके संबंध में **अपनी ओर से कोई मिथ्या कलंक वा अपवाद** लगाकर अपने इस आत्मिक घृणाजात दुख को कुछ हलका करने का प्रयत्न करते हैं।

8- मनुष्यों में उनके अहं अनुराग विषयक नाना प्रकार के सुखों की प्राप्ति के कारण विविध प्रकार की मिथ्याओं की उत्पत्ति

अहं अनुराग अपनी "मैं" वा अपने अस्तित्व के अनुराग का नाम है। मनुष्य जगत् में **अपने अस्तित्व वा अपनी "मैं"** का अनुराग बहुत अधिकता से पाया जाता है। मनुष्य जिस किसी का अनुरागी हो – चाहे वह अपना अनुरागी हो, और चाहे किसी अन्य मनुष्य वा पशु वा किसी वस्तु का अनुरागी हो – उसके लिए अपने इस अनुराग की गहराई के अनुसार अपना वा किसी और अनुराग भाजन का **पक्षपाती बन जाना और उसका साथ देना अनिवार्य है।** ऐसा करने से उसे **सुख** मिलता है; और इसके विरुद्ध करने से उसे **दुख वा कष्ट** अनुभव होता है।

एक ओर सत्य अनुराग से विहीन और दूसरी ओर **सुख की गाढ़ लालसा** रखने के कारण लाखों मनुष्य स्वभावत: उसी बात का साथ देना चाहते हैं जो उन्हें सुखकर मालूम होती है, चाहे ऐसा करने से उन्हें किसी प्रकार की **मिथ्या** का भी साथ देना आवश्यक हो।

इस अहं अनुराग के कई अंग हैं; और उसके जो जो अंग जिस जिस जन में वर्तमान होते हैं; वह जन उन उन अंगों की स्वभावत: **तृप्ति** चाहता और ऐसी तृप्ति पाकर सुखी होता है। यदि उसे यह तृप्ति न मिले, तो वह स्वभावत: अपनी इस विफलता से आघात् पाता और **दुख वा कष्ट** अनुभव करता है। इसलिए ऐसे आघातकारी दुख से बचने और अपनी सुख विषयक लालसा की तृप्ति के निमित्त वह इस भाव के द्वारा परिचालित होकर यथा आवश्यक नाना प्रकार की **मिथ्याओं** के घड़ने और उन्हें काम में लाने के लिए विवश तैयार हो जाता है।

दृष्टान्त:-

मनुष्य में उसके अहं अनुराग विषयक सुखों का उत्पादक उसका एक बड़ा अंग **अपने विषय में सब कुछ ठीक ठाक वा अभ्रान्त अनुभूति है।** जिन जनों में यह अहं अनुराग विषयक अंग **प्रबल रूप** में वर्तमान होता है, वह अपनी "मैं" के **पक्षपाती** बन कर अपने भीतर स्वभावत: यह अनुभव करते हैं, कि वह जिस जिस प्रकार के विश्वास वा जिस जिस प्रकार के धर्ममत रखते हैं, जिस जिस जन को जैसा भला वा बुरा समझते हैं, जिस जिस क्रिया को भली वा बुरी मानते हैं, जिस जिस बात को उचित वा अनुचित और जिस जिस बात को सत्य वा मिथ्या जानते हैं, उनके ऐसे सब विश्वास और मत ही **ठीक** हैं, और **ठीक** हो सकते हैं, और उनके

भिन्न किसी और जन के जो जो विश्वास वा मत उनकी न्याईं नहीं, वह कदापि ठीक नहीं, और जो जन उनके किसी विश्वास वा मत को ठीक **नहीं** मानता वा ठीक नहीं समझता, वह जन निश्चय भ्रान्त वा झूठा है।

वह आप नाना विषयों में भ्रान्त होकर भी अपने अहं अनुराग विषयक महा नीच भाव के वशीभूत होकर अपने आपको **झूठ मूठ सच्चा वा अभ्रान्त मानते वा विश्वास करते हैं**।

ऐसे जन किसी बात को इसलिए **ठीक** नहीं मानते, कि वह नेचर के **किसी अटल और सत्य नियम वा उसके किसी अटल और सत्य नियम के द्वारा जो घटनाएं उत्पन्न होती वा हो सकती हैं, उनके अनुसार** हैं, किन्तु वह उसे इसलिए **ठीक** मानते हैं, कि वह अपनी "मैं" के अनुरागी होने के कारण उस बात के **पक्षपाती** बन गए हैं, और अपने इस **महा पतनकारी पक्षपात** के कारण **अपनी** मानी हुई किसी बात का ही साथ देने के लिए अपने आप को **विवश** वा मजबूर पाते हैं।

मनुष्य में उसके अहं अनुराग विषयक सुखों का उत्पादक उसका एक और अंग **प्रशंसा लालसा** है।

जिन लोगों में यह अंग प्रबल रूप में वर्तमान होता है - और ऐसे जन करोड़ों हैं - वह **अपनी प्रशंसा** के इतने भूखे होते हैं, कि किसी और से अपनी **झूठी** प्रशंसा सुनकर और उसे **झूठी** जानकर भी केवल यही नहीं कि उससे कोई दुख नहीं मालूम करते, किन्तु उलटा सुख अनुभव करते हैं; और इस प्रकार से उस **मिथ्या** का साथ देते हैं, और वह नाना अवसरों पर अपने मुंह से भी अपनी **मिथ्या** प्रशंसा करके सुख लाभ करते हैं।

मनुष्य में अहं अनुराग विषयक सुखों का उत्पादक उसका एक और अंग अपने आपको को सदा **बढ़िया** दिखाने की लालसा है।

इस लालसा से परिचालित होकर उसके **दास** यह नहीं चाहते, कि वह घटिया होकर भी किसी और की दृष्टि में घटिया दिखाई दें, वा वह घटिया होकर भी किसी और के द्वारा घटिया समझे वा माने जाएं। इसीलिए इस महा पतनकारी लालसा के दास करोड़ों जन

(1) अपनी किसी हीनता के छिपाने के लिए अपनी चिन्ता के द्वारा नाना प्रकार के झूठ घड़ते और अपने मुंह से बोलते हैं, और अपनी किसी हीनता को स्वीकार करने में अपनी हेठी अनुभव करके उसे स्वीकार नहीं करते।

(2) किसी के संबंध में अपने किसी **अपराध वा पाप के छिपाने** के लिए

कई प्रकार के **झूठ** घड़ते और उनका व्यवहार करते हैं, और अपने किसी अपराध वा पाप के स्वीकार करने में अपनी हेठी बोध करके उसे किसी तरह स्वीकार करना नहीं चाहते।

(3) अपने आपको वा अपने किसी प्रिय जन को किसी अपराध के दंड से बचाने के निमित्त भी विविध प्रकार के **झूठ** घड़ते और उनका व्यवहार करते हैं।

(4) अपने आपको वा किसी और को **बढ़िया** दिखाने वा अन्य लोगों को अपनी वा किसी और की किसी मिथ्या प्रतिष्ठा वा महिमा का विश्वासी बनाने के लिए नाना प्रकार की **मिथ्याएं घड़ते और फैलाते हैं।** इसीलिए नेचर के सत्य और अटल नियमों के विरुद्ध इस पृथ्वी में जिस जिस प्रकार के मोजज़ों, करामातों और अद्भुत लीलाओं और वर और शाप आदि के नाम से जिस जिस देवते वा देवी वा नबी वा पैगम्बर वा गुरु वा बुद्ध वा सिद्ध वा तीर्थंकर वा ऋषि वा मुनि वा वली वा पीर वा संत वा सेंट वा अवतार आदि के संबंध में जितनी और जिस जिस प्रकार की गप्पें घड़ी और प्रचलित की गई हैं, वह सब इसी प्रकार की **मिथ्याएं हैं।**

मनुष्य में उसके अहं अनुराग विषयक सुखों का उत्पादक उस का एक और अंग **मान बड़ाई की लालसा है।**

जिन लोगों में यह **लालसा** जितनी अधिक प्रबल होती है, वह उसके द्वारा सुख की प्राप्ति के निमित्त नाना समयों में नाना प्रकार की **मिथ्याओं** का व्यवहार करते वा उनका साथ देते हैं। ऐसे लोग किसी से किसी माननीय पद वा किसी उपाधि के मिल जाने की आशा रखकर उसे अपने प्रति प्रसन्न करने के लिए जान बूझ कर उसकी कई प्रकार की **झूठी प्रशंसा** करते हैं। यदि ऐसे जनों को किसी राज संबंधी माननीय पद की प्राप्ति के लिए लोगों से "वोटों" की प्राप्ति की आवश्यकता हो, तो उनमें से कितने ही जन उनकी प्राप्ति के लिए कई प्रकार के **मिथ्या-मूलक कर्म** करते हैं। फिर कितने ही जन, किसी माननीय पद की प्राप्ति के निमित्त जिस जिस वा जितने जितने अंश किसी प्रकार की योग्यता की आवश्यकता है, वह योग्यता अपने भीतर न रखकर भी अपने में उस योग्यता की पूर्ण वर्तमानता का झूठ मूठ औरों के सम्मुख वर्णन करते हैं। इत्यादि इत्यादि।

फलत: मनुष्य के यही सब प्रकार के **अनुराग और घृणा भाव ही मनुष्य जगत् में सब प्रकार की मिथ्याओं और दुराचारों की उत्पत्ति का कारण हैं।** अर्थात् मनुष्य जगत् में जितनी और जितने प्रकार की मिथ्याएं और जितने और जिस जिस प्रकार के दुराचार वा अत्याचार वा पापाचार फैले हुए हैं, **उन सब का मूल कारण मनुष्यों के यही विविध प्रकार के नीच अनुराग और नीच घृणा भाव हैं।**

तीसरा अध्याय

मनुष्य के लिए किसी अन्य मनुष्य पर विश्वास करना अनिवार्य है

मनुष्य के किसी ऐसे छोटे से बच्चे के लिए, कि जो आप किसी विषय में किसी सत्य बात को नहीं जानता और न अपनी उस वयस में जान ही सकता है, इसके भिन्न और कोई उपाय नहीं, कि उसे उसके माता पिता वा अन्य जन जो कुछ उस विषय में बतावें, वह उसे ठीक जान कर ग्रहण करे, और उसे ठीक माने; और वह ऐसी दशा में उन बातों को ठीक मान कर ग्रहण कर लेता है।

लाखों लड़के जो स्कूलों में पढ़ते हैं, और वह वहां पर अपने शिक्षकों से यह बातें सीखते हैं, कि जिस पृथ्वी पर वह रहते हैं, वह सूर्य लोक के चारों ओर घूमती है, और वह सूर्य से इतने करोड़ मील की दूरी पर है, और उसका व्यास इतने हज़ार मील है, अथवा अमुक देश का अमुक शहर वा अमुक नगर अमुक नदी वा अमुक समुद्र के किनारे पर आबाद है; अथवा अमुक बादशाह वा अमुक राजा अमुक सन् वा अमुक संवत् में पैदा हुआ वा मरा वा गद्दी पर बैठा था; अथवा अमुक बादशाह बड़ा अत्याचारी था; अथवा अमुक बादशाह ने अपने बाप को क़ैद में रखा था, अथवा उसने अपने अमुक भाई को मरवा दिया था; अथवा अमुक बादशाह ने राज्य के लालच से अपने सगे भतीजों की हत्या करा दी थी; अथवा अमुक देश अमुक सन् में विदेशी जनों के राज्य से स्वाधीन हो गया था; वह इन बातों को अपने अपने शिक्षकों के कहने वा वह उन्हें जो जो पुस्तकें पढ़ाते हैं, उनमें उनके लिखे हुए होने के कारण ही सत्य मान कर विश्वास करते हैं। और जो शिक्षक उन्हें इन बातों की शिक्षा देते हैं, वह भी इन वा इनमें से बहुत सी बातों को उन्हीं की न्याईं सत्य मान कर उन्हें उनकी शिक्षा देते हैं।

हज़ारों लोग किसी रेलवे स्टेशन पर जब किसी विशेष गाड़ी में सवार होने के निमित्त अपने अपने घर से चलते हैं, तब वह यह विश्वास करके ही चलते हैं, कि वह गाड़ी अमुक समय में उस स्टेशन पर पहुंचेगी; जबकि कई बार ऐसा होता है, कि वह उस समय में वहां नहीं पहुंचती।

हज़ारों लोग अपनी पत्नियों वा अपने नौकरों पर यह **विश्वास** करके ही कि वह अपने हाथ से जो खाना बना कर उन्हें खाने के लिए देंगे, उसमें उनमें से किसी जन

ने कोई **विष** न मिलाया होगा, उनके हाथ का बना हुआ खाना खाते हैं।

हज़ारों लोग एक वा दूसरे दुकानदार के कहने पर और केवल उसी की बात पर **विश्वास** करके कि अमुक वस्तु इतनी तोल में वा इतनी नाप में है, वा अमुक नुसख़े में जो जो दवाएं लिखी हुई थीं, वह सब की सब उनकी दवा की शीशी में डाली गई हैं, और वह सब की सब ठीक मात्रा में ही डाली गई हैं, उन वस्तुओं को ले लेते हैं, और उनके दाम दे देते हैं, जबकि यह भी सच है, कि कितने ही दुकानदार अपने ग्राहकों को धोखा देकर ठगते भी हैं।

सैंकड़ों लोग जो कुछ लिखना पढ़ना और कुछ हिसाब नहीं जानते, वह जब किसी समय में किसी के साथ किसी वस्तु का सौदा करते हैं, तब वह उसके दामों के विषय में किसी मोल लेने वाले जन पर ही **विश्वास** करके जो कुछ वह उसके दाम दे देता है, वह ले लेते हैं।

हज़ारों माता पिता अपने किसी लड़के को किसी स्कूल में यह **विश्वास** रखकर ही दाख़िल करते हैं, कि उस स्कूल के शिक्षक उसे अवश्य ठीक विधि से और पूरे परिश्रम के साथ पढ़ाएंगे, जबकि कितने ही शिक्षक ऐसा नहीं करते।

सैंकड़ों लोग किसी क़ानूनी वा अदालती विषय में यह **विश्वास** करके कि उनकी अपेक्षा अमुक **वकील** अधिक ज्ञान रखता है, एक वा दूसरे मुक़दमे में उसे बहुत सी फ़ीस देकर भी अपना वकील बनाते हैं, और यद्यपि कई स्थानों में कई बार ऐसा होता है, कि जिस दिन उनके मुक़दमे की किसी अदालत में पेशी हो, उस दिन उस समय वह वकील किसी एक वा दूसरे कारण से उस अदालत में नहीं पहुंचता तथापि वह लोग किसी ऐसे जन को केवल **विश्वास** के आधार पर ही अपना वकील करते हैं।

लाखों जन अपनी पत्नी वा अपने पति वा अपने किसी बेटे वा बेटी आदि पर **विश्वास** करके ही उसकी किसी बात को **सत्य** मान लेते हैं, जबकि उनकी नाना बातें सत्य नहीं भी होतीं।

लाखों लोग अपने किसी मित्र की कही हुई वा किसी पुस्तक वा अख़बार में लिखी हुई बात को केवल अपने **विश्वास** के द्वारा सत्य मानते हैं, जबकि अनेक बार वह बातें सत्य नहीं भी होतीं।

लाखों लोग बीमार होने पर अपनी बीमारी के दूर करने के निमित्त किसी डाक्टर वा हकीम वा वैद्य आदि के पास जाकर वा उसे अपने पास बुलाकर इस **विश्वास** से ही उस से इलाज कराते हैं, कि वह उनकी अपेक्षा उस विषय में **अधिक ज्ञान** रखता है, और इसी **विश्वास** से परिचालित होकर वह उससे कोई नुस्खा लेते

वा उससे कोई दवा ख़रीदते हैं, कि ऐसा करने से उन्हें फ़ायदा होगा, और फिर वह यह **विश्वास** करके ही कि उसके नुस्खे वा उसकी औषधि में कोई वस्तु ऐसी न होगी, कि जिसके खाने वा पीने से उनकी वह बीमारी उलटा बढ़ जाएगी, अथवा उनकी मृत्यु ही हो जाएगी, उसकी उस औषधि को खाते वा पीते हैं।

फलत: मनुष्य होकर और मनुष्यों से संबंध रख कर नेचर के नियमानुसार किसी एक मनुष्य के लिए भी यह **संभव** नहीं, कि वह किसी और मनुष्य पर **किसी प्रकार का कोई विश्वास न करे**। एक वा दूसरे पर एक वा दूसरे प्रकार का **विश्वास** करना नेचर के नियमानुसार प्रत्येक मनुष्य के लिए अनिवार्य है।

फिर यहां पर इस तत्व के जानने और उसे सदा स्मरण रखने की भी आवश्यकता है, कि जबकि नेचर के अटल नियमानुसार उस के किसी विषय के संबंध में **साक्षात् सत्य ज्ञान** की प्राप्ति के लिए मनुष्य को जिन जिन

(1)　ज्ञान बोधक विविध इन्द्रियों,

(2)　ज्ञान बोधक मानसिक शक्तियों,

(3)　ज्ञान बोधक अहं शक्तियों,

(4)　ज्ञान बोधक निम्न भाव शक्तियों,

(5)　ज्ञान बोधक सद्गुण विषयक कई भाव शक्तियों,

(6)　ज्ञान बोधक न्याय-मूलक विविध सात्विक शक्तियों,

(7)　ज्ञान बोधक श्रद्धा, परोपकार आदि विषयक अन्य सात्विक शक्तियों, और

(8)　देव शक्तियों

की आवश्यकता है, तब उनमें से **जो जो बोध शक्ति** जिस जिस जन में वर्तमान न हो, वह जन उस विषय के संबंध में **उस साक्षात् ज्ञान को लाभ ही नहीं कर सकता**, कि जो केवल **उसी बोध शक्ति** के द्वारा ही उसे लाभ हो सकता है। ऐसी दशा में यदि वह नेचर के किसी विषय के संबंध में ज्ञान का आकांक्षी वा इच्छुक हो, तो उसके लिए इसके भिन्न और कोई उपाय भी नहीं, कि वह किसी ऐसे जन की शिक्षा वा उसके वचन वा कथन वा आदेश वा परामर्श पर विश्वास करे, कि जिसे वह उस विषय का ज्ञाता जानता वा विश्वास करता हो।

प्र.। क्या कोई ऐसा देवता वा कोई अन्य पुरुष नहीं हो सकता, कि जो **सर्वज्ञ** हो; अर्थात्, वह सारी नेचर के सब अजीवित और जीवित जगतों और उनसे संबंधित सब प्रकार के अस्तित्वों और उनमें रात दिन जो जो घटनाएं होती रहती हैं, उन सब घटनाओं का ज्ञाता हो, और जिसके द्वारा नेचर के किसी विषय में भी किसी भी

मनुष्य को जब और जो कुछ जानना आवश्यक हो, उसका उसे उसी समय सत्य और अभ्रान्त ज्ञान मिल सके?

उ.। नहीं। नेचर के अटल नियमानुसार ऐसा **कोई सर्वज्ञ पुरुष हो नहीं सकता**; ऐसा सर्वज्ञ पुरुष न पहले कभी था, और न कभी भविष्य काल में हो सकता है। क्योंकि नेचर के नियमानुसार प्रत्येक चेतन आत्मा किसी गठन प्राप्त और मस्तिष्क विशिष्ट जीवित जड़ शरीर से संबंधित होकर ही उसके किसी विषय के संबंध में आप कोई सत्य ज्ञान लाभ कर सकता है, अथवा किसी और को उसकी शिक्षा दे सकता है। बिना उसके कदापि नहीं। अर्थात् बिना किसी मस्तिष्क विशिष्ट गठनप्राप्त जीवित स्थूल वा सूक्ष्म जड़ शरीर रखने वा उससे संबंधित होने के ऐसा कोई **निराकार आत्मा** नहीं हो सकता, कि जो किसी विषय को भी जान सकता हो, और किसी विषय में भी कुछ सोच वा समझ सकता हो, और वह किसी जन को भी कोई बात बता सकता हो।

फिर मस्तिष्कधारी जीवित शरीर को प्राप्त होकर भी कोई आत्मा नेचर के विषय में केवल धीरे धीरे और थोड़ा थोड़ा ज्ञान लाभ कर सकता है, और अनुकूल दशा में भी अपने ज्ञान में क्रम क्रम से ही उन्नति कर सकता है। इसीलिए जब कि नेचर **असीम ज्ञान की भंडार है,** तब कोई भी चेतन आत्मा धीरे धीरे अपने ज्ञान को बढ़ाकर भी कभी वा किसी काल में उसके **इस असीम ज्ञान का ज्ञाता हो नहीं सकता,** अर्थात् **कोई आत्मा भी नेचर के अजीवित और जीवित सब जगतों के संबंध में कभी पूर्ण ज्ञान लाभ नहीं कर सकता।** वह यद्यपि नेचर की ही ठीक विधि के अनुसार ज्ञान लाभ करने के योग्य होने पर उसके विविध जगतों के संबंध में धीरे धीरे अपने किसी प्रकार के ज्ञान को उन्नत वा विकसित कर सकता है, **तथापि वह कभी भी उसके संबंध में पूर्ण ज्ञानी वा सर्वज्ञ नहीं हो सकता।**

फिर किसी कहलाने वाले ईश्वर, परमेश्वर, परमात्मा, ब्रह्म, वाहगुरु, गॉड, अल्ला, ज़रदुश्त आदि देवताओं वा उनमें से किसी के अवतार के भिन्न जिन जिन कहलाने वाले योगियों वा भक्तों वा बुद्धों वा तीर्थंकरों आदि को लाखों लोग **सर्वज्ञ** विश्वास करते हैं, वह यदि **सर्वज्ञ** होते, तो उनकी सब प्रकार की शिक्षा और उनके सब प्रकार के आदेश और वचन आदि एक दूसरे के अनुसार और ठीक मेल की हालत में होते; परन्तु वह ऐसे नहीं, किन्तु **उनकी कई प्रकार की शिक्षाएं एक दूसरे के पूर्णतः विरुद्ध हैं।**

इसके भिन्न यदि **वह** लोग **सर्वज्ञ और उसके साथ ही सत्यवादी भी होते,** तो वह आत्मा के गठनप्राप्त रूप, उसके रोगों और पतन और विनाश और विकास

विषयक तत्वों के संबंध में और उनके भिन्न नेचर के अन्य विविध विषयों के संबंध में भी **उन नाना प्रकार की पूर्णतः मिथ्या गप्पों का प्रचार न करते, कि जिनका वह प्रचार कर गए हैं।**

याद रखो कि नेचर ने अपने किसी विषय के संबंध में धीरे धीरे और समय के साथ साथ ज्ञान लाभ करने की जो **सत्य विधि** रखी है उस विधि को छोड़कर कोई आत्मा किसी योग आदि कहलाने वाली विधि से कोई सत्य ज्ञान लाभ नहीं कर सकता; क्योंकि यदि ऐसा संभव होता, तो फिर किसी बालक को किसी प्रकार के स्कूल वा कॉलेज आदि में प्रवेश करके धीरे धीरे और समय के साथ साथ किसी विद्या के लाभ करने की आवश्यकता न होती। फिर साइंस विषयक **परीक्षा-मूलक जितना सत्य ज्ञान** जन समाज को **सैंकड़ों वर्षों** में प्राप्त हुआ है, उसके लिए **सैंकड़ों वर्ष ख़र्च करने की ज़रूरत न होती।** इस के भिन्न जो जो पुरुष सर्वज्ञ माने जाते हैं, वह उन नाना प्रकार के साइंसों के भी ज्ञाता होते, कि जिनके ज्ञाता इस काल में वर्तमान हैं; और वह उनके ज्ञानी होकर नेचर के अटल नियमों और परीक्षा के विपरीत **उन सब मिथ्या अलौकिक क्रियाओं और अन्य नाना मिथ्याओं को प्रचलित न करते, कि जिन्हें वह प्रचलित कर गए हैं।** फलतः नेचर के अटल नियमानुसार न कभी पहले कोई कहलाने वाला देवता वा योगी वा भक्त वा ऋषि वा मुनि वा नबी वा पीर वा वली वा सिद्ध वा संत वा महंत वा गुरु वा जिन वा बुद्ध वा तीर्थंकर वा ज्योतिषी आदि सर्वज्ञ था, न अब कोई है, और न कभी अगामी काल में हो सकता है।

चौथा अध्याय

किसी जन का कौन सा विश्वास वा मत सत्य है
वा सत्य नहीं, इसकी पहचान क्योंकर हो?

प्र.। यदि किसी विषय के संबंध में कोई मनुष्य आप कोई सत्य न देख सकता और न जान सकता हो, और उसके जानने वा मानने के लिए उसे किसी और की शिक्षा वा उसके वचन वा कथन पर विश्वास करना भी आवश्यक हो, तो क्या ऐसी दशा में उसके लिए नेचर ने कोई ऐसी विधि रखी है, कि जिसके द्वारा वह जान सके, कि उसे अमुक जन ने अमुक विषय में जो जो शिक्षा दी है, वा जो जो कुछ बताया वा सिखाया है, और जिसको वह सत्य मान कर विश्वास करता है, वह वास्तविक ठीक है वा नहीं; अथवा वह सत्य है वा मिथ्या?

उ.। हां, ऐसी विधि अवश्य है, कि जिसके द्वारा एक वा दूसरे प्रकार के विश्वास वा मत के विषय में यह जाना जा सकता है, कि वह सत्य है, वा मिथ्या।

प्र.। वह विधि क्या है?

उ.। किसी की किसी विषय में कौन सी बात सत्य है वा सत्य नहीं; इसके परखने के लिए नेचर-मूलक चार कसौटियां हैं, और वह यह हैं:-

पहली कसौटी

जब कि **नेचर ही एक मात्र सत्य** है और जब कि **जड़ और शक्ति विशिष्ट** जितने और जिस जिस प्रकार के अजीवित और जीवित अस्तित्व हैं, वह सबके सब नेचर के ही **अन्तर्गत** और उसी के **अंश** हैं; और उसी के **अटल नियमों के अधीन** हैं तब कोई भी **ऐसा अजीवित वा जीवित अस्तित्व नहीं हो सकता, कि जो नेचर से बाहर हो।** इसीलिए किसी मनुष्य का किसी प्रकार के ऐसे अजीवित वा जीवित अस्तित्व पर विश्वास करना कि **जो नेचर से बाहर हो, सिवाय मिथ्या के और कुछ नहीं।** और जब कि उपरोक्त प्रकार का कोई अस्तित्व नेचर से बाहर हो नहीं सकता, तब किसी भी सत्य के आकांक्षी को उस पर विश्वास करना उचित नहीं।

दूसरी कसौटी

इसी पुस्तक के पहले अध्याय में जिन आठ प्रकार की **साक्षात् ज्ञान दायनी बोध शक्तियों** का वर्णन किया गया है, उनमें से जो जो बात किसी बोध शक्ति के विरुद्ध हो, **वह भी सत्य नहीं हो सकती**, और इसीलिए उस पर भी किसी सत्य के आकांक्षी को विश्वास नहीं करना चाहिए।

तीसरी कसौटी

जो बात किसी **ठीक तर्क विधि के विरुद्ध हो**, वह भी सत्य नहीं हो सकती, और इसीलिए किसी भी सत्य के आकांक्षी को उस पर विश्वास न करना चाहिए।

चौथी कसौटी

जो बात नेचर के किसी भी **अटल नियम के विरुद्ध हो**, अर्थात् **वह कभी भी और किसी भी ठीक परीक्षा के द्वारा सत्य प्रमाणित न हो सकती हो वा न होती हो,** उसको भी किसी सत्य के आकांक्षी को सत्य मान कर कभी विश्वास न करना चाहिए।

अब जो लोग अपने किसी मत वा विश्वास को इन चारों कसौटियों में से किसी कसौटी के द्वारा न तो आप परखने की योग्यता रखते हों, और न उसे किसी और के द्वारा परखवाना चाहते हों, वह सत्य के आकांक्षी नहीं माने जा सकते। और यही वह लोग हैं, कि जो **अन्ध विश्वासी** कहलाते हैं। और इस पृथ्वी में इस प्रकार के अन्ध विश्वासियों की संख्या करोड़ों की है।

प्र.। यदि किसी मनुष्य ने अपनी **किसी बोध शक्ति के द्वारा** नेचर के किसी विषय में **साक्षात् ज्ञान** लाभ किया हो; और उसने इन चारों प्रकार की कसौटियों में से किसी एक वा दूसरी कसौटी के द्वारा उसकी जांच भी की हो; तो क्या उसके इस प्रकार के ज्ञान में कभी कोई भूल वा भ्रांति नहीं हो सकती?

उ.। कभी कभी कोई भूल भी हो सकती है, परन्तु सदा नहीं; और उसकी ऐसी कोई भूल कभी उसी की ओर से और कभी किसी और वा औरों की ओर से आवश्यक जांच वा पड़ताल किए जाने के अनन्तर दूर भी हो जाती है। और जब ऐसी कोई भूल पूर्णत: दूर हो जाती है, तब फिर जो कुछ **सत्य** है उसी का ज्ञान हो जाता है।

प्र.। यदि नेचर की किसी घटना के विषय में किसी मनुष्य को यह ज्ञान न हो, कि वह घटना नेचर के **किस नियम** के द्वारा प्रगट हुई है, और वह केवल अपने किसी **अनुमान** के द्वारा ही उसके **कारण** को जानना चाहे, तो क्या वह **सदा** उसके **सत्य** कारण को जान सकता है?

उ.। नहीं, कदापि नहीं। कोई मनुष्य **केवल अपने अनुमान के द्वारा** नेचर की किसी घटना के संबंध में **सदा सत्य ज्ञान लाभ नहीं कर सकता।** केवल अनुमान के द्वारा जहां कोई मनुष्य नेचर की किसी किसी घटना के संबंध में उसके कारण का **सत्य ज्ञान** भी लाभ कर सकता है, वहां कई घटनाओं के कारणों के विषय में वह पूर्णतः मिथ्या मत भी निर्धारित करता है। इसलिए कोई **अनुमानिक विश्वास वा मत सदा सत्य नहीं होता, और नहीं हो सकता**, और वह अनेक बार पूर्णतः **मिथ्या** भी होता है।

प्र.। यदि किसी विगत वा भूत काल की किसी ऐतिहासिक घटना के संबंध में सत्य और असत्य निर्णयकारी विधियों में से किसी विधि के द्वारा **उसके सत्य वा असत्य होने के विषय में कोई पूर्णतः विश्वास के योग्य प्रमाण न मिल सकता हो**; तो क्या वह भी सत्य मानने के योग्य नहीं?

उ.। पूर्णतः नहीं; क्योंकि ऐसी घटना जैसे कभी सत्य भी हो सकती है, वैसे ही असत्य भी। इसलिए जब तक किसी ऐसी घटना के संबंध में **पूर्णतः विश्वास के योग्य कोई सत्य ज्ञान न मिल सके**, तब तक वह घटना पूर्णतः सत्य नहीं मानी जा सकती। फिर भी जब तक एक ओर उसके सत्य होने के विषय में कोई **ऐसी साक्षी न मिले, कि जिस पर पूर्ण विश्वास किया जा सकता हो**, और दूसरी ओर उसके **विरुद्ध** भी कोई ऐसी साक्षी न मिले, कि जो पूर्ण विश्वास के योग्य हो, और उसके मानने से मनुष्य जगत् वा उससे नीचे के जगतों के लिए **किसी हानिकारक बात वा क्रिया का प्रचार भी न होता हो**, तब तक **उसे यदि ऐतिहासिक** घटना समझ कर मान भी लिया जाए, तो उससे किसी जन की कोई आत्मिक हानि नहीं होती।

प्र.। क्या देवात्मा की शिक्षा भी जो उन्होंने आत्मा और आत्मिक जीवन वा धर्म के विषय में दी है, इन्हीं चारों कसौटियों के द्वारा परखी जा सकती है।

उ.। निश्चय। यदि उनकी भी कोई शिक्षा इन चारों कसौटियों में से किसी कसौटी के अनुसार ठीक प्रमाणित न हो, तो वह भी सत्य मानने के योग्य नहीं।

इस पृथ्वी के मनुष्य जगत् में इस विषय में जो बहुत बड़ी कठिनाई रही है और है, वह यह है, कि विविध सम्प्रदायों के करोड़ों लोग जैसे पहले इन कसौटियों का कोई

ज्ञान न रखते थे, वैसे ही वह अब भी नहीं रखते, और न वह बतलाने पर ही अपने अपने विश्वासों वा धर्म मतों की **परीक्षा करने वा कराने के लिए तैयार पाए जाते हैं**। वह इन विषयों में मिथ्या के इतने अनुरागी बन चुके हैं, कि वह सत्य को चाहते ही नहीं।

इन मिथ्या अनुरागियों की फ़िलासफ़ी **अहं अनुराग** पर स्थापित है, अर्थात् धर्म के नाम से वह खुद जो जो विश्वास रखते हैं, वा किसी भी मत को मानते हैं, वह सत्य है, और वही सत्य हो सकता है; और उनके जिस विश्वास वा जिस मत को कोई और जन सत्य नहीं मानता, वह अवश्य मिथ्या विश्वास वा मिथ्या मत रखता है। इस अहं अनुराग के कारण वह अपनी 'मैं' के इतने पक्षपाती बन जाते हैं, कि फिर वह **अपने** किसी विश्वास वा मत के भिन्न वा उससे विरुद्ध किसी और जन के विश्वास वा मत को चाहे वह प्रत्येक सत्य जांच वा परख के अनुसार ठीक भी हो, तो भी उसे सत्य मानना और अपनी **मिथ्या** को छोड़ना नहीं चाहते। इसी मिथ्या पर अड़े रहने का नाम दुराग्रह है, और यह महा पतनकारी दुराग्रह अहं अनुराग से उत्पन्न होता है।

प्र.। क्या इसी दुराग्रह वा मिथ्या अनुराग के कारण ही इस पृथ्वी के नाना सम्प्रदायों के लाखों लोगों ने एक दूसरे पर धर्म के नाम से वह वह **अत्याचार** किए हैं, कि जिनसे बढ़कर और कोई अत्याचार वा ज़ुल्म हो नहीं सकते?

उ.। बेशक। देवात्मा का पचास साल से भी अधिक काल से जिस जिस सम्प्रदाय के लोगों की ओर से लगातार उत्पीड़न और उस पर विविध प्रकार का अत्याचार जारी रहा है, वह भी इसी दुराग्रह वा मिथ्या अनुराग के कारण है। देवात्मा ने जब से अपने परम लक्ष्य की घोषणा की, तब से विशेष रूप से और फिर उसके अनन्तर जब से उन्होंने यह घोषणा की, कि इस पृथ्वी में जितने धर्ममत प्रचलित हैं, वह मूलतः सबके सब **पूर्णतः मिथ्या हैं**, और वह जिस नेचर मूलक देव धर्म की शिक्षा देते हैं, वही और केवल वही शिक्षा मूलतः सत्य है, तब से उनकी विरोधिता की कोई सीमा नहीं रही। ईश्वर वादियों की ओर से ही यह विरोधिता सबसे अधिक और बढ़ चढ़कर हुई है। इसलिए यह सत्य सदा जानने और स्मरण रखने के योग्य है, कि कोई धर्म विषयक मिथ्या विश्वास वा मिथ्या मत इसलिए सत्य नहीं बन जाता और नहीं बन सकता, और सत्य नहीं कहा और माना जा सकता, कि उसकी अमुक देवता वा देवी वा अमुक ऐसे वा वैसे जन ने शिक्षा दी है, और उसे हज़ारों वा लाखों वा करोड़ों लोग सत्य मानते हैं; किन्तु वह तभी और तभी सत्य हो सकता है, और सत्य माना जा सकता है, कि जब वह नेचर-मूलक हो; और उसके परखने के लिए

नेचर-मूलक जो चार कसौटियां बताई गई हैं, उनके अनुसार परखे जाने पर वह ठीक वा सत्य प्रमाणित होता हो।

देवशास्त्र

****

चौथा खंड

****

देवधर्म प्रवर्तक विरचित

****

प्रत्येक देश और प्रत्येक जाति, और प्रत्येक वर्ण और प्रत्येक सम्प्रदाय के अधिकारी जनों के लिए एक मात्र सत्य और नित्य नेचर के सत्य और अटल नियमों और उसकी सत्य घटनाओं पर स्थापित विज्ञान मूलक **सत्य धर्म की शिक्षा का अपूर्व ग्रन्थ।**

देव शास्त्र

****

चौथा खण्ड

****

संबंध तत्व

****

देव शास्त्र के इस खण्ड में

मनुष्य के नेचर-गत सोलह प्रकार के संबंधियों
के साथ उसके संबंध को परस्पर के लिए
अधिक से अधिक हानि रहित और हितकर
बनाने के निमित्त पाठ और विचार विषयक
आदेशों और वार्षिक साधनों और
उनकी विधि का वर्णन है।

———————

क

विषय सूची

परिशिष्ट

आवश्यक सूचना

इस ग्रंथ के चौथे पृष्ठ में जो संक्षिप्त भूमिका दी गई है, उस में वर्णन है कि:

"इस खण्ड का उनकी (भगवान देवात्मा की) वर्तमान शिक्षा के अनुकूल बनाने के लिए पूरा संग्राम किया गया है और उसके अनुसार उस में जहां जहां परिवर्तन करने की आवश्यकता हुई है वह किया गया है।"

इस संस्करण में इस प्रकार का जो आवश्यक परिवर्तन किया गया है, उसके कुछ दृष्टांत यह हैं:-

1. पहले प्रत्येक संबंध में नियत वार्षिक साधनों के लिए "यज्ञ" और उसके अंतिम दिन के साधन के लिए "व्रत" के शब्द बरते जाते थे, परंतु बाद में भगवान देवात्मा की आज्ञानुसार उनकी इस दुनिया में वर्तमानता में ही यह शब्द छोड़ दिए गए थे और उनके स्थान में "पाठ और विचार के साधन" और "शेष दिन का साधन" के शब्दों का व्यवहार प्रचलित हो गया था। इसलिए अब इस संस्करण में इन्हीं नए शब्दों का व्यवहार किया गया है।

2. देव समाज, स्वास्तित्व और भगवान देवात्मा के संबंध में आदेशों और "अनुचित हानि विषयक परिशोध तत्व" आदि में भगवान देवात्मा रचित देव शास्त्र के तीसरे खण्ड और "सिद्धांत दर्पण" आदि नई (Latest) पुस्तकों के आधार पर बहुत सा आवश्यक परिवर्तन किया गया है।

3. भगवान देवात्मा ने "देव शास्त्र यज्ञ" को छोड़ कर उसके स्थान में "स्वंवश यज्ञ" जारी करके उसके संबंध में आदेश आदि कुछ आवश्यक परिवर्तन छपवाए थे। वह आदेश आदि कुछ आवश्यक परिवर्तन और परिर्वधन के अनंतर इस खण्ड में दिए गए हैं।

4. पशु जगत् संबंधी वर्जित कर्म विषयक 24वां आदेश भगवान देवात्मा की वर्तमान शिक्षा के अनुसार परिवर्तित किया गया है और परलोक के संबंध में कुछ आदेश देव शास्त्र के दूसरे संस्करण के परलोक तत्व के आधार पर बढ़ाए गए हैं।

5. उपरोक्त बड़े बड़े आवश्यक परिवर्तनों के भिन्न भगवान देवात्मा की नई शिक्षा के अनुसार कहीं कहीं और भी आदेशों और शब्दों आदि में उचित परिवर्तन किया गया है, आदि आदि।

उपरोक्त प्रकार के सब उचित परिवर्तनों के द्वारा जहां तक सम्भव है, इस

खण्ड को भगवान देवात्मा की अंतिम शिक्षा के अनुकूल बनाने का यत्न किया गया है कि यह तीसरा संस्करण दूसरे संस्करण की अपेक्षा विविध अंगों में अधिकारी जनों के लिए अधिक हितकर प्रमाणित हो सके।

प्रकाशक

देव शास्त्र

****

चौथा खण्ड

****

संबंध तत्व

****

प्रारम्भिक वर्णन

****

देव शास्त्र के इस खण्ड में मनुष्य के नेचर-गत विविध संबंधों में जिन आदेशों और साधनों आदि का वर्णन किया गया है, उनके अनुसार अपने जीवन को ढालने के लिए मनुष्य को साधारणत: प्रति दिन ही देवात्मा के देव प्रभावों को पाकर संग्राम करने की आवश्यकता है, परंतु वर्ष भर में एक एक विशेष काल इस अभिप्राय के लिए नियत कर दिया गया है, कि उन दिनों में वह अपने ध्यान और विचार को विशेष रूप से नियत संबंध में ले जाने का अवसर पाकर उस में अधिक से अधिक हानि रहित और हितकर बनने के निमित्त आवश्यक साधनों को पूरा करने का संग्राम कर सके, और इस प्रकार अपने जीवन को प्रत्येक संबंध में उच्च बनाने का धीरे धीरे अभ्यासी बनकर जहां तक सम्भव हो उस आदर्श तक पहुंच सके कि जो इन आदेशों में दिया गया है।

यह समय विभाग यद्यपि कई कारणों से चन्द्र मासों की तिथियों और हिन्दू भाव के अनुसार रखा गया है, तथापि यह काल विभाग ऐसा है, कि जिसे प्रत्येक देश और जाति के लोग भली भान्त ग्रहण कर सकते हैं। इस के भिन्न इन साधनों में काल विषयक मेल रखने के लिए यह आवश्यक भी है, कि उनके सब साधक चाहे वह किसी देश वा जाति के हों, एक ही समय विभाग के अनुसार उनका साधन करें। यह समय विभाग इस प्रकार है:-

1. माता पिता और सन्तान के संबंध में-

पौष मास के कृष्ण पक्ष की तृतीया से लेकर माघ मास के कृष्ण पक्ष की चतुर्थी तक।

2. भाई भग्नि के संबंध में-

माघ मास के कृष्ण पक्ष की पंचमी से लेकर माघ मास के शुक्ल पक्ष की पंचमी तक।

3. देव समाज के संबंध में-

माघ मास के शुक्ल पक्ष की षष्टी से लेकर फाल्गुन मास के कृष्ण पक्ष की दशमी तक।

4. पति पत्नी के संबंध में-

फाल्गुन मास के कृष्ण पक्ष की एकादशी से लेकर फाल्गुन मास के शुक्ल पक्ष की पूर्णिमा तक।

5. उद्भिद् जगत् के संबंध में-

चैत्र मास के कृष्ण पक्ष की प्रतिपदा से लेकर चैत्र मास के शुक्ल पक्ष की प्रतिपदा तक।

6. भृत्य और स्वामी के संबंध में-

चैत्र मास के शुक्ल पक्ष की द्वितीया से लेकर वैशाख मास के कृष्ण पक्ष की प्रतिपदा तक।

7. स्ववंश के संबंध में-

वैशाख मास के कृष्ण पक्ष की द्वितीया से लेकर वैशाख मास के शुक्ल पक्ष की चतुर्दशी तक।

8. स्वदेश के संबंध में-

वैशाख मास के शुक्ल पक्ष की पूर्णिमा से लेकर ज्येष्ठ मास के शुक्ल पक्ष की एकादशी तक।

9. साथी सेवकों के संबंध में-

ज्येष्ठ मास के शुक्ल पक्ष की द्वादशी से लेकर आषाढ़ मास के शुक्ल पक्ष की पूर्णिमा तक।

10. स्वास्तित्व के संबंध में-

श्रावण मास के कृष्ण पक्ष की प्रतिपदा से लेकर श्रावण मास के शुक्ल पक्ष की पूर्णिमा तक।

11. पशु जगत् के संबंध में-

भाद्र मास के कृष्ण पक्ष की प्रतिपदा से लेकर भाद्र मास के शुक्ल पक्ष की अष्टमी तक।

12. परलोक के संबंध में–

भाद्र मास के शुक्ल पक्ष की नवमी से लेकर आश्विन मास के कृष्ण पक्ष की अमावस्या तक।

13. स्वजाति के संबंध में–

आश्विन मास के शुक्ल पक्ष की प्रतिपदा से लेकर आश्विन मास के शुक्ल पक्ष की दशमी तक।

14. भौतिक जगत् के संबंध में–

आश्विन मास के शुक्ल पक्ष की एकादशी से लेकर कार्तिक मास के कृष्ण पक्ष की अमावस्या तक।

15. मनुष्य मात्र के संबंध में–

कार्तिक मास के शुक्ल पक्ष की प्रतिपदा से लेकर कार्तिक मास के शुक्ल पक्ष की पूर्णिमा तक।

16. सत्यदेव भगवान देवात्मा के संबंध में–

अग्रहायण मास के कृष्ण पक्ष की प्रतिपदा से लेकर पौष मास के कृष्ण पक्ष की द्वितीया तक।

ग्रंथ कर्ता

तीसरे संस्करण की भूमिका

देव शास्त्र का यह खण्ड उस के दूसरे संस्करण के चौथे भाग के आधार पर तैयार किया गया है। उसके पहले तीन खंडों को तो स्वयं सत्य देव भगवान देवात्मा ने अपनी आयु के पिछले सालों में बहुत गहरा परिश्रम करके अपनी दिनों दिन बढ़ती हुई देव ज्योति के द्वारा पूर्णत: नया रूप देकर प्रकाशित कर दिया था और यदि उन्हें अवसर मिलता तो वह देव शास्त्र के इस खण्ड को भी पता नहीं क्या नया रूप दे देते और इस से आगे उसके और कितने ही खण्ड जिन के लिखने के लिए उन्होंने आवश्यक सामग्री इकट्ठी की हुई थी, तैयार करके प्रकाशित करते। परंतु अत्यंत शोक कि उनके स्थूल शरीर ने और अधिक उनका साथ न दिया और उन्हें शीघ्र ही उसे छोड़ना पड़ा। तथापि इस खण्ड को उनकी वर्तमान शिक्षा के अनुकूल बनाने के लिए पूरा संग्राम किया गया है और उसके अनुसार उस में जहां जहां परिवर्तन करने की आवश्यकता हुई है, वह किया गया है। आशा है कि उसके पहले खण्डों की न्याईं यह खण्ड भी अधिकारी जनों के लिए बहुत कल्याणकारी प्रमाणित होगा।

प्रकाशक।

माता पिता और सन्तान

के संबंध में

पाठ और विचार के साधन

****

माता पिता और सन्तान

के संबंध में

वार्षिक पाठ और विचार के साधन

****

माता पिता और सन्तान के संबंध में वार्षिक पाठ और विचार विषयक नियत दिनों में माता पिता और सन्तान को एक दूसरे के संबंध में जिन जिन साधनों का करना विशेष रूप से आवश्यक है, वह यह हैं:-

1-माता पिता के लिए साधन

(1) इन दिनों में साधन कर्ता माता पिता को सन्तान संबंधी आदेशों का विचार पूर्वक पाठ अथवा श्रवण करना चाहिए*।

(2) इन दिनों में इन आदेशों के पाठ से पहले साधन कर्ता माता पिता को उनके द्वारा अपनी सन्तान के संबंध में अपनी किसी हीनता वा नीचता के देखने के निमित्त सत्य देव भगवान देवात्मा से देव ज्योति की प्राप्ति के लिए प्रार्थना करनी चाहिए।

(3) इन दिनों में साधन कर्ता माता पिता को यह विचार करना चाहिए, कि उन्होंने सत्य देव भगवान देवात्मा की शरण में आकर पूर्वोक्त आदेशों में से किन किन के पालन करने की योग्यता लाभ की है, और फिर उनके द्वारा उनका और उनकी सन्तान का जो जो हित हुआ हो, उसे सम्मुख ला कर भगवान देवात्मा के प्रति धन्यवाद आदि भावों का प्रकाश करना चाहिए।

(4) इन दिनों में सन्तान विषयक आदेशों के साथ अपने जीवन की तुलना के अनन्तर साधन कर्ता माता पिता के हृदय में अपनी सन्तान के संबंध में जो जो शुभ संकल्प उत्पन्न हों, उन्हें उन को अपनी साधन पुस्तक में लिखना चाहिए और उन में से जो जो शुभ संकल्प इन्हीं दिनों में आरम्भ वा पूरे किए जा सकते हों, उन्हें इन्हीं दिनों में आरम्भ वा पूरा करने की चेष्टा करनी चाहिए।

(5) इन दिनों में साधन कर्ता माता पिता को अपनी प्रत्येक सन्तान के सद्‌गुणों और सात्विक भावों पर (यदि उसमें ऐसे कोई गुण वा भाव वर्तमान हों) चिंतन करना चाहिए।

---

*इस के भिन्न देव शास्त्र के तीसरे खण्ड में से उसके चौदहवें अध्याय अर्थात् मनुष्य की गठन में संतान संबंधी सुख अनुराग का विचार पूर्वक पाठ अथवा श्रवण भी करना चाहिए।

(6) इन दिनों में साधन कर्ता माता पिता को अपनी सन्तान के संबंध में अपनी किसी हीनता वा नीचता के विषय में बोध प्राप्त करने पर उस के दूर होने के निमित्त अपनी ओर से बल प्रयोग करने के भिन्न, आवश्यक होने पर, सत्य देव भगवान देवात्मा से बल प्राप्ति के लिए प्रार्थना करनी चाहिए।

(7) इन दिनों में साधन कर्ता माता पिता को अपनी सन्तान के प्रति अपने सद्भाव के बढ़ाने के निमित्त एक वा दूसरा प्रयत्न करना चाहिए।

(8) इन दिनों में साधन कर्ता माता पिता को अपनी इस लोक और परलोक वासी प्रत्येक सन्तान के लिए विशेष रूप से मंगल कामना करनी चाहिए।

2-सन्तान के लिए साधन

(1) इन दिनों में साधन कर्ता सन्तान को माता पिता संबंधी आदेशों का विचार पूर्वक पाठ वा श्रवण करना चाहिए।

(2) इन दिनों में साधन कर्ता सन्तान को इन आदेशों के पाठ से पहले, उन के द्वारा अपने माता पिता के संबंध में अपनी किसी हीनता वा नीचता के देखने के योग्य होने के निमित्त सत्य देव भगवान देवात्मा से उनकी देव ज्योति की प्राप्ति के लिए प्रार्थना करनी चाहिए।

(3) इन दिनों में साधन कर्ता सन्तान को यह विचार करना चाहिए, कि उसने सत्य देव भगवान देवात्मा की शरण में आकर उपरोक्त आदेशों में से किन किन के पालन करने की योग्यता लाभ की है, और उनके द्वारा उसका वा उसके माता पिता का क्या क्या हित हुआ है, और फिर इस हित को सम्मुख लाकर भगवान देवात्मा के प्रति धन्यवाद आदि भावों का प्रकाश करना चाहिए।

(4) इन दिनों में साधन कर्ता सन्तान को अपने माता पिता के विविध उपकारों और उनके सात्विक भावों वा सद्गुणों पर (यदि ऐसे कोई भाव वा सद्गुण उनमें वर्तमान हों, वा रहे हों) चिंतन करना चाहिए।

(5) इन दिनों में साधन कर्ता सन्तान को अपने माता पिता के संबंध में अपनी किसी हीनता वा नीचता के विषय में बोध प्राप्त करने पर, उसके दूर करने के निमित्त अपनी ओर से बल प्रयोग करने के भिन्न, आवश्यक होने पर सत्य देव भगवान देवात्मा से बल प्राप्ति के लिए प्रार्थना करनी चाहिए।

(6) इन दिनों में माता पिता विषयक आदेशों के साथ अपने जीवन की तुलना करने से साधन कर्ता सन्तान के हृदयों में अपने माता पिता के संबंध में जो जो शुभ संकल्प उत्पन्न हों, उन्हें अपनी साधन पुस्तक में लिखना चाहिए, और उन में से जो जो शुभ संकल्प इन्हीं दिनों में आरम्भ वा पूरे हो सकते हों, उन्हें इन्हीं दिनों

में आरम्भ वा पूरा करने की चेष्टा करनी चाहिए।

(7) इन दिनों में साधन कर्ता सन्तान को अपने माता पिता के साथ अपने संबंध को गाढ़ करने के निमित्त एक वा दूसरे प्रकार का यत्न करना चाहिए।

(8) इन दिनों में साधन कर्ता सन्तान को अपने माता पिता के कल्याण के लिए विशेष रूप से मंगल कामना करनी चाहिए।

माता पिता और सन्तान

के संबंध में

आदेश

माता पिता के लिए

1-उत्पत्ति

(1) प्रत्येक माता पिता के लिए यह जानना और अनुभव करना आवश्यक है, कि उनकी सन्तान उनके अस्तित्व का अंश होने से उनके उत्कृष्ट वा अपकृष्ट आकारों और गुणों की थोड़ी वा बहुत अवश्य भागी बनती है।

(2) प्रत्येक माता पिता के लिए आवश्यक है, कि वह अपने शारीरिक उत्तम स्वास्थ्य और आत्मिक विकास के द्वारा जहां तक सम्भव हो, उत्कृष्ट सन्तान उत्पन्न करें।

2-सम्बन्ध बोध

(3) प्रत्येक माता पिता के लिए आवश्यक है, कि वह अपनी सन्तान को अपने अस्तित्वों का अंश जानकर वा विमाता वा विपिता होने की दशा में अपने पति वा अपनी पत्नी का अंश जानकर उसके साथ अपना उचित संबंध अनुभव करें।

(4) प्रत्येक माता पिता के लिए आवश्यक है, कि वह अपनी सन्तान के संबंध में अपने आपको प्रत्येक पतनकारी भाव से मुक्त करने और मुक्त रखने और प्रत्येक हित उत्पादक भाव को जाग्रत वा उन्नत करने की आवश्यकता को भली भान्त अनुभव करें।

3-स्नेह प्रदर्शन

(5) प्रत्येक माता पिता के लिए आवश्यक है, कि वह **मोह रहित** रह कर अपनी प्रत्येक सन्तान के प्रति उचित रूप से अपना स्नेह प्रदर्शन करें।

4-पालन विधि

(6) प्रत्येक माता पिता के लिए आवश्यक है, कि वह अपनी कन्याओं को अपने पुत्रों की न्याईं समरूप से अर्थात् बिना किसी अनुचित पक्षपात के पालन करें।

(7) प्रत्येक माता पिता के लिए आवश्यक है, कि वह अपनी प्रत्येक सन्तान की शारीरिक गठन को अपनी सामर्थ्य के अनुसार उत्तम रूप से विकसित करने के लिए सब प्रकार से प्रयत्न करें।

(8) प्रत्येक माता पिता के लिए आवश्यक है, कि वह अपनी प्रत्येक सन्तान

को शारीरिक रोगों से सुरक्षित रखने और किसी के रोगी होने पर उसके रोग के दूर करने के लिए अपनी सामर्थ्य के अनुसार उत्तम रूप से चेष्टा करें।

(9) प्रत्येक माता पिता के लिए आवश्यक है, कि वह अपनी योग्यता के अनुसार अपनी सन्तान की युवा अवस्था तक भली भान्त पालना करें, और यथा सम्भव अपनी किसी ऐसी विकलांग और असहाय सन्तान के निमित्त कि जो अपनी पालना आप करने के योग्य न हो सकती हो, सारी आयु के लिए रक्षा और पालन का प्रबन्ध करें।

5-साधारण शिक्षा

(10) प्रत्येक माता पिता के लिए आवश्यक है, कि वह अपनी सामर्थ्य के अनुसार अपनी प्रत्येक नर और नारी सन्तान की आवश्यकता और अवस्था के अनुकूल उसकी मानसिक शक्तियों की उन्नति के लिए उसे विविध प्रकार की भाषाओं और साधारण ज्ञान और विज्ञान आदि की शिक्षा दें।

(11) प्रत्येक माता पिता के लिए आवश्यक है, कि वह अपनी सामर्थ्य के अनुसार अपनी सन्तान में से प्रत्येक की आवश्यकता के अनुसार उसे विविध प्रकार के खेलों, सवारी, व्यायाम, पाककला, वाद्य, गान, नृत्य, चित्रांकन, शिल्प, कृषि, चिकित्सा, आदि नाना व्यवसायों और वाणिज्य वा गृह संबंधी कार्यों आदि की शिक्षा दें।

6-धर्म ज्ञान विषयक शिक्षा

(12) प्रत्येक माता पिता के लिए आवश्यक है, कि वह अपनी प्रत्येक सन्तान को आत्मा के रूप, उसकी गठन और उसकी पतन और विकासकारी गतियों आदि के संबंध में सब प्रकार की आवश्यक शिक्षा दें।

(13) प्रत्येक माता पिता के लिए आवश्यक है, कि वह अपनी प्रत्येक सन्तान को सत्य धर्म और उसके लक्षणों और साधनों और उसके एक मात्र शिक्षक सत्य देव भगवान के विषय में उचित रूप से शिक्षा दें।

7-उच्च जीवन विषयक विकास

(14) प्रत्येक माता पिता के लिए आवश्यक है, कि वह अपनी प्रत्येक सन्तान में बचपन से ही ऐसे हितकर संस्कार डालने की चेष्ट करें कि जिन से वह सत्य देव भगवान देवात्मा और उनकी स्थापित देव समाज के साथ संबंधित होने में अपना परम कल्याण और सौभाग्य अनुभव कर सकें और समय आने पर उनके साथ संबंधित होने के योग्य बन सकें।

(15) प्रत्येक माता पिता के लिए आवश्यक है कि वह अपनी प्रत्येक सन्तान में नाना सात्विक वा उच्च भावों के विकसित करने के लिए उचित रूप से चेष्टा करें।

(16) प्रत्येक माता पिता के लिए आवश्यक है, कि वह अपनी प्रत्येक सन्तान में उस की नीच गतियों के प्रति घृणा भाव के उत्पन्न और वर्धन करने और उन्हें नीच अनुरागों और नीच घृणाओं के दासत्व में पड़ने से बचाने के लिए उचित रूप से चेष्टा करें।

8-गृह अनुष्ठान

(17) प्रत्येक माता पिता के लिए आवश्यक है, कि वह अपनी प्रत्येक सन्तान के संबंध में सब आवश्यक गृह अनुष्ठान देव समाज की अनुष्ठान विधि के अनुसार सम्पन्न करें।

9-धन सम्पत्ति विषयक दान

(18) प्रत्येक माता पिता के लिए आवश्यक है, कि वह अपने उपार्जित धन वा अपनी उपार्जित सम्पत्ति में से अपनी किसी सन्तान को जो आप कमाने खाने के योग्य हो चुकी हो, साधारणता कुछ भी दान न करें, और यदि उसकी किसी नागहानि विपद् वा दुर्घटना के समय धन विषयक कुछ सहाय करनी उचित हो, तो वह केवल उतनी मात्रा में करें कि जो उस के लिए अत्यंत आवश्यक और हितकर हो।

(19) प्रत्येक माता पिता के लिए आवश्यक है कि वह अपने उपार्जित धन वा अपनी उपार्जित सम्पत्ति में से अपनी ऐसी संतान के लिए भी कि जो अभी आप कमाने के योग्य न हुई हो, केवल इतनी मात्रा में दान करें कि जिस से वह आवश्यक पालना और शिक्षा आदि लाभ करके आप कमाने खाने के योग्य बन जाए।

10-शासन विधि

(20) प्रत्येक माता पिता के लिए आवश्यक है, कि वह जहां तक सम्भव हो अपने स्नेह और नैतिक बल के द्वारा अपनी सन्तान का शासन करें। और जब वह अपनी किसी सन्तान को उसके किसी अपराध वा उसकी अवज्ञा के लिए कोई दण्ड देना उचित समझें, तब उसके हित और अपने अधिकार की सीमा और उसकी आयु और अवस्था आदि का विचार करके दें।

11-परिशोध

(21) प्रत्येक माता पिता के लिए आवश्यक है, कि वह अपनी सन्तान के संबंध में अपनी किसी अनुचित क्रिया के विषय में बोध लाभ करने पर उसके लिए उचित परिशोध करके उसके साथ अपने संबंध को पवित्र करें।

12-मंगल कामना

(22) प्रत्येक माता पिता के लिए आवश्यक है, कि वह योग्यता रखने पर अपनी प्रत्येक सन्तान के लिए मंगल कामना का उचित रूप से साधन करें।

वर्जित कर्म

****

1-अनुचित उत्पत्ति

(1) प्रत्येक माता पिता के लिए आवश्यक है, कि वह अपनी सब प्रकार की अवस्था का विचार करके जहां तक संभव हो, उचित संख्या से अधिक सन्तान उत्पन्न न करें।

2-असम भाव

(2) प्रत्येक माता पिता के लिए आवश्यक है, कि वह **पुत्र वा कन्या के भेद से** अपनी किसी सन्तान की रक्षा अथवा उसके पालन में **असम भाव** प्रदर्शन न करें।

(3) प्रत्येक माता पिता के लिए आवश्यक है, कि वह **गर्भ भेद** के विचार से अपनी किसी सन्तान को घृणा न करें, और उसकी रक्षा और उसके पालन के विषय में कोई असम भाव न रखें।

3-उदासीनता वा विमुखता

(4) प्रत्येक माता पिता के लिए आवश्यक है, कि वह अपनी सन्तान को उचित रूप से शासन करने से उदासीन न रहें।

(5) प्रत्येक माता पिता के लिए आवश्यक है, कि वह अपनी योग्यता के अनुसार अपनी सन्तान की मानसिक उन्नति की ओर से उदासीन वा विमुख न रहें।

(6) प्रत्येक माता पिता के लिए आवश्यक है, कि वह अपनी सन्तान को धर्म विषयक सत्य ज्ञान की आवश्यक शिक्षा देने वा दिलवाने से उदासीन वा विमुख न रहें।

(7) प्रत्येक माता पिता के लिए आवश्यक है, कि वह अपनी योग्यता के अनुसार अपनी सन्तान के हार्दिक विकास की ओर से उदासीन वा विमुख न रहें।

(8) प्रत्येक माता पिता के लिए आवश्यक है, कि वह अपनी सन्तान के किसी अनुचित कर्म को जानबूझ कर उदासीनता की दृष्टि से न देखें।

(9) प्रत्येक माता पिता के लिए आवश्यक है, कि वह यथा साध्य अपनी सन्तान की उचित और समय के अनुकूल किसी प्रार्थना को अस्वीकृत न करें।

4-स्वास्थ्य हानि

(10) प्रत्येक माता पिता के लिए आवश्यक है, कि वह अपनी सन्तान के पालन में अपनी सामर्थ्य के अनुसार जानबूझ कर कोई ऐसा आचरण न करें, कि जो

उसके शारीरिक स्वास्थ्य वा बल के लिए हानिकारक हो।

5-अनुचित साथ

(11) प्रत्येक माता पिता के लिए आवश्यक है, कि वह वात्सल्य भाव से परिचालित होकर अपनी सन्तान की किसी ऐसी वासना वा रुचि आदि का साथ न दें, कि जिससे उसके शरीर वा उसकी किसी आवश्यक शिक्षा वा सुशीलता वा उसके कर्तव्य साधन वा सच्चरित्र को हानि पहुंच सकती हो; अथवा उनके आत्मा में महा हानिकारक मोह की उत्पत्ति वा उन्नति होती हो।

6-कुसंग

(12) प्रत्येक माता पिता के लिए आवश्यक है, कि वह जहां तक सम्भव हो अपनी सन्तान को ऐसे जनों की संगत में न रहने दें, कि जिनके साथ रहने से उसके शारीरिक स्वास्थ्य वा विद्या लाभ वा सच्चरित्र वा उच्च जीवन को हानि पहुंच सकती हो।

7-अनुचित शिक्षा

(13) प्रत्येक माता पिता के लिए आवश्यक है, कि वह अपनी सन्तान को साक्षात् वा असाक्षात् रूप से कोई ऐसी शिक्षा न दें, कि जिसको वह आप असत्य, पाप वा अपराध मूलक जानते हों।

8-अनुचित दण्ड

(14) प्रत्येक माता पिता के लिए आवश्यक है, कि वह जहां तक सम्भव हो, अपनी सन्तान के शासन में शारीरिक दण्ड से काम न लें।

(15) प्रत्येक माता पिता के लिए आवश्यक है, कि वह अपनी सन्तान से निर्बोधता की दशा में किसी अवज्ञा वा अपराध के हो जाने पर उसे समझा वा डांट देने के भिन्न, किसी अन्य प्रकार की शारीरिक पीड़ा-जनक कोई शास्ति न दें।

(16) प्रत्येक माता पिता के लिए आवश्यक है, कि वह अपनी सन्तान से सम्यक् बोध और ज्ञान की अवस्था में भी किसी अवज्ञा वा अपराध के हो जाने पर, जब उसे कोई दण्ड देना उचित बोध करें, तब भी बहुत अधिक न दें।

माता पिता और सन्तान
के संबंध में
आदेश
सन्तान के लिए

1-सम्बन्ध बोध

(1) प्रत्येक सन्तान के लिए आवश्यक है, कि वह अपने माता पिता को अपना जन्म दाता, पालन कर्ता, रक्षा कर्ता और शिक्षा दाता उपलब्ध करके, उनके साथ अपना अति पवित्र और घनिष्ट संबंध अनुभव करे।

(2) प्रत्येक सन्तान के लिए आवश्यक है, कि वह अपने माता पिता के संबंध में अपने आपको सब प्रकार की नीच गतियों से मुक्त करने और मुक्त रखने, और उच्च गति दायक प्रत्येक भाव के उत्पन्न वा उन्नत करने की आवश्यकता को भली भान्त अनुभव करे।

2-सन्मान प्रदर्शन

(3) प्रत्येक सन्तान के लिए आवश्यक है, कि वह अपने माता पिता के प्रति उचित रूप से सन्मान भाव अनुभव और प्रदर्शन करे।

(4) प्रत्येक सन्तान के लिए आवश्यक है, कि वह अपने माता पिता के अतिरिक्त यदि उसके कोई विमाता वा विपिता भी हों, तो वह उनके प्रति भी उचित रूप से सन्मान प्रदर्शन करे।

(5) प्रत्येक सन्तान के लिए वह आवश्यक है, कि वह अपने माता पिता के सब माननीय संबंधियों आदि के प्रति भी उचित रूप से सम्मान प्रदर्शन करे।

3-कृतज्ञ भाव

(6) प्रत्येक सन्तान के लिए आवश्यक है, कि वह अपने माता पिता के उपकारों को सम्मुख लाकर उनके संबंध में अपने आप को सदा कृतज्ञ प्रमाणित करे।

4-शुश्रूषा और सेवा

(7) प्रत्येक सन्तान के लिए आवश्यक है, कि वह जहां तक अधिक से अधिक संभव हो, अपने माता पिता के रोग और दुःख और उनकी विपद्ग्रस्त और असहाय अवस्था में उनकी आवश्यक शुश्रूषा सेवा और सहाय करे।

(8) प्रत्येक सन्तान के लिए आवश्यक है, कि वह अपने माता पिता की शारीरिक, पारिवारिक और अन्यान्य आवश्यकताओं को जहां तक अपनी सामर्थ्य के

अनुसार पूरी कर सकता हो, वहां तक अपने तन मन और धनादि के द्वारा पूरी करे।

(9) प्रत्येक सन्तान के लिए आवश्यक है, कि वह जहां तक संभव हो, अपने माता पिता के भिन्न उनके किसी आश्रित मनुष्य वा पशु वा पौधे की भी उचित और विधेय रूप से सेवा करे।

(10) प्रत्येक सन्तान के लिए आवश्यक है, कि वह योग्यता रखने पर अपने माता पिता के लिए उनके ज्ञान और भाव विषयक विकास में जहां तक संभव हो, सेवाकारी बने।

(11) प्रत्येक सन्तान के लिए आवश्यक है, कि यदि उसे अपने माता पिता की ओर से कोई सम्पत्ति मिली हो, तो वह उसे उनका दान समझ कर उनके आत्म कल्याण के निमित्त शुभ कार्यों के लिए अर्पण करके उनके प्रति सेवाकारी बने।

5-आवश्यक रक्षा और उन्नति

(12) प्रत्येक सन्तान के लिए आवश्यक है, कि उसने अपने माता पिता से जिन जिन सद्गुणों को लाभ किया हो, उनकी रक्षा वा उन्नति करे।

(13) प्रत्येक सन्तान के लिए आवश्यक है, कि वह अपने माता पिता की प्रत्येक उत्तम प्रथा वा मर्यादा की भली भान्त रक्षा करे।

(14) प्रत्येक सन्तान के लिए आवश्यक है, कि वह सामर्थ्य रखने पर अपने माता पिता की स्मृति रक्षा के निमित्त एक वा दूसरा परोपकार विषयक कार्य जारी करे, अर्थात् कोई कूप, तालाब वा सराय आदि बनवाए, वा कोई विद्यालय वा औषधालय आदि जारी करे वा किसी हितकर संस्था में कोई कमरा आदि बनवा दे, इत्यादि।

(15) प्रत्येक सन्तान के लिए आवश्यक है, कि वह यथा आवश्यक अपने माता पिता के जीते जी, अथवा उनकी मृत्यु के पश्चात् उनके स्थापन किए हुए किसी साधारण हितकर काम की, जहां तक संभव हो, रक्षा और उन्नति करे।

6-हानि परिशोध

(16) प्रत्येक सन्तान के लिए आवश्यक है, कि वह अपनी ऐसी प्रत्येक अनुचित क्रिया के संबंध में बोध लाभ करने पर कि जिससे उसके माता पिता को किसी प्रकार का अनुचित क्लेश वा दुःख पहुंचा हो, वा उन्हें कोई अनुचित हानि प्राप्त हुई हो, उचित और यथेष्ट परिशोध करके उनके साथ अपने संबंध को पवित्र करे।

7-मंगल कामना

(17) प्रत्येक सन्तान के लिए आवश्यक है, कि वह अपने माता पिता के लिए उचित रूप से मंगल कामना का साधन करे।

8-अन्त्येष्टि क्रिया

(18) प्रत्येक सन्तान के लिए आवश्यक है, कि वह अपने माता पिता के देह त्याग करने पर, यथा संभव उनकी अन्त्येष्टि क्रिया में योग दे, और उसे देव समाज की अनुष्ठान विधि के अनुसार उचित रूप से पूरा करे।

वर्जित कर्म

****

1-शिथिलता

(1) प्रत्येक सन्तान के लिए आवश्यक है, कि वह जान बूझकर अपनी किसी अनुचित क्रिया से अपने माता पिता के साथ अपने संबंध को शिथिल न करे।

2-क्लेश वा दुःख

(2) प्रत्येक सन्तान के लिए आवश्यक है, कि वह जान बूझकर अपनी किसी अनुचित क्रिया से अपने माता पिता को किसी प्रकार का कोई क्लेश वा दुःख न पहुंचावे।

3-विमुखता

(3) प्रत्येक सन्तान के लिए आवश्यक है, कि उसने अपने माता पिता से जिन जिन सद्गुणों वा उच्च भावों की पूंजी प्राप्त की हो, उसके आवश्यक विकास की ओर से विमुख न हो।

(4) प्रत्येक सन्तान के लिए आवश्यक है, कि वह अपनी योग्यता के अनुसार अपने माता पिता के किसी अभाव को उचित विधि के द्वारा दूर करने वा उन्हें किसी उचित विधि के द्वारा प्रसन्न रखने वा प्रसन्न करने से कभी विमुख न हो।

(5) प्रत्येक सन्तान के लिए आवश्यक है, कि वह जहां तक संभव हो, अपने माता पिता के किसी रोग वा उनकी पीड़ा की अवस्था में उनकी आवश्यक शुश्रूषा करने से विमुख न हों।

(6) प्रत्येक सन्तान के लिए आवश्यक है, कि वह जहां तक सम्भव हो, ऐसे जनों और पशुओं आदि की आवश्यक शुश्रूषा और सेवा करने से विमुख न हो, कि जिनकी उसके माता पिता अपने जीवन में शुश्रूषा वा सेवा करते रहे हों।

4-हानि

(7) प्रत्येक सन्तान के लिए आवश्यक है, कि वह अपने माता पिता की किसी **उत्तम प्रथा वा मर्यादा** को अपनी किसी अनुचित क्रिया से हानि न पहुंचावे।

(8) प्रत्येक सन्तान के लिए आवश्यक है, कि वह आप कमाने के योग्य होकर अपने माता पिता से उन की उपार्जित किसी **सम्पत्ति** को प्राप्त करने की कोई कामना न रखे, और अपनी ऐसी अनुचित कामना के प्रकाश के द्वारा उनके अपनी उपार्जित सम्पत्ति का अपने आत्मिक कल्याण के लिए दान करने में विघ्नकारी बन कर उनकी कोई हानि न करे।

(9) प्रतयेक सन्तान के लिए आवश्यक है, कि उसे यदि अपने माता पिता से कोई **सम्पत्ति** मिली हो, तो वह उसे अपनी किसी **अनुचित** क्रिया से हानि न पहुंचावे।

(10) प्रत्येक सन्तान के लिए आवश्यक है, कि वह अपने माता पिता के स्थापन किए हुए किसी **उचित और साधारण हितकर काम** को अपनी किसी अनुचित क्रिया से हानि न पहुंचावे।

माता पिता सन्तान संबंधी शेष दिन
का साधन
****

1. इस साधन से पहले अपने साधनालय अथवा किसी अन्य स्थान को भली भान्त परिष्कृत और सुसज्जित करना चाहिए।

2. इस दिन जहां तक संभव हो, वहां तक प्रात:काल में ही यह साधन करना चाहिए।

3. इस दिन अपने शरीर को शुद्ध करके और उज्ज्वल वस्त्र और अपनी अपनी एकाकारी पहन कर नीचे लिखी हुई विधि के अनुसार इस विषय में सम्मिलित सभा करनी चाहिए:-

(1) सत्य देव भगवान देवात्मा की छवि के सम्मुख खड़े होकर पुष्पहार के द्वारा उनका अर्चन।

(2) देवस्तोत्र का उच्च स्वर के साथ सम्मिलित पाठ वा गान।

(3) सत्य देव भगवान देवात्मा को श्रद्धा पूर्वक प्रणाम।

(4) सत्य देव भगवान देवात्मा से इस साधन की सफलता के लिए आशीर्वाद प्रार्थना।

(5) माता पिता सन्तान संबंधी आदेशों का एकाग्रता के साथ धीरे धीरे पाठ वा श्रवण अथवा माता पिता और सन्तान के संबंध में कोई उपदेश।

(6) इस संबंध में वार्षिक पाठ और विचार के साधनों से प्रत्येक साधन कर्ता ने अपना जो जो कुछ मोक्ष वा विकास विषयक हित साधन किया हो, उस पर चिन्तन और उस के लिए सत्य देव भगवान देवात्मा के प्रति धन्यवाद आदि उच्च भावों का प्रकाश।

(7) आगामी वर्ष में परस्पर के संबंध को और भी विकार रहित और हितकर बनाने के निमित्त आकांक्षा और आशीर्वाद प्रार्थना।

(8) सत्य देव भगवान देवात्मा की चार बार जय ध्वनि खड़े होकर।

4. इस दिन यथा संभव माता पिता और उनकी सन्तान को आपस में मिलकर और अन्य दिनों की अपेक्षा उत्तम भोजन करना चाहिए।

केवल माता पिता और उनकी सन्तान
का सम्मिलित साधन

1-सन्तान की ओर से

(1) माता पिता अथवा उनमें से जो उसके समीप वर्तमान हों, उनका पुष्पहार के द्वारा अर्चन।

(2) माता पिता के लिए अपनी सामर्थ्य के अनुसार कोई भेंट।*

(3) माता पिता के संबंध में यज्ञ विषयक किसी गीत का गान।

(4) माता पिता के संबंध में भाव प्रकाश।

(5) माता पिता के चरणों में प्रणाम और उनसे आशीर्वाद प्रार्थना।

2-माता पिता की ओर से

(1) सन्तान में से जो जो जन उनके वा उनमें से किसी के समीप वर्तमान हों, उनका पुष्पहार के द्वारा अर्चन।

(2) प्रत्येक सन्तान को कुछ कुछ उपहार** का दान।

(3) सन्तान के संबंध में किसी गीत का गान।

(4) सन्तान के संबंध में भाव प्रकाश और आशीर्वाद दान।

(5) सत्य देव भगवान देवात्मा की चार बार जय ध्वनि खड़े होकर।

---

* यदि माता-पिता किसी और स्थान में वास करते हों, तो वह भेंट अवसर पाकर उसी स्थान में उनके पास भेज देनी चाहिए।

**यदि सन्तान किसी और स्थान में हो, तो यह उपहार अवसर पाकर उसी जगह उसके पास भेज देना चाहिए।

भाई भगिन

के संबंध में

पाठ और विचार के साधन

****

भाई भग्नि

के संबंध में

वार्षिक पाठ और विचार के साधन

भाई भग्नि के संबंध में वार्षिक पाठ और विचार के दिनों में प्रत्येक यज्ञ साधन कर्ता भाई वा बहिन के लिए जिन-जिन साधनों का करना विशेष रूप से आवश्यक है, वह यह हैं:-

(1) इन दिनों में साधन कर्ता प्रत्येक भाई वा बहिन को भाई भग्नि के संबंध आदेशों का विचार के साथ पाठ अथवा श्रवण करना चाहिए।

(2) इन दिनों में इस संबंध में आदेशों के पाठ और उन पर विचार करने से पहले प्रत्येक साधन कर्ता भाई बहिन को उनके द्वारा अपने भाई बहिनों के संबंध में अपनी किसी हीनता वा नीचता के देखने के निमित्त सत्य देव भगवान देवात्मा से उनकी देव ज्योति के लिए प्रार्थना करनी चाहिए।

(3) इन दिनों में साधन कर्ता प्रत्येक भाई बहिन को यह विचार करना चाहिए, कि उसने सत्य देव भगवान देवात्मा की शरण में आकर भाई भग्नि संबंधी आदेशों में से किन-किन के पालन करने की योग्यता लाभ की है, और उनके द्वारा उसका वा उसके भाई बहिनों का क्या-क्या उपकार हुआ है, और फिर उस उपकार को सम्मुख लाकर सत्य देव भगवान देवात्मा के प्रति धन्यवाद आदि भावों का प्रकाश करना चाहिए।

(4) इन दिनों में प्रत्येक साधन कर्ता भाई बहिन को अपने भाई बहिनों के संबंध में अपनी किसी हीनता वा नीचता के विषय में बोध प्राप्त करने पर उसके दूर करने के निमित्त अपनी ओर से बल प्रयोग करने के भिन्न, यथा आवश्यक सत्य देव भगवान देवात्मा से बल प्राप्ति के लिए प्रार्थना करनी चाहिए।

(5) इन दिनों में प्रत्येक साधन कर्ता भाई बहिन को अपने सब भाई बहिनों के सद्‌गुणों पर विशेष रूप से चिंतन करना चाहिए।

(6) इन दिनों में प्रत्येक साधन कर्ता भाई बहिन को अपने किसी भाई वा अपनी किसी बहिन की किसी हीनता वा नीचता वा उसके किसी अभाव के विषय में अवगति लाभ करना और उसके दूर करने के निमित्त आवश्यक उपाय सोचना और अवलम्बन करना चाहिए।

(7) इन दिनों में प्रत्येक साधन कर्ता भाई बहिन को अपने भाई बहिनों के प्रति अपने सद्‌भाव को विशेष रूप से बढ़ाने के निमित्त एक वा दूसरी चेष्टा करनी

चाहिए।

(8) इन दिनों में प्रत्येक साधन कर्ता भाई बहिन को यथा साध्य अपने प्रत्येक भाई और अपनी प्रत्येक बहिन के साथ विशेष रूप से सदालाप वा पत्र व्यवहार करना चाहिए।

(9) इन दिनों में प्रत्येक साधन कर्ता भाई बहिन को एक दूसरे की हितकर जीवन कथाओं का वर्णन वा पाठ वा श्रवण वा आवश्यकता और योग्यता होने पर उन्हें लिपिबद्ध करना चाहिए।

(10) इन दिनों में प्रत्येक साधन कर्ता भाई बहिन को अपने इस लोक और परलोक वासी सब भाई बहिनों के लिए विशेष रूप से मंगलकामना करनी चाहिए।

भाई भग्नि

के संबंध में

आदेश

1-सम्बन्ध बोध

(1) प्रत्येक भाई भग्नि के लिए आवश्यक है, कि वह अपने प्रत्येक भाई और अपनी प्रत्येक बहिन को अपने पिता, अपनी माता वा दोनों का अंश जानकर उसके साथ अपना घनिष्ट संबंध अनुभव करे।

(2) प्रत्येक भाई भग्नि के लिए आवश्यक है, कि वह अपने प्रत्येक भाई और अपनी प्रत्येक बहिन के संबंध में अपने आप को प्रत्येक पतनकारी भाव से मुक्त करने और मुक्त रखने, और प्रत्येक उत्पादक भाव के जाग्रत और उन्नत करने की आवश्यकता को भली भान्त अनुभव करे।

2-सन्मान भाव

(3) प्रत्येक भाई भग्नि के लिए आवश्यक है, कि वह अपने प्रत्येक भाई और अपनी प्रत्येक बहिन के प्रति अपने मिलने जुलने, उठने बैठने, बात चीत और पत्र व्यवहार करने आदि के बर्ताव में उचित रूप से आदर सन्मान प्रदर्शन करे।

3-स्नेह भाव

(4) प्रत्येक भाई भग्नि के लिए आवश्यक है, कि वह यथा अवसर अपने प्रत्येक भाई वा अपनी प्रत्येक बहिन के साथ हितकर बात चीत और पत्र व्यवहार के द्वारा उसके प्रति अपने हृदय में स्नेह भाव के उत्पन्न वा उन्नत करने की चेष्टा करे।

(5) प्रत्येक भाई भग्नि के लिए आवश्यक है, कि वह यथा अवसर अपने प्रत्येक भाई वा अपनी प्रत्येक बहिन के साथ निर्दोष खान पान में योग देकर उसके प्रति अपने हृदय में स्नेह भाव के उत्पन्न वा उन्नत करने की चेष्टा करे।

(6) प्रत्येक भाई भग्नि के लिए आवश्यक है, कि वह यथा अवसर अपने प्रत्येक भाई वा अपनी प्रत्येक बहिन के साथ निर्दोष खेल, व्यायाम, भ्रमण वा किसी अन्य उचित क्रिया में योग देकर उसके प्रति अपने हृदय में स्नेह भाव के उत्पन्न वा उन्नत करने की चेष्टा करे।

(7) प्रत्येक भाई भग्नि के लिए आवश्यक है, कि वह समय समय में अपने प्रत्येक भाई वा अपनी प्रत्येक बहिन को अपनी योग्यता के अनुसार उचित उपहार देकर अपने हृदय में उसके प्रति स्नेह भाव के उत्पन्न वा उन्नत करने की चेष्टा करे।

(8) प्रत्येक भाई भग्नि के लिए आवश्यक है, कि वह अपने प्रत्येक भाई वा अपनी प्रत्येक बहिन के पारिवारिक शुभ अनुष्ठानों वा अन्य आनन्दकारी अवसरों में यथा साध्य योग वा उपहार देकर उसके प्रति अपने हृदय में स्नेह भाव के उत्पन्न वा उन्नत करने की चेष्टा करे।

4–कृतज्ञ भाव

(9) प्रत्येक भाई भग्नि के लिए आवश्यक है, कि वह अपने प्रत्येक उपकारी भाई वा बहिन के उपकारों को बार बार स्मरण करके उसके प्रति अपने हृदय में कृतज्ञ भाव के उत्पन्न वा उन्नत करने की चेष्टा और उसे अपनी विविध क्रियाओं से प्रदर्शन करे।

5–अधिकार रक्षा

(10) प्रत्येक भाई भग्नि के लिए आवश्यक है, कि वह अपने प्रत्येक भाई वा अपनी प्रत्येक बहिन के उचित अधिकार की भली भान्त रक्षा करे।

(11) प्रत्येक भाई भग्नि के लिए आवश्यक है, कि वह अपने प्रत्येक भाई वा अपनी प्रत्येक बहिन के साथ किसी पैतृक सम्पत्ति के लाभ करने पर, उसकी बांट करने में राज्य विधि की पूर्ण रक्षा करे।

6–सहाय और सेवा

(12) प्रत्येक भाई भग्नि के लिए आवश्यक है, कि वह अपनी योग्यता के अनुसार जहां तक संभव हो, अपने प्रत्येक भाई और अपनी प्रत्येक बहिन के शुभ कामों में साथी और सहायक बने।

(13) प्रत्येक भाई भग्नि के लिए आवश्यक है, कि वह अपनी योग्यता और अपने अधिकार की सीमा के अनुसार अपने प्रत्येक भाई वा अपनी प्रत्येक बहिन की प्रत्येक अपराध वा पाप मूलक क्रिया से रक्षा करने की चेष्टा करे।

(14) प्रत्येक भाई भग्नि के लिए आवश्यक है, कि वह अपने प्रत्येक भाई वा अपनी प्रत्येक बहिन की आवश्यकता और अपनी योग्यता के अनुसार उसकी सब प्रकार की उत्तम शिक्षा की प्राप्ति में उचित रूप से सहाय करे।

(15) प्रत्येक भाई भग्नि के लिए आवश्यक है, कि वह अपने प्रत्येक भाई वा अपनी प्रत्येक बहिन की आवश्यकता और अपनी योग्यता के अनुसार उसके उच्च जीवन के विकास में उचित रूप से सहाय करे।

(16) प्रत्येक भाई भग्नि के लिए आवश्यक है, कि वह अपनी योग्यता के अनुसार जहां तक संभव हो, अपने प्रत्येक भाई और अपनी प्रत्येक बहिन की पीड़ा वा रोगी अवस्था में उचित रूप से सहाय और शुश्रूषा करे।

(17) प्रत्येक भाई भग्नि के लिए आवश्यक है, कि वह अपने किसी विपदग्रस्त अथवा असहाय भाई और बहिन को, जहां तक संभव हो, विधेय आश्रय और उचित सहाय दे।

(18) प्रत्येक भाई भग्नि के लिए आवश्यक है, कि वह यथा साध्य और यथा संभव अपने किसी भाई की असहाय पत्नी और अपनी किसी असहाय बहिन वा अपने किसी भाई वा बहिन के असहाय बच्चों को विधेय आश्रय दे, और उनके प्रत्येक शुभ में उचित रूप से सहायक बने।

7-हानि परिशोध

(19) प्रत्येक भाई भग्नि के लिए आवश्यक है, कि वह अपने प्रत्येक भाई और अपनी प्रत्येक बहिन के प्रति अपने किसी अपराध वा पाप के विषय में बोध लाभ करने पर, उसके लिए आवश्यक रूप से हानि परिशोध करके, उसके संबंध में अपने हृदय को पवित्र करे।

8-मंगल कामना

(20) प्रत्येक भाई भग्नि के लिए आवश्यक है, कि वह योग्यता रखने पर अपने प्रत्येक भाई और अपनी प्रत्येक बहिन के शुभ के लिए कामना करे।

वर्जित कर्म

****

(1) प्रत्येक भाई भग्नि के लिए आवश्यक है, कि वह अपने किसी भाई और अपनी किसी बहिन की **उचित स्वाधीनता** में किसी प्रकार का हस्तक्षेप न करे।

(2) प्रत्येक भाई भग्नि के लिए आवश्यक है, कि वह अपने किसी भाई वा अपनी किसी बहिन के किसी उचित अधिकार को किसी प्रकार की हानि न पहुंचावे।

(3) प्रत्येक भाई भग्नि के लिए आवश्यक है, कि वह जानबूझकर अपनी किसी बातचीत वा क्रिया के द्वारा अपने किसी भाई वा अपनी किसी बहिन को किसी प्रकार का अनुचित दुख वा क्लेश न पहुंचावे।

(4) प्रत्येक भाई भग्नि के लिए आवश्यक है, कि वह अपने किसी भाई वा अपनी किसी बहिन से किसी विषय में मतभेद रखने के कारण उसे किसी प्रकार का अनुचित दुख वा क्लेश न पहुंचावे।

(5) प्रत्येक भाई भग्नि के लिए आवश्यक है, कि वह यथा संभव और यथा

साध्य जान बूझकर, अपने किसी भाई वा अपनी किसी बहिन के रोग वा क्लेश के समय उसकी शुश्रूषा और सहाय करने से विमुख न हो।

(6) प्रत्येक भाई भग्नि के लिए आवश्यक है, कि वह अपने किसी भाई वा अपनी किसी बहिन के साथ किसी पैतृक सम्पत्ति के बांटने में राज्य विधि के विरुद्ध कोई क्रिया न करे।

(7) प्रत्येक भाई भग्नि के लिए आवश्यक है, कि वह यथा साध्य अपने किसी भाई वा अपनी किसी बहिन को किसी विपद् वा असहाय अवस्था में उसे आवश्यक और उचित आश्रय वा सहाय देने से विमुख न हो।

(8) प्रत्येक भाई भग्नि के लिए आवश्यक है, कि वह यथा साध्य अपने किसी भाई की असहाय पत्नी और उसके असहाय बच्चों अथवा अपनी किसी बहिन के अनाथ और असहाय बच्चों को उचित आश्रय और सहाय देने से विमुख न हो।

(9) प्रत्येक भाई भग्नि के लिए आवश्यक है, कि वह किसी विषय में हितकर ज्ञान वा शिक्षा लाभ करके उससे अपने किसी भाई वा अपनी किसी बहिन को यथा साध्य लाभ पहुंचाने अथवा उसके लाभ में उचित सहाय देने से विमुख न हो।

(10) प्रत्येक भाई भग्नि के लिए आवश्यक है, कि वह अपनी योग्यता के अनुसार, जहां तक संभव हो, अपने किसी भाई वा अपनी किसी बहिन की पतनकारी भावों से मोक्ष और उसके उच्च जीवन के विकास में सहाय करने से विमुख न हो।

भाई भग्नि के संबंध में शेष दिन का साधन

****

1. इस साधन के लिए अपने साधनालय अथवा किसी अन्य स्थान को समय से पहले परिष्कार और सुसज्जित करना चाहिए।

2. इस दिन जहां तक संभव हो, वहां तक प्रातः काल में ही यह साधन करना चाहिए।

3. इस दिन अपने शरीर को शुद्ध करके और उजले वस्त्र और अपनी अपनी एकाकारी पहन कर सभा में योग देना चाहिए।

4. इस दिन नीचे लिखी हुई विधि के अनुसार सम्मिलित सभा करनी चाहिए:-

(1) सत्य देव भगवान देवात्मा की छवि के सम्मुख खड़े होकर पुष्पहार के द्वारा उनका अर्चन।

(2) देवस्त्रोत का उच्च स्वर के साथ गान।

(3) सत्य देव भगवान देवात्मा को श्रद्धापूर्वक प्रणाम।

(4) सत्य देव भगवान देवात्मा से सभा की सफलता के लिए आशीर्वाद प्रार्थना।

(5) भाई भग्नि के संबंध में आदेशों का एकाग्रता के साथ धीरे-धीरे पाठ वा श्रवण, अथवा भाई बहिनों के संबंध के विषय में कोई उपदेश।

(6) इस संबंध में साधनों के द्वारा प्रत्येक साधन कर्ता ने अपना जो कुछ मोक्ष वा विकास विषयक हित साधन किया हो, उस पर चिंतन और उसे स्मरण करके यज्ञ स्थापन कर्ता श्री देवगुरु भगवान के प्रति धन्यवाद आदि भावों का प्रकाश।

(7) आगामी वर्ष में परस्पर के संबंध को और भी विकार रहित और हितकर बनाने के निमित्त आकांक्षा और आशीर्वाद प्रार्थना।

(8) सत्य देव भगवान देवात्मा की चार बार जय ध्वनि खड़े होकर।

5. इस दिन और दिनों की अपेक्षा उत्तम भोजन खाना चाहिए।

6. इस दिन एक स्थान में वर्तमान भाई बहिनों को मिलकर आहार करना चाहिए।

केवल एक परिवार के भाई बहिनों के लिए
सम्मिलित साधन की विधि
****

(1) भाई बहिनों में से जो-जो जन साधन में वर्तमान हों, वह एक दूसरे का पुष्पहार के द्वारा अर्चन करें।

(2) प्रत्येक भाई बहिन एक दूसरे को कोई न कोई वस्तु उपहार दें।

(3) प्रत्येक भाई बहिन एक दूसरे के संबंध में अपने-अपने भावों का प्रकाश करें।

(4) सब भाई बहिन मिलकर भाई भग्नि यज्ञ विषयक किसी गीत का गान करें

(5) सब भाई बहिन एक दूसरे को उचित रूप से प्रणाम करके वा आशीर्वाद दे के यह साधन समाप्त करें।

देव समाज

के संबंध में

पाठ और विचार के साधन

****

देव समाज
के संबंध में
वार्षिक पाठ और विचार के साधन

देव समाज विषयक वार्षिक पाठ और विचार के दिनों में प्रत्येक साधन कर्ता के लिए जिन-जिन साधनों का करना विशेष रूप से आवश्यक है, वह यह हैं:-

(1) इन दिनों में प्रत्येक साधन कर्ता को देव समाज के संबंध में आदेशों का विचार के साथ पाठ अथवा श्रवण करना चाहिए।

(2) इन दिनों में इन आदेशों के पाठ और उन पर विचार करने से पहले प्रत्येक साधन कर्ता को देव समाज के संबंध में उनके द्वारा अपनी किसी हीनता वा नीचता के देखने के निमित्त सत्य देव भगवान देवात्मा से उच्च ज्योति की प्राप्ति के लिए प्रार्थना करनी चाहिए।

(3) सत्य देव भगवान देवात्मा की शरण में आकर यज्ञ साधन कर्ता ने पूर्वोक्त आदेशों में से जिन-जिन के पालन करने की योग्यता लाभ की हो, उन्हें इन दिनों में अपने सम्मुख लाकर भगवान देवात्मा के प्रति धन्यवाद आदि भावों का प्रकाश करना चाहिए।

(4) इन दिनों में प्रत्येक साधन कर्ता को देव समाज के संबंध में अपनी किसी हीनता वा नीचता के विषय में बोध प्राप्त करने पर, उसके दूर करने के निमित्त अपनी ओर से बल प्रयोग करने के भिन्न, यथा आवश्यक सत्य देव भगवान देवात्मा से बल प्राप्ति के लिए प्रार्थना करनी चाहिए।

(5) देव समाज के साथ योग करके प्रत्येक साधन कर्ता का अपना और उस के द्वारा औरों का जो-जो कुछ हित हुआ हो, उस पर इन दिनों में बारंबार विचार करना और उसके विषय में यथा साध्य लिखना और उसके लिए भगवान देवात्मा के प्रति धन्यवाद आदि भावों का प्रकाश करना चाहिए।

(6) इन दिनों में प्रत्येक साधन कर्ता को अपने साधन स्थान में सत्य देव भगवान देवात्मा के **विजय पताका** को विशेष रूप से सुसज्जित करना चाहिए, और वह जिस **आदर्श** की सूचक है, उसके संबंध में पाठ और विचार करना चाहिए।

(7) इन दिनों में प्रत्येक साधन कर्ता को अपनी योग्यता अनुसार **देव** समाज के संबंध में विशेष रूप से एक वा दूसरे प्रकार की सेवा करनी चाहिए।

(8) इन दिनों में प्रत्येक साधन कर्ता को देव समाज के इतिहास के संबंध में विविध लेखों का पाठ वा श्रवण करना और योग्यता रखने पर उसके विषय में

लेख लिखना चाहिए।

(9) इन दिनों में प्रत्येक साधन कर्ता को सब समाजोत्सवों के निर्विघ्न रूप से पूर्ण होने और उन में सत्य देव भगवान देवात्मा के अधिक से अधिक देव प्रभावों के प्रकाश के निमित्त उन से प्रार्थना करनी चाहिए।

(10) इन दिनों में प्रत्येक साधन कर्ता को यथा साध्य समाज के किसी उत्सव क्षेत्र में कुछ दिन पहले से पहुंच कर उसके आयोजन कार्य में उत्साह पूर्वक भाग लेना चाहिए।

(11) इन दिनों में प्रत्येक साधन कर्ता के हृदय में देव समाज के मुख्य उद्देश्यों, उसके गठन विषयक नियमों और उसकी अवस्था और उन्नति के विषय में अपनी योग्यता के अनुसार चिंतन और विचार करके जो कुछ शुभ संकल्प उत्पन्न हों वा तजवीज़ें सामने आवें उन्हें अपनी साधन पुस्तक में लिखना चाहिए और उन्हें उत्सव संबंधी किसी निर्दिष्ट सभा में विचार के लिए उपस्थित करना और उनकी पूर्ति के संबंध में उत्साह पूर्वक भाग लेना चाहिए।

(12) इन दिनों में प्रत्येक साधन कर्ता को योग्यता रखने पर देव समाज और उसके विविध विभागों के कार्य की सब प्रकार से रक्षा और उन्नति के संबंध में मंगल कामना करनी चाहिए।

देव समाज
के संबंध में
आदेश

1-सम्बन्ध बोध

(1) देव समाज से संबंधित प्रत्येक जन के लिए आवश्यक है, कि वह देव समाज में सत्य देव भगवान देवात्मा के देव प्रभावों के अनुपम और महा हितकर कार्य को देखकर और उसमें अपने आत्मा के उद्धार और विकास के लिए अति उच्च और अमूल्य सामग्री को पाकर, उसके साथ अपना घनिष्ट संबंध **अनुभव** करे।

(2) देव समाज से संबंधित प्रत्येक जन के लिए आवश्यक है, कि वह देव समाज की गठन में अपने आपको एक अंग अनुभव करे।

(3) देव समाज से संबंधित प्रत्येक जन के लिए आवश्यक है, कि वह देव समाज के संबंध में अपने आपको प्रत्येक नीच गति से मुक्त करने और मुक्त रखने, और प्रत्येक हित उत्पादक भाव के जाग्रत वा उन्नत करने की आवश्यकता को भली भांत अनुभव करे।

(4) देव समाज से संबंधित प्रत्येक जन के लिए आवश्यक है, कि वह अपने आपको देव समाज की गठन में एक अंग जानकर उसके प्रत्येक विभाग की उन्नति के लिए अपने हृदय में आकांक्षा अनुभव करे।

2-सामाजिक तत्व ज्ञान

(5) देव समाज से संबंधित प्रत्येक जन के लिए आवश्यक है, कि वह इस सत्य को जाने और भलीभांत उपलब्ध करे, कि नाना जन **दल-बद्ध** होकर ही किसी शुभ लक्ष्य वा कार्य में उन्नति कर सकते हैं।

(6) देव समाज से संबंधित प्रत्येक जन के लिए आवश्यक है, कि वह इस सत्य को जाने और भली भांत उपलब्ध करे, कि एक लक्ष्य धारी नाना जन परस्पर आबद्ध होकर ही कोई **शक्तिशाली समूह** बन सकते हैं।

(7) देव समाज से संबंधित प्रत्येक जन के लिए आवश्यक है, कि वह इस सत्य को जाने और भली भांत उपलब्ध करे, कि मनुष्य शरीर के नाना अंगों की न्याईं नाना जन अपने-अपने अधिकार के अनुसार ही नाना प्रकार के अंग बनकर देव समाज जैसी महा हितकर समाज की गठन में सम्मिलित हो सकते हैं।

(8) देव समाज से संबंधित प्रत्येक जन के लिए आवश्यक है, कि वह इस

सत्य को जाने और भली भांत अनुभव करे, कि जैसे मनुष्य शरीर की रक्षा और पालना के निमित्त उसके प्रत्येक अंग के लिए उसमें सहायक और सेवाकारी बनना आवश्यक है, वैसे ही देव समाज रूपी वृहत् और महा कल्याणकारी शरीर की रक्षा और उन्नति में उसके प्रत्येक अंग अर्थात् उसकी प्रबन्धकारणी परिषद, प्रतिनिधि सभा, उसके पदधारी, कर्मचारी, मैम्बर और सहायक के लिए सहायक और सेवाकारी बनना आवश्यक है।

3-मुख्य उद्देश्य और साधन

(9) देव समाज से संबंधित प्रत्येक जन के लिए आवश्यक है, कि वह देव समाज के निम्नलिखित मुख्य उद्देश्यों को भली भांत जाने और उपलब्ध करे:-

नेचर के विकासकारी नियम के अनुसार अपने परम लक्ष्य में जहां तक सम्भव हो, सेवाकारी वा सहायकारी होने के निमित्त ही भगवान देवात्मा ने देव समाज को स्थापन किया है, इसलिए उनके परम लक्ष्य में जहां तक सम्भव हो, अधिक से अधिक सेवाकारी बनने के योग्य होना ही देव समाज का एक मात्र सत्य और प्रधान लक्ष्य है। इस अभिप्राय के निमित्त उसके जो चार प्रकार के उद्देश्य रखे गए हैं, वह यह हैं:-

पहला उद्देश्य

1-देव समाज से बाहर के जनों में-चाहे वह किसी देश वा किसी सम्प्रदाय वा किसी जाति वा किसी रंग के हों-अपने सुयोग्य और जहां तक सम्भव हो, सनद प्राप्त कर्मचारियों के द्वारा भगवान देवात्मा के संबंध में देव समाज के मूल वाक्य विषयक सब सत्यों का प्रचार करना अर्थात्:-

भगवान देवात्मा के **अद्वितीय आविर्भाव**, **उन की अद्वितीय देव शक्तियों**, उनकी अद्वितीय देव शक्तियों से उनमें जिस **अद्वितीय देव ज्योति** और जिस **अद्वितीय देवतेज** का विकास हुआ है, उस अद्वितीय देव ज्योति और उस अद्वितीय देवतेज की सच्चाइयों का प्रचार करना; और इस महा सत्य की घोषणा करना कि इन सब सच्ची और अद्वितीय देव शक्तियों से विशिष्ट वही **एक मात्र** सत्य देव हैं, और वही सब देशों के अधिकारी लोगों के लिए **एक मात्र सत्य उपास्य हैं**, और उनके भिन्न कोई और सत्य देव वा कोई और सत्य उपास्य नहीं।

2-**उपरोक्त सच्ची देव शक्तियों से विहीन** सब प्रकार के कहलाने वाले देवतों और देवियों और अन्य उपास्यों के **विश्वासों** और उन की पूजा से अधिकारी जनों को मोक्ष देना।

3-सब अधिकारी जनों को भगवान देवात्मा के रचे हुए **देव शास्त्र** के आखिरी संस्करण की शिक्षा के अनुसार **धर्म के विषय में सत्य ज्ञान का उपदेश देना**, और उन सब पर इस महा सत्य को प्रगट करना, कि

(1) मनुष्यात्मा के गठन प्राप्त रूप, (2) उस के पतन, (3) उस पतन के कारणों, उस पतन के महा हानिकारक फलों, (4) उन से मोक्ष की सत्य विधि, (5) उस में उच्च जीवन उत्पादक उच्च भावों की उत्पत्ति और उन्नति की आवश्यकता और (6) उस की प्राप्ति की सत्य विधि, के विषय में जो सत्य ज्ञान है; वही सत्य ज्ञान **सत्य धर्म का ज्ञान** है। इस सत्य ज्ञान को छोड़ कर धर्म वा मज़हब के नाम से मनुष्य जगत् में जहां जहां और जितने प्रकार की शिक्षा प्रचलित है, वह सब की सब पूर्णत मिथ्या है।

4-अधिकारी जनों को कम से कम **उन सब पापों से मोक्ष** देने का यत्न करना, कि जिन से मोक्ष पाने और विरत रहने के योग्य होने पर ही कोई जन देव समाज का मेम्बर वा सभासद् बन सकता है और उन में से जो जो देव समाज की मेम्बरी की शर्तें पूरी कर सकते हों और उन में शामिल होना अपना परम अधिकार समझते हों, उन्हें देव समाज का मेम्बर वा सभासद् बनाना और जो जो जन देव समाज के सहायक बनने की शर्ते पूर्ण करके सहायक बनना चाहते हों, उन्हें उसका सहायक बनाना।

5-मनुष्य जगत् में धर्म के नाम से जितनी और और जिस जिस प्रकार की **मिथ्या शिक्षा** जारी है, उस के **मिथ्यापन** को अधिकारी जनों में भगवान देवात्मा की **देव ज्योति** को पहुंचाकर प्रगट करना और **धर्म के नाम से जहां जहां और जिस जिस प्रकार के मिथ्या विश्वास वा मिथ्या मत फैले हुए हैं**, उनका नरम शब्दों में **अपने मुख और लेखों के द्वारा प्रतिवाद या खण्डन करना** और उनसे अधिकारी जनों को मोक्ष देना।

6-जो लोग देव समाज के सहायक बन चुके हों, उन में से जो जो जन उन्नत होकर उस की मेम्बरी का उच्च अधिकार लाभ करने के योग्य हों, उन्हें इस अधिकार की प्राप्ति के योग्य बनाना।

7-जो जन देव समाज के सभासद् वा मेम्बर बन चुके हों, उनके पारिवारिक जनों में से जिस जिस के लिए सम्भव हो, उसे भी देव समाज का मेम्बर वा सहायक बनाने का यत्न करना।

8-भगवान देवात्मा के परम लक्ष्य और उन की धर्म विषयक सत्य शिक्षा और उनकी देव समाज के संबंध में **जो जो जन विरोधी बनकर** विविध प्रकार की

मिथ्याओं का प्रचार करके लोगों में उनके प्रति **मिथ्या विश्वासों** के उत्पन्न करने और उन्हें भगवान देवात्मा के संबंध में घृणाकारी बनाने का **महा पाप** करते हों, **उन की उन मिथ्याओं का अपने वाक्य वा लेख वा दोनों के द्वारा भली भांत प्रतिवाद वा खण्डन करना**, और ऐसे जनों की इन महा पाप-मूलक क्रियाओं के बुरे प्रभावों से **जहां तक सम्भव हो, लोगों** को मोक्ष देना और उनकी रक्षा करना।

दूसरा उद्देश्य

देव समाज के साथ जिन जिन जनों का संबंध स्थापन हो चुका हो,

1-उन में से उनके अहं अनुरागजात घमंड, घृणा, स्वेच्छाचार और स्वार्थ भावों को यथा साध्य नष्ट करने का यत्न करना; और देव समाज की ऐसी उच्च संगत में रहने और उसके उच्च प्रभावों के द्वारा श्रेष्ट बनने की आवश्यकता को उन पर प्रगट करना और उसके लिए उनमें आकांक्षा उत्पन्न और उन्नत करना कि जिस में भगवान देवात्मा के **देव प्रभावों** का प्रकाश होता हो।

2-उनमें से जिन जिन जनों में **सत्य देव भगवान देवात्मा** के साथ **आत्मिक संबंध** स्थापन करने और एक वा दूसरी सीमा तक उनकी **आत्मिक सत्य पूजा** करने के निमित्त विश्वास, श्रद्धा, कृतज्ञता आदि **सात्विक भावों** में से जो जो भाव उत्पन्न और उन्नत हो सकते हों, उनमें उन भावों को विकसित करना, और उन्हें उनके द्वारा जहां तक सम्भव हो, भगवान देवात्मा की **सच्ची आत्मिक पूजा वा उपासना** करने का अभ्यासी बनाना।

3-उन में से अधिकारी जनों को जहां तक उन की योग्यता के अनुसार सम्भव हो, **भगवान देवात्मा के रचे हुए देव शास्त्र** के आखिरी संस्करण के प्रत्येक खण्ड की शिक्षा देना।

4-उन में से जिन जिन में जहां तक योग्यता हो,

(1) अन्य विविध पापों के संबंध में **बोध और उच्च घृणा जाग्रत और उन्नत करना,** और उनके एक वा दूसरे पाप कर्म के विषय में **हानि परिशोध** का भाव उत्पन्न करके उन्हें उनके **विकारों** से मोक्ष देना और पवित्र बनाना।

(2) उन्हें सब प्रकार के पाप और मिथ्या-मूलक अनुष्ठानों से मोक्ष देना और देव समाज के हितकर अनुष्ठानों के ग्रहण और पूरा करने के योग्य बनाना।

(3) उन्हें उनके मिथ्या मतों के सूचक सब प्रकार के चिन्हों से मोक्ष देना।

(4) उन्हें सब प्रकार के प्रचलित मिथ्या जाति भेद और सब प्रकार की मिथ्या वा पाप-मूलक प्रथाओं-यथा स्त्रियों में अनुचित पर्दा, विधवा स्त्रियों के उचित विवाह में रोक, विवाहों और मौत के अवसरों पर रुपए का अनुचित खर्च, मृत्यु के अवसरों

पर स्यापा और अनुचित शोक आदि से मोक्ष देना।

5-उन में से अधिकारी जनों में एक वा दूसरे प्रकार के **अमिताचार वा असंयम** का बोध उत्पन्न करना और उन्हें उनके असंयम से मोक्ष देकर **संयमी** बनाना।

6-उनमें से अधिकारी जनों में उचित सम्मान आदि अति आवश्यक बोधों को उत्पन्न करके उन्हें **अशिष्टाचार** से मोक्ष देकर **शिष्टाचारी** बनाना।

7-उनमें से अधिकारी जनों में (1) परिष्कारिता (2) परिपाटी (3) सौंदर्य (4) नियमितता (5) कर्तव्य विषयक बाध्यता (6) संगठन प्रियता (7) आत्म-सम्मान (8) आत्म-सहाय (9) आत्म निर्भरता (10) सामाजिक सेवा आदि के श्रेष्ट भावों को उत्पन्न करना और ऐसे आवश्यक भावों को उत्पन्न और उन्नत करके उनमें **उच्च चरित्र** का विकास करना और इस विकास के द्वारा उन्हें श्रेष्ट श्रेणी का मनुष्य और विश्वास का पात्र बनाना।

8-उनमें से अधिकारी जनों को, जहां तक सम्भव हो, उनकी अपनी अपनी योग्यता के अनुसार मनुष्य जगत्, पशु जगत्, उद्भिद् जगत् और भौतिक जगत् के संबंध में **विशुद्ध सेवाकारी** बनाना।

तीसरा उद्देश्य

देव समाज की परोपकार विषयक विविध संस्थाओं की रक्षा और उन्नति और उसी प्रकार की और नई परोपकार विषयक संस्थाओं को जारी करने के निमित्त,

1-देव समाज के सब आवश्यक फंडों की प्रति वर्ष भली भांत उन्नति करना।

2-उपरोक्त संस्थाओं को **सत्य** वा **देव धर्म** के **प्रचार** का उपयोगी क्षेत्र बनाना और जहां तक सम्भव हो उनमें से अधिकारी जनों को देव समाज का मेम्बर वा सहायक बनाना।

3-उसकी सब प्रकार की संस्थाओं की उन्नति के लिए जिस जिस प्रकार के **कर्तव्य बोधी और उन्नति** के **प्रेमिक** जनों की आवश्यकता है, उन्हें उत्पन्न वा प्राप्त करना।

4-जहां तक सम्भव हो, ऐसी संस्थाओं में ऐसे ही कर्तव्य बोधी और उन्नति के प्रेमिक जन नियुक्त करके उनके द्वारा उनका परिचालन करना।

चौथा उद्देश्य

देव समाज के सब प्रकार के शुभ कामों की उन्नति के लिए

1-जिस जिस प्रकार के और जिस जिस भाषा में अखबारों के जारी करने की आवश्यकता हो, उनके जारी करने के समय के आने पर यत्न और प्रबन्ध करना और

उन्हें जारी करना।

2-जिस जिस प्रकार की और जिस जिस भाषा में पुस्तकों की आवश्यकता हो, उनके संकलन वा रचना करने के निमित्त देव समाज के अधिकारी जनों में से सुयोग्य जन तैयार करना।

3-देव समाज के आत्मिक परिवर्तन विभाग की उन्नति के लिए जिस जिस प्रकार के **त्यागी** और **समर्पणकारी** कर्मचारियों की आवश्यकता है, उनके उत्पन्न करने के लिए आवश्यक संस्थाएं स्थापन करना।

4-अन्य विविध प्रकार के उचित उपाय सोचना और अवलम्बन करना।

(10) देव समाज से संबंधित प्रत्येक जन के लिए आवश्यक है कि वह इस सत्य को जाने और भली भांत उपलब्ध करे कि देव समाज प्रबंधकारणी परिषद, देवसमाज प्रतिनिधि सभा, समाज के कर्मचारी, उसकी पुस्तकें, उसके समाचार पत्र और धर्म विकासालय, साधनाश्रम, लड़के और लड़कियों के नाना विद्यालय, विविध धन भण्डार, विधवा और सधवा आश्रम, सेवा समितियां, अनाथालय आदि उस की नाना संस्थाएं जिनका उसके उपरोक्त पिछले दो उद्देश्यों में वर्णन है, वह सब उसके उक्त पहले दो उद्देश्यों की सिद्धि के लिए केवल सहाय स्वरूप है।

4-सामाजिक गठन

(11) देव समाज से संबंधित प्रत्येक जन के लिए आवश्यक है, कि वह इस सत्य को जाने और भली भांत उपलब्ध करे, कि देव समाज की गठन में उसके मुख्य उद्देश्यों की पूर्ति के निमित्त उसके मूल और अन्य नियमों के अनुसार उसके कर्मचारी, सेवक और सहायक केवल **अपनी-अपनी आत्मिक योग्यता** के अनुसार ही अपेक्षाकृत उच्च वा निम्न स्थान पा सकते हैं।

(12) देव समाज से संबंधित प्रत्येक जन के लिए आवश्यक है, कि वह इस सत्य को जाने और भली भांत उपलब्ध करे, कि क्या सारी देव समाज और क्या उसके किसी विभाग के परिचालन के वही जन अधिकारी हो सकते हैं, कि जो उसके आदर्श के संबंध में यथेष्ट रूप से अनुरागी बन चुके हों, और उसके पूरा करने के निमित्त व्रती बनने की योग्यता रखते हों।

5-सामाजिक शासन

(13) देव समाज से संबंधित प्रत्येक जन के लिए आवश्यक है, कि वह इस सत्य को जाने और भली भांत उपलब्ध करे, कि सामाजिक गठन में अंग बनकर प्रत्येक जन के लिए उचित सीमा तक सामाजिक शासन के अधीन रहना आवश्यक है।

(14) देव समाज से संबंधित प्रत्येक जन के लिए आवश्यक है, कि वह देव समाज का अंग बनकर अपने हृदय में शासन विषयक **बाध्य भाव** के जाग्रत और उन्नत करने के लिए चेष्टा करे, और उसका जो भाव उसमें बाधाकारी हो, उसे दमन करने का अभ्यास करे।

6-सामाजिक सेवा

(15) देव समाज से संबंधित प्रत्येक जन के लिए आवश्यक है, कि वह अपनी योग्यता के अनुसार सत्य भगवान देवात्मा की धर्म विषयक सत्य शिक्षा और उनके अद्वितीय देव रूप और उनके देव प्रभावों के द्वारा देव समाज में विविध प्रकार का जो महा हितकर कार्य हो रहा है उसकी महिमा का वर्णन करके और लोगों में उसके प्रति श्रद्धा उत्पन्न करके उसके लिए सेवाकारी बने।

(16) देव समाज से संबंधित प्रत्येक जन के लिए आवश्यक है, कि वह योग्यता रखने पर देव समाज के विषय में अच्छे-अच्छे लेखों और पुस्तकों की रचना और उनका प्रकाशन करके, उसके लिए सेवाकारी बने।

(17) देव समाज से संबंधित प्रत्येक जन के लिए आवश्यक है, कि वह अपनी योग्यता के अनुसार देव समाज संबंधी पुस्तकों और समाचार पत्रों को लोगों में फैलाकर या उनका प्रचार करके, उसके लिए सेवाकारी बने।

(18) देव समाज से संबंधित प्रत्येक जन के लिए आवश्यक है, कि वह अपनी योग्यता के अनुसार देव समाज के कर्मचारियों, सेवकों और सहायकों की संख्या को बढ़ाकर वा उस में ग्रहीत जनों की आत्मिक रक्षा और उन्नति करके उसके लिए सेवाकारी बने।

(19) देव समाज से संबंधित प्रत्येक जन के लिए आवश्यक है, कि वह योग्यता रखने पर देव समाज की ग्रहीत पुस्तकों में से किसी एक वा दूसरी पुस्तक का किसी भाषा में अनुवाद करके उसके प्रकाश के द्वारा, उसके लिए सेवाकारी बने।

(20) देव समाज से संबंधित प्रत्येक जन के लिए आवश्यक है, कि वह योग्यता रखने पर कोई समाचार पत्र संपादन वा प्रकाशन करके, देव समाज के लिए सेवाकारी बने।

(21) देव समाज से संबंधित प्रत्येक जन के लिए आवश्यक है, कि वह देव समाज और उस की विविध संस्थाओं की उन्नति के लिए जहां तक अपनी योग्यता के अनुसार,

(अ) अपना धन, अपनी धरती वा अन्य सम्पत्ति दे सकता हो,

(इ)   अपने तन से परिश्रम कर सकता हो,

(उ) अपनी विद्या वा बुद्धि से सहाय कर सकता हो,

(क) अपनी किसी और शक्ति को काम में ला सकता हो,

वहां तक उन्हें अर्पण करके, उसके लिए सेवाकारी बने।

(22) देव समाज से संबंधित प्रत्येक जन के लिए आवश्यक है, कि वह देव समाज के लिए जिस किसी जन से किसी प्रकार का कोई दान वा किसी प्रकार की कोई सहाय प्राप्त कर सकता हो, उसे प्राप्त करके उसके लिए सेवाकारी बने।

7-हानि परिशोध

(23) देव समाज से संबंधित प्रत्येक जन के लिए आवश्यक है, कि वह देव समाज के संबंध में अपनी किसी अनुचित क्रिया के लिए सामाजिक शासन की ओर से सूचित किए जाने अथवा अपने आप बोध प्राप्त करने पर, किसी उचित क्रिया वा उचित परिशोध के द्वारा उसके साथ अपने संबंध को पवित्र करे।

8-मंगलकामना

(24) देव समाज से संबंधित प्रत्येक जन के लिए आवश्यक है, कि वह योग्यता रखने पर देव समाज के कर्मचारियों, उसकी विविध संस्थाओं और उनके परिचालकों को स्मरण करके सरल भाव से उनकी उन्नति के लिए मंगल कामना करे।

वर्जित कर्म

****

(1) देव समाज से संबंधित प्रत्येक जन के लिए आवश्यक है, कि वह अपने हृदय में देव समाज के प्रति किसी प्रकार का विरोधी भाव न रखे।

(2) देव समाज से संबंधित प्रत्येक प्रत्येक जन के लिए आवश्यक है, कि वह देव समाज के संबंध में कोई ऐसी चिन्ता वा क्रिया न करे, कि जिससे देव समाज के साथ उसके संबंध के कुछ भी शिथिल हो जाने की संभावना तक हो।

(3) देव समाज से संबंधित प्रत्येक जन के लिए आवश्यक है, कि वह देव समाज के संबंध में अपनी प्रतिज्ञाओं के विरुद्ध कोई ऐसी बातचीत वा अन्य क्रिया न करे, कि जिससे उसे वा उसकी समाज को किसी प्रकार की हानि पहुंच सकती हो।

(4) देव समाज से संबंधित प्रत्येक जन के लिए आवश्यक है, कि वह अपनी समाज को किसी के द्वारा किसी प्रकार की हानि पहुंचती हुई देखकर, यथा

शक्ति उसके दूर करने से विमुख न हो।

(5) देव समाज से संबंधित प्रत्येक जन के लिए आवश्यक है, कि वह अपने पारिवारिक और अन्य जनों में देव समाज के प्रति श्रद्धा उत्पन्न वा वर्द्धन करने से विमुख न हो।

(6) देव समाज से संबंधित प्रत्येक जन के लिए आवश्यक है, कि वह देव समाज के संबंध में किसी एक वा दूसरे प्रकार के अभाव को जानकर अपनी सामर्थ्य के अनुसार उसके दूर करने के निमित्त आवश्यक सहाय करने से विमुख न हो।

(7) देव समाज से संबंधित प्रत्येक जन के लिए आवश्यक है, कि वह देव समाज के द्वारा विविध प्रकार का हित पाकर उसके प्रति कभी कृतघ्न न बने।

(8) देव समाज से संबंधित प्रत्येक जन के लिए आवश्यक है, कि वह देव समाज की किसी संस्था की उन्नति के संबंध में उदासीन न रहे।

देव समाज उत्सव
****

(1) देव समाज प्रबंधकारिणी परिषद् की ओर से प्रकाशित कार्य प्रणाली के अनुसार उसके विविध क्षेत्रों में समाजोत्सव का सम्मिलित साधन होना चाहिए।

(2) समाजोत्सव संबंधी प्रत्येक स्थान को जहां तक संभव हो, भली भांत परिष्कार और सुसज्जित करना चाहिए।

(3) जिस उत्सव क्षेत्र में जो कोई यात्री योग देना चाहता हो, उसमें उसे, जहां तक संभव हो, प्रथम सभा से कुछ काल पहले ही पहुंच जाना चाहिए।

(4) उत्सव की सभाओं में अपने अपने शरीर को शुद्ध करके और उजले वस्त्र और अपनी अपनी एकाकारी पहन कर योग देना चाहिए।

(5) उत्सव क्षेत्र में यात्रियों के ठहरने और उनके आहार आदि का उचित रूप से प्रबंध होना चाहिए।

(6) उत्सव क्षेत्र में यात्रियों की आवश्यक सेवा और शुश्रूषा का उचित रूप से प्रबंध होना चाहिए।

(7) उत्सव क्षेत्र के किसी स्थान को जहां तक संभव हो, किसी यात्री को मैला और भ्रष्ट न करना चाहिए।

(8) उत्सव क्षेत्र में जो स्थान जिस काम के लिए नियत हुआ हो, उसमें जहां तक संभव हो, केवल वही काम होना चाहिए।

(9) उत्सव संबंधी जिस-जिस कार्य सम्पादन का बोझा जिस जिस जन पर रखा गया हो, उसे अपने-अपने कार्य को अपनी सामर्थ्य के अनुसार उत्तम से उत्तम

रूप से संपादन करना चाहिए।

(10) उत्सव के अवसर पर जिस जिस स्थान में जो जो सहायक वा अन्य जन सेवक वा सेवका बनने के अभिलाषी और योग्य हों, उन्हें सेवकी में ग्रहण करना चाहिए और जो जो जन सहायक बनने के योग्य हों, उन्हें सहायक बनाना चाहिए।

पति पत्नी
के संबंध में
पाठ और विचार के साधन
****

पति पत्नी
के संबंध में
वार्षिक पाठ और विचार के साधन
1-पत्नी के लिए

पति पत्नी विषयक वार्षिक पाठ और विचार के दिनों में प्रत्येक धर्म पत्नी के लिए जिन जिन साधनों का करना विशेष रूप से आवश्यक है, वह यह हैं:-

(1) इन दिनों में साधन कर्ता प्रत्येक धर्मपत्नी को पति पत्नी के संबंध में आदेशों का विचार के साथ पाठ अथवा श्रवण करना चाहिए।

(2) इन दिनों में साधन कर्ता प्रत्येक धर्मपत्नी को इस संबंध में आदेशों के पाठ वा श्रवण से पहले उनके द्वारा अपने पति के संबंध में अपनी किसी हीनता वा नीचता के देखने के निमित्त सत्य देव भगवान देवात्मा से उन की देव ज्योति के लिए प्रार्थना करनी चाहिए।

(3) इन दिनों में साधन कर्ता प्रत्येक धर्मपत्नी को विचार करना चाहिए, कि उसने सत्य देव भगवान देवात्मा की शरण में आकर पत्नी विषयक आदेशों में से किन किन के पालन करने की योग्यता लाभ की है, और उनके द्वारा उसका और उसके पति का क्या क्या हित हुआ है; फिर इस सब हित को सम्मुख लाकर उसे सत्य देव भगवान देवात्मा के प्रति अपने धन्यवाद आदि भावों का प्रकाश करना चाहिए।

(4) इन दिनों में साधन कर्ता प्रत्येक धर्मपत्नी को अपने धर्मपति के संबंध में अपनी किसी हीनता वा नीचता के विषय में बोध प्राप्त करने पर, उसके दूर करने के निमित्त अपनी ओर से बल प्रयोग करने के भिन्न, यथा आवश्यक सत्य देव भगवान देवात्मा से बल प्राप्ति के लिए प्रार्थना करनी चाहिए।

(5) इन दिनों में साधन कर्ता प्रत्येक धर्मपत्नी को अपने धर्मपति के सद्गुणों पर विशेष रूप से चिंतन करना चाहिए।

(6) इन दिनों में साधन कर्ता प्रत्येक धर्मपत्नी को अपने पति की किसी हीनता वा नीचता वा उसके किसी अभाव के विषय में अवगति लाभ करने और उसके दूर करने की सामर्थ्य रखने पर, उसके दूर करने के निमित्त विशेष रूप से उपाय सोचना और अवलम्बन करना चाहिए।

(7) इन दिनों में साधन कर्ता प्रत्येक धर्मपत्नी को अपने पति के प्रति अपने सद्भाव को विशेष रूप से बढ़ाने के निमित्त चेष्टा करनी चाहिए।

(8) इन दिनों में साधन कर्ता प्रत्येक धर्मपत्नी को यथा साध्य अपने पति के

साथ विशेष रूप से सदालाप अथवा पत्र व्यवहार करना चाहिए।

(9) इन दिनों में साधन कर्ता प्रत्येक धर्मपत्नी को अपने पति की हितकर जीवन कथाओं का वर्णन वा पाठ वा श्रवण करना वा उनके विषय में लेख लिखना चाहिए।

(10) इन दिनों में साधन कर्ता प्रत्येक धर्मपत्नी को अपने इस लोक वा परलोक वासी पति के लिए विशेष रूप से मंगल कामना करनी चाहिए।

2-पति के लिए

पति पत्नी विषयक वार्षिक पाठ और विचार के दिनों में प्रत्येक पति के लिए जिन जिन साधनों का करना विशेष रूप से आवश्यक है, वह यह हैं:-

(1) इन दिनों में साधन कर्ता प्रत्येक धर्मपति को पति पत्नी के संबंध में आदेशों का विचार के साथ पाठ अथवा श्रवण करना चाहिए।

(2) इन दिनों में साधन कर्ता प्रत्येक धर्मपति को इस संबंध में आदेशों का पाठ और उन पर विचार करने से पहले उनके द्वारा अपनी धर्म पत्नी के संबंध में अपनी किसी हीनता वा नीचता के देखने के निमित्त सत्य देव भगवान देवात्मा से उच्च ज्योति के लिए प्रार्थना करनी चाहिए।

(3) इन दिनों में साधन कर्ता प्रत्येक धर्मपति को विचार करना चाहिए, कि सत्य देव भगवान देवात्मा की शरण में आकर उसने पति विषयक आदेशों में से किन-किन के पालन करने की योग्यता लाभ की है, और उनके द्वारा उसका और उसकी पत्नी का क्या-क्या हित हुआ है; फिर इन सारे हितों को सम्मुख लाकर उसे उनके प्रति धन्यवाद आदि भावों का प्रकाश करना चाहिए।

(4) इन दिनों में साधन कर्ता प्रत्येक धर्मपति को अपनी धर्मपत्नी के संबंध में अपनी किसी हीनता वा नीचता के विषय में बोध प्राप्त करने पर, उसके दूर करने के निमित्त अपनी ओर से बल प्रयोग करने के भिन्न, यथा आवश्यक सत्य देव भगवान देवात्मा से बल प्राप्ति के लिए प्रार्थना करनी चाहिए।

(5) इन दिनों में साधन कर्ता प्रत्येक धर्मपति को अपनी धर्मपत्नी के सद्गुणों पर विशेष रूप से चिंतन करना चाहिए।

(6) इन दिनों में साधन कर्ता प्रत्येक धर्मपति को अपनी धर्मपत्नी की किसी हीनता वा नीचता वा उसके किसी अभाव के विषय में अवगति लाभ करने और उसके दूर करने की सामर्थ्य रखने पर, उसके दूर करने के निमित्त विशेष रूप से उपाय सोचना और अवलम्बन करना चाहिए।

(7) इन दिनों में साधन कर्ता प्रत्येक धर्मपति को अपनी धर्मपत्नी के प्रति

अपने सद्भाव को विशेष रूप से बढ़ाने के निमित्त चेष्टा करनी चाहिए।

(8) इन दिनों में साधन कर्ता प्रत्येक धर्मपति को यथा साध्य अपनी धर्मपत्नी के साथ विशेष रूप से सदालाप अथवा पत्र व्यवहार आदि करना चाहिए।

(9) इन दिनों में साधन कर्ता प्रत्येक धर्मपति को अपनी धर्मपत्नी की हितकर जीवन कथाओं का वर्णन वा पाठ वा श्रवण वा योग्यता रखने पर उन्हें लिपिबद्ध करना चाहिए।

(10) इन दिनों में साधन कर्ता प्रत्येक धर्मपति को अपनी इस लोक वा परलोक वासी धर्मपत्नी के लिए विशेष रूप से मंगल कामना करनी चाहिए।

पति पत्नी
के संबंध में
आदेश
पत्नी के लिए

1-संबंध बोध

(1) प्रत्येक धर्मपत्नी के लिए आवश्यक है, कि वह अपने धर्मपति के साथ अपना सच्चा संबंध अनुभव करे।

(2) प्रत्येक धर्मपत्नी के लिए आवश्यक है, कि वह अपने धर्मपति के संबंध में अपने आपको प्रत्येक पतनकारी भाव से मुक्त करने और मुक्त रखने और प्रत्येक हितोत्पादक भाव को जाग्रत अथवा उन्नत करने की आवश्यकता को भली भांत अनुभव करे।

2-सम्मान भाव

(3) प्रत्येक धर्मपत्नी के लिए आवश्यक है, कि वह अपने समस्त दैनिक बर्तावों में अपने धर्मपति के प्रति उचित रूप से सम्मान प्रदर्शन करे।

(4) प्रत्येक धर्मपत्नी के लिए आवश्यक है, कि वह अपने धर्मपति और उसके माननीय संबंधियों की प्रत्येक उचित बात को आदर और ध्यान पूर्वक सुने।

(5) प्रत्येक धर्मपत्नी के लिए आवश्यक है, कि वह अपने धर्मपति के मर जाने पर भी, उसे सम्मान भाव से स्मरण करे, और किसी और के निकट भी सम्मान भाव से उसका वर्णन करे।

3-प्रीति भाव

(6) प्रत्येक धर्मपत्नी के लिए आवश्यक है, कि वह प्रत्येक निर्दोष विधि के द्वारा, जहां तक संभव हो, अपने धर्मपति के लिए अपने आपको प्रिय बनाने की चेष्टा करे।

(7) प्रत्येक धर्मपत्नी के लिए आवश्यक है, कि वह अपने धर्मपति और उसके पिता माता वा भाई बहिन आदि संबंधियों को अपने सब प्रकार के उचित बर्तावों के द्वारा सदा प्रसन्न करने की चेष्टा करे।

(8) प्रत्येक धर्मपत्नी के लिए आवश्यक है, कि वह अपनी अवस्था के अनुसार जहां तक उचित हो अपने धर्मपति के साथ रहे।

(9) प्रत्येक धर्मपत्नी के लिए आवश्यक है, कि वह अपने धर्मपति के साथ

निर्दोष खान पान, खेल, व्यायाम, भ्रमण वा किसी और शुभ काम में योग देकर उसके प्रति अपने हृदय में स्नेह भाव को उत्पन्न वा उन्नत करे।

(10) प्रत्येक धर्मपत्नी के लिए आवश्यक है, कि वह अपने धर्मपति के साथ हृदय खोलकर बातचीत करने के द्वारा उसके प्रति अपने स्नेह भाव को उत्पन्न वा उन्नत करे।

(11) प्रत्येक धर्मपत्नी के लिए आवश्यक है, कि वह अपने धर्मपति के सम्मुख जहां तक अवस्था के अनुसार उचित और संभव हो, अपना प्रफुल्ल मुख प्रदर्शन करे।

(12) प्रत्येक धर्मपत्नी के लिए आवश्यक है, कि वह अपने पति के सद्गुणों पर चिंतन करके उसके प्रति अपने हृदय में सद्भावों को उत्पन्न वा उन्नत करे।

4-गृह कर्म

(13) प्रत्येक धर्मपत्नी के लिए आवश्यक है, कि वह अपने घर को बहुत परिष्कार और अपने पद और अपनी अवस्था के अनुसार सुसज्जित रखे।

(14) प्रत्येक धर्मपत्नी के लिए आवश्यक है, कि वह अपने घर की सब **वस्तुओं** को परिष्कार, सुन्दर और परिपाटी की अवस्था में रखे।

(15) प्रत्येक धर्मपत्नी के लिए आवश्यक है, कि वह अपने घर के सब कामों को किसी उचित प्रणाली के साथ और ठीक समय में पूरा करे।

(16) प्रत्येक धर्मपत्नी के लिए आवश्यक है, कि वह अपनी अवस्था के अनुसार गृह विषयक सब प्रकार की आवश्यक वस्तुएं अपने घर में संचित करके रखे।

(17) प्रत्येक धर्मपत्नी के लिए आवश्यक है, कि वह अपने घर के सब कामों को प्रसन्नतापूर्वक भली भांत पूरा करे वा कराए।

(18) प्रत्येक धर्मपत्नी के लिए आवश्यक है, कि वह अपने घर को अपने और अपने परिवार के सब लोगों के लिए, जहां तक संभव हो, सब प्रकार से हितकर और उचित रूप से सुखकर बनाने की चेष्टा करे।

(19) प्रत्येक धर्मपत्नी के लिए आवश्यक है, कि वह गृह विषयक सब कामों में मितव्ययता के नियम को भली भांत पालन करे।

5-सहाय और सेवा

(20) प्रत्येक धर्मपत्नी के लिए आवश्यक है, कि वह क्या पारिवारिक और क्या किसी अन्य विषय में अपनी योग्यता के अनुसार अपने धर्मपति को उचित परामर्श दे।

(21) प्रत्येक धर्मपत्नी के लिए आवश्यक है, कि वह अपने धर्मपति को

किसी कठिनाई वा विपद् के समय सहारा और उचित रूप से सहाय दे, और उसमें आप भी उचित रूप से भागी बने।

(22) प्रत्येक धर्मपत्नी के लिए उचित है, कि वह आवश्यक होने पर, अपने धर्मपति के किसी व्यवसाय में अपनी योग्यता के अनुसार सहाय करे।

(23) प्रत्येक धर्मपत्नी के लिए आवश्यक है, कि वह अपनी योग्यता के अनुसार, जहां तक संभव हो, अपने धर्मपति की प्रत्येक शुभ गति में साथी और सहायक बने।

(24) प्रत्येक धर्मपत्नी के लिए आवश्यक है, कि वह अपनी योग्यता और अपने अधिकार की सीमा के अनुसार अपने धर्मपति की प्रत्येक अशिष्ट, अपराध वा पाप-मूलक क्रिया से रक्षा करने की चेष्टा करे।

(25) प्रत्येक धर्मपत्नी के लिए आवश्यक है, कि वह अपनी योग्यता और आवश्यकता के अनुसार, किसी उत्तम शिक्षा और विद्या आदि के उपार्जन में अपने धर्मपति की उचित रूप से सहायता करे।

(26) प्रत्येक धर्मपत्नी के लिए आवश्यक है, कि वह अपने धर्मपति के उच्च जीवन के विकास में यथा साध्य सहाय करे।

(27) प्रत्येक धर्मपत्नी के लिए आवश्यक है, कि वह अपनी योग्यता के अनुसार, जहां तक संभव हो, अपने धर्मपति और उसके पिता माता और भाई बहिन आदि संबंधियों की पीड़ा वा रोगी अवस्था में सहाय और शुश्रूषा और अन्य सब प्रकार की उचित सेवा करे।

6-धन उपार्जन

(28) प्रत्येक धर्मपत्नी के लिए यह उचित कर्म है, कि वह आवश्यक बोध करने पर किसी उचित उपाय से, अपने वा अपने पति के लिए धन उपार्जन करे।

7-परिशोध

(29) प्रत्येक धर्मपत्नी के लिए आवश्यक है, कि वह अपने धर्मपति के संबंध में अपने किसी पाप वा अपराध वा अपनी किसी अनुचित क्रिया के विषय में बोध लाभ करने पर उचित परिशोध करके उसके साथ अपने संबंध को पवित्र करे।

8-मंगल कामना

(30) प्रत्येक धर्मपत्नी के लिए आवश्यक है, कि वह योग्यता रखने पर अपने धर्मपति के लिए मंगल कामना का साधन करे।

वर्जित कर्म

****

(1) प्रत्येक धर्मपत्नी के लिए आवश्यक है, कि वह क्या अपने धर्मपति और क्या उसके पिता माता आदि संबंधियों के प्रति उचित सम्मान प्रदर्शन और उनके किसी रोग वा कष्ट वा विपद् आदि के समय उचित सहाय शुश्रूषा और सेवा करने से कभी विमुख न हो।

(2) प्रत्येक धर्मपत्नी के लिए आवश्यक है, कि वह अपने धर्मपति को उसके कुल वा उसकी किसी स्वाभाविक वा अनिवार्य हीनता वा त्रुटि आदि किसी कारण से भी कभी घृणा न करे।

(3) प्रत्येक धर्मपत्नी के लिए आवश्यक है, कि वह अपने धर्मपति के साथ किसी विषय में मतभेद रखने पर, उसे किसी प्रकार का अनुचित क्लेश न दे।

(4) प्रत्येक धर्मपत्नी के लिए आवश्यक है, कि वह अपने धर्मपति के किसी उचित अधिकार में किसी प्रकार की बाधा न दे।

(5) प्रत्येक धर्मपत्नी के लिए आवश्यक है, कि वह अपने धर्मपति के साथ अपने पवित्र संबंध को व्यभिचार संबंधी किसी पाप, और काम-मूलक किसी अनुचित क्रिया के द्वारा भ्रष्ट न करे, और अपने और उसके लिए हानिकारक न बने।

(6) प्रत्येक धर्मपत्नी के लिए आवश्यक है, कि वह अपने धर्मपति के साथ कभी वृथा विवाद अथवा कलह न करे।

(7) प्रत्येक धर्मपत्नी के लिए आवश्यक है, कि वह किसी नीच भाव से परिचालित होकर अपने घर की किसी वस्तु की हानि न करे।

(8) प्रत्येक धर्मपत्नी के लिए आवश्यक है, कि उसका धर्मपति जिस जिस समय में घर में रहता हो, अथवा बाहर से घर में आता हो, उस समय में किसी उचित और विशेष कारण के भिन्न घर से बाहर न रहे, और न जावे।

(9) प्रत्येक धर्मपत्नी के लिए आवश्यक है, कि वह अपने धर्मपति के संबंध में अपने किसी दोष या अपराध को जान बूझकर स्वीकार करने से विमुख न हो।

(10) प्रत्येक धर्मपत्नी के लिए आवश्यक है, कि वह अपने धर्मपति से किसी प्रतिकूल समय में कोई आवेदन वा किसी के संबंध में कोई अभियोग न करे।

(11) प्रत्येक धर्मपत्नी के लिए आवश्यक है, कि वह उचित कारण के बिना अपने धर्मपति वा अपने परिवार की किसी गोपनीय बात को किसी पर प्रगट न करे।

(12) प्रत्येक धर्मपत्नी के लिए आवश्यक है, कि वह अपने धर्मपति की

अनुमति के भिन्न घर की किसी छोटी वा थोड़ी सी वस्तु के भिन्न और कोई वस्तु किसी को न दे।

(13) प्रत्येक धर्मपत्नी के लिए आवश्यक है, कि वह जान बूझकर अपने धर्मपति की किसी वस्तु की कभी हानि न करे, वा उसकी किसी हानि में सहायक न बने।

(14) प्रत्येक धर्मपत्नी के लिए आवश्यक है, कि वह किसी ऐसे जन से मेल जोल न रखे, कि जिसके संग से उसके पति के साथ उसके संबंध के शिथिल होने की आशंका हो, वा उसका संबंध शिथिल होता हो।

(15) प्रत्येक धर्मपत्नी के लिए आवश्यक है, कि वह उचित कारण के बिना किसी के सम्मुख अपने धर्मपति का कोई दोष वा अपराध वर्णन न करे।

(16) प्रत्येक धर्मपत्नी के लिए आवश्यक है, कि वह उचित कारण के बिना कोई बात अपने धर्मपति से गुप्त न रखे।

पति पत्नी
के संबंध में
आदेश
पति के लिए

1-संबंध बोध

(1) प्रत्येक धर्मपति के लिए आवश्यक है, कि वह अपनी धर्मपत्नी के साथ अपना मित्रवत् शुभ संबंध अनुभव करे।

(2) प्रत्येक धर्मपति के लिए आवश्यक है, कि वह अपनी धर्मपत्नी के संबंध में अपने आपको प्रत्येक पतनकारी भाव से मुक्त करने और मुक्त रखने, और प्रत्येक हितोत्पादक भाव के जाग्रत वा उन्नत करने की आवश्यकता को भलीभांत अनुभव करे।

2-सम्मान भाव

(3) प्रत्येक धर्मपति के लिए आवश्यक है, कि वह अपने समस्त दैनिक बर्तावों में अपनी धर्मपत्नी के प्रति उचित रूप से सम्मान प्रदर्शन करे।

(4) प्रत्येक धर्मपति के लिए आवश्यक है, कि वह अपनी धर्मपत्नी के संबंधियों के प्रति उनकी मर्यादा के अनुसार उचित रूप से आदर और सम्मान प्रदर्शन करे।

(5) प्रत्येक धर्मपति के लिए आवश्यक है, कि वह अपनी धर्मपत्नी की प्रत्येक उचित बात को आदर और ध्यानपूर्वक सुने।

(6) प्रत्येक धर्मपति के लिए आवश्यक है, कि वह अपनी धर्मपत्नी के मर जाने पर भी, उसे सम्मान भाव से स्मरण करे, और किसी और के निकट भी सम्मान भाव से उसका वर्णन करे।

3-प्रीति भाव

(7) प्रत्येक धर्मपति के लिए आवश्यक है, कि वह प्रत्येक निर्दोष विधि के द्वारा, जहां तक संभव हो, अपनी धर्मपत्नी के लिए प्रिय बनने की चेष्टा करे।

(8) प्रत्येक धर्मपति के लिए आवश्यक है, कि वह अपने प्रति अपनी धर्मपत्नी की उचित प्रसन्नता के लाभ करने के लिए सदा चेष्टा करे।

(9) प्रत्येक धर्मपति के लिए आवश्यक है, कि वह अपनी अवस्था के अनुसार जहां तक उचित हो, अपनी धर्मपत्नी के साथ रहे।

(10) प्रत्येक धर्मपति के लिए आवश्यक है, कि वह अपनी धर्मपत्नी के साथ निर्दोष खान पान, खेल, व्यायाम, भ्रमण वा किसी अन्य शुभ काम में योग देकर उसके प्रति अपने हृदय में स्नेह भाव को उत्पन्न वा उन्नत करे।

(11) प्रत्येक धर्मपति के लिए आवश्यक है, कि वह अपनी धर्मपत्नी से हृदय खोलकर बातचीत करने के द्वारा, उसके प्रति अपने स्नेह भाव को उत्पन्न वा उन्नत करे।

(12) प्रत्येक धर्मपति के लिए आवश्यक है, कि वह अपनी धर्मपत्नी के सद्गुणों पर चिंतन करके, उसके प्रति अपने स्नेह भाव को उत्पन्न वा उन्नत करे।

4-भार ग्रहण

(13) प्रत्येक धर्मपति के लिए आवश्यक है, कि वह किसी उचित कारण के बिना अपनी धर्मपत्नी के खाने पीने, वस्त्र और आभूषण आदि विषयक सब प्रकार के आवश्यक व्यय अपनी योग्यता और मर्यादा के अनुसार पूरे करे।

5-सहाय और सेवा

(14) प्रत्येक धर्मपति के लिए आवश्यक है, कि वह अपनी धर्मपत्नी की योग्यता के अनुसार उससे पारिवारिक और किसी अन्य विषय में परामर्श ले।

(15) प्रत्येक धर्मपति के लिए आवश्यक है, कि वह अपनी धर्मपत्नी की किसी कठिनाई वा विपद् के समय उसे साहस और सहाय दे, और उसमें उचित रूप से आप भी धैर्यपूर्वक भागी बने।

(16) प्रत्येक धर्मपति के लिए आवश्यक है, कि वह अपनी योग्यता के अनुसार, जहां तक संभव हो, अपनी धर्मपत्नी की प्रत्येक शुभ गति में साथी और सहायक बने।

(17) प्रत्येक धर्मपति के लिए आवश्यक है, कि वह अपनी योग्यता और अपने अधिकार की सीमा के अनुसार अपनी धर्मपत्नी की प्रत्येक अशिष्ट, अपराध वा पाप-मूलक क्रिया से रक्षा करने की चेष्टा करे।

(18) प्रत्येक धर्मपति के लिए आवश्यक है, कि वह किसी उत्तम शिक्षा वा विद्या के उपार्जन में अपनी धर्मपत्नी की अपनी योग्यता के अनुसार उचित रूप से सहाय करे।

(19) प्रत्येक धर्मपति के लिए आवश्यक है, कि वह अपनी धर्मपत्नी के उच्च जीवन के विकास में यथा साध्य सब प्रकार से सहाय करे।

(20) प्रत्येक धर्मपति के लिए आवश्यक है, कि वह अपनी धर्मपत्नी के किसी रोग वा शोक वा उसकी किसी पीड़ा के समय अपनी योग्यता के अनुसार

उचित रूप से उसकी सहाय वा शुश्रूषा करे।

6-परिशोध

(21) प्रत्येक धर्मपति के लिए आवश्यक है, कि वह अपनी धर्मपत्नी के संबंध में अपने किसी पाप वा अपराध वा अपनी किसी अनुचित क्रिया के विषय में बोध लाभ करने पर, उचित परिशोध करके उसके साथ अपने संबंध को पवित्र करे।

7-मंगल कामना

(22) प्रत्येक धर्मपति के लिए आवश्यक है, कि वह अपनी धर्मपत्नी को स्मरण करके उसके लिए मंगल कामना का साधन करे।

वर्जित कर्म

****

(1) प्रत्येक धर्मपति के लिए आवश्यक है, कि वह अपनी धर्मपत्नी के जीते जी, और उसके मर जाने पर भी, उसके और उसके संबंधियों के प्रति उचित सम्मान प्रदर्शन करने से विमुख न हो।

(2) प्रत्येक धर्मपति के लिए आवश्यक है, कि वह अपनी धर्मपत्नी को उसके कुल वा उसकी किसी स्वाभाविक वा अनिवार्य हीनता आदि किसी कारण से घृणा न करे।

(3) प्रत्येक धर्मपति के लिए आवश्यक है, कि वह अपनी धर्मपत्नी के साथ किसी विषय में मतभेद रखने पर, उसे किसी प्रकार का अनुचित क्लेश न दे।

(4) प्रत्येक धर्मपति के लिए आवश्यक है, कि वह अपनी धर्मपत्नी के उचित अधिकार में किसी प्रकार की बाधा न दे।

(5) प्रत्येक धर्मपति के लिए आवश्यक है, कि वह अपनी धर्मपत्नी के साथ अपने पवित्र संबंध को व्यभिचार संबंधी किसी पाप, अथवा काममूलक किसी अनुचित क्रिया के द्वारा भ्रष्ट न करे।

(6) प्रत्येक धर्मपति के लिए आवश्यक है, कि वह अपनी धर्मपत्नी के साथ कभी वृथा विवाद और कलह न करे।

(7) प्रत्येक धर्मपति के लिए आवश्यक है, कि वह अपनी धर्मपत्नी की ओर से अपने माता पिता वा भाई बहिन वा भावज आदि किसी संबंधी के विषय में वा उनकी ओर से अपनी धर्मपत्नी के संबंध में किसी अभियोग को सुनकर बिना उसकी

सत्यता के विषय में पूर्ण रूप से अनुसंधान और निश्चय करने के विश्वास न करे, और उनमें से किसी से कटकर उसके साथ अपने संबंध को कोई अनुचित हानि न पहुंचावे।

(8) प्रत्येक धर्मपति के लिए आवश्यक है, कि वह किसी आवश्यक और उचित कारण के भिन्न अपने घर से बाहर रह कर अपनी पत्नी के लिए कष्टदायक न बने।

(9) प्रत्येक धर्मपति के लिए आवश्यक है, कि वह अपनी धर्मपत्नी के संबंध में अपने किसी दोष वा अपराध को जान बूझकर स्वीकार करने से विमुख न हो।

(10) प्रत्येक धर्मपति के लिए आवश्यक है, कि वह किसी अनुचित समय में अपनी धर्मपत्नी से संग न करे।

(11) प्रत्येक धर्मपति के लिए आवश्यक है, कि वह उचित कारण के बिना अपनी धर्मपत्नी वा अपने परिवार की किसी गोपनीय बात को किसी पर प्रगट न करे।

(12) प्रत्येक धर्मपति के लिए आवश्यक है, कि वह अपनी धर्मपत्नी के निज के धन वा आभूषण वा उसकी निज की किसी सम्पत्ति वा वस्तु को उसकी अनुमति के बिना अपने काम में न लावे।

(13) प्रत्येक धर्मपति के लिए आवश्यक है, कि वह अपनी धर्मपत्नी के किसी अपराध से कुपित होकर उसे प्रहार न करे।

(14) प्रत्येक धर्मपति के लिए आवश्यक है, कि वह किसी ऐसे जन से मेल जोल न रखे, कि जिसके संग से उसकी पत्नी के साथ उसके पवित्र संबंध के शिथिल होने की आशंका हो, वा उसका यह संबंध शिथिल होता हो।

(15) प्रत्येक धर्मपति के लिए आवश्यक है, कि वह उचित और आवश्यक कारण के बिना किसी के सम्मुख अपनी धर्मपत्नी का कोई दोष वा अपराध वर्णन न करे।

(16) प्रत्येक धर्मपति के लिए आवश्यक है, कि वह उचित कारण के बिना कोई बात अपनी धर्मपत्नी से गुप्त न रखे।

पति पत्नी के संबंध में शेष दिन का साधन

****

1-इस साधन के लिए अपने साधनालय अथवा किसी अन्य स्थान को समय से पहले परिष्कृत और सुसज्जित करना चाहिए।

2-इस दिन जहां तक संभव हो, वहां तक प्रातःकाल में ही यह साधन करना चाहिए।

3-इस दिन अपने शरीर को शुद्ध करके और उजले वस्त्र और एकाकारी पहन कर साधन के लिए बैठना चाहिए।

4-इस दिन नीचे लिखी हुई विधि के अनुसार सम्मिलित सभा करनी चाहिए:-

(1) सत्य देव भगवान देवात्मा की छवि के सम्मुख खड़े होकर पुष्पहार के द्वारा उनका अर्चन।

(2) देवस्तोत्र का उच्च स्वर के साथ सम्मिलित पाठ वा गान।

(3) सत्य देव भगवान देवात्मा को श्रद्धा पूर्वक प्रणाम।

(4) सत्य देव भगवान देवात्मा से सभा की सफलता के लिए आशीर्वाद प्रार्थना।

(5) पति पत्नी संबंधी आवश्यक आदेशों का एकाग्रता के साथ धीरे धीरे पाठ वा श्रवण अथवा पति पत्नी के संबंध में कोई उपदेश।

(6) इस संबंध में वार्षिक पाठ और विचार के साधनों के द्वारा प्रत्येक साधन कर्ता ने अपना जो कुछ मोक्ष वा विकास वियषक हित साधन किया हो, उस पर चिन्तन और उसके संबंध में सत्य देव भगवान देवात्मा के प्रति धन्यवाद आदि भावों का प्रकाश।

(7) आगामी वर्ष में परस्पर के संबंध को और भी विकार रहित और हितकर बनाने के निमित्त आकांक्षा और आशीर्वाद प्रार्थना।

(8) सत्य देव भगवान देवात्मा की चार बार जय ध्वनि खड़े होकर।

5. इस दिन साधारण दिनों की अपेक्षा उत्तम भोजन खाना चाहिए।

पति पत्नी के लिए आपस में मिलकर साधन करने की विधि

****

(1) पति पत्नी एक दूसरे का पुष्पहार के द्वारा अर्चन करें।

(2) पति पत्नी एक दूसरे को कोई न कोई वस्तु उपहार दें।

(3) पति पत्नी इस संबंध में मिलकर किसी गीत का गान करें।

(4) पति पत्नी एक दूसरे के संबंध में अपने अपने भावों का प्रकाश करें।

(5) पति पत्नी सत्य देव भगवान देवात्मा की चार बार जय ध्वनि करके साधन समाप्त करें।

उद्भिद जगत्

के संबंध में

पाठ और विचार के साधन

****

उद्भिद जगत्
के संबंध में
वार्षिक पाठ और विचार के साधन

****

उद्भिद जगत् विषयक वार्षिक पाठ और विचार के दिनों में जिन जिन साधनों का करना विशेष रूप से आवश्यक है, वह यह हैं:-

(1) इन दिनों में प्रत्येक साधन कर्ता को उद्भिद जगत् के संबंध में आदेशों का विचार के साथ पाठ अथवा श्रवण करना चाहिए।

(2) इन दिनों में उद्भिद जगत् के संबंध में आदेशों का पाठ और उन पर विचार करने से पहले, साधन कर्ता को उद्भिद जगत् के संबंध में अपनी किसी हीनता वा नीचता के देखने के निमित्त सत्य देव भगवान देवात्मा से उनकी ज्योति के लिए प्रार्थना करनी चाहिए।

(3) सत्य देव भगवान देवात्मा की शरण में आकर साधन कर्ता ने उद्भिद जगत् संबंधी आदेशों में से जिन जिन के पालन करने की योग्यता लाभ की हो, और उनके द्वारा उसका और उद्भिद जगत् का जो जो हित हुआ हो, उसे इन दिनों में अपने सम्मुख लाकर सत्य देव भगवान देवात्मा के प्रति धन्यवाद आदि भावों का प्रकाश करना चाहिए।

(4) इन दिनों में साधन कर्ता को उद्भिद जगत् के संबंध में अपनी किसी हीनता वा नीचता के विषय में बोध प्राप्त करने पर, उसके दूर करने के निमित्त अपनी ओर से बल प्रयोग करने के भिन्न, सत्य देव भगवान देवात्मा से बल प्राप्ति के लिए प्रार्थना करनी चाहिए।

(5) इन दिनों में उद्भिद जगत् विषयक आदेशों के साथ अपने जीवन की तुलना के अनन्तर साधन कर्ता के हृदय में जो जो शुभ संकल्प उत्पन्न हों, उन्हें अपनी साधन पुस्तक में लिखना चाहिए।

(6) इन दिनों में उपरोक्त शुभ संकल्पों में से जो जो शुभ संकल्प पूरे हो सकते हों, उन्हें साधन कर्ता को इन्हीं दिनों में पूरा करने की चेष्टा करनी चाहिए।

(7) इन दिनों में साधन कर्ता को अपने घर के पौधों की विशेष रूप से सेवा करनी चाहिए, और यथा आवश्यक और यथा सामर्थ्य अपने हितकर वृक्षों की संख्या को बढ़ाना चाहिए।

(8) इन दिनों में साधन कर्ता को अपनी पुष्प वाटिका अथवा अपने उद्यान आदि की विशेष रूप से सेवा करनी चाहिए।

(9) इन दिनों में साधन कर्ता को उद्भिद जगत् विषय पुस्तकों* वा निबन्धों वा वचनों आदि का पाठ अथवा श्रवण करना चाहिए।

(10) इन दिनों में साधन कर्ता को अधिकारी जनों को अपनी योग्यता के अनुसार ऐसी छवियों और पुस्तकों आदि को दान करना चाहिए, कि जिनके अवलोकन वा पाठ से उनके हृदयों में उद्भिद जगत् के संबंध में कोई उच्च बोध वा उच्च भाव जाग्रत वा उन्नत हो सकता हो।

(11) इन दिनों में साधन कर्ता को यथा सामर्थ्य किसी नए वृक्ष वा उद्यान आदि के लगाने का संकल्प करना चाहिए।

(12) इन दिनों में साधन कर्ता को अपनी सामर्थ्य के अनुसार फूलों, पत्तों और पौधों आदि के द्वारा अपने रहने और पूजा आदि के स्थानों को विशेष रूप से सुसज्जित करना चाहिए।

(13) इन दिनों में साधन कर्ता को एक वा दूसरे प्रकार से फूलों और फलों का शुभ भाव के साथ अधिक व्यवहार करना चाहिए।

(14) इन दिनों में साधन कर्ता को यथा अवसर किसी उद्यान वा असाधारण वृक्ष का दर्शन करना चाहिए।

---

*सत्य देव भगवान देवात्मा की रची हुई पुस्तक "पुष्प और पुष्प अनुराग" का पाठ बहुत हितकर हो सकता है।

उद्भिद जगत्
के संबंध में आदेश
आदेश
1-संबंध बोध

(1) प्रत्येक जन के लिए आवश्यक है, कि वह उद्भिद जगत् के साथ अपने अति घनिष्ट संबंध को भलीभांत अनुभव करे।

(2) प्रत्येक जन के लिए आवश्यक है, कि वह इस सत्य को जाने और उपलब्ध करे, कि किसी जीवित मनुष्य वा पशु की न्याईं उद्भिद जगत् के पौधे भी एक सीमा तक अपने प्रति किसी के भले वा बुरे आचरण से हित वा हानि लाभ करते हैं।

(3) प्रत्येक जन के लिए आवश्यक है, कि वह इस सत्य को जाने और उपलब्ध करे, कि कोई मनुष्य जैसे किसी मनुष्य वा पशु के संबंध में कोई अनुचित क्रिया करके अपने आत्मिक जीवन की हानि करता है, वैसे ही किसी पौधे वा वृक्ष के संबंध में भी कोई अनुचित क्रिया करके अपने आत्मिक जीवन की हानि करता है।

(4) प्रत्येक जन के लिए आवश्यक है, कि वह उद्भिद जगत् के संबंध में अपने आपको प्रत्येक पतनकारी भाव से मुक्त करने और मुक्त रखने और प्रत्येक हितोत्पादक भाव के जाग्रत वा उन्नत करने की आवश्यकता को भलीभांत अनुभव करे।

2-सौन्दर्य बोध

(5) प्रत्येक जन के लिए आवश्यक है, कि वह उद्भिद जगत् के नाना पौधों के नाना प्रकार के सुन्दर फूलों और पत्तों और उसकी बेलों आदि को बारंबार ध्यानपूर्वक अवलोकन करने के द्वारा अपने हृदय में सौन्दर्य बोध के उत्पन्न वा उन्नत करने की चेष्टा करे।

3-सुमिष्टता, सरसता और सफलता विषयक बोध

(6) प्रत्येक जन के लिए आवश्यक है, कि वह उद्भिद जगत् के सुमिष्ट, सरस और हितकर फलदायक वृक्षों की गठन पर विचार करके अपने हृदय को **सुमिष्ट** और **सरस** और अपने जीवन को **सफल** करने की आकांक्षा को अपने भीतर उत्पन्न वा उन्नत करे।

4-ज्ञान उपार्जन

(7) प्रत्येक जन के लिए आवश्यक है, कि वह अपनी योग्यता के अनुसार उद्भिद जगत् के संबंध में विविध प्रकार का हितकर ज्ञान उपार्जन करने के लिए उचित रूप से चेष्टा करे।

5-उचित व्यवहार

(8) प्रत्येक जन के लिए यह उचित कर्म है, कि वह अपने आहार के लिए उद्भिद जगत् की विविध वस्तुओं का उचित रूप से व्यवहार करे।

(9) प्रत्येक जन के लिए यह उचित कर्म है, कि वह अपने किसी शारीरिक रोग वा विकार के दूर करने के लिए उद्भिद जगत् प्रसूत किसी एक वा दूसरी विष रहित हितकर औषधि का सेवन करे।

(10) प्रत्येक जन के लिए यह उचित कर्म है, कि वह अपनी सामर्थ्य के अनुसार उद्भिद जगत् प्रसूत किसी सुगंधि अथवा सुगंधि दायक फूलों को किसी शुभ भाव से व्यवहार करे।

(11) प्रत्येक जन के लिए यह उचित कर्म है, कि वह अपनी वा किसी और मनुष्य वा पशु की आवश्यकता के निवारण वा अपने और उसके किसी शुभ के लिए उद्भिद जगत् के किसी पौधे वा वृक्ष को पूर्णत: वा उसके किसी अंश को काटे, वा किसी और प्रकार से उसका व्यवहार करे।

6-स्नेह भाव

(12) प्रत्येक जन के लिए आवश्यक है, कि जो उद्भिद जगत् अपने दानों, अपने पत्रों, अपनी जड़ों, अपने फूलों, अपने फलों, अपनी छालों, अपनी सुगंधियों, अपने गूदों, अपने रसों, अपने सूत्रों, अपनी छाया और अपने काष्ठों आदि के द्वारा उसका और औरों का नाना प्रकार से अमूल्य हित साधन करता है, उसके इस सेवाकारी भाग के प्रति अपने हृदय में **स्नेह भाव** के उत्पन्न वा उन्नत करने की चेष्टा करे।

(13) प्रत्येक जन के लिए आवश्यक है, कि वह सौन्दर्य बोध रखने पर, उद्भिद जगत् के नाना पौधों और वृक्षों के सुन्दर आकार-प्राप्त पुष्पों और पत्तों को बारंबार अवलोकन करने के द्वारा उसके सुन्दर भाग के प्रति अपने हृदय में **स्नेह भाव** को उत्पन्न वा उन्नत करे।

(14) प्रत्येक जन के लिए आवश्यक है, कि वह सौन्दर्य बोध रखने पर, उद्भिद जगत् के नाना रंगों के पुष्पों और पत्तों आदि से अपने शरीर और साधनालय और अन्य स्थानों को किसी शुभ भाव से सुसज्जित करके, उसके ऐसे सुन्दर भाग के प्रति अपने हृदय में **स्नेह भाव** को उत्पन्न वा उन्नत करे।

7-कृतज्ञ भाव

(15) प्रत्येक जन के लिए आवश्यक है, कि वह उद्भिद जगत् के जिन जिन पौधों से किसी प्रकार का भी हित पाता रहा वा पाता हो, उनके हित को बारंबार

स्मरण करके उनके संबंध में विविध प्रकार की सेवा के द्वारा अपने भीतर **कृतज्ञ** अर्थात् **प्रत्युपकार भाव** को उत्पन्न वा उन्नत करे।

8-रक्षा और सेवा

(16) प्रत्येक जन के लिए आवश्यक है, कि वह ऐसे प्रत्येक उद्यान वा पुष्प वाटिका वा वृक्ष वा लता वा बोए हुए क्षेत्र (खेत) वा वन आदि की जो उसकी रक्षा में हो, उचित रूप से रक्षा वा सेवा करे।

(17) प्रत्येक जन के लिए आवश्यक है, कि वह अपनी योग्यता के अनुसार, जहां तक संभव हो, उद्भिद जगत् संबंधी जो जो पौधे वा वृक्ष मनुष्य और पशु जगत् का जितने जितने अंश हित साधन करते हों, उनकी उतने उतने अंश उचित रक्षा और उन्नति में सहायक बने।

(18) प्रत्येक जन के लिए आवश्यक है, कि वह अपनी अवस्था के अनुसार, जहां तक संभव हो, सुन्दर फूलों वा पत्तों के थोड़े वा बहुत पौधे वा उनकी बेलें रखकर अथवा एक वा कई छाया वा फलदायक वृक्ष रोपण करके, स्नेह भाव से उनकी सेवा करे।

(19) प्रत्येक जन के लिए आवश्यक है, कि वह सामर्थ्य रखने पर, अपनी ओर से कोई नया उद्यान वा कोई पुष्प वाटिका लगाकर उसकी सेवा करे।

9-मंगल कामना

(21) प्रत्येक जन के लिए आवश्यक है, कि वह उद्भिद जगत् के उन सेवाकारी पौधों वा वृक्षों का बारंबार चिन्तन करके, कि जिनके द्वारा उसका किसी प्रकार से हित होता वा हुआ हो, उनके लिए मंगल कामना का अभ्यास करे।

वर्जित कर्म

****

1-अनुचित संकोच

(1) प्रत्येक जन के लिए आवश्यक है, कि यदि कोई मनुष्य किसी विशेष अवसर पर अपनी वा किसी और की किसी सच्ची आवश्यकता के समय, उसके उद्यान से कुछ फूल, वा उसके वृक्ष की कुछ छाल वा कोई छोटी शाखा ले लेना चाहे, वा ले ले, तो उसका देना अस्वीकृत वा उसके लेने वाले से किसी प्रकार का झगड़ा न करे।

2-अनुचित सेवन

(2) प्रत्येक जन के लिए आवश्यक है, कि वह चटनी वा अचार आदि के अतिरिक्त, जहां तक संभव हो, कच्चे फलों का सेवन न करे।

(3) प्रत्येक जन के लिए आवश्यक है, कि वह उद्भिद जगत् की किसी ऐसी खाद्य वस्तु का जो उसकी स्वास्थ्य के लिए हानिकारक हो, सेवन न करे।

(4) प्रत्येक जन के लिए आवश्यक है, कि वह उद्भिद जगत् से प्राप्त सुरा, भंग, अहिफेन (अफ़ीम), चरस, गांजा, तम्बाकू और धतूरा आदि विषकर वस्तुओं का **मादकता** के लिए कभी सेवन न करे, और इस अभिप्राय के लिए उन्हें किसी और को भी न दे वा न दिलावे।

3-रक्षा और सेवा में त्रुटि

(5) प्रत्येक जन के लिए आवश्यक है, कि वह अपने लगाए हुए वृक्षों और पौधों और अपने बोए हुए खेतों की, अथवा जो वृक्ष, पौधे और खेत आदि उसकी रक्षा में रखे गए हों, उनकी आवश्यक रक्षा और उचित सेवा में त्रुटि न करे।

4-अनुचित हानि

(6) प्रत्येक जन के लिए आवश्यक है, कि वह उचित और यथेष्ट कारण के बिना, किसी फल वा छाया दायक वा किसी और प्रकार के हितकर वृक्ष को पूर्णत: अथवा उसके किसी अंश को न काटे।

(7) प्रत्येक जन के लिए आवश्यक है, कि वह किसी पौधे वा वृक्ष से किसी सच्ची आवश्यकता से अधिक फूल वा पत्ते आदि न तोड़े।

(8) प्रत्येक जन के लिए आवश्यक है, कि वह उचित और यथेष्ट कारण के बिना, किसी पौधे वा वृक्ष से कच्चे फल न तोड़े और न गिरावे।

(9) प्रत्येक जन के लिए आवश्यक है, कि वह किसी पौधे वा वृक्ष से फूल पत्ते वा उसकी किसी शाखा आदि के तोड़ने में उसे जहां तक संभव हो, कदाकार न बनावे।

(10) प्रत्येक जन के लिए आवश्यक है, कि वह उद्भिद जगत् की किसी ऐसी वस्तु को जिसकी रक्षा वा जिसको संचय करना उसके लिए आवश्यक हो, अपनी असावधानता वा उदासीनता से किसी प्रकार की हानि न पहुंचावे।

(11) प्रत्येक जन के लिए आवश्यक है, कि वह किसी फल वा छायादार वृक्ष के नीचे के स्थान को अपनी किसी क्रिया से भ्रष्ट वा मैला न करे।

(12) प्रत्येक जन के लिए आवश्यक है, कि वह किसी पौधे वा वृक्ष को किसी प्रकार की हानि पहुंचती देखकर अपनी योग्यता और अपने उचित अधिकार के

अनुसार उसे हानि से बचाने में त्रुटि न करे।

उद्भिद जगत् के संबंध में शेष दिन का साधन

****

1-इस दिन के उपलक्ष्य में अपने घर के सब गमलों को धोकर और उन्हें रंग आदि के द्वारा अधिक रूप से सुशोभित करना चाहिए।

2-इस दिन के उपलक्ष्य में अपने साधन स्थान को परिष्कार करके उसे फूल पत्तों, फूलों के गमलों, उसकी छवियों और उद्भिद जगत् के संबंध में अच्छी अच्छी उक्तियों आदि के द्वारा सुसज्जित करना चाहिए।

3-इस दिन के उपलक्ष्य में स्थानों को भी फूल, पत्तों और गमलों आदि के द्वारा अधिक रूप से सुसज्जित करना चाहिए।

4-इस दिन स्नान करके और उजले वस्त्र और अपनी एकाकारी पहन कर साधन के लिए बैठना चाहिए।

5-इस दिन नीचे लिखी हुई विधि के अनुसार सम्मलित सभा करनी चाहिए:-

(1) सत्य देव भगवान देवात्मा की छवि के सम्मुख खड़े होकर पुष्पहार के द्वारा उनका अर्चन।

(2) देव स्तोत्र का उच्च स्वर के साथ गान।

(3) सत्य देव भगवान देवात्मा को श्रद्धापूर्वक प्रणाम।

(4) सत्य देव भगवान देवात्मा से सभा की सफलता के लिए आशीर्वाद प्रार्थना।

(5) उद्भिद जगत् संबंधी आवश्यक आदेशों का एकाग्रता के साथ धीरे-धीरे पाठ वा श्रवण अथवा उद्भिद जगत् के संबंध में कोई उपदेश।

(6) इस संबंध में साधनों के द्वारा प्रत्येक साधन कर्ता ने अपना जो कुछ मोक्ष वा विकास विषयक हित साधन किया हो, उस पर चिंतन और उसके लिए सत्य देव भगवान देवात्मा के प्रति धन्यवाद आदि भावों का प्रकाश।

(7) आगामी वर्ष में इस जगत् के संबंध में अपने आपको और भी विकार रहित और हितकर बनाने के निमित्त आकांक्षा और सत्य देव भगवान देवात्मा से प्रार्थना।

(8) सत्य देव भगवान देवात्मा की चार बार जय ध्वनि खड़े होकर।

6-इस दिन और दिनों की अपेक्षा उत्तम भोजन आहार करना चाहिए।

7-इस दिन के उपलक्ष्य में जहां कहीं संभव हो, उद्भिद जगत् विषयक नाना

प्रकार की वस्तुओं की एक प्रदर्शनी करनी चाहिए।

8-इस दिन आहार के अनन्तर किसी उचित समय में उद्भिद जगत् संबंधी हितकर लेखों का पाठ वा श्रवण करना चाहिए।

9-इस दिन एक वा दूसरे के पास अपने अपने सद्भाव के प्रकाश में नए फल वा नई तरकारियां और फूल आदि भेजना चाहिए।

10-इस दिन आहार से पहले आशीर्वाद प्रार्थना करके उद्भिद जगत् प्रसूत कुछ अन्न और फलों आदि को दरिद्रों को दान करना चाहिए।

भृत्य स्वामी
के संबंध में
पाठ और विचार के साधन
****

भृत्य स्वामी
के संबंध में
वार्षिक पाठ और विचार के साधन
****
1-भृत्य के लिए

भृत्य स्वामी विषयक वार्षिक पाठ और विचार के दिनों में भृत्य के लिए जिन जिन साधनों का करना विशेष रूप से आवश्यक है, वह यह हैं:-

(1) इन दिनों में साधन कर्ता प्रत्येक भृत्य को भृत्य संबंधी आदेशों का विचार के साथ पाठ अथवा श्रवण करना चाहिए।

(2) इन दिनों में भृत्य संबंधी आदेशों के पाठ और उन पर विचार करने से पहले साधन कर्ता प्रत्येक भृत्य को उनके द्वारा अपने स्वामी के संबंध में अपनी किसी हीनता वा नीचता के देखने के निमित्त सत्य देव भगवान देवात्मा से उनकी देव ज्योति के लिए प्रार्थना करनी चाहिए।

(3) साधन कर्ता प्रत्येक भृत्य ने सत्य देव भगवान देवात्मा की शरण में आकर भृत्य संबंधी आदेशों में से जिन जिन के पालन करने की योग्यता लाभ की हो, और उसके द्वारा उसका वा उसके स्वामी का जो कुछ हित हुआ हो, उसे इन दिनों में अपने सम्मुख लाकर सत्य देव भगवान देवात्मा के प्रति धन्यवाद आदि भावों का प्रकाश करना चाहिए।

(4) इन दिनों में साधन कर्ता प्रत्येक भृत्य को अपने स्वामी के संबंध में अपनी किसी हीनता वा नीचता के विषय में बोध प्राप्त करने पर, उसके दूर करने के निमित्त अपनी ओर से बल प्रयोग करने के भिन्न, सत्य देव भगवान देवात्मा से बल प्राप्ति के लिए प्रार्थना करनी चाहिए।

(5) इन दिनों में साधन कर्ता प्रत्येक भृत्य को अपने स्वामी के सद्गुणों पर विशेष रूप से चिंतन करना चाहिए।

(6) इन दिनों में साधन कर्ता प्रत्येक भृत्य को अपने स्वामी की किसी हीनता वा नीचता वा उसके किसी अभाव के विषय में अवगति लाभ करने और उनके दूर करने की सामर्थ्य रखने पर, उसके दूर करने के निमित्त आवश्यक उपाय सोचना और अवलम्बन करना चाहिए।

(7) इन दिनों में साधन कर्ता प्रत्येक भृत्य को अपने स्वामी के प्रति अपने सद्भाव को विशेष रूप से बढ़ाने के निमित्त चेष्टा करनी चाहिए।

(8) इन दिनों में साधन कर्ता प्रत्येक भृत्य को यथा साध्य अपने स्वामी के साथ विशेष रूप से सदालाप अथवा पत्र व्यवहार करना चाहिए।

(9) इन दिनों में साधन कर्ता प्रत्येक भृत्य को अपने स्वामी की हितकर जीवन कथाओं का वर्णन वा पाठ वा श्रवण वा यथासाध्य उन्हें लिपिबद्ध करने की चेष्टा करनी चाहिए।

(10) इन दिनों में साधन कर्ता प्रत्येक भृत्य को अपने इस लोक वा परलोक वासी स्वामी वा स्वामियों के लिए विशेष रूप से मंगल कामना करनी चाहिए।

2-स्वामी के लिए

भृत्य स्वामी विषयक वार्षिक पाठ और विचार के दिनों में स्वामी के लिए जिन जिन साधनों का करना विशेष रूप से आवश्यक है, वह यह हैं:-

(1) इन दिनों में साधन कर्ता प्रत्येक स्वामी को स्वामी संबंधी आदेशों का विचार के साथ पाठ अथवा श्रवण करना चाहिए।

(2) इन दिनों में स्वामी संबंधी आदेशों के पाठ और उन पर विचार करने से पहले साधन कर्ता प्रत्येक स्वामी को उनके द्वारा अपने भृत्य के संबंध में अपनी किसी हीनता वा नीचता के देखने के निमित्त सत्य देव भगवान देवात्मा से उनकी देव ज्योति के लिए **प्रार्थना** करनी चाहिए।

(3) साधन कर्ता प्रत्येक स्वामी ने सत्य देव भगवान देवात्मा की शरण में आकर स्वामी संबंधी आदेशों में से जिन जिन के पालन करने की योग्यता लाभ की हो, और उसके द्वारा उसका वा उसके भृत्यों का जो जो हित हुआ हो, उसे इन दिनों में अपने सम्मुख लाकर सत्य देव भगवान देवात्मा के प्रति धन्यवाद आदि भावों का प्रकाश करना चाहिए।

(4) इन दिनों में यज्ञ साधन कर्ता प्रत्येक स्वामी को अपने भृत्य के संबंध में अपनी किसी हीनता वा नीचता के विषय में बोध प्राप्त करने पर, उसके दूर करने के निमित्त अपनी ओर से बल प्रयोग करने के भिन्न, यथावश्यक सत्य देव भगवान देवात्मा से बल प्राप्ति के लिए प्रार्थना करनी चाहिए।

(5) इन दिनों में साधन कर्ता प्रत्येक स्वामी को अपने प्रत्येक भृत्य के सद्गुणों पर विशेष रूप से चिंतन करना चाहिए।

(6) इन दिनों में साधन कर्ता प्रत्येक स्वामी को अपने प्रत्येक भृत्य की किसी हीनता वा नीचता, वा उसके किसी अभाव के विषय में अवगति लाभ करने और उसके दूर करने की सामर्थ्य रखने पर, उसके दूर करने के निमित्त आवश्यक उपाय सोचना और अवलम्बन करना चाहिए।

(7) इन दिनों में साधन कर्ता प्रत्येक स्वामी को अपने प्रत्येक भृत्य के प्रति अपने सद्भाव को विशेष रूप से बढ़ाने के निमित्त चेष्टा करनी चाहिए।

(8) इन दिनों में साधन कर्ता प्रत्येक स्वामी को यथा साध्य अपने प्रत्येक भृत्य के साथ विशेष रूप से सदालाप अथवा पत्र व्यवहार करना चाहिए।

(9) इन दिनों में यथा संभव वा यथा रुचि साधन कर्ता प्रत्येक स्वामी को अपने किसी विशेष भृत्य की हितकर जीवन कथाओं वा उसके जीवन चरित को लिपिबद्ध करना चाहिए।

(10) इन दिनों में साधन कर्ता प्रत्येक स्वामी को अपने इस लोक वा परलोक वासी विशेष सेवाकारी भृत्य वा भृत्यों के लिए विशेष रूप से मंगल कामना करनी चाहिए।

भृत्य स्वामी

के संबंध में

आदेश

1-भृत्य* के लिए

1-संबंध बोध

(1) प्रत्येक भृत्य के लिए आवश्यक है, कि वह अपने स्वामी के साथ अपना धर्म-मूलक शुभ संबंध अनुभव करे।

(2) प्रत्येक भृत्य के लिए आवश्यक है, कि वह अपने स्वामी के संबंध में अपने आपको प्रत्येक पतनकारी भाव से मुक्त करने और मुक्त रखने और प्रत्येक हितोत्पादक भाव के उत्पन्न वा उन्नत करने की आवश्यकता को भलीभांत अनुभव करे।

2-सम्मान प्रदर्शन और आज्ञा पालन

(3) प्रत्येक भृत्य के लिए आवश्यक है, कि वह अपने स्वामी और उसके अन्य संबंधियों के प्रति, उनकी मर्यादा के अनुसार, उचित रूप से सम्मान प्रदर्शन करे।

(4) प्रत्येक भृत्य के लिए आवश्यक है, कि वह अपने स्वामी की उन सब आज्ञाओं को भली भांत पालन करे, कि जिनके पालन करने के लिए वह दाई वा बाध्य हो।

(5) प्रत्येक भृत्य के लिए आवश्यक है, कि वह अपने काम वा परिश्रम के लिए अपने स्वामी से कोई नियमित्त वेतन वा दैनिक पारिश्रमिक नियत करके, उसके बदले में उसके लिए पूर्ण मात्रा में काम वा परिश्रम करे।

(6) प्रत्येक भृत्य के लिए आवश्यक है, कि वह अपने स्वामी की प्रत्येक आज्ञा को भली भांत ध्यान देकर सुने।

(7) प्रत्येक भृत्य के लिए आवश्यक है, कि वह अपने स्वामी की प्रत्येक आज्ञा को स्मरण रखे।

---

* भृत्य कई प्रकार के होते हैं, यथा (1)किसी घर वा परिवार के नौकर, (2) किसी कारखाने वा दुकान के नौकर, (3) किसी राज्य वा गवर्नमेंट के नौकर, (4) किसी सोसायटी वा समाज वा संस्था के नौकर, (5) कोई दैनिक नौकर अर्थात दिहाड़ी पर काम करने वाले, इत्यादि। इस यज्ञ में भृत्य के लिए जो आदेश दिए गए हैं, उनमें से जितने आदेश जिस जिस प्रकार के भृत्यों के लिए ठीक बैठते हों, उतने उतने आदेश उसी उसी प्रकार के भृत्यों के लिए समझने चाहिएं।

3-कर्तव्य कार्य

(8) प्रत्येक भृत्य के लिए आवश्यक है, कि वह अपने स्वामी के संबंध में अपने प्रत्येक कर्तव्य कार्य को **प्रीति वा प्रसन्नता** के साथ सम्पादन करे।

(9) प्रत्येक भृत्य के लिए आवश्यक है, कि वह अपने स्वामी के संबंध में अपने प्रत्येक कर्तव्य कार्य को, जहां तक संभव हो, **उत्तम रूप** से सम्पादन करे।

(10) भृत्य के लिए आवश्यक है, कि वह अपने प्रत्येक कर्तव्य कार्य को, जहां तक संभव हो, **ठीक समय** में सम्पादन करे।

4-अपराध स्वीकृति और क्षमा प्रार्थना

(11) प्रत्येक भृत्य के लिए आवश्यक है, कि वह अपने स्वामी के संबंध में अपनी किसी सच्ची अवज्ञा वा अपने किसी सच्चे अपराध के विषय में सूचित किए जाने पर उसे विनय पूर्वक स्वीकार करे।

(12) प्रत्येक भृत्य के लिए आवश्यक है, कि वह अपने द्वारा अपने स्वामी के संबंध में अज्ञान वा भ्रम वशत: किसी सामान्य अनुचित क्रिया के हो जाने और उससे अवगत होने पर अपने स्वामी से उचित रूप से क्षमा प्रार्थना करे।

5-परिशोध

(13) प्रत्येक भृत्य के लिए आवश्यक है, कि यदि उसके द्वारा उसके स्वामी की किसी वस्तु वा उसके किसी कार्य को अनुचित हानि पहुंचे, तो वह अपनी सामर्थ्य के अनुसार उसका उचित रूप से परिशोध करे।

(14) प्रत्येक भृत्य के लिए आवश्यक है, कि यदि उसके द्वारा उसके स्वामी को कोई अनुचित क्लेश पहुंचे, तो उसके विषय में आवश्यक परिशोध करके उसके संबंध में अपने आत्मिक विकार को दूर करने की चेष्टा करे।

6-अवकाश और विदाई

(15) प्रत्येक भृत्य के लिए आवश्यक है, कि वह अपने स्वामी से स्वीकृति लेकर अपने किसी कर्तव्य कार्य से अवकाश लाभ करे।

(16) प्रत्येक भृत्य के लिए आवश्यक है, कि वह जहां तक संभव हो, अपने स्वामी को विधि पूर्वक सूचना देकर और उसकी अनुमति लेकर उसकी सेवा से अलग हो।

7-सुरक्षा

(17) प्रत्येक भृत्य के लिए आवश्यक है, कि यदि उसके स्वामी के संबंध में उसके किसी कर्तव्य कार्य में किसी प्रकार का कोई विघ्न उत्पन्न हो, तो वह उसके विषय में जहां तक शीघ्र से शीघ्र संभव हो, अपने स्वामी को सूचित करे।

(18) प्रत्येक भृत्य के लिए आवश्यक है, कि यदि उसके सम्मुख उसके

स्वामी के किसी सच्चरित्र पर कोई आक्षेप करे, तो वह किसी उचित विधि से उससे उसे सुरक्षित करने की चेष्टा करे।

8-विश्वस्तता

(19) प्रत्येक भृत्य के लिए आवश्यक है, कि वह अपने स्वामी के संबंध में अपने आपको **सदा विश्वास** के योग्य प्रमाणित करे।

9-सद्भाव की उन्नति

(20) प्रत्येक भृत्य के लिए आवश्यक है, कि वह अपने स्वामी के जिस किसी सद्गुण को उपलब्ध कर सकता हो, उसे बार बार स्मरण करके और उसे औरों के सम्मुख वर्णन करके उसके प्रति अपने सद्भाव को उत्पन्न वा उन्नत करे।

10-कृतज्ञता

(21) प्रत्येक भृत्य के लिए आवश्यक है, कि वह अपने स्वामी से किसी प्रकार की विशेष सहाय, शुश्रूषा वा सेवा के पाने पर उसके लिए उसका कृतज्ञ वा उपकृत अनुभव करे।

11-सहाय और सेवा

(22) प्रत्येक भृत्य के लिए आवश्यक है, कि वह किसी विशेष आवश्यकता के समय अपने स्वामी के लिए यथा साध्य नियत काम से भी अधिक काम करे।

(23) प्रत्येक भृत्य के लिए आवश्यक है, कि वह अपने स्वामी के विपदग्रस्त होने पर, जहां तक उसके लिए सम्भव और उचित हो, उसकी सहाय करे।

(24) प्रत्येक भृत्य के लिए आवश्यक है, कि वह अपने स्वामी के रोग वा पीड़ा-ग्रस्त होने पर, जहां तक उसके लिए संभव हो, उचित रूप से उसकी सहाय वा शुश्रूषा करे।

(25) प्रत्येक भृत्य के लिए आवश्यक है, कि वह अपने स्वामी की इच्छा के अनुसार उसके किसी संबंधी वा अन्य जन के किसी रोग वा विपद के समय, अपनी योग्यता के अनुसार शुश्रूषा वा सहाय करे।

(26) प्रत्येक भृत्य के लिए आवश्यक है, कि वह अपने स्वामी के पूछने पर, वा अपनी ओर से उचित समझकर, अपनी योग्यता के अनुसार उसे एक वा दूसरे प्रकार का सद् परामर्श दे।

(27) प्रत्येक भृत्य के लिए आवश्यक है, कि वह योग्यता रखने और अनुकूल अवस्था मिलने पर, अपने स्वामी वा उसके किसी आश्रित संबंधी को किसी अपराध वा पाप-मूलक क्रिया से बचाने वा उसमें किसी उच्च भाव के उत्पन्न वा उन्नत करने की यथा साध्य चेष्टा करे।

12-मंगल कामना

(28) प्रत्येक भृत्य के लिए आवश्यक है, कि वह योग्यता रखने पर अपने हितकारी स्वामी और उसके कुछ विशेष विशेष आश्रित संबंधियों के लिए मंगल कामना करे।

वर्जित कर्म

****

(1) प्रत्येक भृत्य के लिए आवश्यक है, कि वह अपने स्वामी अथवा उसके संबंधियों वा उसके मित्रों के प्रति अपमान सूचक कोई क्रिया न करे।

(2) प्रत्येक भृत्य के लिए आवश्यक है, कि वह अपने स्वामी के प्रत्येक कार्य को उचित समय में और उत्तम रूप से पूरा करने में यथा साध्य कभी त्रुटि न करे।

(3) प्रत्येक भृत्य के लिए आवश्यक है, कि वह अपने स्वामी की किसी वस्तु को अपनी असावधानता से कभी हानि न पहुंचावे।

(4) प्रत्येक भृत्य के लिए आवश्यक है, कि वह अपने स्वामी की किसी वस्तु की चोरी न करे।

(5) प्रत्येक भृत्य के लिए आवश्यक है, कि वह अपने स्वामी के जिस जिस अधिकार की रक्षा करने के लिए नियुक्त हुआ हो, उसके संबंध में स्वामी के लाभ से अपने लाभ को बढ़कर न समझे।

(6) प्रत्येक भृत्य के लिए आवश्यक है, कि वह अपने स्वामी के संबंध में प्रत्येक उचित कार्य के करने में स्वामी की रुचि पर अपनी रुचि को श्रेष्ठता न दे।

(7) प्रत्येक भृत्य के लिए आवश्यक है, कि वह अपने स्वामी वा उसके किसी समीपी संबंधी के संबंध में कोई अपराध करके उसके छिपाने के लिए कोई चेष्टा न करे।

(8) प्रत्येक भृत्य के लिए आवश्यक है, कि वह अपने स्वामी वा उसके किसी समीपी संबंधी की किसी उचित और गोपनीय बात को किसी और पर प्रगट करके विश्वास घाती न बने।

(9) प्रत्येक भृत्य के लिए आवश्यक है, कि वह अपनी किसी नीच अनुराग के वशीभूत होकर अपने स्वामी वा उसके किसी समीपी संबंधी के शरीर, प्राण, धन

सम्पत्ति और मान आदि को कोई हानि न पहुंचावे।

(10) प्रत्येक भृत्य के लिए आवश्यक है, कि वह प्रतिशोध भाव के वशीभूत होकर, अपने स्वामी वा उसके किसी समीपी संबंधी के शरीर, प्राण, धन और मान आदि को कोई अनुचित हानि न पहुंचावे।

(11) प्रत्येक भृत्य के लिए आवश्यक है, कि वह अपने स्वामी को किसी अपराध वा पाप-मूलक कार्य के लिए जान बूझकर कभी प्रेरित न करे।

(12) प्रत्येक भृत्य के लिए आवश्यक है, कि वह अपने स्वामी के किसी अपराध वा पाप-मूलक कार्य में जान बूझकर कभी सहाय न करे।

2-स्वामी* के लिए
आदेश

1-संबंध अनुभव

(1) प्रत्येक स्वामी के लिए आवश्यक है, कि वह भृत्य को अपने लिए एक आवश्यक और सेवाकारी अंग जान कर उसके साथ अपना धर्म-मूलक गाढ़ संबंध अनुभव करे।

(2) प्रत्येक स्वामी के लिए आवश्यक है, कि वह अपने भृत्य की किसी विशेष आवश्यकता के समय में, अपनी सामर्थ्य के अनुसार, उसकी कोई **विशेष सहाय वा सेवा** करना अपना उच्च अधिकार अनुभव करे।

(3) प्रत्येक स्वामी के लिए आवश्यक है, कि वह अपने भृत्य के संबंध में अपने आपको प्रत्येक नीच गति से मुक्त करने और मुक्त रखने की आवश्यकता को भली भांत अनुभव करे।

(4) प्रत्येक स्वामी के लिए आवश्यक है, कि वह अपने भृत्य के संबंध में प्रत्येक हितकर भाव के उत्पन्न वा उन्नत करने की आवश्यकता को भली भांत अनुभव करे।

2-सम्मान और आदर प्रदर्शन

(5) प्रत्येक स्वामी के लिए आवश्यक है, कि वह अपने भृत्य के प्रति उसके पद और उसकी अवस्था आदि के अनुसार आवश्यक सम्मान प्रदर्शन करे।

(6) प्रत्येक स्वामी के लिए आवश्यक है, कि वह अपने भृत्य के किसी उचित सुख वा लाभ के विषय में अवगत होने पर प्रसन्न हो, और यथा अवसर अपनी ऐसी प्रसन्नता का उचित रूप से प्रकाश करे।

(7) प्रत्येक स्वामी के लिए आवश्यक है, कि वह अपने भृत्य की ओर से किसी असाधारण सेवा के पाने पर, उसकी प्रशंसा करके वा उसे कोई उचित पुरस्कार देकर अपने आदर का प्रकाश करे।

---

* स्वामी कई प्रकार के होते हैं यथा (1) किसी घर वा परिवार का स्वामी, (2) किसी दुकान वा कारखाने का एक वा उसके कई स्वामी, (3) किसी दफ्तर का स्वामी, (4) किसी शासन विभाग का स्वामी, (5) किसी सोसायटी वा समाज का स्वामी, (6) किसी संस्था का स्वामी, इत्यादि। इस में जितने आदेश जिस जिस प्रकार के स्वामी के लिए ठीक बैठते हों, उतने आदेश उस उस प्रकार के स्वामी के लिए समझने चाहिएं।

3-विश्वस्तता

(8) प्रत्येक स्वामी के लिए आवश्यक है, कि वह अपने भृत्य को किसी विषय में वहीं तक भरोसे के योग्य समझे, जहां तक यथेष्ट परीक्षा के अनन्तर उसने उस विषय में अपने आपको विश्वास के योग्य प्रमाणित किया हो।

(9) प्रत्येक स्वामी के लिए आवश्यक है, कि वह अपने भृत्य की प्रत्येक ऐसी वस्तु की, जो उसने उसकी रक्षा में रखी हो, पूर्ण रूप से रक्षा करे, और उसके मांगने पर उसे उचित समय में दे दे।

4-आज्ञा और कार्य

(10) प्रत्येक स्वामी के लिए आवश्यक है, कि वह अपने भृत्य को नासमझी के भ्रम से बचाने के लिए, जहां तक संभव हो, स्पष्ट रूप से और भली भांत समझा कर आज्ञा दे।

(11) प्रत्येक स्वामी के लिए आवश्यक है, कि वह किसी विशेष कारण के भिन्न अपने भृत्य को केवल उन्हीं कामों की आज्ञा दे, कि जिनके लिए वह नियुक्त किया गया हो।

(12) प्रत्येक स्वामी के लिए आवश्यक है, कि वह किसी विशेष कारण के भिन्न अपने भृत्य से उतना ही काम ले, जितना काम करने का वह दायी हो, अथवा जितना काम करना उसके लिए यथेष्ट और आवश्यक हो।

(13) प्रत्येक स्वामी के लिए आवश्यक है, कि वह किसी विशेष कारण के भिन्न अपने भृत्य से निर्दिष्ट समय में केवल निर्दिष्ट काम ले।

5-वेतन वा पारिश्रमिक

(14) प्रत्येक स्वामी के लिए आवश्यक है, कि वह जहां तक संभव हो, निर्दिष्ट अथवा ठीक समय में ही अपने भृत्य को उसका वेतन वा पारिश्रमिक प्रदान करे।

6-अवकाश वा छुट्टी

(15) प्रत्येक स्वामी के लिए आवश्यक है, कि वह अपने भृत्य को उसके आवश्यक कृत्यों के पूर्ण करने के लिए आवश्यक अवकाश दे।

(16) प्रत्येक स्वामी के लिए आवश्यक है, कि वह अपने भृत्य को अपनी विविध आवश्यकताओं के पूरा करने के निमित्त साधारणत: सप्ताह में एक दिन, वा उसके किसी अंश की, और किसी विशेष अवसर पर विशेष छुट्टी दे।

7. सहाय और सेवा

(17) प्रत्येक स्वामी के लिए आवश्यक है, कि वह अपने भृत्य की किसी शारीरिक पीड़ा वा विपदादि के समय अपनी योग्यता के अनुसार उसकी आवश्यक

सहाय वा रक्षा करे।

(18) प्रत्येक स्वामी के लिए आवश्यक है, कि वह अपने विश्वस्त और पुराने सेवाकारी भृत्य वा उसके संबंधियों का कोई विशेष उपकार करे।

(19) प्रत्येक स्वामी के लिए आवश्यक है, कि वह योग्यता रखने पर अपने भृत्य के आत्मिक हित के लिए कोई उचित प्रयत्न करे।

8-अपराध और दण्ड

(20) प्रत्येक स्वामी के लिए आवश्यक है, कि वह अपने भृत्य की ओर से अज्ञानता के कारण किसी अपराध के होने पर, जहां तक हो, उसे समझा देना, वा यथा आवश्यक कुछ तिरस्कार कर देना ही यथेष्ट दण्ड समझे।

(21) प्रत्येक स्वामी के लिए आवश्यक है, कि यदि उसका भृत्य जान बूझकर भी उसके संबंध में कोई अपराध करे वा उसे हानि पहुंचावे, तो भी उसके अपराध और हानि के अनुसार उसे केवल **विधेय** और उचित दण्ड ही दे।

(22) प्रत्येक स्वामी के लिए आवश्यक है, कि वह अपने भृत्य की छोटी छोटी अवज्ञाओं को, जहां तक हो, क्षमा करे।

9-परिशोध

(23) प्रत्येक स्वामी के लिए आवश्यक है, कि वह अपने भृत्य के संबंध में अपनी किसी अनुचित क्रिया वा अपने किसी अपराध के विषय में अवगत होने वा बोध लाभ करने पर, उसके लिए उचित परिशोध करके उसके साथ अपने संबंध को शुद्ध करे।

10-मंगल कामना

(24) प्रत्येक स्वामी के लिए आवश्यक है, कि वह योग्यता रखने पर अपने विशेष सेवाकारी भृत्य वा भृत्यों के लिए मंगल कामना का साधन करे।

वर्जित कर्म
****

(1) प्रत्येक स्वामी के लिए आवश्यक है, कि वह किसी विशेष कारण के भिन्न, असमय में अपने भृत्य से कोई काम न ले।

(2) प्रत्येक स्वामी के लिए आवश्यक है, कि वह किसी विशेष कारण के भिन्न अपने भृत्य से उसकी योग्यता से बढ़कर कोई काम न ले।

(3)   प्रत्येक स्वामी के लिए आवश्यक है, कि वह अपने भृत्य को किसी अनुचित वा अपराध वा पाप-मूलक कार्य के लिए कभी आज्ञा न दे।

(4)   प्रत्येक स्वामी के लिए आवश्यक है, कि वह अपने भृत्य के उचित वेतन वा पारिश्रमिक को उचित समय में देने से विमुख न हो।

(5)   प्रत्येक स्वामी के लिए आवश्यक है, कि वह अपने भृत्य को उसकी अपनी वा उसके परिवार आदि की किसी विशेष आवश्यकता के पूरा करने के निमित्त, उचित वा विधेय छुट्टी के देने में त्रुटि न करे।

(6)   प्रत्येक स्वामी के लिए आवश्यक है, कि वह किसी विषय में परीक्षा के बिना अपने भृत्य पर आवश्यकता से बढ़कर विश्वास न करे।

(7)   प्रत्येक स्वामी के लिए आवश्यक है, कि वह अपने भृत्य के प्रति अपनी योग्यता के अनुसार जो कुछ भलाई कर सकता हो, उसके करने में त्रुटि न करे।

(8)   प्रत्येक स्वामी के लिए आवश्यक है, कि वह किसी विशेष कारण के भिन्न अपने किसी भृत्य को उचित अथवा विधेय सूचना देने के बिना अपनी सेवा से अलग न करे।

(9)   प्रत्येक स्वामी के लिए आवश्यक है, कि वह अपने किसी भृत्य की किसी उचित स्वतंत्रता वा उसके किसी उचित अधिकार में किसी प्रकार से विघ्नकारी न बने।

(10) प्रत्येक स्वामी के लिए आवश्यक है, कि वह अपनी किसी नीच अनुराग के वशीभूत हो कर अपने भृत्य वा उसके किसी संबंधी के शरीर, प्राण, धन और मान आदि को कोई हानि न पहुंचावे।

भृत्य स्वामी के संबंध में शेष दिन
का साधन
****

1-इस साधन के लिए अपने साधनालय अथवा किसी अन्य स्थान को साधन से पहले परिष्कृत और सुसज्जित करना चाहिए।

2-इस दिन, जहां तक संभव हो, वहां तक प्रात: काल में ही व्रत का साधन करना चाहिए।

3-इस दिन अपने शरीर को शुद्ध करके और उजले वस्त्र पहन कर साधन के लिए बैठना चाहिए।

4-इस दिन नीचे लिखी गई विधि के अनुसार सम्मिलित साधन करना चाहिए:-

(1) सत्य देव भगवान देवात्मा की छवि के सम्मुख खड़े होकर पुष्पहार के द्वारा उनका अर्चन।

(2) देव स्तोत्र का उच्च स्वर के साथ गान।

(3) सत्य देव भगवान देवात्मा को श्रद्धापूर्वक प्रणाम।

(4) सत्य देव भगवान देवात्मा से सभा की सफलता के लिए आशीर्वाद प्रार्थना।

(5) भृत्य स्वामी संबंधी आवश्यक आदेशों का एकाग्रता के साथ धीरे-धीरे पाठ वा श्रवण अथवा भृत्य स्वामी के संबंध में कोई उपदेश।

(6) इस संबंध में साधनों के द्वारा प्रत्येक साधन कर्ता ने अपना जो कुछ मोक्ष वा विकास विषयक हित साधन किया हो, उस पर चिंतन और उसके लिए सत्य देव भगवान देवात्मा के प्रति धन्यवाद आदि भावों का प्रकाश।

(7) आगामी वर्ष में परस्पर के संबंध को और भी विकार रहित और हितकर बनाने के निमित्त आकांक्षा और आशीर्वाद प्रार्थना।

(8) सत्य देव भगवान देवात्मा की चार बार जय ध्वनि, खड़े होकर।

5-इस दिन साधारण दिनों की अपेक्षा उत्तम भोजन खाना चाहिए।

स्वामी और उसके भृत्य वा भृत्यों के लिए परस्पर मिलकर साधन करने की विधि

****

(1) भृत्य स्वामी एक दूसरे का पुष्पहार के द्वारा अर्चन करें

(2) भृत्य स्वामी एक दूसरे को कोई न कोई वस्तु उपहार दें।

(3) भृत्य स्वामी के संबंध में किसी गीत का मिलकर गान करें।

(4) भृत्य स्वामी एक दूसरे के संबंध में अपने अपने भावों का प्रकाश करें।

(5) भृत्य स्वामी सत्य देव भगवान देवात्मा की चार बार जय ध्वनि करके साधन समाप्त करें।

स्ववंशीय जनों

के संबंध में

पाठ और विचार के साधन

****

स्ववंशीय जनों

के संबंध में

पाठ और विचार के साधन

****

स्वंवश विषयक वार्षिक पाठ और विचार के नियत दिनों में स्ववंशीय जनों के लिए इस संबंध में जिन जिन साधनों का करना विशेष रूप से आवश्यक है, वह यह हैं:-

(1) इन दिनों में साधन कर्ता को स्ववंशीय जनों के संबंध में आदेशों का विचार के साथ पाठ अथवा श्रवण करना चाहिए।

(2) इन दिनों में इन आदेशों के पाठ और उन पर विचार करने से पहले साधन कर्ता प्रत्येक जन को उनके द्वारा अपने वंशीय जनों संबंध में अपनी किसी हीनता वा नीचता के देखने के निमित्त सत्य देव भगवान देवात्मा से उनकी देव ज्योति के लिए प्रार्थना करनी चाहिए।

(3) साधन कर्ता प्रत्येक जन ने सत्य देव भगवान देवात्मा की शरण में आकर स्ववंशीय जनों के संबंध में आदेशों में से जिन जिन के पालन करने की योग्यता लाभ की हो, और उसके द्वारा उसका वा उसके वंशीय जनों का जो कुछ हित हुआ हो, उसे इन दिनों में अपने सम्मुख लाकर सत्य देव भगवान देवात्मा के प्रति धन्यवाद आदि भावों का प्रकाश करना चाहिए।

(4) इन दिनों में साधन कर्ता प्रत्येक जन को अपने वंशीय जनों के संबंध में अपनी किसी हीनता वा नीचता के विषय में बोध प्राप्त करने पर, उसके दूर करने के निमित्त अपनी ओर से बल प्रयोग करने की प्रतिज्ञा करने के भिन्न, सत्य देव भगवान देवात्मा से बल प्राप्ति के लिए प्रार्थना करनी चाहिए।

(5) इन दिनों में स्ववंशीय जनों के संबंध में आदेशों के साथ अपने जीवन की तुलना करने के अनन्तर साधन कर्ता जन के हृदय में जो जो शुभ संकल्प उत्पन्न हों, उन्हें अपनी साधन पुस्तक में लिखना चाहिए।

(6) उपरोक्त शुभ संकल्पों में से जो जो शुभ संकल्प साधन कर्ता इन्हीं दिनों में आरंभ वा पूरे कर सकता हो, उन्हें इन्हीं दिनों में आरंभ वा पूरा करने की चेष्टा करनी चाहिए।

(7) इन दिनों में अपने वंश की अवस्था पर विशेष रूप से चिन्तन करना चाहिए और अपने विशेष विशेष वंशीय जनों के सद्गुणों और उपकारों पर विशेष

रूप से चिन्तन करना चाहिए।

(8) इन दिनों में साधन कर्ता प्रत्येक जन को अपने वंशीय जनों की किसी हीनता वा नीचता वा उनके किसी अभाव के विषय में अवगति लाभ करने और उसके दूर करने की सामर्थ्य रखने पर, उसके दूर करने के निमित्त आवश्यक उपाय सोचना और अवलम्बन करना चाहिए।

(9) इन दिनों में साधन कर्ता प्रत्येक जन को अपने वंशीय जनों के प्रति अपने सद्भाव को विशेष रूप से बढ़ाने के निमित्त चेष्टा करनी चाहिए।

(10) इन दिनों में साधन कर्ता प्रत्येक जन को यथा साध्य अपने वंशीय जनों के साथ विशेष रूप से सदालाप और पत्र व्यवहार करना चाहिए।

(11) इन दिनों में स्ववंश संबंधी एक वा दूसरे प्रकार के इतिहास से अवगति लाभ करनी और यदि इस विषय में कोई लेख वर्तमान हो तो, उसका पाठ अथवा श्रवण करना चाहिए।

(12) इन दिनों में अपने वंश के परोपकारी और प्रभावशाली स्त्री पुरुषों की जीवन कथाओं से अवगति लाभ करनी और यदि उनकी कोई समाधियां वर्तमान हो तो उनकी यात्रा, और उनकी कोई छवियां वर्तमान हों, तो उनका दर्शन करना चाहिए।

स्ववंशीय जनों
के संबंध में
आदेश

1-संबंध बोध

(1) प्रत्येक पुरुष और प्रत्येक अविवाहित स्त्री के लिए आवश्यक है, कि वह अपने पिता से ऊपर के सब वंशीय जनों और अपने ताया, ताई, चाचा, चाची, भाई और भावजा और उनकी प्रत्येक नर और अविवाहित नारी सन्तान के साथ अपना संबंध अनुभव करे।

(2) प्रत्येक विवाहित नारी के लिए आवश्यक है, कि वह अपने पति के पिता, माता और उनसे ऊपर के सब वंशीय जनों और अपने पति के ताया, ताई, चाचा, चाची, भाई और भावजा और उनकी प्रत्येक नर और अविवाहित नारी सन्तान के साथ अपने संबंध को अनुभव करे।

(3) प्रत्येक जन के लिए आवश्यक है, कि वह अपने वंशीय जनों के संबंध में अपने आप को प्रत्येक पतनकारी भाव से मुक्त करने और मुक्त रखने और प्रत्येक हितोत्पादक भाव को जाग्रत और उन्नत करने की आवश्यकता को भली भांत अनुभव करे।

2-अवगति

(4) प्रत्येक जन के लिए आवश्यक है, कि वह अपने वंश और वंशीय जनों के विषय में मोटी मोटी बातों के भिन्न अपने वंश की शिक्षा, प्रथा, रीति, नीति और उसके आचार और व्यवहार आदि के विषय में जहां तक संभव हो, सच्ची अवगति लाभ करे।

3-सम्मान भाव

(5) प्रत्येक जन के लिए आवश्यक है, कि वह अपने सब वंशीय जनों के प्रति उनकी वयस और मर्यादा के अनुसार उचित रूप से आदर और सम्मान प्रदर्शन करे।

(6) प्रत्येक जन के लिए आवश्यक है, कि उस के वंश के जिन जिन जनों ने अपने अपने आत्मा में किसी प्रकार के विशेष सद्गुणों की वर्तमानता का परिचय दिया हो, वा अपने किसी विशेष परोपकार विषयक कर्म के द्वारा अपने वंश के गौरव को बढ़ाया हो, उन्हें जाने और उनके प्रति अपने हृदय में सम्मान भाव अनुभव करे।

4-कृतज्ञ भाव

(7) प्रत्येक जन के लिए आवश्यक है, कि वह अपने वंश के ऐसे सब जनों के प्रति अपने हृदय में कृतज्ञ भाव अनुभव करे और उसका उनके संबंध में अपनी एक वा दूसरी सेवा के द्वारा परिचय दे कि जिनके द्वारा उसका कोई विशेष हित हुआ हो।

5-स्मृति रक्षा

(8) प्रत्येक जन के लिए आवश्यक है, कि वह योग्यता रखने पर अपने वंश के किसी सद्गुण के विचार से विख्यात जन की स्मृति रक्षा और अन्य जनों में उसके उस गुण की महिमा के प्रचार के लिए उसका जीवन-चरित लिखे और प्रकाशित करे।

(9) प्रत्येक जन के लिए आवश्यक है, कि उसके वंश के जिस किसी संबंधी की उचित रूप से स्मृति रक्षा की आवश्यकता हो, उसके लिए वह जब और जो कुछ सहाय वा सेवा कर सकता हो, वह सहाय और सेवा करे।

6-साधारण सहाय, सेवा और दान

(10) प्रत्येक जन के लिए आवश्यक है, कि वह अपने वंशीय जनों के विपद ग्रस्त वा रोगी होने पर अपनी सामर्थ्य और अवसर के अनुसार जहां तक सम्भव हो, उनकी सहाय और सेवा करे।

(11) प्रत्येक जन के लिए आवश्यक है, कि वह सामर्थ्य रखने पर अपने वंश के किसी अनाथ लड़के वा लड़की को अपने घर में आश्रय दे, और उस की सब प्रकार से उचित रक्षा और पालना करे, अथवा उनमें से जिस किसी की जो कुछ और सहाय कर सकता हो, वह सहाय करे।

(12) प्रत्येक जन के लिए आवश्यक है, कि वह सामर्थ्य रखने पर अपने वंश की किसी असहाय वा निराश्रित विधवा को उसके आकांक्षी होने पर अपने घर में आश्रय दे; और उसकी जिस जिस प्रकार से न्याय मूलक सहाय कर सकता हो, वह सहाय और उसकी **स्त्री संबंधी पवित्रता** की भली भांत रक्षा करे।

(13) प्रत्येक जन के लिए आवश्यक है, कि वह सामर्थ्य रखने पर अपने वंश के ऐसे जनों के हित के लिए, कि जो एक वा दूसरे कारण से अपने भरण पोषण के अयोग्य हों, कोई संस्था स्थापन करे, अथवा किसी ऐसे शुभ काम के लिए जो कुछ सहाय कर सकता हो, वह करे।

(14) प्रत्येक जन के लिए आवश्यक है, कि उसने अपने वंशगत जिस किसी संबंधी से कोई विशेष सहाय वा सेवा पाई हो, उसके प्रति जहां तक सम्भव हो, एक वा दूसरे प्रकार से सहायक वा सेवाकारी बने।

(15) प्रत्येक जन के लिए आवश्यक है, कि वह अपने वंशगत जनों के सब

प्रकार के निर्दोष अनुष्ठानों में यथा साध्य और यथा अवसर योग दे और उनमें आवश्यक सहाय करे।

(16) प्रत्येक जन के लिए आवश्यक है कि वह सामर्थ्य रखने पर अपने वंशगत जनों की मानसिक उन्नति वा उस में सहाय होने के लिए कोई **छात्र निवास** स्थापन करे वा छात्र वृत्तियां वा पारितोषिक वा पदक आदि दे।

7-आवश्यक रक्षा, उन्नति और दान

(17) प्रत्येक जन के लिए आवश्यक है, कि वह अपने वंश की प्रत्येक हितकर शिक्षा, मर्यादा वा प्रथा आदि की रक्षा और उसकी किसी पतनकारी वा हानिकारक प्रथा के दूर करने के लिए जहां तक सम्भव हो चेष्टा करे।

(18) प्रत्येक जन के लिए आवश्यक है, कि उसने अपने वंशीय पूर्वजों से जिन जिन सद्गुणों आदि को लाभ किया हो, उनकी जहां तक सम्भव हो रक्षा और उन्नति करे।

(19) प्रत्येक जन के लिए आवश्यक है, कि यदि उसने अपने वंशगत संबंधियों से कोई सम्पत्ति पाई हो, तो जहां तक सम्भव हो, उसकी उचित रूप से रक्षा वा उन्नति और व्यवहार करे और उसमें से कम से कम आधी सम्पत्ति आत्माओं के सत्य मोक्ष और विकास के कार्य के लिए अर्पण करे।

8-आत्मिक परिवर्तन

(20) प्रत्येक जन के लिए आवश्यक है, कि वह अपने वंशीय जनों में से जिन जिन जनों तक सत्य देव भगवान देवात्मा के देव प्रभावों को पहुंचाकर उनके आत्माओं के सत्य मोक्ष और विकास के पथ में जहां तक सहाय वा सेवाकारी बन सकता हो वहां तक सहाय वा सेवाकारी बने।

9-हानिपरिशोध

(21) प्रत्येक जन के लिए आवश्यक है, कि वह अपने किसी वंशीय जन के संबंध में अपने किसी अपराध के विषय में बोध लाभ करने पर उसके लिए उचित परिशोध करके उसके साथ अपने संबंध को पवित्र करे।

10-मंगल कामना

(22) प्रत्येक जन के लिए आवश्यक है, कि वह शुभ कामना विषयक भाव रखने पर, अपने वंशीय जनों में सत्य देव भगवान देवात्मा के देव प्रभावों के पहुंचाने के द्वारा सत्य मोक्ष और विकास विषयक उच्च परिवर्तन के उत्पन्न और उसके भिन्न उनके किसी और विशेष अभाव के दूर होने के निमित्त मंगल कामनाएं करें।

वर्जित कर्म

****

(1) प्रत्येक जन के लिए आवश्यक है, कि वह अपने वंशीय जनों का पक्षपाती बन कर उनके वा उनमें से किसी भी जन के लाभ के लिए किसी और वंश वा समाज वा राज्य वा अन्य जनों के उचित लाभ को अपनी किसी क्रिया के द्वारा कोई हानि न पहुंचावे।

(2) प्रत्येक जन के लिए आवश्यक है, कि वह अपने वंश का पक्षपाती बनकर अपने वंश की किसी मिथ्या शिक्षा वा बुरी वा हानिकारक रीति वा प्रथा वा व्यवहार व आचार की जान बूझकर कोई प्रशंसा वा पोषकता न करे।

(3) प्रत्येक जन के लिए आवश्यक है, कि वह अपने वंश के किसी जन का साथी वा मित्र होने पर उसका पक्षपाती बनकर उसके लिए किसी और के विरुद्ध कोई मिथ्या साक्षी न दे।

(4) प्रत्येक जन के लिए आवश्यक है, कि वह अपनी किसी क्रिया के द्वारा, अपने वंश के कुछ लोगों में अपने ही वंश के कुछ और लोगों वा अपने वंश से बाहर के जनों के प्रति किसी **घृणा वा द्वेष भाव** को उत्पन्न वा उन्नत न करे।

(5) प्रत्येक जन के लिए आवश्यक है, कि वह अपने किसी वंशीय जन से किसी धर्म वा राजनैतिक वा किसी अन्य विषय में मतभेद रखने पर वा उसकी किसी क्रिया को ठीक न समझने पर उसकी उचित स्वाधीनता में कोई **विघ्न वा बाधा** उत्पन्न वा उसे किसी प्रकार से उत्पीड़ित न करे। और यदि वह उसका कोई उपकारी संबंधी हो, तो वह उसके प्रति अपनी कृतज्ञता और सम्मान विषयक किसी उचित क्रिया के साधन में कोई त्रुटि न करे।

(6) प्रत्येक जन के लिए आवश्यक है, कि वह धन और सम्पत्ति का लालसी बनकर उसकी प्राप्ति के लिए अपने किसी वंशीय सम्बंधी के प्रति किसी प्रकार का अन्याय वा पाप न करे।

(7) प्रत्येक जन के लिए आवश्यक है, कि वह अपने वंश के किसी साधारण हितकर काम को अपनी किसी क्रिया के द्वारा कोई हानि न पहुंचावे।

(8) प्रत्येक जन के लिए आवश्यक है, कि वह अपने वंशीय जनों से डरकर उनकी किसी भी अनुचित आकांक्षा वा क्रिया का जान बूझकर कभी साथ न दे।

स्ववंशीय जनों के संबंध में शेष दिन
का साधन

1-इस साधन से पहले अपने साधनालय अथवा किसी अन्य स्थान को पहले से परिष्कृत और सुसज्जित करना चाहिए।

2-इस दिन जहां तक संभव हो, वहां तक प्रात:काल में ही व्रत का साधन करना चाहिए।

3-इस दिन अपने शरीर को शुद्ध करके और उजले वस्त्र और अपनी अपनी एकाकारी पहनकर साधन के लिए योग देना चाहिए।

4-इस दिन नीचे दी हुई विधि के अनुसार इस संबंध में सम्मिलित सभा करनी चाहिए:-

(1) सत्य देव भगवान देवात्मा की छवि के सम्मुख खड़े होकर पुष्पहार के द्वारा उनका अर्चन।

(2) देव स्तोत्र का उच्च स्वर के साथ सम्मिलित पाठ वा गान।

(3) सत्य देव भगवान देवात्मा को श्रद्धापूर्वक प्रणाम।

(4) सत्य देव भगवान देवात्मा से साधन की सफलता के लिए आशीर्वाद प्रार्थना।

(5) स्वंशीय जनों के संबंध में आवश्यक आदेशों का एकाग्रता के साथ धीरे धीरे पाठ वा श्रवण, अथवा इस संबंध में कोई उपदेश।

(6) इस संबंध में पाठ और विचार के साधनों से प्रत्येक साधन कर्ता ने अपना जो जो कुछ मोक्ष वा विकास विषयक हित साधन किया हो, उस पर चिंतन और उसके लिए सत्य देव भगवान देवात्मा के प्रति धन्यवाद आदि उच्च भावों का प्रकाश।

(7) आगामी वर्ष में परस्पर के संबंध को और भी विकार रहित और हितकर बनाने के निमित्त आकांक्षा और आशीर्वाद प्रार्थना।

(8) सत्य देव भगवान देवात्मा की खड़े होकर चार बार जय ध्वनि।

5. इस दिन यथा सम्भव और दिनों की अपेक्षा उत्तम भोजन करना चाहिए, और अपने वंश के अधिकारी जनों के लिए कुछ दान करना चाहिए।

6. इस दिन जहां तक सम्भव हो, एक ही स्थान के सब वा अधिकांश वंशीय जनों को आपस में मिलकर भोजन करना चाहिए और उपकारी वंशीय संबंधियों को कुछ उपहार देना चाहिए।

स्वदेश

के संबंध में

पाठ और विचार के साधन

****

स्वदेश

के संबंध में

वार्षिक पाठ और विचार के साधन

****

स्वदेश के संबंध में वार्षिक पाठ और विचार के नियत दिनों में प्रत्येक साधन कर्ता के लिए जिन जिन साधनों का करना विशेष रूप से आवश्यक है, वह यह हैं:-

(1) इन दिनों में प्रत्येक साधन कर्ता को स्वदेश के संबंध में आदेशों का विचार के साथ पाठ अथवा श्रवण करना चाहिए।

(2) इन दिनों में स्वदेश संबंधी आदेशों के पाठ और उन पर विचार करने से पहले साधन कर्ता को उनके द्वारा अपने देश के संबंध में अपनी किसी हीनता वा नीचता के देखने के निमित्त सत्य देव भगवान देवात्मा से उनकी ज्योति के लिए प्रार्थना करनी चाहिए।

(3) सत्य देव भगवान देवात्मा की शरण में आकर साधन कर्ता ने स्वदेश संबंधी आदेशों में से जिन जिन के पालन करने की योग्यता लाभ की हो, और उसके द्वारा उसका वा उसके देश का जो कुछ हित हुआ हो, उसे इन दिनों में अपने सम्मुख लाकर सत्य देव भगवान देवात्मा के प्रति धन्यवाद आदि भावों का प्रकाश करना चाहिए।

(4) इन दिनों में साधन कर्ता को अपने देश वा किसी स्वदेश वासी के संबंध में अपनी किसी हीनता वा नीचता के विषय में बोध प्राप्त करने पर उसके दूर होने के निमित्त अपनी ओर से बल प्रयोग करने के भिन्न यथावश्यक सत्य देव भगवान देवात्मा से बल प्राप्ति के लिए प्रार्थना करनी चाहिए।

(5) इन दिनों में स्वदेश के संबंध में जो जो शुभ संकल्प वा भाव साधन कर्ता के हृदय में उत्पन्न हों, उन्हें अपनी साधन पुस्तक में लिखना चाहिए और उनमें से जो जो संकल्प वा भाव इन दिनों में ही आरंभ अथवा पूरे हो सकते हों, उन्हें उसे इन्हीं दिनों में आरंभ अथवा पूरा करने की चेष्टा करनी चाहिए।

(6) इन दिनों में साधन कर्ता को अपने नगर और देश के इतिहास को पढ़ना अथवा उसके विषय में कोई अवगति लाभ करने की चेष्टा करनी चाहिए।

(7) इन दिनों में साधन कर्ता को अपने देश की राजनैतिक अवस्था के विषय में अध्ययन अथवा विचार करना चाहिए।

(8) इन दिनों में साधन कर्ता को अपनी योग्यता के अनुसार अपने देश के

विशेष विशेष प्रशंसनीय और स्मरणीय शासन कर्ता स्त्री पुरुषों के जीवन चरित्र पढ़ना अथवा लिखना अथवा सुनना और सुनाना चाहिए।

(9) इन दिनों में साधन कर्ता को अपने देश की एक वा दूसरी सच्ची महिमा के विषय में चिंतन, कथा वार्ता और गीत आदि का गान करना चाहिए।

(10) इन दिनों में साधन कर्ता को यथा सामर्थ्य अपने देश के विशेष विशेष प्राकृतिक दृश्यों का दर्शन और विशेष विशेष हितकर वस्तु उत्पादक स्थानों और दर्शनीय नगरों की यात्रा करनी चाहिए।

(11) इन दिनों में साधन कर्ता को यथा अवसर अपने देश की नाना प्रकार की खनिज और निर्मित वस्तुओं से भरपूर किसी प्रदर्शनी का दर्शन करना चाहिए।

(12) इन दिनों में साधन कर्ता को अपने देश वासियों के किसी साधारण अभाव वा कष्ट आदि के दूर होने के निमित्त मंगल कामना करनी चाहिए।

स्वदेश और स्वदेश वासियों
के संबंध में
आदेश
****

1-सम्बन्ध बोध

(1) प्रत्येक देशवासी के लिए आवश्यक है, कि वह अपने देश और अपने देश वासियों के साथ अपना घनिष्ट संबंध अनुभव करे।

(2) प्रत्येक देशवासी के लिए आवश्यक है, कि वह अपने देश वासियों के संबंध में अपने आपको प्रत्येक पतनकारी भाव से मुक्त करने और मुक्त रखने और प्रत्येक हितोत्पादक भाव के उत्पन्न वा उन्नत करने की आवश्यकता को भलीभांत अनुभव करे।

(3) प्रत्येक देशवासी के लिए आवश्यक है, कि वह पृथ्वी के अन्य सब देशों की अपेक्षा अपने देश के साथ अपना अधिक संबंध अनुभव करे।

(4) प्रत्येक देशवासी के लिए आवश्यक है, कि वह अपने देश की अपेक्षा अपने प्रदेश, प्रदेश की अपेक्षा उपप्रदेश, उपप्रदेश की अपेक्षा अपने नगर वा ग्राम के साथ क्रम क्रम से अपना अधिक संबंध अनुभव करे।

(5) प्रत्येक देशवासी के लिए आवश्यक है, कि वह अपने देश वासियों में शांति की रक्षा और उनकी कई प्रकार की उन्नति के लिए शासन अथवा राज्य विषयक आवश्यकता को भलीभांत अनुभव करे।

(6) प्रत्येक देशवासी के लिए आवश्यक है, कि वह अपने देश वासियों में शांति की रक्षा और उनकी नाना प्रकार की उन्नति के लिए समय समय में शासन प्रणाली आदि में उन्नति-मूलक परिवर्तन की आवश्यकता को भली भांत अनुभव करे।

(7) प्रत्येक देशवासी के लिए आवश्यक है, कि वह अपने देश की धन, साहित्य, विज्ञान, साधारण विद्या, कला कौशल, वाणिज्य, शिल्प, स्वास्थ्य और नीति आदि विषयक सब प्रकार की उन्नति के लिए आकांक्षा अनुभव करे।

(8) प्रत्येक देशवासी के लिए आवश्यक है, कि वह अपने देश वासियों के नाना प्रकार के कष्टों और अभावों को यथासाध्य दूर करने के निमित्त अपने हृदय में आकांक्षा अनुभव करे।

2-स्वदेश ज्ञान

(9) प्रत्येक देशवासी के लिए आवश्यक है, कि वह अपने देश की सब

प्रकार की विगत और वर्तमान अवस्था के विषय में ज्ञान लाभ करके उसके साथ अपने हार्दिक संबंध को उन्नत करे।

(10) प्रत्येक देशवासी के लिए आवश्यक है, कि वह अपने देश के सुंदर प्राकृतिक दृश्यों के दर्शन और उसके विविध स्थानों में भ्रमण आदि के द्वारा उसके विषय में ज्ञान लाभ करके, उसके साथ अपने हार्दिक संबंध को उन्नत करे।

(11) प्रत्येक देशवासी के लिए आवश्यक है, कि वह अपने देश की विविध प्रकार की हितकर वस्तुओं के विषय में ज्ञान लाभ करके उसके साथ अपने हार्दिक संबंध को उन्नत करे।

(12) प्रत्येक देशवासी के लिए आवश्यक है, कि वह अपने देश की शासन प्रणाली के विषय में, जहां तक उसकी अवस्था के अनुसार संभव हो, ज्ञान लाभ करके उसके साथ अपने हार्दिक संबंध को उन्नत करे।

3-सम्मान प्रदर्शन

(13) प्रत्येक देशवासी के लिए आवश्यक है, कि वह अपने देश के शासन और प्रबंध विषयक उचित नियमों के प्रति उचित रूप से सम्मान प्रदर्शन करे।

(14) प्रत्येक देशवासी के लिए आवश्यक है, कि वह अपने देश के शासनकर्ता कर्मचारियों के प्रति उनके पद के अनुसार उचित रूप से सम्मान प्रदर्शन करे।

4-सहाय और सेवा

(15) प्रत्येक देशवासी के लिए आवश्यक है, कि वह अपने देश के सुशासन के लिए **कर** आदि देने के द्वारा **राजकोष** की उचित रूप से सहाय करे।

(16) प्रत्येक देशवासी के लिए आवश्यक है, कि वह अपने देश की प्रत्येक जाति और उसके प्रत्येक दल और सम्प्रदाय आदि के मनुष्यों में, जहां तक संभव हो, परस्पर मेल जोल और सद्भाव की रक्षा वा उन्नति में यथासाध्य सहायक बने।

(17) प्रत्येक देशवासी के लिए आवश्यक है, कि वह किसी ऐसे यत्न में कि जो उसके देश की शासन प्रणाली को लोगों के लिए अधिकांश रूप में कल्याणकारी और उनकी योग्यता के अनुकूल बनाने के निमित्त हो, **उचित और विधेय** रूप से यथासाध्य सहायक बने।

(18) प्रत्येक देशवासी के लिए आवश्यक है, कि वह जहां तक संभव हो, वह **स्वदेशीय वस्तुओं** का व्यवहार करके अपने देश वासियों के उचित कल्याण में सहायक बने।

(19) प्रत्येक देशवासी के लिए आवश्यक है, कि वह अपने देश वासियों में

सुशासन और शांति की रक्षा और अराजकता के मिटाने में यथासाध्य सब प्रकार से सहायक बने।

(20) प्रत्येक देशवासी के लिए आवश्यक है, कि वह अपने देश वासियों के किसी साधारण अभाव के दूर करने में अपनी योग्यता के अनुसार सहायक बने।

(21) प्रत्येक देशवासी के लिए आवश्यक है, कि वह अपने देश वासियों के विविध प्रकार के **साधारण हितकर** कामों में अपनी सामर्थ्य के अनुसार एक वा दूसरे प्रकार से कोई सहाय करे।

5-स्मृति रक्षा

(22) प्रत्येक देशवासी के लिए आवश्यक है, कि वह अपने देश के ऐसे स्त्री और पुरुषों की **स्मृति रक्षा** के निमित्त, कि जिन्होंने अपने प्रशंसनीय सुशासन के द्वारा उसके देश का कोई **विशेष कल्याण** किया हो, यथा सामर्थ्य यत्न वा सहाय करे।

(23) प्रत्येक देशवासी के लिए आवश्यक है, कि वह अपने देश के ऐसे स्त्री और पुरुषों की **स्मृति रक्षा** के निमित्त कि जिन्होंने उसके देश की शासन प्रणाली को अधिक उन्नत और कल्याणकारी बनाने के निमित्त **कोई विशेष रूप से यत्न** किया हो, अपनी सामर्थ्य के अनुसार सहाय करे।

(24) प्रत्येक देशवासी के लिए आवश्यक है, कि वह ऐसे स्त्री पुरुषों की **स्मृति रक्षा** के निमित्त, कि जिन्होंने अपने किसी असाधारण **शुभ कार्य** के द्वारा उसके **देश की उन्नति** में सहाय की हो, अपनी सामर्थ्य के अनुसार सहायक बने।

6-राज कर्म

(25) प्रत्येक देशवासी के लिए आवश्यक है, कि वह राज कर्मचारी होने पर अपने अधिकार के अनुसार अपने देश वासियों के उचित स्वत्वों की भलीभांत रक्षा करे।

(26) प्रत्येक देशवासी के लिए आवश्यक है, कि वह राज कर्मचारी होने पर अपने अधिकार और अपनी योग्यता के अनुसार अपने देश वासियों का प्रत्येक हित साधन करे।

(27) प्रत्येक देशवासी के लिए आवश्यक है, कि वह राज कर्मचारी होने पर अपने शासनकर्ताओं की सब उचित आज्ञाओं को भली भांत पालन करे।

(28) प्रत्येक देशवासी के लिए आवश्यक है, कि वह राज कर्मचारी होने पर अपने शासनाधीन जनों पर राज्य विधि वा **न्याय** के अनुसार शासन करे।

7-परिशोध

(29) प्रत्येक देशवासी के लिए आवश्यक है, कि वह अपने देश के संबंध

में अपने किसी अपराध वा पाप के विषय में बोध लाभ करने पर उसके लिए उचित रूप से परिशोध करके अपने हृदय को उसके विकार से शुद्ध करे।

8-मंगल कामना

(30) प्रत्येक देशवासी के लिए आवश्यक है, कि वह बोध रखने पर अपने देश के किसी साधारण अहित की निवृत्ति और हित की उत्पत्ति वा उन्नति के लिए मंगल कामना करे।

वर्जित कर्म
****

(1) प्रत्येक देशवासी के लिए आवश्यक है, कि वह अपने किसी देश वासी को अपनी किसी **अनुचित क्रिया** के द्वारा किसी प्रकार की हानि न पहुंचावे।

(2) प्रत्येक देशवासी के लिए आवश्यक है, कि वह अपने देश की शासन प्रणाली और उसके इतिहास के विषय में, जहां तक संभव हो, अवगत होने से **उदासीन** न रहे।

(3) प्रत्येक देशवासी के लिए आवश्यक है, कि वह अपने देश में **अराजकता** लाने वाले जनों का कभी और किसी प्रकार सहायक न बने।

(4) प्रत्येक देशवासी के लिए आवश्यक है, कि वह अपने देश वासियों की किसी **साधारण पीड़ा** और विपद् आदि के समय अपनी अवस्था के अनुसार उचित और आवश्यक सहाय देने में त्रुटि न करे।

(5) प्रत्येक देशवासी के लिए आवश्यक है, कि वह अपने देश वासियों के किसी **साधारण हितकर** काम में जहां तक अपनी सामर्थ्य के अनुसार कोई उचित सहाय कर सकता हो, उससे **उदासीन** अथवा **विमुख** न रहे।

(6) प्रत्येक देशवासी के लिए आवश्यक है, कि वह अपने देश के किसी ऐसे दल में योग अथवा उसे किसी प्रकार की कोई सहाय न दे, कि जिसके द्वारा **न्याय वा शासन प्रणाली के किसी कल्याणकारी नियम की जड़ कटती हो।**

(7) प्रत्येक देशवासी के लिए आवश्यक है, कि वह अपने देश की भिन्न भिन्न जातियों वा सम्प्रदायों आदि में कोई अनुचित **द्वेष** और **असद्भाव** वर्द्धन न करे, और ऐसे कामों में किसी को किसी प्रकार की सहाय न दे।

(8) प्रत्येक देशवासी के लिए आवश्यक है, कि वह अपने देश वासियों के

लाभ के लिए किसी अन्य देश वासियों के किसी **उचित** और **मुख्य लाभ** को हानि न पहुंचावे।

(9) प्रत्येक देशवासी के लिए आवश्यक है, कि वह राज कर्मचारी होने पर अपने शासनाधीन जनों के संबंध में राज्य विधि वा न्याय के विरुद्ध कोई आचरण न करे।

(10) प्रत्येक देशवासी के लिए आवश्यक है, कि वह राजकर्मचारी होने पर अपने शासन कर्ताओं की राज-प्रबंध-विषयक किसी उचित आज्ञा के पालन में त्रुटि न करे।

(11) प्रत्येक देशवासी के लिए आवश्यक है, कि वह राजकर्मचारी होने पर जहां तक अपने उचित अधिकार के अनुसार अपने देश वासियों की अन्याय और अत्याचार से रक्षा कर सकता हो, वहां तक उनकी रक्षा करने में त्रुटि न करे।

(12) प्रत्येक देशवासी के लिए आवश्यक है, कि वह राजकर्मचारी होने पर जहां तक अपने उचित अधिकार के अनुसार अपने देश वासियों के भले के लिए कोई काम कर सकता हो, उसमें त्रुटि न करे।

स्वदेश के संबंध में शेष दिन
का साधन

1-इस साधन से पहले अपने साधनालय अथवा किसी अन्य स्थान को पहले से परिष्कृत और सुसज्जित करना चाहिए।

2-इस दिन जहां तक संभव हो, वहां तक प्रातःकाल में ही व्रत का साधन करना चाहिए।

3-इस दिन अपने शरीर को शुद्ध करके और उजले वस्त्र और अपनी अपनी एकाकारी पहनकर साधन के लिए योग देना चाहिए।

4-इस दिन नीचे दी हुई विधि के अनुसार इस संबंध में सम्मिलित सभा करनी चाहिए:-

(1) सत्य देव भगवान देवात्मा की छवि के सम्मुख खड़े होकर पुष्पहार के द्वारा उनका अर्चन।

(2) देव स्तोत्र का उच्च स्वर के साथ सम्मिलित पाठ वा गान।

(3) सत्य देव भगवान देवात्मा को श्रद्धापूर्वक प्रणाम।

(4) सत्य देव भगवान देवात्मा से सभा की सफलता के लिए आशीर्वाद प्रार्थना।

(5) स्वदेश संबंधी आदेशों का एकाग्रता के साथ धीरे धीरे पाठ वा श्रवण,

अथवा इस संबंध में कोई उपदेश।

(6) स्वदेश के संबंध में साधनों से प्रत्येक साधन कर्ता ने अपना जो जो कुछ मोक्ष वा विकास विषयक हित साधन किया हो, उस पर चिंतन और उसके लिए सत्य देव भगवान देवात्मा के प्रति धन्यवाद आदि उच्च भावों का प्रकाश।

(7) आगामी वर्ष में इस संबंध में अपने आपको और भी विकार रहित और हितकर बनाने के निमित्त आकांक्षा और आशीर्वाद प्रार्थना।

(8) सत्य देव भगवान देवात्मा की खड़े होकर चार बार जय ध्वनि।

5-इस दिन और दिनों की अपेक्षा उत्तम भोजन आहार करना चाहिए।

6-इस दिन अपने देश वासियों के कल्याण के लिए एक वा दूसरे प्रकार का दान करना चाहिए।

7-इस दिन भोजन के अनन्तर किसी उचित समय में एक और सभा करनी चाहिए, कि जिस में अपने देश के विशेष विशेष प्रशंसनीय जनों, स्थानों और पदार्थों आदि के विषय में कथन, श्रवण, वा गान करना चाहिए।

8-सत्य देव भगवान देवात्मा की चार बार जय ध्वनि करने के अनन्तर यह सभा विसर्जन करनी चाहिए।

सहपंथी सेवकों

के संबंध में

पाठ और विचार के साधन

****

सहपंथी सेवकों
के संबंध में
वार्षिक पाठ और विचार के साधन
****

सहपंथी सेवकों के संबंध में वार्षिक पाठ और विचार के दिनों में साधन कर्ता सेवकों के लिए जिन जिन साधनों का करना विशेष रूप से आवश्यक है, वह यह हैं–

(1) इन दिनों में साधन कर्ता प्रत्येक सेवक और सेवका को साथी सेवकों के संबंध में आदेशों का विचार के साथ पाठ अथवा श्रवण करना चाहिए।

(2) इन दिनों में साथी सेवकों के संबंध में आदेशों के पाठ और उन पर विचार से पहले साधन कर्ता प्रत्येक सेवक और सेवका को साथी सेवक वा सेवकाओं के संबंध में अपनी किसी हीनता वा नीचता के देखने के निमित्त सत्य देव भगवान देवात्मा से उनकी ज्योति के लिए प्रार्थना करनी चाहिए।

(3) सत्य देव भगवान देवात्मा की शरण में आकर साधन कर्ता प्रत्येक सेवक वा सेवका ने उपरोक्त आदेशों में से जिन जिन के पालन करने की योग्यता लाभ की हो, और उसके द्वारा उसका और उसके साथी सेवक सेवकाओं का जो जो हित हुआ हो, उस हित को इन दिनों में अपने सम्मुख लाकर सत्य देव भगवान देवात्मा के प्रति धन्यवाद आदि भावों का प्रकाश करना चाहिए।

(4) इन दिनों में साधन कर्ता प्रत्येक सेवक और सेवका को किसी अन्य सेवक वा सेवका के संबंध में अपनी किसी हीनता वा नीचता के विषय में बोध प्राप्त करने पर, उसके दूर करने के निमित्त अपनी ओर से बल प्रयोग करने के भिन्न, यथावश्यक सत्य देव भगवान देवात्मा से बल प्राप्ति के लिए प्रार्थना करनी चाहिए।

(5) इन दिनों में साथी सेवकों के संबंध में आदेशों के साथ अपने जीवन की तुलना के अनन्तर साधन कर्ता प्रत्येक सेवक वा सेवका के हृदय में जो जो शुभ संकल्प उत्पन्न हों, उन्हें उसे अपनी साधन पुस्तक में लिखना चाहिए।

(6) इन दिनों में उपरोक्त शुभ संकल्पों में से जो-जो संकल्प पूरे हो सकते हों, उन्हें यज्ञ साधन कर्ता को इन्हीं दिनों में पूरा करने की चेष्टा करनी चाहिए।

(7) इन दिनों में एक नगर वा ग्राम के सेवकों को दूसरे नगर वा ग्राम के सेवकों से और एक ही नगर वा ग्राम के सेवकों को आपस में, जहां तक संभव हो, अधिक मिलना जुलना और अपने मेल मिलाप को बढ़ाना चाहिए।

(8) इन दिनों में साधन कर्ता साथी सेवक सेवकाओं को एक दूसरे के सद्गुणों वा अपने प्रति किसी के उपकारों वा किसी के संबंध में अपने किसी अपराध आदि को स्मरण करके उनके विषय में एक दूसरे के साथ विशेष रूप से पत्र व्यवहार करना चाहिए।

(9) इन दिनों में साथी सेवकों के संबंध में साधनों के पूरा करने में एक दूसरे की सहाय करनी चाहिए।

(10) इन दिनों में साधन कर्ता को विशेष विशेष प्रशंसनीय सेवकों की जीवन कथाओं का श्रद्धा पूर्वक पाठ वा उनका श्रवण करना चाहिए।

(11) इन दिनों में साधन कर्ता को योग्यता और अवकाश रखने पर किसी विशेष प्रशंसनीय सेवक वा सेवका का जीवन चरित लिखना चाहिए।

(12) इन दिनों में साधन कर्ता को विशेष विशेष और प्रशंसनीय सेवकों के लिए विशेष रूप से मंगल कामना करनी चाहिए।

सेवकों के साथ सेवकों

के संबंध में

आदेश

****

1-सम्बन्ध बोध

(1) प्रत्येक सेवक और सेवका के लिए आवश्यक है, कि वह देव समाज के सब मेम्बरों को सत्य देव भगवान देवात्मा के सेवक वा सेवका जानकर उनके साथ अपने घनिष्ट संबंध को भली भांत अनुभव करे।

(2) प्रत्येक सेवक और सेवका के लिए आवश्यक है, कि वह देव समाज के सब मेम्बरों वा सत्य देव भगवान देवात्मा के सब सेवकों और सेवकाओं के संबंध में अपने आपको प्रत्येक पतनकारी भाव से मुक्त करने और मुक्त रखने और हितोत्पादक प्रत्येक भाव के उत्पन्न वा उन्नत करने की आवश्यकता को भली भांत अनुभव करे।

2-मेल मिलाप

(3) प्रत्येक सेवक और सेवका के लिए आवश्यक है, कि वह जहां तक संभव हो, नाना सेवकों के साथ परिचित होने, और उनके साथ हितकर बातचीत और पत्र व्यवहार करने के द्वारा मेल मिलाप के बढ़ाने के लिए उचित रूप से चेष्टा करे।

(4) प्रत्येक सेवक और सेवका के लिए आवश्यक है, कि वह जहां तक संभव हो, अपने किसी स्थानीय वा अन्य सेवक के ऐसे पारिवारिक अनुष्ठानों में जो सामाजिक विधि के अनुसार सम्पन्न हों, योग देकर उस के साथ अपने मेल मिलाप के उत्पन्न वा उन्नत करने की चेष्टा करे।

3-श्रद्धा भाव

(5) प्रत्येक सेवक और सेवका के लिए आवश्यक है कि जिन जिन सेवकों ने,

1-सत्य देव भगवान देवात्मा के साथ अपने संबंध के घनिष्ट करने में;

2-साधारण लोगों में सत्य देव भगवान देवात्मा की महिमा और उनके प्रति श्रद्धा के फैलाने में;

3-देवशास्त्र के अध्ययन और पांडित्य और उसकी शिक्षा के प्रचार में;

4-देव समाज की किसी संस्था वा संस्थाओं के उन्नत करने में;

5-देव समाज के लिए अपनी किसी प्रकार की आत्मिक शक्तियों, अपने धन वा अपनी सम्पत्ति आदि के दान करने में;

6-सेवकों और सहायकों की संख्या के बढ़ाने में;

7-सेवकों को उनके पतनकारी नीच अनुरागों वा नीच घृणाओं से निकालने और उन में हितोत्पादक उच्च वा सात्विक भावों के विकसित करने में;

8-देव समाज के साहित्य के बढ़ाने वा फैलाने में;

9-सेवकों की स्त्रियों की किसी प्रकार की उन्नति में;

10-सेवकों के बच्चों की किसी प्रकार की भलाई में;

11-सेवकों के शारीरिक स्वास्थ्य और बल की उन्नति में;

12-सेवकों की मानसिक शिक्षा की उन्नति में;

13-सेवकों की आर्थिक उन्नति में;

14-सेवकों के दुख और विपद् में सहायक होने में;

15-सेवकों के आपस के विवाद के मिटाने अथवा उनमें मेल मिलाप के बढ़ाने में;

16-अपने किसी अपराध वा पाप विषयक परिशोध के करने में;

कोई अनुकरणीय दृष्टान्त दिखाया हो, वा कोई प्रशंसनीय विशेषता लाभ की हो, उनकी इन विशेषताओं के विषय में चिंतन, विचार, कथन, और श्रवणादि के द्वारा उनके और उनके ऐसे गुणों के प्रति अपने भीतर श्रद्धा भाव को उत्पन्न वा उन्नत करे।

4-सम्मान प्रदर्शन

(6) प्रत्येक सेवक और सेवका के लिए आवश्यक है, कि वह प्रत्येक सेवक वा सेवका के सामाजिक पद आदि के अनुसार उसके प्रति विधेय रूप से सम्मान प्रदर्शन करे।

5-अधिकार रक्षा

(7) प्रत्येक सेवक और सेवका के लिए आवश्यक है, कि वह प्रत्येक सेवक वा सेवका के उचित अधिकारों की भली भांत रक्षा करे।

6-अनमेल निवारण

(8) प्रत्येक सेवक और सेवका के लिए आवश्यक है, कि वह किसी सेवक वा सेवका के साथ अनुचित अनमेल के उत्पन्न कर लेने पर, किसी उचित विधि के द्वारा, जहां तक शीघ्र संभव हो, उसके दूर करने की चेष्टा करे।

(9) प्रत्येक सेवक और सेवका के लिए आवश्यक है, कि वह दो वा कई सेवकों में कोई अनमेल देखने वा उसके विषय में सूचित होने पर, जहां तक उसके

लिए संभव हो, उनमें उचित रूप से मेल करा देने की चेष्टा करे।

(10) प्रत्येक सेवक और सेवका के लिए आवश्यक है, कि वह जहां तक संभव हो, अपने प्रत्येक ऐसे विवाद वा झगड़े को जो राज्य की अदालत से बाहर विधेय रूप से निपट सकता हो, अपने साथी सेवकों के द्वारा निर्णय कराए।

7-सहाय और सेवा

(11) प्रत्येक सेवक और सेवका के लिए आवश्यक है, कि वह किसी सेवक या सेवका वा उसकी पत्नी वा उसके पति वा उनके माता पिता वा बच्चों के विपद्ग्रस्त होने पर, जहां तक संभव हो, अपनी योग्यता के अनुसार सहाय करे।

(12) प्रत्येक सेवक और सेवका के लिए आवश्यक है, कि वह किसी सेवक वा सेवका वा उसके किसी समीपी संबंधी के रोग वा पीड़ा ग्रस्त होने पर, जहां तक संभव हो, अपनी योग्यता के अनुसार, उसकी सहाय वा शुश्रूषा करे।

(13) प्रत्येक सेवक और सेवका के लिए आवश्यक है, कि वह योग्यता रखने पर, जहां तक संभव हो, किसी सेवक वा सेवका को किसी अनुचित वा हानिकारक नीच गति से मोड़ने वा किसी नीच अनुराग वा नीच घृणा भाव से निकालने के लिए उचित रूप से चेष्टा करे।

(14) प्रत्येक सेवक और सेवका के लिए आवश्यक है, कि वह योग्यता रखने पर, किसी सेवक वा सेवका में किसी हितोत्पादक उच्च भाव के उत्पन्न वा उन्नत करने के लिए चेष्टा करे।

(15) प्रत्येक सेवक और सेवका के लिए आवश्यक है, कि वह योग्यता रखने पर, किसी सेवक वा सेवका के किसी उचित कार्य में यथासाध्य सहायक बने।

8-मंगल कामना

(16) प्रत्येक सेवक और सेवका के लिए आवश्यक है, कि वह अपने विशेष रूप से परिचित और संबंधी सेवकों और सेवकाओं के लिए मंगलकामना करे।

वर्जित कर्म

****

1-मेल मिलाप

(1) प्रत्येक सेवक और सेवका के लिए आवश्यक है, कि वह किसी सेवक वा सेवका के साथ जान बूझकर कोई ऐसी अनुचित बातचीत वा ऐसा अनुचित बर्ताव न करे, कि जिससे उसके प्रति उस सेवक के मेल मिलाप वा सद्भाव को कोई हानि

पहुंचे।

(2) प्रत्येक सेवक और सेवका के लिए आवश्यक है, कि वह किसी सेवक के साथ कोई ऐसी अनुचित बातचीत वा ऐसा अनुचित बर्ताव न करे, कि जिससे उस सेवक के साथ किसी और सेवक के मेल मिलाप और सद्‌भाव को कोई हानि पहुंचे।

(3) प्रत्येक सेवक और सेवका के लिए आवश्यक है, कि वह किसी और सेवक के साथ अपने वा किसी और के अनमेल को जानकर अपनी ओर से उसके बढ़ाने की कदापि चेष्टा न करे।

2–सम्मान प्रदर्शन

(4) प्रत्येक सेवक और सेवका के लिए आवश्यक है, कि वह किसी सेवक वा सेवका के प्रति उसके पद के अनुसार सम्मान प्रदर्शन करने में त्रुटि न करे।

3–परस्पर विवाद

(5) प्रत्येक सेवक और सेवका के लिए आवश्यक है, कि वह अपने घर वा किसी और सेवक के साथ आपस के झगड़ों को, जहां तक विधेय और संभव हो, किसी सेवक वा सेवका वा कई सेवक वा सेवकाओं के द्वारा निर्णय कराने के स्थान में किसी राज्य के विचारालय में निर्णय कराने के लिए न ले जाए।

4–सहाय और सेवा

(6) प्रत्येक सेवक और सेवका के लिए आवश्यक है, कि वह अपनी योग्यता और अवसर के अनुसार किसी सेवक वा सेवका को किसी प्रकार की हितकर शिक्षा अथवा परामर्श देने से विमुख न हो।

(7) प्रत्येक सेवक और सेवका के लिए आवश्यक है, कि वह किसी सेवक वा सेवका की विपद् वा पीड़ा आदि के समय अपनी योग्यता और अवसर के अनुसार, आवश्यक और उचित सहाय और सेवा करने से विमुख न हो।

(8) प्रत्येक सेवक और सेवका के लिए आवश्यक है, कि वह अपनी योग्यता और अवसर के अनुसार, किसी सेवक वा सेवका को किसी प्रकार की उचित और आवश्यक सहाय देने से विमुख न हो।

सेवक उत्सव

****

(1) देव समाज प्रबंध कारिणी परिषद की ओर से प्रकाशित कार्य प्रणाली के अनुसार विविध क्षेत्रों में सेवक उत्सव विषयक सम्मिलित साधन होने चाहिएं।

(2) इन साधन के निमित्त जहां जहां जो जो स्थान नियत हो, उसे पहले

से भली प्रकार परिष्कार और सुसज्जित करना चाहिए।

(3) जिस क्षेत्र के जिस स्थान में किसी सेवक वा सेवका के लिए योग देना उचित बोध हो, उसमें उसे प्रथम सभा से कुछ काल पहले ही पहुंच जाना चाहिए।

(4) इस उत्सव की सभा में अपने अपने शरीर को शुद्ध करके और उजले वस्त्र और अपनी अपनी एकाकारी पहनकर योग देना चाहिए।

(5) उत्सव स्थान में एकत्रित यात्रियों के ठहरने और उनके आहार आदि का उचित रूप से प्रबंध होना चाहिए।

(6) उत्सव स्थान में एकत्रित यात्रियों की सेवा और शुश्रूषा का उचित रूप से प्रबंध होना चाहिए।

(7) उत्सव विषयक जिस जिस कार्य के सम्पादन का जो जो जन दायी रखा गया हो, उसे अपने निर्दिष्ट काम को उत्तम रूप से सम्पादन करना चाहिए।

(8) उत्सव के अवसर पर जिस जिस स्थान में जो जो सहायक वा अन्य जन, सेवक वा सेवका बनने के अभिलाषी और योग्य हों, उन्हें सेवकी में ग्रहण करना चाहिए और जो जो जन सहायक बनने के योग्य हों, उन्हें सहायक बनाना चाहिए।

स्वास्तित्व

के संबंध में

पाठ और विचार के साधन

****

स्वास्तित्व

के संबंध में

वार्षिक पाठ और विचार के साधन

****

स्वास्तित्व के संबंध में वार्षिक पाठ और विचार के दिनों में प्रत्येक मनुष्य के लिए जिन जिन साधनों का करना विशेष रूप से आवश्यक है, वह यह हैं-

(1) इन दिनों में साधन कर्ता को स्वास्तित्व संबंधी आदेशों* का विचार के साथ पाठ अथवा श्रवण करना चाहिए।

(2) इन दिनों में उपरोक्त आदेशों के पाठ और उन पर विचार करने से पहले साधन कर्ता को उनके द्वारा स्वास्तित्व के संबंध में अपनी किसी हीनता वा नीचता के देखने के निमित्त सत्य देव भगवान देवात्मा से उनकी देव ज्योति के लिए प्रार्थना करनी चाहिए।

(3) सत्य देव भगवान देवात्मा की शरण में आकर साधन कर्ता ने उपरोक्त आदेशों में से जिन जिन सत्यों के जानने, देखने वा पालन करने की योग्यता लाभ की हो, और उसे उसके अस्तित्व का जो कुछ हित हुआ हो, उसे इन दिनों में अपने सम्मुख लाकर भगवान देवात्मा के प्रति धन्यवाद आदि भावों का प्रकाश करना चाहिए।

(4) इन दिनों में साधन कर्ता को अपनी किसी हीनता वा नीचता के विषय में बोध प्राप्त करने पर, उसके दूर करने के निमित्त अपनी ओर से बल प्रयोग करने के भिन्न, यथावश्यक सत्य देव भगवान देवात्मा से बल प्राप्ति के लिए प्रार्थना करनी चाहिए।

(5) इन दिनों में स्वास्तित्व विषयक आदेशों के साथ अपने जीवन की तुलना के अनन्तर साधन कर्ता के हृदय में जो जो शुभ संकल्प उत्पन्न हों, उन्हें अपनी साधन पुस्तक में लिखना चाहिए।

(6) इन दिनों में उपरोक्त संकल्पों में से जो जो शुभ संकल्प इन्हीं दिनों आरंभ वा पूरे किए जा सकते हों, उन्हें साधन कर्ता को इन्हीं दिनों में आरंभ वा पूरा करने की चेष्टा करनी चाहिए।

(7) इन दिनों में अपने अस्तित्व की गठन और उसकी वर्तमान अवस्था के

---

*इस विषय में देव शास्त्र के तीसरे खण्ड अर्थात् "मनुष्य तत्व" का विचार पूर्वक पाठ भी बहुत ही आवश्यक और लाभदायक है।

विषय में विशेष रूप से विचार करना चाहिए।

(8) इन दिनों में प्रत्येक साधन कर्ता को अपने अस्तित्व के **मुख्य लक्ष्य** को सम्मुख लाकर विशेष रूप से विचार करना चाहिए, कि उस को अपने जीवन में पूरा करने के लिए उसे क्या क्या संग्राम करने की आवश्यकता है।

(9) इन दिनों में अपने **आत्मा की सत्य मोक्ष और उसके उच्च विकास** के संबंध में विशेष रूप से **विचार** करना चाहिए।

(10) इन दिनों में अपने **आत्मा के सत्य ज्ञान और सत्य मोक्ष दाता और सत्य विकास कर्ता सत्य देव भगवान देवात्मा** के साथ अपने संबंध के विषय में **विशेष रूप से विचार करना चाहिए।**

स्वास्तित्व की रक्षा और उसके विकास

के विषय में

आदेश

****

पहला अध्याय

आत्मा के संबंध में

****

1-आवश्यक बोध

(1) प्रत्येक मनुष्य के लिए आवश्यक है, कि वह अपने अस्तित्व-विशेष कर अपने आत्मा की रक्षा और उसके विकास के लिए अपने हृदय में भली भांत आकांक्षा अनुभव करे, क्योंकि उसके अस्तित्व को लेकर ही उसके लिए और सब कुछ है, उसके बिना कुछ भी नहीं।

(2) प्रत्येक मनुष्य के लिए आवश्यक है, कि वह अन्य प्रत्येक विद्या वा अवगति की अपेक्षा **अपने अस्तित्व** के विषय में **सत्य ज्ञान** लाभ करने की **आवश्यकता** और **श्रेष्ठता** को विशेष रूप से अनुभव करे।

(3) प्रत्येक मनुष्य के लिए आवश्यक है, कि वह इस सत्य को भली भांत जाने और उपलब्ध करे कि किसी जन के लिए अपने अस्तित्व-विशेष कर अपने आत्मा के संबंध में सत्य ज्ञान लाभ करने की आकांक्षा रखकर भी, परंतु अपनी **अयोग्यता** के कारण उसके विषय में किसी सत्य के दर्शन वा उपलब्ध करने के **योग्य न होना**, अथवा **ऐसी आकांक्षा से ही विहीन होकर** अपने अस्तित्व के विषय में **पूर्ण अंधकार और अज्ञान** की दशा में रहना, उसकी अत्यंत कृपा पात्र दशा है।

(4) प्रत्येक मनुष्य के लिए आवश्यक है, कि वह इस सत्य को भली भांत जाने और उपलब्ध करे कि किसी जन के लिए अपने अस्तित्व-विशेष कर अपने आत्मा के संबंध में सत्य बोध और सत्य ज्ञान लाभ करने के योग्य होना और उसकी प्राप्ति का शुभ अवसर पाना, उसका **महा श्रेष्ठ अधिकार** है; क्योंकि उससे नीचे पशु जगत् के किसी जीव को भी अपने अस्तित्व के विषय में इस प्रकार के बोध और ज्ञान लाभ करने का कोई अधिकार प्राप्त नहीं।

2-अपने आत्मा और शरीर के संबंध में ज्ञान

(5) प्रत्येक मनुष्य के लिए आवश्यक है, कि वह इस सत्य को भली भांत उपलब्ध करे, कि उसका सम्पूर्ण अस्तित्व जिन दो वस्तुओं से विशिष्ट है, उनमें से एक को **जीवनी शक्ति** वा **आत्मा** और दूसरे को **जीवित भौतिक शरीर** कहते हैं।

(6) प्रत्येक मनुष्य के लिए आवश्यक है, कि वह इस सत्य को पूर्ण रूप से जाने और उपलब्ध करे, कि इस पृथ्वी में नेचर के विकास विषयक करोड़ों वर्षों के कार्य से जीवनी शक्ति भौतिक जगत् से विकसित होकर उद्भिद और पशु जगत् के नाना आकारों में प्रकाशित हुई है, और फिर पशु जगत् में से **दूध पिलाने वाले** पशुओं की एक शाखा से क्रमागत उच्च परिवर्तन के द्वारा **मनुष्य** के अस्तित्व का प्रकाश हुआ है।

(7) प्रत्येक मनुष्य के लिए आवश्यक है, कि वह इस सत्य को पूर्ण रूप से उपलब्ध करे कि जब मनुष्य नर और नारी के **विशेष संबंध** से दोनों के विशेष प्रकार के **जीवित सेल** आपस में मिलकर और फिर दोनों **एक जीवित सेल** बनकर और नारी की **गर्भ स्थली** में पहुंचकर स्थापित हो जाते हैं, तब उन दोनों सेलों की सम्मिलित जीवनी शक्तियों से जो **एक जीवनी शक्ति बन जाती है**, और जो इस प्रकार के सेल से ही अपने भीतर **गठन प्राप्त शरीर निर्माणकारी शक्ति लाभ करती है**, वही निर्माणकारी जीवनी शक्ति पहले पहल उस नारी के गर्भ में एक **नन्हे आत्मा** के रूप में प्रगट होती है, और तब नेचर की इस विधि से एक नया आत्मा उत्पन्न होता है, कि जो पहले न था। यही **नया** और **नन्हा आत्मा** फिर उस नारी के रुधिर से अपने लिए **मनुष्य शरीर के अनुरूप** धीरे धीरे एक गठनप्राप्त शरीर निर्माण करता है। यही **नन्हा आत्मा** अपने शरीर के निर्माण के साथ साथ धीरे धीरे उन्नत होता है।

(8) प्रत्येक मनुष्य के लिए आवश्यक है, कि वह इस सत्य को पूर्ण रूप से उपलब्ध करे कि उसका **आत्मा** ही उसके शरीर का एक मात्र निर्माण कर्ता, वही उसका **रक्षक**, वही एक सीमा तक उस का परिचालक और वही उसे **जीवित रखने वाला** है; उसके भिन्न उसके शरीर का कोई और निर्माण कर्ता आदि नहीं है।

(9) प्रत्येक मनुष्य के लिए आवश्यक है, कि वह इस सत्य को भली भांत उपलब्ध करे कि किसी भी मनुष्य का आत्मा जब किसी कारण से भी अपने जीवित जड़ शरीर से **पूर्णत: अलग** हो जाता है, तब उसका वह **शरीर फिर जीवित नहीं रहता**, और फिर उसे न वह आत्मा और न कोई और जीवित कर सकता है।

(10) प्रत्येक मनुष्य के लिए आवश्यक है, कि वह इस सत्य को पूर्ण रूप

से उपलब्ध करे कि उस का **आत्मा** ही उस के अस्तित्व में मुख्य वा मूल पदार्थ है; और उसकी रक्षा से ही उसके अस्तित्व की रक्षा और उसके विनाश से उसके अस्तित्व का पूर्ण विनाश है। उस का शरीर केवल उस का घर और उसका **औज़ार** है।

(11) प्रत्येक मनुष्य के लिए आवश्यक है, कि वह इस सत्य को भली भांत उपलब्ध करे कि किसी भी मनुष्य का आत्मा किसी गठन प्राप्त स्थूल वा सूक्ष्म शरीर से संबंध रखने के बिना **कदापि जी नहीं सकता**; अर्थात् यदि वह अपने लिए कोई शरीर न बना सके, तो वह अपने **व्यक्तिगत अस्तित्व** के विचार से पूर्णतः **नष्ट** हो जाता है।

(12) प्रत्येक मनुष्य के लिए आवश्यक है, कि वह इस सत्य को पूर्ण रूप से उपलब्ध करे कि यदि कोई आत्मा अपने लिए यथेष्ट रूप से शरीर निर्माण करने की शक्ति रखता हो, तो किसी विशेष दुर्घटना के भिन्न, अपने स्थूल शरीर के मृत्यु प्राप्त होने पर वह उसी शरीर के भीतर पहले से संचित सूक्ष्म जीवित सेलों से उसी के अनुरूप बहुत शीघ्र एक नया गठन प्राप्त सूक्ष्म शरीर निर्माण और धारण करके अपना जीवित अस्तित्व फिर लाभ कर लेता है।

3-नेचर के साथ अपने संबंध के विषय में ज्ञान

(13) प्रत्येक मनुष्य के लिए आवश्यक है, कि वह इस सत्य को पूर्ण रूप से उपलब्ध करे, कि उसका अस्तित्व **सारे विश्व का एक अंश** है, और वह उसके सारे विभागों से **जुड़ा** हुआ है।

(14) प्रत्येक मनुष्य के लिए आवश्यक है, कि वह इस सत्य को पूर्ण रूप से उपलब्ध करे कि नेचर में उसकी **अपनी शक्तियों** से उसके अन्तर के सब प्रकार के अजीवित और जीवित अस्तित्वों में परिवर्तन उत्पन्न होता है, और उसका क्रम सदा से जारी है और सदा जारी रहेगा।

(15) प्रत्येक मनुष्य के लिए आवश्यक है, कि वह इस सत्य को पूर्ण रूप से उपलब्ध करे कि उसका अस्तित्व नेचर का अंश और उसके विविध विभागों के साथ विविध संबंध सूत्रों से जुड़ा हुआ होकर परिवर्तित होने के बिना नहीं रह सकता और वह लगातार परिवर्तित होता रहता है।

4-नीच और उच्च परिवर्तन के संबंध में ज्ञान

(16) प्रत्येक मनुष्य के लिए आवश्यक है, कि वह इस सत्य को पूर्ण रूप से उपलब्ध करे कि जब कोई आत्मा अपने **नीच सुख अनुरागों** और अपनी **नीच घृणाओं** के द्वारा परिचालित होकर नेचर के निर्माण वा विकासकारी नियम के विरुद्ध

उसके विविध अस्तित्वों के संबंध में नाना प्रकार की चिंताएं और अन्य क्रियाएं करता है, तब उनके द्वारा उस में जो परिवर्तन उत्पन्न होता है, वह उस का **पतन वा विनाशकारी परिवर्तन** होता है।

(17) प्रत्येक मनुष्य के लिए आवश्यक है, कि वह इस सत्य को पूर्ण रूप से उपलब्ध करे कि जब कोई आत्मा उच्च वा सात्विक अनुरागों वा उच्च घृणा भावों के द्वारा परिचालित होकर और नेचर के निर्माण वा विकासकारी नियम का साथी बनकर उसके विविध अस्तित्वों के संबंध में नाना प्रकार की मिथ्या और अहित विनाशक वा सत्य और हित उत्पादक चिंताएं और अन्य क्रियाएं करता है, तब उनके द्वारा उस में जो परिवर्तन उत्पन्न होता है, वह उसका **निर्माण वा विकासकारी परिवर्तन** होता है।

5-मनुष्य के मुख्य लक्ष्य के संबंध में ज्ञान

(18) स्वास्तित्व के संबंध में साधन कर्ता के लिए आवश्यक है, कि वह इस सत्य को पूर्ण रूप से उपलब्ध करे, कि मनुष्य के अपने आत्मा के विषय में जिस सत्य ज्ञान वा बोध और उसके सब प्रकार के **नीच सुख अनुरागों** और सब प्रकार की **नीच घृणाओं** और उनके द्वारा उत्पन्न प्रत्येक प्रकार के पतन से जिस **सत्य मोक्ष** और उस में जिन विविध प्रकार के **उच्च वा सात्विक भावों** के लाभ करने की नितान्त आवश्यकता है और उसकी इस आवश्यकता के एक मात्र पूर्ण कर्ता सत्य देव भगवान देवात्मा के साथ जोड़ने वाले जिन **उच्च सूत्रों** की उसमें उत्पत्ति लाज़मी है, **उस सत्य ज्ञान, सत्य मोक्ष, उन उच्च भावों और उच्च सूत्रों** को अधिक से अधिक प्राप्त करना ही उसका एक मात्र **मुख्य लक्ष्य** है। और जहां तक विद्या, धन, सम्पद, मान, यश, पद, उपाधि, सन्तान वा अन्य संबंधी और सुख दायक पदार्थ आदि उसके इस मुख्य लक्ष्य के अनुकूल वा उसमें सहायक हों, वहां तक ही उनकी प्राप्ति वा उनका संबंध उचित है, उससे अधिक नहीं।

6-आत्मिक मोक्ष और विकास के संबंध में ज्ञान

(19) स्वास्तित्व के संबंध में साधन कर्ता के लिए आवश्यक है कि वह इस सत्य को पूर्ण रूप से उपलब्ध करे, कि मनुष्य के लिए **किसी प्रकार के भी सुखों का बोधी होने** पर, उन **सुखों** और उनके **विषयों** के लिए कि जिन के द्वारा उसे वह सुख मिलते हों, **आकर्षण** अनुभव करना; और उनमें से जो जो सुख उसे **अधिक आकर्षणीय** अनुभव हों, उनके प्रति धीरे धीरे **अपने आकर्षण को बढ़ाते जाना और उनका अनुरागी बन जाना अनिवार्य है।**

(20) स्वास्तित्व के संबंध में साधन कर्ता के लिए आवश्यक है, कि वह इस

सत्य को पूर्ण रूप से उपलब्ध करे कि मनुष्य के लिए अपने विविध प्रकार के **नीच अनुरागों** और अपनी विविध प्रकार की **नीच घृणाओं का दास** बन जाने पर क्या अपने और क्या अन्य मनुष्यों और अन्य अस्तित्वों के संबंध में **विविध प्रकार की मिथ्या और अन्याय वा अहित मूलक चिंताओं** और अन्य क्रियाओं का प्रेमिक और अनुरागी बन जाना भी **अनिवार्य है।**

(21) स्वास्तित्व के संबंध में साधन कर्ता के लिए आवश्यक है, कि इस सत्य को पूर्ण रूप से उपलब्ध करे कि मनुष्य के लिए अपनी विविध प्रकार की मिथ्या और **अहित वा अन्याय वा दुराचार विषयक क्रियाओं** से दिनों दिन पतित होना और इस पतन के लक्षणों के अनुसार दिनों दिन (1) **कठोर** (2) **अंधकार ग्रस्त और उलटा दृष्टा बनना,** (3) सत्य मोक्ष और उच्च भावों की प्राप्ति की **योग्यता** को (यदि कोई ऐसी योग्यता उस में वर्तमान हो) क्रम क्रम से क्षय करना और (4) अपनी **निर्माणकारी शक्ति को विनष्ट करना अनिवार्य है;** और अपनी इस **पतित दशा** में विविध प्रकार के **पतन-जात दुखों के भोगने** के भिन्न अपनी **निर्माणकारी शक्ति के पूर्णत विनष्ट हो जाने** पर अपने व्यक्तिगत अस्तित्व के विचार से **पूर्णत: विनष्ट** हो जाना भी **अनिवार्य है।**

(22) स्वास्तित्व के संबंध में साधन कर्ता के लिए आवश्यक है, कि वह इस सत्य को पूर्ण रूप से उपलब्ध करे, कि मनुष्य आत्मा का अपने नाना **नीच सुख अनुरागों** और उनसे उत्पन्न अपनी नाना **नीच घृणाओं** से, और उन से जो जो **नीच चिंताएं और अन्य क्रियाएं** उत्पन्न होती हैं, उन सब नीच चिंताओं और क्रियाओं से और उनसे जो जो **विकार वा मैल** उत्पन्न होता है, उस विकार वा मैल से **मोक्ष** लाभ करने के योग्य बनना ही उसकी **सच्ची मोक्ष** है।

(23) स्वास्तित्व के संबंध में साधन कर्ता के लिए आवश्यक है, कि वह इस सत्य को पूर्ण रूप से उपलब्ध करे कि मनुष्य में परोपकार विषयक जिन जिन **उच्च वा सात्विक भावों** के उत्पन्न और उन्नत होने से **धर्म वा उच्च जीवन** की उत्पत्ति होती है, और **भगवान देवात्मा के साथ आत्मिक संबंध** स्थापन करने वाले जिन जिन **उच्च भावों** की उत्पत्ति और उन्नति से उस में धर्म जीवन की उन्नति के लिए आगे का मार्ग खुलता है; उनकी प्राप्ति ही **सच्चा धर्म जीवन** है, और उनके ही उत्पन्न और उन्नत होने से उसे **सच्चे धर्म जीवन की प्राप्ति होती वा हो सकती है।**

(24) स्वास्तित्व के संबंध में साधन कर्ता के लिए आवश्यक है, कि वह इस सत्य को पूर्ण रूप से उपलब्ध करे कि मनुष्यात्मा के लिए उच्च वा सात्विक भावों से विशिष्ट **सच्चे धर्म जीवन** से बढ़कर कोई **लाभ** नहीं और नीच सुख अनुरागों

और नीच घृणा भावों से उत्पन्न **नीच वा पतित** जीवन से बढ़कर कोई **हानि** नहीं।

(25) स्वास्तित्व के संबंध में साधन कर्ता के लिए आवश्यक है, कि वह इस सत्य को पूर्ण रूप से उपलब्ध करे कि कई प्रकार के अति **आवश्यक सात्विक भावों** को प्राप्त होकर जो जन जहां तक **देवात्मा के साथ आत्मिक संबंध** स्थापन करने और अपने उन उच्च भावों के द्वारा उनकी **आत्मिक पूजा** करके उनके **देव प्रभावों** को लाभ करने के योग्य बनता है, और उनके **परम लक्ष्य** की सिद्धि के निमित्त जहां तक वह अपनी शारीरिक, मानसिक, विद्या और धन सम्पत्ति विषयक शक्तियों को **अर्पण** करता है; और उनके साथ अपने **आत्मिक संबंध में सच्चा** रहने के निमित्त अन्य सब प्रकार के **उचित और आवश्यक त्याग** भी करता है, वहां तक उस में सत्य मोक्ष और **सच्चे धर्म जीवन की उत्पत्ति** होती है, और उसके आत्मा में सच्चे धर्म जीवन की उन्नति के लिए **आगे का मार्ग** भी खुलता है।

7-मोक्ष दायक और विकासकारी देव प्रभावों की प्राप्ति के विषय में ज्ञान

(26) स्वास्तित्व के संबंध में साधन कर्ता के लिए आवश्यक है, कि वह इस सत्य को पूर्ण रूप से उपलब्ध करे, कि कोई मनुष्य

1-सत्य देव भगवान देवात्मा को ही अपने लिए

(1)   एक मात्र सत्य **उपास्य देव**,

(2)   देव ज्योति और देव तेज दाता एक मात्र **आत्मिक सूर्य**,

(3)   विज्ञान-मूलक सत्य धर्म के एक मात्र **शिक्षक** और

(4)   सब अधिकारी मनुष्यात्माओं के एक मात्र सर्वांग कल्याण कर्ता,

ग्रहण करके,

2-उनके साथ अपने आत्मिक संबंध को स्थापन करने और बढ़ाने वाले सात्विक भावों अर्थात् (1) उनके सत्य देव रूप के संबंध में सत्य और अटल **विश्वास भाव**, (2) उनके सत्य देव रूप के संबंध में सत्य और अटल **श्रद्धा** भाव, (3) उनके सत्य देव रूप से अति दुर्लभ आत्मिक कल्याण पाकर उनके प्रति अटल **कृतज्ञ भाव**, और (4) उनके देव प्रभावों के लिए **आकर्षण भाव**। को उत्पन्न और उन्नत करने के द्वारा उनकी सत्य पूजा करने के योग्य बन के,

3-उनके रचित देव शास्त्र के आखरी संस्करण और उसके अनुसार उनकी अन्य पुस्तकों का विचार पूर्वक अध्ययन करके, और

4-उनकी स्थापित देव समाज की उच्च संगत में अधिक से अधिक योग देकर और उसकी सेवा के द्वारा उसके साथ अपने संबंध को बढ़ा के

उनके उन **देव प्रभावों** को लाभ कर सकता है, कि जिन का उसे अपने आत्मा की **सत्य मोक्ष** और उस में **उच्च वा धर्म जीवन** के **विकास** के लिए लाभ करना अत्यन्त आवश्यक है।

8-साधन

(27) स्वास्तित्व के संबंध में साधन कर्ता के लिए आवश्यक है, कि वह अपने आत्मा की सत्य मोक्ष और उसमें उच्च वा धर्म जीवन के विकास के निमित्त सत्य देव भगवान देवात्मा के देव ज्योति और **देव तेज** सम्पन्न **देव प्रभावों** को लाभ करने के लिए **सत्य साधन** ग्रहण करके उन्हें **विधि पूर्वक** और **नियमित** रूप से पूरा करे।

(28) स्वास्तित्व के संबंध में साधन कर्ता के लिए आवश्यक है, कि वह सत्य देव भगवान देवात्मा के देव प्रभावों की प्राप्ति से उसके हृदय में अपनी जिस जिस पतनकारी गति वा अपने जिस जिस नीच सुख अनुराग वा नीच घृणा भाव के संबंध में **घृणा** और जिस जिस उच्च वा सात्विक भाव के प्रति **आकर्षण** उत्पन्न वा उन्नत करने के लिए जो जो शुभ संकल्प उत्पन्न हों, उन्हें पूरा करने के लिए वह दृढ़-प्रतिज्ञ बनकर त्याग विषयक प्रत्येक **आवश्यक कष्ट वा हानि को स्वीकार करे।**

दूसरा अध्याय
शरीर के संबंध में

****

(1) स्वास्तित्व के संबंध में साधन कर्ता के लिए आवश्यक है, कि वह यथा साध्य अपने शरीर की गठन और उसके स्वास्थ्य की दशा में रहने के नियमों के विषय में आवश्यक और ठीक ठीक ज्ञान लाभ करने और उन नियमों को भली भांत पालन करने का यत्न करे।

(2) स्वास्तित्व के संबंध में साधन कर्ता के लिए आवश्यक है, कि वह जहां तक सम्भव हो, सूर्योदय से अन्यून एक घंटा पहले **शयन त्याग** करे।

(3) स्वास्तित्व के संबंध में साधन कर्ता के लिए आवश्यक है, कि वह मल मूत्र आदि के त्याग की आवश्यकता अनुभव होने पर **तत्काल** उसे पूरा करे, और जहां तक सम्भव हो, निर्दिष्ट समय में मल त्याग करने का अभ्यास रखे।

(4) स्वास्तित्व के संबंध में साधन कर्ता के लिए आवश्यक है, कि वह प्रात: काल शयन त्याग करने वा मल त्याग के अनन्तर अपने हाथों और सारे मुख और आंखों आदि को खुले जल के द्वारा भली भांत परिष्कार करे।

(5) स्वास्तित्व के संबंध में साधन कर्ता के लिए आवश्यक है, कि वह प्रतिदिन अन्यून दो बार अर्थात प्रात: काल उठने के अनन्तर और फिर रात्री को सोने से पहले अपने **दांतों** को दातन वा मंजन और ब्रश आदि के द्वारा भली भांत परिष्कार करे।

(6) स्वास्तित्व के संबंध में साधन कर्ता के लिए आवश्यक है, कि वह प्रात: काल वा किसी अन्य उचित समय में ठंडे अथवा उष्ण जल से (जैसी आवश्यकता हो) स्नान करके **सारे शरीर** को भली भांत परिष्कार करे और उसके अनन्तर उसे भली भांत शुष्क करके उस पर अपने हाथों से कुछ देर तक खूब मालिश करे।

(7) स्वास्तित्व के संबंध में साधन कर्ता के लिए आवश्यक है, कि वह स्नान के अनन्तर वा यथावश्यक अपने सिर और मुख के बालों को तेल और कंघी आदि के द्वारा सुसज्जित करे, और यथासाध्य और यथा रुचि किसी सुगंधि का भी व्यवहार करे।

(8) स्वास्तित्व के संबंध में साधन कर्ता के लिए आवश्यक है, कि वह ऋतु, समय, सामाजिक प्रथा, अपने व्यवसाय विषयक कर्म, अपने पद और अपनी योग्यता के अनुसार **सुन्दर** और **परिष्कार वस्त्र** धारण करे कि जो जहां तक सम्भव हो, बहुत तंग वा भारी न हों।

(9) स्वास्तित्व के संबंध में साधन कर्ता के लिए आवश्यक है, कि वह

अपने शरीर, अपने वास स्थान, अपने बालों, अपने पहनने, ओढ़ने और बिछाने के कपड़ों को परिष्कार और दुर्गंधि से **शुद्ध** रखे।

(10) स्वास्तित्व के संबंध में साधन कर्ता के लिए आवश्यक है, कि वह आहार से पहले प्रत्येक बार अपने मुंह और हाथों को भली भांत धो ले।

(11) स्वास्तित्व के संबंध में साधन कर्ता के लिए आवश्यक है, कि वह ऐसी ही वस्तुएं खावे वा पीवे, कि जो उसके लिए **स्वास्थ्य और बल कारक** हों।

(12) स्वास्तित्व के संबंध में साधन कर्ता के लिए आवश्यक है, कि वह जहां तक संभव हो, यथेष्ट मात्रा में क्षुधा के बोध होने पर **नियत समय** में ही आहार किया करे, और यदि उसे किसी समय यथेष्ट क्षुधा अनुभव न हो, तो उस समय का आहार छोड़ दे वा थोड़ा कर दे।

(13) स्वास्तित्व के संबंध में साधन कर्ता के लिए आवश्यक है, कि वह जहां तक संभव हो, ऐसी वस्तुएं खावे वा पीवे, कि जो स्वास्थ्य कारक होने के साथ उसके लिए **रुचिकर** भी हों, परंतु किसी वस्तु को रुचिकर बनाने के लिए ऐसे मसालों आदि का व्यवहार न किया जावे कि जो हानिकारक हों।

(14) स्वास्तित्व के संबंध में साधन कर्ता के लिए आवश्यक है, कि वह जहां तक सम्भव हो, सदा **शुद्ध** और **सुन्दर स्थान** और **पात्र** में भोजन करे, और यथेष्ट समय लगाकर उसे भली भांत **चबा चबा** कर खावे।

(15) स्वास्तित्व के संबंध में साधन कर्ता के लिए आवश्यक है, कि वह समय, ऋतु, अपने कर्तव्य कर्म और अपनी अवस्था का विचार करके, जहां तक संभव हो, यथेष्ट रूप से शयन करे।

(16) स्वास्तित्व के संबंध में साधन कर्ता के लिए आवश्यक है, कि वह जहां तक संभव हो, प्रति दिन **नियत समय** में सोवे और निद्रा त्याग करे।

(17) स्वास्तित्व के संबंध में साधन कर्ता के लिए आवश्यक है, कि वह जहां तक संभव हो, किसी ऐसे स्थान में जिस में शुद्ध वायु के यथेष्ट रूप से आने का प्रबंध हो, और चित्त की निश्चिंत अवस्था में सोवे, कि जिससे उसे अधिक से अधिक **गहरी नींद** आ सके।

(18) स्वास्तित्व के संबंध में साधन कर्ता के लिए आवश्यक है, कि वह जहां तक संभव हो, रोग आदि के भिन्न प्रति दिन भली भांत और उचित मात्रा में **काम** करने का अभ्यास रखे।

(19) स्वास्तित्व के संबंध में साधन कर्ता के लिए आवश्यक है, कि वह अपने शरीर के कल्याण के लिए उचित रूप से **व्यायाम** करने का अभ्यास रखे।

(20) स्वास्तित्व के संबंध में साधन कर्ता के लिए आवश्यक है, कि वह यथेष्ट शारीरिक परिश्रम के अनन्तर यथेष्ट विश्राम भी करे।

(21) स्वास्तित्व के संबंध में साधन कर्ता के लिए आवयक है, कि वह जहां तक सम्भव हो, अपने शरीर को प्रत्येक **रोग** और **असंयम** से सुरक्षित रखने की चेष्टा करे।

(22) स्वास्तित्व के संबंध में साधन कर्ता के लिए आवश्यक है, कि वह रोग के समय उससे निवृत्ति के लिए आवश्यक और उचित प्रकृत उपाय यथा उपवास, आहारीय पदार्थों में उचित परिवर्तन, जल, वायु, ज्योति और ताप आदि का विधि पूर्वक व्यवहार और **संयम** ग्रहण करे।

(23) स्वास्तित्व के संबंध में साधन कर्ता के लिए आवश्यक है, कि वह पृथ्वी के ऊंचे नीचे स्थानों पर चढ़ने उतरने के समय सावधान होकर अपने पैरों की गति को ठीक और शरीर को तुला हुआ रखने की चेष्टा करे।

(24) स्वास्तित्व के संबंध में साधन कर्ता के लिए आवश्यक है, कि वह जहां तक संभव हो, ऐसे ही नगरों, **घरों** व **स्थानों** में वास करे, कि जो उसके शरीर के लिए **स्वास्थ्यकारक** हों अर्थात् जो शुष्क हों और जिनमें शुद्ध वायु और सूर्य की ज्योति और ताप भली भांत प्रवेश करते हों।

(25) स्वास्तित्व के संबंध में साधन कर्ता के लिए आवश्यक है, कि वह जल, वायु, अग्नि, सूर्य, बिजली और भूकम्प संबंधी सब प्रकार की हानियों से अपने शरीर की, जहां तक संभव हो, उचित रूप से रक्षा करे।

(26) स्वास्तित्व के संबंध में साधन कर्ता के लिए आवश्यक है, कि वह अपने शरीर को जहां तक संभव हो, **उचित रूप से अपने आत्मा के मोक्ष और विकास विषयक साधनों के लिए काम में लावे।**

वर्जित कर्म
****

(1) स्वास्तित्व के संबंध में साधन कर्ता के लिए आवश्यक है, कि वह अपने अस्तित्व की गठन के संबंध में आवश्यक ज्ञान के लाभ करने से उदासीन न हो।

(2) स्वास्तित्व के संबंध में साधन कर्ता के लिए आवश्यक है, कि वह

अपने आत्मा के मोक्ष और विकास विषयक सत्य ज्ञान की प्राप्ति से उदासीन न हो।

(3) स्वास्तित्व के संबंध में साधन कर्ता के लिए आवश्यक है, कि वह अपने आत्मा के मोक्ष और विकास विषयक साधनों की ओर से उदासीन न हो।

(4) स्वास्तित्व के संबंध में साधन कर्ता के लिए आवश्यक है, कि उसे अपने आत्मा की रक्षा और उसके विकास के लिए जिन-जिन उच्च प्रभाव संचारक संबंधियों पर, जहां तक **विश्वास** स्थापन करने की आवश्यकता है, वहां तक उनके संबंध में अपने **विश्वास** को उन्नत वा स्थापन करने से विमुख न हो।

(5) स्वास्तित्व के संबंध में साधन कर्ता के लिए आवश्यक है, कि वह अपने से उच्च आत्माओं के संबंध में अपने **श्रद्धा** भाव को कभी शिथिल न होने दे।

(6) स्वास्तित्व के संबंध में साधन कर्ता के लिए आवश्यक है, कि वह किसी के संबंध में भी, विशेष कर **अपने किसी हिताकांक्षी के संबंध में कभी घृणा वा द्वेष भाव धारण न करे।**

(7) स्वास्तित्व के संबंध में साधन कर्ता के लिए आवश्यक है, कि वह अपने किसी अपराध वा पाप के विषय में किसी की ओर से भी, विशेष कर अपने किसी हिताकांक्षी संबंधी की ओर से टोके जाने पर **उसके प्रति दुश्चिन्ता न करे।**

(8) स्वास्तित्व यज्ञ साधन कर्ता के लिए आवश्यक है, कि वह अपने किसी उच्च प्रभाव संचारक वा अन्य हितकर्ता के संबंध में **कभी कृतघ्न न बने।**

(9) स्वास्तित्व के संबंध में साधन कर्ता के लिए आवश्यक है, कि वह अपने शरीर को अपने आत्मा के लिए आवश्यक संगी और सेवाकारी जान कर उसकी सब प्रकार से उचित रक्षा की ओर से उदासीन न हो।

(10) स्वास्तित्व के संबंध में साधन कर्ता के लिए आवश्यक है, कि वह अपने शरीर को अपने आत्मा के लिए आवश्यक संगी और सेवाकारी जान कर उसके किसी रोग निवारण के संबंध में उदासीन न हो।

(11) स्वास्तित्व के संबंध में साधन कर्ता के लिए आवश्यक है, कि वह कभी और किसी अवस्था में भी **आत्मघात** न करे, और अपनी किसी क्रिया के द्वारा अपने शरीर को कोई **वृथा हानि** न पहुंचावे।

(12) स्वास्तित्व के संबंध में साधन कर्ता के लिए आवश्यक है, कि वह अपने आत्मा के मुख्य लक्ष्य विषयक किसी कर्तव्य के साधन में यथा आवश्यक अपने शरीर के स्वास्थ्य विषयक किसी सुख वा आराम के **त्याग** करने में कोई संकोच न करे।

सत्य धर्म बोध उत्सव
****

(1) देव समाज प्रबंध कारिणी परिषद की ओर से प्रकाशित कार्य प्रणाली के अनुसार देव समाज के विविध क्षेत्रों में इस उत्सव विषयक सम्मिलित साधन होने चाहिएं।

(2) इन साधनों के निमित्त जहां जहां जो जो स्थान नियत हों, उन्हें पहले से भली भांत परिष्कार और सुसज्जित करना चाहिए।

(3) जिस क्षेत्र के जिस स्थान में किसी जन के लिए योग देना उचित बोध हो, उसमें उसे यथा साध्य प्रथम सभा से कुछ काल पहले ही पहुंच जाना चाहिए।

(4) उत्सव की सभाओं में अपने शरीर को शुद्ध करके और उजले वस्त्र और अपनी अपनी एकाकारी पहनकर योग देना चाहिए।

(5) उत्सव स्थानों में एकत्रित यात्रियों के ठहरने और उनके आहार आदि का उचित रूप से प्रबंध होना चाहिए।

(6) उत्सव स्थानों में एकत्रित यात्रियों की सेवा और शुश्रूषा का उचित रूप से प्रबंध होना चाहिए।

(7) उत्सव विषयक जिस कार्य के सम्पादन का जो जो जन दायी रखा गया हो, उसे अपने निर्दिष्ट काम को उत्तम रूप से सम्पादन करने का पूरा यत्न करना चाहिए।

(8) उत्सव के अवसर पर जिस जिस स्थान में जो जो सहायक वा अन्य अधिकारी जन देव समाज के सभासद् बनने के अभिलाषी और योग्य हों, उन्हें समाज की सभासदी में और जो जो जन उस के सहायक बनने के योग्य हों, उन्हें सहायकी में ग्रहण करना चाहिए।

पशु जगत्

के संबंध में

पाठ और विचार के साधन

****

पशु जगत्
के संबंध में
वार्षिक पाठ और विचार के साधन

****

पशु जगत् विषयक वार्षिक पाठ और विचार के दिनों में साधन कर्ता के लिए जिन जिन साधनों का करना विशेष रूप से आवश्यक है, वह यह है:–

(1) इन दिनों में प्रत्येक साधन कर्ता को पशु जगत् संबंधी आदेशों का विचार के साथ पाठ अथवा श्रवण करना चाहिए।

(2) इन दिनों में इन आदेशों के पाठ और उन पर विचार करने से पहले प्रत्येक साधन कर्ता को पशु जगत् के संबंध में उनके द्वारा अपनी किसी हीनता वा नीचता के देखने के निमित्त सत्य देव भगवान देवात्मा से उनकी देव ज्योति के लिए प्रार्थना करनी चाहिए।

(3) सत्य देव भगवान देवात्मा की शरण में आकर प्रत्येक साधन कर्ता ने पूर्वोक्त आदेशों में से जिन जिन के पालन करने की योग्यता लाभ की हो और उसके द्वारा उसका और पशु जगत् का जो जो हित हुआ हो, उसे इन दिनों में सम्मुख लाकर भगवान देवात्मा के प्रति धन्यवाद आदि भावों का प्रकाश करना चाहिए।

(4) इन दिनों में प्रत्येक साधन कर्ता को पशु जगत् के संबंध में अपनी किसी हीनता वा नीचता के विषय में बोध प्राप्त करने पर उसके दूर होने के निमित्त अपनी ओर से बल प्रयोग करने के भिन्न यथावश्यक सत्य देव भगवान देवात्मा से बल प्राप्ति के लिए प्रार्थना करनी चाहिए।

(5) इन दिनों में पशु जगत् विषयक आदेशों के साथ अपने जीवन की तुलना के अनन्तर प्रत्येक साधन कर्ता के हृदय में जो जो शुभ संकल्प उत्पन्न हों, उन्हें अपनी साधन पुस्तक में लिखना चाहिए और उनमें से जो जो संकल्प इन्हीं दिनों में आरम्भ वा पूरे हो सकते हों, उन्हें इन्हीं दिनों में आरम्भ वा पूरा करने की चेष्टा करनी चाहिए।

(6) इन दिनों में अपने आश्रित जीव जन्तुओं की कुछ विशेष रूप से सेवा करनी चाहिए।

(7) इन दिनों में अपने आश्रित पशुओं के भिन्न सुयोग पाने पर यथा साध्य अन्य हितकर पशुओं की भी एक वा दूसरे प्रकार से कोई विशेष सेवा करनी चाहिए।

(8) इन दिनों में यथा सामर्थ्य पशु जगत् संबंधी किसी पुस्तक* वा निबंध आदि का पाठ करना चाहिए।

(9) इन दिनों में यथा सामर्थ्य पशु जगत् संबंधी ऐसी पुस्तकों और छवियों आदि का दान करना चाहिए, कि जिनके पढ़ने वा देखने से, पढ़ने वा देखने वालों के भीतर पशु जगत् के प्रति किसी उच्च भाव के जाग्रत होने की संभावना हो।

(10) इन दिनों में यथा साध्य सुन्दर सुन्दर पक्षियों, मछलियों, तितरियों (तितलियों) और उच्च श्रेणी-जात किसी एक वा दूसरे दर्शनीय वा हितकर पशु का विशेष रूप से दर्शन करना चाहिए।

(11) इन दिनों में पशु जगत् के हितकर जीवों के संबंध में नाना मनुष्यों की ओर से जो जो अत्याचार हो रहे हैं, उनके दूर करने के निमित्त यथा साध्य चेष्टा करनी चाहिए।

(12) इन दिनों में पशु जगत् के नाना सेवाकारी वा उच्च गुणधारी जीवों के हितों वा उच्च गुणों पर विशेष रूप से चिंतन वा विचार करना चाहिए।

---

* यथा भगवान देवात्मा रचित "पशु जगत् और उसके संबंध में मनुष्य के कर्तव्य" आदि।

पशु जगत् के जीवों
के विषय में
आदेश

****

1-संबंध बोध

(1) पशु जगत् के संबंध में साधन कर्ता के लिए आवश्यक है, कि वह पशु जगत् के साथ अपने गाढ़ संबंध को भली भांत अनुभव करे।

(2) पशु जगत् के संबंध में साधन कर्ता के लिए आवश्यक है, कि वह पशु जगत् के संबंध में अपने आपको प्रत्येक पतनकारी भाव से मुक्त करने और मुक्त रखने, और प्रत्येक हित उत्पादक भाव के उत्पन्न वा उन्नत करने की आवश्यकता को भली भांत अनुभव करे।

2-ज्ञान उपार्जन

(3) पशु जगत् के संबंध में साधन कर्ता के लिए आवश्यक है, कि वह अपनी अवस्था के अनुसार जहां तक संभव हो, पशु जगत् के विविध प्रकार के जीवों के विषय में, नाना प्रकार के शुभकर ज्ञान उपार्जन करने की चेष्टा करे।

3-स्नेह वा प्रीति भाव

(4) पशु जगत् के संबंध में साधन कर्ता के लिए आवश्यक है, कि वह पशु जगत् के जिन नाना जीवों में सौन्दर्य वा अन्य सद्‌गुणों का विकास हुआ है, उनके ऐसे सुन्दर रूप और अच्छे गुणों पर जहां तक उसके लिए संभव हो, चिन्तन वा विचार करके, उनके प्रति अपने हृदय में स्नेह वा प्रीति भाव के जाग्रत वा उन्नत करने की चेष्टा करे।

4-सद्‌गुणों और सात्विक भावों की उत्पत्ति वा उन्नति

(5) पशु जगत् के संबंध में साधन कर्ता के लिए आवश्यक है, कि पशु जगत् के जिन जिन जीवों में निम्नलिखित सद्‌गुण पाए जाते हैं, उन पर चिन्तन करके उनमें से जो जो गुण उसमें न हों, उन्हें जहां तक संभव हो, अपने भीतर उत्पन्न करने के लिए चेष्टा करे:-

1-निर्दोष क्रीड़ा- यथा, कई प्रकार की मछलियों, कई प्रकार के पक्षियों और कुत्तों में।

2-स्फूर्ति (फुर्ती)- यथा, बन्दर और हिरन आदि में।

3-साहस- यथा, व्याघ्र आदि में।

4-प्रफुल्लता- यथा, नाना प्रकार के पक्षियों आदि में।

5-परिश्रम- यथा, चिउंटियों और मधुमक्खियों आदि में।

6-संचय- यथा, चिउंटियों और मधुमक्खियों आदि में।

7-दलबद्धता- यथा, चिउंटियों और मधुमक्खियों आदि में।

8-दूरदर्शिता- यथा, चिउंटियों और मधुमक्खियों आदि में।

9-एक विवाह- यथा, कबूतर और मोर आदि में।

10-चित्त विषयक एकाग्रता- यथा, बगुले आदि में।

5-सात्विक भावों की उत्पत्ति वा उन्नति

(6) पशु जगत् के संबंध में साधन कर्ता के लिए उचित है, कि पशु जगत् के जिन जिन जीवों में निम्नलिखित सात्विक भावों का विकास हुआ है, उनमें से जो जो भाव उसमें वर्तमान न हों, उन पर विचार करके उन्हें अपने हृदय में उत्पन्न वा उन्नत करने की चेष्टा करे:-

1-वासना रहित वात्सल्य भाव- यथा, नाना पक्षियों और चौपायों आदि में।

2-कृतज्ञ भाव- यथा, कुत्ते आदि में।

3-बाध्य भाव- यथा, चिउंटियों, मधुमक्खियों और कुत्ते आदि में।

4-दया भाव-यथा, किसी किसी चौपाए वा पक्षी आदि में। इत्यादि।

6-रक्षा और पालन

(7) पशु जगत् के संबंध में साधन कर्ता के लिए आवश्यक है, कि वह क्या अपने और क्या किसी और के जिन जिन पशुओं की पालना और रक्षा के लिए दायी हो, उनकी उचित रूप से पालना और रक्षा करे।

(8) पशु जगत् के संबंध में साधन कर्ता के लिए आवश्यक है, कि वह क्या अपने और क्या किसी और के जिन जिन पशुओं की पालना और रक्षा के लिए दायी हो, उनकी अवस्था और आवश्यकता के अनुसार उन्हें नियत समय में यथेष्ट रूप से आहार और जल दे।

(9) पशु जगत् के संबंध में साधन कर्ता के लिए आवश्यक है, कि वह अपने आश्रित सब प्रकार के पशुओं को यथा साध्य ऐसी ही वस्तुएं खाने और पीने को दे, कि जो उनके शारीरिक स्वास्थ्य के लिए आवश्यक और उनकी अवस्था के अनुकूल हों।

(10) पशु जगत् के संबंध में साधन कर्ता के लिए आवश्यक है, कि वह अपने आश्रित सब प्रकार के पशुओं की प्रत्येक ऋतु के प्रतिकूल प्रभावों से यथेष्ट

रूप से रक्षा करे।

(11) पशु जगत् के संबंध में साधन कर्ता के लिए आवश्यक है, कि वह अपने सब प्रकार के आश्रित पशुओं को अनुकूल समयों में यथेष्ट रूप से सूर्य की ज्योति और खुली वायु में रखकर और जहां तक सम्भव हो, उन्हें आवश्यक रूप में व्यायाम करने का अवसर देकर उनके स्वास्थ्य की रक्षा वा उन्नति करे।

(12) पशु जगत् के संबंध में साधन कर्ता के लिए आवश्यक है, कि वह अपने आश्रित सब प्रकार के पशुओं के शरीरों को सब प्रकार की मैल से सदा परिष्कार रखे।

(13) पशु जगत् के संबंध में साधन कर्ता के लिए आवश्यक है, कि वह अपने आश्रित सब प्रकार के पशुओं की रुधिरपायी और अन्य हानिकारक कीटों से, जहां तक संभव हो, रक्षा करे।

(14) पशु जगत् के संबंध में साधन कर्ता के लिए आवश्यक है, कि वह अपने आश्रित सब प्रकार के पशुओं को सदा स्वास्थ्यकर गृह वा स्थान आदि में रखे और उस गृह वा स्थान आदि को सदा परिष्कार रखे।

(15) पशु जगत् के संबंध में साधन कर्ता के लिए आवश्यक है कि वह अपने आश्रित सब प्रकार के पशुओं के आहार और पान के लिए ऐसे पात्र रखे कि जो उनके लिए अनुकूल हों, और उन्हें सदा परिष्कार रखे।

(16) पशु जगत् के संबंध में साधन कर्ता के लिए आवश्यक है, कि वह अपने ऐसे सब पशुओं की, जो वृद्ध वा विकलांग आदि हो जाने के कारण, कार्य करने के योग्य न हों, उनके मरने तक उचित रूप से रक्षा और पालना करे।

7-चिकित्सा और शुश्रूषा

(17) पशु जगत् के संबंध में साधन कर्ता के लिए आवश्यक है, कि वह अपने आश्रित ऐसे सब पशुओं की, जो आहत वा रोगी वा पीड़ित हों, जहां तक संभव हो, उचित रूप से चिकित्सा और शुश्रूषा करे।

8-काम

(18) पशु जगत् के संबंध में साधन कर्ता के लिए आवश्यक है, कि वह अपने किसी सेवाकारी पशु से वहीं तक काम ले, जहां तक ऐसा करना उसकी अवस्था और योग्यता के अनुकूल हो।

(19) पशु जगत् के संबंध में साधन कर्ता के लिए आवश्यक है, कि वह अपने किसी सेवाकारी पशु से आवश्यक काम लेने के अनन्तर उसे (किसी विशेष अवसर के भिन्न) यथेष्ट रूप से विश्राम दे।

9-समादर, स्नेह, सहाय और सेवा

(20) पशु जगत् के संबंध में साधन कर्ता के लिए आवश्यक है, कि वह अपने आश्रित सब प्रकार के पशुओं के प्रति एक वा दूसरी उचित विधि से अपने समादर और स्नेह भाव को प्रदर्शन करे।

(21) पशु जगत् के संबंध में साधन कर्ता के लिए आवश्यक है, कि वह, यथा रुचि और समयों में एक वा दूसरे प्रकार की आहारीय वस्तुएं दान करने के भिन्न, प्रति दिन भोजन के समय अन्यून एक बार अपने भोजन की वस्तुओं में से, कल्याण कामना के साथ, कुछ भाग पशु जगत् के उच्च श्रेणी के जीवों के लिए दान किया करे।

(22) पशु जगत् के संबंध में साधन कर्ता के लिए उचित है, कि वह आवश्यक बोध करने पर, अपने घर के किसी उचित स्थान में कोई जल पात्र पक्षियों के जल पीने के लिए रखे, और शुभ भाव के साथ प्रति दिन उसे धोकर उसमें शुद्ध जल डाले वा डलवा दे।

(23) पशु जगत् के संबंध में साधन कर्ता के लिए उचित है, कि वह पशु जगत् के किसी निराश्रित अथवा किसी अन्य कृपा पात्र जीव के किसी रोग वा कष्ट के निवारण करने में यथा अवसर एक वा दूसरे प्रकार की उचित सहाय करे।

(24) पशु जगत् के संबंध में साधन कर्ता के लिए उचित है, कि वह सामर्थ्य रखने पर, किसी बस्ती वा जंगल के किसी ऐसे स्थान में, जहां पशु जगत् के जीवों के लिए जल का अभाव हो, कोई तड़ाग वा कुंड आदि बनवा दे, अथवा इस प्रकार के काम में कोई सहाय करे।

(25) पशु जगत् के संबंध में साधन कर्ता के लिए उचित है, कि वह सामर्थ्य रखने पर, पशु जगत् के रोगी जीवों की चिकित्सा के लिए कोई चिकित्सालय स्थापन करे, अथवा इस प्रकार के काम में कोई सहाय करे।

(26) पशु जगत् के संबंध में साधन कर्ता के लिए उचित है, कि वह सामर्थ्य रखने पर, पशु जगत् के निराश्रय, वृद्ध, अंगहीन और दुर्बल जीवों के हित के लिए कोई पशु शाला स्थापन करे, वा इस प्रकार के काम में कोई सहाय करे।

(27) पशु जगत् के संबंध में साधन कर्ता के लिए उचित है, कि वह सुयोग मिलने और उचित समझने पर पशु जगत् के किसी निराश्रय, वृद्ध वा रोग ग्रस्त जीव को किसी पशुशाला वा चिकित्सालय में पहुंचा देने के लिए यत्न वा सहाय करे।

(28) पशु जगत् के संबंध में साधन कर्ता के लिए आवश्यक है, कि वह अपनी अवस्था के अनुसार, जहां तक संभव हो, कार्यकारी और हितकर पशुओं की

जाति की उन्नति और उचित वृद्धि में यत्न वा सहाय करे।

10-उचित अधिकार

(29) पशु जगत् के संबंध में साधन कर्ता को यह अधिकार है, कि वह अपनी अथवा किसी अन्य जन वा अपने किसी आश्रित वा अन्य हितकर पशु वा अपने फलों, फूलों, पौधों और अनाज और अन्य नाना पदार्थों की उचित रक्षा के निमित्त, पशु जगत् के किसी आक्रमणकारी वा हानिकारक बड़े वा छोटे जीव को यथावश्यक आघात पहुंचावे, वा उसे आहत वा वध करे।

(30) पशु जगत् के संबंध में साधन कर्ता को यह अधिकार है, कि वह मनुष्य और हितकर पशुओं के शरीर में नाना प्रकार के सांघातिक वा कष्टकर रोग उत्पादक कीटाणुओं को नष्ट करे, और उनके नष्ट करने के कार्य में सहायक बने।

11-परिशोध

(31) पशु जगत् के संबंध में साधन कर्ता के लिए आवश्यक है, कि वह पशु जगत् के किसी जीव वा जीवों के संबंध में अपने किसी अपराध वा पाप के विषय में बोध लाभ करने पर, उसके लिए उचित रूप से परिशोध करके, अपने हृदय को पवित्र करने की चेष्टा करे।

12-मंगल कामना

(32) पशु जगत् के संबंध में साधन कर्ता के लिए आवश्यक है, कि वह पशु जगत् के जो जो जीव उसके लिए किसी प्रकार से सेवाकारी प्रमाणित हुए वा होते हों, उन्हें स्मरण करके उनके लिए मंगल कामना करे।

वर्जित कर्म

****

1-उत्तम गुण

(1) पशु जगत् के संबंध में साधन कर्ता के लिए आवश्यक है, कि वह पशु जगत् के साथ अपने संबंध को पहचान कर उस जगत् के उत्तम गुणों की तुलना में जहां तक संभव हो, अपने आप को निकृष्ट और हीन न रखे।

2-अंडों और मांस का आहार

(2) पशु जगत् के संबंध में साधन कर्ता के लिए आवश्यक है, कि वह पशु जगत् के किसी जीव के अंडे वा उसका मांस अथवा उसके अंडों वा मांस से संयुक्त कोई वस्तु न खावे और न पीवे।

3-दुग्ध

(3) पशु जगत् के संबंध में साधन कर्ता के लिए आवश्यक है, कि वह किसी ऐसे पशु का जो रोगी हो, अथवा जिसको उचित और स्वास्थ्य कारक आहार न मिलता हो, अथवा जिसे अनुचित दुख देकर उससे दूध प्राप्त किया गया हो, उसका दूध व्यवहार न करे।

4-पालन

(4) पशु जगत् के संबंध में साधन कर्ता के लिए आवश्यक है, कि वह अपने आश्रित किसी पशु को **उचित समय** में आहार और जल आदि देने में त्रुटि न करे।

(5) पशु जगत् के संबंध में साधन कर्ता के लिए आवश्यक है, कि वह अपने किसी आश्रित पशु को **उचित मात्रा** में आहार और जल आदि देने में त्रुटि न करे।

(6) पशु जगत् के संबंध में साधन कर्ता के लिए आवश्यक है, कि वह अपने किसी आश्रित पशु को उचित **विश्राम और सुख** देने में त्रुटि न करे।

(7) पशु जगत् के संबंध में साधन कर्ता के लिए आवश्यक है, कि वह अपने किसी आश्रित पशु को ऐसी वस्तुएं खाने और पीने के लिए न दे, कि जो उसके लिए हानिकारक हों।

(8) पशु जगत् के संबंध में साधन कर्ता के लिए आवश्यक है, कि वह अपने आश्रित किसी पशु के शरीर और वास स्थान को शुद्ध रखने में त्रुटि न करे।

5-चिकित्सा

(9) पशु जगत् के संबंध में साधन कर्ता के लिए आवश्यक है, कि वह पशु जगत् के ऐसे जीवों की, जो उसके आश्रित हों, रोग वा किसी पीड़ा के समय आवश्यक चिकित्सा और सेवा करने से विमुख न रहे।

6-निर्दयता

(10) पशु जगत् के संबंध में साधन कर्ता के लिए आवश्यक है, कि वह किसी दूध देने वाले पशु को यन्त्रणा वा क्लेश पहुंचा कर दूध प्राप्त न करे।

(11) पशु जगत् के संबंध में साधन कर्ता के लिए आवश्यक है, कि वह दूध देने वाले पशुओं का दूध दोहने के समय, उनके बच्चों के लिए यथेष्ट रूप से दूध छोड़ देने में त्रुटि न करे।

(12) पशु जगत् के संबंध में साधन कर्ता के लिए आवश्यक है, कि वह अपने किसी आश्रित पशु को कोई अविधेय वा उचित सीमा से अधिक दंड न दे।

(13) पशु जगत् के संबंध में साधन कर्ता के लिए आवश्यक है, कि वह पशु जगत् के किसी जीव को छेड़कर वा किसी और प्रकार से कोई अनुचित कष्ट न पहुंचावे।

(14) पशु जगत् के संबंध में साधन कर्ता के लिए आवश्यक है, कि वह पशु जगत् के किसी सेवाकारी पशु से, उसकी योग्यता से बढ़कर काम न ले।

(15) पशु जगत् के संबंध में साधन कर्ता के लिए आवश्यक है, कि वह पशु जगत् के किसी सेवाकारी जीव से, उसकी रोगी वा पीड़ित अवस्था में काम न ले।

(16) पशु जगत् के संबंध में साधन कर्ता के लिए आवश्यक है, कि वह किसी प्रकार का अनुचित क्लेश पहुंचाकर किसी पशु से कोई काम न ले।

(17) पशु जगत् के संबंध में साधन कर्ता के लिए आवश्यक है, कि वह अपने आश्रित पशुओं की दुख दायक और हानिकारक कीटों से रक्षा करने में यथा साध्य जान बूझकर कोई त्रुटि न करे।

(18) पशु जगत् के संबंध में साधन कर्ता के लिए आवश्यक है, कि वह अपने वा किसी और के किसी कौतुक भाव की तृप्ति के लिए पशु जगत् के जीवों को आपस में न लड़ावे।

7-आहत व वध

(19) पशु जगत् के संबंध में साधन कर्ता के लिए आवश्यक है, कि वह पशु जगत् के किसी जीव को, आखेट (शिकार) विषयक प्रसन्नता लाभ करने के लिए कभी आहत वा बध न करे, और न किसी की इस काम में कोई सहाय करे।

(20) पशु जगत् के संबंध में साधन कर्ता के लिए आवश्यक है, कि वह पशु जगत् के किसी जीव को, उसकी खाल, तन्द्री, हड्डी वा उससे तेल वा सूत वा पर आदि के लाभ करने के लिए कभी आहत वा बध न करे, और न किसी और की ऐसे काम में सहाय करे।

(21) पशु जगत् के संबंध में साधन कर्ता के लिए आवश्यक है, कि वह पशु जगत् के किसी जीव को अपने वा किसी और जन वा पशु के आहार के लिए कभी वध न करे, और न किसी और की इस काम में सहाय करे।

(22) पशु जगत् के संबंध में साधन कर्ता के लिए आवश्यक है, कि वह किसी मिथ्या विश्वास आदि किसी अन्य बुरे भाव से परिचालित होकर किसी पशु को आहत वा वध न करे।

(23) पशु जगत् के संबंध में साधन कर्ता के लिए आवश्यक है, कि वह मार्ग में चलते समय, किसी कीट को अपनी आंखों से देख लेने पर, उसे अपने पैरों से

कुचल कर आहत वा वध न करे।

(24) पशु जगत् के संबंध में साधन कर्ता के लिए आवश्यक है, कि वह किसी **वैज्ञानिक परीक्षा** के नाम से भी, चाहे वह मनुष्य वा पशु जगत् के किसी साधारण रोग की निवृत्ति के संबंध में किसी अवगति के लाभ करने के उच्च अभिप्राय से भी क्यों न हो, पशु जगत् के किसी जीव को आहत वा वध न करे।

पशु जगत् के संबंध में शेष दिन
का साधन
****

1-इस साधन के लिए अपने साधनालय अथवा किसी अन्य स्थान को पहले से परिष्कृत और सुसज्जित करना चाहिए।

2-इस दिन जहां तक संभव हो, प्रातः काल में ही व्रत का साधन करना चाहिए।

3-इस दिन अपने शरीर को शुद्ध करके और उजले वस्त्र पहनकर साधन के लिए बैठना चाहिए।

4. इस दिन नीचे लिखी हुई विधि के अनुसार यह साधन करना चाहिए:-

(1) सत्य देव भगवान देवात्मा की छवि के सम्मुख खड़े होकर पुष्पहार के द्वारा उनका अर्चन।

(2) देवस्तोत्र का उच्च स्वर के साथ सम्मिलित गान।

(3) सत्य देव भगवान देवात्मा को श्रद्धा पूर्वक प्रणाम।

(4) सत्य देव भगवान देवात्मा से इस सभा की सफलता के लिए आशीर्वाद प्रार्थना।

(5) पशु जगत् संबंधी आदेशों का एकाग्रता के साथ धीरे धीरे पाठ वा श्रवण अथवा इस जगत् के संबंध में कोई उपदेश।

(6) इस जगत् संबंधी साधनों से प्रत्येक साधन कर्ता ने अपना जो कुछ मोक्ष वा विकास विषयक शुभ साधन किया हो, उस पर चिन्तन और उसके लिए सत्य देव भगवान देवात्मा के प्रति धन्यवाद आदि उच्च भावों का प्रकाश।

(7) आगामी वर्ष में पशु जगत् के संबंध में अपने आपको और भी विकार रहित और हितकर बनाने के निमित्त आकांक्षा और आशीर्वाद प्रार्थना।

(8) सत्य देव भगवान देवात्मा की चार बार जय ध्वनि खड़े होकर।

5-इस दिन अपने घर के पालतू चौपायों के वास स्थान पर बन्दनवार लगानी

चाहिए।

6-इस दिन अपने पालतू जीवों का एक वा दूसरे प्रकार से कोई उचित श्रृंगार करना चाहिए।

7-इस दिन कुछ विशेष आहारीय वस्तुएं मंगल कामना के साथ अपने आश्रित और अन्य हितकर जीवों को खिलानी चाहिएं।

8-इस दिन और दिनों की अपेक्षा उत्तम भोजन आहार करना चाहिए।

परलोक

के संबंध में

पाठ और विचार के साधन

****

परलोक और मृत संबंधियों
के संबंध में
वार्षिक पाठ और विचार के साधन

****

इस संबंध में वार्षिक पाठ और विचार के दिनों में साधन कर्ता के लिए जिन जिन साधनों का करना विशेष रूप से आवश्यक है, वह यह हैं:-

(1) इन दिनों में साधन कर्ता को परलोक और परलोक वासी वा मृत संबंधियों के संबंध में आदेशों का विचार के साथ पाठ अथवा श्रवण करना चाहिए।

(2) इन दिनों में उपरोक्त आदेशों के पाठ और उन पर विचार करने से पहले साधन कर्ता को अपने किसी मृत संबंधी के संबंध में उनके द्वारा अपनी किसी हीनता वा नीचता के देखने के निमित्त सत्य देव भगवान देवात्मा से उनकी ज्योति के लिए प्रार्थना करनी चाहिए।

(3) सत्य देव भगवान देवात्मा की शरण में आकर साधन कर्ता ने पूर्वोक्त आदेशों में से जिन जिन के पालन करने की योग्यता लाभ की हो, और उस के द्वारा उसका और उसके मृत संबंधियों का जो कुछ हित साधन हुआ हो, उसे इन दिनों में अपने सम्मुख लाकर भगवान देवात्मा के प्रति धन्यवाद आदि भावों का प्रकाश करना चाहिए।

(4) इन दिनों में साधन कर्ता को अपने किसी मृत संबंधी के संबंध में अपनी किसी हीनता वा नीचता के विषय में बोध प्राप्त करने पर, उसके दूर करने के निमित्त अपनी ओर से बल प्रयोग करने के भिन्न, यथावश्यक सत्य देव भगवान देवात्मा से बल प्राप्ति के लिए प्रार्थना करनी चाहिए।

(5) इन दिनों में इस संबंध विषयक आदेशों के साथ अपने जीवन की तुलना के अनन्तर यज्ञ साधन कर्ता के हृदय में जो जो शुभ संकल्प उत्पन्न हों, उन्हें अपनी साधन पुस्तक में लिखना चाहिए।

(6) इन दिनों में उपरोक्त संकल्पों में से जो जो शुभ संकल्प आरंभ वा पूरे हो सकते हों, उन्हें साधन कर्ता को इन्हीं दिनों में आरंभ वा पूरा करने की चेष्टा करनी चाहिए।

(7) इन दिनों में योग्यता रखने पर अपने आप वा संभव होने पर किसी योग्य मध्यवर्ती के द्वारा अपने परलोक वासी वा मृत संबंधियों के साथ विशेष रूप से बातचीत करनी चाहिए, और ऐसी बातचीत के द्वारा एक दूसरे के विषय में अधिक से अधिक ज्ञान और एक दूसरे के हित को लेकर आपस के संबंध के बढ़ाने की चेष्टा

करनी चाहिए।

(8)   इन दिनों में परलोक विषयक उत्तम पुस्तकों* और उपदेशों आदि का विशेष रूप से पाठ अथवा श्रवण करना चाहिए।

(9)   इन दिनों में जीवन और मृत्यु विषयक तत्वों पर विशेष रूप से चिन्तन और विचार करना चाहिए।

(10) इन दिनों में जिन जिन परलोक वासी वा मृत संबंधियों के संबंध में जिस जिस दिन श्राद्ध का साधन करना आवश्यक हो, उस दिन विधि पूर्वक उसका साधन करना चाहिए।

---

*भगवान देवात्मा रचित पुस्तक "मनुष्य आत्मा के संबंध में चार महा तत्व" के दूसरे अध्याय का पाठ बहुत लाभदायक हो सकता है।

परलोक और मृत संबंधियों
के संबंध में
आदेश

****

1-सम्बन्ध बोध

(1) इस संबंध में साधन कर्ता के लिए आवश्यक है, कि वह स्थूल देह त्यागी अपने विशेष विशेष सब संबंधियों के साथ अपना संबंध भली भांत अनुभव करे।

(2) इस संबंध में साधन कर्ता के लिए आवश्यक है, कि वह स्थूल देह त्यागी प्रत्येक आत्मा के संबंध में अपने आप को प्रत्येक पतनकारी भाव से मुक्त करने वा मुक्त रखने और प्रत्येक हितोत्पादक भाव के जाग्रत वा उन्नत करने की आवश्यकता को भली भांत अनुभव करे।

(3) इस संबंध में साधन कर्ता के लिए आवश्यक है, कि वह योग्यता रखने पर स्थूल देह त्यागी और जीवित अपने प्रत्येक निकट के संबंधी को यथा साध्य किसी पतनकारी गति से निकालने अथवा उसकी किसी हितकर गति में सहायक होने की आवश्यकता को भली भांत अनुभव करे।

2-मूल ज्ञान

(4) इस संबंध में साधन कर्ता के लिए आवश्यक है, कि वह इस सत्य को भली भांत जाने, कि प्रत्येक आत्मा अपने जिस जिस नीच वा उच्च भाव से परिचालित होकर जो जो कुछ चिन्ता वा अन्य क्रिया करता है, उसके अनुसार परिवर्तित होकर वह अपने स्थूल शरीर के भीतर घटिया वा बढ़िया कोटि के सूक्ष्म सेल निर्माण और संचय करता रहता है।

(5) इस संबंध में साधन कर्ता के लिए आवश्यक है, कि वह इस सत्य को भली भांत जाने, कि प्रत्येक आत्मा अपनी गतियों से परिवर्तित होकर जिस कोटि के घटिया वा बढ़िया सूक्ष्म सेल निर्माण और संचय करता है, उन्हीं जीवित सेलों से अपनी स्थूल देह के त्याग करने और योग्यता रखने और अनुकूल वेष्ठनी के प्राप्त होने पर अपने लिए नीच वा उच्च श्रेणी का **भौतिक सूक्ष्म शरीर** निर्माण करता है।

(6) इस संबंध में साधन कर्ता के लिए आवश्यक है, कि वह इस सत्य को भली भांत जाने, कि किसी भी मनुष्य का आत्मा अपने भौतिक स्थूल शरीर के त्याग

के अनन्तर, योग्यता रखने और अनुकूल वेष्ठनी के प्राप्त होने पर ही अपने लिए केवल अपने स्थूल भौतिक शरीर के सदृश ही कोई नया **भौतिक सूक्ष्म शरीर** निर्माण करता और कर सकता है।

(7) इस संबंध में साधन कर्ता के लिए आवश्यक है, कि वह इस सत्य को भली भांत जाने, कि प्रत्येक आत्मा को अपने भले वा बुरे कर्मों का फल उसके नीच वा उच्च परिवर्तन के द्वारा सदा साथ साथ मिलता रहता है।

(8) इस संबंध में साधन कर्ता के लिए आवश्यक है, कि वह इस सत्य को भली भांत जाने, कि किसी आत्मा के सूक्ष्म शरीर के भली भांत निर्माण होने और उसे कई प्रकार के विघ्नों से सुरक्षित रखने के लिए, अंतिम काल विषयक निम्नलिखित कल्याणकारी नियमों के पालन करने की आवश्यकता है:-

1-मुमूर्षू (मरने वाले) का वास स्थान, उसकी चार पाई, उसके बिछौने और उसके पहनने और औढ़ने के सब वस्त्र परिष्कार हों।

2-मुमूर्षू के पास किसी प्रकार की दुर्गन्ध न आती हो।

3-मुमूर्षू के वास स्थान में ताज़ी वायु के आने जाने के लिए उचित रूप से द्वार आदि खुले हुए हों।

4-मुमूर्षू के शरीर पर से बहुत तेज़ वायु प्रवाहित न होती हो।

5-मुमूर्षू के शरीर तक मेंह आदि की कोई बूंदें न पहुंचती हों।

6-मुमूर्षू के समीप अग्नि न रखी जावे (रात के समय कुछ दूरी पर लैम्प वा दीपक जल सकता है।)

7-मुमूर्षू के वास गृह में बहुत लोग इकट्ठे न हों।

8-मुमूर्षू का सिर उसके पास की कंध से यथा सम्भव एक वा दो हाथ वा उससे भी अधिक हटा हुआ हो।

9-मुमूर्षू का सिर पूर्ण रूप से खुला रहे और यदि किसी विशेष कारण से उसके सिर पर कपड़ा रखना बहुत ही आवश्यक हो, तो उस पर सिवाए पतले और हलके कपड़े के कोई मोटा और भारी कपड़ा न रखा जाए।

10-मुमूर्षू के सिर पर (और हो सके तो उसके शरीर पर भी) कुछ सुगन्धि लगाई जाए।

11-मुमूर्षू के सिर की ओर का स्थान बिलकुल खाली रहे अर्थात् उधर कोई मनुष्य न बैठे और न खड़ा हो, और न उधर कोई वस्तु रखी जाए, और जिस किसी जन को उसके पास रहना आवश्यक हो, वह उसके पांयते अर्थात् पावों की ओर अथवा दाएं बाएं बैठे वा खड़ा हो, क्योंकि उसके

सूक्ष्म परमाणु सिर से निकल निकल कर उसके सिर की ही ओर एकत्र होते हैं, और उनमें किसी मनुष्य वा वस्तु की ओर से कोई व्याघात न पड़ना चाहिए। इस नियम पर बहुत अधिक ध्यान रखने की आवश्यकता है।

12–मुमूर्षू के सिर के पास से अर्थात् उसके सिरहाने की ओर से किसी का आना जाना न हो।

13–मुमूर्षू के कान तक किसी प्रकार का कोई शब्द न पहुंचे।

14–मुमूर्षू के समीप कोई उच्च स्तर से न बोले और जहां तक हो, उसके समीप अधिक बातचीत न की जाए।

15–मुमूर्षू के समीप कोई जन उच्च शब्द निकाल कर रोदन न करे। यदि रोना आता हो, तो उसके पास से बहुत दूर जाकर रोवे।

16–मुमूर्षू के सिर को जहां तक हो, हिलाया जुलाया न जाए।

17–मुमूर्षू के मर जाने पर कितनी देर तक उसकी शव को किसी प्रकार छेड़ा न जाए।

18–मुमूर्षू के हाथ पांव आदि यदि अधिक ज़ोर से खिचते हुए दिखाई दें, तो उन पर धीरे धीरे हाथ फेरा जाए।

19–मृत्यु के समय और उसके अनन्तर भी देह त्यागी के कल्याण के लिए चुपचाप मंगल कामना संबंधी कोई गीत (बिना बाजे के) गाया जाए।

20–मृत्यु हो चुकने के तीन चार घंटे के अनन्तर तक उच्च स्वर के साथ रोदन न किया जाए।

(9) इस संबंध में साधन कर्ता के लिए आवश्यक है कि वह इस सत्य को भली भांत जाने, कि जो आत्मा अपने भौतिक शरीर के जिस जिस अंग को नेचर के नाना अस्तित्वों की अनुचित हानि करने में जितना अधिक व्यवहार करता है, उतना ही वह उस अंग के संबंध में सूक्ष्म सेलों को निर्माण और संगठित करने की योग्यता को खोता जाता है और जिस जिस अंग के संबंध में वह अपनी इस योग्यता को जितने अंश नष्ट कर देता है, उतने अंश सूक्ष्म शरीर के निर्माण होने के समय, वह उस अंग को या तो पूर्णत: निर्माण नहीं कर सकता वा उसे अपूर्ण रूप से निर्माण करता है।

(10) इस संबंध में साधन कर्ता के लिए आवश्यक है, कि वह इस सत्य को भली भांत जाने, कि प्रत्येक आत्मा अपने स्थूल शरीर की मृत्यु के अनन्तर अपने बुरे वा भले कर्मों के अनुसार अपना जिस श्रेणी का नीच वा उच्च रूप और भौतिक सूक्ष्म शरीर ग्रहण करता है, उसी श्रेणी के अनुसार अधम लोक को वा परलोक संबंधी किसी

नीचे वा ऊंचे दर्जे के लोक को प्राप्त होता है।

(11) इस संबंध में साधन कर्ता के लिए आवश्यक है, कि वह इस सत्य को भली भांत जाने, कि जो आत्मा अपने भौतिक स्थूल शरीर के त्याग करने पर उच्च श्रेणी के लोकों में से जिस किसी उच्च संख्या के लोक में प्रवेश करने के योग्य होता है, वह वैसी ही उच्च श्रेणी की आत्माओं के साथ निवास की नाना भलाइयों के भिन्न, योग्यता रखने पर, उनसे और उनसे ऊपर के लोकों के निवासियों से विविध प्रकार के उन्नति-उत्पादक प्रभावों को भी लाभ कर सकता है।

(12) इस संबंध में साधन कर्ता के लिए आवश्यक है, कि वह इस सत्य को भली भांत जाने, कि जो आत्मा अपने भौतिक स्थूल शरीर के त्याग करने पर जिस किसी अपेक्षाकृत नीचे के लोक में प्रवेश करता है, उसी के नीच आत्माओं के साथ वास करता है, और वहां रहकर विविध प्रकार के हानिकारक और दुखदाई संबंधियों और उनसे विविध प्रकार के कष्ट और उनके बुरे वा पतनकारी प्रभावों को लाभ करता है।

(13) इस संबंध में साधन कर्ता के लिए आवश्यक है, कि वह इस सत्य को भली भांत जाने, कि जो आत्मा अपने किसी प्रबल मोह बंधन वा महा पाप के कारण अपना स्थूल शरीर त्याग करने पर अधम लोक में ही रह जाते हैं, उनमें से जो जो परलोक में पहुंचने की योग्यता लाभ कर सकते हैं, वह उचित सहाय पाने और उस विकार से रहित होने पर ऊपर के किसी लोक में चले जाते हैं; परंतु जो अधम आत्मा परलोक में जाने की कुछ भी योग्यता नहीं रखते, वह सभी इतने पतित होते हैं, कि उनके भीतर कुछ भी उच्च बनने की अभिलाषा नहीं रहती और इसीलिए वह अपने नीच जीवन के महा भयानक और दुखदाई फलों को न्यूनाधिक काल तक भोग भोग कर और उसी महा शोचनीय अवस्था में धीरे धीरे घुलकर अपनी निर्माणकारी शक्तियों के शेष हो जाने पर एक दिन अपने अस्तित्व के विचार से पूर्णत: नष्ट हो जाती है।

3-अन्य ज्ञान

(14) इस संबंध में साधन कर्ता के लिए आवश्यक है, कि वह जीवन और मृत्यु तत्व के विषय में अपनी योग्यता के अनुसार, जहां तक संभव हो, अवगति लाभ करे।

(15) इस संबंध में साधन कर्ता के लिए आवश्यक है, कि वह स्थूल देह त्यागी अपने किसी संबंधी आत्मा के विषय में अपनी योग्यता के अनुसार किसी ठीक विधि से जो जो कुछ ठीक वृतान्त जान सकता हो, उसके जानने की चेष्टा करे।

(16) इस संबंध में साधन कर्ता के लिए आवश्यक है, कि वह परलोक और परलोक वासी आत्माओं के विषय में अपनी योग्यता के अनुसार जहां तक और जो जो कुछ सत्य ज्ञान उपार्जन कर सकता हो, उसके उपार्जन करने की चेष्टा करे।

(17) इस संबंध में साधन कर्ता के लिए आवश्यक है, कि वह अपनी योग्यता के अनुसार 'अधम लोक' और 'अधमलोक वासी' आत्माओं के विषय में जहां तक और जो जो कुछ सत्य ज्ञान उपार्जन कर सकता हो, उसके उपार्जन करने की चेष्टा करे।

4-मेल मिलाप

(18) इस संबंध में साधन कर्ता के लिए आवश्यक है कि वह योग्यता रखने पर अपने आप अथवा किसी अन्य योग्य मध्यवर्ती के द्वारा अपने विशेष विशेष मृत संबंधियों के साथ समय समय में मेल मिलाप और बातचीत करने की चेष्टा करे।

5-श्रद्धा और सम्मान भाव

(19) इस संबंध में साधन कर्ता के लिए आवश्यक है, कि वह अपने स्थूल देह त्यागी विविध संबंधियों के सद्गुणों और सात्विक भावों के विषय में जहां तक अवगत हो, वहां तक उन पर बारंबार विचार के द्वारा उनके प्रति अपने हृदय में सम्मान वा श्रद्धा भाव को उत्पन्न वा उन्नत करे।

(20) इस संबंध में साधन कर्ता के लिए आवश्यक है, कि वह अपने स्थूल देह त्यागी नाना संबंधियों के प्रति अपनी बातचीत आदि में सर्वदा उचित रूप से सम्मान प्रदर्शन करे।

(21) इस संबंध में साधन कर्ता के लिए आवश्यक है, कि उसने जिस जिस मृत संबंधी से जिस जिस प्रकार के उपकार पाए हों, उन पर बारंबार चिन्तन के द्वारा उनके प्रति अपने हृदय में **प्रीति** और **कृतज्ञ** भावों के उत्पन्न वा उन्नत करने की चेष्टा करे।

6-परिशोध

(22) इस संबंध में साधन कर्ता के लिए आवश्यक है, कि जिन जिन स्थूल देह त्यागी आत्माओं के संबंध में उसे अपने किसी पाप वा अपराध के लिए बोध उत्पन्न हो, उसके लिए उचित परिशोध करके उनके साथ अपने संबंध को पवित्र करे।

(23) इस संबंध में साधन कर्ता के लिए आवश्यक है, कि वह अपने किसी मृत संबंधी से धन धरती आदि किसी सम्पत्ति के प्राप्त होने पर, और उसके विषय में यह जानने पर, कि वह सब अथवा उसका कोई अंश **अन्याय** के द्वारा उपार्जन किया गया था, उस संबंधी के आत्मा के कल्याण के लिए उसके संबंध में आवश्यक और उचित परिशोध करे।

7-तुष्टि और तृप्ति

(24) इस संबंध में साधन कर्ता के लिए आवश्यक है, कि वह अपने किसी मृत संबंधी के किसी निराश्रय वा असहाय संबंधी की जिस जिस विषय में जो जो कुछ सहाय कर सकता हो, वह सहाय करके उसकी तुष्टि करे।

(25) इस संबंध में साधन कर्ता के लिए आवश्यक है, कि वह अपने जिन जिन मृत संबंधियों की जिन जिन शुभ कामनाओं को पूरा कर सकता हो, उनके विषय में अवगत होने पर, उन्हें अपनी योग्यता के अनुसार पूरा करके उनकी तृप्ति वा तुष्टि करे।

8-मंगल कामना

(24) इस संबंध में साधन कर्ता के लिए आवश्यक है, कि वह अपने विशेष विशेष मृत संबंधियों को स्मरण करके उनके लिए मंगलकामना करे।

वर्जित कर्म

****

(1) इस संबंध में साधन कर्ता के लिए आवश्यक है, कि वह किसी उचित कारण के बिना अपने किसी मृत संबंधी का कभी कोई दोष वा अपराध वर्णन न करे।

(2) इस संबंध में साधन कर्ता के लिए आवश्यक है, कि वह अपने किसी परलोक वासी हिताकांक्षी वा हितकारी संबंधी को सर्वथा भूल न जाए।

(3) इस संबंध में साधन कर्ता के लिए आवश्यक है, कि वह अपने किसी मृत संबंधी के किसी पदार्थ पर अधिपत्य लाभ करने पर उसका अनुचित व्यवहार न करे।

(4) इस संबंध में साधन कर्ता के लिए आवश्यक है, कि वह अपने किसी मृत संबंधी के किसी निराश्रय वा असहाय संबंधी की यथासाध्य किसी उचित सहाय करने से उदासीन वा विमुख न हो।

(5) इस संबंध में साधन कर्ता के लिए आवश्यक है, कि उसे अपने किसी मृत संबंधी के संबंध में **अपने** वा **उसके** किसी पाप वा अपराध के लिए जो कुछ परिशोध करना उचित बोध हो, उसके करने से विमुख न हो।

(6) इस संबंध में साधन कर्ता के लिए आवश्यक है, कि वह अपने किसी मृत संबंधी की किसी शुभ इच्छा के पालन करने की प्रतिज्ञा करके यथा साध्य उसके पालन में कोई त्रुटि न करे।

(7) इस संबंध में साधन कर्ता के लिए आवश्यक है, कि वह अपने किसी स्थूल देह त्यागी परन्तु जीवित संबंधी को अपनी किसी अनुचित क्रिया से कोई दुख न पहुंचावे।

(8) इस संबंध में साधन कर्ता के लिए आवश्यक है, कि वह अपने विशेष विशेष परलोक वासी संबंधियों के लिए मंगल कामना करने से उदासीन अथवा विमुख न हो।

श्राद्ध साधन विधि
****

(1) इस साधन से पहले अपने साधन स्थान को भली भांत परिष्कार और सुसज्जित करना चाहिए।

(2) जिस मृत संबंधी वा जिन मृत संबंधियों का श्राद्ध करना हो, उसकी वा उनकी यदि कोई छवि वा मूर्ति वर्तमान हो, अथवा कोई और वस्तुएं वर्तमान हों, तो उन सब अथवा कुछ को साधन स्थान में सजा कर रखना चाहिए।

(3) स्नान करके और शुद्ध वस्त्र पहन कर साधन के लिए बैठना चाहिए।

(4) सत्य देव भगवान देवात्मा को स्मरण करके और उनकी छवि के सम्मुख खड़े होकर पुष्पहार के द्वारा उनका अर्चन करना चाहिए।

(5) सत्य देव भगवान देवात्मा की छवि के सम्मुख खड़े होकर देव स्तोत्र का गान करना चाहिए।

(6) श्राद्ध की सुफलता के लिए सत्य देव भगवान देवात्मा से आशीर्वाद प्रार्थना करनी चाहिए।

(7) अपने मृत संबंधी वा संबंधियों को स्मरण करके किसी पात्र में पुष्प अथवा पुष्पहार रखकर उसका वा उनका अर्चन करना चाहिए।

(8) अपने ऐसे संबंधी वा संबंधियों के जीवन के अच्छे वा सात्विक गुणों के विषय में कोई संक्षिप्त पाठ अथवा कथन करना चाहिए, और उससे वा उनसे श्राद्ध कर्ता ने जो जो उपकार पाए हों, उन्हें जहां तक संभव हो, स्मरण करके उनके प्रति अपने भावों का प्रकाश करना चाहिए।

(9) यदि किसी मृत संबंधी के संबंध में श्राद्ध कर्ता के हृदय में किसी हानि परिशोध के करने का बोध जाग्रत हो, तो उसके पूरा करने के लिए प्रतिज्ञा करनी चाहिए।

(10) यदि किसी मृत संबंधी की किसी शुभ इच्छा का पालन करना उस पर

कर्तव्य हो, और उसमें उसे कोई त्रुटि बोध हो, तो उसके दूर करने के लिए प्रतिज्ञा करनी चाहिए।

(11) यदि किसी मृत संबंधी की स्मृति रक्षा के निमित्त साधन कर्ता के हृदय में किसी प्रकार का कोई शुभ संकल्प उत्पन्न हो, तो उसके पूरा करने के लिए प्रतिज्ञा करनी चाहिए।

(12) अपने विशेष विशेष मृत संबंधियों के साथ अपने संबंध को और भी गाढ़ और हितकर बनाने के लिए आकांक्षा करनी चाहिए।

परलोक के संबंध में शेष दिन
का साधन
****

(1) इस साधन के लिए अपने साधनालय अथवा किसी अन्य स्थान को पहले से परिष्कृत और सुसज्जित करना चाहिए।

(2) इस दिन जहां तक संभव हो, प्रातः काल में ही वह साधन करना चाहिए।

(3) इस दिन अपने शरीर को शुद्ध करके और उजले वस्त्र और अपनी एकाकारी पहन कर साधन के लिए बैठना चाहिए।

(4) इस दिन नीचे लिखी हुई विधि के अनुसार सम्मिलित साधन करना चाहिए:-

1-सत्य देव भगवान देवात्मा की छवि के सम्मुख खड़े होकर पुष्पहार के द्वारा उनका अर्चन।

2-देव स्तोत्र का उच्च स्वर के साथ सम्मिलित पाठ वा गान।

3-सत्य देव भगवान देवात्मा को श्रद्धा पूर्वक प्रणाम।

4-सत्य देव भगवान देवात्मा से इस सभा की सफलता के लिए आशीर्वाद प्रार्थना।

5-परलोक संबंधी आदेशों का एकाग्रता के साथ धीरे धीरे पाठ, श्रवण अथवा इस संबंध में कोई उपदेश।

6-परलोक संबंधी साधनों से प्रत्येक साधन कर्ता ने अपना मोक्ष वा विकास विषयक जो जो कुछ शुभ लाभ किया हो, उस पर चिन्तन, और उसके लिए सत्य देव भगवान देवात्मा के प्रति धन्यवाद आदि उच्च भावों का प्रकाश।

7-आगामी वर्ष में अपने मृत संबंधियों के संबंध में अपने आपको और भी विकार रहित और हितकर बनाने के निमित्त आकांक्षा और आशीर्वाद प्रार्थना।

8-सत्य देव भगवान देवात्मा की खड़े होकर चार बार जय ध्वनि।

(5) इस दिन और दिनों की अपेक्षा उत्तम भोजन आहार करना चाहिए।

(6) इस दिन यथा साध्य कुछ आहार संबंधी वस्तुएं अधिकारी मनुष्यों और पशुओं को दान करनी चाहिए।

स्वजाति

के संबंध में

पाठ और विचार के साधन

****

स्वजाति

के संबंध में

वार्षिक पाठ और विचार के साधन

****

स्वजाति के संबंध में वार्षिक पाठ और विचार के दिनों में साधन कर्ता के लिए जिन जिन साधनों का करना विशेष रूप से आवश्यक है, वह यह हैं:-

(1) इन दिनों में साधन कर्ता को स्वजाति संबंधी आदेशों का विचार के साथ पाठ अथवा श्रवण करना चाहिए।

(2) इन दिनों में उपरोक्त आदेशों के पाठ और उन पर विचार करने से पहले साधन कर्ता को स्वजाति जनों के संबंध में उनके द्वारा अपनी किसी हीनता वा नीचता के देखने के निमित्त सत्य देव भगवान देवात्मा से उनकी ज्योति के लिए प्रार्थना करनी चाहिए।

(3) सत्य देव भगवान देवात्मा की शरण में आकर साधन कर्ता ने पूर्वोक्त आदेशों में से जिन जिन के पालन करने की योग्यता लाभ की हो, और उस के द्वारा उसका वा उसके जाति जनों का जो जो हित हुआ हो, उसे इन दिनों में अपने सम्मुख लाकर भगवान देवात्मा के प्रति धन्यवाद आदि भावों का प्रकाश करना चाहिए।

(4) इन दिनों में साधन कर्ता को अपने किसी मृत संबंधी के संबंध में अपनी किसी हीनता वा नीचता के विषय में बोध प्राप्त करने पर, उसके दूर करने के निमित्त अपनी ओर से बल प्रयोग करने के भिन्न, यथावश्यक सत्य देव भगवान देवात्मा से बल प्राप्ति के लिए प्रार्थना करनी चाहिए।

(5) इन दिनों में स्वजाति के संबंध में आदेशों के साथ अपने जीवन की तुलना के अनन्तर साधन कर्ता के हृदय में जो जो शुभ संकल्प उत्पन्न हों, उन्हें अपनी साधन पुस्तक में लिखना चाहिए।

(6) इन दिनों में उपरोक्त संकल्पों में से जो जो संकल्प आरंभ वा पूरे हों सकते हों, उन्हें साधन कर्ता को इन्हीं दिनों में आरंभ वा पूरा करने की चेष्टा करनी चाहिए।

(7) इन दिनों में अपनी जाति की अवस्था पर विशेष रूप से विचार करना चाहिए।

(8) इन दिनों में अपनी जाति संबंधी एक वा दूसरे प्रकार के इतिहास का पाठ अथवा श्रवण करना चाहिए।

(9) इन दिनों में अपनी जाति के बड़े बड़े उपकारी और प्रभावशाली स्त्री

पुरुषों की जीवन कथाओं का पाठ अथवा श्रवण और उनकी समाधियों की यात्रा अथवा छवियों का दर्शन करना चाहिए।

(10) इन दिनों में अपनी जाति की सच्ची महिमा के संबंध में सच्चे गीतों का गान करना चाहिए।

(11) इन दिनों में योग्यता रखने पर अपनी जाति अथवा जातीयता के विषय में कोई उपदेश वा व्याख्यान देना चाहिए।

(12) इन दिनों में अपनी जाति के लिए विशेष रूप से मंगल कामना करनी चाहिए।

स्वजाति जनों
के संबंध में
आदेश
****

1-सम्बन्ध बोध

(1) स्वजाति के संबंध में साधन कर्ता के लिए आवश्यक है, कि वह अपनी जाति वा अपने जाति जनों के साथ अपने संबंध को भली भांत अनुभव करे।

(2) स्वजाति के संबंध में साधन कर्ता के लिए आवश्यक है, कि वह स्वजाति जनों के संबंध में अपने आपको प्रत्येक पतनकारी भाव से मुक्त करने वा मुक्त रखने और प्रत्येक हितोत्पादक भाव के उत्पन्न वा उन्नत करने की आवश्यकता को भली भांत अनुभव करे।

2-अवगति

(3) स्वजाति के संबंध में साधन कर्ता के लिए आवश्यक है, कि वह अपने जाति जनों के सब प्रकार के बुरे और भले गुणों के विषय में जहां तक उसके लिए संभव हो, अवगत होने की चेष्टा करे।

(4) स्वजाति के संबंध में साधन कर्ता के लिए आवश्यक है, कि वह अपनी जाति की शिक्षा, प्रथा, रीति, नीति और उसके साहित्य, आचार व्यवहार और अनुष्ठान आदि में जो कुछ निर्दोष और हितकर हो, उसे यथा साध्य जानने की चेष्टा करे।

3-सम्मान और पवित्र अभिमान भाव

(5) स्वजाति के संबंध में साधन कर्ता के लिए आवश्यक है, कि वह अपनी जाति के ऐसे सब स्मरणीय स्त्री और पुरुषों के प्रति जिन्होंने उसके जाति जनों में:-

(1) उच्च जीवन वा चरित के विकास, (2) उचित दल बद्धता की महिमा के प्रचार, (3) तत्वज्ञान के अनुशीलन, (4) किसी कुनीति वा कुप्रथा के निवारण, (5) विज्ञान की उन्नति, (6) शिल्प की उन्नति, (7) वाणिज्य की उन्नति, (8) साहित्य की उन्नति, (9) साधारण शिक्षा के प्रचार, (10) किसी साधारण पीड़ा के निवारण, (11) दरिद्रों और अनाथों के कल्याण, और (12) उचित वीरता के प्रदर्शन से कोई प्रशंसनीय और विशेष सेवा की हो, उनके विषय में अवगत होने पर उनके लिए उचित सम्मान और कृतज्ञ भाव अनुभव करे।

(6) स्वजाति के संबंध में साधन कर्ता के लिए आवश्यक है, कि वह ऐसे सब स्थानों और चिन्हों के विषय में अवगत होकर जो उसके जातीय गौरव के प्रकाशक हों, उनके प्रति उचित सम्मान और पवित्र अभिमान अनुभव करे।

(7) स्वजाति के संबंध में साधन कर्ता के लिए आवश्यक है, कि वह किसी ऐसे साहित्य के विषय में अवगत होकर जो उसके जातीय गौरव को सत्य सत्य प्रकाश करता हो, उसके प्रति उचित सम्मान और पवित्र अभिमान अनुभव करे।

(8) स्वजाति के संबंध में साधन कर्ता के लिए आवश्यक है, कि वह ऐसे सब प्रकार के शिल्प विषयक कार्यों के विषय में अवगत होकर जो उसके जातीय गौरव के प्रकाश करने वाले हों, उनके प्रति उचित सम्मान और पवित्र अभिमान अनुभव करे।

4-सहाय और सेवा

(9) स्वजाति के संबंध में साधन कर्ता के लिए आवश्यक है, कि वह अपने जातीय जनों के भीतर उचित सुनीति मूलक सब प्रकार की दलबद्धता के भाव को यथा साध्य उत्पन्न और उन्नत करने के लिए चेष्टा करे।

(10) स्वजाति के संबंध में साधन कर्ता के लिए आवश्यक है, कि वह अपनी योग्यता के अनुसार जहां तक संभव हो, अपने जातीय जनों में उच्च जीवन वा उच्च चरित्र, विद्या, विज्ञान, शिल्प और वाणिज्य आदि की उन्नति में सहायक बने।

(11) स्वजाति के संबंध में साधन कर्ता के लिए आवश्यक है, कि वह अपनी जाति के महान जनों की सब प्रकार की **उचित** स्मृति और कीर्ति की रक्षा के लिए यथा सामर्थ्य चेष्टा वा उसमें सहाय करे।

(12) स्वजाति के संबंध में साधन कर्ता के लिए आवश्यक है, कि वह अपनी योग्यता के अनुसार जहां तक संभव हो, अपनी जाति के पुरुषों के साथ साथ अपनी जाति की स्त्रियों की सब प्रकार की उन्नति में सहाय करे।

(13) स्वजाति के संबंध में साधन कर्ता के लिए आवश्यक है, कि वह यथा सामर्थ्य अपनी जाति के अनाथ लड़कों और लड़कियों के लिए कोई अनाथालय स्थापन करे, अथवा ऐसे शुभ काम में कोई उचित सहाय करे।

(14) स्वजाति के संबंध में साधन कर्ता के लिए आवश्यक है, कि वह यथा सामर्थ्य अपनी जाति की असहाय विधवाओं की रक्षा और उन्नति के लिए कोई विधवा आश्रम स्थापन करे, अथवा ऐसे शुभ काम में किसी प्रकार की उचित सहाय करे।

(15) स्वजाति के संबंध में साधन कर्ता के लिए आवश्यक है, कि वह यथा सामर्थ्य अपनी जाति के ऐसे लोगों के लिए जो एक वा दूसरे कारण से अपनी रक्षा

अथवा अपने भरण पोषण के अयोग्य हों, दरिद्र वा सहाय शाला स्थापन करे, अथवा ऐसे शुभ काम में कोई उचित सहाय करे।

(16) स्वजाति के संबंध में साधन कर्ता के लिए आवश्यक है, कि वह यथा सामर्थ्य अपने जाति जनों की शारीरिक चिकित्सा वा उन्नति के लिए कोई चिकित्सालय वा कोई संस्था स्थापन करे, अथवा ऐसे शुभ काम में कोई उचित सहाय करे।

(17) स्वजाति के संबंध में साधन कर्ता के लिए आवश्यक है, कि वह यथा सामर्थ्य अपने जाति जनों के मानसिक कल्याण के लिए कोई विद्यालय अथवा महाविद्यालय वा विश्व विद्यालय अथवा पुस्तकालय आदि स्थापन करे, अथवा ऐसे किसी काम में कोई उचित सहाय करे।

(18) स्वजाति के संबंध में साधन कर्ता के लिए आवश्यक है, कि वह यथा सामर्थ्य अपने जाति जनों में शिल्प की उन्नति के लिए कोई शिल्प विद्यालय वा प्रदर्शनी आदि स्थापन करे, अथवा ऐसे काम में कोई उचित सहाय करे।

(19) स्वजाति के संबंध में साधन कर्ता के लिए आवश्यक है, कि वह यथा साध्य स्वजाति जनों की उत्पन्न की वा बनाई हुई वस्तुओं का व्यवहार करके उनकी आय में उचित रूप से सहाय करे।

(20) स्वजाति के संबंध में साधन कर्ता के लिए आवश्यक है, कि वह यथा सामर्थ्य अपनी जाति के साहित्य की उन्नति के लिए आप कोई उत्तम पुस्तकें रचे वा अनुवाद करे, अथवा ऐसे कामों में किसी प्रकार की कोई उचित सहाय करे।

(21) स्वजाति के संबंध में साधन कर्ता के लिए आवश्यक है, कि वह यथा सामर्थ्य अपनी जाति की प्रत्येक पुरानी विद्या को जहां तक वह उसकी वर्तमान अवस्था के अनुकूल हो, और उसकी उन्नति के लिए आवश्यक हो, जीवित रखने वा उन्नत करने की चेष्टा करे।

(22) स्वजाति के संबंध में साधन कर्ता के लिए आवश्यक है, कि वह अपनी जाति के निम्न श्रेणी के जनों को उन्नत करने के निमित्त यथा साध्य आप कोई संस्था स्थापन करे, अथवा ऐसे काम में कोई उचित सहाय करे।

(23) स्वजाति के संबंध में साधन कर्ता के लिए आवश्यक है, कि वह ऐसे लोगों के कार्य में जो अपने जातीय जनों को किसी पाप वा बुरे अभ्यास से निकालने वा उनमें परोपकार विषयक किसी भाव के विकसित करने में लगे हुए हों, यथा साध्य सब प्रकार की उचित सहाय करे।

(24) स्वजाति के संबंध में साधन कर्ता के लिए आवश्यक है, कि वह अपने जाति जनों को उनके नीच जीवन से उद्धार और उनमें उच्च वा धर्म जीवन के उत्पन्न

वा विकसित करने की योग्यता रखने और उचित बोध करने पर, ऐसे काम के लिए अपने सारे जीवन वा अपनी सारी सम्पत्ति को भेंट करे।

5-परिशोध

(25) स्वजाति के संबंध में साधन कर्ता के लिए आवश्यक है, कि वह किसी स्वजाति जन के संबंध में अपने किसी पाप वा अपराध के विषय में बोध लाभ करने पर, उसके लिए उचित परिशोध करके, उसके विकार से अपने हृदय को पवित्र करने की चेष्टा करे।

6-मंगल कामना

(26) स्वजाति के संबंध में साधन कर्ता के लिए आवश्यक है, कि वह स्वजाति जनों के संबंध में किसी अभाव के बोध करने पर, उसके दूर होने अथवा उन में एक वा दूसरे प्रकार के शुभ की उत्पत्ति के लिए कामना करे।

वर्जित कर्म

****

(1) स्वजाति के संबंध में साधन कर्ता के लिए आवश्यक है, कि वह अपनी किसी अनुचित क्रिया के द्वारा अपने किसी जाति जन को किसी प्रकार की हानि न पहुंचावे।

(2) स्वजाति के संबंध में साधन कर्ता के लिए आवश्यक है, कि वह अपनी जाति के किसी साधारण हितकर काम को अपनी किसी अनुचित क्रिया के द्वारा हानि न पहुंचावे।

(3) स्वजाति के संबंध में साधन कर्ता के लिए आवश्यक है, कि वह अपनी जाति के किसी लाभ के लिए किसी और जाति के **उचित** और **मुख्य** लाभ को कोई हानि न पहुंचावे।

(4) स्वजाति के संबंध में साधन कर्ता के लिए आवश्यक है, कि वह अपनी जाति की भली बातों के साथ उसकी किसी मिथ्या वा बुरी शिक्षा, उसकी बुरी प्रथाओं, बुरी रीतियों और बुरे आचारों वा व्यवहारों की कभी प्रशंसा और पोषकता न करे।

(5) स्वजाति के संबंध में साधन कर्ता के लिए आवश्यक है, कि वह अपनी जाति का अनुचित पक्षपाती होकर किसी और जाति के मनुष्यों पर किसी प्रकार का

अन्याय अथवा अत्याचार न करे।

(6) स्वजाति के संबंध में साधन कर्ता के लिए आवश्यक है, कि वह अपनी किसी अनुचित क्रिया के द्वारा अपनी जाति के भिन्न भिन्न सम्प्रदायों में परस्पर द्वेष और अनमेल की उत्पत्ति और उन्नति न करे।

(7) स्वजाति के संबंध में साधन कर्ता के लिए आवश्यक है, कि वह अपनी किसी अनुचित क्रिया से किसी अन्य जाति के लिए अपनी जाति के किसी **उचित लाभ** को हानि न पहुंचावे।

(8) स्वजाति के संबंध में साधन कर्ता के लिए आवश्यक है, कि वह अपनी किसी अनुचित बातचीत वा अन्य क्रिया से अपनी जाति के महा पुरुषों का अपमान वा निरादर न करे।

(9) स्वजाति के संबंध में साधन कर्ता के लिए आवश्यक है, कि वह अपने जाति जनों में मिथ्या वा अहित मूलक किसी प्रचलित भेद वा घृणा का साथ देकर जातीय बल को कोई हानि न पहुंचावे।

(10) स्वजाति के संबंध में साधन कर्ता के लिए आवश्यक है, कि वह जातीय बल वर्द्धक किसी साधारण काम में अपनी किसी अनुचित क्रिया के द्वारा कोई विघ्न उत्पन्न न करे।

स्वजाति के संबंध में शेष दिन
का साधन
****

(1) इस साधन के लिए अपने साधनालय अथवा किसी अन्य स्थान को पहले से परिष्कृत और सुसज्जित करना चाहिए।

(2) इस दिन जहां तक संभव हो, प्रातः काल में ही वह साधन करना चाहिए।

(3) इस दिन अपने शरीर को शुद्ध करके और उजले वस्त्र और अपनी एकाकारी पहन कर साधन के लिए बैठना चाहिए।

(4) इस दिन नीचे लिखी हुई विधि के अनुसार सम्मिलित साधन करना चाहिए:-

1-सत्य देव भगवान देवात्मा की छवि के सम्मुख खड़े होकर पुष्पहार के द्वारा उनका अर्चन।

2-देव स्तोत्र का उच्च स्वर के साथ सम्मिलित पाठ वा गान।

3-सत्य देव भगवान देवात्मा को श्रद्धा पूर्वक प्रणाम।

4-सत्य देव भगवान देवात्मा से इस साधन की सफलता के लिए आशीर्वाद प्रार्थना।

5-स्वजाति संबंधी आदेशों का एकाग्रता के साथ धीरे धीरे पाठ, श्रवण अथवा इस संबंध में कोई उपदेश।

6-स्वजाति के संबंध में साधनों से प्रत्येक साधन कर्ता ने अपना मोक्ष वा विकास विषयक जो जो कुछ शुभ लाभ किया हो, उस पर चिन्तन, और उसके लिए सत्य देव भगवान देवात्मा के प्रति धन्यवाद आदि उच्च भावों का प्रकाश।

7-आगामी वर्ष में स्वजाति जनों के संबंध में अपने आपको और भी विकार रहित और हितकर बनाने के निमित्त आकांक्षा और आशीर्वाद प्रार्थना।

8-सत्य देव भगवान देवात्मा की खड़े होकर चार बार जय ध्वनि।

(5)   इस दिन और दिनों की अपेक्षा उत्तम भोजन आहार करना चाहिए।

(6)   इस दिन स्वजाति संबंधी किसी शुभ काम के लिए यथा सामर्थ्य दान करना चाहिए।

भौतिक जगत्

के संबंध में

पाठ और विचार के साधन

****

भौतिक जगत्
के संबंध में
वार्षिक पाठ और विचार के साधन
****

भौतिक जगत् के संबंध में वार्षिक पाठ और विचार के दिनों में साधन कर्ता के लिए जिन जिन साधनों का करना विशेष रूप से आवश्यक है, वह यह हैं:-

(1) इन दिनों में साधन कर्ता को भौतिक जगत् संबंधी आदेशों का विचार के साथ पाठ अथवा श्रवण करना चाहिए।

(2) इन दिनों में उपरोक्त आदेशों के पाठ और उन पर विचार करने से पहले साधन कर्ता को उनके द्वारा भौतिक जगत् के संबंध में अपनी किसी हीनता वा नीचता के देखने के निमित्त सत्य देव भगवान देवात्मा से उनकी ज्योति के लिए प्रार्थना करनी चाहिए।

(3) सत्य देव भगवान देवात्मा की शरण में आकर साधन कर्ता ने पूर्वोक्त आदेशों में से जिन जिन के पालन करने की योग्यता लाभ की हो, और उस के द्वारा उसका वा उसके जाति जनों का जो जो हित हुआ हो, उसे इन दिनों में अपने सम्मुख लाकर भगवान देवात्मा के प्रति धन्यवाद आदि भावों का प्रकाश करना चाहिए।

(4) इन दिनों में साधन कर्ता को भौतिक जगत् के संबंध में अपनी किसी हीनता वा नीचता के विषय में बोध प्राप्त करने पर, उसके दूर करने के निमित्त अपनी ओर से बल प्रयोग करने के भिन्न, यथावश्यक सत्य देव भगवान देवात्मा से बल प्राप्ति के लिए प्रार्थना करनी चाहिए।

(5) इन दिनों में भौतिक जगत् विषयक आदेशों के साथ अपने जीवन की तुलना के अनन्तर साधन कर्ता के हृदय में जो जो शुभ संकल्प उत्पन्न हों, उन्हें अपनी साधन पुस्तक में लिखना चाहिए।

(6) इन दिनों में उपरोक्त संकल्पों में से जो जो शुभ संकल्प पूरे हो सकते हों, उन्हें साधन कर्ता को इन्हीं दिनों में पूरा करने की चेष्टा करनी चाहिए।

(7) इन दिनों में भूमि विज्ञान, ज्योति विज्ञान और भौतिक पदार्थों के गुणों और उपकार आदि के विषय में किसी उत्तम पुस्तक वा पुस्तकों का पाठ वा श्रवण करना चाहिए।

(8) इन दिनों में यथा सामर्थ्य किसी पर्वत, समुद्र, झील, सरोवर और खान आदि का दर्शन करना चाहिए।

(9) इन दिनों में अपने अपने घरों को, मुरम्मत और सफ़ेदी अथवा रंग आदि के द्वारा विशेष रूप से परिष्कार और सुंदर करना चाहिए।

(10) इन दिनों में अपने घर की सब वस्तुओं की छांट करके टूटी फूटी, बहुत पुरानी और निकम्मी वस्तुओं को निकाल कर दान करना चाहिए।

भौतिक जगत्
के संबंध में
आदेश
****

1-सम्बन्ध बोध

(1) भौतिक जगत् के संबंध में साधन कर्ता के लिए आवश्यक है, कि वह भौतिक जगत् के साथ अपने अस्तित्व के घनिष्ट संबंध को भलीभांत अनुभव करे।

(2) भौतिक जगत् के संबंध में साधन कर्ता के लिए आवश्यक है, कि वह भौतिक जगत् के संबंध में अपने आपको प्रत्येक पतनकारी भाव से मुक्त करने वा मुक्त रखने, और प्रत्येक हितोत्पादक भाव के जाग्रत वा उन्नत करने की आवश्यकता को भली भांत अनुभव करे।

2-ज्ञान उपार्जन

(3) भौतिक जगत् के संबंध में साधन कर्ता के लिए आवश्यक है, कि वह

   1-भौतिक जगत् संबंधी पदार्थों,

   2-भौतिक जगत् संबंधी शक्तियों और उनकी निर्माण और ध्वंसकारी गतियों,

   3-भौतिक जगत् संबंधी स्थूल सौर जगत् और अन्यान्य नक्षत्रों, और

   4-भौतिक जगत् संबंधी सूक्ष्म सौर जगत् अथवा परलोक के

विषय में जहां तक उसके लिए संभव हो, ज्ञान उपार्जन करने की चेष्टा करे।

3-गृह

(4) भौतिक जगत् के संबंध में साधन कर्ता के लिए आवश्यक है, कि वह जहां तक संभव हो, प्रशस्त और शुष्क घर में वास करे।

(5) भौतिक जगत् के संबंध में साधन कर्ता के लिए आवश्यक है, कि वह अपने घर में शुद्ध और खुली वायु के प्रवेश करने और प्रवाहित रहने के लिए आवश्यक रूप से खिड़कियां और द्वार आदि रखे और उनका उचित रूप से व्यवहार करे।

(6) भौतिक जगत् के संबंध में साधन कर्ता के लिए आवश्यक है, कि वह अपने घर के भीतर यथेष्ट रूप से सूर्य के प्रकाश के प्रवेश करने के लिए रोशनदान वा झरोखे आदि रखकर उनका उचित रूप से व्यवहार करे।

(7) भौतिक जगत् के संबंध में साधन कर्ता के लिए आवश्यक है, कि वह अपने घर के प्रत्येक स्थान को परिष्कार रखे।

(8) भौतिक जगत् के संबंध में साधन कर्ता के लिए आवश्यक है, कि वह अपने घर के प्रत्येक स्थान को दुर्गन्धि से शुद्ध रखे।

(9) भौतिक जगत् के संबंध में साधन कर्ता के लिए आवश्यक है, कि वह अपने घर में जल गिराने के लिए निर्दिष्ट स्थान रखे और व्यवहार करे।

(10) भौतिक जगत् के संबंध में साधन कर्ता के लिए आवश्यक है, कि वह अपने घर में मल त्याग के लिए उचित और निर्दिष्ट स्थान रखे।

(11) भौतिक जगत् के संबंध में साधन कर्ता के लिए आवश्यक है, कि वह अपने घर की मल वाहक सब प्रकार की नालियों को खुले जल के द्वारा भली भांत धो वा धुलवा कर परिष्कार रखे।

(12) भौतिक जगत् के संबंध में साधन कर्ता के लिए आवश्यक है, कि वह मल त्याग संबंधी सब निर्दिष्ट स्थानों को भली भांत परिष्कार रखे।

(13) भौतिक जगत् के संबंध में साधन कर्ता के लिए आवश्यक है, कि वह अपनी योग्यता के अनुसार, जहां तक संभव हो, अपने मिलने, बैठने, पढ़ने, सोने और खाना खाने आदि के प्रकोष्ठों को सुन्दर और सुसज्जित रखे।

4-सेवन

(14) भौतिक जगत् के संबंध में साधन कर्ता के लिए आवश्यक है, कि वह भौतिक जगत् के प्रकाश, ताप, जल और वायु का, उचित समय में और उचित प्रकार से सेवन करे।

(15) भौतिक जगत् के संबंध में साधन कर्ता के लिए आवश्यक है, कि वह जहां तक संभव हो, शुद्ध और स्वास्थ्यकर जल और वायु का सेवन करे।

5-वस्तु व्यवहार

(16) भौतिक जगत् के संबंध में साधन कर्ता के लिए आवश्यक है, कि वह अपने घर की सब वस्तुओं को शुद्ध और सुन्दर अवस्था में रखे।

(17) भौतिक जगत् के संबंध में साधन कर्ता के लिए आवश्यक है, कि वह अपने घर की सब वस्तुओं को अपने अपने स्थान और संबंध में सजाकर सुश्रृंखला और परिपाटी के साथ रखे।

(18) भौतिक जगत् के संबंध में साधन कर्ता के लिए आवश्यक है, कि वह अपने वा किसी और के व्यवहार के लिए जिस वस्तु को उसके निर्दिष्ट स्थान से उठाए, उसे व्यवहार के अनन्तर फिर वहीं रखे।

(19) भौतिक जगत् के संबंध में साधन कर्ता के लिए आवश्यक है, कि वह अपनी प्रत्येक वस्तु की उचित रूप से रक्षा करे।

6–निर्माण कार्य

(20) भौतिक जगत् के संबंध में साधन कर्ता के लिए आवश्यक है, कि वह अपनी अवस्था के अनुसार जब कोई घर, मन्दिर, आश्रम, चिकित्सालय, कार्यालय, तड़ाग, कूप और मार्ग आदि बनाना चाहे, तो उसके प्रकृत उद्‌देश्य के अनुसार और सुन्दर और सुशोभन आकार में बनवाए।

7–मोह से रक्षा

(21) भौतिक जगत् के संबंध में साधन कर्ता के लिए आवश्यक है, कि वह भौतिक जगत् संबंधी धन, धरती आदि विविध पदार्थों को औरों से प्राप्त करके, अथवा उनके उपार्जन में आप प्रवृत्त होकर, अपने हृदय को उनके हानिकारक मोह से सदा सुरक्षित रखे।

8–कृतज्ञ भाव और सेवा

(22) भौतिक जगत् के संबंध में साधन कर्ता के लिए आवश्यक है, कि वह भौतिक जगत् में पृथ्वी, वायु, चन्द्र और सूर्य से जितने जितने प्रकार के उपकार लाभ करता है, उन्हें विचार के द्वारा बारंबार अपने सम्मुख लाकर उनके संबंध में अपने आप को **उपकृत** बोध करने और उन में से जिन जिन के लिए जहां तक संभव हो, अपने आपको सेवाकारी बनाने का अभ्यास करे।

9–मंगल कामना

(23) भौतिक जगत् के संबंध में साधन कर्ता के लिए आवश्यक है, कि वह भौतिक जगत् में से पृथ्वी, वायु, चन्द्र और सूर्य के अमूल्य उपकारों से अपने आपको उपकृत अनुभव करके उनके लिए मंगल कामना करने का अभ्यास करे।

10–परिशोध

(24) भौतिक जगत् के संबंध में साधन कर्ता के लिए आवश्यक है, कि वह भौतिक जगत् के संबंध में अपने किसी पाप वा अपराध के विषय में बोध लाभ करने पर उसका उचित परिशोध करके अपने हृदय को पवित्र करने की चेष्टा करे।

वर्जित कर्म

****

1–निवास

(1) भौतिक जगत् के संबंध में साधन कर्ता के लिए आवश्यक है, कि वह

जहां तक संभव हो, अति संकीर्ण घर में वास न करे।

(2) भौतिक जगत् के संबंध में साधन कर्ता के लिए आवश्यक है, कि वह अपने घर के किसी स्थान को मैला और कुत्सित न रखे।

(3) भौतिक जगत् के संबंध में साधन कर्ता के लिए आवश्यक है, कि वह जहां तक संभव हो, किसी स्वास्थ्य नाशक घर में वास न करे।

(4) भौतिक जगत् के संबंध में साधन कर्ता के लिए आवश्यक है, कि वह जहां तक संभव हो, किसी स्वास्थ्य नाशक नगर वा ग्राम में वास न करे।

2-उपार्जन

(5) भौतिक जगत् के संबंध में साधन कर्ता के लिए आवश्यक है, कि वह किसी मनुष्य वा पशु के संबंध में अपनी किसी पाप वा अपराध मूलक क्रिया के द्वारा धन वा धरती आदि किसी पदार्थ को लाभ न करे।

(6) भौतिक जगत् के संबंध में साधन कर्ता के लिए आवश्यक है, कि वह धन, धरती आदि पदार्थों के उपार्जन में **उचित से अधिक परिश्रम और क्लेश** स्वीकार न करे।

(7) भौतिक जगत् के संबंध में साधन कर्ता के लिए आवश्यक है, कि वह धन, धरती आदि पदार्थों के उपार्जन में अपने आत्मिक जीवन के संबंध में **उदासीन** न हो, और अपने धर्म विषयक साधनों के लिए यथेष्ट समय और ध्यान देने में त्रुटि न करे।

3-व्यवहार

(8) भौतिक जगत् के संबंध में साधन कर्ता के लिए आवश्यक है, कि वह धन का अधिपति होकर उसका कभी अपव्यय न करे।

(9) भौतिक जगत् के संबंध में साधन कर्ता के लिए आवश्यक है, कि वह धन, धरती आदि पदार्थों पर अधिकार लाभ करके निम्न सुखों में आसक्त होकर अपने आत्मिक जीवन और शारीरिक स्वास्थ्य की हानि न करे।

(10) भौतिक जगत् के संबंध में साधन कर्ता के लिए आवश्यक है, कि वह पृथ्वी के किसी अनुचित स्थान में मल त्याग करके उस स्थान को भ्रष्ट न करे।

(11) भौतिक जगत् के संबंध में साधन कर्ता के लिए आवश्यक है, कि वह पृथ्वी के किसी अनुचित स्थान में कूड़ा करकट आदि घृणित वस्तु डालकर उसे दूषित न करे।

(12) भौतिक जगत् के संबंध में साधन कर्ता के लिए आवश्यक है, कि वह किसी अनुचित स्थान में गढ़ा आदि खोदकर उसे कुत्सित अथवा औरों के लिए

हानिकारक न बनावे।

(13) भौतिक जगत् के संबंध में साधन कर्ता के लिए आवश्यक है, कि वह अपनी किसी अनुचित क्रिया के द्वारा भौतिक जगत् की किसी वस्तु के रूप रंग वा उसकी पुष्टता आदि को किसी प्रकार की हानि न पहुंचावे।

(14) भौतिक जगत् के संबंध में साधन कर्ता के लिए आवश्यक है, कि वह भौतिक जगत् की किसी वस्तु का अपव्यवहार न करे।

(15) भौतिक जगत् के संबंध में साधन कर्ता के लिए आवश्यक है, कि वह भौतिक जगत् की जिन जिन वस्तुओं की उचित रक्षा के लिए दायी हो, उनकी देखभाल और उनका ठीक समय में और उचित रूप से संशोधन करने वा कराने में त्रुटि न करे।

(16) भौतिक जगत् के संबंध में साधन कर्ता के लिए आवश्यक है, कि वह भौतिक जगत् की किसी वस्तु को अनुचित स्थान वा किसी अनुचित संबंध में रखकर उसे अथवा किसी और वस्तु को किसी प्रकार की हानि न पहुंचावे।

4-नीच भाव

(17) भौतिक जगत् के संबंध में साधन कर्ता के लिए आवश्यक है, कि वह धन, रत्न, धरती आदि पदार्थों को किसी और से प्राप्त करके वा उन्हें आप उपार्जन करके अपने हृदय में स्वार्थपरता को वर्धन न करे।

(18) भौतिक जगत् के संबंध में साधन कर्ता के लिए आवश्यक है, कि वह धन, धरती आदि पदार्थों को किसी और से पाकर अथवा उन्हें आप उपार्जन करके अपने हृदय में घमंड भाव को उत्पन्न वा वर्धन न करे।

(19) भौतिक जगत् के संबंध में साधन कर्ता के लिए आवश्यक है, कि वह धन, रत्न, धरती, घर आदि विविध पदार्थों को किसी और से पाकर वा उन्हें आप उपार्जन वा निर्माण करके उनके प्रति अपने हृदय में मोह* को उत्पन्न वा वर्धन न करे।

---

*किसी वस्तु के संबंध में किसी मनुष्य के अनुचित अनुराग वा बंधन को मोह कहते हैं, कि जो ऐसे अनुरागी को उसका दास बना देता है, और वह उस पर अपना आधिपत्य नहीं रखता, अर्थात उसे वह अपनी वा किसी और की भलाई के लिए तो कहीं रहा, अनेक अवस्थाओं में अपने किसी साधारण शारीरिक अभाव वा रोग के दूर करने के लिए भी काम में लाना नहीं चाहता और नहीं ला सकता। इसीलिए यह मोह क्या मनुष्य आत्मा और क्या उसके शरीर दोनों के लिए बहुत हानिकारक है।

(20) भौतिक जगत् के संबंध में साधन कर्ता के लिए आवश्यक है, कि वह धन, रत्न, धरती, आभूषण आदि पदार्थों को किसी और से पाकर वा उन्हें आप उपार्जन करके उनके संबंध में अपने हृदय में कृपण भाव को उत्पन्न वा वर्धन न करे।

भौतिक जगत् के संबंध में शेष दिन
का साधन
****

(1) इस साधन के लिए अपने साधनालय अथवा किसी अन्य स्थान को पहले से परिष्कृत और सुसज्जित करना चाहिए।

(2) इस दिन जहां तक संभव हो, वहां तक प्रात: काल में ही व्रत का साधन करना चाहिए।

(3) इस दिन अपने शरीर को शुद्ध करके और उजले वस्त्र और अपनी एकाकारी पहन कर साधन के लिए बैठना चाहिए।

(4) इस दिन नीचे लिखी हुई विधि के अनुसार सम्मिलित साधन करना चाहिए:-

1-सत्य देव भगवान देवात्मा की छवि के सम्मुख खड़े होकर पुष्पहार के द्वारा उनका अर्चन।

2-देवस्तोत्र का उच्च स्वर के साथ सम्मिलित पाठ वा गान।

3-सत्य देव भगवान देवात्मा को श्रद्धा पूर्वक प्रणाम।

4-सत्य देव भगवान देवात्मा से सभा की सफलता के लिए आशीर्वाद प्रार्थना।

5-इस जगत् संबंधी आदेशों का एकाग्रता के साथ धीरे धीरे पाठ, अथवा भौतिक जगत् के संबंध में कोई उपदेश।

6-इस जगत् संबंधी साधनों से प्रत्येक साधन कर्ता ने अपना मोक्ष वा विकास विषयक जो जो कुछ शुभ साधन किया हो, उस पर चिन्तन और उसके संबंध में सत्य देव भगवान देवात्मा के प्रति धन्यवाद आदि भावों का प्रकाश।

7-आगामी वर्ष में इस जगत् के संबंध में अपने आपको और भी विकार रहित और हितकर बनाने के निमित्त आकांक्षा और आशीर्वाद प्रार्थना।

8-सत्य देव भगवान देवात्मा की चार बार जय ध्वनि खड़े होकर।

(5) इस दिन और दिनों की अपेक्षा उत्तम भोजन आहार करना चाहिए।

(6) इस दिन सन्ध्या से कुछ पहले एक और साधन करना चाहिए, जिस में:-

1-सत्य देव भगवान देवात्मा की छवि के सम्मुख विनय पूर्वक खड़े होकर बाहर की भौतिक ज्योति की तुलना में उनकी आत्मिक देव ज्योति की विशेषता और महिमा पर संक्षिप्त कथन करके अपने भावों का प्रकाश करना चाहिए।

2-देव आरती का गान खड़े होकर।

3-सत्य देव भगवान देवात्मा को विनय पूर्वक प्रणाम करके उनकी चार बार जय ध्वनि करनी चाहिए।

4-यथा रुचि अपने अपने घरों में परिपाटी के साथ दीप माला करनी चाहिए।

मनुष्य मात्र

के संबंध में

पाठ और विचार के साधन

****

मनुष्य मात्र
के संबंध में
वार्षिक पाठ और विचार के साधन

****

मनुष्य मात्र के संबंध में वार्षिक पाठ और विचार के दिनों में साधन कर्ता के लिए जिन जिन साधनों का करना विशेष रूप से आवश्यक है, वह यह हैं:—

(1) इन दिनों में साधन कर्ता को मनुष्य जगत् संबंधी आदेशों का विचार के साथ पाठ अथवा श्रवण करना चाहिए।

(2) इन दिनों में उपरोक्त आदेशों के पाठ और उन पर विचार करने से पहले साधन कर्ता को उनके द्वारा मनुष्य जगत् के संबंध में अपनी किसी हीनता वा नीचता के देखने के निमित्त, सत्य देव भगवान देवात्मा से उनकी ज्योति के लिए प्रार्थना करनी चाहिए।

(3) सत्य देव भगवान देवात्मा की शरण में आकर यज्ञ साधन कर्ता ने पूर्वोक्त आदेशों में से जिन जिन के पालन करने की योग्यता लाभ की हो, और उस के द्वारा उसका वा अन्य मनुष्यों का जो जो हित हुआ हो, उसे इन दिनों में अपने सम्मुख लाकर उनके प्रति धन्यवाद आदि भावों का प्रकाश करना चाहिए।

(4) इन दिनों में साधन कर्ता को किसी मनुष्य के संबंध में अपनी किसी हीनता वा नीचता के विषय में बोध प्राप्त करने पर, उसके दूर होने के निमित्त अपनी ओर से बल प्रयोग करने के भिन्न, यथावश्यक सत्य देव भगवान देवात्मा से बल प्राप्ति के लिए प्रार्थना करनी चाहिए।

(5) इन दिनों में मनुष्य जगत् विषयक आदेशों के साथ अपने जीवन की तुलना के अनन्तर यज्ञ साधन कर्ता के हृदय में जो जो शुभ संकल्प उत्पन्न हों, उन्हें अपनी साधन पुस्तक में लिखना चाहिए।

(6) इन दिनों में उपरोक्त संकल्पों में से जो जो शुभ संकल्प पूरे हो सकते हों, उन्हें साधन कर्ता को इन्हीं दिनों में पूरा करने की चेष्टा करनी चाहिए।

(7) इन दिनों में साधन कर्ता को पृथ्वी के विशेष विशेष सच्चरित्र और परोपकारी जनों के जीवन चरितों का विचार पूर्वक पाठ वा श्रवण अथवा योग्यता रखने पर उनके किसी उच्च चरित्र के विषय में कथन करना वा व्याख्यान देना चाहिए।

(8) इन दिनों में यथा सम्भव और यथा साध्य साधन कर्ता को विशेष विशेष

लोक हितैषी अथवा किसी अच्छे विषय में सुख्याति प्राप्त जनों का दर्शन अथवा उनके साथ आलाप करना चाहिए।

(9) इन दिनों में यथा सम्भव और यथा साध्य साधन कर्ता को विशेष विशेष लोक हितैषी वा किसी अच्छे विषय में सुख्याति प्राप्त जनों की समाधियों वा स्मृति शालाओं की यात्रा करके उनके दर्शन करने चाहिएं।

(10) इन दिनों में यथा सम्भव और यथा साध्य साधन कर्ता को मनुष्य मात्र में से अनुचित कलह, विवाद, पक्षपात् और युद्ध आदि के दूर करने और उस में उच्च शांति के अधिक से अधिक उत्पन्न होने के लिए आवश्यक चेष्टा करनी चाहिए।

मनुष्य मात्र
के संबंध में
आदेश
****

1-सम्बन्ध बोध

(1) मनुष्य मात्र के संबंध में साधन कर्ता के लिए आवश्यक है, कि वह मनुष्य मात्र के साथ (चाहे वह किसी देश और जाति के हों) अपने संबंध को भली भांत अनुभव करे।

(2) मनुष्य मात्र के संबंध में साधन कर्ता के लिए आवश्यक है, कि वह मनुष्य मात्र के संबंध में अपने आपको प्रत्येक पतनकारी भाव से मुक्त करने वा मुक्त रखने, और प्रत्येक हितोत्पादक भाव के उत्पन्न वा उन्नत करने की आवश्यकता को भली भांत अनुभव करे।

2-मेल मिलाप

(3) मनुष्य मात्र के संबंध में साधन कर्ता के लिए आवश्यक है, कि वह अपनी अवस्था के अनुसार जिस जिस मनुष्य से जहां तक **हितकर** मेल जोल स्थापन कर सकता हो, वहां तक स्थापन करे।

(4) मनुष्य मात्र के संबंध में साधन कर्ता के लिए आवश्यक है, कि वह जहां तक संभव हो, मुंह हाथ धोकर, बाल संवार के और उचित रूप से परिष्कार वस्त्र पहन के किसी से मिले, वा उसके समीप उपस्थित हो।

(5) मनुष्य मात्र के संबंध में साधन कर्ता के लिए आवश्यक है, कि वह यथा संभव किसी मनुष्य से केवल उतनी देर तक मिले, जितनी देर तक ऐसा करना दोनों के लिए उचित वा लाभदायक हो।

(6) मनुष्य मात्र के संबंध में साधन कर्ता के लिए आवश्यक है, कि वह जिस मनुष्य के साथ मिलने के लिए जो समय नियत करे, उससे किसी विशेष विघ्न के भिन्न **ठीक उसी समय** में मिले।

3-सम्मान प्रदर्शन

(7) मनुष्य मात्र के संबंध में साधन कर्ता के लिए आवश्यक है, कि वह जिस मनुष्य से नियमपूर्वक किसी प्रकार की अच्छी विद्या वा शिक्षा लाभ करे, उसके प्रति आवश्यक सम्मान प्रदर्शन करे।

(8) मनुष्य मात्र के संबंध में साधन कर्ता के लिए आवश्यक है, कि वह

किसी मनुष्य के राज्य वा सामाजिक वा धर्म **पद** के अनुसार उसके प्रति यथावसर उचित वा विधेय सम्मान प्रदर्शन करे।

(9) मनुष्य मात्र के संबंध में साधन कर्ता के लिए आवश्यक है, कि वह किसी मनुष्य की मानसिक वा हार्दिक वा किसी शिल्प आदि की **योग्यता** के अनुसार उसके प्रति यथावसर उचित वा विधेय सम्मान प्रदर्शन करे।

(10) मनुष्य मात्र के संबंध में साधन कर्ता के लिए आवश्यक है, कि वह किसी मनुष्य की **वयस** के अनुसार उसके प्रति यथावसर उचित वा विधेय सम्मान प्रदर्शन करे।

(11) मनुष्य मात्र के संबंध में साधन कर्ता के लिए आवश्यक है, कि वह किसी मनुष्य की पारिवारिक वा वंशीय विशेषता के अनुसार उसके प्रति यथावसर उचित वा विधेय सम्मान प्रदर्शन करे।

(12) मनुष्य मात्र के संबंध में साधन कर्ता के लिए आवश्यक है, कि वह किसी मनुष्य की **रोगी वा दुर्बल अवस्था** के अनुसार उसके प्रति यथावसर उचित वा विधेय सम्मान प्रदर्शन करे।

4-बात चीत

(13) मनुष्य मात्र के संबंध में साधन कर्ता के लिए आवश्यक है, कि वह जहां तक संभव हो, प्रत्येक मनुष्य के साथ ऐसे विषयों पर ही बातचीत करे, कि जो दोनों के लिए **प्रीतिकर** और **हितकर** हों।

(14) मनुष्य मात्र के संबंध में साधन कर्ता के लिए आवश्यक है, कि वह किसी विशेष कारण के भिन्न, प्रत्येक मनुष्य के साथ **प्रीतिकर** और **मधुर** भाषा का व्यवहार करे।

(15) मनुष्य मात्र के संबंध में साधन कर्ता के लिए आवश्यक है, कि वह जहां तक संभव हो, किसी जन के साथ वहीं तक बातचीत करे, जहां तक ऐसा करना उसके लिए **आवश्यक वा लाभदायक हो।**

(16) मनुष्य मात्र के संबंध में साधन कर्ता के लिए आवश्यक है, कि उसके लिए जिस मनुष्य से जो कुछ और जितनी बातचीत करनी उचित हो, उसे वह जहां तक संभव हो, **संक्षिप्त, स्पष्ट, ठीक ठीक** और **सरल भाव** से करे।

(17) मनुष्य मात्र के संबंध में साधन कर्ता के लिए आवश्यक है, कि वह **उचित समय वा अवसर** को देखकर किसी से कुछ बात कहे।

(18) मनुष्य मात्र के संबंध में साधन कर्ता के लिए आवश्यक है, कि वह **उचित समय वा अवसर** देखकर किसी के सामने अपनी किसी **कामना** का प्रकाश करे।

(19) मनुष्य मात्र के संबंध में साधन कर्ता के लिए आवश्यक है, कि उसके लिए जिस मनुष्य से जिस बात का **गोपन** रखना उचित और आवश्यक हो, उससे वह उसे गोपन रखे।

5–आतिथ्य

(20) मनुष्य मात्र के संबंध में साधन कर्ता के लिए आवश्यक है, कि वह नितान्त आवश्यक होने पर ही किसी मनुष्य के घर में आतिथ्य ग्रहण करे।

(21) मनुष्य मात्र के संबंध में साधन कर्ता के लिए आवश्यक है, कि वह किसी मनुष्य के घर में अतिथि बनकर, जहां तक संभव हो, उस पर अपनी सेवा वा शुश्रूषा का थोड़े से थोड़ा भार डाले।

(22) मनुष्य मात्र के संबंध में साधन कर्ता के लिए आवश्यक है, कि वह अपने प्रत्येक अतिथि की उसके किसी पद अथवा उसके साथ अपने किसी संबंध आदि के अनुसार उचित रूप से टहल सेवा करे।

(23) मनुष्य मात्र के संबंध में साधन कर्ता के लिए आवश्यक है, कि वह किसी मनुष्य को अपना अतिथि ग्रहण करके, जहां तक उसकी उचित टहल सेवा कर सकता हो, वहां तक उसके **दैनिक अभ्यास** और उसकी **इच्छा** के अनुसार करे।

6–व्यवसाय

(24) मनुष्य मात्र के संबंध में साधन कर्ता के लिए आवश्यक है, कि वह अपने व्यवसाय के संबंध में जिस मनुष्य से जो कुछ **उचित** और विधेय **अंगीकार** करे, उसे भली भांत पालन करे।

(25) मनुष्य मात्र के संबंध में साधन कर्ता के लिए आवश्यक है, कि उसके लिए अपने व्यवसाय के संबंध में जिस मनुष्य को जो कुछ **देना** उचित हो, उसे **ठीक समय** में दे।

(26) मनुष्य मात्र के संबंध में साधन कर्ता के लिए आवश्यक है, कि उसके लिए अपने व्यवसाय के संबंध में जिस मनुष्य को जो कुछ **देना** उचित हो, उसे वह **ठीक मात्रा** में दे।

(27) मनुष्य मात्र के संबंध में साधन कर्ता के लिए आवश्यक है, कि उसके लिए अपने व्यवसाय के संबंध में जिस मनुष्य को जो कुछ **देना** उचित हो, उसे वह **ठीक अवस्था** में दे।

(28) मनुष्य मात्र के संबंध में साधन कर्ता के लिए आवश्यक है, कि उसके लिए अपने व्यवसाय के संबंध में जिस मनुष्य को **जितना समय** देना आवश्यक हो, उसके लिए वह **उतना समय** दे।

(29) मनुष्य मात्र के संबंध में साधन कर्ता के लिए आवश्यक है, कि उसके लिए अपने व्यवसाय के संबंध में जिस मनुष्य के प्रति जितना **काम** अथवा **परिश्रम** करना आवश्यक वा विधेय हो, उसके लिए वह उतना **काम** अथवा उतना **परिश्रम** करे।

(30) मनुष्य मात्र के संबंध में साधन कर्ता के लिए आवश्यक है, कि उसके लिए अपने व्यवसाय के संबंध में जिस मनुष्य के प्रति **जितना ध्यान** देना आवश्यक हो, उसके लिए वह उतना **ध्यान** दे।

7-विश्वस्तता

(31) मनुष्य मात्र के संबंध में साधन कर्ता के लिए आवश्यक है, कि वह जहां तक संभव हो, किसी मनुष्य की आप भली भांत परीक्षा करके वा उसके संबंध में किसी विश्वस्त जन से साक्षी पाकर उसके प्रति किसी विषय में अपना विश्वास स्थापन करे।

(32) मनुष्य मात्र के संबंध में साधन कर्ता के लिए आवश्यक है, कि वह जिस मनुष्य का किसी विषय में उचित रूप से **विश्वास पात्र** बना हो, उसमें अपने आपको सदा **सच्चा** प्रमाणित करे।

8-संग

(33) मनुष्य मात्र के संबंध में साधन कर्ता के लिए आवश्यक है, कि वह जहां तक संभव हो, उच्च जीवन प्राप्त अथवा सच्चरित्र लोगों का संग करे।

(34) मनुष्य मात्र के संबंध में साधन कर्ता के लिए आवश्यक है, कि वह जहां तक संभव हो, उच्च भावापन्न, सुनीति समर्थक, अच्छे लेखकों की पुस्तकों वा उनके अन्य लेखों का पाठ करे।

9-उधार वा धरोहर

(35) मनुष्य मात्र के संबंध में साधन कर्ता के लिए आवश्यक है, कि वह किसी मनुष्य से कोई वस्तु मांगकर वा उधार लेकर अथवा किसी मनुष्य की किसी वस्तु को अपने पास धरोहर रखकर उसे **ठीक समय** में लौटा दे।

10-अंगीकार

(36) मनुष्य मात्र के संबंध में साधन कर्ता के लिए आवश्यक है, कि वह किसी मनुष्य से जब और जो कुछ **उचित** और **विधेय अंगीकार** करे, उसे जहां तक संभव हो **पूरा** करे।

11-दायित्व रक्षा

(37) मनुष्य मात्र के संबंध में साधन कर्ता के लिए आवश्यक है, कि वह किसी के संबंध में जिस किसी काम के लिए **दायी** बना वा समझा गया हो, उसे

किसी बहुत बड़े विघ्न के भिन्न **ठीक समय** से पहले वा **ठीक समय** तक और **उत्तम रूप** से पूरा करे।

12-शिक्षा

(38) मनुष्य मात्र के संबंध में साधन कर्ता के लिए आवश्यक है, कि वह जिस मनुष्य से कोई शिक्षा अथवा विद्या लाभ करता हो, उसके विषय के प्रति आवश्यक रूप से **ध्यान** दे।

(39) मनुष्य मात्र के संबंध में साधन कर्ता के लिए आवश्यक है, कि वह जिस मनुष्य से जो बात सीखे, वह किसी **शुभ उद्देश्य** से सीखे।

(40) मनुष्य मात्र यज्ञ साधन कर्ता के लिए आवश्यक है, कि वह अपनी योग्यता के अनुसार यथा संभव जिस किसी अधिकारी मनुष्य को जो कोई सद्विद्या वा सद्गुण सिखा सकता हो, उसे प्रीति पूर्वक **सिखा** दे।

13-ग्रहण वा अनुकरण

(41) मनुष्य मात्र के संबंध में साधन कर्ता के लिए आवश्यक है, कि वह जिस जाति वा जन में जो जो उत्तम गुण विद्यमान हों, उनसे अवगत होने पर, यथा आवश्यक और यथा साध्य लाभ उठावे।

(42) मनुष्य मात्र के संबंध में साधन कर्ता के लिए आवश्यक है, कि वह जहां तक संभव हो, किसी जाति वा जन की केवल उसी बात का अनुकरण करे, कि जो उसके लिए हितकर और उसकी अवस्था के अनुकूल हो।

14-त्याग

(43) मनुष्य मात्र के संबंध में साधन कर्ता के लिए आवश्यक है, कि वह **अपने धर्म** अर्थात् **उच्च जीवन की रक्षा के लिए** ऐसे प्रत्येक जन से अपना **संबंध काट ले,** कि जो उसे भ्रष्ट वा पतित करने की चेष्टा करता हो।

(44) मनुष्य मात्र के संबंध में साधन कर्ता के लिए आवश्यक है, कि वह **अधिकांश जनों** के उचित लाभ वा आराम के लिए **अपने** उचित लाभ वा आराम को यथावश्यक **त्याग** वा **अर्पण** करे।

(45) मनुष्य मात्र यज्ञ साधन कर्ता के लिए आवश्यक है, कि वह

(अ) अपनी समाज,

(इ) अपनी जाति,

(उ) अपने देश और,

(ए) अपने किसी बहु-देश-संयुक्त राष्ट्र के मुख्य हित के लिए अपने और अपने पारिवारिक जनों के गौण सुख वा लाभ को **अर्पण वा त्याग** करे।

15-बाध्यता

(46) मनुष्य मात्र के संबंध में साधन कर्ता के लिए आवश्यक है, कि वह किसी **सुयोग्य** जन से चिकित्सा कराने पर, किसी विशेष कारण के भिन्न, जहां तक संभव हो, उसकी व्यवस्था को पूर्ण रूप से पालन करे।

(47) मनुष्य मात्र के संबंध में साधन कर्ता के लिए आवश्यक है, कि वह किसी विधेय वा हितकर सभा वा समाज में योग देकर, उसके शुभ नियमों का भली भांत पालन करे।

(48) मनुष्य मात्र के संबंध में साधन कर्ता के लिए आवश्यक है, कि वह प्रत्येक मनुष्य के साथ अपने बर्ताव में उचित **राज्य विधि** की भली भांत रक्षा करे।

(49) मनुष्य मात्र के संबंध में साधन कर्ता के लिए आवश्यक है, कि वह प्रत्येक मनुष्य के **निज** के सच्चे अधिकार की पूर्ण रूप से **रक्षा** करे।

(50) मनुष्य मात्र के संबंध में साधन कर्ता के लिए आवश्यक है, कि उसके लिए जिस किसी मनुष्य की किसी बात का उत्तर देना वा उसे कुछ बताना वा कहना वा उस तक किसी का संदेशा पहुंचाना आवश्यक वा उचित हो, उसे वह **उचित वा ठीक समय** में पूरा करे।

(51) मनुष्य मात्र के संबंध में साधन कर्ता के लिए आवश्यक है, कि वह जिस मनुष्य से कोई अच्छी विद्या वा शिक्षा लाभ करता हो, उस विषय में उसकी प्रत्येक उचित आज्ञा को भली भांत पालन करे।

16-शान्ति

(52) मनुष्य मात्र के संबंध में साधन कर्ता के लिए आवश्यक है, कि वह मनुष्य मात्र के संबंध में **शान्ति** चाहे, और जहां तक संभव हो, उनमें से कलह, विवाद और **युद्ध के मिटाने** और **शान्ति** के स्थापन करने में सहायक बने।

(53) मनुष्य मात्र के संबंध में साधन कर्ता के लिए आवश्यक है, कि वह अपने आपको जहां तक संभव हो, मनुष्य मात्र के संबंध में **वृथा वाक विवाद** और **कलह** आदि से दूर रखे।

17-क्षमा

(54) मनुष्य मात्र के संबंध में साधन कर्ता के लिए आवश्यक है, कि वह अपने संबंध में उचित सीमा तक, प्रत्येक मनुष्य के दोषों वा अपराधों को **क्षमा** करे।

18-अनुग्रहीतता

(55) मनुष्य मात्र के संबंध में साधन कर्ता के लिए आवश्यक है, कि वह किसी मनुष्य से कुछ भी **उपकार** पाकर उसके लिए अपने भीतर **अनुग्रहीतता** के

भाव को अनुभव और उसे यथा अवसर उचित रूप से प्रकाश करे।

19-भ्रान्ति संशोधन

(56) मनुष्य मात्र के संबंध में साधन कर्ता के लिए आवश्यक है, कि वह जब अपनी किसी ना समझी वा भ्रांति के कारण किसी मनुष्य के साथ किसी प्रकार का अनमेल वा असद्भाव उत्पन्न कर ले, तब उससे अवगत होकर वह, जहां तक संभव हो, उसे **उचित रूप** से शीघ्र **दूर** करने की **चेष्टा** करे।

20-अपक्षपात

(57) मनुष्य मात्र के संबंध में साधन कर्ता के लिए आवश्यक है, कि वह सदा **पक्षपात रहित** होकर किसी मनुष्य के विषय में कोई विचार वा आलोचना करे।

(58) मनुष्य मात्र के संबंध में साधन कर्ता के लिए आवश्यक है, कि वह सदा **पक्षपात रहित** होकर किसी के संबंध में अपना कोई मत वा मंतव्य प्रकाश करे।

(59) मनुष्य मात्र के संबंध में साधन कर्ता के लिए आवश्यक है, कि वह किसी जन, समाज, सम्प्रदाय वा जाति के ज्ञान वा आचरण आदि में जो जो कुछ सत्य वा शुभ हो, उसे यथावश्यक **पक्षपात रहित** होकर **समर्थन** करे।

(60) मनुष्य मात्र के संबंध में साधन कर्ता के लिए आवश्यक है, कि वह किसी जन, समाज, सम्प्रदाय वा जाति के विषय में जो कुछ **अवगति** रखता हो, उसे आवश्यक होने वा समझने पर किसी और के सम्मुख ठीक ठीक और **निष्कपट** रूप से **वर्णन** वा **समर्थन** करे।

21-उपहार

(61) मनुष्य मात्र के संबंध में साधन कर्ता के लिए आवश्यक है, कि वह किसी मनुष्य को केवल ऐसी ही वस्तुएं **उपहार दे,** कि जिनका देना **उचित** हो, और जिन्हें पाकर वह **प्रसन्न** हो।

22-दान

(62) मनुष्य मात्र के संबंध में साधन कर्ता के लिए आवश्यक है, कि वह किसी को सुपात्र अर्थात् **अधिकारी** जानकर ही उसे कोई वस्तु दान करे।

(63) मनुष्य मात्र के संबंध में साधन कर्ता के लिए आवश्यक है, कि वह किसी अधिकारी जन को केवल ऐसी ही वस्तुएं दान करे, कि जिनका दान करना **उचित** और **विधेय** हो।

(64) मनुष्य मात्र के संबंध में साधन कर्ता के लिए आवश्यक है, कि वह किसी अधिकारी जन को ऐसी ही वस्तुएं दान करे, कि जो उसके लिए **आवश्यक** अथवा **उपयोगी** हों।

(65) मनुष्य मात्र के संबंध में साधन कर्ता के लिए आवश्यक है, कि वह किसी अधिकारी जन को जो कुछ दान करे, वह **अभिमान रहित** होकर **शुभ** और **नम्रभाव** से करे।

23-सहाय और सेवा

(66) मनुष्य मात्र के संबंध में साधन कर्ता के लिए आवश्यक है, कि वह किसी दरिद्र, निराश्रय, अनाथ, दुर्बल, पीड़ित, विद्याहीन, गुण हीन और धर्म हीन मनुष्य के कल्याण के लिए, यथावसर और अपनी **योग्यता** के अनुसार, जब और जो कुछ **सहाय** वा सेवा कर सकता हो, वह करे।

(67) मनुष्य मात्र के संबंध में साधन कर्ता के लिए आवश्यक है, कि वह किसी मनुष्य को किसी शुभ अभिप्राय में यत्न करते देखकर, जहां तक संभव हो उसे **उत्साहित** करे।

(68) मनुष्य मात्र के संबंध में साधन कर्ता के लिए आवश्यक है, कि वह किसी मनुष्य को उचित **आश्रय** देकर **उचित रूप** से उसकी **रक्षा** करे।

(69) मनुष्य मात्र के संबंध में साधन कर्ता के लिए आवश्यक है, कि वह किसी ऐसे मनुष्य की भूली वा खोई हुई वस्तु को पाकर जिसे वह जानता अथवा जान सकता हो, जहां तक शीघ्र संभव हो **उसके पास पहुंचा** दे।

(70) मनुष्य मात्र के संबंध में साधन कर्ता के लिए आवश्यक है, कि वह किसी मनुष्य के घर वा स्थान में आग के लग जाने पर, अथवा किसी मनुष्य के किसी भार के नीचे दब जाने पर, अथवा किसी मनुष्य के जल में डूबने पर, अथवा किसी मनुष्य के किसी अन्य प्रकार के संकट में पड़ जाने पर, अवसर और अपनी योग्यता के अनुसार जो कुछ **उचित सहाय** कर सकता हो, वह करे।

(71) मनुष्य मात्र के संबंध में साधन कर्ता के लिए आवश्यक है, कि वह किसी जाति वा देश वा प्रदेश के लोगों में किसी साधारण रोग वा महामारी वा किसी विपद् वा संकट के आक्रमण करने पर, उसकी निवृत्ति में **अपनी मंगल कामनाओं के द्वारा,** जहां तक सहाय कर सकता हो, वहां तक सहाय करे।

24-परिशोध

(72) मनुष्य मात्र के संबंध में साधन कर्ता के लिए आवश्यक है, कि उसे जब किसी मनुष्य के संबंध में अपने किसी अपराध वा पाप का बोध हो, तभी वह उसके लिए उचित रूप से **परिशोध** करके अपने हृदय को पवित्र करने की चेष्टा करे।

वर्जित कर्म

****

1-अनुचित मेल मिलाप

(1) मनुष्य मात्र के संबंध में साधन कर्ता के लिए आवश्यक है, कि वह किसी ऐसे मनुष्य से न मिले, कि जिससे मिलने से उसे अपने लिए किसी उचित लाभ की अपेक्षा हानि की ही अधिक संभावना हो।

(2) मनुष्य मात्र के संबंध में साधन कर्ता के लिए आवश्यक है, कि वह किसी ऐसे मनुष्य से न मिले, कि जिससे मिलकर उसके द्वारा उसे **अकारण** अपने **अपमानित वा अनादृत** होने की संभावना हो।

(3) मनुष्य मात्र के संबंध में साधन कर्ता के लिए आवश्यक है, कि वह किसी मनुष्य के साथ मिलने के लिए जो समय नियत करे, उस में बिना किसी उचित और यथेष्ट कारण के कभी विलम्ब न करे।

(4) मनुष्य मात्र के संबंध में साधन कर्ता के लिए आवश्यक है, कि वह उचित कारण के बिना किसी दुर्जन अथवा बुरे मनुष्य से न मिले, और न उसके साथ रहे।

2-अनुचित बात चीत

(5) मनुष्य मात्र के संबंध में साधन कर्ता के लिए आवश्यक है, कि वह किसी मनुष्य के साथ **वृथा** बातचीत न करे।

(6) मनुष्य मात्र के संबंध में साधन कर्ता के लिए आवश्यक है, कि वह किसी मनुष्य के साथ बातचीत करने में उससे कोई ऐसी बात न पूछे अथवा पूछ लेने पर उत्तर के लिए आग्रह न करे, कि जिसका बतलाना वह **आवश्यक वा उचित न समझता** हो।*

(7) मनुष्य मात्र के संबंध में साधन कर्ता के लिए आवश्यक है, कि वह किसी मनुष्य को क्या उसके पूछने पर और क्या अपनी ओर से कोई ऐसी बात न बतलाए, कि जिसका बतलाना उसे उचित बोध न हो।**

(8) मनुष्य मात्र के संबंध में साधन कर्ता के लिए आवश्यक है, कि उसके लिए किसी मनुष्य के साथ बातचीत के समय में जितना **ध्यान** देना आवश्यक हो, उसकी ओर से **उदासीन** न हो।

---

*ऐसे अवसर में किसी के पूछ बैठने पर नम्रता से यह कह देना यथेष्ट है, कि मैं इस विषय में कुछ कहना वा बतलाना वा उत्तर देना आवश्यक अथवा उचित नहीं समझता आप क्षमा करें।

**किसी विधेय विचारालय में किसी अपराध के विचार के समय इस आदेश का प्रयोग न होगा।

(9) मनुष्य मात्र के संबंध में साधन कर्ता के लिए आवश्यक है, कि वह किसी मनुष्य से बातचीत करने के समय अपनी बात को **अनावश्यक रूप से लम्बा** न करे।

(10) मनुष्य मात्र के संबंध में साधन कर्ता के लिए आवश्यक है, कि उसके लिए जिस किसी मनुष्य से जिस समय **बोलना उचित हो,** उस समय वह चुप न रहे।

(11) मनुष्य मात्र के संबंध में साधन कर्ता के लिए आवश्यक है, कि उसके लिए जिस मनुष्य के सामने जिस समय **चुप रहना** उचित हो, उस समय कुछ **न बोले।**

(12) मनुष्य मात्र के संबंध में साधन कर्ता के लिए आवश्यक है, कि उसके लिए जिस जिस मनुष्य से जिस जिस बात का **गोपन** रखना उचित बोध हो, उसे उन पर **प्रकाश** न करे।

(13) मनुष्य मात्र के संबंध में साधन कर्ता के लिए आवश्यक है, कि वह किसी मनुष्य के कुछ पूछने पर उत्तर देने में **वृथा देरी न करे।**

(14) मनुष्य मात्र के संबंध में साधन कर्ता के लिए आवश्यक है, कि वह किसी मनुष्य के साथ बातचीत करने के समय उसकी किसी बात को **अनुचित रूप से न काटे।**

(15) मनुष्य मात्र के संबंध में साधन कर्ता के लिए आवश्यक है, कि वह बिना किसी विशेष और उचित कारण के अन्य लोगों की किसी निज की वा गोपनीय बातचीत को छिपकर न सुने।

3-अनुचित कामना

(16) मनुष्य मात्र के संबंध में साधन कर्ता के लिए आवश्यक है, कि वह किसी मनुष्य से किसी **अनुचित सम्मान** के लाभ करने की **कामना** अथवा **चेष्टा** न करे।

(17) मनुष्य मात्र के संबंध में साधन कर्ता के लिए आवश्यक है, कि वह किसी से किसी अनुचित **उपाधि** के लाभ करने की **कामना** अथवा **चेष्टा** न करे।

(18) मनुष्य मात्र के संबंध में साधन कर्ता के लिए आवश्यक है, कि वह किसी मनुष्य से **अनुचित** पद के लाभ करने की **कामना** अथवा **चेष्टा** न करे।

(19) मनुष्य मात्र के संबंध में साधन कर्ता के लिए आवश्यक है, कि वह किसी मनुष्य से किसी **अनुचित प्रशंसा** वा **प्रशंसा** वा **अनुरोध पत्र** के लाभ करने की **कामना** वा **चेष्टा** न करे।

(20) मनुष्य मात्र के संबंध में साधन कर्ता के लिए आवश्यक है, कि वह किसी मनुष्य का अतिथि बन कर उससे कोई ऐसी वस्तु न चाहे, जिसे उसका आतिथ्यदाता **सुविधा** और **सुगमता** अथवा किसी और कारण से दे न सकता हो।

(21) मनुष्य मात्र के संबंध में साधन कर्ता के लिए आवश्यक है, कि वह किसी मनुष्य से कोई ऐसी **कामना** न करे, कि जिसे वह अपनी अवस्था वा योग्यता के अनुसार पूरा न कर सकता हो।

(22) मनुष्य मात्र के संबंध में साधन कर्ता के लिए आवश्यक है, कि वह किसी की किसी ऐसी कामना को पूरा न करे, कि जिसे वह **अनुचित** वा **पाप-मूलक** जानता हो।

4-अपहरण

(23) मनुष्य मात्र के संबंध में साधन कर्ता के लिए आवश्यक है, कि वह किसी मनुष्य की किसी वस्तु को चोरी, ठगी (प्रवंचना), बटमारी और डकैती आदि किसी क्रिया के द्वारा अपहरण न करे।

(24) मनुष्य मात्र के संबंध में साधन कर्ता के लिए आवश्यक है, कि वह किसी मनुष्य की किसी **धरोहर** को **दबाकर** उसे किसी प्रकार की **अनुचित हानि** न पहुंचावे।

(25) मनुष्य मात्र के संबंध में साधन कर्ता के लिए आवश्यक है, कि वह अपनी किसी अनुचित क्रिया के द्वारा किसी मनुष्य को उसके उचित **पद** से वंचित न करे।

(26) मनुष्य मात्र के संबंध में साधन कर्ता के लिए आवश्यक है, कि वह किसी मनुष्य को **बेच** देने वा **दास** बनाने वा किसी **अनुचित वा अविधेय** कर्म के लिए कभी हरण वा ग्रहण न करे।

(27) मनुष्य मात्र के संबंध में साधन कर्ता के लिए आवश्यक है, कि वह अपने वा अपने अधीनस्थ किसी लड़के वा लड़की को किसी के पास न **बेचे**, और न किसी और से किसी ऐसे लड़के वा लड़की को **मोल** ले।

(28) मनुष्य मात्र के संबंध में साधन कर्ता के लिए आवश्यक है, कि वह धन, धरती वा कोई और पदार्थ लेकर उसके **बदले** में अपनी कन्या वा अपने पुत्र का किसी के साथ विवाह न करे।

(29) मनुष्य मात्र के संबंध में साधन कर्ता के लिए आवश्यक है, कि वह किसी मनुष्य की उचित **स्वाधीनता** को **अपहरण** करके उसे कोई हानि न पहुंचावे।

(30) मनुष्य मात्र के संबंध में साधन कर्ता के लिए आवश्यक है, कि वह

किसी समुचित और विधेय कारण* के बिना किसी मनुष्य को कभी वध न करे।

5-पक्ष ग्रहण

(31) मनुष्य मात्र के संबंध में साधन कर्ता के लिए आवश्यक है, कि वह अपने से भिन्न रंग रूप, वा किसी अन्य सम्प्रदाय, समाज, जाति और देश आदि से संबंध रखने के कारण **किसी** मनुष्य के प्रति अपने हृदय में कोई **घृणा** पोषण न करे।

(32) मनुष्य मात्र के संबंध में साधन कर्ता के लिए आवश्यक है, कि वह विचार पति होकर **अन्याय** के द्वारा किसी मनुष्य को कोई क्लेश वा हानि न पहुंचावे।

(33) मनुष्य मात्र के संबंध में साधन कर्ता के लिए आवश्यक है, कि वह किसी मनुष्य के विरुद्ध कोई **मिथ्या साक्षी** न दे।

(34) मनुष्य मात्र के संबंध में साधन कर्ता के लिए आवश्यक है, कि वह अपने से भिन्न, रंग वा जाति वा देश वा मत वा सम्प्रदाय से संबंध रखने के कारण किसी जन के साथ **अभद्रता वा अन्याय** का व्यवहार न करे।

6-अनुचित भय

(35) मनुष्य मात्र के संबंध में साधन कर्ता के लिए आवश्यक है, कि वह किसी से कोई **भय वा उत्पीड़न प्राप्त** होकर अपने किसी हितकर कार्य वा उच्च लक्ष्य को **परित्याग** न करे।

(36) मनुष्य मात्र के संबंध में साधन कर्ता के लिए आवश्यक है, कि वह किसी मनुष्य के द्वारा **उत्पीड़ित** होकर अपने आत्मा के किसी हित को **परित्याग** न करे।

(37) मनुष्य मात्र के संबंध में साधन कर्ता के लिए आवश्यक है, कि वह किसी और से अपने लिए किसी भय वा विपद् की आशंका से घबरा कर अपनी वा किसी और की कोई अनुचित हानि न करे।

(38) मनुष्य मात्र के संबंध में साधन कर्ता के लिए आवश्यक है, कि वह किसी मनुष्य को किसी प्रकार से डराकर उसे कोई अनुचित क्लेश वा हानि न पहुंचावे।

7-अनुचित मैथुन

(39) मनुष्य मात्र के संबंध में साधन कर्ता के लिए आवश्यक है, कि वह उचित रूप से **विवाह** करने के बिना किसी के साथ किसी प्रकार का कोई मैथुन कर्म न करे।

---

*यथा, अपने वा किसी अन्य जन के प्राण आदि की रक्षा।

(40) मनुष्य मात्र के संबंध में साधन कर्ता के लिए आवश्यक है, कि वह किसी मनुष्य वा पशु के साथ किसी प्रकार का **अप्राकृतिक मैथुन** न करे।

(41) मनुष्य मात्र के संबंध में साधन कर्ता के लिए आवश्यक है, कि वह अपने वैवाहिक संबंधी के भिन्न किसी अन्य जन के संबंध में मैथुन विषयक कोई चिन्ता वा भाव धारण न करे।

8-अनुचित खान पान

(42) मनुष्य मात्र के संबंध में साधन कर्ता के लिए आवश्यक है, कि वह जहां तक संभव हो, मैले, रोगी, दुष्ट और दुराचारी मनुष्य के हाथ की बनाई वा लाई हुई कोई वस्तु न खावे और न पीवे।

(43) मनुष्य मात्र के संबंध में साधन कर्ता के लिए आवश्यक है, कि वह किसी मनुष्य को निमंत्रित करके उसे जान बूझकर कोई **हानिकारक वा उसकी उचित आवश्यकता वा रुचि के विरुद्ध** कोई वस्तु खाने और पीने के लिए न दे।

9-अनुचित व्याघात

(44) मनुष्य मात्र के संबंध में साधन कर्ता के लिए आवश्यक है, कि वह किसी मनुष्य को अतिथि बना कर उसकी दैनिक यात्रा (अर्थात् उसके खाने, पीने, सोने, जागने, मल आदि त्याग करने, किसी से मिलने जुलने, काम काज करने आदि) में कोई **अनुचित व्याघात** न डाले।

10-अनुचित अनुकरण

(45) मनुष्य मात्र के संबंध में साधन कर्ता के लिए आवश्यक है, कि वह किसी ऐसे मनुष्य की रहन, सहन, चाल, ढाल, प्रथा वा रीति का अनुकरण न करे, कि जो उसके लिए **हानिकारक** हो।

11-अनुचित हस्तक्षेप

(46) मनुष्य मात्र यज्ञ साधन कर्ता के लिए आवश्यक है, कि वह किसी की साक्षात् वा असाक्षात् **अनुमति** वा किसी राज्य विधि के अनुसार कोई **उचित** अधिकार रखने के बिना, उसके **निज के घर वा प्रकोष्ठ में प्रवेश** न करे।

(47) मनुष्य मात्र के संबंध में साधन कर्ता के लिए आवश्यक है, कि वह किसी की साक्षात् वा असाक्षात् **अनुमति** वा किसी राज्य विधि के अनुसार कोई उचित अधिकार रखने के बिना, किसी के **शरीर** वा उसकी किसी **गति** वा **उसकी निज की किसी वस्तु** के संबंध में कोई **हस्तक्षेप** न करे।

(48) मनुष्य मात्र के संबंध में साधन कर्ता के लिए आवश्यक है, कि वह किसी की साक्षात् वा असाक्षात् **अनुमति** वा किसी राज्य विधि के अनुसार कोई **उचित**

अधिकार रखने के बिना, किसी के किसी **निज के काम** में कोई **हस्तक्षेप** वा बाधा उत्पन्न न करे।

12-अनुचित प्रशंसा

(49) मनुष्य मात्र के संबंध में साधन कर्ता के लिए आवश्यक है, कि वह जान बूझकर किसी मनुष्य की कोई **अनुचित वा मिथ्या प्रशंसा** न करे।

13-अनुचित विलम्ब

(50) मनुष्य मात्र के संबंध में साधन कर्ता के लिए आवश्यक है, कि उसे जिस समय जिस किसी मनुष्य के लिए **कोई काम करना उचित हो,** उसके करने में वह यथा साध्य **विलम्ब** न करे।

(51) मनुष्य मात्र के संबंध में साधन कर्ता के लिए आवश्यक है, कि उसे जिस समय जिस किसी मनुष्य को **जो कुछ देना उचित हो,** उसके देने में यथा साध्य **विलम्ब** न करे।

(52) मनुष्य मात्र के संबंध में साधन कर्ता के लिए आवश्यक है, कि उसे जिस समय किसी मनुष्य की **किसी बात वा उसके किसी पत्र का उत्तर देना उचित हो,** उसके देने में यथा साध्य **विलम्ब** न करे।

14-अनुचित खेल वा कौतुक

(53) मनुष्य मात्र के संबंध में साधन कर्ता के लिए आवश्यक है, कि वह किसी मनुष्य के साथ **जुआ न खेले***।

(54) मनुष्य मात्र यज्ञ साधन कर्ता के लिए आवश्यक है, कि वह केवल कौतुक के लिए कोई ऐसा खेल वा तमाशा न करे, और न कराए और न देखे और न अपने (उचित रूप से) अधीनस्थ जनों को देखने दे, कि जो उसके वा किसी और के सच्चरित्र के लिए हानिकारक हो।

15-अनुचित भूल

(55) मनुष्य मात्र के संबंध में साधन कर्ता के लिए आवश्यक है, कि वह किसी जन के सम्बंध में अपने **किसी कर्तव्य कर्म** को **भूल** न जावे।

16-अनुचित संकोच

(56) मनुष्य मात्र के संबंध में साधन कर्ता के लिए आवश्यक है, कि वह किसी अधिकारी मनुष्य के चाहने पर, उसे किसी विद्या वा गुण वा धर्म विषयक किसी शिक्षा के देने में **अनुचित संकोच** न करे।

---

*जिस में रुपए, पैसे, कौड़िओं आदि की हार जीत का संबंध हो।

(57) मनुष्य मात्र के संबंध में साधन कर्ता के लिए आवश्यक है, कि वह यथा अवसर किसी मनुष्य वा जाति की (अपने ज्ञान के अनुसार) उचित और पूर्ण प्रशंसा करने में कोई **संकोच** न करे।

17-अनुचित भाव प्रकाश

(58) मनुष्य मात्र के संबंध में साधन कर्ता के लिए आवश्यक है, कि उसके लिए जब किसी मनुष्य के सम्मुख गंभीर भाव धारण करना उचित हो, तब वह अपनी ओर से किसी लघुता का प्रकाश न करे।

(59) मनुष्य मात्र के संबंध में साधन कर्ता के लिए आवश्यक है, कि वह किसी मनुष्य के सम्मुख हर्ष के समय किसी अनुचित दुख और दुख के समय किसी अनुचित हर्ष का प्रकाश न करे।

18-अनुचित पाठ

(60) मनुष्य मात्र के संबंध में साधन कर्ता के लिए आवश्यक है, कि वह किसी मनुष्य की रची हुई कोई ऐसी पुस्तक न पढ़े और न किसी अन्य जन को पढ़ने के लिए दे, कि जिससे उसके वा अन्य के सच्चरित्र वा सच्चे विश्वास को कोई हानि पहुंच सकती हो।

(61) मनुष्य मात्र के संबंध में साधन कर्ता के लिए आवश्यक है, कि वह उचित और विधेय कारण के भिन्न, किसी मनुष्य के पत्र वा लेख को उसकी साक्षात् वा असाक्षात् अनुमति के बिना न पढ़े।

19-अनुचित लेख

(62) मनुष्य मात्र के संबंध में साधन कर्ता के लिए आवश्यक है, कि वह किसी मनुष्य को कोई ऐसी बात न लिखे और न लिखवाकर भेजे, कि जिससे उसके वा किसी और के सद्भाव वा सच्चरित्र को कोई अनुचित हानि पहुंचे।

20-अनुचित व्यवहार

(63) मनुष्य मात्र के संबंध में साधन कर्ता के लिए आवश्यक है, कि वह किसी मनुष्य को जान बूझकर कोई ऐसी वस्तु न दे, कि जिसे वह किसी अपराध वा बुरे अभिप्राय के पूरा करने के लिए चाहता हो।

(64) मनुष्य मात्र के संबंध में साधन कर्ता के लिए आवश्यक है, कि वह किसी परिचित मनुष्य की भी किसी वस्तु को, जहां तक अवस्था के अनुसार संभव हो, बिना पूछे अथवा उसके विषय में उसे उचित सूचना देने के बिना अपने वा किसी और के लिए काम में न लावे।

(65) मनुष्य मात्र के संबंध में साधन कर्ता के लिए आवश्यक है, कि वह

किसी मनुष्य की किसी वस्तु को जान बूझकर वा अपनी असावधानता से बिगाड़ कर उसे कोई अनुचित कष्ट वा हानि न पहुंचावे।

21-अनुचित कथन

(66) मनुष्य मात्र के संबंध में साधन कर्ता के लिए आवश्यक है, कि वह किसी मनुष्य की किसी ऐसी गोपनीय बात को प्रकाश न करे, कि जिसके प्रकाश करने से उस मनुष्य को कोई अनुचित हानि पहुंच सकती हो।

(67) मनुष्य मात्र के संबंध में साधन कर्ता के लिए आवश्यक है, कि वह **किसी उचित कारण के बिना** किसी मनुष्य के किसी **दोष** को किसी और मनुष्य के सम्मुख वर्णन न करे।

(68) मनुष्य मात्र के संबंध में साधन कर्ता के लिए आवश्यक है, कि वह किसी रोगी मनुष्य के समीप (किसी नितान्त आवश्यकता के भिन्न) उसके रोग के विषय में कोई निराशाजनक अथवा हानिकारक बातचीत न करे।

(69) मनुष्य मात्र के संबंध में साधन कर्ता के लिए आवश्यक है, कि उसके लिए जिस जिस मनुष्य से जिस जिस वस्तु को गोपन रखना उचित हो, उसे प्रकाश न करे।

22-अनुचित याचना

(70) मनुष्य मात्र के संबंध में साधन कर्ता के लिए आवश्यक है, कि वह किसी ऐसे काम के लिए कि जो किसी मनुष्य की अनुग्रह याचना करने के बिना किसी और प्रकार से हो सकता हो, किसी मनुष्य से, जहां तक संभव हो, अनुग्रह प्रार्थना न करे।

23-अनुचित दान

(71) मनुष्य मात्र के संबंध में साधन कर्ता के लिए आवश्यक है, कि वह अधिकारी मनुष्यों के भिन्न किसी अनाधिकारी मनुष्य को कोई वस्तु दान न करे।

24-अनुचित प्रलोभन

(72) मनुष्य मात्र के संबंध में साधन कर्ता के लिए आवश्यक है, कि वह किसी मनुष्य की ओर से किसी धन, धरती वा किसी पदार्थ के अर्पण करने पर उसके **लालच** में पड़कर अपने आत्मा की धर्म विषयक किसी उच्च गति को **परित्याग** न करे।

(73) मनुष्य मात्र के संबंध में साधन कर्ता के लिए आवश्यक है, कि वह नाम वा बड़ाई वा सुख आदि किसी वासना का साथी बनकर धर्म विषयक अपनी किसी उच्च गति को **परित्याग** न करे।

25-अनुचित रोक

(74) मनुष्य मात्र के संबंध में साधन कर्ता के लिए आवश्यक है, कि वह किसी मनुष्य की उच्च गति में **रोक** बनकर, उसे किसी प्रकार की हानि न पहुंचावे।

(75) मनुष्य मात्र के संबंध में साधन कर्ता के लिए आवश्यक है, कि वह किसी मनुष्य के **निज** के किसी सच्चे अधिकार में किसी प्रकार का **हस्तक्षेप** न करे।

26-अनुचित वास

(76) मनुष्य मात्र के संबंध में साधन कर्ता के लिए आवश्यक है, कि वह किसी मनुष्य के पास आवश्यकता से अधिक ठहरकर उसे कोई क्लेश वा हानि न पहुंचावे।

27-अनुचित वाक्य

(77) मनुष्य मात्र के संबंध में साधन कर्ता के लिए आवश्यक है, कि वह बिना उचित कारण के किसी मनुष्य को अपने किसी **कठोर वा कर्कश वाक्य** के द्वारा कोई क्लेश न पहुंचावे।

28-अनुचित परिहास

(78) मनुष्य मात्र के संबंध में साधन कर्ता के लिए आवश्यक है, कि वह किसी मनुष्य के साथ कोई **अनुचित परिहास** करके उसे कोई क्लेश वा हानि न पहुंचावे।

29-अनुचित अंग परिचालन

(79) मनुष्य मात्र के संबंध में साधन कर्ता के लिए आवश्यक है, कि वह किसी मनुष्य के सामने अपने किसी अंग को अनुचित रूप से स्पर्श वा परिचालन न करे।

30-अनुचित अभियोग और अपवाद

(80) मनुष्य मात्र के संबंध में साधन कर्ता के लिए आवश्यक है, कि वह किसी मनुष्य पर कोई **मिथ्या अभियोग** लगाकर उसे किसी प्रकार की हानि न पहुंचावे।

(81) मनुष्य मात्र के संबंध में साधन कर्ता के लिए आवश्यक है, कि वह किसी मनुष्य के विषय में कोई **मिथ्या अपवाद** रटना करके उसे किसी प्रकार की हानि न पहुंचावे।

31-अनुचित अंगीकार भंग

(82) मनुष्य मात्र के संबंध में साधन कर्ता के लिए आवश्यक है, कि वह किसी उचित और यथेष्ट कारण के बिना किसी मनुष्य के साथ अपने किसी उचित

और विधेय अंगीकार को **भंग** करके उसे कभी कोई क्लेश वा हानि न पहुंचावे।

32–अुनचित अनुराग (मोह)

(83) मनुष्य मात्र के संबंध में साधन कर्ता के लिए आवश्यक है, कि वह किसी मनुष्य के प्रति अनुचित अनुराग अथवा **मोह** उत्पन्न करके अपने वा उसके लिए हानिकारक न बने।

33–अनुचित दंड

(84) मनुष्य मात्र के संबंध में साधन कर्ता के लिए आवश्यक है, कि वह किसी मनुष्य पर अधिकार रखने और उचित बोध करने पर, उसे किसी दोष वा अपराध के लिए जान बूझकर, उचित से अधिक **दंड** न दे।

34–अनुचित अभिसंधि

(85) मनुष्य मात्र के संबंध में साधन कर्ता के लिए आवश्यक है, कि वह किसी यथेष्ट प्रमाण के बिना किसी मनुष्य के किसी कार्य वा व्यवहार के विषय में कोई **दुरभिसन्धि** प्रयोग न करे।

35–अनुचित कौतूहल

(86) मनुष्य मात्र यज्ञ साधन कर्ता के लिए आवश्यक है, कि वह किसी **कौतूहल** के वश होकर किसी मनुष्य को किसी प्रकार का अनुचित क्लेश वा उसे किसी प्रकार की अनुचित हानि न पहुंचावे।

36–अनुचित लालसा

(87) मनुष्य मात्र के संबंध में साधन कर्ता के लिए आवश्यक है, कि वह किसी मनुष्य की ओर से किसी मनुष्य को उचित रूप से कोई वस्तु दान वा उपहार पाते देखकर अप्रसन्न न हो, और अपने हृदय में इस प्रकार की चिन्ता करके कि "वह वस्तु इसे क्यों दी गई और मुझे क्यों न दी गई" **दुखी** न हो।

37–धृष्टता

(88) मनुष्य मात्र के संबंध में साधन कर्ता के लिए आवश्यक है, कि वह किसी मनुष्य को अपनी किसी **धृष्टता** के द्वारा किसी प्रकार का अनुचित क्लेश न पहुंचावे।

38–कृतघ्नता

(89) मनुष्य मात्र के संबंध में साधन कर्ता के लिए आवश्यक है, कि वह अपने किसी हितकारी मनुष्य के प्रति कभी **कृतघ्नता** का बर्ताव न करे।

39–प्रतिशोध

(90) मनुष्य मात्र के संबंध में साधन कर्ता के लिए आवश्यक है, कि वह

किसी मनुष्य से अपनी किसी ऐसी कामना के पूर्ण न होने पर, कि जिसके पूर्ण करने के लिए वह बाध्य न हो, **प्रतिशोध** भाव से उत्तेजित न हो।

(91) मनुष्य मात्र यज्ञ साधन कर्ता के लिए आवश्यक है, कि वह किसी मनुष्य से अपनी किसी कामना के पूर्ण न होने पर, **प्रतिशोध भाव** से परिचालित होकर उसे वा अपने आपको कोई **अनुचित हानि** न पहुंचावे।

40-ईर्ष्या

(92) मनुष्य मात्र के संबंध में साधन कर्ता के लिए आवश्यक है, कि वह किसी मुनष्य की किसी विषय में किसी सच्ची प्रशंसा को सुनकर अथवा किसी की अपेक्षा अपने आपको किसी विषय में हीन देखकर, दुखी न हो, और उसे कोई हानि न पहुंचावे।

मनुष्य मात्र के संबंध में शेष दिन का साधन

(1) इस साधन के लिए अपने साधनालय अथवा किसी अन्य स्थान को साधन से पहले परिष्कृत और सुसज्जित करना चाहिए।

(2) इस दिन जहां तक सम्भव हो, वहां तक प्रातः काल में ही व्रत का साधन करना चाहिए।

(3) इस दिन अपने शरीर को शुद्ध करके और उजले वस्त्र पहन कर साधन के लिए बैठना चाहिए।

(4) इस दिन नीचे लिखी हुई विधि के अनुसार व्रत का सम्मिलित साधन करना चाहिए:-

1-सत्य देव भगवान देवात्मा की छवि के सम्मुख खड़े होकर पुष्पहार के द्वारा उनका अर्चन।

2-देवस्तोत्र का उच्च स्वर के साथ सम्मिलित गान।

3-सत्य देव भगवान देवात्मा को श्रद्धापूर्वक प्रणाम।

4-सत्य देव भगवान देवात्मा से व्रत की सफलता के लिए आशीर्वाद प्रार्थना।

5-मनुष्य मात्र संबंधी सब वा कुछ आदेशों का एकाग्रता के साथ धीरे धीरे पाठ वा श्रवण अथवा मनुष्य जगत् के संबंध में कोई उपदेश।

6-इस संबंध में साधनों से प्रत्येक साधन कर्ता ने अपना जो जो कुछ मोक्ष वा विकास विषयक शुभ साधन किया हो, उस पर चिन्तन और उसके लिए सत्य देव भगवान देवात्मा के प्रति धन्यवाद आदि भावों का प्रकाश।

7-आगामी वर्ष में मनुष्य जगत् के संबंध में अपने आपको और भी विकार रहित और हितकर बनाने के निमित्त आकांक्षा और आशीर्वाद प्रार्थना।

8-सत्य देव भगवान देवात्मा की चार बार जय ध्वनि खड़े होकर।

(5) इस दिन और दिनों की अपेक्षा उत्तम भोजन आहार करना चाहिए।

(6) इस दिन किसी उचित समय में मनुष्य जगत् के विशेष विशेष हितकारी महा पुरुषों के जीवन चरितों में से कुछ पाठ अथवा उनकी जीवन कथाओं का वर्णन वा श्रवण अथवा उनके प्रति भाव प्रकाश करना चाहिए।

सत्य देव भगवान देवात्मा
के संबंध में
पाठ और विचार के साधन
****

सत्य देव भगवान देवात्मा
के संबंध में
वार्षिक पाठ और विचार के साधन
****

सत्य देव भगवान देवात्मा के संबंध में वार्षिक पाठ और विचार के दिनों में साधन कर्ता के लिए जिन जिन साधनों का करना विशेष रूप से आवश्यक है, वह यह हैं:-

(1) इन दिनों में साधन कर्ता को सत्य देव भगवान देवात्मा के संबंध में आदेशों का विशेष रूप से विचारपूर्वक पाठ वा श्रवण करना चाहिए।

(2) इन दिनों में इन आदेशों के पाठ और उन पर विचार करने से पहले साधन कर्ता को उनके द्वारा सत्य देव भगवान देवात्मा के संबंध में अपनी किसी हीनता वा नीचता के देखने के निमित्त उनसे उनकी देव ज्योति के लिए प्रार्थना करनी चाहिए।

(3) इन दिनों में साधन कर्ता को सत्य देव भगवान देवात्मा के संबंध में अपनी किसी हीनता वा नीचता के विषय में बोध प्राप्त करने पर, उस के दूर करने के निमित्त अपनी ओर से यथेष्ट बल प्रयोग करने के भिन्न सत्य देव भगवान देवात्मा से बल प्राप्ति के लिए प्रार्थना करनी चाहिए।

(4) इन दिनों में सत्य देव भगवान देवात्मा के संबंध में आदेशों के साथ अपने जीवन की तुलना करने के अनन्तर साधन कर्ता के हृदय में जो जो शुभ संकल्प उत्पन्न हों, उन्हें अपनी साधन पुस्तक में लिखना चाहिए।

(5) इन दिनों में उपरोक्त शुभ संकल्पों में से जो जो शुभ संकल्प आरम्भ वा पूरे हो सकते हों, उन्हें इन्हीं दिनों में आरम्भ वा पूरा करने की चेष्टा करनी चाहिए।

(6) इन दिनों में साधन कर्ता को पूर्णांग धर्मावतार सत्य देव भगवान देवात्मा के **आविर्भाव और उनके देव रूप** के विषय में विशेष रूप से चिन्तन वा विचार करना चाहिए।

(7) इन दिनों में साधन कर्ता को इस विषय पर विशेष रूप से विचार करना चाहिए, कि उसने अपने परम पूजनीय और मूल संबंधी सत्य देव भगवान देवात्मा की शरण में आकर किस किस प्रकार का और क्या क्या **हित** लाभ किया है।

(8) इन दिनों में साधन कर्ता को इस विषय पर विशेष रूप से विचार करना

चाहिए, कि उसके भिन्न उसके पारिवारिक जनों में से जो जो जन सत्य देव भगवान देवात्मा की शरण में आए हैं, उनका और उनके द्वारा उसका क्या क्या **हित** साधन हुआ है।

(9) इन दिनों में साधन कर्ता को इस विषय पर विशेष रूप से विचार करना चाहिए, कि उसने अपने परम पूजनीय और मूल संबंधी सत्य देव भगवान देवात्मा की शरण लेने के अनन्तर अपने भीतर उनके संबंध में कहां तक सत्य और अटल **विश्वास, श्रद्धा, कृतज्ञता** और उनके देव प्रभावों के लिए **आकर्षण** विषयक सात्विक भावों को उत्पन्न वा उन्नत किया है।

(10) इन दिनों में साधन कर्ता को इस विषय पर विशेष रूप से विचार करना चाहिए, कि उसने अपने परम पूजनीय और मूल संबंधी सत्य देव भगवान देवात्मा की शरण में आकर और उनके देव प्रभावों के पाने के योग्य बनकर, अपने आत्मा में किस किस पतन वा विनाशकारी नीच अनुराग वा नीच घृणा मूलक भाव से कहां कहां तक मोक्ष लाभ की है।

(11) इन दिनों में साधन कर्ता को इस विषय पर विशेष रूप से यह विचार करना चाहिए, कि उसने अपने परम पूजनीय और मूल संबंधी सत्य देव भगवान देवात्मा के साथ संबंध स्थापन करने वाले किस किस **सात्विक भाव** के साधन से **उदासीन वा विमुख** रहकर अपने आत्मा की क्या क्या हानि की है।

(12) इन दिनों में सत्य देव भगवान देवात्मा के संबंध में जहां कहीं सम्मिलित साधन होते हों, उनमें यथा साध्य **योग** देना चाहिए।

(13) इन दिनों में साधन कर्ता को अपने परम पूजनीय और परम हित कर्ता सत्य देव भगवान देवात्मा के संबंध में कृतज्ञता विषयक विविध प्रकार के प्रकृत साधन ग्रहण करके पूरे करने चाहिएं।

(14) इन दिनों में साधन कर्ता को यथा साध्य ऐसे **स्थानों** की यात्रा और ऐसी **वस्तुओं** का दर्शन करना चाहिए, कि जिनके साथ सत्य देव भगवान देवात्मा का कोई **विशेष संबंध** रहा हो।

(15) इन दिनों में साधन कर्ता को अपने पारिवारिक जनों को एकत्र करके, उनके सम्मुख अपने परम पूजनीय और परम हितकर्ता सत्य देव भगवान देवात्मा के **वंश और उनके जीवन चरित** विषयक नाना सत्यों की **कथा** और उनकी **महिमा** का वर्णन करना चाहिए।

(16) इन दिनों में साधन कर्ता को अपने परम पूजनीय और मूल संबंधी सत्य देव भगवान देवात्मा के **आविर्भाव** और उनके **देव जीवन** संबंधी नाना **लेखों** का

विचार पूर्वक विशेष रूप से पाठ वा श्रवण करना चाहिए।

(17) इन दिनों में साधन कर्ता को अपने बच्चों को सत्य देव भगवान देवात्मा के अद्वितीय आविर्भाव और उनकी महिमा के संबंध में, उनकी समझ के अनुसार, विशेष रूप से उपदेश देना चाहिए, और भगवान की छोटी-छोटी जीवन कथाओं और उनकी महिमा के संबंध में **स्तोत्रों** और **भजनों** को कंठस्थ कराना चाहिए।

(18) इन दिनों में साधन कर्ता को महोत्सव के उपलक्ष्य में अपने और अपने पारिवारिक जनों के लिए यथा साध्य कुछ नई **पोशाकें** बनवानी चाहिएं।

(19) इन दिनों में साधन कर्ता को महोत्सव के विशेष शुभ अवसर पर अपने परम पूजनीय सत्य देव भगवान देवात्मा के अद्वितीय परम लक्ष्य में विशेष रूप से सेवाकारी बनने और ऐसा करके अपना श्रेष्ठ हित साधन करने के निमित्त, देव समाज और उसकी नाना संस्थाओं के लिए यथा साध्य दान एकत्र करने, उसकी मेम्बरी वा सहायकी के अधिकार को लाभ करने के लिए योग्य जनों को तैयार करने, उसके साहित्य को फैलाने और महोत्सव के शुभ अवसर पर अधिक से अधिक अधिकारी जनों को लाने आदि का उत्साह पूर्वक काम करना चाहिए।

(20) इन दिनों में साधन कर्ता को यथा साध्य महोत्सव संबंधी विविध प्रकार के आयोजन कार्य में पहले से पहुंचकर भाग लेना चाहिए।

सत्य देव भगवान देवात्मा
के साथ संबंध के विषय में
आदेश
****
1-सम्बन्ध बोध

(1) प्रत्येक साधन कर्ता के लिए आवश्यक है, कि वह देव जीवन प्राप्त सत्य देव भगवान देवात्मा को **अपने आत्मा के रूप और उसके जीवन और सत्य धर्म के विषय में** उसकी योग्यता के अनुसार सब प्रकार के **अज्ञान विषयक अन्धकार और सब प्रकार के मिथ्या और महा हानिकारक विश्वासों से मोक्ष** और सत्य ज्ञान प्रदर्शक पूर्ण देव **ज्योति दाता** जानकर, उन्हें इस विषय में अपना **परम शिक्षक, परम गुरु, परम नेता वा जीवन पथ दर्शक** और अपने आपको उनका **शिक्षार्थी, शिष्य, अनुगत** और उनकी देव ज्योति का **भिक्षार्थी** उपलब्ध करे।

(2) प्रत्येक साधन कर्ता के लिए आवश्यक है, कि वह देव जीवन प्राप्त सत्य देव भगवान देवात्मा को **अपने आत्मा की योग्यता के अनुसार सब प्रकार के नीच अनुरागों और नीच घृणाओं और उनसे उत्पन्न सब प्रकार के पापों, दुराचारों, अमिताचारों और उनके विकारों** आदि से मोक्ष के लिए सत्य और **पूर्ण मोक्ष दाता** और अपने आपको उनके संबंध में **मुमुक्षु वा परित्राणार्थी** जाने और उपलब्ध करे।

(3) प्रत्येक साधन कर्ता के लिए आवश्यक है, कि वह देव जीवन प्राप्त सत्य देव भगवान देवात्मा को **अपने आत्मा में उसकी योग्यता के अनुसार सब प्रकार के उच्च भावों वा उच्च अनुरागों की उत्पत्ति और उन के विकास के लिए सत्य और पूर्ण विकास कर्ता** और अपने आपको उनके संबंध में **विकासार्थी** जाने और उपलब्ध करे।

(4) प्रत्येक साधन कर्ता के लिए आवश्यक है, कि वह देव जीवन प्राप्त सत्य देव भगवान देवात्मा के देव ज्योति और देव तेज सम्पन्न **देव प्रभावों** को अपनी सच्ची **आत्मिक पूजा** के द्वारा लाभ करने की आवश्यकता को अनुभव करके, उन्हें अपना **सत्य और पूर्ण उपास्य वा परम पूजनीय और परम आदर्श** और अपने आपको उनका **उपासक** और **अनुगामी** जाने और उपलब्ध करे।

2-सत्य देव भगवान देवात्मा के जीवनप्रद देव प्रभाव और उनके लाभ करने की आवश्यकता

(5) प्रत्येक साधन कर्ता के लिए आवश्यक है, कि वह इन सत्यों को भली भांत जाने और उनका पूर्ण विश्वासी बने, कि वह देव जीवन प्राप्त सत्य देव भगवान देवात्मा के **जीवनप्रद वा उच्च परिवर्तनकारी देव प्रभावों को पाकर** और उनके **ग्रहण करने के योग्य होकर**

1-अपने आत्मा और उसकी गतियों और उनके फलों और अपने आत्मिक जीवन की सत्य मोक्ष और उसके विकास के साधनों आदि के विषय में **सत्य ज्ञान** के लाभ करने की **आवश्यकता** और उसकी **महिमा को देख** वा **उपलब्ध** और उसके लाभ करने के लिए अपने हृदय में **प्रेरणा वा आकांक्षा** और उसे अपनी योग्यता के अनुसार **लाभ** कर सकता है;

2-अपने आत्मा के रूप और जीवन के विषय में किसी हानिकारक मिथ्या ज्ञान वा संस्कार वा विश्वास को मिथ्या और हानिकारक रूप में देख वा उपलब्ध और उनसे मोक्ष पाने के निमित्त अपने हृदय में **प्रेरणा वा आकांक्षा** वा उससे आंशिक वा पूर्ण, कुछ काल वा सारी वयस के लिए, **मोक्ष** लाभ कर सकता है;

3-अपने आत्मा में अपने किसी पतनकारी और महा हानिकारक वा विनाशकारी नीच अनुराग वा नीच घृणा भाव और उसके विकारों को देख वा उपलब्ध और उनसे **मोक्ष** पाने के लिए **प्रेरणा** वा **आकांक्षा** वा उससे वा उनसे आंशिक वा पूर्ण, कुछ काल वा सारी वयस के लिए, **मोक्ष** लाभ कर सकता है;

4-अपने आत्मा में किसी हितोत्पादक वा विकासकारी उच्च वा सात्विक भाव के लाभ करने की आवश्यकता को **देख वा उपलब्ध** और उसके लाभ करने के लिए अपने हृदय में **प्रेरणा वा आकांक्षा** और उसे आंशिक वा पूर्ण रूप से, कुछ काल वा सारी वयस के लिए, **उत्पन्न वा उन्नत** कर सकता है, और इन परम कल्याणकारी **देव प्रभावों** को पाकर और ग्रहण करके अपने अस्तित्व का **परम हित** लाभ कर सकता है।

(6) प्रत्येक साधन कर्ता के लिए आवश्यक है, कि वह इस **सत्य** को भली भांत जाने और उपलब्ध करे, कि जिस प्रकार उसे अपने भौतिक शरीर के **जीवित** रखने के लिए अन्न, जल और वायु आदि **ग्रहण** करने और मल मूत्र आदि जो जो कुछ उसके जीवन के लिए **हानिकारक** है, उसके **त्याग** करने की आवश्यकता है,

उसी प्रकार उसे अपने आत्मा को, जहां तक संभव हो, **जीवन दायक उच्च भावों में विकसित करने और जीवन नाशक नीच घृणाओं से मोक्ष देने के लिए देव जीवन प्राप्त सत्य देव भगवान देवात्मा के जीवनप्रद देव प्रभावों को ग्रहण और उसके जो जो अभ्यास वा आवृतकारी सामान जहां तक उनके ग्रहण करने में प्रतिबंधक हों, उन्हें अपने आत्मिक जीवन के लिए हानिकारक जानकर उनके वहां तक त्याग करने की आवश्यकता है।**

(7) प्रत्येक साधन कर्ता इस **सत्य** को भली भांत जाने और उपलब्ध करे, कि उसके लिए **सत्य देव भगवान देवात्मा के देव प्रभावों के लाभ से बढ़कर और कोई लाभ वा और कोई सौभाग्य नहीं, और उनके देव प्रभावों से वंचित होने से बढ़कर और कोई हानि वा और कोई दुर्भाग्य नहीं।**

(8) प्रत्येक साधन कर्ता के लिए आवश्यक है, कि वह सत्य देव भगवान देवात्मा के **देव प्रभावों के** लाभ करने की कुछ भी योग्यता रखने पर **अपने किसी नीच भाव का साथी बनकर और अपने आत्मा और उसके जीवन के संबंध में उनकी उच्च वा शुभ पथ दर्शक देव ज्योति और उनके नीच गति विनाशक और उच्च गति विकासक देव तेज से उत्पन्न किसी उच्च प्रेरणा का निरादर करके अपने आत्मा की हानि न करे, किन्तु उनका पूर्ण आदर करके और उनका पूर्ण साथ देकर प्रत्येक आवश्यक त्याग के द्वारा उन्हें अपने प्रत्येक पतनकारी भाव पर सदा विजयी करने की चेष्टा करे।**

3-देव प्रभावों की प्राप्ति की पहचान

(9) प्रत्येक साधन कर्ता के लिए आवश्यक है, कि वह इस सत्य को भली भांत जाने और उपलब्ध करे, कि सत्य देव भगवान देवात्मा के **देव प्रभावों** के ग्रहण करने के योग्य बनने से, उसके वा किसी और अधिकारी आत्मा में, जहां तक संभव हो, और **कई अनुचित भावों के भिन्न,** निम्नलिखित नीच अनुरागों और नीच घृणाओं में से किसी एक वा कई के प्रति अल्प वा अधिक घृणा का उत्पन्न होना और उसके वा उनके अधिकार और विकार से आंशिक वा पूर्ण **मोक्ष** पाना वा मोक्ष पाने के लिए **प्रेरणा** लाभ करना अवश्यम्भावी हैं –

1-शरीर संबंधी कई नीच सुख अनुराग।

2-अहं संबंधी कई नीच सुख अनुराग।

3-सन्तान संबंधी नीच सुख अनुराग।

4-धन सम्पत्ति संबंधी नीच सुख अनुराग।

5-संस्कार, संग वा अभ्यास संबंधी नीच सुख अनुराग।

6-हिंसा विषयक नीच सुख अनुराग।

7-मिथ्या विश्वास संबंधी नाना नीच सुख अनुराग।

8-सुख-जात कई प्रकार के नीच घृणा भाव।

और यदि इन में से किसी के संबंध में उस में **मोक्ष** विषयक **कोई लक्षण** उत्पन्न न हो, तो समझना चाहिए कि **वह उनके देव प्रभावों के लाभ करने के योग्य नहीं बना वा योग्य नहीं।**

(10) प्रत्येक साधन कर्ता के लिए आवश्यक है, कि वह इस **सत्य** को भली भांत जाने और उपलब्ध करे, कि **सत्य देव भगवान देवात्मा के देव प्रभावों के ग्रहण करने के योग्य बनने से,** उसमें वा किसी अधिकारी जन के आत्मा में, किसी एक वा कई **सात्विक भावों** का उत्पन्न वा उन्नत होना और उसके वा उनके **द्वारा उच्च बल और उच्च रस वा सुख का उत्पन्न होना अवश्यम्भावी है।** और यदि उनमें से किसी भाव की उत्पत्ति वा उन्नति न हो, तो समझना चाहिए कि वह **देव प्रभावों** के लाभ करने के योग्य नहीं बना।

4-देव प्रभावों के ग्रहण करने के विषय में अयोग्यता

(11) प्रत्येक साधन कर्ता के लिए आवश्यक है, कि वह इस **सत्य** को भली भांत जाने और उपलब्ध करे, कि जिन मनुष्यात्माओं में उनका महा पतनकारी **अहं अनुराग इतना अधिक** हो, कि जिस के कारण वह **अपनी प्रशंसा** के भिन्न (चाहे वह कैसी ही झूठी भी हो) किसी और की किसी **सच्ची प्रशंसा** को भी सुनकर **कष्ट बोध** करते हों और अपने किसी **मिथ्या विश्वास वा मत वा अपनी किसी बुराई** वा अपने किसी पाप वा अपराध वा **अपनी** किसी **हीनता** के इतने पक्षपाती बन चुके हों, कि उसके विरुद्ध किसी से कुछ जानने वा **सुनने** के लिए तैयार न हों; और उन बातों में से **किसी के विरुद्ध** किसी से कुछ सुनने पर उसके प्रति इतने **घृणा भाव** से भर जाते हों, कि उसके कारण वह उसे अपने **शत्रु** के रूप में देखते हों, और **अपने** विषय में घटिया दिखाने वाली सच्ची **बात** को भी **मिथ्या** बताते हों, और उसमें जो कोई **सच्चा गुण** भी हो, उसे अपने इस **घृणा भाव** के कारण न **देखते** और न **स्वीकार** करते हों;

जो अपनी इस अधम प्रकृति के कारण एक वा दूसरे मनुष्य में उसके किसी इस वा उस **सच्चे वा मिथ्या दोष वा अपराध वा पाप वा उसकी किसी इस वा उस सच्ची वा मिथ्या हीनता के देखने** और उसके विषय में किसी से **कुछ सुनने के सदा लालसी रहते हों,** और उसे देखकर वा सुनकर वा उसका वर्णन करके अपने **नीच घमंड** की तृप्ति पाकर **सुखी** वा प्रफुल्लित होते हों; और उन्हें अपनी

कोई भी सच्ची नीचता वा हीनता कभी दिखाई न देती हो, और वह अपने किसी शुभाकांक्षी की ओर से अपने वा किसी ऐसे जन आदि के संबंध में कि जिसके साथ वह किसी नीच अनुराग से बंधे हुए हों, किसी सच्चे नीच वा बुरे कर्म वा दोष वा अपराध वा किसी हीनता के विषय में किसी बात को आप सुनकर वा किसी और के द्वारा जानकर वा पढ़कर उससे इतना आघात् और कष्ट पाते हों, कि उससे अपने **घृणा भाव** के भड़क उठने पर उसे **उलटे रूप** में देखते हों;

जो अपने आत्मा के अस्तित्व, उसके विविध प्रकार के **पतनकारी अनुरागों**, उसकी विविध प्रकार की **पतनकारी घृणाओं**, और उनके द्वारा अपने प्रति दिन के **आत्मिक पतन**, उस पतन से मोक्ष की आवश्यकता और उसकी विधि, और उसमें **उच्च जीवन** के उत्पन्न होने की **आवश्यकता** और उसकी विधि विषयक **सत्य** बोधों से **पूर्णत: शून्य होकर** भी अपने विविध प्रकार के मिथ्या विश्वासों वा मतों पर **आरूढ़ रहने में अपना बड़प्पन वा बढ़ियापन अनुभव करते हों**, और वह इन सब विषयों के संबंध में किसी **सच्चे शिक्षक वा गुरू से ज्योति पाने के निमित्त** अपने भीतर कोई आवश्यकता वा आकांक्षा अनुभव न करते हों, और **अपने आपको ही अपना शिक्षक वा गुरु मानते हों**, और वह अपनी **इस सारी महा शोचनीय दशा को महा शोचनीय रूप में देखने के स्थान में बहुत सुंदर और सराहनीय रूप में देखते हों**, और इससे भी बढ़कर **देवात्मा को अपनी इस अधम प्रकृति के विरुद्ध पाकर** उसे अपने से घटिया और उनके प्रति अपने भीतर **स्वभावत: घृणा बोध करते हों**;

जो अपने **पतनकारी नीच अनुरागों और अपनी पतनकारी नीच घृणाओं से विविध प्रकार के सुखों को पाकर** और उन्हें अपना **सुख दाता** जानकर उनकी तृप्ति के साधन में ही अपना **सच्चा लाभ** जानते और अनुभव करते हों;

वह **देवात्मा के देव प्रभावों** के पाने के **अधिकारी नहीं।** इसीलिए ऐसे **पूर्णत: अनधिकारी आत्माओं** में न तो देवात्मा के **देव प्रभाव प्रवेश ही कर सकते हैं**, और न वह उनमें कोई और किसी प्रकार का **शुभ परिवर्तन ही उत्पन्न कर सकते हैं।**

5-देव प्रभावों के ग्रहण करने के योग्य न रहने के कारण और उनसे आत्मिक पतन और उसके लक्षण

(12) प्रत्येक साधन कर्ता इस **सत्य** को भली भांत जाने और उपलब्ध करे, कि जब कोई मनुष्य आत्मा सत्य देव भगवान देवात्मा के **देव प्रभावों** को पाकर और उनके द्वारा आवश्यक अंश में आत्मिक उच्च परिवर्तन लाभ करके उनकी शरण

में आ गया हो, तब उसके अनन्तर फिर उसे अपने अन्य सुख विषयक नीच अनुरागों के भिन्न, कि जिन का दास होकर वह उनसे **विमुख** बनता है, और उनके साथ अपना आत्मिक मेल स्थापन करना नहीं चाहता और नहीं करता; उसके अहं सुख अनुराग विषयक **(1) स्वार्थ (2) घमंड (3) स्वेच्छाचार और (4) घृणा भावों का प्रबल अधिकार विशेष रूप से उसे उनसे विमुख बनाता और रखता है**, और वह उसे ऐसी दशा में पहुंचा देता है, कि यदि वह पहले कभी उनके देव प्रभावों के पाने की योग्यता रखता था; तो फिर वह अपनी इस पतन की दशा में पहुंचकर उनके **देव प्रभावों को पाने के योग्य नहीं रहता**, और उन की प्राप्ति से वंचित होकर दिनों दिन अधिक से अधिक आत्मिक पतन की ओर गति करता है।

(13) प्रत्येक साधन कर्ता इस **सत्य** को भली भांत जाने और उपलब्ध करे, कि जब किसी आत्मा का अपने जीवन दाता **सत्य देव भगवान देवात्मा के साथ आत्मिक संबंध शिथिल होकर घटने लगता है** वा पूर्णतः कट जाता है, तब उसका ऐसा पतन निम्नलिखित सब वा कई **मोटे मोटे लक्षणों** से पहचाना जा सकता है—

1-सत्य देव भगवान देवात्मा के देव प्रभावों की प्राप्ति के लिए यदि वह कोई निज का **साधन करता हो, तो उसकी ओर से उदासीनता वा विमुखता,** कि जिसके बड़े बड़े कारण यह हैं:-

(1) सुख विषयक नाना नीच अनुरागों का बढ़ते जाना।

(2) नीचे घृणा का बढ़ते जाना,–विशेष कर जिस देवात्मा की देव ज्योति को पाकर ही किसी जन का आत्मा ज्योतिर्मान होकर किसी आत्मिक सत्य को साक्षात् रूप से देखकर उसके विषय में साक्षात् सत्य ज्ञान लाभ कर सकता है, उसी देवात्मा के प्रति किसी कारण से **नीच घृणा** का भड़कना वा उत्पन्न होना।

(3) नेचर के किसी जगत् के किसी अस्तित्व के संबंध में किसी **दुराचार** का होते रहना।

(4) देवात्मा की देव ज्योति में जब किसी सत्य का साक्षात् दर्शन हो, तब उसका निरादर करना; अर्थात् उस सत्य का ज्ञान होने से जिस किसी मिथ्या चिंता, मिथ्या विश्वास, मिथ्या वचन और किसी मिथ्या वा कपटता-मूलक अन्य क्रिया का त्याग करना अपने आत्मिक हित के लिए आवश्यक हो, उसका त्याग न करना; और जिस किसी सत्य के ग्रहण करने और उस का साथ देने से उसकी कोई सुख दायक

परन्तु पतनकारी चिंता वा कोई और क्रिया दूर होती हो, उसे ग्रहण न करना, वा उस का साथ न देना; और उसकी तुलना में अपने आत्मा में मिथ्या और कपटता को बढ़िया स्थान देना।

2-सत्य देव भगवान देवात्मा के सच्चे **विश्वासी वा श्रद्धावान जनों की** संगत और उनके साधनों में योग देने की ओर से उदासीनता वा विमुखता।

3-**सत्य देव भगवान देवात्मा**, उनकी स्थापित **देव समाज** और उसके नाना सच्चे विश्वासी और श्रद्धावान जनों के संबंध में उलटी दृष्टि और उनकी निंदा।

4-देव समाज के संबंध में यदि वह किसी प्रकार का **सेवा विषयक काम** करता हो, तो उससे उदासीनता वा विमुखता।

5-सत्य देव भगवान देवात्मा वा उनकी स्थापित देव समाज के किसी **विरोधी वा विरोधियों की** ओर आकर्षण और उनकी संगत के लिए आकांक्षा और उसमें तृप्ति।

6-सत्य देव भगवान देवात्मा और देव समाज के विविध **उपकारों** के बदले में विविध प्रकार **के कृतघ्नता मूलक आचरण।**

6-सत्य देव भगवान देवात्मा के साथ आत्मिक संबंध स्थापन करने के निमित्त कई सात्विक भावों के उत्पन्न और उन्नत करने की आवश्यकता

(14) प्रत्येक साधन कर्ता इस **सत्य** को भली भांत जाने और उपलब्ध करे, कि उसे सत्य देव भगवान के साथ अपना आत्मिक संबंध स्थापन और उन्नत करने के निमित्त अपने हृदय में उनके सत्य देव रूप के संबंध में निम्नलिखित **उच्च सात्विक भावों** के उत्पन्न और उन्नत करने की नितांत आवश्यकता है:-

1-सत्य और अटल **विश्वास भाव।**

2-सत्य और अटल **श्रद्धा भाव।**

3-अटल **कृतज्ञ भाव।**

4-उनके देव प्रभावों के लिए **आकर्षण भाव।**

(15) प्रत्येक साधन कर्ता इस **सत्य** को भलीभांत जाने और उपलब्ध करे, कि वह देव जीवन प्राप्त सत्य देव भगवान देवात्मा के देव प्रभावों को **नियमित रूप से ग्रहण** करने के **योग्य** बनकर ही उनके साथ सात्विक संबंध स्थापन करने वाले सब वा कई भावों वा किसी भाव को अपने हृदय में **उत्पन्न अथवा उन्नत** कर सकता है।

(16) प्रत्येक साधन कर्ता इस **सत्य** को भलीभांत जाने और उपलब्ध करे, कि जिस प्रकार **अग्नि वा ताप शक्ति के द्वारा** किसी का शरीर दग्ध हो जाता है, उसी प्रकार उसके आत्मा में किसी **ऐसे नीच भाव के उदय होने से,** कि जो उसके भीतर अपने जीवन दाता सत्य देव भगवान देवात्मा के प्रति किसी प्रकार की घृणा वा दुश्चिन्ता उत्पन्न करने का हेतु बनता हो, उस के वह जीवन दायक भाव भी कि जो उसे सत्य देव भगवान देवात्मा के साथ **जोड़ते हैं** (यदि उसके भीतर कोई ऐसे उच्च भाव उत्पन्न हुए हों) **अल्पाधिक वा पूर्णत: दग्ध हो जाते हैं।** और जितने अंश उसके वह भाव **दग्ध** होकर उसके आत्मिक संबंध को सत्य देव भगवान देवात्मा के साथ **शिथिल वा विनष्ट कर देते हैं,** उतने ही अंश वह उनके **देव प्रभावों** के लाभ करने **अयोग्य** हो जाता है, और यदि वह पूर्णत: दग्ध हो जाएं, तो वह **उनसे पूर्णत: कट कर पूर्णत: अयोग्य हो जाता है।**

7-सत्य देव भगवान देवात्मा के साथ उन्नत शील सात्विक सम्बंध के बड़े बड़े लक्षण

(17) प्रत्येक साधन कर्ता के हृदय में सत्य देव भगवान देवात्मा के साथ सात्विक संबंध की उत्पत्ति और उन्नति से जिन मोटे मोटे लक्षणों का प्रगट होना आवश्यक है, वह यह हैं:-

1-अपने परम विश्वसनीय सत्य देव भगवान देवात्मा के सत्य देव रूप के प्रति अर्थात्,

(1)   क्या उनके पूर्ण हित अनुरागी, पूर्ण हितकर्ता और पूर्ण सत्य अनुरागी होने के संबंध में

(2)   क्या उनके प्रत्येक नीच अनुराग और नीच घृणा भाव से पवित्र और पूर्णत: ऊपर होने के संबंध में,

(3)   क्या उनके अद्वितीय परम लक्ष्य अर्थात् इस पृथ्वी से मिथ्या और अशुभ का नाश करने और उसमें सत्य और शुभ का राज अथवा देव राज लाने, की अंतिम पूर्ण जय के संबंध में, और

(4)   क्या उनका संबंध अपने और अन्य सब अधिकारी जनों के सब प्रकार के कल्याण के लिए परम आवश्यक होने के संबंध में,

अपने हृदय में सत्य और अटल विश्वास की दिनों दिन अधिक से अधिक उन्नति अनुभव करना।

2-अपने प्रत्येक संबंधी जन और पदार्थ की तुलना में सत्य देव भगवान देवात्मा का **जीवनप्रद संबंध अपने लिए दिनों दिन अधिक से अधिक**

श्रेष्ट, मूल्यवान और आवश्यक अनुभव करना।

3-सत्य देव भगवान देवात्मा के साथ **सर्वोच्च संबंध** की तुलना में उस का जो जो संबंधी जन वा पदार्थ उस पर अधिक **अधिकार रखता हो**, उसका धीरे धीरे बोध होना, और उस बोध का बढ़ना और उसके संबंध में अपने **दासत्व** के प्रति घृणा और उससे निकलने के लिए **आकांक्षा और संग्राम** का उत्पन्न होना और बढ़ना।

4-सत्य देव भगवान देवात्मा के साथ **उसके संबंध की स्थिरता और उन्नति** में उसका जो जो संबंधी जन वा पदार्थ जहां तक उसे **बाधाजनक** बोध हो, उसे **त्याग** करने के लिए अपने हृदय में अधिक से अधिक **आकांक्षा और बल अनुभव करना और धीरे धीरे उसे त्याग करने के योग्य बनकर ही शांति पाना।**

5-सत्य देव भगवान देवात्मा के प्रति **किसी प्रकार की लेश मात्र घृणा वा घृणा-मूलक चिंता को भी** अपने आत्मा के लिए अत्यंत सांघातिक और विनाशकारी रोग बोध करना और उसके प्रति अपने भीतर भय बढ़ता हुआ अनुभव करना।

6-अपने परम पूजनीय सत्य देव भगवान देवात्मा के **विरोधियों की संगत** और उनके बुरे **प्रभावों** के प्रति अपने हृदय में **अधिक से अधिक घृणा बढ़ती हुई अनुभव करना**, और उनकी संगत से **दूर रहना।**

7-अपने परम स्तवनीय सत्य देव भगवान देवात्मा की **महिमा** के **सुनाने** और उनकी महिमा के सुनने की अधिक से अधिक **आकांक्षा** अनुभव करना, और ऐसा करके हार्दिक उच्च **रस वा उच्च सुख** लाभ करना।

8-अपने परम पूजनीय सत्य देव भगवान देवात्मा के जो जो **जन जितने जितने अंश अधिक विश्वासी और श्रद्धावान वा कृतज्ञ आदि हों,** उनके प्रति उतना ही **अधिक सम्मान और आकर्षण** और उनका संग करने और उनके सम्मुख अपने हृदय के खोलने की आकांक्षा अनुभव करना।

9-सत्य देव भगवान देवात्मा के जीवनप्रद **देव प्रभावों** के लाभ करने के लिए अपने हृदय में अधिक से अधिक **आकर्षण** वा **आकांक्षा अनुभव करना।**

10-सत्य देव भगवान देवात्मा की स्थापित **देव समाज और अन्य प्रत्येक संस्था के प्रति आकर्षण** और उसकी सब प्रकार की भलाई के संबंध में सहायक बनने और उसे यथा साध्य सब प्रकार की हानियों से बचाने के लिए अपने **हृदय में बढ़ती हुई आकांक्षा** अनुभव करना।

11-सत्य देव भगवान देवात्मा के स्थापित नेचर-गत नाना संबंधियों के संबंध में पाठ और विचार के साधनों के विषय में उदासीनता से **कष्ट बोध करना**, और उन साधनों की योग्यता लाभ करने के निमित्त **बढ़ती हुई आकांक्षा अनुभव करना।**

12-अपने परम पूजनीय और परम हितकर्ता सत्य देव भगवान देवात्मा से संबंधित उनके "भेंट फंड", मकानात, भूमि, उद्यानों, वृक्षों, समाधियों, अन्य स्मारक वस्तुओं आदि और उनके आश्रित परंतु उनके संबंध में वफ़ादार वा सच्चे विश्वासी संबंधियों के प्रति समुचित सम्मान प्रदर्शन करने और यथा सम्भव और यथा साध्य सेवाकारी बनने के लिए अपने हृदय में अधिक से अधिक आकांक्षा अनुभव करना, और उसका अपनी विविध क्रियाओं के द्वारा प्रमाण देना।

8-सत्य देव और परम उपास्य भगवान देवात्मा की पूजा

(18) प्रत्येक साधन कर्ता इस **सत्य** को भली भांत उपलब्ध करके कि

(अ)   देव जीवन प्राप्त सत्य देव भगवान देवात्मा ही उसके परम पूजनीय वा परम उपास्य हैं, और

(इ)   एक मात्र उन्हीं की सत्य पूजा वा उपासना करने से वह, जहां तक सम्भव हो, अपने आत्मा की सत्य मोक्ष और उसके सत्य विकास के लिए उनके मोक्ष दायक और विकासकारी देव प्रभावों को लाभ कर सकता है,

योग्यता रखने पर प्रति दिन **नियमित रूप** से उन की **पूजा का सच्चा साधन** करे।

(19) प्रत्येक साधन कर्ता इस **सत्य** को भली भांत जाने और उपलब्ध करे, कि वह, जब तक अपनी **आत्मिक पूजा** के साधनों के द्वारा, अपने परम पूजनीय भगवान देवात्मा के देव रूप तक पहुंच कर, उनके **देव प्रभावों को लाभ और ग्रहण न कर सके, और उनके ग्रहण करने से उसमें जिस जिस प्रकार के उच्च परिवर्तनकारी लक्षणों का उत्पन्न होना आवश्यक है, वह उत्पन्न न हों, तब तक उसकी पूजा सत्य और सफल नहीं हो सकती।**

(20) प्रत्येक साधन कर्ता के लिए सत्य देव भगवान देवात्मा के साथ आत्मिक संबंध स्थापन करने और उनकी सच्ची पूजा करने के योग्य बनने के निमित्त जिस जिस प्रकार के साधनों के ग्रहण करने की आवश्यकता है, उनका और उनकी विधि का वर्णन देव शास्त्र के तीसरे खण्ड के सत्ताईसवें से पैंतीसवें अध्याय में किया जा चुका है।

भगवान देवात्मा का जन्म महोत्सव
****

(1) देव समाज प्रबन्धकारिणी परिषद् की ओर से स्थिर की हुई कार्य प्रणाली के अनुसार, एक वा कई स्थानों में **जन्म महोत्सव** को मनाना और उसके संबंध में साधनों को पूरा करना चाहिए।

(2) महोत्सव संबंधी प्रत्येक स्थान को भली भांत परिष्कार और जहां तक उचित हो, उत्तम रीति से सुसज्जित करना चाहिए।

(3) महोत्सव क्षेत्र में यात्रियों के ठहरने और उनके आहार आदि का पहले से प्रबंध होना चाहिए।

(4) महोत्सव क्षेत्र में यात्रियों की आवश्यक सेवा और शुश्रूषा का उचित रूप से प्रबंध होना चाहिए।

(5) महोत्सव क्षेत्र के यात्रियों को, जहां तक सम्भव हो, प्रथम सभा से कुछ काल पहले ही वहां पर पहुंच जाना चाहिए।

(6) महोत्सव संबंधी जिस जिस कार्य सम्पादन के लिए जो जो **दायी** रखे गए हों, उन्हें अपने अपने कार्य को अपनी सामर्थ्य के अनुसार **बहुत उत्तम रूप से** सम्पादन करना चाहिए।

(7) महोत्सव के विशेष शुभ अवसर पर, सत्य देव भगवान देवात्मा के पूजन के भिन्न उनके वंश और उनके **देव जीवन** वा सत्य देव रूप के संबंध में उपदेश वा व्याख्यान होने चाहिएं।

(8) महोत्सव के विशेष शुभ अवसर पर, सत्य देव भगवान देवात्मा की **धर्म विषयक नाना महा दुर्लभ तत्वों से परिपूर्ण सत्य शिक्षा** और अन्य सम्प्रदायों की मिथ्या शिक्षा की तुलना में उसकी **विशेषता** के संबंध में उपदेश वा व्याख्यान होने चाहिएं।

(9) महोत्सव के विशेष शुभ अवसर पर, सत्य देव भगवान देवात्मा के **अद्वितीय परम लक्ष्य**, उस की सिद्धि के लिए उनके **अद्वितीय त्यागों और समर्पणों** और उनके **परम हितकर कार्य** आदि के संबंध में उपदेश वा व्याख्यान होने चाहिएं।

(10) महोत्सव के विशेष शुभ अवसर पर, उपस्थित जनों में से जो जन देव समाज के सभासद् वा सहायक बनने के योग्य हों, उन्हें उसकी सभासदी वा सहायकी में ग्रहण करना चाहिए।

(11) महोत्सव के विशेष शुभ अवसर पर, उपस्थित जनों में से जो जन देव समाज की विधि के अनुसार कोई **पारिवारिक अनुष्ठान** सम्पन्न कराना चाहें, उनके

ऐसे शुभ अनुष्ठान सम्पन्न होने चाहिएं।

(12) महोत्सव के विशेष शुभ अवसर पर, अपने परम पूजनीय सत्य देव भगवान देवात्मा के अद्वितीय परम लक्ष्य की सिद्धि में सेवाकारी बनने और अपने लिए श्रेष्ट हित लाभ करने के निमित्त उपस्थित जनों को देव समाज और उस की नाना संस्थाओं के लिए अपनी धन सम्पत्ति अथवा अपनी अन्य शक्तियों वा अपने आपको अर्पण करना चाहिए।

सत्य देव भगवान के संबंध में पाठ और विचार के दिनों में विशेष रूप से विचार पूर्वक पाठ करने के लिए वन्दना और आकांक्षा

****

1-वन्दना

(देव स्तोत्र का गान)

देव जीवन धारकम्, { देव धर्म प्रवर्तकम्,
सत्य धर्म प्रवर्तकम्।

सर्वहित सम्पादकम्, देवगुरुं नमाम्यहम् ।।1।।

देव ज्योतिः प्रकाशकम्, { आत्मरूप प्रदर्शकम्;
आत्मरोग प्रदर्शकम्।
आत्मपात प्रदर्शकम्;
आत्मक्षेम प्रदर्शकम्।।

आत्म-बोध प्रबोधकम्,
आत्म-ज्ञान प्रबोधकम्,
सत्य-धर्म प्रबोधकम्,
देव-धर्म प्रबोधकम्। } देवगुरुं नमाम्यहम्।।2।।

देवतेजः प्रकाशकम्, { नीचराग विनाशकम्;
नीच घृणा विनाशकम्।

सत्यमोक्षः प्रदायकम्, देवगुरुं नमाम्यहम्।।3।।

देवतेज: प्रकाशकम्,   ⎰ उच्च भावोत्पादकम्;
                         ⎱ उच्च रागोत्पादकम्;

उच्च रूप विकासकम्,   देवगुरुं नमाम्यहम्।।4।।

भावार्थ

हे सत्य देव!

तुम देव जीवन धारी हो,

तुम सत्य अथवा देव धर्म के प्रवर्तक हो;

तुम सकल हितों के सम्पादक हो;

मैं तुम्हें नमस्कार करता हूं।।1।।

हे सत्य देव!

तुम **देव ज्योति** के प्रकाशक हो,

तुम अपनी देव ज्योति के द्वारा मनुष्यात्मा के अन्धकार को दूर करके उसे उसकी गठन, उसके रोगों, उसके पतन, और उसकी कुशल को दिखाते हो;

तुम **आत्मिक अंधकार हर्ता** होकर आत्म बोध वा **आत्म ज्ञान दाता** और सत्य वा देव धर्म के प्रबोधक हो;

मैं तुम्हें नमस्कार करता हूं।।2।।

हे सत्य देव!

तुम **देव तेज** के प्रकाशक हो,

तुम अपने देव तेज के द्वारा मनुष्यात्मा के नीच अनुरागों और उसकी नीच घृणाओं को नष्ट करते हो;

तुम मनुष्यात्मा के सत्य **मोक्षदाता** हो,

मैं तुम्हें नमस्कार करता हूं।।3।।

हे सत्य देव!

तुम **देव तेज** के प्रकाशक हो,

तुम अपने देव तेज के द्वारा मनुष्यात्मा में उच्च भावों और उच्च अनुरागों को उत्पन्न करते हो,

तुम मनुष्यात्मा में उच्च रूप वा उच्च जीवन के **विकास कर्ता** हो;

मैं तुम्हें नमस्कार करता हूं।।4।।

भजन

अद्वितीय जीवन व्रत धारी, अद्वितीय महिमा है तुम्हारी। टेक।

अद्वितीय तुम धर्म के शिक्षक, अद्वितीय तुम धर्म प्रवर्तक;
अद्वितीय तुम जग हित कारक, अद्वितीय जीवन व्रत धारी।।1।।

अद्वितीय दुख औ, उत्पीड़न, सहकर किया सदा व्रत पालन;
सब प्रकार से पर हित साधन, अद्वितीय जीवन व्रत धारी।।2।।

अद्वितीय कर त्याग जो तुमने, दान जगत् को दिया है तुमने;
अद्वितीय देखा वह हमने, अद्वितीय जीवन व्रत धारी।।3।।

अद्वितीय व्रत ग्रहण न करते, अद्वितीय सब त्याग न करते;
क्योंकर हमरे जीवन $\frac{बचते}{बनते}$ अद्वितीय जीवन व्रत धारी।।4।।

तुमने त्याग किए हैं जो जो, परहित कारण तुमने जो जो;
सन्मुख लावें हम सब वो वो, अद्वितीय जीवन व्रत धारी।।5।।

ज्योति तुमरी हम में आवे, महिमा तुमरी हमें दिखावे;
तुम संग शुभ संबंध $\frac{बढ़ावे}{करावे}$ अद्वितीय जीवन व्रत धारी।।6।।

हे सत्य देव! आप का आविर्भाव अद्वितीय आविर्भाव! आपका सत्य लक्ष्य अद्वितीय परम लक्ष्य! जिस दिन आपने अपना अद्वितीय परम लक्ष्य ग्रहण किया, वह दिन क्या इस देश और क्या इस पृथ्वी के लिए अद्वितीय शुभ दिन! इस पृथ्वी में यद्यपि अनेक प्रकार के लक्ष्य धारी हुए हैं, तथापि आप का सा अनोखा परम लक्ष्य कब और किसने ग्रहण किया है? किसी ने नहीं।

हे भगवन्! जिस परम लक्ष्य को पूर्ण करने के लिए आप ने यह पद गाकर:–

"सत्य शिव सुन्दर ही मेरा, परम लक्ष्य होवे;
जग के उपकार ही में, जीवन यह जावे।"

अपना जीवन भेंट किया था, उसी के लिए आप को नेचर ने अपने लाखों वर्षों के विकासकारी संग्राम के द्वारा प्रसव किया था। नेचर के अगणित अस्तित्वों की श्रृंखला के प्रकाश में आप ही इस पृथ्वी में एक मात्र ऐसे अस्तित्व हो सकते थे, कि जो अपनी आत्मिक गठन के विचार से, जैसे एक ओर अद्वितीय देव शक्तियों को बीज रूप में लेकर प्रगट हुए, वैसे ही दूसरी ओर उन शक्तियों के आवश्यक विकास पा चुकने पर, ऐसा परम लक्ष्य ग्रहण करने के योग्य हुए कि जिसकी सिद्धि से इस पृथ्वी से सब प्रकार की मिथ्या और सब प्रकार का अशुभ नष्ट होता और उसमें सब

प्रकार के सत्य और शुभ का राज अथवा देव राज आता है और उससे न केवल मनुष्य जगत् का किंतु उसके द्वारा उससे नीचे के जगतों का भी सर्वांग कल्याण होता और अधिक से अधिक हो सकता है। आपके ही विशेष अस्तित्व में यह सब कुछ सम्भव था। आप ही अपने इस विशेष अस्तित्व में जैसे आत्मिक गठन की पूर्णत: लाभ करने के योग्य हुए, वैसे ही उसके द्वारा धर्म के पूर्णांग रूप वा देव जीवन के प्रकाशक हुए। आप एक मात्र पूर्णांग धर्म के अवतार! आप पूर्णांग धर्म स्वरूप! आप सत्य धर्म के पूर्ण प्रकाशक! आप सत्य धर्म के पूर्ण आदर्श!

हे देव! अपना अद्वितीय परम लक्ष्य ग्रहण करने से पहले आप अपनी देव शक्तियों को विकसित करके सब प्रकार की निम्न शक्तियों के अधिपति वा प्रभु बन चुके थे, इसीलिए आप अपने परम लक्ष्य के लिए पूर्णत: सच्चे रहकर उसे पूर्ण कर सके।

आप अपनी अद्वितीय देव शक्तियों के द्वारा अपने परम लक्ष्य की सिद्धि के लिए सब प्रकार के त्याग और समर्पण करने के योग्य हुए। आपका इस पृथ्वी में जैसे परम लक्ष्य अद्वितीय है, वैसे ही उसकी सिद्धि के लिए **आपने नाना प्रकार का जो जो त्याग, समर्पण और संग्राम किया है, वह भी अद्वितीय है।**

हे देव! आप ने अपने आत्मा में देव जीवन को विकसित करके उसकी पूर्ण गठन लाभ की है, कि जिसे प्राप्त होकर आत्मा नेचर के प्रत्येक विभाग के संबंध में जहां एक ओर नीच गतियों के अधिकार से पूर्णत: मुक्त होता है, वहां दूसरी ओर **विकास के महा अद्भुत नियम के साथ एकात्म भाव अर्थात् एकता स्थापन करके उसके विचित्र कार्य में साथी बन जाता है, और इस प्रकार क्या ऐसा आत्मा और क्या नेचर का विकासकारी नियम दोनों ही एक दूसरे के लिए सहायक और सहकारी बन जाते हैं। कैसा महान मेल! और इस मेल के कैसे महान और अमृत दायक फल!!** यह नेचर के विकास के साथ **एकता सम्पादक विषयक तत्व ज्ञान** कैसा अद्भुत! कैसा अद्वितीय! हे भगवन्! आप देव जीवन को प्राप्त होकर इस तत्व के दृष्टा और प्रकाशक हुए हैं।

इसके भिन्न आप देव जीवन को प्राप्त होकर मनुष्यात्मा के रूप और उसके जीवन के संबंध में जिन जिन महा गूढ़ सत्यों के देखने, जानने और प्रकाश करने के योग्य हुए, उन्हें आज तक किसी ने नहीं देखा और नहीं जाना, और नहीं प्रकाश अथवा प्रचार किया था। मनुष्यात्मा का गठन प्राप्त रूप क्या है, उसके इस रूप में सुख विषयक नीच अनुराग और नीच घृणाएं कौन कौन सी हैं और उनके कार्य से उसमें किस किस प्रकार के पापों, दुराचारों अभिताचारों और मिथ्याओं आदि नाना

आत्मिक रोगों और पतन की उत्पत्ति होती है; उसके इस पतन के महा शोचनीय और अत्यंत दुखदाई फल क्या हैं; अधिकारी होने पर, वह अपनी योग्यता के अनुसार नेचर के अटल नियमों पर स्थापित जिस विधि के द्वारा अपनी पतनकारी शक्तियों के कार्य और उनके विकारों से जहां तक वास्तविक मोक्ष पा सकता है, वह विधि और वह मोक्ष क्या है; उसमें उच्च भावों वा उच्च अनुरागों की जागृति और उन्नति से कहां तक उच्च जीवन का विकास हो सकता है, उस विकास की क्यों आवश्यकता है, और उसकी प्राप्ति की विधि क्या है, और वह उच्च जीवन में विकसित होकर किस प्रकार उच्च से उच्च लोकों में वास करने के योग्य बनता है; इन सब विषयों में आपने जो **सत्य** देखे और अपने अनुसंधान द्वारा जाने हैं, वह जैसे पूर्णत **नेचर स्वीकृत वा विज्ञान मूलक हैं,** वैसे ही इस पृथ्वी के सब कहलाने वाले धर्म सम्प्रदायों की कल्पना मूलक मिथ्या शिक्षा से बिलकुल अनोखे और विचित्र हैं। हे देव! आप ही इस विज्ञानमूलक सत्य धर्म के एक मात्र अद्वितीय प्रकाशक और शिक्षक हैं।

हे सत्य देव! आपके भीतर अपनी अद्वितीय देव शक्तियों के विकास से जिस सच्ची और अद्वितीय देव ज्योति और जिस सच्चे और अद्वितीय देव तेज का विकास हुआ है, उन्हें प्राप्त होने के कारण आप आत्मिक जगत् के सूर्य हैं। आपकी अपनी इस अद्वितीय देव ज्योति और आपके इस अद्वितीय देव तेज के महा कल्याणकारी और जीवन दायक देव प्रभावों को जहां तक हम और अन्य अधिकारी जन प्राप्त कर सके हैं, वहां तक हमारा और उनका अवश्य आत्मिक उद्धार और विकास साधन हुआ है, और नाना प्रकार का हित मिला है।

आहा! तब जिस दिन आप हमारी भूमि में आविर्भूत हुए, अर्थात् **पौषवदि प्रतिपदा सम्वत्** 1907 वि. का दिन क्या हमारे लिए, क्या हमारी समाज के लिए, क्या हमारी जाति और क्या मनुष्य मात्र के लिए, क्या पशु जगत्, क्या उद्भिद् जगत् और क्या भौतिक जगत् के लिए निश्चय अति महान और आनन्दकारी दिन! और फिर वह केवल आप का जन्म दिन ही नहीं, किन्तु सारे जगत् के हित के लिए आपके **अद्वितीय जीवन व्रत** अथवा **परम लक्ष्य ग्रहण** करने का दिन भी है। तब यह दिन हम सबके लिए और भी विशेष रूप से चिन्तन करने का दिन! विचार का दिन! आनन्द का दिन!! और महोत्सव का दिन है!!!

हे सत्य देव! यदि इस पृथ्वी में आपका यह अद्वितीय आविर्भाव न होता, और आप अपनी अद्वितीय देव शक्तियों में विकसित होकर अपना अद्वितीय परम लक्ष्य ग्रहण न करते, और इस अद्वितीय लक्ष्य के पूरा करने के लिए सब प्रकार का अद्वितीय

त्याग न करते, और नाना प्रकार के घोर उत्पीड़नों और सांघातिक दुखों और क्लेशों, विपदों और कठिनाइयों आदि को अपने सिर पर न लेते, और उनमें से अपने अद्वितीय धर्म बल के द्वारा उत्तीर्ण न होते तो आज

(1) हम और हमारे पारिवारिक जन कहां और किस अवस्था में होते?

(2) इस पृथ्वी को (विशेष कर इस देश को) नेचर-स्वीकृत और विज्ञानमूलक सत्य धर्म और उसके तत्वों और साधनों की अद्वितीय शिक्षा कहां से मिलती?

(3) देवशास्त्र जैसा अलौकिक शास्त्र हमें कैसे प्राप्त होता?

(4) देव समाज जैसी हितकर और निराली धर्म समाज हमें कहां से मिलती?

(5) हमारे पारिवारिक पवित्र अनुष्ठानों के सम्पन्न करने के लिए हमें ऐसी सुन्दर और शुभ कर विधि कहां से प्राप्त होती?

(6) हमें अपने और अपने पारिवारिक जनों के नाना प्रकार के शुभ के लिए कई प्रकार की हितकर संस्थाएं कहां से लाभ होतीं?

(7) हमारे नाना महा हानिकारक मिथ्या विश्वास और संस्कार क्योंकर दूर होते?

(8) हमारे और हमारे परिवारों के भीतर से नाना पाप क्रियाओं और दुराचारों के नष्ट होने से हमें विविध प्रकार का जो जो सुख मिला है, हमें स्वास्थ्य, समृद्धि और शान्ति प्राप्त हुई है, और हमारे कई प्रकार के हानिकारक संबंध हितकर बने हैं, यह सब फल क्योंकर उत्पन्न होते?

2-आकांक्षा

हे देव! ऐसा हो, कि हम आपके अद्वितीय परम लक्ष्य की महिमा और सफलता पर विचार कर सकें। आपके इस अद्वितीय जीवन व्रत से कहां तक हमने लाभ उठाया है, हमारे पारिवारिक, सामाजिक और अन्य जनों और उनके भिन्न, पशु, उद्भिद् और भौतिक जगत् ने क्या क्या लाभ उठाया है, उस पर विचार कर सकें। कहां तक हमने आपके इस महाव्रत में अपने तन मन और धन आदि को **अर्पण** करके आपकी **शुभ इच्छा अथवा विकास के महा कल्याणकारी नियम को पूरा किया है, उस पर विचार कर सकें।** कहां तक हमने आप की परम लक्ष्य विषयक महान आकांक्षा को अपने वा किसी और के लिए सफल होने नहीं दिया, और ऐसा करके अपना और औरों का नाश किया है, उस पर विचार कर सकें। हे देव! ऐसा हो कि आपके **देव प्रभाव** हमारे हृदयों को स्पर्श करके उनमें उच्च भाव और उच्च संकल्प उत्पन्न करें, और आपके संबंध में हमारी एक वा दूसरी उदासीनता, अबोधता वा पतनकारी गति का बोध देकर उसके लिए हमें दुखी और अशान्त करें और हमारे हृदयों के विकारों

को नष्ट करें। हे भगवन्! आपके प्रति हमारे हृदयों में सत्य और अटल विश्वास, श्रद्धा, कृतज्ञता वा सेवा और आपके देव प्रभावों के लिए आकर्षण विषयक भाव उत्पन्न अथवा अधिक उन्नत हों, और हम आप के शुभ आशीर्वाद को अधिक से अधिक लाभ करने के योग्य हों।

हे देव! ऐसा हो, कि आपके संबंध में हमारे यह पाठ और विचार के साधन हमारे लिए जहां तक संभव हो सफल हों, और हमारे और हमारे अन्य सामाजिक जनों में उच्च आकांक्षाओं, उच्च संकल्पों, उच्च विचारों और उच्च त्यागों और उच्च जीवन के लाने वाले हों, और देव समाज की पुष्टि और उन्नति का हेतु हों।

देव गुरु आरती
(खड़े होकर)
जय जय देव गुरु।

जय सत्य औ' शुभ अनुरागी, जय देव रूप धारी;
सत्य औ' शुभ के हेतु, एक अतुल त्यागी।
जय जय देव गुरु।।1।।

जय मिथ्या और अशुभ संग, अतुल युद्ध कर्ता,
उन्हें पराजित करके, <u>सत्य की जय कर्ता।</u>
शुभ की जय कर्ता।
जय जय देव गुरु।।2।।

जय देव ज्योति से पूर्ण, जय देव ज्योति दाता,
आत्म-तिमिर के हर्ता, आत्म-ज्ञान दाता।
जय जय देवगुरु।।3।।

जय देव तेज से पूर्ण, जय देव तेज दाता,
नीच गति के हर्ता, सत्य मोक्ष दाता।
जय जय देव गुरु।।4।।

जय देव तेज संचारक, जय पाप मैल हर्ता,
हिरदय निर्मल कर्ता, पवित्र रूप दाता।
जय जय देव गुरु।।5।।

जय उच्च भाव उत्पादक, जय उच्च गति दाता,
पूर्ण आत्म-विकासक, आत्मिक बल दाता।

जय जय देव गुरु।।6।।

जय सकल सत्य के पोषक, जय मिथ्या हर्ता,
सकल हितों के साथी, समुचित सुख दाता।
जय जय देव गुरु।।7।।

जय जीवन रस संचारक, जय अमृत दाता,
आत्म-पतन के नाशक, जय जीवन दाता।
जय जय देव गुरु।।8।।

जय एक उपास्य सभों के, जय आत्म-तत्व ज्ञाता,
सत्य धर्म के शिक्षक, पूर्ण हित कर्ता।
जय जय देवगुरु।।9।।

जय अतुल दान के दाता, जय देव रूप धारी,
दान तुम्हारा पाकर, धन्य हों नर नारी।
जय जय देवगुरु।।10।।

देवात्मा का परम लक्ष्य प्रकाशक पहला संगीत

परम लक्ष्य मेरा पूरन हो,
जीवन व्रत मेरा पूरन हो।

सकल विभागों में नेचर के, उच्च गति प्रद परिवर्तन हो,
नीच गति हो विनष्ट दिन दिन, श्रेष्ठ मेल उनमें उत्पन्न हो।।1।।

परम लक्ष्य मेरा पूरन हो,
जीवन व्रत मेरा पूरन हो।

आत्म-प्रकाशक देव ज्योति मम,
आत्म-तिमर हर देव ज्योति मम, } चारों दिग वह परकीरण हो;

तिमिर से निकलें जन अधिकारी,
आत्म-रूप देखें अधिकारी,

आत्म ज्ञान उनमें उत्पन्न हो,
सत्य धर्म का ज्ञान उत्पन्न हो। } ।।2।।

परम लक्ष्य मेरा पूरन हो,
जीवन व्रत मेरा पूरन हो।

उच्च घृणा प्रद देव तेज मम,
उच्च दुख प्रद देव तेज मम,   चारों दिग वह परकीरण हो;

उच्च घृणा पावें अधिकारी,   आत्म रोग से निस्तारन हो।
उच्च दुख पावें अधिकारी,   आत्म पात् से निस्तारन हो।
नीच राग त्यागें अधिकारी,   नीच गति से निस्तारन हो।।3।।
नीच घृणा त्यागें अधिकारी,   आत्म नाश से निस्तारन हो।

परम लक्ष्य मेरा पूरन हो,
जीवन व्रत मेरा पूरन हो।

उच्च भाव प्रद देव तेज मम,
उच्च राग प्रद देव तेज मम,
उच्च अंग प्रद देव तेज मम,   चारों दिग वह परकीरण हो;
उच्च गति प्रद देव तेज मम,

उच्च भाव पावें अधिकारी,   उच्च रूप उनमें उत्पन्न हो,
उच्च राग पावें अधिकारी,   श्रेष्ठ रूप उनमें उत्पन्न हो,
उच्च अंग पावें अधिकारी,   आत्म बल उनमें उत्पन्न हो,
उच्च गति पावें अधिकारी,   जीवन बल उनमें उत्पन्न हो।।4।।

परम लक्ष्य मेरा पूरन हो,
जीवन व्रत मेरा पूरन हो।

देश देश औ' नगर नगर में,   देव ज्योति का परचारन हो,
नगर नगर औ' गांव गांव में, देव तेज का परचारन हो,

देव समाज हो उन्नत दिन दिन, देव राज नित विस्तारण हो।।5।।

परम लक्ष्य मेरा पूरन हो,
जीवन व्रत मेरा पूरन हो।

भावार्थ

मेरा परम लक्ष्य पूरा हो, मेरा जीवन व्रत पूरा हो।

मेरी देव शक्तियों के देव प्रभावों के द्वारा नेचर के सारे विभागों में जहां जहां तक संभव हो, उच्च परिवर्तन उत्पन्न हों, और उनमें एक दूसरे के संबंध में जिस जिस प्रकार की नीच गतियां काम कर रही हैं, वह जहां तक संभव हो, नष्ट हों, और उनमें श्रेष्ठ मेल उत्पन्न हो। मनुष्यों के आत्माओं के अन्धकार को दूर करने और

उनके असल रूप को दिखाने वाली जो मेरी **देव ज्योति है,** उसकी किरणें मेरे चारों तरफ फैलें, और अधिकारी लोग उन्हें अपनी अपनी योग्यता के अनुसार अपने अपने आत्माओं में लाभ करके अपने अपने आत्मा के सच्चे रूप और उसकी सच्ची अवस्था का ज्ञान लाभ करें, और उन्हें **सच्चा आत्म ज्ञान वा सत्य धर्म का ज्ञान प्राप्त हो।**

मेरे **देव तेज** के द्वारा आत्मा में सुख विषयक नीच अनुरागों और उसके उलट दुख विषयक नीच घृणाओं के लिए जिस **उच्च घृणा** और **उच्च दुख** की उत्पति होती है, उसकी किरणें मेरे चारों ओर फैलें, और जो जो लोग जहां जहां तक उन किरणों के पाने और ग्रहण करने की योग्यता रखते हों, उनके भीतर मेरे **देव तेज** की यह किरणें **प्रवेश करें,** और उनके द्वारा उन्हें अपनी अपनी योग्यता के अनुसार आत्मिक रोगों और आत्मिक **पतन** से सच्ची **मोक्ष** प्राप्त हो, और मेरे **देव तेज** से मनुष्यों में जिन **उच्च भावों वा जिन उच्च अनुरागों** की उत्पत्ति हो सकती है, उसकी किरणें मेरे चारों ओर फैलें, और जो जो अधिकारी आत्मा उन्हें अपनी अपनी योग्यता के अनुसार जहां जहां तक ग्रहण कर सकते हों, उन्हें वह ग्रहण करें, और इस विधि से उनके आत्माओं में एक वा दूसरे प्रकार के **जीवन दायक उच्च भावों वा उच्च रागों** का विकास हो।

प्रत्येक देश और प्रत्येक नगर और प्रत्येक गांव में मेरी **देव ज्योति** और मेरे **देव तेज** का प्रचार हो, जिससे जहां एक ओर देव समाज की दिनों दिन उन्नति हो, वहां दूसरी ओर सच्चा देवराज इस दुनिया में स्थापित हो।

देवात्मा का परम लक्ष्य प्रकाशक दूसरा संगीत

परम लक्ष्य }
जीवन व्रत } मम पूरन होवे,

नया जन्म }
नया रूप } यह दुनिया पावे;

देव राज इस जग में आवे।।1।।

राज सत्य का जग में आवे,
　　　जो कुछ मिथ्या सब मिट जावे;
जो कुछ शुभ हो वह सब आवे,
　　　जो कुछ अशुभ नष्ट सब होवे।।2।।

परम लक्ष्य }
जीवन व्रत } मम पूरन होवे;

नया जन्म ⎱
नया रूप ⎰ यह दुनिया पावे;

मिथ्यापन विश्वास से जावे,

मिथ्यापन साधन से जावे;

मिथ्यापन बर्ताव से जावे;

मिथ्या-मूलक भय दुख जावे।।3।।

परम लक्ष्य ⎱
जीवन व्रत ⎰ मम पूरन होवे;

नया जन्म ⎱
नया रूप ⎰ यह दुनिया पावे;

नीच राग औ नीच घृणा जो,

मानव जग में सब क्षय पावे;

उच्च राग औ उच्च घृणा जो,

मानव जग से विकसित होवे।।4।।

परम लक्ष्य ⎱
जीवन व्रत ⎰ मम पूरन होवे;

नया जन्म ⎱
नया रूप ⎰ यह दुनिया पावे;

जो कुछ पवित्र वह सब आवे,

जो कुछ मलिन सभी वह जावे;

जो कुछ सुंदर विकसित होवे,

जो कुछ कुत्सित वह क्षय पावे।।5।।

परम लक्ष्य ⎱
जीवन व्रत ⎰ यह दुनिया पावे;

नया जन्म ⎱
नया रूप ⎰ यह दुनिया पावे;

न्याय सकल जो विकसित होवे,

जो अन्याय ⎱
जो कुछ पाप ⎰ सभी मिट जावे;

जो कुछ सुनियम वह सब आवे,

जो कुछ अनियम
कुनियम } वह क्षय पावे।।6।।

परम लक्ष्य
जीवन व्रत } मम पूरन होवे;

नया जन्म
नया रूप } यह दुनिया पावे;

सुश्रृंखला जो वह सब आवे,

विश्रृंखला सब ही मिट जावे;

जग में उच्च शांति आवे,

नीच कलह
नीच युद्ध } सब ही क्षय पावे।।7।।

परम लक्ष्य
जीवन व्रत } मम पूरन होवे;

नया जन्म
नया रूप } यह दुनिया पावे;

बोध आत्मिक हित का होवे,

नीच सुखों पर वह जय पावे;

है अनमेल जहां जगतों में,

शुभ कर मेल वहां सब आवे।।8।।

परम लक्ष्य
जीवन व्रत } मम पूरन होवे;

नया जन्म
नया रूप } यह दुनिया पावे;

भावार्थ

मेरा परम लक्ष्य / जीवन व्रत पूरन हो, और उससे यह दुनिया नया जन्म या नया रूप लाभ करे। जहां तक संभव हो, इस दुनिया में सत्य का राज आवे और जो कुछ मिथ्या वा झूठ है, वह सब नष्ट हो। जो जो सच्ची भलाई है, वह सब इस दुनिया में पैदा हो, और सब प्रकार की बुराइयां इस दुनिया से नष्ट हों। मनुष्यों के विश्वासों में विविध प्रकार का जो जो झूठ भरा हुआ है, और धर्म वा मज़हब के नाम से उनके विविध प्रकार के साधनों वा अमलों में जिस जिस प्रकार की मिथ्या वर्तमान है और उनके भिन्न उनके प्रति दिन के बर्तावों में जिस जिस प्रकार के झूठ की भरमार है,

और उन्हें मिथ्या-मूलक जो जो भय और दुख मिलते हैं, वह सब नष्ट हों। मनुष्यों के आत्माओं में जिस जिस प्रकार के सुखों के लिए नीच अनुराग पाए जाते हैं, और उनमें एक दूसरे के संबंध में नीच घृणाएं काम कर रही हैं, वह सब नष्ट हों; और उनमें जीवन दायक उच्च भावों और उच्च घृणाओं की उत्पत्ति हो। मनुष्यों में क्या उनके शरीर और क्या उनके आत्माओं के लिए जो जो कुछ सच्ची पवित्रता है, उसका उनमें बोध उत्पन्न हो, और उसके लिए प्यार जागे, और जो जो कुछ मलिनता है, वह सब नष्ट हो। नेचर में जो जो सच्चा, पवित्र और हितकर सौंदर्य है, उसका बोध और प्यार मनुष्यों में उत्पन्न हो, और उसके विरुद्ध सब प्रकार के कुत्सितपन के लिए घृणा जाग्रत हो। जो जो कुछ नेचर के सच्चे नियम के अनुसार न्याय-मूलक हो, उसका बोध और उसका प्यार मनुष्यों में उत्पन्न हो, और जो कुछ उसके उलट अन्याय वा अत्याचार-मूलक हो, वह सब इस दुनिया से नष्ट हो। मनुष्यों के जीवन में सच्ची नियमता का भाव उत्पन्न हो, और उनमें क्या अपने और क्या औरों के संबंध में जिस जिस प्रकार की अनियमता पाई जाती है, वह नष्ट हो। दुनिया के विविध संबंधों में जिस जिस प्रकार की अनुचित क्रियाएं होती हैं, वह सब नष्ट हों। और इस दुनिया में जिस क़दर अनुचित झगड़े जारी हैं, और अनुचित लड़ाइयां होती हैं, वह नष्ट हों, और इस दुनिया में उच्च शांति उत्पन्न हो। मनुष्यों में आत्मा का सत्य ज्ञान और उसकी भलाई का सच्चा बोध उत्पन्न हो और उनकी आत्मिक भलाई की उनके नीच सुखों पर जय हो और जहां जहां जीवित और अजीवित जगतों में अनमेल उत्पन्न हो रहा है, वह अनमेल जहां तक संभव हो, दूर हो और उनमें भलाई को लेकर सच्चा मेल स्थापित हो।

परिशिष्ट

1-अनुचित पर हानि विषयक परिशोध तत्व

****

प्र.- भगवन्! अनुचित पर हानि विषयक परिशोध किसे कहते हैं?

उ.- पर के संबंध में अपहरण विषयक किसी नीच क्रिया के विकारों से शुद्धि लाभ करने को अनुचित पर हानि विषयक परिशोध कहते हैं।

प्र.- ऐसा अपहरण किसे कहते हैं?

उ.- किसी के धन, किसी की सम्पत्ति, किसी के पदार्थ, किसी के मान, किसी के यश, किसी की स्वास्थ्य, किसी के रूप, किसी के सद्गुण, किसी के सुख, किसी की शान्ति, किसी की आयु आदि को अपनी किसी **मिथ्या वा अहित मूलक गति** के द्वारा हर लेने को अपहरण कहते हैं। ऐसे सब प्रकार के अपहरण पाप वा अपराध कहलाते हैं।

प्र.- मनुष्य जगत् में तो यह अपहरण बहुत फैला हुआ है?

उ.- निश्चय! मनुष्य के लिए अपने किसी नीच अनुराग वा नीच घृणा भाव का दास होकर और किसी अन्य मनुष्य, पशु, उद्भिद् और भौतिक अस्तित्व के सम्बंध में **मिथ्या वा अहित-मूलक** गति ग्रहण करके एक वा दूसरे प्रकार का **अपहरण** करना अवश्यम्भावी है।

प्र.- क्या कोई मनुष्य अपनी अपहरण विषयक किसी क्रिया से **मोक्ष** भी लाभ कर सकता है?

उ.- हां, वह इस विषय में जिन जिन उच्च बोधों के जाग्रत होने पर अपनी किसी अपहरण मूलक गति और उसके विकार से पूर्ण वा आंशिक मोक्ष लाभ कर सकता है और जिस विधि के द्वारा वह उच्च बोध किसी अधिकारी आत्मा में जाग सकते हैं, उनका उल्लेख देव शास्त्र के तीसरे खंड के पच्चीसवें और पैंतीसवें अध्याय में किया जा चुका है। उनका विचार पूर्वक पाठ करना चाहिए।

प्र.- इन बोधों के उत्पन्न होने पर कोई मनुष्य अपने किसी अपहरण विषयक विकार से शुद्धि लाभ करने के लिए क्या करे?

उ.- यदि उसने प्रवंचना वा ठगी वा चोरी आदि के द्वारा किसी का धन वा कोई अन्य पदार्थ अपहरण किया हो, अथवा किसी कर्तव्य विषयक त्रुटि से किसी

के धन वा किसी पदार्थ की हानि की हो, तो वह यथा संभव उसे वह धन वा पदार्थ कम से कम उचित ब्याज के साथ लौटा दे, और उसके सम्मुख अपने ऐसे पाप के लिए सच्चे शोक का प्रकाश करे। और उसके द्वारा किसी हानि प्राप्त जन ने अपने हृदय में जितना कष्ट पाया हो, उतना कष्ट वह आप भी अनुभव करे। और यदि उसने किसी को अपनी किसी बुरी क्रिया से केवल हार्दिक दुख वा कष्ट ही पहुंचाया हो, तो वह अपनी ऐसी क्रिया के लिए उतना दुख अनुभव करे, कि जितना उसने उस क्रिया से किसी और को पहुंचाया हो। इसी प्रकार यदि किसी के संबंध में उसने दुश्चिन्ता की हो, तो उसके लिए अपने हृदय में समुचित कष्ट अनुभव करे।

प्र.– यदि किसी ने किसी के धन वा अन्य पदार्थ को अपहरण किया हो, परन्तु उस जन का उसे कुछ पता न हो, वा वह मर गया हो, तो उसके लिए वह किस प्रकार परिशोध करे?

उ.– वह उसके किसी उचित वारिस को वह धन, धरती वा पदार्थ आदि दे दे। और यदि उसका भी पता न लगे वा उसका कोई वारिस न हो, तो उसे उसके नाम से किसी साधारण हितकर संस्था को देकर किसी शुभ काम में लगा दे।

प्र.– जहां पशु जगत् के जीवों के संबंध में कोई पाप किया गया हो, वहां उसका कोई जन क्योंकर परिशोध करे?

उ.– वहां वह जन अपनी ऐसी घृणित क्रियाओं को स्मरण करके प्रति दिन चिन्तन वा विचार के द्वारा,

(1) अपने हृदय में दुख उत्पन्न करने,

(2) ऐसे जीव वा जीवों के शुभ के लिए कामना करने,

(3) ऐसे जीव वा जीवों की जाति के और जीवों की एक वा दूसरे प्रकार की सेवा करने,

(4) अन्य जनों को उसी प्रकार की अनुचित क्रिया से बचाने,

के साधन ग्रहण करके अपने ऐसे पाप वा पापों का परिशोध करे।

प्र.– यदि किसी ने किसी जन के संबंध में कोई ऐसा पाप किया हो, जिसका धन के द्वारा वह कोई परिशोध न कर सकता हो, तो क्या उस जन के संबंध में उसे अपने हृदय में दुख उत्पादक साधनों के भिन्न कोई और साधन करना भी आवश्यक है?

उ.– हां, उसे अपनी ऐसी प्रत्येक दुष्क्रिया को स्मरण करके उसके प्रति घृणा उत्पन्न करने और **अपने आपको घृणित रूप में देखने और उससे लज्जित और दुखी होने के** भिन्न, उसने जिस जिस जन के संबंध में ऐसा पाप किया हो, उसके समीप, संभव होने और उचित समझे जाने पर, वह मुख वा लेख के द्वारा

उसका दुख पूर्वक बार बार वर्णन करे। ऐसे साधनों से दुख वा हानि प्राप्त जन के हृदय में उसके संबंध में जो घृणा पैदा हो चुकी है, वह धीरे-धीरे कम होती है, और उनके लगातार जारी रखने से समय के साथ बिल्कुल नष्ट भी हो सकती वा हो जाती है।

प्र.– क्या परिशोध विषयक साधनों में हानि वा दुख प्राप्त जन के हृदय से ऐसी घृणा का दूर करना आवश्यक है?

उ.– हां, आवश्यक है।

प्र.– क्यों?

उ.– इसलिए कि तुम्हारी जिस किसी अनुचित क्रिया से उसके हृदय में तुम्हारे संबंध में कोई दूरी उत्पन्न हुई हो, उसके इस अनमेल की जब तक लहरें उत्पन्न होती रहेंगी, तब तक वह तुम्हारे आत्मा के लिए हानिकारक होती रहेंगी, इसलिए तुम्हें अपने आत्मा को इस हानि से बचाने के निमित्त अपने परिशोध विषयक साधनों के द्वारा उनकी शान्ति करना नितान्त आवश्यक है। और वह परिशोध विषयक साधन तभी पूरा हो सकता है, जबकि हानि वा दुख प्राप्त जन के हृदय में परिशोध कर्ता के संबंध में जो वर्तमान अनमेल हो, वह पूर्णत: नष्ट हो, और उसके संबंध में उसके भीतर जो दूरी पैदा हो गई है, वह चली जाय, और **उस विषय में दोनों में मेल वा एकता स्थापन हो।**

प्र.– इस मेल के लाने में क्या कोई सेवा विषयक साधन भी सहायकारी हो सकता है?

उ.– हां, किसी ऐसे जन की यथा संभव एक वा दूसरी उचित **सेवा** वा ऐसा संभव न होने पर, उसके प्रिय किसी शुभ काम के करने से उसके हृदय से दूरी कम होती है।

प्र.– क्या किसी के हृदय में किसी के लिए अनुचित दूरी भी उत्पन्न होती है?

उ.– हां, किसी मिथ्या विश्वास वा **ईर्षा** आदि किसी अनुचित भाव से परिचालित होकर जब कोई जन किसी के संबंध में अपने हृदय में कोई घृणा वा कष्ट अनुभव करता है, तब उसकी यह घृणा **अनुचित** दूरी होती है, और इसीलिए ऐसा जन जिस किसी के संबंध में ऐसी अनुचित दूरी अनुभव करता है, उससे उस जन के आत्मा की तो कोई हानि नहीं होती; किन्तु इस प्रकार की दूरी वा घृणा करने वाले के आत्मा की अवश्य हानि होती है, और वह अपनी इस नीच घृणा को और जिन जिन लोगों में संचार कर देता है, उससे उनके आत्माओं को भी हानि पहुंचती है। इसलिए किसी के हृदय में अपनी इस नीच घृणा के विषय में सच्चे बोध के जाग्रत

होने पर उसके लिए उसका परिशोध करना भी आवश्यक है।

प्र.- पापों के परिशोध के संबंध में ऐसी सत्य शिक्षा तो आज तक पृथ्वी में आपके भिन्न किसी ईश्वर वा मनुष्य ने नहीं दी।

उ.- ईश्वर तो एक कल्पित अस्तित्व है, और कल्पित अस्तित्व के लिए कोई शिक्षा देना ही असंभव है। परन्तु उसके विश्वासियों ने उसके वा अपने वा किसी अन्य के नाम से इस विषय में भी बहुत **झूठी** शिक्षाएं दी हैं। कितनों की यह शिक्षा है, कि तुम नाना मनुष्यों के संबंध में नाना प्रकार के अत्याचार करो- उन्हें खूब सताओ, खूब दुख दो, नाना प्रकार से उनकी हानि करो, अपने भीतर उनके लिए गहरी घृणा पैदा करो, पशुओं को तरह तरह का अनुचित कष्ट पहुंचाओ, उन्हें अपने आहार वा अपने किसी इष्ट देवता वा देवी की प्रसन्नता के लिए वध करके उन्हें **बलि** दो और उनकी लाशों को काट काट कर कच्ची वा पकाकर खाओ, उद्भिद् और भौतिक जगत् के संबंध में भी नाना प्रकार की हानियां करो-परन्तु यदि मरते समय तक तुम कल्पित ईश्वर के एक कल्पित इकलौते पुत्र को अपना परित्राता मान लो वा कह दो, तो यही नहीं, कि तुम्हारे पापों से तुम्हारे आत्मा की कोई हानि न होगी, और तुम्हें अपने सब पापों के लिए क्षमा मिल जाएगी, किन्तु कल्पित ईश्वर तुम पर प्रसन्न होकर तुम्हें बहुत सुखों से भरपूर किसी स्वर्ग वा बैकुंठ में निवास प्रदान करेगा। अथवा यदि तुम दो चार बूंदें किसी विशेष नदी के जल की पी लो, वा एक बार अमुक नाम उच्चारण कर दो, तो भी तुम्हारे पापों से तुम्हारे आत्मा की कुछ हानि न होगी, और तुम स्वर्ग में जाकर वास करोगे, अथवा यदि किसी विशेष नगर वा स्थान में तुम्हारी मृत्यु हो, तो भी तुम्हारे पाप तुम्हारा कुछ न कर सकेंगे, और तुम मरने के अनन्तर किसी बैकुंठ लोक में पहुंचकर पूर्ण आनन्द संभोग करोगे। कुछ ईश्वर वादी यह शिक्षा देते हैं, कि ईश्वर बड़े दयालु हैं, उनसे जब कोई पापी यह प्रार्थना करता है, कि आप मुझ पर दया करें, और मेरे पापों को क्षमा कर दें, तो वह दया भाव से परिचालित होकर उसके पापों को क्षमा कर देते हैं, और फिर उसका आत्मा अपने ऐसे पापों के संबंध में किसी हानि को प्राप्त नहीं होता। एक समय में एक सम्प्रदाय के मुखिया के सैंकड़ों चेले रुपए ले ले कर ईश्वर की ओर से उनके पापों के संबंध में क्षमा पत्र बेचा करते थे। इसी प्रकार नाना झूठे प्रायश्चितों के नाम से हज़ारों पुरोहित मूर्ख लोगों को लूटते रहे हैं और अब भी लूटते है; कल्पित परमेश्वर जी चालाक लोगों के हाथ में हमेशा से मोम की नाक रहे हैं, जिसने चाहा उसी ने उनकी ओर से कोई बात घड़कर प्रचार कर दी। कितने ही ईश्वर के पुजारियों में यह विश्वास प्रचलित है, कि कोई जन चाहे कितने ही पाप क्यों न करे, परन्तु

उनके आखरी पैगम्बर की सिफारिश से खुदा उसके सारे गुनाहों को बख्श देगा। किसी ईश्वर वादी सम्प्रदाय वा समाज में उसकी अपनी रक्षा के लिए पाप करना बहुत आवश्यक समझा गया है। ऐसी मिथ्या शिक्षाओं के प्रचलित रहने से मनुष्यों में न तो पाप विषयक नाना बोधों के संबंध में कोई सत्य ज्ञान उत्पन्न हुआ, और न उन बोधों के लिए कोई आकांक्षा जाग्रत हुई, और न उन पापों से उन्हें कोई सच्ची मोक्ष ही प्राप्त हुई, क्योंकि विज्ञानमूलक सत्य धर्म की सत्य शिक्षा के बिना ऐसा होना ही असंभव था।

मनुष्य इस नेचर का उसी प्रकार एक अंश है, जिस प्रकार उसके हाथ, पांव, हृदय पिंड, मस्तिष्क, फेफड़े, पेट, यकृत आदि उसके शरीर के अंश हैं। यदि हाथ, पांव, मस्तिष्क आदि के लिए पेट सेवाकारी न बने, अर्थात् वह आहार को अपने रस से न बदले, तो इस स्वार्थ परता से वह नेचर के अच्छे नियम के विरुद्ध जाकर केवल यही नहीं कि और अंगों को हानि पहुंचाएगा, किन्तु अपनी भी बहुत बड़ी हानि करेगा। इसी प्रकार यदि उसके हाथ पेट को फाड़ कर पाक स्थली वा अन्तड़ियों को बाहर निकालकर फेंक दें, तो उसे मारकर वह आप भी न जी सकेंगे। इसी महान नियम के अनुसार जब कोई मनुष्य नेचर के किसी विभाग के संबंध में अपने किसी नीच अनुराग वा नीच घृणा भाव के वशीभूत होकर कोई **अनुचित हानि** करता वा करने का आकांक्षी बनता है, तब उसके द्वारा वह **अपने आत्मा की हानि** करता है। यह महा नियम नेचर के प्रत्येक विभाग में अटल रूप से काम कर रहा है। इसीलिए जो मनुष्य किसी और के लिए **सेवाकारी** नहीं बनता, अथवा अनुचित रूप से **हानिकारक** बनता है, वह अपनी इस अधोगति से आप अपनी हानि करता है, और पहले की अपेक्षा बुरी दशा अर्थात् **पतन** को प्राप्त होता है। और इसी गति में चलकर और उसके द्वारा अपने आत्मा की शरीर निर्माणकारी शक्ति को धीरे धीरे क्षय करके पूर्णत: नष्ट हो जाता है। शेर, भेड़िए, सांप, खटमल, मच्छर, पिस्सू आदि जीव जो अपनी क्षुधा की तृप्ति के लिए और जीवों को वध करते वा उनका खून पीने के लिए उन्हें अनुचित कष्ट पहुंचाते रहते हैं, उससे उनकी शरीर निर्माणकारी शक्ति धीरे धीरे क्षय होते होते उन्हें इस दशा में पहुंचा देती है, कि उनकी जीवनी शक्ति अपने स्थूल शरीर की मृत्यु पर अपने लिए या तो कोई नया शरीर निर्माण ही नहीं कर सकती, वा ऐसा विकलांग और दुर्बल शरीर निर्माण करती है कि जो कुछ समय के अनन्तर मर जाता है और उसके साथ ही उसकी इस शक्ति के पूर्णत: नष्ट हो जाने पर उनका अपना अस्तित्व भी नष्ट हो जाता है। इसी प्रकार मनुष्यों में भी जो लोग एक ओर नेचर के और विभागों के लिए **सेवाकारी** नहीं बनते वा नहीं बन सकते, और दूसरी

ओर अपने एक वा दूसरे नीच अनुराग वा नीच घृणा भाव की तृप्ति के लिए और अस्तित्वों की **अनुचित हानि** करते, अथवा उन्हें **अनुचित कष्ट वा दुख** देते रहते हैं, वह अपनी ऐसी **नीच गति** से धीरे धीरे अपने आत्मा की शरीर निर्माणकारी शक्ति को क्षय करते रहते हैं, और इस पृथ्वी में भी कई प्रकार के अवांछनीय दुख पाते हैं, और अपने स्थूल शरीर की मृत्यु के अनन्तर अधम वा किसी नीच लोक के वासी बनकर और उच्च बनने के अयोग्य होने पर धीरे धीरे घुल घुल कर एक दिन पूर्णत: नष्ट हो जाते हैं। नेचर के उपरोक्त अटल नियम के तोड़ने का कैसा भयंकर परिणाम!!

तब एक ओर **मिथ्या और अहित मूलक प्रत्येक पाप वा अपराध** और दूसरी ओर **केवल स्वार्थ का जीवन** प्रत्येक मनुष्य के लिए जैसा कुछ **हानिकारक और विनाशकारी है,** उसका अनुमान किया जा सकता है। इस परम सत्य से अन्धे रहकर ईश्वर वादी और अन्य शिक्षकों ने पाप और उससे मुक्ति के विषय में जिस जिस प्रकार की मिथ्या शिक्षाएं दी हैं, उन पर विश्वास करके, और पाप और उसके फलों और पाप के परिशोध के विषय में नाना बोधों की सत्य देव भगवान देवात्मा जो विज्ञानमूलक सत्य शिक्षा देते हैं, उससे अज्ञानी वा उदासीन रहकर लाखों और करोड़ों लोग अपने अपने आत्माओं की जैसी कुछ हानि कर रहे हैं, उसका भी अनुमान हो सकता है।

प्र.– निश्चय, इस परम श्रेष्ठ शिक्षा से अन्ध वा अज्ञानी रहना मनुष्य मात्र के लिए अत्यन्त दुर्भाग्य का विषय है। क्या परिशोध के द्वारा कोई आत्मा किसी पाप के विकार से पूर्णत: उद्धार लाभ कर सकता है?

उ.– हां, कई पापों के विकारों से मनुष्य पूर्णत: उद्धार भी पा सकता है, और कई से यद्यपि बहुत कुछ उद्धार पाता है, तथापि उसमें उनका कुछ न कुछ बुरा प्रभाव रह जाता है। जैसे शारीरिक रोगों में कई रोगों से पूर्णत: उद्धार हो जाता है, और कई रोगों से नीरोग हो जाने पर भी उनके बुरे प्रभावों से शरीर को उसकी सारी आयु के लिए भी हानि पहुंच जाती है, वैसे ही आत्मिक रोगों का भी हाल है।

प्र.– कुछ ऐसे लोग भी तो होते हैं, कि जो उच्च प्रभावों में रहकर एक एक प्रकार के पाप से विरत हो जाते हैं, परन्तु उस प्रकार के जो जो पाप वह पहले कर चुके हैं, उनका कोई परिशोध नहीं करते?

उ.– हां ऐसे जन भी होते हैं। यदि वह अपने पहले किए हुए पापों के संबंध में आवश्यक परिशोध करने के योग्य न बनें, तो उनके विकार से उनका उद्धार नहीं हो सकता।

प्र.– ऐसे विकार के रहने से उनकी क्या हानि होती है?

उ.–उनके आत्मा में एक ओर उच्च शक्तियों के विकास का पूर्णतः वा अधिकांश रूप से मार्ग बंद हो जाता है, और दूसरी ओर कई और पापों से बचने के लिए या तो कोई आकांक्षा ही नहीं जागती वा यदि ऐसी आकांक्षा उत्पन्न हो चुकी हो, तो वह बलवती नहीं होती वा धीरे धीरे मर जाती है।

प्र.– तब तो मनुष्य के लिए अपने प्रत्येक प्रकार के पापों के विकारों से शुद्धि लाभ करना नितान्त आवश्यक है।

उ.– हां, जहां तक जिस के लिए संभव हो, उसके लिए ऐसी शुद्धि का लाभ करना नितान्त आवश्यक है।

2–प्रार्थना तत्व

****

प्र.– भगवन्! प्रार्थना किसे कहते हैं?

उ.– जब कोई जन अपनी किसी आन्तरिक आकांक्षा से परिचालित होकर और किसी अन्य को अपनी उस आकांक्षा के पूर्ण करने में समर्थ जान कर अपनी उस आकांक्षा की तृप्ति के निमित्त उसे उस तक पहुंचाता है, तब उसके उस प्रकाश को प्रार्थना कहते हैं।

प्र.– प्रार्थना कितने प्रकार की होती है?

उ.– मनुष्य अपने अस्तित्व के संबंध में नाना प्रकार की आवश्यकताएं वा नाना प्रकार के अभाव रखता है, इसलिए उनके संबंध में उसकी प्रार्थनाएं भी नाना प्रकार की होती हैं। यथा:- किसी दुख के बोध करने पर उसकी निर्वृत्ति के लिए किसी से प्रार्थना, किसी सुख की लालसा होने पर उसकी प्राप्ति के लिए किसी से प्रार्थना, किसी के साथ किसी विवाद वा झगड़े के हो जाने और आवश्यक बोध करने पर उसके संबंध में किसी से न्याय की प्रार्थना, किसी विषय में कुछ जानने की आवश्यकता के बोध करने पर किसी से उसके संबंध में अवगति वा ज्ञान प्राप्ति के लिए प्रार्थना, किसी काम के करने में अपने आपको अक्षम वा दुर्बल देखकर और उसके पूर्ण करने की आकांक्षा रखने पर, उसके संबंध में किसी और से बल प्राप्ति के लिए प्रार्थना, इत्यादि, इत्यादि।

प्र.– क्या प्रत्येक मनुष्य अपने आप में किसी सच्ची और प्रबल आकांक्षा के अनुभव करने और उसकी पूर्ति में अपने आपको असहाय पाने पर, किसी और से सहाय चाहता है?

उ.– हां, इस पृथ्वी में कोई मनुष्य ऐसा नहीं, जिसने अपने एक वा दूसरे प्रबल अभाव के समय, उसकी निर्वृत्ति के लिए अपने आपको असहाय पाने पर, किसी और से सहाय पाने की आकांक्षा वा प्रार्थना न की हो, अथवा जो अपनी किसी सच्ची और प्रबल आकांक्षा को पूरा करने के निमित्त अपने आपको अयोग्य वा असमर्थ पाने पर किसी और से सहाय प्रार्थना नहीं करता।

प्र.– क्या प्रत्येक मनुष्य जिस किसी से जो कुछ प्रार्थना करता है, वह पूर्ण होती है?

उ.– नहीं, जिस किसी प्रार्थना के पूर्ण होने के लिए जितने अंश अनुकूल अवस्था की आवश्यकता है, वह यदि विद्यमान हो, तो वह प्रार्थना पूर्ण होती है, अन्यथा नहीं होती। दृष्टान्त स्थल में, यदि तुम अपने हाथों से कोई ऐसा बोझ उठाना चाहते हो, कि जिसका उठाना तुम्हारी शक्ति से बाहर है, और जो जन तुम्हारे समीप हैं, उनमें से भी कोई तुम्हारे लिए अपना बल प्रयोग करना नहीं चाहता, अथवा जो जन अपने बल से तुम्हारी सहाय करना चाहता है, उसका बल इतना थोड़ा है, कि उसके बल की सहाय पाकर भी तुम उस बोझे के उठाने के योग्य नहीं हो सकते, तो ऐसी अवस्था में तुम उनसे वा उससे प्रार्थना करके भी सफल काम नहीं हो सकते।

प्र.– कोई जन अपनी किसी सच्ची प्रार्थना में सफल काम कब हो सकता है?

उ.– जब वह अपनी प्रार्थना किसी ऐसे अस्तित्व तक पहुंचावे कि जो

(1) सचमुच हो, और कल्पित न हो,

(2) उसकी प्रार्थना के पूर्ण करने के लिए भली भांत सामर्थ्य रखता हो,

(3) उसकी प्रार्थना को पूर्ण कर देना चाहता हो, और

(4) जिस तक उसकी प्रार्थना का भाव वा उसकी लहरें पहुंच सकती हों।

इन बातों के बिना कोई जन अपनी सच्ची प्रार्थना में सफल काम नहीं हो सकता।

प्र.– आत्मिक-कल्याण संबंधी प्रार्थनाओं में तो लाखों लोग इन बातों पर कुछ ध्यान नहीं रखते?

उ.– नहीं, क्योंकि प्रथम तो आत्मा और आत्मिक जीवन के विषय में करोड़ों जनों को कोई सत्य ज्ञान नहीं, दूसरे उनके विषय में अभी तक साधारण लोग **अन्ध विश्वास रखना वा उसके अनुसार चलना आवश्यक समझते हैं। और इन विषयों में सत्य ज्ञान की अभी तक उन्हें कोई आवश्यकता बोध नहीं होती।** इसीलिए वह मुंह से जिस बात के लिए अपने जिस किसी इष्ट देव से प्रार्थना करते हैं, वह या तो कल्पित अस्तित्व होता है, या उनकी प्रार्थना का विषय बहुधा ऐसा

होता है, कि जिसका उनके अपने हृदय की आकांक्षा के साथ कुछ मेल नहीं होता, और अनेक बार सत्य के पूर्ण विरुद्ध होता है। दृष्टान्त स्थल में, लाखों लोग ईश्वर नामक जिस पुरुष तक अपनी प्रार्थनाएं पहुंचाते हैं, उसका कल्पना के भिन्न वास्तव में कोई अस्तित्व नहीं। इसके भिन्न जिन कई प्रकार की आकांक्षाओं के संबंध में वह पहले से नियत शब्दों में वा किसी और विधि से प्रार्थनाएं करते हैं, उनके संबंध में उनके हृदय में सचमुच की कोई आकांक्षा नहीं होती, और वह किसी प्रचलित प्रथा के अनुसार ऐसा करते हैं। फिर कई बार वह इन शब्दों के द्वारा जिस प्रार्थना का प्रकाश करते हैं, वह पूर्णत: मिथ्या होती है। यथा, जो लोग लाखों रुपए बैंक में और हज़ारों रुपए महीने की आय रखकर भी यह प्रार्थना करते हैं, कि हे ईश्वर! तू हमें आज की रोटी दे, वह निश्चय प्रार्थना के साधन का पूरा पूरा मखौल करते हैं। इसीलिए प्रार्थना के नियम के पूरा होने के लिए जैसे यह आवश्यक है, कि

(1) जिससे प्रार्थना की जाय, वह कोई सच्चा अस्तित्व हो, और कोई कल्पित अस्तित्व न हो,

(2) वह किसी की किसी प्रार्थना के पूर्ण करने की सच्ची सामर्थ्य रखता हो,

(3) वह भली भांत चाहता हो, कि उसके द्वारा किसी प्रार्थी की कोई शुभ प्रार्थना पूर्ण हो, वैसे ही

(4) यह भी आवश्यक है, कि प्रार्थना कर्ता जिस बात के लिए प्रार्थना करता हो, वह **सरल भाव** से करता हो, अर्थात् **सचमुच उसके हृदय में उस बात के लिए सच्ची आकांक्षा वर्तमान हो**, और जिससे प्रार्थना करता हो, उसके साथ उसके हृदय का ठीक **योग** हो, और वह उसी बात के लिए उससे प्रार्थना करता हो, कि जिसके पूर्ण करने की उसमें सामर्थ्य हो।

प्र.– यह आपकी पूर्णत: सत्य शिक्षा है। परन्तु नाना धर्म सम्प्रदायों के लाखों लोग जैसे एक ओर प्रार्थना विषयक इन सत्यों को नहीं जानते, वैसे ही दूसरी ओर प्रार्थना के नाम से **मिथ्या और कपटता** का आचरण करके अपने आत्मा को पापी, मलिन और कठोर भी बनाते रहते हैं।

उ.– हां, यही हाल है। यदि किसी मनुष्य में अपनी किसी मिथ्या वा अहित मूलक विनाशकारी गति के संबंध में कोई बोध न जन्मा हो, और जो अपनी ऐसी गति में सुख वा तृप्ति अनुभव करता हो, यहां तक, कि जब उसकी इस हानिकारक क्रिया से उसका कोई हितकर्ता क्लेश पाकर उसकी इस शोचनीय अवस्था को उस पर प्रगट करता हो, तब वह अपनी मिथ्या वा अहित मूलक गति का साथी बनकर उलटा उसे

समर्थन करता हो, तो फिर वह किस मुंह से उसके दूर होने के निमित्त किसी से प्रार्थना कर सकता है? परन्तु लाखों मनुष्य जिन में बड़े बड़े विद्वान और पढ़े लिखे भी हैं, मिथ्या संस्कार वा अभ्यास के वशीभूत होकर वा दिखलावे के लिए ऐसी प्रार्थनाएं करते वा उनमें योग देते हैं, कि जो **पूर्णतः कपटता मूलक** होती हैं। इसीलिए जब तक किसी जन के हृदय में अपनी किसी नीच गति के संबंध में **आवश्यक बोध** उत्पन्न न हों, तब तक वह उससे उद्धार के लिए, और जब तक उसमें किसी उच्च गति दायक शक्ति के लिए आकांक्षा न जाग्रत हो, तब तक उसकी प्राप्ति के लिए, किसी से **सरल भाव** के साथ प्रार्थना कर **नहीं** सकता। और यदि वह जानबूझ कर मुंह से ऐसी प्रार्थना करता है, तो वह उसके द्वारा **कपटता** का आचरण करके निश्चय अपने आत्मा को भ्रष्ट करता है।

प्र.– मनुष्य को अपने आत्मा के संबंध में किस किस बात के लिए प्रार्थना करनी चाहिए?

उ.– मनुष्य को अपने आत्मा के संबंध में प्रत्येक ऐसी मिथ्या और अहित मूलक विनाशकारी गति से मोक्ष पाने और उच्च गति दायक किसी शक्ति की उत्पत्ति वा उस में विकास लाभ करने के लिए प्रार्थना करनी उचित और आवश्यक है, कि जिससे उद्धार वा जिसकी प्राप्ति के लिए उसमें आकांक्षा जाग्रत हो गई हो। इसी प्रकार अपनी एक वा दूसरी विनाशकारी नीच गति को, उसके **बुरे और घृणित रूप में देखने** की योग्यता लाभ करने के लिए अथवा किसी उच्च गति दायक शक्ति वा भाव को **सुन्दर रूप में उपलब्ध करने** के लिए, उसे ऐसी **ज्योति** के लिए प्रार्थना करनी उचित है, कि जिसकी प्राप्ति के लिए उसमें **आकांक्षा** जाग चुकी हो। फिर जब ऐसी ज्योति के मिलने से, उसे अपनी **कोई बुरी गति बुरे रूप में** प्रतीत होने लगे, तब वह उससे उद्धार के निमित्त और जब किसी उच्च भाव के लिए उसमें आकांक्षा जाग्रत हो जाय, तब वह उसके **विकास** के निमित्त **बल** की प्रार्थना कर सकता है।

प्र.– ऐसी प्रार्थना किससे करनी उचित है?

उ.– देवात्मा से, क्योंकि एक मात्र उन्हीं के द्वारा वह अपनी प्रत्येक प्रकार की विनाश वा विकासकारी गति के संबंध में आवश्यक देव ज्योति वा देव तेज की किरणें लाभ कर सकता है, और एक मात्र वही ऐसी अमूल्य और अति आवश्यक देव ज्योति और देव तेज के पूर्ण **आविर्भाव** हैं।

प्र.– इस देव ज्योति और देव तेज का कोई सच्चा अभिलाषी जन उनसे किस प्रकार प्रार्थना करे?

उ.– सत्य देव भगवान देवात्मा से उनकी देव ज्योति और उनके देव तेज सम्पन्न देव प्रभावों को लाभ करने के लिए प्रार्थना आदि की विधि देव शास्त्र के तीसरे खण्ड में पैंतीसवें अध्याय में दी जा चुकी है। उसका विचार पूर्वक अध्ययन करना चाहिए।

प्र.– किसी मनुष्य के हृदय से उसकी चिन्ता वा उसके भावों की लहरें निकल कर किसी और के हृदय तक क्योंकर पहुंच जाती हैं?

उ.– जिस प्रकार वायु के आघात से जल में लहरें उत्पन्न होती हैं और दूर दूर तक चली जाती हैं, और शब्द के आघात से वायु में लहरें उत्पन्न होती हैं और वह दूर दूर तक चली जाती हैं, और ज्योति की लहरें व्योम (ईथर)* में उत्पन्न होकर हज़ारों मीलों तक चली जाती हैं– सूर्य की किरणें इसी व्योम के द्वारा इस पृथ्वी तक पहुंचती हैं:– इसी प्रकार मनुष्य के हृदय में जो भाव उत्पन्न होता है, उसकी लहरें भी इसी व्योम के द्वारा उस हृदय तक पहुंच जाती हैं, जिसके साथ उसका योग वा संबंध हो।

प्र.– यह तो बहुत विचित्र और हितकर नियम है।

उ.– हां, नेचर के इसी अटल नियम के अनुसार सत्य देव भगवान देवात्मा के कितने ही योग्य सेवक अपनी सच्ची प्रार्थना और उनके साथ अपने हृदय के सच्चे योग के द्वारा देव लोक से भी **उनसे देव ज्योति और देव तेज लाभ करते हैं।**

------

3. मंगलकामना तत्व

****

प्र.– भगवन्! मंगल कामना किसे कहते हैं?

उ.– मंगल, शुभ वा शिव वा हित वा भले को कहते हैं। और अपने वा किसी और के शुभ वा भले के लिए जो कामना की जाती है, उसे मंगल कामना कहते हैं।

प्र.– कोई जन अपने वा किसी और के लिए कब और किस प्रकार मंगल कामना कर सकता है?

उ.– जब उसके हृदय में अपने वा किसी और के संबंध में किसी दुख वा शोक वा विषाद वा रोग वा पीड़ा वा विपद् के दूर होने वा किसी शारीरिक वा मानसिक दुर्बलता वा किसी मिथ्या वा अहित मूलक विनाशकारी गति से मोक्ष पाने वा किसी उच्च भाव की उत्पत्ति वा किसी उच्च लक्ष्य की सफलता के लिए कोई **सच्ची**

---

*इस ग्रंथ के रचयिता की देव शास्त्र खण्ड 2 में दी गई लिखित आज्ञा के पालन हेतु नवीनतम वैज्ञानिक अनुसंधान के अनुसार व्योम (ईथर) की वर्तमानता की पुष्टि नहीं है।

प्रेरणा वा आकांक्षा उठती हो, और वह ऐसी प्रेरणा वा आकांक्षा के उठने पर जब उसके दूर वा प्राप्त होने के लिए अपने हृदय में ध्यान जमा कर लगातार कुछ समय तक बार बार कामना कर सकता हो, तब वह अपने वा किसी और के लिए मंगलकामना विषयक साधन करने के योग्य होता है।

प्र.– अपने किसी हार्दिक दुख वा अपने शरीर के संबंध में कई प्रकार के रोगों वा क्लेशों का बोध तो सर्व साधारण जनों में पाया जाता है, परन्तु अपनी किसी विनाशकारी गति वा अपने किसी बुरे स्वभाव से मोक्ष वा अपने हृदय में किसी उच्च भाव की उत्पत्ति वा उन्नति के लिए तो प्राय: लोगों में कोई प्रेरणा वा आकांक्षा देखी नहीं जाती।

उ.– ठीक है।

प्र.– यदि कोई जन किसी और के किसी शारीरिक रोग वा कष्ट वा किसी आत्मिक अभाव वा पाप वा हानि आदि के दूर होने वा उसकी किसी प्रकार की उन्नति के संबंध में अपने हृदय में कोई प्रेरणा उठती हुई अनुभव न करता हो, अर्थात् उसका हृदय किसी ऐसी प्रेरणा से पूर्णत: शून्य हो, तो क्या वह उसके लिए मंगलकामना नहीं कर सकता।

उ.– नहीं। जब तक किसी और का अभाव तुम्हें **अनुभव** न हो, अथवा किसी और के दुख में तुम्हारा हृदय दुखी और उसकी किसी भलाई के लिए तुम्हारा हृदय आकांक्षी न हो, तब तक **तुम्हारे भीतर वह शक्ति ही वर्तमान नहीं, कि जिसके द्वारा तुम शुभ कामना करके उसकी कोई सहाय कर सकते हो।** और यदि तुम किसी के खुश करने वा किसी के सम्मुख दिखलावे के लिए मुंह वा लेख के शब्दों से उसका झूठ मूठ प्रकाश करो, तो तुम उससे उलटा आप कपटी वा प्रवंचक बनकर अपने आत्मा की हानि करते हो। सच्ची मंगल कामना केवल यही नहीं, कि किसी के लिए हानिकारक नहीं होती, किन्तु थोड़ी वा बहुत अवश्य हितकारक होती है।

प्र.– सच्ची मंगल कामना से किसी और का शुभ क्योंकर होता है?

उ.– जबकि आत्मा की किसी शक्ति से ही सच्ची मंगल कामना उत्पन्न होती है, तब उसके प्रयोग से जैसे कामना कर्ता का शुभ होना आवश्यक है, वैसे ही जिसके वा जिनके लिए शुभ कामना की जाये, उसका वा उनका भी अनुकूल अवस्था में कुछ न कुछ वा पूर्ण शुभ होना आवश्यक है, क्योंकि किसी शक्ति का कार्य किसी प्रभाव वा फल के उत्पन्न करने के बिना नहीं रह सकता।

प्र.–किस किस अस्तित्व के लिए मंगल कामना की जा सकती है?

उ.– ऐसे प्रत्येक जीवन रहित और जीवन विशिष्ट अस्तित्व के संबंध में मंगल कामना का प्रयोग हो सकता है, कि जो कल्पित न हो, और कहीं न कहीं विद्यमान हो।

प्र.– क्या किसी निर्जीव पदार्थ पर भी मंगल कामना का प्रयोग हो सकता है?

उ.– हां, यदि उसमें कुछ भी उच्च परिवर्तन की संभावना हो तो सच्ची मंगल कामना की शक्ति से उसे भी लाभ पहुंचता है।

स्मरण रखो कि नेचर के सब विभाग एक दूसरे से जुड़े हुए होने के कारण उनके विविध प्रकार के अस्तित्व एक वा दूसरे के भले वा बुरे प्रभाव वहां तक लाभ करते रहते हैं, जहां तक उनके ग्रहण करने की उनमें योग्यता वर्तमान हो और उन्हें अवसर प्राप्त हो। इसलिए न केवल तुम्हारी मंगल कामना की शक्ति के द्वारा किन्तु यों भी तुम्हारे अस्तित्व से जो भले वा बुरे प्रभाव सूक्ष्म रूप में रात दिन निकलते रहते हैं, उनके द्वारा भी चुपचाप कितने ही अस्तित्व भला वा बुरा परिवर्तन ग्रहण करते रहते हैं। सुतरां तुम जिस घर में रहते हो, वह घर और उसके विविध पदार्थ जहां तक जितनी योग्यता रखते हैं, वहां तक वह तुम्हारे भले वा बुरे प्रभाव ग्रहण कर लेते हैं, और अपनी बारी में यथा अवसर वही प्रभाव औरों तक पहुंचाते रहते हैं। संगत का नियम प्रत्येक जगत् में काम करता है यही कारण है, कि उच्च प्रभाव दायक संगत में आकर कोई अस्तित्व योग्यता रखने पर उच्च बन जाता है, और नीच संगत के पतनकारी प्रभावों को ग्रहण करके पतित हो जाता है। इसीलिए जैसे उच्च और भली संगत से अधिकारी जन अपनी एक वा दूसरी पतित अवस्था से उद्धार लाभ करते हैं, वैसे ही बुरी संगत से नाना प्रकार के अस्तित्व पतित वा बुरे भी बन जाते हैं।

प्र.– तब तो किसी के लिए किसी की सच्ची मंगल कामना के प्रभाव लाभ करने के योग्य होना बहुत सौभाग्य का विषय है!

उ.– इसमें क्या संदेह है।

प्र.– मंगल कामना के प्रभाव कहां कहां तक पहुंचते हैं?

उ.– यह प्रभाव निकट भी और बहुत दूर दूर तक भी पहुंचते हैं। प्रार्थना तत्व के वर्णन में व्योम वा ईथर के भीतर चिन्ता और भाव के द्वारा लहरों के उत्पन्न होने और दूर तक चले जाने का विषय तुम जान चुके हो उसके अब फिर दोहराने की आवश्यकता नहीं।

प्र.– हां लहरों की उत्पत्ति और गति का नियम मुझे भली भांत स्मरण है। परन्तु भगवन्! आप यह बतावें, कि मंगल कामना और प्रार्थना में क्या अन्तर है?

उ.– मंगल कामना के द्वारा कोई जन अपनी ही शक्ति का अपने वा किसी और के ऊपर प्रयोग करता है। परन्तु प्रार्थना के द्वारा वह अपने लिए **किसी और**

से सहाय की भिक्षा मांगता है। मंगल कामना के द्वारा वह **अपनी वा किसी और की सहाय करता है**, और प्रार्थना के द्वारा वह **अपने लिए किसी और से सहाय चाहता वा प्राप्त करता है।**

प्र.– अपने लिए मनुष्य किस किस बात के लिए मंगल कामना कर सकता है?

उ.– अपने लिए मनुष्य,

(1) नाना प्रकार के रोगों और कष्टों,

(2) नाना प्रकार की विपदों,

(3) नाना प्रकार की अपमृत्यु,

(4) किसी प्रकार की अकाल मृत्यु,

(5) किसी शारीरिक दुर्बलता,

(6) किसी पतनकारी नीच गति से निवृत्ति,

(7) किसी मानसिक शक्ति की उन्नति,

(8) किसी उच्च भाव की उत्पत्ति,

(9) किसी उच्च व्रत की सिद्धि,

(10) किसी उच्च लक्ष्य विषयक किसी अभाव के निवारण, आदि के संबंध में मंगल कामनाएं कर सकता है।

प्र.– किसी और के संबंध में मनुष्य किन किन बातों के लिए मंगल कामनाएं कर सकता है?

उ.– कोई मनुष्य योग्यता रखने पर अपने भिन्न

(1) किसी और मनुष्य के संबंध में भी उपरोक्त बातों के लिए,

(2) अपनी किसी समाज वा संस्था की उन्नति के लिए,

(3) अपने उपकारी वा सेवाकारी वा आश्रित जनों, पशुओं और पौधों और सूर्य, पृथ्वी, चन्द्र और वायु आदि निर्जीव लोकों वा अन्य पदार्थों के लिए, और

(4) अपने विविध प्रकार के इस लोक वा अधम वा परलोक वासी पारिवारिक वा सामाजिक ऐसे संबंधियों के लिए कि जो उसके उपकारी न भी हों, परन्तु जिनके किसी प्रकार के हित के लिए उसमें कोई आकांक्षा वर्तमान हो, मंगल कामनाएं कर सकता है।

प्र.– क्या प्रत्येक विषय में जो मंगल कामना की जाती है, वह पूरी होती है?

उ.– नहीं, किसी किसी विषय में अपने वा किसी और के संबंध में कोई कोई मंगल कामना पूरी नहीं भी होती, और नहीं हो सकती। परन्तु कोई मंगल कामना अपना थोड़ा वा बहुत वा पूर्णतः फल उत्पन्न करने के बिना नहीं रह सकती, क्योंकि

शक्ति के परिचालन से किसी गति वा फल की उत्पत्ति अवश्यम्भावी है। जैसे औषधि के बल से प्रत्येक रोगी की प्रत्येक रोग से निवृत्ति नहीं होती, परन्तु नाना रोगियों के नाना रोग अवश्य दूर होते हैं, वैसे ही मंगल कामना की शक्ति के द्वारा नाना संबंधों में जहां नाना प्रकार के शुभों की उत्पत्ति होती है, वहां औरों के संबंध में जो जन जहां तक सच्ची मंगल कामना करता है, वहां तक उसके अपने आत्मा का तो अवश्य शुभ होता है।

प्र.– क्या किसी की ओर से अपने किसी बड़े से आशीर्वाद चाहने का भी यही अभिप्राय है, कि वह उससे अपने लिए मंगल कामना के लिए प्रार्थना करता है?

उ.– हां, किसी बड़े से आशीर्वाद वा उससे मंगल कामना चाहना एक ही बात है। इसीलिए किसी बड़े का अपनी ओर से किसी छोटे को हृदय गत आशीर्वाद देना मानो उसके प्रति मंगल कामना का प्रकाश करना है।

प्र.– योग्यता रखने पर भी किसी के संबंध में किसी की मंगल कामना कम और किसी के संबंध में अधिक गहरी क्यों होती है?

उ.– किसी की ओर से किसी के लिए मंगल कामना का कम वा अधिक गहरा होना उसके साथ उसके हृदय के संबंध पर निर्भर करता है। अर्थात् जो अस्तित्व किसी को किसी और अस्तित्व की अपेक्षा जितना अधिक प्रिय होगा, उसके लिए वह उतने ही अधिक प्रबल भाव से मंगल कामना कर सकेगा, और जितना यह भाव प्रबल होगा, उतना ही उसका प्रभाव भी अधिक होगा। यदि दो जनों में से किसी एक की अनुचित क्रियाओं से तुम्हारा हृदय उससे दूर हो चुका हो, और दूसरे के प्रति केवल यही नहीं, कि तुम्हारे हृदय में कोई दूरी न हो, किन्तु उसकी एक वा दूसरी भली क्रिया से कुछ अनुराग उत्पन्न हो चुका हो, और तुम्हारे हृदय में दोनों के प्रति ही मंगल कामना करने के लिए कोई शक्ति प्रेरणा करती हो, तो पहले की अपेक्षा दूसरे के संबंध में तुम अधिक बलवती मंगल कामना कर सकोगे, और उस तक उसके अधिक बलिष्ठ प्रभाव पहुंचा सकोगे।

प्र.– यदि किसी के हृदय में किसी के प्रति दूरी वर्तमान हो, तो क्या वह उसके लिए मंगल कामना कर सकता है?

उ.– हां, यदि इस दूरी की तुलना में उसमें कोई और ऐसा भाव वर्तमान हो, कि जो उसके किसी दुख वा अभाव के दूर होने वा किसी उचित लाभ की प्राप्ति के लिए उसे प्रेरणा कर सकता हो, तो वह उस प्रेरणा की कम वा अधिक गहराई के अनुसार उसके लिए अवश्य मंगल कामना कर सकता है।

प्र.– क्या इस नियम के अनुसार किसी के लिए अपने किसी शत्रु के प्रति भी मंगल कामना करना संभव है?

उ.–निश्चय संभव है। और देवात्मा ने कितने ही ऐसे जनों के लिए मंगल कामनाएं की हैं, जिन्होंने अपनी अनुचित क्रियाओं से उन्हें नाना प्रकार के भयानक क्लेश पहुंचाए हैं, और कई और प्रकार से उनकी हानियां की हैं। इनमें से कई जन ऐसे भी हैं, जिन्होंने यद्यपि उनसे नाना प्रकार के हित पाये थे, तथापि उन्होंने अपने एक वा दूसरे अनुचित भाव से परिचालित होकर उनके संबंध में कृतज्ञता मूलक क्रियाओं के स्थान में कृतघ्नता मूलक क्रियाएं की हैं, और उनकी इन शोचनीय क्रियाओं के प्रति उनके हृदय में गहरी घृणा भी रही है, तथापि वह उन्हें अपनी मंगल कामनाओं में स्मरण करते रहे हैं।

प्र.– क्या किसी मनुष्य के संबंध में कभी अमंगल कामना करना भी उचित हो सकता है?

उ.– कदापि नहीं। परन्तु किसी अन्यायी, दुष्ट वा अत्याचारी और हानिकारक मनुष्य से अपनी वा किसी और की **उचित रक्षा** के निमित्त उसके संबंध में ऐसी कामना की जा सकती है, कि उसकी अमुक दुष्टता दूर हो, अथवा कोई ऐसी घटना उत्पन्न हो, कि जिससे उसकी दुष्टता में रोक पैदा हो, अथवा किसी राज्य विधि के अनुसार उसे कोई उचित दण्ड प्राप्त हो, वा कोई और ऐसी घटना हो, कि जिससे उसकी दुष्क्रियाओं से उसकी वा औरों की उचित रक्षा वा औरों में ऐसी बुरी क्रियाओं के परिणाम के विषय में कोई भय उत्पन्न हो।

प्र.– क्या यह उनके लिए अमंगल कामना करना नहीं है?

उ.– नहीं, जिस प्रकर न्यायमूलक राज्य विधि के अनुसार आवश्यक होने पर किसी अपराधी को पकड़ना वा पकड़वाना वा उसे दण्ड देना वा दिलवाना उसके संबंध में अमंगल करना नहीं, किन्तु **अपनी वा जन समाज की उचित रक्षा वा भलाई के लिए ऐसा करना उचित वा विधेय है,** उसी प्रकार किसी अत्याचारी के हाथ से अपनी वा जन समाज की रक्षा के निमित्त पूर्वोक्त प्रकार की कामना अमंगल कामना नहीं होती, और नहीं हो सकती।

प्र.– फिर अमंगल कामना क्या होती है?

उ.– अमंगल कामना वह है, कि जिसमें कोई जन अपने किसी अनुचित लाभ वा सुख वा ईर्षा वा प्रतिशोध वा कुसंस्कार के वशीभूत होकर किसी के अनिष्ट के लिए कोई कामना करता है। इस प्रकार की कामना किसी के संबंध में कभी उचित नहीं, और ऐसी कामना का करना आत्मा के लिए बहुत हानिकारक होता है। इसके विपरीत सच्ची मंगल कामना सदा शुभ फल उत्पन्न करती है।

------

4. मृत्यु और परलोक तत्व*

****

प्र.- मनुष्य के आत्मा का उसके शरीर के साथ क्या संबंध है?

उ.- मनुष्य का आत्मा ही उसके शरीर का निर्माणकर्ता, पालनकर्ता, और अधिपति है। उसी के शरीर में वर्तमान रहने से शरीर जीवित रहता है, और उसी के वियोग से शरीर मृत्यु को प्राप्त होता है। यही आत्मा स्थूल शरीर की मृत्यु के पश्चात् अपने भीतर सूक्ष्म शरीर निर्माण विषयक आवश्यक शक्ति रखने और अपनी देह में से आवश्यक मात्रा में सूक्ष्म परमाणुओं के प्राप्त होने पर अपने पहले शरीर के अनुरूप एक नया शरीर निर्माण करता है, और फिर पहले की न्याईं पूर्ण मनुष्य बन जाता है।

प्र.- क्या शरीर के नष्ट अथवा मृत हो जाने पर आत्मा नष्ट नहीं होता?

उ.- सर्वदा नहीं। परन्तु जब वह अपने स्थूल शरीर के त्याग के अनन्तर सूक्ष्म शरीर के निर्माण करने की आप शक्ति नहीं रखता, अथवा उसके निर्माण करने के लिए आवश्यक मात्रा में सूक्ष्म परमाणु नहीं पाता, अथवा अपमृत्यु को प्राप्त होता है, तब निश्चय नष्ट हो जाता है, अन्यथा नहीं होता, और सूक्ष्म शरीर को निर्माण करके फिर थोड़ी देर में प्रकाशित हो जाता है।

प्र.- किस प्रकार की प्रतिकूल घटनाओं के उपस्थित होने पर मनुष्यात्मा अपमृत्यु को प्राप्त हो कर नष्ट हो जाता है?

उ.- (1) शरीर सहित आग में पूर्णतः भस्म हो जाने से।

(2) शरीर सहित किसी मिट्टी आदि के ऐसे ढेर के नीचे बहुत देर तक दबे रहने से, कि जहां शरीर के लिए श्वास लेना असंभव हो चुका हो।

(3) बहुत उंचाई से गिर कर शरीर की जीवनी क्रिया के हठात् बन्द हो जाने से, अथवा बिजली के गिरने और शरीर के हठात् छिन्न भिन्न हो जाने से।

(4) बारूद वा तोप के गोले आदि के द्वारा शरीर के हठात् टुकड़े टुकड़े होकर दूर तक तितर बितर हो जाने से। इत्यादि।

प्र.- किसी और प्रकार से भी?

उ.- हां, भ्रूणपात हो जाने पर अथवा शारीरिक पूर्ण गठन के मिलने पर जन्म लेते ही वा उसके थोड़े दिनों के अनन्तर देहत्याग करने पर भी आत्मा नष्ट हो जाता है।

---

* परलोक के विषय में भगवान देवात्मा की अन्तिम शिक्षा का उनकी रचित 'मनुष्यात्मा के संबंध में चार महा तत्व' नामी पुस्तक के दूसरे अध्याय के चारों परिच्छेदो में से पाठ करें।

प्र.– तब क्या अपमृत्यु से मनुष्य का रक्षा पाना नितान्त आवश्यक है?

उ.– हां, नितान्त आवश्यक है, और इसीलिए जहां तक संभव हो, प्रत्येक मनुष्य की अपमृत्यु से रक्षा होनी चाहिए।

प्र.– क्या स्वाभाविक मृत्यु काल के उपस्थित होने पर मुमूर्षू की किसी प्रकार से सहाय करने की आवश्यकता है?

उ.–हां, स्वाभाविक मृत्यु के उपस्थित होने पर भी सूक्ष्म शरीर के भलीभांत निर्माण होने और उसे कई प्रकार के विघ्नों से सुरक्षित रखने के लिए, अन्तिम काल विषयक कई कल्याणकारी नियमों के पालन करने की आवश्यकता है।

प्र.– कौन कौन से नियमों की?

(1) मुमूर्षू (मरने वाले) का वास स्थान, उसका चारपाई, उसके बिछौने और उसके पहनने और ओढ़ने के सब वस्त्र परिष्कार हों।

(2) मुमूर्षू के पास किसी प्रकार की दुर्गन्ध न आती हो।

(3) मुमूर्षू के वास स्थान में ताज़ी हवा के आने जाने के लिए उचित रूप से द्वार आदि खुले हुए हों।

(4) मुमूर्षू के शरीर पर से बहुत तेज़ वायु प्रवाहित न होती हो।

(5) मुमूर्षू के शरीर तक मेंह आदि की कोई बूंदें न पहुंचती हों।

(6) मुमूर्षू के समीप अग्नि न रखी जावे (रात के समय कुछ दूर पर लैम्प वा दीपक जल सकता है)।

(7) मुमूर्षू के वास गृह में बहुत लोग इकट्ठे न हों।

(8) मुमूर्षू का शिर उसके पास की कन्ध (दीवार) से यथा संभव एक वा दो हाथ वा उससे भी अधिक हटा हुआ हो।

(9) मुमूर्षू का शिर पूर्ण रूप से खुला रहे। और यदि किसी विशेष कारण से उसके शिर पर कपड़ा रखना बहुत ही आवश्यक हो, तो उस पर सिवाय पतले और हलके कपड़े के कोई मोटा और भारी कपड़ा न रखा जाय।

(10) मुमूर्षू के शिर पर (और हो सके तो उसके शरीर पर भी) कुछ सुगंधि लगाई जाय।

(11) मुमूर्षू के शिर की ओर का स्थान बिलकुल खाली रहे, अर्थात् उधर कोई मनुष्य न बैठे, और न खड़ा हो, और न उधर कोई वस्तु रखी जाय, और जिस किसी जन को उसके पास रहना आवश्यक हो, वह उसके पांयते अर्थात् पांवों की ओर अथवा दाएं बाएं बैठे, वा खड़ा हो, क्योंकि उसके सूक्ष्म परमाणु शिर से निकल निकल कर उसके सिर की ही ओर एकत्र होते हैं, और उनमें किसी मनुष्य वा वस्तु

की ओर से कोई व्याघात न पड़ना चाहिए। इस नियम पर बहुत अधिक ध्यान रखने की आवश्यकता है।

(12) मुमूर्षू के शिर के पास से अर्थात् उसके सिरहाने की तरफ से किसी का आना जाना न हो।

(13) मुमूर्षू के कान तक किसी प्रकार का कोई उच्च शब्द न पहुंचे।

(14) मुमूर्षू के समीप कोई उच्च स्वर से न बोले, और जहां तक हो, उसके समीप अधिक बातचीत न की जाये।

(15) मुमूर्षू के समीप कोई जन उच्च शब्द निकाल कर रोदन न करे। यदि रोना आता हो, तो उसके पास से बहुत दूर जाकर रोवे।

(16) मुमूर्षू के शरीर को जहां तक हो, हिलाया जुलाया न जाय।

(17) मुमूर्षू के मर जाने पर कितनी देर तक उसके शव को किसी प्रकार छेड़ा न जाय।

(18) मुमूर्षू के हाथ पांव आदि यदि अधिक ज़ोर से खिचते हुए दिखाई दें, तो उन पर धीरे धीरे हाथ फेरा जाय।

(19) मृत्यु के समय और उसके अनन्तर भी देहत्यागी के कल्याण के लिए चुपचाप मंगल कामना की जाय, अथवा मंगल कामना संबंधी कोई गीत (बिना बाजे के गाया जाय)।

(20) मृत्यु हो चुकने के तीन चार घंटे के अनन्तर तक उच्च स्वर के साथ रोदन न किया जाय।

प्र.- सूक्ष्म शरीर किस प्रकार निर्माण होता है?

उ.- स्थूल शरीर में जब मृत्यु का कार्य आरंभ हो जाता है, तब उस समय से लेकर जब तक श्वास क्रिया का शेष नहीं हो जाता, तब तक उसके भीतर से ऐसे सूक्ष्म परमाणु कि जो स्थूल दृष्टि से दिखाई नहीं देते, धुएं की न्याईं सिर से लगातार निकलते रहते हैं, और उससे कुछ दूर पर इकट्ठे होते रहते हैं। जब स्थूल शरीर के यह सब सूक्ष्म परमाणु बाहर निकल कर इकट्ठे हो जाते हैं, तब उन्हें लेकर जीवनी शक्ति अपने लिए सूक्ष्म शरीर के निर्माण का कार्य आरंभ करती है, और जैसे जरायु में मां के शरीर के परमाणुओं से धीरे धीरे बच्चा बनता है, वैसे ही इन परमाणुओं से उसके पहले शरीर के अनुरूप एक नया सूक्ष्म शरीर बन जाता है, और फिर यह क्रम क्रम से बोध लाभ करके पहले की सदृश्य फिर पूर्ण और चेतन मनुष्य बन जाता है।

प्र.- स्थूल शरीर की मृत्यु के अनन्तर कितनी देर में यह सूक्ष्म शरीर बन जाता है?

उ.– प्राय: आधे घण्टे से लेकर पांच-छ: घंटे तक बनकर चेतन अवस्था में पंहुच जाता है।

प्र.– स्थूल देह के त्याग के अनन्तर जो आत्मा सूक्ष्म शरीर धारण करने योग्य होते हैं, वह सब कहां जाते और कहां रहते हैं?

उ.– अपनी अपनी नीच और उच्च अवस्था के अनुसार कोई इसी पृथ्वी के साथ बन्धे रहकर अधम लोक में रहते हैं, और कोई परलोक संबंधी किसी लोक में जाकर वास करते हैं।

प्र.– परलोक कहां है?

उ.– जिस प्रकार हमारे स्थूल सौर जगत् के साथ हमारी इस पृथ्वी का संबंध है, और यह पृथ्वी उसका एक अंग है, उसी प्रकार इस सौर जगत् के सूक्ष्म परमाणुओं से जो एक और **सूक्ष्म** सौर जगत् बना है, उसके साथ हमारी जैसी जिस **सूक्ष्म पृथ्वी** का संबंध है, उसे **परलोक** कहते हैं

प्र.– तब फिर हमारी स्थूल पृथ्वी की न्याईं एक और सूक्ष्म पृथ्वी का नाम ही परलोक है?

उ.– हां।

प्र.– क्या सूक्ष्म पृथ्वी भी हमारी पृथ्वी की न्याईं गोल और विविध प्रकार के वृक्षों और पशुओं आदि का वास स्थान है?

उ.– हां।

प्र.– वहां पर मनुष्य आत्मा तो यहां से जाकर बसते हैं, पर क्या वृक्ष और पशु आदि भी यहां से जाते हैं?

उ.– हां।

प्र.– क्या परलोक संबंधी पृथ्वी में कई लोक हैं?

उ.– हां। परलोक संबंधी पृथ्वी अपनी अपेक्षाकृत अल्प वा अधिक सूक्ष्म अवस्था के विचार से बहुत से लोकों में विभक्त है। और यह सब **लोक** अपनी अपनी अपेक्षाकृत निम्न अथवा उच्च अवस्था के अनुसार विविध प्रकार के जीवन धारियों को धारण और पोषण करते हैं। अर्थात् उसका एक भाग जो यहां से जाते हुए पहले आता है, और जो अधिकांश रूप से वृक्षों से ही भरा हुआ है, वह वहां का **उद्भिद् लोक** कहलाता है। फिर उससे आगे का भाग जिसमें अधिकांश पशु ही रहते हैं, **पशु लोक** कहलाता है। फिर उससे आगे का भाग जिसमें अधिकांश रूप से मनुष्यों के बच्चे ही रहते हैं, शिशुलोक कहलाता है। फिर उससे आगे के विभाग में प्रथम श्रेणी के मनुष्य आत्मा रहते हैं, और वह **पहला लोक** कहलाता है। फिर उससे आगे का

लोक जो दूसरी श्रेणी के मनुष्य आत्माओं के वास के योग्य है, **दूसरा लोक** कहलाता है। इसी प्रकार जो तीसरी श्रेणी के मनुष्य आत्माओं के वास के योग्य है, वह **तीसरा लोक** और जो चौथी श्रेणी के मनुष्य आत्माओं के वास के योग्य है, वह **चौथा लोक,** और जो पांचवीं श्रेणी के योग्य है, वह **पांचवां,** और जो छठी के योग्य है, वह **छठा लोक** कहलाता है। और इसी प्रकार यह क्रम आगे भी है।

प्र.- तब क्या अपने अपने जीवन की नीच वा उच्च अवस्था के विचार से जो जो वृक्ष अथवा पशु अथवा मनुष्य परलोक संबंधी जिस जिस लोक के योग्य होता है, वह इस पृथ्वी पर मरने के अनन्तर उसी लोक को प्राप्त होता है?

उ.- हां। अनुकूल अवस्थाओं में उसी लोक में पहुंच जाता है।

प्र.- क्या पशुओं और पौधों में भी कोई अपेक्षाकृत उच्च और कोई नीच होते हैं?

उ.- हां। जो पशु वा पौधा अपने अस्तित्व के विचार से विश्व के और अस्तित्वों के संबंध में जितना हितकर वा हानिकारक होता है, वह उतना ही उच्च वा नीच होता है, और इसीलिए उच्च श्रेणी के पशु और पौधे अपनी अपनी अवस्था के अनुसार उच्च लोकों को और नीच श्रेणी के पशु और पौधे नीच लोकों को प्राप्त होते हैं, अथवा किसी लोक में भी पहुंचने की योग्यता न रखने पर मरने के साथ ही पूर्णतः नष्ट हो जाते हैं, यथा शेर, भेड़िया, चीता आदि नाना प्रकार के हिंसक जीव और सांप, बिच्छू, मच्छर, खटमल, भिड़ आदि नाना प्रकार के हानिकारक जीव और आक धतूरा आदि कई प्रकार के पौधे मरने के साथ ही साधारणतः नष्ट हो जाते हैं।

प्र.- और जो आत्मा यहां से मरने के अनन्तर सूक्ष्म शरीर ग्रहण करके परलोक के किसी लोक में पहुंचने और वास करने के योग्य नहीं होते, उनकी क्या दशा होती है?

उ.- वह सूक्ष्म आकार धारण करने पर इसी पृथ्वी में रह जाते हैं, और इसी पृथ्वी में अथवा इसके आसपास घूमते रहते हैं। उनके इस निवास स्थान को **अधम लोक** कहते हैं। और जो मनुष्यात्मा इस अधम लोक में वास करते हैं, **वह अधम आत्मा** कहलाते हैं।

प्र.- अधम आत्मा उच्च न बनकर और अधम लोक में पड़े रहकर कब तक जीवन धारण करते हैं?

उ.- जब तक उनकी जीवनी शक्ति घटते घटते शेष नहीं हो जाती, और उन्हें अपने सूक्ष्म शरीर के पालन के लिए आहार आदि मिलता रहता है।

प्र.– भला अधम आत्माओं को आहार किस प्रकार मिलता है?

उ.– वह हम लोगों के आहार और इस पृथ्वी के फलों आदि से जो सूक्ष्म परमाणु निकलते हैं, उन्हें खाते हैं। इसके भिन्न जो पशु मर कर अधम लोक में ही रहते हैं, अथवा मनुष्यों के जो छोटे छोटे बच्चे मरते हैं, और जिनका कोई रक्षक नहीं होता, उन्हें भी चट कर जाते हैं।

प्र.– क्या जब कोई छोटा बच्चा वा किसी बड़ी वयस का कोई जन इस पृथ्वी में मरने लगता है, तब उसके कोई परलोक वासी संबंधी आत्मा उसकी कुछ सहायता करते हैं?

उ.– हां। साधारणत: उसके परलोक वासी संबंधी आत्मा अथवा परोपकार भाव से परिचालित होकर वहां के अन्य आत्मा उसके पास पहुंच कर उसकी सहायता करते हैं, और उसके सूक्ष्म शरीर के ग्रहण कर लेने पर यदि वह परलोक में जाने के योग्य हो, तो उसे वहां ले जाकर जो कुछ उसकी और सहाय कर सकते हैं, वह भी करते हैं। छोटे बच्चों के लिए विशेष कर ऐसी सहाय की बहुत आवश्यकता होती है; क्योंकि वह अपने आप अपनी रक्षा कुछ भी नहीं कर सकते, और इसीलिए जिन बच्चों का और कोई रक्षक नहीं होता, उनके पास यथासाध्य पहुंचने और उनकी सब आवश्यक सहाय करने के लिए ऐसे परोपकारी आत्मा चेष्टा करते हैं।

प्र.– क्या भूत, चुड़ैल आदि अधम आत्माओं के ही नाम हैं?

उ.– हां, और यह सब महानीच और अधम जीवन व्यतीत करते हैं।

प्र.– क्या इस अधम अवस्था से उनके निकलने का कोई उपाय नहीं?

उ.– कोई कोई आत्मा जो अधम लोक से परलोक में पहुंचने की योग्यता लाभ कर सकते हैं, परन्तु वह किसी प्रबल मोह वा महा पाप के कारण अधम लोक में ही रह जाते हैं, वह उचित सहाय पाने और उस विकार से रहित होने पर ऊपर के किसी लोक में चले जाते हैं। परन्तु उनके भिन्न और अधम आत्मा जो परलोक में जाने की कुछ भी योग्यता नहीं रखते, वह इतने कदर्य और गंदे होते हैं, और उनके भीतर से इतनी दुर्गन्ध निकलती है, कि कोई उच्च आत्मा उनके पास खड़ा तक नहीं हो सकता। वह सभी इतने पतित होते हैं, कि उनके भीतर कुछ भी उच्च बनने की अभिलाषा नहीं रहती और इसीलिए वह अपनी नीच गतियों के महा भयानक फलों को न्यूनाधिक काल तक भोग कर और उसी महा शोचनीय अवस्था में धीरे धीरे घुलकर जीवनी शक्ति के शेष हो जाने पर एक दिन पूर्णत: नष्ट हो जाते हैं।

प्र.– यह अधम आत्मा कितने कितने काल तक इस अधम लोक में पड़े रहते

हैं?

उ.– कोई थोड़े दिनों और थोड़े वर्षों तक और कोई सौ सौ डेढ़ दो सौ वर्षों तक जीवित रह कर और बहुत क्लेश और दुख भुगत कर विनष्ट होते हैं।

प्र.– क्या उनमें ऐसे लोग भी होते हैं, कि जो इस पृथ्वी में इस वा उस धर्म मत के मानने वाले कहलाते हैं?

उ.– हां, प्रायः ऐसे ही लोग बहुत से होते हैं, अर्थात् लाखों जन जो पहले ईसाई कहलाते थे, लाखों जन जो मुसलमान कहलाते थे, लाखों जन जो हिन्दू अथवा सिख, जैनी, कबीरपंथी, दादूपंथी, शैव, शाक्त, योगी, वैरागी, साधु, सन्यासी और विद्वान आदि कहलाते थे, अपने अधम जीवन के कारण उस में वास करते हैं।

प्र.– क्या विद्वान लोग भी इस भयानक दशा को प्राप्त होते हैं?

उ.– हां, केवल विद्वान होने से जैसे एक ओर नीच गतियों से रक्षा नहीं हो सकती, वैसे ही दूसरी ओर उनके फलों से भी रक्षा नहीं हो सकती।

प्र.– क्या यह बात सच है, कि मनुष्य मर कर फिर इसी पृथ्वी में किसी मनुष्य अथवा पशु आदि के गर्भ में आकर जन्म लेता है?

उ.– नहीं। यह बात पूर्णतः मिथ्या है। जीवन तत्वों से अन्ध रहकर ही बहुत से लोग ऐसी मिथ्या कल्पना पर विश्वास करते हैं। मनुष्यात्मा अपने स्थूल शरीर के छोड़ने पर अपनी नीच अथवा उच्च अवस्था के अनुसार सूक्ष्म शरीर धारण करके इसी पृथ्वी के निकट अधम लोक में अथवा परलोक संबंधी किसी लोक में वास करता है, अथवा सूक्ष्म शरीर के ग्रहण करने की योग्यता न रखने पर सम्पूर्ण रूप से नष्ट हो जाता है।

प्र.– क्या मनुष्यात्मा अपनी नीच और उच्च गतियों के द्वारा परिचालित होकर प्रति मुहूर्त नीच अथवा उच्च जीवन ग्रहण करता रहता है?

उ.– हां, प्रत्येक मनुष्य आत्मा जिस जिस नीच अथवा उच्च भाव के द्वारा परिचालित होकर विश्वगत अपने किसी संबंध में कोई अनुचित चिन्ता वा अशुभ कर्म अथवा उच्चगति दायक चिन्ता वा शुभ कर्म करता है, उन्हीं के अनुसार उसके आत्मा का रूप बिगड़ता वा बनता रहता है, और स्थूल शरीर के छोड़ने के अनन्तर वह अपनी इसी अवस्था के अनुसार अधम अथवा परलोक संबंधी किसी लोक को प्राप्त होता है।

प्र.– क्या अधम लोक वासी आत्मा अपनी नीचता के कारण इस पृथ्वी के अधिवासियों को किसी प्रकार की हानि भी पहुंचा सकते हैं?

उ.– हां। इनमें से कितने ही दुष्ट जन कितने ही रोगी और दुर्बल बच्चों और

कितने ही बीमार लोगों की पीड़ा को बढ़ा देते हैं। इसके भिन्न वह किसी किसी स्थान में कितने ही मनुष्यों के साथ और भी कई प्रकार के अत्याचार करते हैं। फिर जो लोग बुरी चिन्ता अथवा बुरे भाव पोषण करते हैं, उनके बुरे भावों के बढ़ा देने में सहाय करते हैं, और उन्हें कई प्रकार के पापों और अपराधों के करने के लिए प्रस्तुत कर देते हैं। यह जैसे आप अधम से अधम और नीच से नीच बनते रहते हैं, वैसे ही औरों को भी अपनी न्याईं नीच बनाने की चेष्टा करते हैं। मैले कुचैले घर और वस्त्र और शरीर, और मैले और बुरे हृदय रखने वालों को इन अधम आत्माओं के द्वारा विशेषकर बहुत हानि पहुंचती है। इसीलिए जो जन बाहर और भीतर से जितना शुद्ध रहता है, और जितनी पवित्र चिन्ता और जितने उच्च भाव पोषण करता है, उतना ही वह उनके अपवित्र और हानिकारक प्रभावों से बचा रहता है; अर्थात् जो आत्मा जितना उच्च होता है, उतना ही वह ऐसे अधम और दुष्ट आत्माओं को केवल यही नहीं, कि अपनी ओर आकृष्ट नहीं करता, किन्तु उनको परे रखने और उन्हें परास्त करने की शक्ति रखता है।

प्र.- अच्छा, जो लोग इन अधम आत्माओं की न्याईं नीच नहीं होते, किन्तु परलोक के किसी लोक में पहुंचकर वास करने के योग्य होते हैं, उनकी अवस्था क्या होती है?

उ.- परलोक में भी पहले और दूसरे लोक तक जो आत्मा पहुंचते हैं, उनकी अवस्था कुछ बहुत अच्छी नहीं होती, क्योंकि वह अधम आत्माओं की अपेक्षा न्यूनाधिक रूप में कुछ श्रेष्ठ होकर भी नाना विकासकारी गतियों से विहीन होते हैं। इसीलिए यद्यपि वह वहां पर अधम आत्माओं के समान महा शोचनीय अवस्था के फल तो भोग नहीं करते, परन्तु फिर भी जब तक उनमें उच्च बनने की आकांक्षा न जागे, और किसी उच्च गति का लगातार विकास न हो, तब तक उनका जीवन क्षय ही होता रहता है, और विनाशकारी गतियों से उन्हें उद्धार लाभ नहीं होता।

प्र.- जिन आत्माओं में उच्च बनने की कुछ आकांक्षा जाग्रत हो जाती है, और उनमें उच्च गति दायक कोई सात्विक भाव भी उत्पन्न हो जाता है, उनकी अवस्था क्या होती है?

उ.- वह एक वा दूसरे संबंध में जिस सीमा तक नीच गतियों से निकलने और जिस जिस उच्च गति दायक किसी भाव के द्वारा अपने आत्मा का विकास साधन करने के योग्य हो जाते हैं, उसी सीमा तक दूसरे लोक से तीसरे, अथवा उससे ऊपर के लोक में जाने और वास करने के योग्य बन जाते हैं। और इसीलिए जब तक कोई आत्मा कम से कम **तीसरे लोक** में जाने के योग्य न बने, तब तक उसके और आगे

बढ़ने और अपने जीवन में विकास लाभ करने की आशा नहीं हो सकती।

प्र.– क्या तीसरे लोक में पहुंचने के योग्य हो जाने से सब आत्माओं के लिए विकास का पथ खुल जाता है?

उ.– नहीं। कितने ही आत्मा जो यहां मोटे मोटे कई पापों से बचे रहते हैं, और दान आदि संबंधी कुछ साधन करते रहते हैं, वह भी तीसरे लोक में और कभी कभी उससे कुछ ऊपर के लोकों में पहुंचने के योग्य हो जाते हैं। परन्तु जीवन तत्वों के विषय में प्रकृत ज्योति के लाभ न करने और आत्मा जिन अटल गतियों के अधीन होकर विनाश अथवा विकास लाभ करता है, उनके न पहचानने और सत्यमोक्ष और उच्च जीवन विषयक आकांक्षा के उत्पन्न अथवा उन्नत न होने से वह और आगे नहीं बढ़ते, और इसी लिए **उनके लिए भी भावी विकास का पथ अधिक नहीं खुलता।**

प्र.– इस योग्यता के लाभ करने के तो अपेक्षाकृत बहुत थोड़े ही आत्मा अधिकारी होते होंगे?

उ.– इसमें क्या संदेह है। इसलिए कितने सौभाग्यवान वह आत्मा हैं, जिन्हें जीवन तत्व शिक्षक, नीच गति विनाशक और उच्च गति विकासक और धर्म जीवन के पूर्ण अवतार श्री देवगुरु भगवान के कुछ भी पहचानने और उनके साथ कुछ भी प्रकृत रूप से आकर्षण सूत्र में बंधने का अवसर मिला है! हां, इससे बढ़कर उनके लिए और क्या लाभ हो सकता है? और इससे बढ़कर कोई आत्मा और क्या चाह सकता है? कुछ भी नहीं, कुछ भी नहीं। अब जो जन अपने इस अधिकार की प्रकृत महिमा को देखने के योग्य हो, वह उसकी तुलना में पार्थिव सकल सम्पद् और सकल प्रभुता को असार और तुच्छ अनुभव, और उसकी प्राप्ति के लिए यथावश्यक अपनी ऐसी सब सम्पद् और सब प्रभुता को निछावर कर सकता है।

———

www.ingramcontent.com/pod-product-compliance
Lightning Source LLC
Chambersburg PA
CBHW041623140626
46547CB00030B/707
* 9 7 8 1 9 6 1 8 4 5 0 6 0 *